國家『十五』重點圖書出版規劃項目
國家古籍整理出版『十五』重點規劃項目
國家教委人文科學研究『九五』規劃項目
全國高等院校古籍整理研究工作委員會『十五』重點項目
江蘇省『十五』重點圖書出版規劃項目
全國古籍整理出版規劃領導小組資助出版

全元文

李修生　主編

鳳凰出版社

9

圖書在版編目（ＣＩＰ）數據

全元文. 9 / 李修生主編. -- 2版. -- 南京 : 鳳凰出版社, 2017.5
ISBN 978-7-80643-028-6

Ⅰ. ①全… Ⅱ. ①李… Ⅲ. ①古籍－匯編－中國－元代 Ⅳ. ①Z424.7

中國版本圖書館CIP數據核字(2017)第078626號

書　　名　全元文(九)
主　　編　李修生
責任編輯　卞　岐
出版發行　鳳凰出版社(原江蘇古籍出版社)
　　　　　發行部電話025-83223462
出版社地址　南京市中央路165號,郵編:210009
出版社網址　http://www.fhcbs.com
照　　排　南京理工出版信息技术有限公司
印　　刷　上海世紀嘉晉數字信息技術有限公司
　　　　　上海市匯金路899號,郵編:201700
開　　本　850×1168毫米　1/32
印　　張　26.25
字　　數　562千字
版　　次　1998年12月第1版　2017年5月第2版
　　　　　2017年5月第3次印刷
標準書號　ISBN 978-7-80643-028-6
定　　價　145.00圓
(本書凡印裝錯誤可向承印廠調換,電話:021-69214197)

《全元文》編纂工作委員會

顧　問（以姓氏筆劃爲序）

白壽彝　周　林　郭預衡　啓　功　劉迺和

鍾敬文

主　編

李修生

副主編

龍德壽　曾貽芬　李夢生　吳小平　彭久安

編　委（以姓氏筆劃爲序）

王明澤　卞　岐　朱瑞平　李　軍　李　鳴

李修生　李夢生　何本方　吳小平　邱居里
邱瑞中　卓連營　周少川　姜小青　查洪德
徐　勇　曾貽芬　張文澍　郭立傑　彭久安
鄧瑞全　樊善國　魏崇武　龍德壽　羅　超

資料工作人員

李仲祥　楊玉芬

第九册責任編委

龍德壽　何本方

目錄

全元文卷二一八四

鄧剡

董樸

全元文卷二八五

全元文卷二八六

李謙　一

全元文卷二八七

李謙　二

全元文卷二一八八

李　謙　三

全元文卷二一八九

楊　桓

全元文卷二九〇

全元文卷二一九一

曹涇 二

全元文卷二一九二

王 恂

杜思敬

全元文卷二一九三

全元文卷二一九四

閻復 一

全元文卷二九五

閻復 二

全元文卷二一九六

閻　復　三

全元文卷二一九七

閻　復　四

全元文卷二九八

全元文卷二一九九

姚燧　一

全元文卷三〇〇

姚燧 二

全元文卷三〇一

姚燧 三

全元文卷三〇二

姚燧　四

全元文卷三〇三

姚燧　五

全元文卷三〇四

姚燧　六

全元文卷三〇五

姚燧 七

全元文卷三〇六

姚燧 八

全元文卷三〇七

姚燧 九

全元文卷三〇八

姚燧　一〇

全元文卷三〇九

姚燧　一一

全元文卷三一〇

姚燧　一二

全元文卷三一一

姚燧　一三

全元文卷三一二

姚燧 一四

全元文卷三一三

姚燧 一五

全元文卷三一四

姚燧 一六

全元文卷三一五

姚燧 一七

全元文卷三一六

姚燧 一八

全元文卷三一七

全元文卷三一八

全元文卷三一九

姚燧　二一

全元文卷三二〇

姚燧　二二

全元文卷三二一

姚燧　二三

全元文卷三二二

姚燧　二四

全元文卷三二三

姚燧　二五

全元文卷三二四

姚燧　二六

全元文卷三二五

全元文卷三二六

全元文卷三二七

姚燧　二九

全元文卷三二八

姚燧　三〇

全元文卷二一八四

鄧　剡

鄧剡（一二三二——一三〇三），字光薦，號中齋，一作名光薦，字中甫，廬陵（今江西吉安）人。宋景定三年（一二六二）進士。累官禮部侍郎、權直學士。後客文氏，贊募勤王，挈家入閩。一家十二口，同時死於賊火中，乃隨駕厓山。不數日，厓山兵潰，投海者再，輒轉不死，元將張宏範以禮致之，累請爲緇黄，不許。後與文天祥一起被押送燕京，至建康（今南京），許爲黄冠歸。大德七年（一三〇三）卒，年七十二。鄧剡與文天祥倡和，有《東海集》，一説有《中齋集》（《全宋詞》第五册，第三三〇七頁）。本書輯其集外文五篇。

歷世真仙體道通鑑序

至元三十一年三月

自昔得仙者皆云名應圖史，此圖史在天上地下，名山洞府，不係世間。《度人經》言元始説法，始青天中十方無極無量品至真大神無鞅之衆浮空而至。曰無極、曰無量、曰無鞅數衆，正猶佛書説三世十方河沙數百千萬億，那由他不可説不可説。諸佛菩薩，欲人人而注名姓字之竹帛，殆不堪紀。更生《列仙》始赤松，終玄俗，上不及黄帝；稚川《神仙》始廣成，至封君達，下不及晉代。沈玢《續仙》謂人間得仙之人猶千不得聞其一。《真誥》載楊君筆受地下主者，謂有職位粗相識，其無位者，不可一二盡知。如此，散者無限數也。要知玄間有仙籍，人間有史籍，人不能知仙，仙不求聞於人，故數目懸而詳略異耳。浮雲山道士趙全陽著《仙鑑編纂》，詳考訂核，可謂仙之董狐矣。抑余有疑焉。稚川傳淮南王八公事甚偉，謂漢史秘之可矣；更生父德治淮南獄，得鴻寳枕中書，誦之以爲奇。及著《列仙》，乃擯淮南八公而不列。江鄉間相傳旌陽事迹焜曜耳目，及考《真誥》，載諸許真胄家世，譜系諱行，伯仲羣從，上自司徒，下至虎牙玉斧，獨一語不及旌陽，名不挂譜。《真誥》作於梁，距東晉不遠，未應墮史之闕文，良可爲怪。今全陽所紀劉安、許太史風績相望於《列仙》、《真誥》，得無間然否？若天真列聖，玄間地位已在經藏，若存之《仙鑑》之目，反似挂一漏萬，一一具述，不可勝書，全陽筆削間，試重思之。閼逢敦牂歲三月中澣，中齋叟鄧光薦書于本一庵。

翠寒集序

至元二十六年三月

詩惡乎變？三百篇後，變乎「攜手上河梁」。下迨建安、齊梁數變至唐，洎宋季之詩，大變而絶，何邪？詩關乎風化，繫乎氣數。士昔騖于時文，視詩爲長物，雖有不工，工不及唐矣。非詩之變，乃時之變也。吁！詩貴乎變，不守一律。千變萬化，變之不窮，惟子美能當之。豈惟詩，文亦然。宋之詩病，非膠攣淺易，則窒泥狂怪，蒐獵奇事，穿穴異聞，失豐厚而就儉約，趨窘局而棄高遠，不能平澹蕭散，雍容和緩，求如晚唐杜荀鶴、方干輩，斯可矣。吳逸士宋子虛詩則不然。子虛生景定間，未弱冠時，已廢科舉學，故惟詩是學。大篇如天孫織絹，雲經霧緯，自出機柚；小律則日光虹彩，渾然尺璧，穠麗縝密而不艷，含鬱靜婉而不怨，其深於變之也。余客江東，會西溪王公稱其才學茂異弗就，觀其人，淵默似不能言者。其詩超邁而自勁。後得所寄《天馬歌》諸作，乃益嘆服。蓋本於學，涵養有力，不汲汲於成名。其行業皆然，不獨詩然也。余將泝九江，子虛始出稿畀余序。余所知子虛者淺矣，子虛之不屑爲者深。嗚呼！作詩難，序詩尤難。子虛之詩顯果在予序，則唐之三百家無序者，其詩皆能晦乎？係其詩之工拙爾。少陵云「清詩句句盡堪傳」，奚在予序？子虛之詩，足以重予言也，故序之。子虛名無，翠寒其齋扁云。歲在屠雍赤奮若清明日，廬陵鄧光薦中父叙。

淮陽集序

故都元帥贈平章、謚武烈張公諱弘範，字仲疇，河内人，蔡國武康公第九子也。天分英特，少從郝經學士，雖觀書大略，率意吐辭，往往踔厲奇偉。據鞍縱横，横槊釃酒，叱咤風生，豪快天縱。其詩類楚漢間烈士語。余嘗謂：氣，文章之主；詩筆，特功名餘豪。曹氏父子，氣雄建安，劉越石悲憤之作，猶度越晉人遠甚。斛律金《敕勒》，六朝文士所無。唐劉幽求、嚴武、張建封輩一聯半句，音節豪宕自別，是固難以常人撿押翰墨逕畦論也。中原文獻荒蕪，士少有得，輒自有餘，惟武烈公所作，未嘗屬稿篇什，隨手散落。後親友網羅遺失，得其僅有者爲詩詞若干，將傳於後，屬余序。惟立功立言，自古難並，勛業蓋世，往往掩其他長。矧公文章赫赫照映，非出偏長，以與文士角逐者。然英英在紙，略見其人，決非營度出吻、筆下輒止者所能學；亦非凌烟閣上進賢冠、大羽箭所能盡。存之穹壤，要是古今一奇。

贊文天祥像

目煌煌兮疏星曉寒，氣英英兮晴雷殷山。頭碎柱兮璧完，血化碧兮心丹〔一〕。嗚呼！孰謂斯人不在世間。

〔一〕血化碧兮心丹：血，底本作「心」，據《古今圖書集成·文學典》改。

祭須溪文

嗚呼！天地間奇詭超邁之氣于是乎絶；四十五年如手如足之情於是乎訣。疇昔燈前高歌，執別曾未三宿，云何奄忽！欲訪何之？山陰無雪；欲見何期？屋梁未月。斜日寒冰，鄰笛爲裂。思君平生，肝膽火熱。相知靡三，相於何切？嗟彼俗人，焉知毫末？君幾哭予於亂離，予忍慟君於羸劣。煢煢予生，種種予髮，倘幽冥其相待，曾幾何其闊絶。顧原隰之相求，已不勝其凄咽。何時宇宙，復見此傑！（以上李仲祥校點）

董樸

董樸（一二三二——一三一六），字太初，邢臺（今屬河北）人。幼習儒經。元世祖至元十六年（一二七九），薦授陝西按察司檢法，未幾辭歸。家居講學，時稱龍岡先生。後召爲太史院主事，不赴。皇慶初，詔以翰林修撰致仕。延祐三年卒。元明善撰《翰林修撰致仕董先生墓碣銘》，《元史》一百九十有傳。本書收董樸文三篇。

邑建三皇廟碑記　大德十一年

聖王之制祀典也，有功於民則祀之，法施於民則祀之。隆古盛時，聖人出而有爲於斯世，繼天立極，功高萬古，仁及萬世，宜其有祠宇以崇之，牲牢以祀之也。嗟夫！伏羲、神農、軒轅，天下之大聖也，成天下之大功，立天下之大法，措天下於太山之安，躋斯民於仁壽之域，德澤遠施，洋溢乎萬方。使天下大都小邑，建立祠宇，血食百千萬世，亦不爲過。而歷代以來，廟貌未崇，奠祀無所，聖人何負於人而致然耶？方今聖天子在上，舉秩廢祀，詔天下郡邑，皆廟三皇，仍以勾芒、祝融、風后、力牧配享廟庭。兹固天地之常經，古今之通義。千古所未能行，聖朝乃能行之。三皇之道，不憂其不明矣。一日，平鄉達魯花赤闊帖木兒，縣尹壉𡎙，主簿席榮祖，尉王安世等，合詞來言曰：「平鄉古名郡，舊無三皇廟，吾輩乃卜郡城東北隅爽塏之地，鼎新開天之殿，，又爲從祀之室，講誦之堂，開天之門，牲薦之舍，一一嚴備。象設禮器，皆應圖法。經始於丙午之春，落成於丁未之秋，率諸生釋菜如禮，文石已具。」請余記之。余故聞其事，而樂爲之書，以告來者，使有考焉。（一九四二年《平鄉縣志》卷一〇）

修建大同觀記碑〔一〕 大德六年

□□□□□□□里有聚落，曰柏社。同塵洪妙真□□□，故君以爲觀，榜之曰「大同」。抑嘗聞之，道家者流以老氏爲宗，虛無爲教，其説以爲虛化神，神化氣，氣化形，形生而萬物所以塞道之委也。形化氣，氣化神，神化虛，虛明而萬物所以通道之用也。修真之士，窮通塞之端，得造化之源，忘形以養氣，忘氣以養神，忘神以養虛，虛實相通，是爲大同。由是觀之，兹觀所榜之名，有自來矣。曩者同塵父素喜沖澹，嘗師開玄真人，故同塵亦在弟子之列，而其兄志樸，弟志藏、志雍，皆從之遊。同塵性淳至，蚤得修煉之術，隱居仙翁、廣陽兩山之間，絶跡人間□十有二年。清和真人聞其名，乃命住持終南宗聖宫，教化大行，道價益高，遂以朝命賜今真人之號，並黄金冠服。以故同塵之名聞於天下，學徒甚衆，率多成德，散之四方，若宫若觀若庵，處處有之。志樸住持此觀，首建三清正殿，次則七真後堂，散室廡庫，罔有不備。志藏住持大名奉□萬壽宫。志雍住持通真觀。同塵老於終南，享年八十，姓李氏，名志柔。謹記。（一九三三年《廣宗縣志》卷九）

〔一〕原文題名下有「文曰順德□□」注文。

柴孝子墓碑

《古今姓纂》：柴爲姜姓。齊太公子名高，孫奚以王父字爲氏。十代孫高柴，仲尼弟子，孫舉又以王父名爲柴氏。宋興，有名宗慶者，尚太宗女魯國長公主，除左千牛衛將軍，駙馬都尉。至宋末，鄉正府君之曾祖，始居南和之柴壘。府君名福天，姿端慤，不由學問，而孝弟忠信，克謹敦篤，自有以過人者。親有疾色不滿容，尋醫求藥，誠懇切至，不飲酒，不茹葷，疾止復初。其於宗親兄弟，甚有恩義，少有忿爭。與人交，真實無妄，不逆其詐。若府君者，可謂善人君子矣。歲癸丑夏五月乙未，以天年終。妻胡氏，再娶孫氏，事舅姑恭敬盡禮，理家事勤約不懈。待遇族婚，謙謹柔和，鄉邦稱之。子二人：長曰善性，謹厚有父風，事親至孝，教子弟循循有序。望之儼然，即之溫然，無疾言遽色，無窘步惰容。雖遇臧獲，不妄言笑。自少至老如一日。其弟彬，早歲讀書，及長有才幹，給事縣中，以廉謹自將。事上能敬，御衆甚寬，居家孝友篤志。與人交，恭而能久。孫三人：添，源，懋，皆能事親敬長，得其歡心。曾孫五人：懿，真，簡，慤，其一未名。元孫二人，尚幼。一日，源、懋狀府君之行實，請文以紀府君之德，刻之貞石，昭示方來。余雅交府君，恬淡寬厚，人少見其喜怒，又能折節下士，曲盡其情，鄉里推爲長者。凡狀之所載，與余所聞，實相發明。謹叙而紀之。（乾隆十四年《南和縣志》卷四。又乾隆十五年《順德府志》卷一六　以上查洪德校點）

張泰亨

張泰亨(?——一二七七),東昌堂邑(今屬山東)人。金進士,濟南府參議(《章邱縣志》)。蒙哥汗時襲父職爲管軍百户,世祖中統二年(一二六一)爲侍衛軍把總。三年,參與平李璮之亂。至元四年(一二六一)陞京東歸德等處新軍千户。後隨軍攻略宋地,以戰功陞至管軍總管,明威將軍。十四年卒。《元史》有傳。本書收張泰亨文二篇。

重修甕山鄭康成廟記

乙卯　憲宗五年六月二十六日

物有廢而或興者,因乎其時者也;道有塞而或通者,存乎其人者也。當無事之時,則無物不盛;遇有爲之人,則無道不宏。此固自然之理也。且淄州自古山東一名郡,州治之東北行十里許,有山曰梓橦。山之陽有漢大司農鄭公之廟,廟無碑記可考,但故老相傳,云此方歷代相承,祭祀不絶者,不知其幾何年耳。昨因金季天下大亂,風驅電擊,靡物不碎,此廟所以火而不存。逮天朝開創,而後海内甫定,幾三十餘年,有淄川縣令張孚者,一日語諸同僚曰:「此廟廢已久矣,若不一新之,甚不副邦民瞻仰奉祠之意。幸斯時也，政有餘暇，民有餘力，盍經營之？」於是因請白於州長官張夔，欣然從之〔一〕。遂命本功德主顔士穩輩〔二〕，鳩材督工，使匠者輸其能，役者殫其力。不日之間，新廟奕奕，神像赫赫，煥然可觀。民得以歲時致饗，使公之遺風餘烈，晦而復明焉。落成之日，僉曰：「若不礱石以紀兹事，恐無以詔後世。」伻來囑余以文。余業儒者也，固不敢辭。因彛考公傳，諱玄，字康成，北海高密人也。幼好學，遊關中，師事馬融，盡授其業。將歸辭融，融曰：「吾道東矣。」而北海相孔融深敬重之，號其鄉曰鄭公鄉，號其門曰通德門。時袁紹領冀州，舉公茂才，公車徵爲大司農。因病還家，後隨紹軍赴官渡。至元成卒，年七十四。公所注《周易》、《尚書》、《詩》、《禮》、《論語》、《孝經》，凡百餘萬言，皆行於世。齊魯之間，生徒從者常數千人。余意今之廟，豈當時是鄉中有公門弟子者，慕公之深，立像以祀之耶？抑齊魯之俗，敦尚《詩》《書》，追述其道而尊敬之耶？不然何迄今千有餘歲，尸而祝之，社而稷之也如此？或人有問者曰：「公素號純儒，其道粹然一出於正。此土間遇水旱螟蝗之災，民往禱之，未嘗不旋踵而應，以效光靈者何也？」余曰：「《傳》不云乎『小信未孚，神弗福也』？公精爽在天，惟德是監。人能以精誠之至懇祝之，其福之也必矣，又何疑焉？若夫牽合怪誕，惑亂衆聽，以求黍稷牲牢之豐腆，是玷公之德，非神之望也。況祭法云：『有功於民則祀之。』公以儒術潤色教化，啓迪後學，使萬世咸賴其功，其有功於民不爲淺〔三〕，其祀之也不亦宜乎？幸歸以語梓檀之民，子子孫孫，無墜是典云。」時歲在乙卯，六月二十六日，濟南路參議，前進士，長山張泰亨謹記。（清道光二十年《濟南府志》卷六七。又明刊本《淄川縣志》卷三）

〔一〕欣然從之：然，原脱，據《淄川縣志》補。　〔二〕遂命本功德主顔士穩輩：主，原脱，據《淄川縣志》補。

〔三〕其有功於民淺：原作「不爲之淺」，據《淄川縣志》補删。

故廣威將軍濟南路行臺參議官段公神道碑銘　己未　憲宗九年

惟人秉天地英靈之氣以生，其才固有所用而已。然而非得其時得其地，而欲展盡底藴，以立功名於當世者，亦難矣哉！若夫版築飯牛，躬耕屠釣之士，一旦蒙人之知，被時之用，離蔬釋蹻而享膏粱，剖符錫壤而受爵位，功光祖宗，澤流後裔者，古人誠有之，今段公其殆庶幾乎？公諱徽，字君美，其先景州阜城人也。遠祖避後周顯德年間河溢之患，舉族遷於濟南章邱縣峪山之西，因家焉。大父諱欽，以立農爲業。父諱楫，字巨川，嘗爲濟南録事功曹。母王氏。公年十五亡其母，年十八父亦卒。公雖畸孤，卓然有自立之志。幼閑刀筆書數，精通吏事，性廉潔謹願，鄉人皆愛之。甫冠，推爲歷城縣掾史。年未三十，值金季貞祐初，山東州縣，悉爲塞北之馬蹂踐殆盡，而濟南亦陷。公時逃難於南山山谷間，而僅獲免。繼而燕城失守，南狩汴梁。復遣侯公來守東平，將安撫餘黎，收復河北。公亦被驅策。是時盜賊充斥，所在嘯聚。公憫良民被害者衆，乃以方略，誘致渠魁效順，而民得少安。侯公以勞績遷公忠勇校尉，充濟南章邱縣主簿。秩滿，赴河南調，再授開州濮陽縣丞。未及，天下復擾。屬天朝開創，河北悉臣屬之，有濟南大行臺清河公，素與公相善，知公有經濟之才，乃辟爲幕府經歷。後累有功，乃授廣威將軍，充行臺參議官。公嘗從行臺公開拓疆土近數千餘里，得大小州城十有餘處，居民數十萬口，皆公贊畫之力。後至庚寅年，行臺公北覲戎輅，公亦從行。先是，有濟南鄰境一主將，其人者在離亂時，嘗率衆侵我濟上之田，爲清河公奪其田而攻擊之。彼力不能支，心嘗憾之。至是，將訟於上前，清河公亦欲與之直，公因言於行臺公曰：「《春秋》以善鄰、結好、息民爲美。今吾民瘡痍未蘇，爭之恐近邊人心弗安，訟何時已？莫若姑恕之以紓民憂，徐爲後圖。」公許之，訟乃寢。既歸，遂裂其地分其民以與之，至今彼猶德之。厥後，行臺公南伐，公以大葬事未畢，弗克就行。既而有檄召公甚速，公亟往之，路見有軍士逃歸者，公皆撫諭使回。既見行臺公，行臺公曰：「吾奉命出征，軍人往往路次竄歸，爲之奈何？」公曰：「人情誰不欲安？緣連年征討，略無暇日，民不勝其困，加之歲饑，衣食弗能自給，以致然耳。願公出財物以賞賚之，庶可安然。」行臺公然之，乃悉出隨軍所有銀絹，例加錫予，軍士乃安，逃者聞之，往往復還。及壬辰河南平，師旋。迨丙申年，遂自水柵移治於濟南舊所。公以荒亂甫定之後，人心稔惡弗悛，於是一新法度號令，使民知所畏。復繕修城池、官署、倉廩、府庫，無不完備。而乃幹桑麻魚鹽之利，以厚民財；積芻茭糗糧之用，以備歲計。而又均户之貧富而科税賦，驗丁之多寡以給徭役。不數年，民皆按堵如故。事行臺清河氏三世，前後幾凡三十餘年，夙夜奉公，始終如一，深得爲政之體。故濟南一境，比他州號爲最治。每上計偕考課，稱爲第一。公以年老告退，未許。閒時年七十二歲，丙辰年六月三日，以病卒於家。

官給賻贈，威儀畢具。越是年六月五日，葬於崳山祖塋之次，禮也。公娶時氏，生五男：長曰祺；次曰禋，襲爵，授歷城縣丞；次曰禧，未仕；次曰裕，早世；次曰禎，未仕。五女：長適賀氏，早卒；次適行臺公次子，邳州行軍萬户張邦直；次適分治高苑縣令，新城張晉；次適鄒平縣張尉男灝；次幼未適。初，公一日嘗會諸親而謂曰：「兵革後，吾族俱安。加以我自寒素中起身，久居要職，三十餘年，子孫昌盛，生計稍溫，皆我祖宗陰德之所致。今枝葉分散，別立塋兆者已九處矣，恐後世歲久，亂其枝派，有闕祖先之祭祀，今列敘遠近尊卑宗枝，畫爲圖牒，礱石已立於塋次。凡我子孫，常思遺訓，春秋祭祀，奉之無忽。」公風姿魁偉，鬚髯秀整，見之者莫不儼然。然性本寬厚長者，無文吏刻薄之風。至於待物接人，怡顔順色，溫溫如也。故其治民，大率止貴清淨不擾而已。是以鄰境之政，多矜式而倣傚焉。及死之日，無遠近，聞者莫不欷歔流涕，其感人心深也如此。蓋段氏世系，出於春秋時魏大夫段干木之裔，源流蔓衍，散布天下。自秦漢晉魏隋唐以降，迄於今，其間名賢偉士，如段熲之爲良將，段秀實之爲忠臣，代不乏人，難以槩舉，故略表而出之，以示後來云爾。是用系之以銘，銘曰：

猗歟段公，玉潔金貞。一時運際，爲齊鈞衡。帷幄深謨，干戈奇績。用贊厥成，皆公之力。外輯軍士，内甸邦民。不勞而治，皆公之仁。疏爲祥風，霈爲膏雨。物賴以生，式歌且舞。三十餘年，茂德元功。富貴壽考，天令其終。崳山未平，遺澤未竭。千秋萬年，子孫其繼之。（道光十三年《章邱縣志》卷一六　以上查洪德點校）

趙從證

趙從證，自署常山居士。

重修大龍興寺功德記　己未　憲宗九年

不遇至人，難興聖會；不生異士，莫建大功，天下之通論也。國師南無大士，北印土迦濕彌羅國人。厭世喧擾，悉棄所有，遯迹大雪山之下，修頭陁行。止絶愛流，掃蕩情塵，念念在道，了不間斷。日中一飡，止宿塚間樹下，慎不再矣，於此十有三年。人見之不堪其憂，行吟曳杖而歌，綽綽然有餘裕哉。常林豐草之志萃於眉宇，是可尚也。迄今昔志，脇不沾席，瓦礫金珠，泥塗軒冕。嘗發大宏誓，普命過去未來現在一切有情不落迷津，皆令得入諸佛大解脱門，始酬其願。每燒壇持咒，凡有所禱，隨念即應，諸國僧衆咸取則焉。稱理之譚，片言只字，皆光明藏中流出。不止能具他心宿命之通，胸中別有一派海印三昧。蓋得那伽大定，乃能此尒。有時實際理地不立一塵，有時鬧市門頭不舍一法，逆行順化，莫測其變，故能使三十七品有樽俎之師，九十六種無藩離之固。每經行城邑聚落，驗人貴賤，道人富壽，言人否泰，斷人休咎，若大圓鏡，莫有逃其影像。忽尒擬去波羅奈，路遇神人止之：「汝毋南往，緣在北方，無不成就。」尒後道駕名流諸夏神驗多端，不能一一縷陳其細。天庭詔之闕下，不三數載，種種善事，惟日不足。勸行宥書，活人甚多，福田不可量也。宗族上下，相府大臣，遵而敬之，太山北斗。累蒙蒙哥皇帝眷遇隆厚，宣詔不時，常有異恩，詎可勝計，然未嘗少有矜色。節次約賜金幣若干，悉令所過名山大川支提列刹如意而用。論物不爲之不多，於禮不爲之不重，德望彌遠所致。癸丑春正月，飛詔南下，自邇陟遐，曰緇曰素，咸入其轂。首駐錫於燕，每有殘毀去處，必使楮其壞、補其缺，皆致完備，大愜都民之望。越明年，親臨趙國，敬禮龍興大悲觀音聖像，即有座元以下具備疏文，禮請住持本寺，遂許之。乃嘆曰：「兵塵以來，破落如是，獨有此閣如故，尊像儼然，必有神物護持。」知事僧衆即云菩薩法身地湧之金、大悲高閣河潮之木。師以定力觀之，事果如尒，尋令稟奏於上。況我觀音大士所求皆遂，有願不違。千手者，無所不通；千眼者，無所不照。尋聲救苦，憶念除災，應物現形，如水中月。左右皆曰：「吾師自道也。」遂發虔誠興建補葺之意。向者癸丑夏四月，寺僧有詰旦瞻拜觀音像前，忽見異人在側，即告之：「我後一白衣，自北而來，所臨之地，異香遠聞，必中興汝刹。」言訖而没。以今之應，果如其言。於是師出囊金，全飾其像，隨令補修經藏。是時感動四衆，富者助緣，貧者灑掃，壯者效勞，技者獻巧。前後廊廡堂閣迭起，不日而就。檜楹榱棟，光彩相映，靈址磅礴，湧出庭面，粲然爲之一新。尒後寺有佛，藏有經，堂有僧。曰佛、曰法、曰僧，三事備之矣。釋子能尒，不云無補。自乙卯年三月八日，阿里不哥大王命使扎古見歹八赤海賫持令旨，悉除寺門貢賦，及賜到白金，大作佛事三晝夜。丙辰秋，王復命賜白金，重修觀音大殿，金傅其像。丁巳正月朔日，國師新降到賢王令旨，賜白金，勑印藏經。其年六月二十日，王命使禿思吉歹令丞相闊闊歹賜白金，看轉大藏經一會。今年二月十有三日，王命塔合住賜白金，用慶新經，廣集僧衆，作藥師大道場三晝夜。是日天朗氣清，慧風和暢，萬口一辭，稱揚不盡。其美其源，一出宿鍾生知之性，一出我師神力所化。且昔人聚沙爲塔，而獲聖報，何況紫金光聚。以斯願樂祈向殖衆善本，薰修圓滿，超證無漏，聖果而有日矣。國師又克表裏其事，兼近侍使臣塔必牙察塔見孫往來，深有輔弼之力。增新鎮陽，士庶耳目，耆年宿德，無不改觀，僉曰昔焉而土壤，今焉而金碧；昔焉而蟄閉，今焉而飛動，雄壯巨麗，不下向來矣。夫劫濁諸衆生多爲煩惱黑闇之所障蔽，今以百千日熾盛光而照臨之，然非運上品勝心，用大堅固力，必不能有今日也。偉哉！上以不忘皇朝付囑爲善之心，下以得展名藍欽丞告天之意，誠懇誠敬，無以加諸。將延國祚之無疆，福生民之有永。以此知天道無親，常與善人，信不誣矣。而又聞善即遷，見義便爲，愛恤少孤，周急窮困；或遇寒餓，必哀而憐之，仁人之心可見矣，利他之心則盡矣。所以化被海外，歸依釋氏，非三賢十聖地位中來，何有如此手段？若論福德，過唐奘尚遠矣。神异佛圖澄是也。破除魔□，如摩騰竺法；課程嚴謹，如嵩明教長；坐不卧，猶脇尊者；超放自如，事事無礙，類棗栢大士；臨事端正，見其大節，鍾山僧遠；所到之處，化爲寶坊，同大□□，建大因緣，如麻衣道者；朝廷師事，如智顗國師。致使佛門光焰萬丈，大教復興，緇流安泰，有功於世，古今已來，未之聞也。一日，龍興主僧踵門而來，將到行狀，即云此文前後事迹，係是塔必暨少林金燈二老備説其詳。時木庵大宗師在座，笑而言曰：「公等素有知人之鑑，雖然，未能盡述其美。公毋他託，當爲誌之，以告將來。不惟發揚國師盛德之萬一，抑亦見賢王好賢樂善之至。」僕俯伏在地，辭之再至於三，終不見免。不愧荒拙，何敢爲文，以捧土而塞孟津？多見不知其量也。謹以首尾所告之辭，次第□錄之。（《常山貞石志》卷一五　以上朱瑞平校點）

李　晉

李晉，字子益，號西源散人，汾陽（今屬山西）人。本書輯得其文二篇。

清和真人親筆仙號跋　太宗九年

清和真人嗣掌大教，四方簪冠之輩，清信之流，不遠千里，送供受教，輻輳堂下，莫不焚香設禮，以求請真人親筆仙號手字者，二十年間，曾不虛日。得之者莫不朝夕瞻禮，以爲保佑辟除之寶焉。燕京大長春宫提點大師夏志誠，意真人年老，倦於批寫，又慮紙墨歷以多歲，易爲腐蠹，遂將真人親書仙號手字，刻諸翠琰，已立於長春宫，以遺將來，誠不朽之計也。且吾邑太平興國觀，亦真人住持

之地，是以提點大師潘德沖亦次彼而立石焉。丁酉歲上元日西源上人李晉子益跋。（清光緒八年《平遥縣志》卷一一）

龍陽觀玉真清妙真人本行記

中統二年辛酉之春，孟月望日，女官劉淨元、李守真以禮爲介，晨謁于僕，再拜稽首而言曰：「我先師女官玉真清妙真人生平，道門用志，所經所過者，首以興教善俗爲務。今雖愬存音容祭祀，奈無迹可觀焉，後之學徒將何傳于世？蓋爲我師紀其行事。」既不克辭，則以平日聞見行實，謹編次序。真人姓斡勒，諱守堅，上京蓋州人，後革變于世，易氏曰李。大定中，父任本州節度使。真人七歲，天挺英粹，喜慕玄風，每尋常吟詠步虛仙梵之聲，父母異之曰：「必先世羽流也。」一日，幸遇太清觀女官夾谷大師，遂禮爲師。至十有五歲，明昌七年，試經中選，賜紫，度爲女官，其時而志于學聖人典教，足以知之。至大朝隆興天下，長春國師丘神仙應詔還燕，參受道法，載以師禮事焉。神仙委以燕北教化，之雲之朔，至于宣德太傅相公洎太夫人一見待之甚厚，創慶雲觀住持，以舍人寶童相公、百家奴相公寄賀于門下，度女官張淨淳等十數人。戊戌秋，太傅相公有征于秦蜀，撫定關中，故以安車迎迓，西人長安，擇地京兆府錄事司，□□城街北古真武廟繼而新之，額曰龍陽。其次太傅□□舍人堅童、元童孫男延童皆寄于席下，省衙閫門□□闔郡仕宦，靡不欽仰。辛丑春，清和大宗師委任終南山唐玉真公主延生觀住持，提點陝西女官焚修事，普被恩澤，賜玉真清妙真人號。于時洞真真人、披雲真人、白雲真人、無欲真人大爲道紀，嘗益論于左右，目擊道存，靡不獎譽。非博通天理，能若是乎？辛亥夏，欲厭于世，謂其徒曰：「我將大化矣！」故清齋飲水，百有餘日，至秋七月二十有四日卒，享春秋七十，厚葬于府東金華落衆仙墳劉仙姑之左。凡人之生，善始善終者鮮矣，真人存誠克敬，始終盡善，則其美績之可書焉。（文物出版社一九八八年版《道家金石略》第五四二頁　以上徐勇點校）

孫志恭

孫志恭，中統年間曾任金臺講師（一九三二年刊《滑縣縣志》卷七）。本書輯得其文一篇。

大朝蒙古國滑州白馬縣太平鄉岳村創修寧真觀碑　中統四年五月十四日

大矣哉，金□之教！洋洋乎，浩浩乎，莫之能禦也。如春風既至，和氣無方，百草千花，寸天尺地，未有不生者也。自我教祖重陽師父初□□荷一瓢一杖，棲棲□影，東度函關，誰是知音？良可□哉！逮於今日，百有年矣。□士幽人，□屯霧集，仙宮道館，棊布星分。上自三皇五帝，下及漢唐遼宋，數千餘載，未如今日教門如此其盛也。崇道靈陽丁師者，神衿秀邁，氣稟清虚，道通法海。德□重玄，漱凝陽之上味，吃脱塵之英華；撑拄教閫，扶持化機，鼓吹七真之餘烈，光照五祖之高風。千劫因緣，諸方眼首。遼有門弟三人，呂志明，魏志士，賈志玄，居於古滑臺白馬縣第五都岳村平夷之地，遂謀構是以爲棲息所。於是創建琳宫，圓成勝事。相愛而不相愛，相爲於無相爲，一唱百和，靡不忻然築垣圍，荷畚鍤，運木石，□荒蕪，營福地，規靜廬。不數載間，起三清之邃宇，建七真之華堂。焕丹青於列聖之像，燦金碧於衆真之容。雲堂海會，錦繡爛然，方壺閬然，清室廖然，蔬畦菌圃，瀟灑有山野之風。槐壇柏亭，幽□勝林泉之□。雖未大備，亦足以爲雲朋霞友挂鉢之所，星冠月帔談玄之位。□或曰：道家者流，貴在嗇精神、全形生而爲本，至於雲窗霧閣，玉相金容，皆末□也，豈修真之所尚哉？僕對曰：内功與外行相爲表裏，□修於末節互爲始終。修内廢外，得本而忘末，一曲之士也。若□□通竭力於清虚之館，潘師正盡心於逍遥之宫，故其事三□以無懈，豈□九霄而並慊。則此寧真觀額曰凡親師之訓焉，若非大達者而能之乎？郭志清數次乞鑑於余，將刊翠珉以告來者。山野自愧胸中無物，靴底多塵，空瞻紫氣之關，恐負青鸞之夢。三辭不免，五讓難逃，故强索槁腸，齋沐而□之。其辭曰：

瑞雲結兮翱翔，甘露結兮瑩煌。醴泉汲兮如膏，□夷□兮孕芳。時或有于廢興，名不□于嘉祥。表道尊而得貴，與地久而天長。探玄機于恍惚，則真風于混茫。爲棲松于無言，月滿庭而似霜。時中統四年五月十四日。（一九三二年刊《滑縣縣志》卷七　李鳴點校）

任　毅

任毅，中統年間曾任晉州州學教授。本書輯録任毅文一篇。

晉州治記

鼓城縣本春秋鼓國也。晉伐鮮虞，圍鼓，其君鳶鞮卒歸於晉，乃知是邑時屬於晉。今改州，以晉爲名者，蓋取諸此也。夫古今之城邑，沿革不同，以小更而爲大者，固其事勢所宜然也。《唐志》所載漢臨平水、汾陽之地，即今鼓城之地，尋爲祁州。宋景德元年，徙州蒲陰，廢而爲縣，號爲土邑。況是邑西睹太行，南臨滹水，地重事殷，其古今所宜建州之地也。爰自大元收國以來，故監軍節度使王公臨政於是邑，撫字良民，殄滅姦寇。一時軍民，罔不悦服。其鄰境或來慕義，願隸屬者多矣。故當時保定元帥嘉其英偉，時申奏於朝廷，乞旌擢。得蒙准奏，遂改此邑爲晉州，遷輔國上將軍右副元帥晉陽軍節度使。至乙未，爲帥府，所轄司縣止行鼓城縣事。厥後分屬王府，乃作軍民萬户，所管轄鼓城、安平、武强、饒陽四縣。此所轄者既大，其事勢豈不宜復以小爲大乎？宜差軍民萬户王公諱安仁，壽卿其字也。襲父之業，欲復改爲州。其意初未決，問其弟安國、安土、安德，應之曰：「此先人之所創始者，爲子者欲終畢之，亦古人繼志述事之意也，不亦可乎？」次謀及於參佐田義、趙鋪、魏華、趙昶、魏著，亦皆然之。大抵王公欲切切以改州者，無他，不過有所統制，則民安事簡，庶幾易成治功耳。遂於中統辛酉夏六月，王公昆仲俱詣京師朝覲，賴真定路總管史楫聞奏朝廷，准奏，依舊改作晉州，所轄鼓城、安平、武强、饒陽四縣，並聽節制。一時官員各授宣命，達魯花赤剌口充晉州達魯花赤，懸佩金符；軍民萬户王安仁授晉州節度使，懸佩金符；軍民萬户王安國授晉州節度使同知。此一時之盛事也。州事既定，議作改州，命僕爲之記，以才思鄙略固辭不可得。僕以此州之改也，得事勢之宜，王公之昆仲，其德又爲可稱，故敢忘鄙野而樂述其始末云。（鼎文版《古今圖書集成·職方典》第一〇三二頁　李鳴點校）

晉州五岳觀碑

夫道者，先地先天，無體無名，視之不足見，聽之不足聞，用之不可既，妙萬物而爲言者也。道雖無名，而所以發揚弘大之者則在乎人而已。本州五岳觀，西望恒山，南連滹水，其餘勝景古迹，不可備載，真可建琳宫之地也。通微大師創建是觀。師本單州人，姓朱氏，名志希，子夷其字也。自幼好道，年過弱冠，遂頓拋塵網，棄俗出家，拜清平老爲引度師，此師之出家始迹也。至大朝丁丑歲，師初到此州東關，坐靜修行，時有會首李元輩，日給飲食。師一日同秦志樸遇長春真人請法，真人遂以頌付之，云：「莫問天機事怎生，惟修陰德念長更，人生返覆皆仙道，日日操持盡力行。」師自此得法，心地開通，性珠朗耀，後度徒衆道士女冠數十人。至丁亥，志樸同會首李元輩詣元帥府出給觀地四至公據。當年夏五月，奉國上將軍、右副元帥王公爲功德主，修蓋正殿，塑太上七真聖像，復建廚房道房十餘間。至丁酉，又建五岳廟正殿，塑五岳聖像。凡所經營締構者，遠近大小皆有其□，于本州之東西卓宿里建通微觀，州之北祖祥里建玄金庵，俱作下院。此非能發揚弘大其道者，不足以致是功也。至甲寅，師年八十有五，夏六月十有三日羽化，歷三七日方始安措，非容體殊不變，人皆異之。師臨終有辭世頌云：「時人笑我太憨癡，八十五歲樂希夷，逍遥洞府無拘束，明月清風送我歸。」師之弟子知觀秦公承掌教真常真人法賜金冠道服充一州四縣道正，在任十年之間，玄門中咸服其公平焉。公年近耄耋，而輒辭其職，至中統二年公辭世。公之同母弟秦志永，本觀修行住持亦以久矣，蒙掌教誠明真人法旨，令承襲乃兄道正之職。辛酉秋，共議刻石，本州學校舉事韓君正夫與道正輩同詣僕求文，堅辭不可得，乃因師之行狀以文其始終，復爲之銘云：

師初舍俗，萌心固早，性如赤子，真能養浩。求引度師，拜清平老，雲游諸郡，皆服得道。丁丑之秋，始居是州，適逢信士，共爲挽留。王帥敬禮，觀興有由，三清五岳，殿宇繼修。興緣既畢，師方羽化，平昔爲人，淳而不詐。所積功行，真人相亞，敬作碑銘，愚言非詑。（一九八八年《道家金石略》、《常山貞石志》卷一五　李鳴點校）

白德懋

白德懋，元初人。本書輯得其文一篇。

長春丘真人題虚亭詞跋

中統五年二月

勝地得人而增重，得文而增光。夷齊不爲首陽之隱，首陽一丘垤耳，名烏乎在？羲之不作蘭亭之記，蘭亭一沼沚耳，名烏乎揚？是觀東南隅□□數椽，居高臨下，揭顏「虚亭」。僊客詠遊，騷人觀覽，實爲勝地。真人頤真是觀，素養磻溪，徘徊往來，遊息其中。對景狀物，形爲歌詞，亭之名因是而愈彰。變亂以來，是亭廢爲丘墟。繼世傳道者，感慨斯亭之不存，激節玄言之猶在，必欲刻堅珉而垂永久，建虚亭而復舊觀，不失爲好古博雅君子也。命余略記其實，於是乎書。（一九八八年文物出版社校點本《道家金石略》第五七二頁　李軍點校）

劉宣

劉宣（一二三三——一二八八），字伯宣，潞州（今山西長治）人。世祖時以張德輝薦爲中書省掾，出爲河北河南道巡行勸農副使。從平宋，授松江知府，歷浙西宣慰同知、江淮行省參議，擢江西按察使。至元二十三年（一二八六），入爲禮部尚書，改吏部尚書。上疏諫征交趾、日本。二十五年，出爲南臺御史中丞。遭江浙行省丞相忙兀臺誣陷自殺。延祐四年（一三一七）追謚忠憲。吴澄撰《大元故御史中丞贈資善大夫上護軍彭城郡劉忠憲公行狀》，《元史》卷一六八有傳。本書收劉宣文四篇。

請能征交趾疏[一]　至元二十三年

連年日本之役，百姓愁戚，官府擾攘，今春停罷，江浙軍民歡聲如雷。安南小邦，臣事有年，歲貢未嘗愆期。邊帥生事興兵，彼因避竄海島，使大舉無功，將士傷殘。今又下令再征，聞者莫不恐懼。自古興兵，必須天時，中原平土，猶避盛夏，交廣炎瘴之地，毒氣害人，甚於兵刃。今以七月，會諸道兵于靜江，比至安南病死必衆，緩急遇敵何以應之。又交趾無糧，水路難通，無車馬牛畜馱載，不免陸運。一夫擔米五斗，往還自食外，官得其半；若十萬石，用四十萬人，止可供一二月。軍糧搬載，船料軍須，通用五六十萬衆。廣西、湖南調度頻數，民多離散，户令供役，亦不能辦。況湖廣密邇，溪洞寇盜常多，萬一姦人伺隙，大兵一出，乘虚生變，雖有留後，人馬疲弱衰老，卒難應變。何不與彼中軍官深知事體者，論量萬全方略，不然將復蹈前轍矣。（中華書局《元史》卷一六八。又崇禎本《歷代名臣奏議》卷三三五。又道光十三年《廣州府志》卷一二三）

〔一〕題目據《廣州府志》。

諫征日本疏〔一〕　至元二十三年

近議復置征東行省，再興日本之師，此役不息，安危繫焉。唆都建伐占城，海牙言平交趾，三數年間，湖廣、江西供給船隻、軍須糧運，官民大擾，廣東羣盜並起，軍兵遠涉江海瘴毒之地，死傷過半，即目連兵未解。且交趾與我接境，蕞爾小邦，遣親王提兵深入，未見報功，唆都爲賊所殺，自遺羞辱。況日本海洋萬里，疆土闊遠，非二國可比。今次出師，動衆履險，縱不遇風，可到彼岸，倭國地廣，徒衆猥多，彼兵四集，我師無援，萬一不利，欲發救兵，其能飛渡耶？隋伐高麗，三次大舉，數見敗北，喪師百萬。唐太宗以英武自負，親征高麗，雖取數城而還，徒增追悔。且高麗平壤諸城，皆居陸地，去中原不遠，以二國之衆加之，尚不能克，況日本僻在海隅，與中國相懸萬里哉！（中華書局《元史》卷一六八。又崇禎本《歷代名臣奏議》卷三三五。）

〔一〕題依文意代擬。

請勿更鈔用錢〔一〕　至元二十三年

原交鈔所起，漢、唐以來，皆未嘗有。宋紹興初，軍餉不繼，造此以誘商旅，爲沿邊糴買之計，比銅錢易於齎擎，民甚便之。稍有滯礙，即用見錢，尚存古人子母相權之意。日增月益，其法浸弊，欲求目前速效，未見良策。新鈔必欲創造，用權舊鈔，只是改換名目，無金銀作本稱提，軍國支用不復抑損，三數年後亦如元寶矣。宋、金之弊，足爲殷鑒。鑄造銅錢，又當詳究。秦、漢、隋、唐、金、宋利病，著在史策，不待縷陳。國朝廢錢已久，一旦行之，功費不貲，非爲遠計。大抵利民權物，其要自不妄用始，若欲濟丘壑之用，非惟鑄造不敷，抑亦不久自弊矣。（中華書局《元史》卷一六八。又崇禎本《歷代名臣奏議》卷三三五）

〔一〕題依文意代擬。

遺書[一]　至元二十五年

觸怒大臣，誣搆成罪，豈能與經斷小人交口辯訟、屈膝爲容於怨家之前。身爲臺臣，義不受辱，當自引決，但不獲以身殉國爲恨耳。嗚呼！天乎！實鑒此心。（《元史》卷一六八。又明天啓六年本《宋元通鑑》卷一三一《元紀世祖三》　以上查洪德點校）

〔一〕題名依文意擬。

馮　崧

馮崧（一二三三——一二九一），後更名岵，字壽卿（姚燧《山南廉訪副使馮公神道碑》），真定（今河北正定）人（元好問《内翰馮公神道碑銘》）。曾祖子翼、祖璧皆仕金。崧於世祖中統元年入爲中書省掾。遭權貴貶抑，出任真定轉運經歷，换衛輝總管經歷，官承事郎。後爲無極縣令，换曲周縣令。有政聲，陞朝請大夫、江西湖北道提刑按察副使，换山北遼西道提刑按察副使，再换山南江北道肅政廉訪副使（姚燧

《山南廉訪副使馮公神道碑》)。馮崧其他著述不詳,本書收其文一篇。

無極縣廳事題名記

至元九年七月

大元以神武定天下,寵功裂土〔一〕,犬牙藩衛,其官制民賦、生殺予奪,咸專一方。真定在河朔爲雄鎮〔二〕,史氏昆季當危難之際〔三〕,極力主之,加以從事征伐,勤勞王家,故得世爵。其所以無淫刑,無内政,無子弟之横,無嬖幸之權,而又能化及州郡者〔四〕,皆今開府相君作法之良也〔五〕。龍飛中統,號令一新,遷調之制,次第及之,遂使天下大官、小職咸知名器自朝廷出。至元戊辰,崧以省掾受尹無極。奉檄之日,先考郎中府君喜曰:「吾以老朽忝仕秋官幕,今與吾子得歸鄉里,況我大父臨海府君嘗爲是宰,汝拜此職,豈偶然邪!予無他言,但毋忝乃祖耳。」崧到官,歷攬山川土地、人物風俗,固自佳郡。公事之隙,訪尋故實,得曾大父所作堂記曰「問山」,暨竹溪先生所篆字額〔六〕、李嗣立所述《整暇堂記》。三石皆大定間物也。從先人拜讀之餘,龕諸廳壁。有疑問山堂題「毋極」字者。按地志〔七〕,二漢時爲毋極,屬中山國。晉省之。後魏復置。隋屬博陵郡〔八〕。唐屬定州,武后改爲無極;景福二年置祁州。周徙治蒲陵。自周以後皆屬中山。由此推之,書「毋」字者〔九〕,蓋從其始也。越二年冬,先君子棄養。崧夙夜祗懼,深自尅厲。有之似之,中心如噎。作室底法,弗堂弗構。力小任重,非據而據,益恐不克負荷。每欲作數語以書紳而未暇及。因念縣署舊闕題名。會郡人儒吏王裕告予曰：「無極，自古名邑〔一〇〕。兵興以來，莅是任者披荆棘，唘黎藿，起垣舍，復逋逃。豪强之士爲力居多。敢請識其人於石，以視將來，不亦可乎？」予嘉其意〔一一〕，乃詢諸故老。自乙酉至今，得四十餘人。雖歲月多寡、時勢夷險有所不同，然俯仰之間幾五十年，或升或沈，或存或没，則此廳真傳舍耳。於傳舍中託以不朽者〔一二〕，題名也；而題名中又有朽、不朽者，乃在乎公議焉。往者不泯，來者復續。前人之跡，後人之鑑。此題名所以不可闕也。故喜而書之，仍以自戒。至元九年秋七月望日，承事郎縣尹馮崧謹誌并書。（據《常山貞石志》，校以一九三六年鉛印本《無極縣志》和清光緒十九年刻本《無極縣續志》　張文澍點校）

〔一〕寵功裂土：土，縣志本、續志本均作「地」。　〔二〕真定在河朔爲雄鎮：真定，續志本作「正定」。

〔三〕史氏昆季當危難之際：昆季，縣志本、續志本均作「兄弟」。　〔四〕而又能化及州郡者：郡，續志本作「縣」。　〔五〕皆今開府相君作法之良也：君，續志本作「公」。　〔六〕暨竹谿先生所篆字額：所，原脱，據縣志本、續志本補。又：縣志本、續志本無「字」字。　〔七〕按地志：地志，縣志本作「地理志」；續志本無此二字。　〔八〕隋屬博陵郡：隋，原作「隨」，據縣志本、續志本改。　〔九〕書毋字者：續志本無「者」字。

〔一〇〕自古名邑：續志本無「自」字。　〔一一〕予嘉其意：意，本作「義」，據縣志本、續志本改。　〔一二〕於傳舍中託以不朽者：中，續志本作「之」。

張孔孫

張孔孫（一二三三——一三〇七），字夢符，號寓軒。隆安（今屬廣西）人。至元初授户部員外郎，歷湖北、浙西兩道按察副使，陞燕南按察使，召拜集賢大學士，致仕歸。大德十一年（一三〇七）卒，年七十五。《元史》卷一七四有傳。本書輯其佚文四篇。

重修樂安儒學記略

孔子之盛，自生民以來未有如孔子者，其賢於堯舜遠矣。今上嗣登寶位，告詔天下：孔子之道垂憲萬世，有國有家者所當承奉，廟學損壞隨即修完。作養後進，嚴加訓誨，講習道藝，務在成材。若德行文學高出時輩者，有司保舉以備選用，欽奉如此。邇者上都、大都，以至隨路府州縣邑，大小職官莫不營新文廟，承上意也。益都樂安縣，在西漢爲千乘，金改曰樂安。宋崇寧間，尹黄鐸創建學廟，未幾迺詔州縣皆置學，屬千乘已成，無復可爲，當時嘉黄鐸之有智，值兵變焚毁殆盡。金大定二十九年，益都府判黄受雄捐己俸爲士倡，大族張汝礪、簿王乘協力興修，既成，天兵南下，又爲灰燼。

至元十三年，尹綦泰遂相縣之東南爽塏之地，創起大殿。繼有監縣凡魯歹同修兩廡、講堂、學舍、庖湢、樓門，凡三十楹。功既就緒，但聖像并十哲粧塑未完，泰得代事亦中輟。尹王汾謀於達魯花赤海迷、簿張吉、典史趙泰，曰：前官功虧一簣，不卒其役，咎將誰歸？僉曰：宜然。庀徒蒇事，規畫有素，公務日畢，親詣役所，莫敢懈惰，不日告成。正殿、兩廡涂以丹碧，夫子南向，顔孟十哲侍坐，又塑七十二子像於兩廡，創作祭器百二十餘件。春秋釋菜，朔望行禮，奠拜升降，謹嚴有加，居人過客，共贊其美。非綦尹創之於前，王尹述之於後，何以致此。大德九年八月，汾遣儒生李光祖致書東平，謁文請記，故喜爲之書。（天一閣選刊本《青州府志》卷九）

清豐縣重修廟學記

國家承平日久，海内學者彬彬出焉，於是各路問咸許貞僶士一名補憲司書吏，考滿陞六部令史，又轉臺院及省掾，入流品而登仕，啓然有司。衆士匪此一透，士之進身若所望不過如此，是失國家崇儒重道之意也。伏睹中統建元以來，立學校殆遍天下，誰教官養生徒，凡所以敦教化屬風俗者，屬不具在。俾人人知君臣、父子、兄弟、夫婦、朋友之道，入則孝，出則弟，不犯上，不悖事，施於其身則一身安，施於其家則一家治，以至鄉里知勸，官府加重。傳曰：君子學以致其道。又曰：明其遺□□其□若是□欲，不求顯達，其可得乎。較之向者所望，得失爲何如哉！惟清豐縣在西漢爲頓立，東漢爲陰安邑，及□□□□□□□□□□□□□□□□□□□□□□分南□之□□□□□□□□□□知軍趙儒林□□□□□己丑之秋，主簿宋□□□□□改元之歲，迨載朝至元初達魯花赤鈐部□□□□□□□□雖加營葺，功感苟定至二十八年，主簿張明裕□□□□□有以□起之，於是稍□□義率達魯花赤帖□□□□□□□□不花洎里閭好事家鳩工助費，□□□□□問夫子□面，若大邦君之居，以顏孟十哲□東西廡十間，繪七十子之像，前又立凌霄門及講堂，沓廊庖廈，煥然一新，成於□□之夏。孔孫適經是邑，首謁廟廷，因嘉張簿身居末僚，當□□□拏之際，乃能以立學務本爲急，若然可謂知爲政之先者矣。爲紀其興作之韙，又不可不以忠告之。爾後清豐子弟之□秀皆入學□，□□其孝弟忠信之道，樂於爲善，風俗□□則人材不可勝用也，抑何待乎歲貢而已。（明正統《大名府志》卷九）

修廟學記

大德五年八月

孔子之聖，極於化初，置於道先，自生人以來未有如者，後之人不可得而贊也。汶上，古魯中都，先聖曾宰是邑，迄今天下之人聞中都之名莫不思見風化遺俗之美。矧來尹者宜如何哉！蓋王政非教化不立，教化非學校不興，是以今上繼承大統以興學養士爲先，所以致本推敬□其教於天下，使天下之人回心向道歌詠太平，□作成人材，使之從政。爲治之要，莫過於此，豈專簿書、獄訟、期會、斂散而已哉！且吏不明道，人不知學，雖簿書、獄訟、期會、歛散之事皆不得其當，其弊尤甚焉！經不云乎，君子學道則愛人，小人學道則易使也。牧民之吏，可不務學使人知道乎？惟汶也截然居魯中，自夫子來治垂二千年，後思聖之意固在，民俗敦厚，號稱易治，又同寮協恭力於興葺，故廟學一切就緒。始自至元四年，縣丞賈恒創議，既而達魯花赤納合國瑞踵恒之志，伐材運甓，庸工勸役，功已過半，恒得代繼得尹。時權簿孫智、尉崔翥早夜專其事，改正殿爲六楹三門，廊廡講堂煥然一新。今則縣尹孫繼慶等到任，增修殿庭堦砌廟垣及展買廟地，創起講堂，并兩耳東西齋房、前櫺星門、後祭物庫。達魯花赤忽都帖木又將各官退下劉許村職田一十頃撥充贍學地，供給祭祀及師生廩餼，學之成就殆非疇曩。大德五年夏五月，承事孫尹保義夏簿詣門謁文請記。孔孫里人也，敢以不腆辭。嗚呼，天下之事固非一日可成，况汶陽居南北之衝，官事鞅掌，而諸君始終經營不墜教基，是可嘉尚，異日明經傳道之士彬彬出焉，俾是邑移爲洙泗，其善政可勝言哉！是年秋八月初吉，正議大夫前禮部尚書張孔孫記。（清康熙《汶上縣志》卷八）

重修束晳祠碑記

賢才之在斯世，任於朝而忠言直節，有益於人之國，居於家而德行文學爲鄉黨之所敬慕。其殁也，人猶思之，是以立祠設像，歲時致祭，示不忘也。束晳，字廣微，元城人，漢疏廣之後。廣曾孫孟達，當新室末，避難自東海徙居沙麓，因去疏之半而改其姓。城之東五十餘里有鎮，曰束館，公之祠在焉，茲地以公得名，蓋與康成之鄭公鄉比。史載公博學多聞，時人莫及，舉孝廉茂才皆不就。太康中，郡境大旱，爲邑人禱雨而應，衆謂公誠感，乃歌之曰：「束先生，通神明，請天三日降甘霖。我黍以育，我稷以生，何以酬之，報束長生。」日與門人講學，作元居釋以擬客難，引物比類，窮理盡性。其辭華則班固賓戲、崔駰達古之類，其志趣則鄭谷、嚴灘耕釣之流，其所學則伊尹有莘之道，噫，誠可尚已。自以文章見奇於張華，召而入仕。朝廷大興農田，公建天時地利人力之策云：水旱必爲之預防，地利必究其肥磽，人事必察其游惰。凡中州之田，某州膏腴，某州瘠薄，某州汙泥，燦然如在目中，謂非能格物致知可乎？辨汲冢之書，答曲水之問，此特餘事耳。其所著述，發明經史，有補於世教者爲甚大。由著作轉博士，尋遷尚書郎。趙王倫爲相國，請公爲記室，逆知其必敗，遂辭疾歸，教授鄉里，可謂明哲保身者矣。傳稱公年四十而卒，井邑爲之罷市，故人門生悲號墓側。予在魏日聞其鄉民凡遇水旱疾疫禱之必應，祠之創始必有年矣。皇元平定中夏壬辰癸巳間，因毁而再造，又修於至元末年，春秋祭祀甚嚴。自疏廣三百餘年之後而有公，自公歿迤今將千年，而廟食爲是邦之神，況公之父祖俱至太守而有聲，而公之道德文學又如此，宜乎邦人愛之深，敬之至。束館耆老王義、路遠等將立石祠下以示不泯，來請記，遂標信史而書之，並論二公之識見有所同也。（一九二三年《大名縣志》卷二八）

全元文卷二八五

李鼎

李鼎，號虛舟道人、虛舟老人、虛舟野人，太原（今屬山西）人。金朝進士，入元後學道。本書輯得其文十篇。

終南山甘河鎮遇仙宫詩序　中統二年一月

雄雞一鳴，六合出其昏闇；薰琴一奏，萬物遂其長養。天下之事，有廣大至於充塞霄壤，而感發之機，初或起於毫末者，何哉？蓋一物之細，而至理之所寓，實有不知所以然而然者存焉耳。甘之一水，其用有如此者。我重陽祖師之道，其傳而當至於百千萬世之無窮，予不得而預言之。始以正隆以來，百年三四傳中，衆所同見者而觀之，其出自門下登真者，自丘、劉、譚、馬數師真以降，不知其幾百千人，其賴以生死肉骨者，不知其幾千萬人，其宫觀不知其幾千百所。凡顱圓趾方號物之靈者，苟能撤胸中之自蔽而向之，莫不在大光明中，隨求而隨給。信乎其充塞霄壤也。原其始動之機，實自此水遇二仙飲以一杯之力而發之，故洞真真人于公，即其地立其宫以志之也。而洪儒鉅筆，復賦詩以美之。天樂道人李公和甫，請予爲序。予乃爲之説曰：水之爲物，自兩儀奠位之始，人非水火不生活，其濟世之用，水又居火之先。是有利於世者，莫過於水。雖然，此但水之常也。物莫不有常，亦莫不有變。變則神，常則不必論，變則有所論。至論水之變，又於神與非神之間，有不可測之理，學道者不可不講也。謂水之神耶，貪泉之水，不能改夷齊之清，若之何而神？謂水之不神耶，上池之水，而能化扁鵲之醫，若之何而不神？予謂此神化天運之機，祖師本全之於未始有物之前，伏而不發，若有所待。一旦遇此可發之地，鶴鳴子和，自相感召，莫之能禦，是以有今日之大也。如曰不然，自有此水以來，其飲之者，可勝計耶，何獨私於我祖師焉？《易》曰：「神而明之，存乎其人。」其斯之謂歟？（明《正統藏》本）

重修終南山上清太平宫記

蒙哥皇帝即位之四年，甲寅春正月，遣使來燕京大長春宫，命掌教大宗師真常真人李公作大濟度師，設普天大醮，拯救海内亡魂，依格選隨路清高有道之士登壇。終南上清太平宫知宫事冲虚大師賜紫李志明，并判京兆路道司事清微大師賜紫楊志純亦預選數。三月甲戌朔朝真，十六日己丑醮事畢。越翌日庚寅，志明等狀本宫重修之始末，請文于大宗師，將刻之石。宗師命予當筆。予因思乾坤開闢，六子變化于其間，其成形于地者，終南、太華、洪河、涇渭，而俱見于《兩都賦》、《禹貢篇》中，是亦艮坎形出之大物也。其終南復見于秦詩，至以條枚喻其衣被，紀堂美其盛大，信又名山中之大者，其縣因以名之也。縣西北隅，此宮在焉。宋建隆初，翊聖保德真君奉上帝命降于盩厔張守真家，言于空中，神音清朗，聞者悚懼。乃令守真爲道士，授以九壇三劍之法。乾德中，太宗方在晉邸，聞其靈異，遣近侍賫信幣齋戒告曰：「晉王欲備繒增修殿宇，仍表乞宮名。」真君降曰：「爲吾啓大王，此宮上天已定修建月日，今猶未可。」歸以聞，太宗驚異而止。太祖亦素聞之，開寶九年，遣内臣王繼恩就觀設醮，得真君所降之言，具錄以聞，太祖默然異之。至太宗太平興國二年，遣内供奉官王守節、起居舍人王龜從來終南卜地築宮。守真問宮殿位次，乃降言曰：「此衆聖所居之處，若有三清像，則衆聖不得安。然此地上聖所選，古今無伏尸故氣之所犯，當于宮之南别建一所，以奉三清，額曰資聖宮。」守真等稟令行事，凡三年，二宮俱成，擇道士焚修。每歲三元、上之本命誕節，或歲水旱，或國家將舉事，并遣中使設醮致禱。祀神之夕，上望拜焉。宮之創建至重修，以迄于今，近三百年。茂木成林，衆鳥不敢棲宿，亦無巢焉。其翊聖保衛宗社之靈應，守真扶教濟世之德業，並是宮之典故規制，宮殿堂廡，樓閣方丈，在宋時王樞密欽若作傳，徐學士鉉作碑，蘇學士軾作上清辭，文字義理條貫，首尾明白詳備，足富觀覽，不煩贅述。惟兵亂毁廢之後，從荆榛瓦礫之中，敞而新之之始末，有握其幾者，有張其本者，有主其事者，有動而不可闕者，有贊其開闡者，有集其成功者，故不可不次第而發揚之，使後人各知其所自之倫理，及其功各有所歸也。翊聖真君，玉帝輔臣，常運智于事幾未兆之前，想此宮廢而復興，于冥冥中豈非握其幾者乎？重陽祖師以下，丹陽、長真、長生、長春、玉陽、太古衆師真，其精真微妙，予固不得見之矣，以其有驗于世者而觀之，豈非張其本者乎？純德妙成真人劉公乃主其事者也。公相臺固縣人，名志源，清泠子別號也。家故饒財，少喪其父，昆季三人，奉孀母以居。讀《道德》、《陰符》，忽有得于内。母氏既終，釋禫從吉，掉臂出門，曾不返顧，往來于開滑間，衣弊足跣，日惟一食，人視之以爲不堪其憂，己則恬愉舒泰，不惟無憂，又且以爲樂，其過人也已遠矣。及遇郎尊師，授之秘訣，玉陽真人與之道號，長春國師深見許可，賜清泠子號。及履襪，今改跣步。復委提舉大名路教門，以其所養者正，而發之于外者日新一日，雖欲掩之得乎？由是遠近歸向，不惟户外之屨常滿，其請爲弟子者，肩摩踵接也。迨清和宗師主教，歲乙未，從師入關，總管田侯専介持疏，請復修此宮，以輔翼祖庭。公率徒千餘指，薙荆棘，拾瓦礫，築垣墉，具材植，壤剔啓闢，工役備舉，盛行營造事。凡預是役者，莫不勠力一心，勸功趨務，有鼛鼓弗勝之意。歷二十年，其爲殿者四，曰通明，曰紫微，曰七元，曰孚佑，爲堂者三，曰靈官、曰演法、曰湛然，齋廚庫廐，樓閣方丈，簷霤户牖，金碧丹雘，燦然一新。衆有所安，賓有所止。然舊基有未復者，月計則不足，歲計則有餘，歲月無窮，繼守者亦與之無窮，如以北山愚翁平太形、王屋二山之事證之，按其圖而增補，當有時而完也。瞻宮下院，其觀有四，京兆之長春，郝之清和，高陵之太一、郭南之靈仙，又金水、萬里二水，皆道衆日夕游息之地，故沿流上下，有臺閣園圃焉。常住物業，刻之别石，其餘建宮立觀，亦二百餘所，名額具者：大名之太清，開州之萬壽、洞玄，滑州之天慶，南樂之參天，清豐之洞真，修武之重陽，東明之明真，觀縣之清真，琅山之東華，洎此宫，亦十有餘處，度門弟子三千餘人。本宫當陝右道路之衝，其接待之禮，雖軍馬往來，亦必供給，商人羽客，爲可見已。至于太皇太后之追贈，真常宗師所委之命札，近有秦人劉公子雲所作本行碑、靈堂記，濩澤秦公彦容作金蓮記，自生至化，一切所載之功緣，不煩遍舉。姑以此宫重修之一事觀之，此老豈非主其事者乎？□其門徒有勞其心者，有服其役者，有獻其能者，豈非每動而不可闕者乎？總管田侯洎衆官屬，自發疏以來，護其强梗，衛其侵侮，裨其闕乏，導其壅滯，以至于今，凡有益于事者，雲合響應，知無不爲，豈非贊其開闡者乎？初上即位，建大中以爲天下極，修玄默以爲天下先，詔征真常真人以白金五千兩，佩金符，代巡祀岳瀆，凡在祀典者，靡神不舉。明年壬子二月，真元節前一日，以禦者來致上命，陪從官屬，邦人羽客，和聲協氣，下蟠上際，莫有知其所以然而然者。其光揚之妙，可謂至矣。復以恩例，追贈劉公純德妙成真人號，豈非集其成功者乎？予謂此宫與終南相對，崢嶸于霄壤之間，爲國家祈福祝壽，欲與天地相終始，泝其流而求其源，其來遠矣。其握幾，其張本，其主事，其動而不可闕，其贊之開闡，其集成功，以事言之，則肝膽楚越矣，烏得同。以理言之，則合天地萬物爲一己矣，烏得異。噫！果以合天地萬物爲一己者言之，又豈止握幾以下數者之爲同也，終南、太華、洪河、涇渭，陰陽剛柔，動植飛走，六合内外，巨細修短，其歸根復命之地，生生化化，流通混合，莫不一體無二，我衆師直離形去智，運神妙于同體之中，直至大而化之，無所不存，其顯仁藏用，世莫能測者，以此而已。故曰「神而明之，存乎其人」。後之居是宫者，亦當忘物忘我于來始有物之前，明辯其所以爲兩儀，所以爲六子，神之所降，明之所出，古今衆師真運神致力之地，而于日用飲食之間，致力不輟。一旦方寸豁然開朗，大則其大無外，其微無内，終南、太華、洪河、涇渭，皆在吾真體中，其衆師真不遠矣。雖儒士之家，其所謂學道者，亦不過致力于惟精惟一之地耳。宗師真常真人，將以斯道成就天下後進，故立玄學。此宮道士杜志玄與李楊二大師，法兄弟也，今爲玄學生，學道之心甚切，予冀其充其誠敬，固其操守，慎終如始，一旦功夫既到，光明藏中流出無礙智慧，隨機應變，無施不可，不負宗師成就人材之意，故明言是理以告之，兼以及此宮修真之衆。使終南之神聞之，而不知以予爲真實語也否？以黄庭内景體係之。其辭曰：

終南之山凌空蒼，有修有枚有紀堂。真君降兮語琅琅，仙闕層簷鳳翼張。真君去兮道不亡，豈意劫火炎昆崗。興廢廢興機玄藏，果誰物表持維綱。博大真人相繼昌，旋乾斡坤履魁罡。大朝開國長發祥，四海服化物不傷。君臣相得道益彰，遂與一世在混芒。此宮復興理固當，金碧紫翠相輝光。步虚梵音佩玉鏘，羽衣鶴馭天風香。衆真來兮齋芝房，天子壽與終南長。斂福錫民民乃康，六合内外皆仙鄉。洪河涇渭流宮傍，代聖萬古宣靈章。（文物出版社一九八八年《道家金石略》）

大元重修古樓觀宗聖宮記

中統四年三月

終南山者，中國之巨鎮也，稽之古典，《書·大禹》、《詩·小雅》，皆所稱美焉。亦曰中南，以其在天之中，居都之南也。至若盤地紀，承天維，奔走羣仙，包淪玄澤，靈氣浮動，草木光怪，則又爲天下洞天之冠。故古之閎衍博大真人，以游以處，謂之仙都焉。古樓觀者，真人尹氏之故宅，終南名勝之尤者也。按《史記》，真人當姬周之世，結樓以草，望氣徯真，已而果遇太上老君，延之斯弟，執弟子禮，齋薰問道，遂受道德二篇五千言焉。真經既傳，大教於是乎起矣。原其旨也，主之以太一，建之以常無，有以冲虛恬淡養其內，以柔弱謙下濟其外。蓋將使人窮天地之始，會萬物之終，去智與故，動合於自然，以之修身則壽而康，以之齊家則吉而昌，以之治國平天下，則民安而祚久長。其指甚簡，其事易行，由是時君世主，莫不尊是道而貴是德。周穆王親訪靈躅，爲建祠宇，度道士七人，號曰樓觀，是則度人立觀之始也。始皇好神仙，於此構清廟，漢文慕黄老，于是立齋宮。魏晉周隋以來，或鑾輿躬謁，或詔敕繕修，給户灑掃，賜田養道。有唐啓運，高祖武德三年，詔改樓觀爲宗聖觀。宋室興，端拱元年，復賜觀額曰順天興國。是則歷朝崇建之略也。若夫玄孫道子，聚則形，散則氣，坐在立亡者有之；通真達靈，曰昇舉，曰尸解者有之；以道輔世，爲帝師者有之；飛篆馘魔，拯民瘼者有之；垂科立教，開化人天者有之；枕流漱石，不屑世務，高尚其事者有之。歷觀先師傳所載，祖玄述妙，世有其人，是又知源深而流長，仙脈綿綿而未艾也。爰自白鹿昇虛之後，陵遷谷變以來，聖迹未湮，斑斑可尋者，可指數也。驁然若赴谷之龜，凸然如覆几之盂，古殿隱隱而見乎木杪者，授經臺也。邃而幽，深而曠，窈窕而入，蜿蜒而上者，文仙谷也。望之巍巍然，蒸嵐鬱黛，朝夕乎其上，靈光寶氣，秀發乎其間者，鍊丹峰也。渟天一之水，含内景，吐玉津，爲金液大還之用者，丹井也。裹九曲之勢，呈千歲之姿，不逐炎涼變遷者，繫牛柏也。傳有云，老君既昇，所乘薄犨車并藥臼等，寳而傳之者千餘歲矣。唐開元中，詔入内府，遂亡焉。又《關尹》九篇，名聞舊矣，而世亡其書。唐宋崇道之代，詔訪逸書屢矣，竟不獲。大元癸巳之歲，政清和典教之日，有張仲才，沂水羽客也，得是書于浙，特詣師席獻之，一時驚異焉。噫！以千載之前之尹書，歸千載之後之尹氏，意者天昌是道，而斯文應期而出也，不然，何鍼芥機投如是之妙歟！頃者金天失馭，戈革熾興，累代宏規，例墮灰劫。暨國朝撫定，紀綱初復，于時清和大宗師以真仙之胄，掌天下教，每念祖宮隳圮，蠹然于懷。歲丙申，自燕來秦，躬行祀禮，四方宿德，不召而集。裴回遺址，其存者惟三門鍾樓并二亭耳，遂議興復。時有前道士張致堅，狀其舊業以獻，宗師深稽冥數，每得人於詞色之表，顧謂同塵真人李公曰：「祖道中興，玄功是勔，紹隆修建，公不宜後。」乃以觀事付之，公謝不敏，不獲命，受之。仍請行省田相君雄，乾州長官劉侯德山爲功德主，繼承總府文據，以近觀舊有地土，明斥四止，永爲贍衆恒産。公於是率徒千指，以宗師所委大師韓志元、張志樸糾領其事，薙榛棘，除瓦甓，輦材植，斲者、陶者、規構者、耕以饟給者，莫不同誠竭力，彌月漫歲，有鼛鼓弗勝之意。逮于壬寅，稍克就緒。建殿三，曰金闕寥陽，曰文始，曰玄門列祖。爲樓三：曰紫雲衍慶，曰景陽，曰寳章。爲堂二：曰真官，曰齋心。賓有館，衆有寮，焚誦有室，山門、方丈、廚庫、蔬圃、水輪，至於下院別業，以次而具。丹堊藻繪，赫然一新。其用廣，其功速，轉天關，旋地軸，華日月而平北斗，其爲力也大哉。由是觀之，非清和不能知同塵，非同塵不能了此緣，故一時有「尹李古今仙契」之語，非偶然也。中統元年夏六月，以朝命易觀爲宮，仍舊宗聖之名，作大齋以落之。公之門人提點成志遠、知宮仕志安等議云：「此宮自有周以來，累朝崇建，事迹或載在傳記，或勒之碑銘，固已傳之無窮矣。惟今吾師重修之盛績，獨無紀述見于後。我輩出於門下者幾三千人，於師之德，不得爲無負也。」乃狀其始末，詣燕之長春宮，請記於掌教誠明真人。真人以潤文見命[一]，予以年邁，且廢筆硯久矣，度其不可違，乃案來狀，并錄到歷代碑誌，相與參較而編次之。李公名志柔，字謙叔，家世洺水，自其父志微素喜沖澹，嘗事開玄李真人，學爲全真。公既長，亦與弟子列。開玄愛其稟氣特異，數於根本憤悱之地啓迪之，公亦心領神喻。一旦氣質變化，有一日千里之敏。其兄志端、弟志藏、志雍，皆從之游。初隱于仙翁、廣陽兩山十年[二]，及聞長春宗師奉詔南下，乃迎謁於燕山，玄關秘鎖，迎刃而解，其後道價益重，名徹上聽，賜號同塵洪妙真人，并金冠錦服。諸方建立，若宮、若觀、若菴，殆三百餘區，然皆以是宮爲指南。故興造之日，凡在門下者，莫不迢遞來自數千里之外，服勤效勞，惟恐其後，是以功成如是之速也。雖然，是宮之復，其亦天時道運之所爲乎？昔自玄元文始契遇于茲，扶先天之機，闢衆妙之門，二經授受而教行矣。世既下降，傳之者或異，一變而爲秦漢之方藥，再變而爲魏晉之虚玄，三變而爲隋唐之禳禬，其餘曲學小數，不可殫紀，使五千言之玄訓束之高閣，爲無用之具矣。金大定初，重陽祖師出焉，以道德性命之學，唱爲全真，洗百家之流弊，紹千載之絶學，天下靡然從之。聖朝啓運之初，其高弟丘長春徽詣行在，當廣成之問，以應對契旨，禮遇隆渥，且付之道教，自王侯貴戚，咸師尊之。於是玄元之教，風行雷動，輝光海宇。雖三家聚落，萬里郵亭，莫不有玄學以相師授，教法之盛，自有初以來，未有若此時也。今焉革故鼎新，豈惟一古樓觀之復，其人歸戶奉，琳宇相望，蓋又作新天下萬樓觀也。嗚呼！非天時道運，其能如是乎？因歷言之，使後之學者，有以觀考而知勉云，於是乎書。太原李鼎撰。（明《正統藏》本《古樓觀紫雲衍慶集》卷上）

〔一〕真人以潤文見命：「真人」二字原脱，據《道家金石略》第五五一頁補。〔二〕初隱于仙翁廣陽兩山十年：《道家金石略》第五五二頁作「初隱于仙翁、廣陽兩山之間十有二年」。

長真觀碑記

中統元年八月

燕京霸州固安縣治東北隅，有觀曰「長真」，蓋燕南教門提點蓬萊洞主圓明大師李公之所建也。公諱志，圓明其號，族出蒲察氏，遼東咸平人。乃高曾祖父，皆金國貴戚勳舊，故得以謀克襲其世。蒲察氏在大定、明昌時，漢之金、張，唐之崔、盧、李、鄭，其富貴不多讓也。公獨宅心物外，若夙性有薰習然者，雖紛華日沸於前，不顧也〔一〕。及冠，父母以婚事相迫，至親迎之夕，公遂逃去，遇太古郝真人。太古一見，即重其氣格不凡，又能急流中勇退，知方寸必有受道之地，乃授之正法。公得法，克養精進，遊歷四方，三十餘年間，屢以己之所得，質之於長春大師席下。歲庚辰，大師起海濱赴闕還〔二〕，遂授公燕南提點。公甲午至固安，依附本縣長官張仲，達魯花赤脱演，令史彭端、張文正、王文進、張安仁輩，建立此觀。觀之所奠地基一十五畝，於中建混元殿一，東西雲堂各一，方丈一，靈官堂一，衆之所居，賓之所館，廚房庫廐，園圃碾磨，以次而具，簷楹户墉，像設砌甃，金碧丹雘。於城市中，恍然突出一洞天也。經始於甲午，至乙未落成。公之門人，狀其本末，令知觀清虚大師孫志全、副觀玄真大師賈至真，來燕乞文於予，將刻石以傳不朽。余摭其實而因次之以論云：圓明李公，生於富貴中，獨超然有高舉之志。至於婚姻之事，人之所欲也，及親迎之夕，輒逃去，何戰勝紛華、急流勇退，過常情如是之遠耶？意其夙世必有得之於心者存焉耳。是後天感公之誠，從其所欲，遇博大真人提挈，得正公之所得於内者，精微要妙，今雖化而別有一不化者，倏然於太虚之間，固非文士筆墨所能形容者，姑置之而勿論〔三〕。惟兹觀名「長真」二字，實得之於長春大師。且名者，制義之物也。其義果何所取焉？夫真也者，八方上下，無所不在。物則各得一偏，人則得其全，苟能以直養而無害，則前無始，後無終，謂之長真，不亦宜乎！是之取耳宗師，以此二字額之者，豈無意哉！亦庶幾若道若俗，但有力於此觀者，每因一睹，則一反心自照，洞見己之藏真之地，克之養之而不捨，功夫既到，於往古師真或可企及焉。予故不得不爲數語而表出之。（明嘉靖四十四年《固安縣志》卷八）

〔一〕不顧也：原本此後有「云云」二字。〔二〕赴闕還：原本此後有「云云」二字。〔三〕姑置之而勿論：原本此句後有「云云」二字。

洞神觀記

天下之事，無小無大，天非人不因，人非天不成。其理藏於恍惚杳冥之中，惟有道之士，持先天而天弗違之機，掌教誠明宗師張公暨教門提點劉公也，主之者維據後天而奉天時之地，清真葆光重玄大師教明都提點段君暨體真大師王公也。茲二仙二師，名分年甲雖不同，其容貌而後天復能運先天之妙，知其世間之物，天欲與者，不可立以力辭；不欲與者，不可强以取之，理則同爾。（北京大學出版社一九八三年《順天府志》卷八）

五峰禪林寺圓明通悟大師遺行之碑

夫佛氏之教，其來遠矣。漢之永平，金身入明帝之夢，其法始入中國。摩騰竺法蘭以白馬致經像，挈挈而東，居河南洛陽，勑鴻臚寺安而置之，俾其徒童顛竺服以爲奉佛之禮，建精舍以爲頤道之所。厥後星分棋布，遍滿天地間，因目之曰寺。寺之名，實自此始。縣之北，有五峰山，山之間，有寺曰禪林焉。蓋寺之基，肇於姚秦宏始中，廢於遼，興於金，而繼成於我國朝。方其在姚秦也，有至道禪師，經營締構張木於其前，金、遼之際，紀師大士，有提點僧省甫者，前後幾數百年繼修於其中，迨我朝撫定，暉公上人，大爲興造，落成其後。故得殿堂庭廡，壇藏廚庫，賓舍僧寮，下逮廄湢園圃，咸備而法。噫！四方梵宇之制，雖城邑名搆，窮土木金碧之富，此以烟霞泉石，映帶左右，其氣象有出乎其表者矣。嘗試論之，凡物之有成則有壞，有興則有廢，此理之常，無足怪者。至於道之顯晦，則繫乎人，而不可以冥數推也。何以明之？蓋自其初祖大迦葉尊者，奉世尊法衣傳付二祖阿難之後，迨秦、漢、晉、宋、隋、唐、遼、金以至於上下數千年，或興或替，燈燈相續，代不乏人。由是觀之，道之顯晦，豈不繫乎人哉？暉公世爲清安人，祖考皆業儒，以積善稱於鄉里。公兒時，不爲嬉戲事，及長事佛，禮本寺覺遠和尚爲師。賦性穎悟，不數年，便能背誦《圓覺》、《起信》、菩薩戒行願及諸經品。其爲人襟度灑落，處事詳雅，視儒、釋、道爲一家。來者館穀則必磬折，雖將迎稠疊，殊無惰容。世俗毁譽，不關諸心，獨以周急濟困，恒若不及也。歲己卯，大行臺聞公道價，以恩例授圓明通悟大師，守燕京都僧錄，仍賜紫衣煌燿。甲寅冬月初八日，公示疾，枕肱而逝，享年八十有六。度門僧不啻百數。此公生平之大概也。至於寺興建之靈跡，已有金國户部尚書蔡珪正甫大定八年所撰之記，刻之於石，兹不復贅述。惟暉公所授「圓明通悟」四字，不作數語而表出之，使繼守是寺之人，並過往之衆，知省府所賜，不爲無所據耳。夫圓明通悟，自何而入之，余謂自覺性而入之也。人之覺性，在人方寸間，莫不有之。有能養之，不爲外物奪去，日就月將，工夫既到，則一點靈光，豁然突出，將累劫迷妄習氣，如太陽之初，破盡一切昏暗。其法身獨露，始知六合内外，大而天地，細而毫毛，無不在吾法身中，此則四字之體也。然後用之於施舍之間，隨機應變，一一向此中流出，是爲無礙智慧。以公塔誌銘而考之，公之於體用仍盡之矣。且公自幼時，每遇誦經者，則必冥心諦聽，豈非於覺性分上，有夙世熏習故在者歟？年十二出家，至八十六化，於七十四年之間，或興修寺院，或引度門人，或交結名士，又以至願以身代其子死，其餘爲人難能之事，然不可徧舉。由此一事而觀之，則胸中所養可知矣。錫斯四字之號，不亦宜乎？至元九年夏四月，公之高弟等輩，狀其修寺始末，洎本師道行，徑走都下，懇予文其碑。辭不獲已，遂按其狀姑爲書之。若天常住產業四至、住持門僧、檀友姓名，當識諸碑陰。仍以柏梁體繫之以銘曰：

五峰山色舒翠屏，中建梵宇名禪扃。插天螮蝀飛朱甍，參差殿閣鬬簷楹。四圍僧寮列羣星，恍如極樂墮青冥。粤自姚秦初經營，遼廢金興幾完成。國朝撫定福生靈，神廬梵宇皆亭亭。暉公至志擐而寧，漠北燕南弘教聲。雲仍相繼發餘英，勉勵無俾斯須更。佳時令節薦芳馨，祝我皇家億萬齡。（清光緒十二年《遵化通志》卷四七）

大朝宣授沁州長官贈沁陽公神道碑銘并序

大莫大於天地。計人在天地間，不啻一塵之在太山，一涓之在大海也。能配之而成三才者，必有道存焉。篤實輝光，日新其德，以至智周萬物，道濟天下，乃聖之事，無得而踰焉。其次則剛大中正，得之大化中。一旦風雲感會，用其所得，奮爲智勇，開朗明白，服勞王家，置身青雲之上，德澤足以被數郡，勳業足以庇數世，生有封爵，死有廟食，如杜公者，斯亦無愧乎列之兩間矣。公諱豐，字唐臣，汾州西河人。祖遇，父珪，俱以積善名鄉里，其遺澤餘烈，延及後代，自今以始，如川之方至者，於公之兄弟見之。長兄志康，次兄珏，弟璧，三人出處之蹟，已詳見沁州教授元君所述之碑刻矣。公倜儻有大志，讀書尤嗜武經，壬遁術數之學，亦深致意。甫冠，值兵興，大定改元，充平遥義軍謀克，累勝功遷行軍萬户，懸銀符。戊寅，大朝取太原。己卯，公知天意所在，遂率所部納款於皇國舅按赤那延，授征行元帥、左監軍，從國王按察兒出師平陽、解、絳間。公不忍無辜之流横被屠戮，遂廣設方略，諭以禍福，招集萬餘户，悉令安堵如故。庚辰春，國舅奏給虎符，充征行元帥。五月，上黨公張開以萬衆攻汾州，公率精騎五千救之，開大敗走西山。辛巳，國王南略取懷孟，公與有力。壬午，取介山之義和，招諭沁之四縣及兩山堡栅凡三十餘，秋毫無犯，百姓歸心，是爲得沁張本。乙酉，從大行臺東略至益都，登、萊間，有陷俘囚者，公暨夫人王氏多爲收贖，使骨肉完聚，雖傾囊倒篋不恤也。丁亥，益都既平，策勳上前，以公勞居多，遂宣授河東南北路大帥便宜行事。庚寅，從上西征。辛卯，至自行在，奉旨治沁。時有被驅三百餘口，男女之無夫家者悉配之，仍俱縱爲良。或開生路以招不服，或出私積以活餓殍，至於均賦寬罰，敦本抑末，自下車至庚戌二十年間，撫字之術，不一而足。常率僚屬各以農桑紡績自給。所以上無疵政，下無困民，向之刻薄之俗，皆化而淳良矣。郡之士庶，請於進士韓君錫，條爲德政一十款，已刻石通衢。丁未致仕，長子思明嗣之。公由是杖履蕭然，自得於塵氛外，日與有道之士談論奥妙而已。夫人王氏，平陽之鉅族，生之夕，有異徵，其才明貞幹，類出人意表。凡公之爲善政，資内助者居多，其詳見於綿山任茂等所刻之碑矣。生子女六，子四，思明、思忠、思敬、思問；女二，慶貞、瑞童。思明襲公爵，娶平遥長官梁公女，生孫男二，餘慶娶平遥李仲安之孫，慶安幼。思忠，沁州諸軍奥魯長官，娶汾州同知馬公女，生孫男永慶，娶平陽宣權萬户李公之孫。思敬，平陽路諸軍鎮撫改授樞密院□使，娶平陽蕭帥女，生孫男二，重慶、喜慶。思問，中書省書表兼知□，娶太原路治中耶律公之女。慶貞，適□□高長子澤；瑞童，適平陽轉運同知李天佑。公以丙辰夏五月三日薨於平陽之私館，享年六十有七。時有反葬汾之先塋之遺命，蓋不忘太公狐死正邱首之仁心。思明請諸母，夫人從之，引柩至□將北轅，沁人挽留之力，故葬之州西龜山之陽。明年三月，思明、思敬至自王邸，奉命贈今號。沁之耆老士庶，相與議曰：「在擾攘世，吾郡數百里間，獨得安其居者，使君之力也。數境望之，若雀之有叢，魚之有淵，視彼之爲人牧者爲何如哉？尸而祝之，其孰曰不可？」遂築堂設像，百姓聞之，咸樂爲之助，趨事勸功，惟恐其後。落成之日，請名士弋公唐佐作文以記其實。迨中統癸亥之春，夫人暨思明輩，思從公之遺命，改葬汾之先塋，謀刻石以傳不朽，乃狀其始末，遣人來燕徵文。予度其不得辭，遂按其狀而次第之。嗟呼！公之子孫，蕃衍盛大，或布朝聯，或典外郡，貴姻顯戚，簪纓相炳耀。生有餘榮，没享豐祀，非平日功德之厚，有感通於冥冥者，何從而得耶？公外勇烈，内仁慈，自弱冠從軍，及爲偏裨主帥，爲州郡長，四十餘年，仁厚惠利之念，未嘗斯須忘。計其所存濟者，不知其幾千萬人。古人謂活千人命者，子孫必顯。由是言之，天之報施，非私於公也明矣，况其尊德樂道，急流勇退，又非常情所可企。公既無愧乎兩間，予亦無愧作碑銘矣。其辭曰：

南山蒼蒼，汾水洋洋。公生其間，何其異常。心正而仁，氣大且剛。孝親中饋，扶弱抑强。澤被千里，名輝四方。勳業崢嶸，子孫熾昌。血食有廟，反葬有鄉。潞公之邑，林宗之邦。狐首同邱，遼鶴翺翔。精素開朗，死皆不亡。相與往來，男子固當。爲名不愧，奚必待于蔡家之郎耶。(清光緒八年《平遥縣志》卷一一)

玄都至道披雲真人宋天師祠堂碑銘并引

大車以載積中不敗也，此《大有》九二爻之象也。剛健篤實，輝光日新，此《大畜》一卦之德也。何其任之重守之確乎。蓋吾所養者既正，而推之于外省，塞乎天地，横乎四海，爲不難也。在吾玄門中，克當二卦之美者，惟披雲真人歟？故欒城李敬齋仁卿作玄都寶藏碑文有曰：「以兩手匠九天之書，以一躬續千聖之業，以五載建萬世之利。」又曰：「補缺天于壞劫，重斡璇璣；捧慧日于虞淵，再臨海鏡。」真人事實，本傳具載，略觀其十之一二，知其言爲不妄矣。真人姓宋，諱德方，字廣道，披雲其號也。萊州掖城人，先世以積善見稱。其初生之夕，里人見其家祥光照徹，皆疑其有火，問之，始知其生子也，遂異之。僅能言，便好讀書，不爲童稚嬉戲事。穎悟强記，識者謂是夙性熏習故。年十二，問其母曰：「人有死否？」母曰「有」。又問「何以得免」，母曰：「汝詣武官問劉師父去。」時長生真人闡教于武官，于是明日徑往。長生一見，愛其骨格清秀，音吐不凡，留侍几杖。因于灑掃應對進退之間，就憤悱鬱積之地，投以正法而啓發之。真人得法，朝夕充養修進，未始少息。後得度于玉陽，占道士籍。長生仙去，事長春國師于棲霞。儒道經書，如《春秋》、《易》、《中庸》、《大學》、《莊》、《列》等，尤所酷好。外雖詩書子史，亦罔不涉獵。于中采其性命之學尤精粹中正者，涵泳履踐，潛通默識，光明洞達，動與之會。其日新之□固已不可掩矣。庚辰，大朝便宜劉公起致國師于東海之濱，選其可與北行者得一十八人，真人其一也。扈帳殿者三年，還燕住長春宫。是時從師之衆皆躬塵勞，真人獨泰然以琴書自娱。有訴之師者，輒拒之曰：「汝等勿言，斯人以後塵勞不小去也。」嘗私謂真人曰：「汝緣當在西南。」又嘗議及道經泯滅，宜爲恢復之事。師曰：「兹事體甚大，我則不暇。兼冥中自有主之者。他日爾當任之。」及長春之居燕也，令提點教門事，一舉一動，無偏私而有規制，内外道俗，莫不心服。壬辰，大行臺外郎崞州王純甫，癸巳，大丞相平陽胡公各請主醮事。甲午游太原西山，得古昊天觀故址，有二石洞，皆道家像。壁間有宋仝二字，修葺三年，殿閣崢嶸，金朱丹雘，如鰲頭突出一洞天也。丁酉，復往平陽主醮事，因于長春觀思及國師數年前宫中之語，乃私自念云：吾師長春以神化天運之力，發而爲前知之妙。凡有言之于其先，莫不驗之于其後。謂緣在西南之一語，我已安而踐之矣，何獨至于藏經而疑焉？遂與門人通真子秦志安等謀爲鋟木流布之計。胡相君聞而悦之，佽白金以兩計一千五百。真人乃探道奥以定規模，稽天運以設方略，握真機以洞幽顯，秉獨斷以齊衆慮，審人材以叙任使，約□程以限歲月，量費用以謹經度，權輕重以立質要。兹所素既定，即受之秦通真，令于平陽長春總其事。至事成之日，曾不愆于秦。若夫三洞三十六部之零章，四輔一十二義之奥典，仁卿藏經碑文，□真人參校政和、明昌目録之始，至工墨裝褫之畢手，其于規度旋斡，靡不編録，讀之一過，見其間補完亡缺，捜羅遺逸，直至七千卷焉。況二十七局之經營，百二十藏之安置，或屢奉朝旨，或借力權貴，而海内數萬里皆經親歷之地。使他人處之，縱不爲煩冗所困，則必厭其勤矣。真人猶假餘力，建立宫觀，自燕齊及秦晉，接漢沔，星分棊布，凡百餘區。非蕭然游心于理事無礙之地者，能之乎？庖丁之刀，十九年解數千牛，自謂若新發于硎。北宫奢之賦斂，三月而成上下之縣，自謂毫毛不挫，是皆得其道歟？由是論之，真人之所養可知已。復恐學者乍見玄經廣大，不知有一貫之實，或致望洋之嘆，故每藏立一知道之士主師席，令講演經中所載聖賢之所以爲聖賢之事，庶使一一就博學詳説之中，得反説約之妙，得悟同然之理。于中或有推而廣之，廓聖人有教無類之妙用，無問在玄門不在玄門，但虚己而來聽者，以己之天，印彼之天，天天相印，莫之能止；内外上下，流通混合，其益于天下後世，可勝計耶？庚子自甘棠來永樂，拜謁于純陽祠下，見其荒殘狹隘，無人葺之，遂召諸道侶而謂之曰：「兹中條之南，洪流之北，名山大川，陽明交會之地。氣盛必變，實生純陽呂祖，是氣流行，曾不間斷，他日亦當有繼而出者。予年運而往，將以其宫易祠，不惟光大純陽之遺迹，抑亦爲後來繼出者張本耳。汝輩其勉之哉！」尋即元帥張忠暨先住持人王志瑞、韓志冲、雷志和、楊志□等，將祠堂並地基盡具狀以獻，都統張興又施水地三十畝，衆人又施磨窠一區。真人乃運智于精微之間，斟酌事勢，復擇其可任用者令住持之，謀行興建事。甲辰再來，天理人爲，鶴鳴子和，自相感召，致伊趨事勸功者若雷志養、梁德用、李志瑞、白志明、郭志儀、董志宣、劉志安輩數十人，奔奏疏附，唯恐其後。乃指授節次，使之漸進。遂歷懷沁，達平陽，往太原，返終南重陽宫，集衆于待鶴亭，沐浴易衣，留頌歸于真宅。其頌收在《樂全集》中，今見行于世，不必再舉。春秋六十有五，時丁未十月十一日也。越七日，葬之宫後。葬之日，彩雲横覆其上，異香襲人，兩者冲融紛鬱，瘞畢方散。甲寅十月十六日，改葬于此。其改葬之由，蓋戊申秋，通玄張公奉朝命以遷之也。且真人之德在玄門，如召伯之于周人。夫周人之思召伯，尚愛其甘棠，豈玄門之人思真人，不愛其靈骨乎？其洪河南北，皆願得而時祭之，非僞爲也。當靈柩之北行，既道于蒲，又道于絳，抵平陽乃改轅而東。其郊迎路祭之際，自京兆達于河東等處數千里之内，皆向己爭挽，日不半舍。及别出古萬户下宣差賈侯、參謀知事楊郭輩，乘騎而往逆之，長驅而南，至此莫有敢阻滯之者。非惟勢力之不侔，亦無聲無臭之中有運之者存焉耳。是後萬户遣使劉公往稟于清和、真常二大宗師，清和尹公乃言曰：披雲宋公，人貌而天者，凡舉事必本天意，未嘗敢有我于其間，故所動皆得，不勞而成。然嘗與我言其所游，甚愛永樂。今雖化，其不化者良在也。兹以委蜕，如以道人分上論，螻蟻烏鳶，無有不可，以人情觀，今乃如此，似彼門人中有知公之深者，益欲成其生前之本志爾。人之所欲，天必從之。天意既從之矣，我輩可不從與？仍以藏經板歸之。由是真常李公命楨干畚鍤、木植工役，百色具舉，寧神有室，安措有地。吉兆省日，宣差河解都總管徐君夫人劉氏、宣差諸軍總管萬户札忽觧施小麥千斛以充賵襚，解州鹽大使閻公助石椁，葬地乃里人高千所施，沁州長官杜侯暨夫人王氏輸己資買鄰人物以□之，佽以白金三百兩以周不給，并畫天師殿壁。至于妝塑廟貌，裨補闕乏，衛護強梗，開導壅塞，皆出萬户并宣差賈侯等盡誠而爲之也。真常復委河東兩路教門提點冲和大師潘公主其事。其襄事之日，四方來會葬，觀之者至有迮國偏陷之歎。先于辛亥歲，奉旨贈披雲天師之號。今年春，門人藏經提點李志烈、楊志素、太原玄都宫提點宋志勤三人，不遠千里而來，令予作銘，將刻石以傳。予謂真人之名，上至王公大人，下至山野隱逸，無不聞之者，至于面其識者，亦十八九，其所養又發爲如彼之事業，其門人亦數千餘，且不論如秦通真者，讀元遺山所作墓碣銘，其爲人可知已，請爲弟子，以至終身。況冲氣周流，金漿玉醴，以千歲之後飛昇自期者，亦或有于其間。道言凡能安置三洞經文者，天降一十二瑞，地發二十四應。真人之玄䖍洋溢，波及後世，將見斯人輩繼繼而出，如川之方至。則是傳不朽者，固不止一虚名而已，何待予銘？《春秋左傳》成公二年，宋文公卒，用厚葬。君子罪華元、樂舉，謂棄君于惡。恒十七年八月癸巳，葬蔡桓侯。《春秋》雖伯子男葬皆稱公，蔡桓何獨降一等而稱侯，啖助謂蔡季賢知而請之也。胡文定公因極論孔曾死生處正之禮，至謂人子不以非所得加之于父爲孝，人臣不以非所得加之于君爲忠。又謂極其尊而稱之，不正之大者。弟子于師，實同君父，葬之厚薄，非出于己，其譏既已免矣。今令予作銘，敢問何以爲辭得免世譏？三人同辭而對曰：「兹方内之士束于教者之説也。予方外之人，則異于是。子列子之于壺丘子林，田子方之于東郭順子，稱師之語，皆載之書。其精粹古淡之味，使人口之而不厭，微妙玄絶之理，使人心之而有所得。方内之士如宰予、子貢、有若，亦有是説，況其下者乎！苟不至阿其所好，何不正之有？」予灑然有省于心，曰：「有是哉！」雖然，予先師真人今棄予而往矣，其感而遂通天下之故者，與予未始少别也。故予作銘與引，皆取布在衆人之耳目者而實之，庶幾不累真人平昔之所養云爾。屬之以銘曰：

乾坤陰陽，迭用柔剛，正之爲用，兩間主張，阿衡得之而相湯，仁杰得之而復唐。吾師披雲，應變無方，其仁然顯，其用則藏。補玄天于壞劫，宣慧日之重光。遍觀三洞，使人激昂，期衰世之薄俗，復太古之鴻荒。至于皇極羲經之奥旨，亦借力于發揚。見之于外者，亦既如是，養之于内者，豈易量也哉！山插空而蒼蒼，河接海而茫茫，樹碑其間，氣勢欲與之頡頏。山有時而劫在，海有時而成桑，惟予真人，其壽雖死而不亡。其道則闇然而日彰，其名又地久天長。非天下之至正，其孰能當？（文物出版社一九八八年《道家金石略》）

重玄廣德弘道真人孟公碑銘

公名志源，字德清，號重玄子，其先本上京徒單氏。大定末，遷萊州膠水，居孟氏宅，人因以孟氏歸之，此亦古之因食采地得氏者也。高祖睍，卒于汾陽軍節度使，高祖母完顔氏，金源郡王希尹之妹。曾祖克寧，尚嘉祥縣主，事熙宗、海陵、興陵、道陵凡四朝，以功累遷至太師，封淄王，及薨，謚曰忠烈。祖斜哥，辭世襲千户，終于南京副留守。父給答馬，復世襲千户職，母烏林答氏。略以金國名臣傳考之，其家世可謂盛矣。况在大定、明昌、泰和間，使他人處之，鮮不爲紛華之所流蕩。公獨從髫亂中，猒富貴而樂淡薄，非性分上夙有薰習之力，能之乎？明昌初年饑，即墨人高翔嘯聚劫掠，詔命公之父討之，乃曰：「食者民之天，得之則生，弗得則死。抵死求生，小人之常情，討而誅之，惡在其爲民父母也！」遂宣布主上之德，賑以倉廪，不戮一人，寇爲之平。古語有云：活千人之命，其後必有顯者。是公能了此大事，亦必借先世豐功厚澤陰相之力而致之耳。公有三兄六弟，其兄有官至驃騎者，有至輔國者，餘皆克紹家聲。泰和癸亥，父母與議婚事，公因遁去，徑詣濰州玉清宫，見長春宗師，請爲門弟子。師憐其貴家子，兼異其風骨不凡，後必爲玄門大器，乃從其請，授今之名字。父兄疑其第四都全真觀主知之，故爲隱匿，縶歸有司。公聞之，遂還家自言其志。父母知不可奪，因選第二都樂真觀使居之，樂真今更名玉清矣。公雖得法於長春，充養之際，亦嘗質於玉陽、太古二師真，玉陽賜號開真子。太安己巳，長春應詔京師，還住玉清，知公有所得，乃賜重玄子號，蓋嘉之也。貞祐癸酉，公之昆弟皆爲兵亂蕩散，而父母失依，公乃扶二親就己所居，致孝養之力三載。雖二兄還，其安置省問誠敬之禮未嘗缺。己卯，聖朝遣便宜劉仲禄起長春於海濱，門人中選道行清實可以從行者，得十八人，公其一也。及進程萬里沙漠，其緇重車皆兩人主之，惟公獨御焉。清和憫其勤，請副於師，師曰：「吾知斯人之勤矣，但欲先行其人之所難，而後必有大所獲耳。」公聞之，乃曰：「弟子於師丘山厚德，無以爲報。其僕其御，實當爲之事。予惟不知所求，亦不知爲勞也。」同行者由是雖勤苦百至，皆爭赴矣。辛巳，西至阿不罕山，始有漢人耕作，因公等九人，立棲霞觀。癸未，住德興之龍陽。甲申，長春奉旨住燕城太極宫，尋更名長春，公亦自龍陽來。丁亥，師反真，公年四十一矣。

一日，靜坐一室，忽於恍惚間見重陽、長真、長春三師真，公拜畢侍立，祖師言：「汝壽當七十五。」長春言：「汝五十後，必負教門重任，事雖繁劇，汝勿憚，是皆磨礪汝之砥石，煅鍊汝之鑪冶也。」言訖不知所在。尋覺身中百關通暢，真氣沂流，昇尾閭，入泥丸，是後日復一日，神物變化，金漿玉液，黄庭絳宫，灌溉浸漬，非言可及。公因徧考先代師真得道之後，身中之事著見於書者，針芥相投矣。公從此以來，雖顛沛造次，罔不在是。其身中所得流運之理，亦未嘗止，想當時其爲樂可勝計耶。至清和真人掌教，乃副知長春宫事，俄遷知宫。戊戌，受宫門提舉。丙午，遷宫門提點。戊申，權教門事。己酉，以恩例賜金冠紫服，并至德玄虚悟真大師號。癸丑，掌教真常大宗師奉朝命普度戒籙，委公爲監度師。丙辰，真常羽化，誠明真人張公嗣教，以公玄門大老之故，已又在制，遂授以教門都提點印，俾攝其事。戊午秋，應丞相胡公之請，主平陽黄籙羅天大醮，尋奉今旨，賜今真人號。中統二年辛酉，春秋七十有五矣，度門人五百有奇，宫觀稱是。是年春二月二日，順正而化。前此數日，預以後事囑門人。凡來省視者，見其耳聰目明，音吐洪暢，盡如平昔，皆不之信。至是方知公之所得，過人遠甚。越三日，葬之五華山仙塋，從遺命也。至於度門人，立宫觀，玆皆緒餘土苴，衆人之所共見者，或可得而言之。今壽幾八十矣，而精神不衰，臨行一著，又明白如彼，其素養之於内，必有精真微妙，衆人之所不能見之者，豈易得而言之也。送葬之日，官僚士庶，前祭後擁，傾動都邑，道衆不言可知。秋九月，門人狀其行，請文於予，予因按其實而次第之，屬以銘曰：

荏苒柔木，言緡之絲。大浸滔天，砥柱不移。二者之美，公并有之。公既有之，我請布之。

一遇師真，便得正理。觀公之性，已超異矣。及住大宮，中正不倚。四十年間，又出類矣。苟非其人，道不虛行。本若不立，道無由生。推公之孝，及公之誠。本既立矣，道宜有成。人所見者，緒餘土苴。公之得者，妙絶真假。天地一指，萬物一焉。不以是觀，知公蓋寡。與其觀身，孰若觀神。神如之何，把握乾坤。陰升陽降，黄河崑崙。至人妙處，不屬見聞。精神骸骨，各歸本始。門人治任，奢儉合禮。燕城之北，五華之址。碑以表之，公元不死。（明《正統藏》本《甘水仙源録》卷六）

冲虛大師于公墓碣銘

師姓于，名志可，字顯道，冲虛其號也，寧海人，漢高門于公之後。父諱江，子六人，師其幼也。雅好淡淨，齠齓有出塵之志。承安初，長生劉真人以道接人於武官，師聞之，往焉。於顧盼之間，似有所契。雖爲父兄約制，不得即從之長往，而默相感召之機已動，而不能自止矣。年甫十九，乃決意往事之席下。居無幾，長生歸真，遂求法於長春宗師。宗師知其爲受道器，乃授之。師既得法，因服炊爨之役十餘年，期報厚德，時亦以嚴潔見稱。後從宗師應詔，回處燕京大長春宮。宗師仙去，清和真人嗣教，乃命提點本宮事六年。常住物業，有增益而無廢壞，上下協穆，内外寧謐，如空冥中有扶持之者。後以老得閑，至乙卯春二月庚午朏，越五日甲戌，託以微疾，斂息曲肱，安然順化於白雲觀寢室中，葬之五華之衆仙塋，春秋七十有一。衆耆宿相與言曰：「此老自宗師仙去之後，受清和、真常二大宗師託以提點宮門事，如彼其久，當時常日用度，或出或納，物之充溢流轉於前者，可勝計耶？及兹小斂之際，一衲一袍之外無長物，可稱者一也。又從在道門以來，五十餘年，衣不解帶，脇不沾席，可稱者二也。其臨化之時，門人問及喪葬安措事，乃拒之曰：『吾將往矣，清濁各有所歸，兹一聚塵，沉焚露瘗，無所不可，又何足問，任爾所爲。』可稱者三也。至如其餘，於語默動静之間，謙柔誠敬之德，日積月累，見之於所行者多矣，不必偏舉。姑以兹三事占之，明見善守其傳之於師者，精確純正，而外物不能溷也。」乃暨門弟子衆人等，謀爲不朽計，狀其師平昔所行之大概，請文於予，將刻之石。予亦重師之有道，乃因其實而編次之，屬之以銘曰：

萬善之美，藏之於誠。何以占之，觀其所行。五十餘年，脇不沾席。胡不少轉，我心匪石。財貨泉如，人事絲如。胡不少溷，我心本虚。曲肱斂息，不昧所得。今果何存，溪聲山色。假者見假，真者見真。吾玄門中，偉哉若人。耆宿門弟，謀不朽計。刻此銘辭，昭示後世。（《正統藏》本《甘水仙源錄》卷五　以上徐勇點校）

全元文卷二八六

李　謙　一

李謙(一二三三——一三一一)，字受益，號野齋。鄆州東阿(今山東東阿)人。初爲東平路教授，以薦召爲翰林應奉，累陞翰林侍讀，至元二十六年(一二八九)以足疾辭歸。成宗即位，召爲翰林學士，引疾歸，大德六年(一三〇二)復召爲翰林承旨，明年致仕。至大四年(一三一一)卒，年七十九，謚文正。《元史》卷一六〇有傳。本書輯其佚文三十九篇。

頒授時曆詔

自古有國牧民之君，必以欽天授時爲立治之本。黄帝堯舜，以至三代，莫不皆然。爲日官者，皆世守其業，隨時考驗，以與天合，故曆法無數更之弊。及秦滅先聖之術，每置閏於歲終，古法蓋殫廢矣。由兩漢而下，立積年，日法以爲推步之準，因仍沿襲以迄於今。夫天運流行不息，而欲以一定之法拘之，未有久而不差之理。差而必改，其勢有不得不然者。今命太史院作靈臺，制儀象，日測月驗，以考其度數之真。積年，日法皆所不取，庶幾脗合天運而永終無弊。乃者新曆告成，賜名曰授時曆。自至元十八年正月一日頒行。布告遐邇，咸使聞知。（《古今圖書集成·曆象匯編曆法典》卷八一）

清冗職詔 至元二十三年七月

惟我祖宗肇造區夏，雖中書已嘗建立，而官制未暇舉行。迨予圖大以宅中，思欲繼志而述事，集儒臣之公議，法前代之彝章，爰立省部院臺，以正朝廷綱紀。自疆土極照臨之遠，而省臺有内外之分，日益月增，官冗人濫。嘗勑有司而澄汰，意能舊制之遵承。比聞近侍之言，謂益曩時之弊，彼不勝重任，有瀆上聞。苟尚蹈匪彝時惟予咎，其清冗職，用復前規。於戲！官不必備，惟其人。朕恪守已成之憲爾，尚克勤于乃事，卿永肩圖報之心。（四部叢刊影元至正刊本《國朝文類》卷九 以上李真瑜點校）

壽七十詩卷序 元貞二年五月

翰林學士知制誥同修國史秋澗王公，自文聲。予方弱冠，時人有持公詩文至東平者，予讀之，以未及識面爲恨。中統建元，始遂願見。未幾，□被召至京師，時一款接，情相好也。既而，予求養，成契闊。至元十二年，予應奉翰林文字，復□歲，公入爲待制，玉堂多暇，日得考古論文，知其所未知，聞其所未聞，爲樂可勝既哉。予賦分涼薄，公尋又舍去，出貳提刑按察，雖聲問數相及，十五年間，僅一再會晤。迨予移疾返鄉里，而公膺璽書之召，予亦蒙誤恩趣還，寓舍頗相遠，自非公集，率不得相過。□□用惘然。公長予六年，今平頭七十。神明不衰，事理至精熟，下筆作文不減平昔，至其論古今利害，援引□據，有條不紊。每賓友期集，未嘗後約而至。步履輕便，不事杖策，行且曳之，而鏗然作聲，院屬聞之，知爲公□矣。少日多飲酒，近歲浸復不喜，遇良辰嘉會，驩得意適，猶能滿引舉白，至數杯不亂。子賢孫孝，以學問世其家。晚景泰然，順適所欲，壽祉方隆，未有涯也。予著作公孺置酒爲具，稱觴上慶，諸公例作詩稱頌，予謂公孺言七秩之壽，未足爲君家公賀也。中公膺束帛之招，衛武公作詩箴警之，曰，會當副士林之望。是席也，姑爲贊諫張本云。（元至治刊明修補本《秋澗先生大全文集》卷首　曾貽芬點校）

南天觀記

阿東南行四十里，巍然一峰，矗立雲表，曰雲翠山。山陰由扈峪南向盤石，蹬而上三里許，始即夷。路稍磬折而西，得其門以入，是謂天觀。其南二山，曰大髻、小髻，北倚一山如卧屏然，土人名邱子屏，詳無可考。其東則大巘山，狼水出其下，西北流經穀城，合西流泉，真奇絶地也。歲戊申，道者牛志淳、郭志僊，嘗依邑人孫友以居。友見其氣質古澹，志節堅苦，乃指雲翠以因相攸卜築。規甫定，周志方、趙志古繼至，疏鑿墾闢，身服勞苦無虚日，至誠感孚，人爭效力，功遂成矣。予惟隱士入山，惟恐不深，蓋所以厭囂塵，遠聲利，懼外物吾浼也。矧方外士，離塵絶欲，非煙霞泉迴出物表者不可留。雲翠固阿之勝地，而天觀又雲翠之勝爾。居者盍思所以自勵云。（《續修東阿縣志》卷一三）

升州記〔一〕　大德二年

自金宋以淮爲境，南北分裂者百六七十年，我元至元始混而一之。天兵所至，耕者不變，版籍既入，寬御懷柔唯恐不得遂其宜。聖上嗣位之明年，設官任能，稱事受職，詔江南大縣户口繁夥者升爲州，饒之餘干其一也。餘干，古越以水得名。在漢，則統於豫章，漢末分置鄱陽郡，因改隸焉，六代因之，隋唐以來，則統於饒州。土壤沃衍，所産非一，小民勤力，自可謀生而取足。俗善讀書，通經學古之士往往出焉。近代趙忠定汝愚、饒雙峯魯，闡明正學，邑人尊之，爲立忠定、雙峯二書院，迄今學者爲多。然其地濱彭蠡而接廣信，負山阻水，今易監邑而監郡，尹而守丞而，倅判，仍皆擇人授之，剗除宿弊，日新其治，將見化行惠孚，膠東之盜散去，渤海之佩刀劍者，買牛以耕稼矣。或曰：郡守、縣尹，同以牧養爲職，民其民，政令其政也，賦入其賦也，奚必崇其秩優其禄，而能治哉。是殆不然。國家列爵分土，郡而縣之，一本於户口登耗，户口誠耗，或不能縣，雖併省之可也。誠登矣，升而爲州，奚不可哉。然則，餘干以州名江東，則當自元貞始。後之君子記監守、倅判於廳壁，則當以脱因。劉溼爲首，孟慶祥、朱恭、阿思蘭也、奴高其聯署者也。忠定書院山長樵鈞請記州始因，及之，余未嘗至江南，山川風土之勝，亭榭游觀之美，非所素悉，皆略而不書。（《餘干縣志》卷一六）

〔一〕升州記，《古今圖書》集成本作「餘干升州記」。

景山樓記

泰山爲魯所瞻尚矣。其東諸山綿延相屬，跨齊入海，蓋不可以殫數。其西而南，皆二百餘里，大抵皆山中最著者，曰馬山〔一〕、青崖、方山之屬，長清縣治遥與是山相對。公廨有樓，面而觀之，實相顧揖。濟南趙君明叔之爲尹也，以景山命名，鄉先生止軒杜公暨諸君子多以詩賦其事，而未有記，則以書抵余。竊謂山於天地間爲物最鉅，穹然崇高，凝然安重，所以節宣二氣，散生萬物，以之興雲雨而利生民，其爲德不既大矣乎！夫有道君子爲時而出，端居民上以布宣德化，使一方之民均受其賜，得非惟其有之，是以似之歟！古人即山取義者抑多矣！曰「節彼南山，維石巖巖」，道太師之爲民望也；「高山仰止，景行行止」，言道德之當勉也！法其艮止，則思不出位，樂其貞固，則静而有常，以至珮玉尚其色，服章繪其像，是豈徒然哉！義均有所取爾。今君以景山名樓，吾知非以登眺觀覽而然也，蓋目有所擊，心有所寓焉耳！且山以雄拔秀峙與天地相終始，人以卓犖瑰奇載名不朽，抑何異乎！君以通用之才輔以正大之學，早直翰林，歷薦臺省，來莅親民之任，下車期月，治聲藉藉著人耳目，第恐景山之樓不得留之久拄笏也。異時山立廟廊之上，對揚休命，王彝甫之巖巖青峙壁立萬仞，爲不足道云。（清道光《長清縣志》卷二）

〔一〕曰馬山：曰，原作「甲」，據元刻《景山樓記》碑文拓本改。

祥蓮記

蓮一莖一葉，物理之常，春秋當事不書，所書必異也。徵之往諜，二蓮同幹見於宋之元嘉，雙實合惟紀於唐之貞元。載在信史，著於賀表，有不可誣者。然發祥孕秀，皆出禁掖，歸美當代，宜矣，未有若滏陽觀臺之蓮，一莖十三華，古今所未有也。觀臺，金進士劉氏之墅在焉。劉之昆弟，皆詞華振耀，發藻儒林。花作之年，伯氏適邢期榜登科，貞祐三年，仲氏繼亦擢第，厥後揚歷中外，蔚爲閫家。嘉瑞之應，爲不誣矣，惜其革代以來非應。孫越石、郭奕之名，世無知者。總管德昌昆仲，予以是賢之。（明成化二年《河南總志》卷一六）

綸章閣記

皇帝建元初有詔，略曰：宣聖廟，國家歲時致祭，諸儒月朔釋奠，恒目脩潔，瀆者有禁。又曰：訓誨生徒，務要成材，以備擢聖□，□登大實。越翼日乙未，以十四條詔天下，其九曰：敷勸學校，教養生徒，議存貢舉，量給學田。慮猶未也，其年上月，復詔中外百司，申明中統之旨，辭義敷暢，視前加詳，恩至渥也。謂東平立學惟舊，教養有素，特頒璽書以鎮撫勉勵之。守臣布宣奉行，惟恐不至。又新府學之尊經閣，易其名，曰綸章。緘縢璽書於其上，若中統之旨，乙未之詔，皆錄白藏焉。路長謂不可無記，率學之正錄來請。謙始自諸生，至承乏教官於斯，餘二十年，備員朝寀，寔此權□。今衰病退歸，一聞鄉學盛舉，所當奔走服役，至於不腆之文其可辭乎？竊謂自古君國子民教學爲先，其惟聖天子撫盈成運，踐祚之日，首以勸學興禮崇化勵賢爲諭，蓋於爲治之體，審所當尚。守土之吏，以提舉教導爲職，雖微專諭，猶當恪謹官常，啓迪民俗。矧聖訓諄切，照臨治所，天威有□，不違咫尺，體承遵守，勉稱德意，固其所也。苟具文以應故事，不知振飭開牖，使學者有所興起，能無負乎？能無懼乎？（天一閣影印明嘉靖《山東通志》卷二一）

重修竹林寶峰禪寺之記

泰山竹林禪寺者，名冠天下，詢諸萌肇，莫知其所由。自唐迄今，屢經興替，詎可云哉。及兵息之後，有先受業僧珍公都綱、欽公闍黎、鑑公僧録、廷公僧判、監公主事、連公講主等而相謂曰：有先師所居竹林舊基木場故址，我儕等力不能贍，今聞東原海公菩薩聲名蓋代，數處建立精舍，何無禮請真人住持修蓋，永遠剃度，光顯吾門，不亦可乎？衆皆云：然。於時敬修書疏及以施狀，恭請海公上人維持修蓋。師雖允悦，謙而謂曰：窊隆有數，非力能然。師諱法海，姓于氏，光州固陵人也。祖嘗任光化軍節度使，祖父昆季咸居貴顯，家貲巨萬，值大兵而離散。師年弱冠，遁跡於魏博間，至館陶東北舍餘地得招提，故基曰白佛堂。榛莽蒙蔽，師廼芟而除之，結茅而處，得念佛三昧，晝夜寒暑，不爲變易。歲在甲辰二月，□遇師披剃，始蒙出世，如寳珠出泥，光溢衆□。於是緇俗聽信志力是願相與住持，踰六十晦。時中書右丞嚴公總管東平，廼具書疏請詣本府之四禪寺，徒衆雲聚，亦復如是，乃創爲繪塑大雄薩埵，護法神將百有餘尊，光燦具足，迄今顯然。歲次丁未，僧録雲公同衆比邱請住持在城大開元寺，自是法緣洪振，衆悉歸依，人人咸以菩薩稱之。居無幾何，東振齊魯，北抵幽燕，西踰趙魏，南距大河，莫不聞風趨赴。其送施者，朝暮不絶，以資賄衣物積如邱阜。於是乃重修雷音堂、文殊殿，方丈寮舍，鐘樓廊廡，百有餘間，四方下院三百餘處。剃度小師千有餘人，俗素豪士受持三歸者莫知其數，前後齋僧幾千百萬。給繒纊以賑單貧，設糜粥以飼饑餒，慈悲方便，靡所不至。國師海雲聞師道價，特賜號曰明慧大師。一日宴居，語諸徒曰：所施下院三百餘區，吾欲韜光待終，宜何而處？有近侍僧夏志成通從容而作對曰：有泰山竹林之古所，誠甲於餘地，止水佳麗，入境幽僻，可以作終焉之計。師聞之告，密而竊記，異日弗辭，雙影曳杖，獨跨寶峰，達斯古礎，折草爲廬，苟避風雨，宴坐習禪，方遂雅懷。於時豈花爭秀野，鳥聲啫雲，山以之變色，幽谷爲之生春。未及旬日，門徒緇素躡踵相覓，願奉衣飧者繼日不輟，從兹奉高一郡誰不歸崇。居之未久，雲徒既衆，欲廣其廈，奄示純府，召諸弟子□以衣鉢而告之曰：吾緣盡矣，樹此蘭若功輸，爾輩勿忘我囑。言訖移時，溘然而逝，春秋三十有九，僧夏一十有七。荼毗送終者，僧俗億萬指，無不哀慟爾。隨起塔於靈臺，立真堂於數處，仍遵梵儀。大事終矣，是後小師志成、志通、志從，嫡孫定峰、定廣、定玉、定果、定聚，重孫正元、正演、正順等，於斯竹林相繼住持，排肩勠力，幾五世矣，方始見成，能仁有殿，祖真有堂，雲賓有舍，庖食有廚，三門挾庫及下院木場所宜用者悉皆備，以餘力樹喬松而塞户，植修竹以封窗。又抉以川流縈紆而通諸庭宇，滄浪而貫諸階除，漱石砌汲，烹殺饌，灌蔬圃，生□菜茹□歸大壑。復入湍流，瀑作水簾，崖懸百丈，滄集龍池，湛碧千尋。逼之則毛寒，過之則膽戰，真所爲遁世之桃源，棲心之福地矣。兹有住持小師定玉、正元、正順等，緬想諸公歷歷勤苦，恐後世湮没無聞，欲立石傳之久遠，特狀其始末，託遷公僧判不遠而來求予以文。予因而謂曰：泰山之尊，天下孰不望之；竹林之名，率土孰不聞之；菩薩之化，方今孰不尊之。復何假以辭飾，隨命孺子代筆。勉拙來情，

從其狀而書爲記焉。（清道光《泰安縣志》卷一一）

衛源廟重修記[一]

至元二十一年閏月辛巳，中書省奏禮部，言衛輝路共城縣北五里所百門山有泉出其下，衛水發源實本諸此源。故有廟，歲旱祈禱，甘澍隨應。前嘗封王爵，謚曰「威惠」。逮及聖朝，未蒙加贈，殆未盡咸秩無文之義。集翰林禮官議，咸謂加封洪濟威惠王於典禮爲宜。制可。三十一年，衛輝路總管判官兼司稻田井德常上言，洪濟威惠王廟歲久傾圮，寖至不支，宜命有司更葺。會其年四月乙未，詔名山大川載在祀典者，所在長吏擇日致祭，廟宇損壞者，官爲修理。其十一月，工部符奉堂帖報下趣如，乙未，詔乃檄知州司仁躬董其役，監路塔帖木兒總綱紀之，揆功庀材，儆匠者役徒，備器執用，畢會祠下。首葺前後殿，次及顯佑公祠五龍廊廡神門。庭峙二亭，一以炷香，一以展儀。神門外爲亭三，合爲楹五十有奇。瓴甓損壞者，榱桷腐敗者，皆撤而更之，完飾神像，涂塈漫漶，崇其基址，甓其階砌，以至户牖欄檻之屬，咸一新之。經始於元貞之九月，落成於明年三月，糜官寶鈔四千七百餘緡。自井德常之言發之，其發民趨功，相與翼贊，則監輝州王石帶馬合馬、知州繼至者劉壐、判官朱仕榮、吏目紀好謙、韓從凱，皆與有力焉。府判井德常，知州司仁，以志歲月爲請。竊惟山川之祀見於書，曰望秩禮有天下者祭百神，凡山林川谷能出雲爲風雨見怪物，皆曰神。其祭之之制，則五嶽視三公，四瀆視諸侯，餘視伯、子、男，歲凡四祭，以貍沉順其性。百門水於衛爲巨浸，一出齋淪數百畝，畎而澮之，灌溉不啻千頃。地敏秔稌，收入畝鍾，江南未下時，輸貢之外，諸郡國醪醴粢食皆於是取足。其下流合諸水疏爲大川，延亘千有餘里，歷郡國數十，所在倉庾，節級轉運，畢達京師。與夫清滄鹹鹺，不煩輦致，漕給梁魏，其爲利不既溥矣乎！當其常暘爲菑，雨澤愆爽，誠德感召，其應如響然，則國家億載之利，生民龐洪之澤，王之所以陰相者，厥功茂哉。無德不報，尊其明靈，加號飭祠宜矣，敢叙述寵章，奉宣神德。其詞曰：

百門之山，泉出其址。澤洽一方，利通千里。其澤維何，嘉蔬茂芷。豐年高廩，萬億及秭。其利維何，經國之紀。方之舟之，衍我儲偫。昭昭神功，耿耿神祉。嘉號未稱，曷章德美。對揚徽命，作新廟祀。何福不降，何災不弭。佑我邦家，阜我生齒。千秋萬古，傳休無已。（清乾隆《衛輝縣志》卷四五）

〔一〕本文又見清道光《輝縣志》卷一四，題爲《洪濟威惠王廟碑》。

中山前進士題名記

取士之科尚矣。三代而下，去古寖遠，鄉里之舉不行。而漢世首以賢良、文學、策士，由隋唐迄遼宋，皆以文詞設科。金有天下，甲子二周，率三歲一大比，由府會至殿庭，凡三試。其選舉之法，樞機周密，黜陟至公，名相鉅卿，往往由此塗出，當時號爲得人。每舉龍津唱第之後，則廷受勑命章服，仍賜聞喜宴，既畢而於太學立石題名爲記。兵革以來，石刻存者無幾，可勝嘆哉。中山古雄鎮，舊爲定州定武軍，屬縣七：曰安喜，曰永平，曰無極，曰唐縣，曰新樂，曰慶都□郡；祁州屬縣三：曰滿陰，曰鼓城，曰深澤。自天會六年至至大之末，登進士第者一十八人，其卓然者，見汾陽郡節度副使李公，右丞相石公，陝西西路轉運使李公、劉公、鄭公，河北西路轉運使張公，中都路都轉運使王公，濟南知府唐公，昭義軍節度使郭公，參知政事王公，滑州太守李公，京兆路行六部尚書王公，户部尚書高公，禮部尚書趙公，其餘任隨朝州縣之職者，皆績用章著，君官可紀。安喜李信道特錄本郡并縣金朝累舉進士登科人姓名，仍以當時廷試賦題及狀元姓名冠之，刻之翠琰，立於廟學，以詔將來，不惟使鄉人咸知鄉里世有聞人，抑令後人勉而效之，不泯乃祖乃父之名，豈不偉歟。余嘉其用心之勤，故喜爲之書。信道，字敦甫，汾陽軍節度副使諱範字元法之曾孫，陝西西路轉運使諱思字子友之孫，省元諱好履字仲坦之子，滑州刺史諱好復字仰通之侄，黎陽主簿諱居道字正甫之弟也。丁巳年春立。（清康熙《定州志》卷一〇）

聖澤書院記略

城野之南，湖水之側，有講堂故基存焉，乃吾夫子與群弟子講道之所，後人欣慕聖澤不忘云耳。其興廢不能悉考，所可知者，魏孝昌丙午條石記興建之由，没其姓名者居半。中有順大夫陸愍天寶壬辰舊刻，吴生所畫宣聖兖公小像，額則徐浩所題，其上復有顔魯公書程浩所撰《夫子廟堂記》。元祐四年，南陽周師中作宰是邑，重加修建，王堯年爲之記。或者以爲講堂當在魯而不在汶，殊不知弟子從聖人周流四方之時，若過宋而習禮於樹下，遊舞雩而問崇德辨惑皆是類也。矧吾夫子作宰中都，年已五十，删詩書，定禮樂，贊周易，修春秋，而不專在彼，又奚疑焉。二百年來，薦罹俶擾，毁於灰燼，鞠爲瓦礫，不知幾何時矣。故東平教授櫟菴先生馬公，於至元三十年得地一十二畝，藏書千餘卷，搆亭講誦。其後都水少監馬之貞復建大成殿四楹，中肖聖容，旁列十哲像，功頻就緒，西益張源、漕南江武、真定賈璘，迭興互舉十餘年，然後堂室門廡、庖庫池井粗備，始以文請。余聞德之不修，學之不講，馳騖於文詞之末以邀聲名，苟利禄爲計，非聖人所講之學。而居其堂以貽其羞，是則可憂也。自今以始，當以聖賢之教爲教，以聖賢之學爲學，俾經爲通儒、文爲名家可也。（清康熙《汶上縣志》卷八）

涿州新建廟學記

涿故有廟學，燬於國初之兵，鞠爲荒墟有年矣。歲歲丁月朔望，諸生爲位而祭。郡距都城百餘里，當南北道路之衝，凡天下郡國、南東薄海、西抵川蜀、外而要荒異域、會同京師者，咸取道焉。使驛往來，絡繹相屬。爲守令者，廷勞郊餞，館晉顧接，目不暇給，其於爲治興化之道，率因循苟簡、莫以爲意。至元二十一年，監察御史趙天爵按行至郡，謁拜先聖于廟之故墟，愀然改容曰：「郡邑皆廟事□□，涿近居王畿，四方之所觀赴，而神未有宇，何以二□憲司所職在宣化厲學，予何敢不虔。」乃捐俸幣□□□□，州判官馮德仁從而和之，鄉之士民迭相□□□□幣千緡。度財置屬役于范陽尉李甫進，莫□大□殿未幾落成。二十三年，甫進由尉升尹，會東平□復來爲州學正，郡之子弟秀民皆從之學，尋構講授之堂，齋廬庖舍以次就緒。二十七年，范陽孫鈞嗣爲學正，甫進出私帑楮幣千緡，鄉耆元鼎諸人又益之千五百緡，爲繪塑之資。乃訪求闕里所藏司寇像，模倣塑飭，睟容惟肖，彰施足徵，亞聖十哲列坐環視。越二十八年春二月，諸生行釋菜禮，郡人來觀者瞻拜肅敬，以謂前所未睹，猗歟盛哉！三學正來京師合辭請記。竊謂聖人之道，經緯天地，綱常民俗，亘萬世而無弊，維運有污隆，時有否泰，吾道固自若也。夫道之所在，固不繫□學廢興，而學者至比齊魯衛，颯修庠序桂陽，而邦俗□然從化，風行草靡，有不期然而然者。喪亂以來，達無足怪者，物窮則變，變則通，蓋理勢之自然。乃今郡學異，復遙朔南混一之後，家有藏書，人知向學，意造物者將作新人材，爲聖世之用，當有博通古今如崔駰、崔寔父子學焉，□□如盧植者出焉，□子勉之。(明嘉靖《涿州志》卷一〇)

重修成武廟學記(一)

成武廟學，洊經喪亂，蕩無孑遺，惟宋丞相龐公籍所作廟記存焉。國朝甫定之後，成武達魯花赤杜達任、縣令邵辛，始爲殿三間，位先聖先師十哲像事之。其後癸卯，曹世貴來爲縣尹，構堂殿，後爲講授之肆。後東平王昇繼至，益以兩廡，典史李賓爲繪賢像，而大成殿未有葺者。歲月滋久，風雨雀鼠寖至墜敗。至元二十六年，同知膠州馬伯奇來尹是邑，下車視事，敬謁先聖，顧瞻廟貌，慨然以增葺爲己任，乃謀於達魯花赤燕帖木兒、簿劉良佐、尉祁秉正三人，同志協義，相與左右，撤敝殿新之。初，縣列植官木，至是皆尋尺，聞於州，取以爲材，益植稺木以補其缺，故材不可勝用。邑人聞風悉勸，輪材效力，樂爲佽助。其殿六楹，崇其堦址，大其規制，顯賁輪奐，截然一新。經始於二十八年春，越明年秋八月落成。遷聖師十哲像，奉安如禮。自初即工，典史陸完實董其役，尹治縣倥偬，率日旰至廟，然後嘗食，躬自莅視，曾不少懈，訖終役無一日不然。既成，教諭晉毅率諸生以記爲請。竊惟聖人之道，經緯天地，綱常民俗，亘萬世而無弊，雖運有污隆，時有否泰，而道固自若，豈以廟之興廢爲損益哉！然非崇飾棟宇，無以致尊敬之誠，且風行草靡，學者趨舍，實關上之嚮道與否焉耳。今尹爲政，增大廟學，一新民之耳目，可謂知所先務矣！矧地惟古，戴去聖人鄉里不遠，史稱其人重厚多君子。誠使漸漬德化，日聞訓誘，人知孝弟忠信，以至於耕者讓畔，行者讓路，風俗翕然一變，其功效豈淺鮮哉！（清道光《城武縣志》卷一二）

〔一〕題名内「成武」二字據文意添加。

重修高唐廟學記[一]

郡縣之吏，以寅奉詔條敦崇風化爲職，苟惟急于功利，徼求近效，顧教化爲不切，不過爲俗吏耳。聖主聖上即位之初，詔諭守臣，宣聖廟國家歲時致祭，諸儒月朔釋奠，宜恒令灑掃修潔，違者有禁。遵道勸學，風勵天下之意甚深且厚。爲吏者不知體詳是意，能爲識治道本末先後者乎？高唐州廟學，至元二十四年鄭尹德鄰寔改築大成殿，餘役有所未暇。越二十有七年，奉議大夫、高唐州知州、兼管本州諸軍奥魯勸農事尹利用至，奠謁禮成，嘆兩廡卑陋未稱，且地基狹隘，禮殿之後僅容講肆，而生徒弦誦之舍無所，謀於監郡武略將軍幹朶忽都、同知州事張居大、判官馬譽，同出俸金，言舉斯役。會鄰有隙地，厚其值市之。前徐州判官劉守仁義不受值，斥所居之地樂施，遂得增益寬敞；左壖外有地，故隸于官，亦割而歸之學。乃新作東西廡，賦功庀役，監尹分董之，治事之暇，躬親臨視，故工徒兢勸，不日底功，輪奐顯敞，度越前制遠甚。募匠者繪七十子先儒於其壁，欄楯罘罳，莫不完具，又爲祭祀之器，率中禮法，撤講堂徙置稍北，爲左右齋亭各五間。縣尹東昌董廷翼實董蒞之，僅再閱月，厥功告成。蓋自二十八年夏四月始事，迨三十年秋九月畢役。屬邑有田桑百畝，請于朝爲養士永業，招集子弟秀民肆業于學。縣有四鎮：曰靈城、曰齊城、曰夾灘、曰固河。前縣尹劉仁，始于齊城創搆一殿。廷翼繼至，謂四鎮皆民居駢集，富庶不可無教，乃勸民俾知所本。當農事之隙，鎮州學教授夏津駱文藻狀其事，以記爲請。竊惟學校之設，所以明教化育人材，然名實率貴相孚，非直示美觀飾游聲而已。夫人材之生，何世無之，顧上之人教養何如耳。詩云：「執柯伐柯，其則不遠。」初，高唐爲一邑，澮軒康先生曄授館其中，執經授業，前後非一，不二十年，人物輩出，往往入登臺閣、分列州縣，一時英彦聳動，縉紳間人人能言之。矧今升邑爲州，統縣三，生齒之衆數倍，曩時風俗漸染，户知讀書，蒙賴賢使君教養振勵人材。或有愧于前者，吾不信也。昔人謂一夫得情，千室鳴弦。況四賢共治，塤唱篪和，治績彰著，多可紀述。邑大夫又得廉勤忠敬之吏，一郡其有不治哉。肅政廉訪司連章薦舉，可謂知人矣。尹利用、張居大、馬譽既去，李茂、劉繼祖、劉良弼實代之。（清康熙《高唐州志》卷一〇）

〔一〕題名内「高唐」二字據文意添加。

贍學田記

大德八年

聖上踐阼之初，以十四事詔天下，其九曰：學校之設，所以作成人材。無學田處，量撥荒閒地土贍給生徒，所司常與存恤。七月復申諭中外曰：孔子之道垂憲萬世，有國家者所當崇奉。曲阜林廟，大都、上都、諸路府州縣邑應設廟學書院，其贍學地土德至渥也。濟陽，濟南之屬邑，爲縣幾百八十年。邑學，近歲賢令尹皆營繕一新。具鄉先生翰林學士楊文鬱所著《贍學記》，獨境内無遺田，所以資贍者未有以應詔，教官之至率不能安席，學者亦裴回引去。大德七年，教諭章邱廉鐸至，適城南清濟之汭，水落而灘出，廣袤二百五十餘步，當市集諠囂之地，以之列肆，可以致人而聚貨。誠請於官，月取僦直以資學，則祭祀教養之費宜若可給，且民不得私有，收其利入學爲宜。乃上之本路總管府及廉訪分司，皆允所請。符下縣趣如令，俾爲贍學永業，仍附入學籍，干冒者有禁。縣請記其事於石。予惟自古人才之成，未始不自教養中來。故《詩》曰：「菁菁者莪，在彼中阿。既見君子，樂且有儀。」説者謂：育莪者，山阿之潤澤；育材者，人君之德化。漢史亦曰：土之美者善養木，君之仁者善養士。方制詔勉學，首及學田，無者以閒田給之，國家嘉與士類，期於作成。所在郡邑，顧豈無倉廩府庫之實以給數十人之日用哉！意者錢粟之廩可暫而不可常，以土田賜之永修，可以無弊矣。濟陽雖蕞爾邑，而地故齊境。前代人材輩出，非以其教有本原，學有根柢故耶？今守土之吏寅奉詔條，作新邑而又疏闢墟田，以補助教養之需。自今爲士者，沐浴膏澤，不至有口腹饑渴之害爲心害，朝夕得壹意於學，將有博學洽聞蔚爲時望者出焉。苟備員諸生，竊虚譽以貽鄉人羞，是豈賢長貳所以惠淑之意，尚熟計焉，毋忽。（清乾隆《濟陽縣志》卷一〇）

重修濟州廟學記　至元三十年二月

濟州自五代治鉅野，地居下流，河數爲患。金天德二年，徙治任城。任城古風姓國，漢魏嘗封建宗王，畎澮之潤接洙泗，聖人遺化在焉。户知讀書，人漸禮訓，前代名士輩出，故其廟學視他郡爲尤盛。金季薦經喪亂，惟柱礎僅存。革代以來，爲州者創小殿五間於故基之前，象設雖具，而規制狹隘，不足以展禮容，嗣政率因循苟簡，安于固陋。至元甲申朝城冀侯德方自沛來監是郡，居久之，政通人和，迺興滯補弊，百廢俱舉，顧廟貌，謂僚屬曰：「是能興化之地而庳陋若是，吾屬爲國牧民，不致力興復可乎？」首捐己俸爲諸人倡。取材於山，得巨木，度故柱礎跨而梁之，爲大殿五間。經始於庚寅秋，落成於明年夏，高明堅整，於郡治實甚相稱。若賢廡，若師生之舍，方次第作新，而入爲監察御史。先是，侯具書幣聘東平文儒楊演俾主教導陶冶士類，居數年，作成者爲多。侯既去，諸生合鄉書請記其事。（清咸豐《直隸州志》卷五）

重修濟州廟學後記　元貞二年

至元二十九年，監濟州冀侯德方新作大成殿，甫成，入爲監察御史。越明年，其子泰襲爵。又明年，雲丙郭侯景仁自盂州來知州事，謁拜之日，見其殿宇崇峻而兩廡闕然，門觀堂序庳陋莫稱，乃謀於冀侯曰：「聖天子即位之始，首以興學詔天下。而吾州密邇闕里，未有以稱明詔，其可乎？且尊府興作之初，意將不特止此。聞公帑尚有餘貲在，盍圖之。」冀侯復曰：「泰以非才，猥嗣郡寄，逮今纔期月，繼成初志，誠有所未遑。幸今公至言，舉斯役圖之，此其時矣，敢不黽勉左右之。」翼日詢諸同僚，更倡迭和，莫有異議，乃擇謹厚可授以事者，得州吏劉鈆、王居柔、張仲則，以役屬焉。居頃之，同知州事劉庭玉、判官和洽相繼受代。郭侯身任其責，首捐俸金相以力役，爲諸人倡，視事稍隙，則以身董之，風雨寒暑不之恤。故人各赴功，惟恐其後。爲東西廡，爲神門，爲講授之室，爲弦誦之舍。又度學西南外壖隙地爲屋，以居教官，絜其楹蓋無慮百餘計。經始於元貞元年之春，落成於二年之冬。（清咸豐《直隸州志》卷五）

大名路重修廟學記

大名在宋爲陪京，其廟學曰辟雍，有大觀碑石存焉。在金爲總管府，設學養士，生員有定。寮屬文資者，率以提舉學校。繫御更代之日，迭相授受，薦經喪亂，蕩無孑遺。國初，有司創小殿，繪聖師十哲像事之。歲庚子，總管梁侯千即其基構殿，奉聖像，以故殿爲大成門，闢講授之室於其左，四齋回合以居學者。壬子，葉可斷事官小李鈴部其子小鈴部來蒞府事，請于朝，以本道曆日錢崇飾貌廟，創兩廡，繪七十二先儒于壁。至元二十三年，小李鈐部之孫嘉議大夫大名路達魯花赤萬奴李公在任時，參議中書省事何侯來爲總管，下車未幾，捐俸修學。士民知所嚮慕，輸財赴工，不和而集，别爲講堂，儲書萬餘卷，起重樓貯之，以故講堂爲東書院。買田幾三十頃，立僦舍五十八間，取其租直之入給師生徒，由小學升府學，復其差繇，學成薦之朝，以備官使，立爲定法。而何侯去，又四年，燕南河北道提刑按察使王公彰閭倡其屬撤大成門增大之。二十九年，燕南河北道廉訪司治大名使堅童洎張孔孫經歷田澤，以勵學明化爲務，謂賢廡庳陋，盍議更葺，率所屬割俸爲之助。嘉議李公萬奴任其役，命經歷王或董之，增建兩廡六十餘楹，故廡四十則移爲東西序。至落成，教授安陽王彧狀其本末，貽書記其事。竊謂：古者諸侯世治一國，身任化民之寄，有曠日彌年求尺寸之功無聞焉者。矧後世牧民之吏，不得久於其職，將紓急怵過之不暇顧，欲責學校之功難矣。大名自梁侯千迄于今凡五十餘年，而廟學之制始完，其儲書植産爲經久計者，何侯惠淑後學，厥功大矣。嘉議李公嗣成先志，樂於爲善，可謂能卒前功者也。若王提刑彰閭、張廉訪孔孫所以倡率縱臾以率斯役者，固有賴焉。今士子居有室廬，食有既廩，習讀則有書矣，講授則有師矣，惟其知所以學，則有望於邦之人。蓋天秩彝倫，其爲品有五。人君代天爲治，施有攸尚，其爲教亦五，舜命契敬敷者，此也，臯陶明刑以弼者，此也。夏殷之季，綱常紊亂，成湯肇修人紀，武王重民五教，皆是物也。周室擾兆民則敷之，君牙和民則又敷之，古先聖王所以設官分職訓迪斯民者，無外乎是。原其設爲庠序學校之意，凡以明此而已。後世以科舉取士，學者爲利祿所汩，國家之所尚，父兄之所教，詞章記誦之外無與焉。噫，詞章記誦，學之末也，舍本逐末，非學也[一]。幸國制簡易，取人之法未立，爲士者盍亦志也。本爲已返古遁斯可矣。古道且不可復，明經修行，蹈先漢之風，猶之可也。（明正德《大名府志》卷五）

[一]非學也：也，原脱，據日本藏明正統《大名府志》補。

平原縣修廟學記

元貞元年四月

先王建邦設都，樹后王君公承以大夫師長，惟以亂民亂云者治之謂也，蓋兼有君師之道焉。縣尹去民尤近，以導揚風化爲職，庠序風化所自出，善治者必以是爲先務。然縣有劇易，事有繁簡，處劇若易，理繁猶簡者，非才有餘刃能然乎！平原當南北驛途之衝，簿書獄訟，徵發會遣，與夫行李往來，廷勞郊送，日不暇給。今達魯花赤札木合、尹張元規、簿馬汝弼方爲縣倥偬，能知以興化勸學爲己任，其賢矣哉！縣故有學，居城東南隅，燬於金季之兵。初，儒士蔣文、霍存倡邑人爰舉斯役，爲殿三間，賢廡略備。至元七年，縣達魯花赤札忽兒始闢講授之室，以舍師生。逮札木合、元規、汝弼偕至，以故殿卑陋規制狹隘不足展禮容，相與圖議曰：聖代崇尚文治，吾邑雖褊小，有人民社稷，亦古者子男之國，揣分思職在興學爲不可緩。乃共割俸幣。邑之尚義者，聞風胥勸，輸所有，唯恐其後。其司出納董營度則擇謹厚者授之。伐石於山，市材於民，撤故殿一新之，爲閈閎，爲齋序，爲庖，爲庫，不踰歲工作告成。奉安聖師配哲像，歲二仲月朔望，釋菜獻享如禮。教諭高從正不遠千里來京師，請志其事於石。竊惟人性根於天，未始有今昔之異，而學隨世變，則有今昔之不同。君臣、父子、夫婦、昆弟、朋友，人所有也，其相與之理，各有攸當，非爲之長上者開導訓迪，將失其本始，不知有教導之實。人之所以學，師之所以教，聖賢之所以傳，以之正心、修身、齊家、治國平天下者，此外無他説。今之學者則不然，呻其佔畢作爲辭章，馳騁辯説簧鼓一世，以爲儒學極致，求之古人之學，相去遠矣。今學成教舉，所以惠淑邑之子弟，作新耳目，縣長貳可謂不負所職矣。爲士子者，所當體承明府美意，朝夕警省，講明實用，以究夫爲己之學。若夫本原經傳，覺悟後進，則又司教導者之責職，思其居其尚勉旃。（清道光《濟南府志》卷六八）

全元文卷二八七

李謙 二

冠州廟學記 大德元年九月

冠氏學尚矣，見於石刻者曰，金貞元初，知縣魯仔嘗事增建，而規制狹陋。國初歲乙未，左副元帥趙侯天錫復加完葺。逮至元七年，陞縣爲州，凡易數政興崇良未暇也。二十九年，忠翊校尉監郡事脱脱鳩材市木倡更作之役，踰年，奉訓大夫知州事趙文輝、進義校尉判官趙思益繼至，更相勉勗，爰舉斯役，偕學正都士周。初，廟壖爲地四畮有奇，至是復益地四分之三，南北東皆達通衢。明年，承務郎監郡事青山、承事郎同知州事張土觀視事，踵因前緒不懈益虔；吏目朱玉、周榮祖實相其役。中敞大成殿三間，以位先聖先師。次爲堂，曰明倫。東西列序，以舍師生。外建欞星門，繚以周垣。又明年五月，登仕郎姜選嗣爲判官，其年十月，奉訓徐汝嘉來知是州，爲大成門三間，回廊五十間，圖史有藏，烹飪有所，旅陳有器，學之制於是備矣。學正趙潤以記爲請。州人素多讀書，當河南初下，一時名士大夫如遺山元公、紫陽楊公、左山商公諸人，皆流寓于此。逮及六十餘年，殘膏賸馥，沾溉後人，故未泯也。矧今僉憲司事趙璧按治是郡，而監郡守倅相繼得人，尊體國家崇化勵賢之意，其化行俗美，人材輩出，治績當最諸郡。謙老矣，尚及見之。（民國《冠縣志》卷九）

肇修廟學記

肥城，漢縣隸泰安郡，應劭以爲肥子國。今上改元之十二年，始立肥城縣，隸濟甯路，其監領縣事。趙珪以忠翊校尉爲肥城縣達魯花赤，爲肥城監隸者也，既至，立公廨，畫井閭，民居甫奠，學社爰卜。時校尉張禮同至，乃略定殿址。又數年，元承事琰至，並與珪同經畫，爲聖殿，爲賢廡，爲戟門，爲講授之堂。時則典史劉來璋實相繼提督。二十八年，張承事綱來尹茲縣，是年，珪之子世公始授進義副尉襲職監隸縣事，凡有功未卒者，相繼繕完。其先師十哲貌像有儼，張弛合制，七十子及先儒則繪於兩廡。殿宇峻極，門窗嚴肅，望之令人起敬。又爲祀器以備春秋釋菜之用，匾其講授之堂曰君子，取樂正子春所謂「肥有君子」之義，集邑人子弟教育其中，延李璧、晉顯忠相繼爲師。是役也，邑司達魯花赤長官趙珪始贊襄之，其紀綱役事，廉勤奉公，則典史張仲也。既成，邑人以記爲請。謙曰：導民之道，惟所欲爲。所常見則識之，所常聞則知之。耳目熟習而中心不喻，甯有是理耶？矧學校庠序教化之地，民之耳目在焉。以之習容觀禮，所睹者升降揖讓之儀；以之考德問義，所聞者孝弟忠信之義。朝暮漸染，涵養氣質，豈前代醇粹不可復乎！縣吏去民爲最近，責任所在，將誰歸？肥密邇鄒魯，有孔孟遺風，前史謂其人多好儒學，性質直，懷義有古人風烈。今學成教立，風俗或有愧於古者，吾不信也。（清光緒《肥城縣志》卷五）

始建學宮記

大德十年

夫子之武城聞絃歌之聲笑曰：「割鷄焉用牛刀。」子游對曰：「偃聞諸夫子，君子學道則愛人，小人學道則易使也。」夫子是之，至謂前言戲之耳。縣無大小[一]，有民人社稷，均南面子男之君，其職以承流宣化爲務，不先之以教化可乎？此建學立師所以不可緩也。齊東在前代爲一鉅鎮，隸淄川。國初，鄉豪割據，迭相雄長，及天下既平，升鎮爲縣，隸河間，爲宗室。其民錯居，而商税則本縣實司之。土俗以蠶織爲業，通功易事，懋遷有無，以羸什一之利，致貲巨萬者，非可一二數。往往狃于素習，唯知趨利而已。監縣侯探馬赤者，其祖曰不魯不花，曾爲本位斷事官。歲奉命撫安居民，父不列阿土官敦武校尉充縣達魯花赤兼管諸軍奥魯勸農事，至侯襲其世爵，來涖是邑，溫恭愷悌，好賢樂善。居任既久知其舊染當革，不可無教，慨然以興學爲己任。縣故有大成殿，狹隘卑陋不足以展禮容，乃行視城北隅，得隙地三畝有奇。屏菑翳，略基址，峙糗糧，具財用，陶瓦甓。躬率僚吏過巨室之門，開諸義理而告之話，言以故人樂輸所有而不之吝，經始罔亟，必俟其三農之隙而屬役焉。且親操畚插爲之倡，以故衆勇于趨事而忘其勞。侯董涖其事，經營締構，歷十寒暑，始克迄于有成。廟制弘偉，節棁輪奂，爲旁郡學宫之冠。象設端嚴，彰施足徵。爲講授之堂于其後，匾之曰資深。旁列四齋：曰惜陰，曰時習，曰切問，曰近思。招集子弟秀民以教育之。是役也，糜楮幣無慮二萬緡。賢廡神門，以次興作。主簿周砥、教諭馬克敬實相之。前教諭夾谷元素不遠數百里踵門來謁，曰：「齊東之爲縣，自國朝始，齊東之有學，自我侯始，不可無記，敢請。」予嘗謂庠序，名教之地，人材所從出。聖天子尊道勸學，崇化勵賢，詔數及之，所在守土之吏奔走從事惟恐其後。今庠序遍天下，教事粗舉，然閲歲滋久，未聞有特起之士經術文雅輔贊治化者，何也？無乃開導訓飭有所未至耶？抑三物賓興有所未盡耶？殆所學非所用，所用非所學，學者之心趨所易而舍所難，徼近利而忘遠圖，此其所以不能振勵興起者也。雖然，天理民彝，性所均賦，六經載道，格言具在，矧藏修有所講求，有師誠能朝益暮習，優柔厭飫，安知不有博學洽聞爲時名卿者出焉？十室之邑必有忠信，豈得盡誣一世哉！丙午冬十月既望記。（《齊東縣志》卷六）

〔一〕縣無大小：大，原脱，據清康熙《濟南府志》補。

重修泰安州廟學碑記[一]

泰安州廟學，金大定間郡守徐公偉以嶽祠羨材增大之。其制倣闕里之舊。遭罹兵亂，幸而完存，然以歲月滋久不能蔽風雨，將有壓覆之患，累易前政，未暇葺者。逮至元辛未，洺州防禦使馬公驤來尹是州，視事初，謁先聖，顧瞻廟貌，退而嘆曰：「事有急於此者乎？」乃既然有興作之志，首出俸幣以爲僚屬之倡，同知儲公企範迭相贊和。由是境内士民以至緇黄之屬共爲佽助，富者以資，貧者以力，初，不出强勉毆率而人自樂爲。先撤大成殿治而新之，次及賢廡，次及神門、講堂、齊舍之類，焕若完整，率視舊加隆，像設顯嚴，一新繪事。又圖七十子暨先儒於兩廡。會州之監司噉撒、令尹孫公民獻、判官郭公敏相繼而至，凡纖悉未備者，皆踵成之。州教授王君禎遣其門生劉琛馳書東平，請記其事。僕以文字澳濍，謝不敢當。劉生申其師之辭，則又請。度不可終辭，輒以所聞復之。

三代之世，自二十五家之閭以及萬二千五百家之鄉，皆有序有庠，立道德者爲之師。序以明教，庠以行禮，而視化焉。而又各有教法，歲時若月朔祭祀會而讀之，書其敬敏任恤者，書其孝友睦婣有學者，書其德行道藝。三年大比，而興賢者、能者，以禮賓之。其不師教者，觀之以射鄉之禮，不變則移之左，移之右，移之郊。遂先王之於民所以教之之方，可謂詳且悉矣。民自成童以上已知室家長幼之節，十五則知朝廷君臣之禮，所謂人有士君子之行者，豈虚言哉！嗚呼！斯民也，三代之所與其學者也。然而古今異制，習俗亦不得不異，猶幸一郡一邑亦自有學以爲民之耳目，使觀其素習而知揖讓進退之儀，養其良能而明孝弟忠信之實，雖不能盡如倅古而其遺意具在，信乎！其爲風化之原而爲政者所當務也。馬公自下車以來首爲是舉，其亦知本末先後矣。昔文公守蜀郡，興起學宮，學者至，比齊魯。衛颯典桂陽修庠序之教，而邦俗大化。蜀郡、桂陽皆僻遠荒陋不知禮教，自兩君爲政，蠻夷之風爲之一變。矧泰山聖人鄉郡去洙泗纔百有餘里，人好儒術，户知讀書，今學成教□□有通經學古之士如泰山、徂徠二先生者出，□公與爲有力。茲故表而出之，異時傳循吏者得□考焉。其餘治績尚多，郡人例能道之，此不書。（清道光《泰安縣志》卷六）

重修廟學記[一]

爲縣難，居驛塗之衝者爲尤難。縣極下去民爲最近，凡省部符檄一出，諸道趣屬郡，郡趣縣，至縣則布之於民。事事必躬涖之，若繭絲之賦，粒米之征，調度力役，牒訴獄訟，連證會逮，案牘填委，吏雁鶩行以進戢戢取判其前。率則平旦視事，至日旰乃得嘗食，而又行李之往來，佩符乘傳者絡繹旁午，將迎館穀，承奉衛送，一語一事少不酧應，則譴訶隨至。居驛塗爲縣之難，蓋如此。茌平值南

〔一〕題目代擬。

北衝要，自江浙閩廣淮宋述職於京師與夫將命出使者，皆取道於此。爲縣者率日不暇給，監邑事抹兀、尹侯永祚、主簿李榮同任協謀，壎唱篪和，相與撥煩理劇，操割應手，不期月以治辦稱。縣務少隙，思職任所當先者，乃經理廟學，各捐俸幣。首葺禮殿，次及門廡，皆修舊起廢，爲一新之。圖肖七十子及先儒像，仍新作禮器以嚴春秋二仲之祀，繚以周垣，甓其階址，由内及外，一一完具。其講授之堂，始構於前尹姜居政，閲歷餘寒暑，稍復朽敗，至是亦加完葺。延禮儒士，選子弟秀良肄業其中，絃歌誦讀，習容觀禮，猗歟盛矣！教育王德元以記爲請。竊聞古之教者，黨有庠，術有序，國有學，蓋明教之地，人才所從出焉。然教之之法不過因其所固有，開導而訓飭之，則治化休明，風俗醇美，良以此爾。後之爲治者，一切從事於政刑以塞服官之責，學校之設視爲具文，而所以教者又失其本指，欲望休明之治難矣。今茌邑長貳能知治體以興學崇禮爲先務，此意寧不足述哉！（《茌平縣志》卷一二）

新建兩廡記

平陰之地在漢爲盧，爲肥城，隸泰山郡。史稱多士，好經術，迄今千數百年土俗猶然，帶經而鉏者往往有之。宋以科舉取士，登進士第者比他邑爲多，故其廟學遷建增葺不一而足。宋元符、崇寧、宣和及金大定間碑石故在。邇來六七十年，因舊補敝，殿堂閈閎，粗若完具，而東西兩廡則闕焉。至元二十八年，古襄董繼昇來尹茲縣，奠謁禮成，顧瞻興嘆，以爲七十子親受微言聖門惟肖者也，左丘明以下先儒發明經義有功後學，自唐以來列之從祀配享，而歲時釋菜無所于位，豈禮也哉！乃合境內士夫圖議其事，首出俸幣。縣達魯花赤乾德哥、主簿司馬瑞、典史胡公弼相與叶贊。邑之好事者，輸財賦功，不勸而集。乾德哥、胡公弼既去，火魯和、孫武仲繼至，同相茲役。爲東西廡各七間，高明堅整，適與禮殿相稱，繪先儒七十子于其壁，率合禮制，醇德先生王公去非鄉之有德者也，亦爲位以祠之。崇峻階級，完飾欄楯，入其門規制嚴肅，學者咸起敬心。至二十九年五月始事，迨三十年十月落成。材木以株計者一千三百有奇，瓦甓以枚計者四萬七千八百，楮幣以緡計者三千五百八十。不費於官，不病於民，而功以時卒。教諭辛德懋狀其事，合邑之儒生以記爲請。竊惟諸君所以屬筆於予者，豈直志歲月工費而已乎？蓋將相與講明修身爲學之大旨，以諗後學俾知所儆勉也。請以作室之義明之。夫作室者，必先增築基址，封植柱礎，架其棟梁，施其榱桷，固其垣墉，而覆以陶瓦，墁飾之，丹雘之，則輪焉奂焉，孰不曰美哉室乎！夫人之修身爲學亦猶是而已。且人之一身萬善均備，苟修其孝弟忠信以爲基，充其仁義禮智以爲柱礎，多識前言往行以爲棟梁榱桷，閑習威儀宣著文章以爲垣墉陶瓦污墁丹雘，則瑟兮，僩兮，赫兮，咺兮，誰不曰有斐君子乎！雖然，抑又有本末先後焉。基址柱礎之不固，則棟梁榱桷安所施，棟梁榱桷之不具，污墁丹雘何所飾乎！此一役也，修身爲學之理具焉。或問鑄金，揚雄語以鑄人，因物托興亦當爾耳！學者其深思熟慮之，以無忘賢令尹敬教勸學之意可也。（清光緒《平陰縣志》卷七）

前濟州達魯花赤冀侯頌

史稱良吏所居民富，所去見思，自非惠利及人締結其心能然乎？古之言吏治者，必於龔黄召杜，然考其治績不過勸農桑、明教化、興利除害而已，而人之戴之，自有不容已者。監濟州冀侯既去任，踰年，州之吏民狀其治績，圖建不朽以申思戴之情，介前永嘉縣尹崔禧以文爲請。按侯自至元二十一年由沛縣達魯花赤來爲州達魯花赤，朝語謂達魯花赤，監涖者也，所在官府皆設焉，位居官僚之右。至之日，適新漕始通，使傳旁午，舟車交集，民夥事劇倍他日。侯操割應手，他人未易辦者，率優爲之。農隙，親循保社，民間户力强弱，參考得實，列爲等差。凡有力役，必按籍均及之，農不失時，商不廢業，遠方聞之，向慕來歸者不可勝計。人有訐訟，必諄切誨諭，俾知義理所在，情有不可耐，始深治痛繩之，人知所懲而獄訟衰止。久之，郡廊廓無事，則致力學館，延東平文儒楊演來主師席，招子弟秀民開導誨誘，賴以作成者甚衆。公退躬率僚吏執經考義，日改月化，貪鄙之心革去，吏風翕然一變。其遇師儒也，爲之買田宅，爲之給僮僕，禮意周至，始終如一。初漕渠既通，朝命設江淮漕運司，以州廨爲治所。侯以爲公署所以布治，僑寓民居，可暫不可久，且陛級不崇無以示衆，乃即任城故署，創立州廨爲公堂，爲幕次，爲吏舍，門宇嚴肅，庫廐成列，不費於官，不病於民，而厥功告成。城南數里曰趙村，當驛塗衝要，其地湫隘，歲夏秋之交，積潦所豬，率數月不得通。侯倡其議，築甬道三十里，行者免揭厲之苦。市西有地卑污，人謂之黄土灣，霖潦之際，居民數被漂没。爲雇役夫迹訪故渠，疏導填閼，水出城，達隍中，居者賴之以安。郡之廟學，在前代爲最盛，金季之兵鞠爲灰燼，惟柱礎存焉。國初爲郡者，創立小殿，累政因循苟簡，未暇更葺。至是，大其基横，因故柱礎爲大成殿五間，顯賁輪奂，一新郡人耳目。春秋暨朔望，身率僚屬釋菜致奠，備極誠敬，雖風雨寒暑曾不少懈，其敬教勸學如此。以至增葺嶽祠，所以備水旱雩宗，非以徼福也。横堂于春暉園，所以宴享賓客，非以娱己也。至其律己以嚴，待人以恕，其臨事也，守正不撓，其見義也，勇於必爲，又非餘人所能及者。二十八年，被詔徵爲監察御史，百姓遮道請留，馬爲不得前。既久，耿耿在人，彌不能忘，相與伐石頌德，雖史傳所稱古之循吏，何以加兹。侯名德方，字正甫，濮之朝城人。讀書明於義禮，既冠擢曲阜達魯花赤，終更徐沛，所至以政績著聞。頌曰：

惟王啓監，厥亂爲民。化職爾宣，令由爾申。一夫得情，千室鳴弦。付授非才，民何賴焉。

（以下有闕文）（清咸豐《濟甯直隸州志》卷九）

萊蕪鐵冶都提舉司紀績碑

萊蕪冶户劉順等造余言曰，萊蕪鐵冶尚矣。至元甲戌，翰林學士徐公琰以陝西行中書省部中來充提舉，始立官冶。發户三千專給冶事，復其户調，仍減其租税之半。立爲三監，曰通利，曰寶成，曰鋘鋙，監設户丁。燃煉鑄鎔，舉無遺策，繼至者遵守行之，可以求久無弊。比歲不得人，稍易成法，課無所益，而民不勝擾。省部知其然，迺奏立濟南萊蕪而爲鐵冶都提舉司，以清鹽使然里沙札魯花赤、府員外郎田可宜並爲都提舉，中書掾邢秉仁副之。至任承法之後，選郡吏屬，汰逐貪殘，不事威罰而人知懼，不尚急迫而人胥勸，向之不任科役而棄業他徙，今復聞其新政來鐵任其役者有之。三載成效，不可没滅。是同僚協議，以爲國家復常賦于民，舉司爲之，則非恃人力無以建立事功，發天地之藏。夫人力有限，苟不知存養欽恤，顧以他役勞之，則課績殿負國家何賴焉。今常賦蒙恩蠲復而半税輸之遠倉，則與民常不殊，且所謂郡邑科徵督趣不惟民力重計，而輸税之功寔多焉。爲列其情狀以聞，由是馳詣京師，代民控告，辭情懇愊，省從其請，聽於所屬佑其物直以輕輸之，遂爲定制。符下之日，老倪相慶。三年間，蒙被惠利寔多，嘗具數君治行聞之肅政廉訪司矣。今數君皆代去，順等不勝區區之情，輒具片□□，歷數其事以爲有功者勸，敢以屬筆爲請。余惟民至愚而神有未易欺，不可以威脅，不可以利誘，惟至誠爲能感通。且夫一郡一邑處司牧之任者，奉法循理，悉除利病，及去任之日，耿耿在人心，形於詠歌者猶不多見。矧冶司之任敺有役之民即山采煉以裕國，計國計裕矣，在斯民宜憾焉。今數君去代之日，深服勞瘁之人至感念不忘，豈無自而然哉。昔劉仁師司涇水渠堰，人享其利，劉禹錫頌其遺愛。朱自勉主浙西屯田，豐其歲人，李瀚紀其成績。夫苟能敦仁，何施不嚮至治哉。吾以謂職無劇易，究心則治，民靡衆寡，惟誠則獲。數君之治，所以課最而得民心者，其以是歟。（《萊蕪縣志》卷七）

制贈大道正宗四世稱號碑

大道之教，行于世久矣。清修寡欲，謙卑自守，力作而食，無求于人，得老氏立教之指爲多。今嗣教宗主，其傳蓋第八代。自第五代入元朝，皆賜號真人，其四代，宜追賜稱號，如全真氏故事。制可，贈其始祖曰無憂普濟真人，第二代曰大通演教真人，第三代曰冲虚靜照真人，第四代曰體玄妙行真人。（清《順天府志》卷四八引《元一統志》）

闕里宅廟落成後碑

元聖之德，大如天地，昭如日月，蕩蕩乎無能名，皜皜乎不可尚已。歷代有國之君，崇尚其教，廟而祀之，幾徧天下。闕里聖人鄉邑，自漢祖過魯，祀以太牢，由是以降，其廟制因仍損益，見於圖志可考者，在宋金爲最盛。貞祐一燬，久而未復。我元列聖，尊道勸學之心，未嘗不切。特以志在混一，狃於金革，有所未暇。逮大德守成，始克成二祖三宗之盛意，殿而廡之，位而像之，沉沉奕奕，有侐有嚴，數百年閎規偉觀，一旦而復，視舊蓋加隆焉。而又紹衍聖世享之封，主四仲家庭之祀，無以共粢盛也，則胙之土；無以給涓潔也，則復其户。塋林則樵採有禁，子孫則教道有師。詔旨諄復，訓諭切至，且命翰林書之石，猗歟偉哉。初太中大夫、監蒞濟寧路總管府事按檀不花以魯居治境，乃懿戚封邑，祗承朝廷德意，開諭僚屬，勉勖士庶，先己而爲之倡，前役而爲之備，國無費財，民不知勞，卒成一代之盛事。總管馬嘉議昫，寔左右之。既卒役，狀其本末，遣經歷張格、知兖州馬奉訓禧，請記其成。竊嘗一拜林廟，伏讀漢隸數碑，見其請立百石卒史，典領禮器及用辟雍禮，出王家錢給犬酒直，則乙瑛也，選試孔龢補卒史，則後相平也。韓勑則修飾宅廟，造立禮器，史晨則乞依社稷，出王家穀，以供春秋禋祀。是數人者，皆東都前後魯相，以所請上之三公府。公府以聞，乃可其請。事皆魯相發之，數人者名不著見於史，徒以上章爲聖廟有所陳請，勒名貞石，閲世千數百年，至於今不朽。矧太中生當盛代，遵奉明詔，振舉墜典，潤色太平。兹特隆化美俗，勇於爲善之一端爾。若其表率一道，廉勤奉公，恤隱除害，善政及民者尚多，自當載名信史，傳休無窮，豈東都魯相所可並日而談哉。（清乾隆《曲阜縣志》卷二六）

翰林學士楊公神道碑銘

公諱文鬱，字從周。其先恩州人。宋仁宗朝有以司法官齊州者，因家焉，是爲公六世祖。金天會間，割章邱、臨邑、禹城、長清之地立濟陽，遂爲濟陽人。司法生好古，嘗官將仕郎。將仕生懋，字勉之，阜昌間官忠顯校尉。忠顯三子，其季曰彬，字俊臣，俊臣子貴贈少中大夫。少中一子，諱君烈，字清卿，年二十二登太和三年詞賦進士第。歇歷中外，蔚爲名臣，遭離叔季，終於太府少監，積階通議大夫，勳輕車都尉，爵宏農郡開國伯，食邑七百户，公之祖也。妣李氏。宏農郡君二子：長曰珪，字禹錫。業其家學，爲文筆不停輟，敏捷立成，有聲場屋間，數舉進士不利，試部令史中選不及仕。還鄉里，滑稽玩世，以《易》爲專門之學，扁所居之齋曰學易。年六十三終於家。妣周氏，繼室石氏，年八十九，今無恙。仲曰珍，字天錫，公之考也。剛直不撓，卓越於流俗，鄉人皆敬憚之。壽七十有四。妣劉氏，前進士譙縣簿乙之女，婦德母儀，中表以爲法。子男三人，公其長也。次文煥，字仲章。次文蔚，字季章。女二人：適皇甫氏、郭氏。公天資穎悟，弱不好弄，舉止異常兒。始齔讀書，殆若夙習然。通議君素所鍾愛，嘗會集賓友，漫取西漢書命公讀之，句讀分明，音吐宏暢，一座傾嘆。通議君益喜，謂家人曰：「是兒不凡，當有起家之望。」因名而字之。教之作文，下筆即有可觀。年十三，通議君棄養學易，授以科舉之業，賦義皆中律度，既而聚書探求聖賢旨意。時遭喪亂，典籍散逸，每從人借觀，輒手自抄録，以至忘寒暑饑渴，必卒功而後已。平生冲澹寡慾，琴書之外無他嗜好，或得新書耽玩未嘗去手，雖家務生理略不顧省。年幾强，仕本道。提刑按察使陳節齊聞其名，貢諸朝，除闕里教授，遠方之士從之受業者多所成就。至元十五年，翰林國史院薦授應奉翰林文字。時江南既平，詔會諸王於京師，賞賚禮成，謂翰林老儒亦宜沾被恩渥，例有銀器杯枕之賜，公亦與焉。御史大夫月耳魯國朝右族大臣莫與爲比，詔翰林院屬講授《通鑑》，公充其選，尋補翰林院修撰，迨翰林、集賢合而爲一，兼集賢修撰。歷待制，進直學士，秩滿改國子祭酒。元貞二年，移疾還鄉。大德元年十月，制使特徵秉傳至京師，拜翰林院侍講學士、知制誥、同修國史。二年，侍臣有以翰林、集賢諸學士貧乏不能自存爲言者，上曰：「胡不早聞？」命出内府寶鈔分賜，公實受七千五百緡。是歲，扈從如上都。秋八月，車駕將南還，駐城南近郊，趣遣使來召，命草詔諭高麗。既就藁，詔階平章政事伯顔先聞於皇太后，皇太后大悦，使之坐，慰勞良久，命飲以湯粥。進至上前奏讀，詞意稱旨，顧謂近臣曰：「此適朕心所欲言口不能宣，而文士能達朕意。」且問汝向爲何官，今爲何官，與何人同列？對皆如上旨，奬諭而退。歲餘，升翰林學士、忠順大夫，餘如故，尋進官大中大夫。暇日語妻子曰：「吾一介書生，遭際聖代，官至三品，壽瀕七十，當服止足之戒。故集賢學士周先生正平年七十棄官而歸，余素所欽慕。今予六十有八矣，速當謀歸，旌紀先隴以畢爲子之願，徜徉桑梓以終餘齡，不亦樂乎！」俄遘疾，遂不起，卒於大都之寓舍，大德七年三月二十八日也，享年七十有九。夫人劉氏隸州判官汝礪之女，寡言笑，事姑舅恭恪柔順，居家儉素，遇煩勞以身先之。子男三人：曰去疾，曰僖，曰倬，皆紹世業。女一人，嫁高唐尹趙野，翰林侍講學士西皇之子也。男孫五人，女孫二人，皆幼。方其疾革也，其夫人請聞遺命，首言伯母年老，汝輩宜善事之。顧謂僖、倬曰：「汝曹粗知爲學，其律身謹嚴，慎勿貽笑於人。」僖、倬泣莫禁。復諭之曰：「生死人之常理，奚足悲。吾所以不欲命汝者，政恐如此。」遂不復言。居數日，僖、倬奉喪南歸。有司遣兵仗護送至其家。用四月二十八日，葬於縣北賀家里南原先塋之次。公自入翰苑至終其身，凡朝省有所集議，未嘗不與，臨事好謀，擇其善者從之，其或不善則莫肯詭隨。嘗謂人曰：「與其自用己見，曷若兼人所長，豈必事事皆出諸己然後爲快哉！矧事皆已出，未必盡善也。」人以爲名言。素嫉惡，惟恐其不相遠也。或時不得拒絕，雖對坐移時，至不交一言，其耿介類此。戒飭諸子，嘗曰：「予無他長，但誠實不欺而已。汝曹立身行己切宜識之，設或飾詐求媚以求進取之計，何足爲榮？直道而行，爲時所擯，亦烏足爲辱哉！惟有誠而已。」親舊間或有處事不合於義者，第以誠言規勸，雖恚怒弗恤也。久之，其人當自知，政使不知有何害，君子愛人以德義，當然耳。時有急於名宦者，公婉諭之曰：「人生窮達有命，何必區區乃爾。」其安於所遇，蓋如此。公生長見聞，且素從鄉先生張清真、楊素庵、杜止軒遊，得其議論爲多。爲文必援據義例，質實不崇華藻，有《林下集》藏於家。公少予二年，在翰苑與予情好雅相得。予告老家居，聞公之訃，不覺流涕之覆面也。去疾昆弟迭至，以碑銘屬，泣且拜曰：「知先君莫如公，且先君之志嘗欲求賁先隴，今無及矣，所以銘墓道者敢以執筆爲請。」謙雖老在，故交之義其可辭乎！銘曰：

乃翁燕居，乃孫庭趨。九齡而與元文，人謂君家之童烏。一目所經，十行與俱。業紹箕裘，已見於侍學之初。闕里五年，諸生範模。游泳聖門，春風舞雩。聲光日隆，行實相符。方聖代之貪賢，人其舍諸！入直鑾掖，發軔亨衢，得粗行其所學，於以備顧問而參謀謨。寵數便蕃，增光里閭。前後鮮倫，雅志不爲不攄。引年有期，心懷二疏。一疾而僨不起，茲非其遺恨也歟！

（清乾隆《濟陽縣志》卷一二）

中書左丞張公神道碑

世祖皇帝始居潛邸，招集天下英俊，訪問治道。一時賢士大夫，雲合輻輳，爭進所聞。迨中統至元之間，布列臺閣，分任岳牧，蔚爲一代名臣者，不可勝紀。至其愛君憂國，忠勤匪懈，好善疾惡，始終不撓。若時政之臧否，生民之利病，知之無不言，言之無不盡，曾不以用舍進退累其心者，公一人而已。公諱文謙，字仲謙，姓張氏。世爲邢州沙河人。曾祖珪，祖宇，皆潛德不仕。考英，邢州軍資庫使。曾祖妣秦氏。祖妣常氏。妣劉氏。公幼聰敏，讀書善記誦。自入小學，與太保劉公秉忠同研席，年相若，志相得。其後太保祝髮爲僧，先侍世祖於潛邸，薦公才可用。歲丁未，驛召北上，入見召對稱旨，擢置侍從之列，命司王府教令牋奏，日見信任。邢初分隸動臣一千户爲食邑，歲遣人更迭監牧，類皆不知撫治，加之頻歲軍興，郡當驛傳衝要，徵需百出，民不堪命。會郡人赴愬王府，公與太保實爲先容，合辭言於世祖曰：「今民生困敝，莫邢爲甚，捄焚拯溺，宜不可緩。盍擇人往治，要其成效，俾四方諸侯取法於我，則天下均受賜矣。」世祖從之，命近臣脱兀脱、故劉尚書肅、李侍郎簡偕往。三人者同心爲治，黜出貪暴，剗除宿敝，不期月，流亡者復，益户十倍。於是世祖益重儒士，任之以政，蓋自公發之。辛亥，憲宗皇帝踐阼，世祖以太弟日侍宸扆，所言率賜俞允。公暨太保數條具時務所當先者，爲世祖言，皆奏可施行之。是後大駕所臨，若大理，若漢鄂，公皆扈行。世祖皇帝即位，首拜中書左丞，與平章政事王文統共政，建立綱紀，講明利疚，以安國便民爲務。詔令一出，天下有太平之望。文統素忌克，謀謨之際，屢相可否，積不能平，公遽求出，詔以本職行大名等路宣撫司事。且有後命，曰第往，行詔卿。比行，謂文統言天下生民罷瘵日久，歲屬大旱，若不量蠲税賦，將無以慰來蘇之望。文統以爲世祖新即大位，國家經費爲數不貲，且素無積儲，何所供億。公曰：「百姓足，君孰與不足？俟時和歲豐，取之未晚也。」竟蠲常賦十之四，商酒税額十之二。下車宣布德意，百姓歡欣鼓舞，思見德化之成。明年春入朝，還居政府。始立左右部，分司綜務，鉅細畢舉，公之力居多。三年，阿合馬領中書左右部，總司財賦，每事欲專輒奏聞，不關白省府，詔廷議之。公昌言曰：「分制財用，古有是理，不關預中書，無是理也。且財賦一事耳，若中書不敢詰，天子將親蒞之乎？」世祖曰：「仲謙言是也。」阿合馬語遂塞。至元改元秋，詔公行省事。中興羌俗素鄙野，事無統紀，公求蜀士爲人僕隸者，得五六人，援恩例理而出之，俾通明吏教以案牘，旬月之間，樞機品式，粗若可觀。羌人始遣子弟讀書，土俗爲之一變。又疏唐來、漢延二渠，溉田十萬餘頃，民迄今賴之。三年，還朝。諸勢家告有户數千，當役屬爲私奴，朝議久不決。公言奴與良，法當以乙未户帳爲斷，若已籍爲奴，或奴之而未占籍者，歸勢家可也，自餘皆國家良民，必無爲奴之理。其議遂定，至今守以爲法。五年春，淄川妖人曰胡王者，作亂惑衆，逮繫百餘人。事聞，世祖命中書省議。公謂愚民無知，爲所詿誘，殺首惡三數人足矣。右丞相安童是其言，命公與斷事官普化，蒞決於濟南。既至，尸三人於市，餘並釋去，人以爲死而復生。七年，拜大司農卿，立諸道勸農司，巡行勸課，敦本業，抑游末，設庠序，崇孝弟，不數年功效昭著，野無曠土，栽植之利遍天下。奏開籍田，祭先農先蠶，皆自公始。尋又奏立國子學，以魯齋許公衡爲祭酒，選貴胄子弟教養之，所成就人材爲多，已而分布省寺臺閣，往往蔚爲時望，達於從政，皆出公始終左右之力。阿合馬當國，榷民鐵爲農器，厚其直以配民，創立宣慰司，行户部於東平大名，不與民事，惟印楮幣是務。諸路轉運司，怙勢作威，害民干政，莫敢誰何。公屢於世祖前極論其害，詔從公言，皆罷之。彼怒其沮己，數欲中傷，賴世祖眷知有素，計不得行。十三年，拜御史中丞。時阿合馬威權日熾，恣爲不法，慮臺憲發其姦，奏罷諸道提刑按察司，以撼内臺。居數日，公奏復之。自知爲姦臣所忌，不辭去未已也，亟請避位。明年，拜昭文館大學士，領太史院事。初世祖以大明曆歲久寖差，詔魯齋許公、太史令王恂、同知太史院事郭守敬，測驗改正，命公董其事，故有是拜。曆成，賜名曰授時，頒行天下。十九年，拜樞密副使。首議肅兵政，汰冗員，選練將士而優恤其家，曾未及施而一疾不起，薨於京師私第之正寢，實二十年三月壬申也，享年六十有七，階至資政大夫。今上皇帝御極，追念舊德，特敕有司議頒恤典，贈光禄大夫、大司徒，謚忠宣。公夫人劉氏，封襄國夫人。夫人前荆州節度使劉侯之女，姿淑善，事姑至孝，衣製必躬親之。公既貴顯，夫人常服不過縑素，子女雖甚鍾愛，每飯蔬食，服補綴之衣，常語人曰：「童心易以驕縱，當預之以儉。」克宋之初，詔頒廷臣白金器皿，輒遺分遺親族，尤喜周恤孤貧，恭勤逮下，僮僕皆感恩惠。迨公之薨，家無餘貲，曰：「吾家素尚清白，有書數匱，傳之子孫，萬金不博也。」其治家教子之賢類此。襄國生二子：長曰晏，初侍裕宗於東宮，爲府正司丞。世祖思功臣子孫，選充刑部郎中，遷吏部郎中，大司農丞。元貞改元，今上時時召見，命講經史，特授集賢侍讀學士，參議樞密院事，陞集賢學士、嘉議大夫、樞密院判官。次曰杲，武備寺丞。女五人：長適知深州事許善慶，次適侍衛親軍副都指揮使董士亨，次適祕書少監劉賡，次適集賢照磨李吉，次適典瑞大監董士恭。公先娶李氏早卒，生一女，適主簿喬淵。側室一子，曰昇。一女適劉槩。初大理之役，我師至其城下，國主高祥拒命，殺我信使，一夕遁去。世祖怒，欲屠之。公入言曰：「殺使拒命者，其國主耳，非民之罪。」世祖從之，特免殺掠，所活者無算。漢鄂之役，王師方啓行，公數言王者之兵，有征無戰，當一視同仁，不可嗜殺。世祖曰：「保爲卿等守此言。」既入宋境，諸將分道並進，各遣儒士相其役，禁戢軍士，毋肆殺戮，毋焚燒廬舍，所獲生口，悉縱遣之。其後混一之功，卒本於不可嗜殺等數語。信乎仁人之言，其利溥哉！公爲人謙恭篤實，外和内剛。其好賢樂善，出於天性，人有寸美，必極口稱道，遭際以來，每以薦達士類爲己任。或曰人心不同，豈能盡識，一有失當，得無累乎？公曰：「人才何嘗累己，第患鑒裁未明，有遺才耳！且人臣以薦賢爲職，豈得避纖芥之嫌而負國蔽善。」一時聞人揚歷中外者，多公所舉，然未嘗有德色。平居慈祥樂易，與人交不立厓岸，及當官論事，守正不倚，毅然有不可犯之色。又勇於爲，苟一事可行，一善可舉，如梗茹在胸，必欲快吐而後已。若農事，若鈔法，謂生民之重本，有國之大計，尤拳拳焉。樂聞己過，僚屬或相規勸，雖其言甚切，自敵以下，宜若不能堪者，公每優容之，過亦隨改不少吝。晚歲篤於義理之學，摳衣魯齋，求是正之，有自得之趣，無他嗜好，惟聚書數萬卷而已。身居寵貴，自奉若寒士，門無閽隸，客至，倒屣出迎，惟恐不及，人以是多之。謙晚至京師，朝廷時有會議，嘗忝從先生長者後，及見，直言正色，不畏强禦。今已矣，若公者豈可復得哉！銘曰：

泰道方隆，萬物棣通，乾龍將翔，滃其雲從。維我皇元，肇開五葉，群賢彙征，翼扶大業。公由縫掖，徵詣公車，平昔所聞，逢時樂攄。大理之行，武昌之役，賴公一言，民免鋒鏑。中統之治，至元之隆，公居政府，匡輔有功。饕餮擅權，害民蠹國，奮義直前，發其姦慝。如炭與冰，則不可同，退居散地，不忘公忠。見善必聞，有謀斯告，聖恩天大，愧無以報。舉賢達能，初非市恩，一時桃李，盡在公門。農桑學校，相繼具舉，富庶而教，先後有序。澤民夙心，經國遠圖，天不假年，有銜莫祛。公今已矣，公猶不死，事業卓然，載之信史。（清宣統《涵芬樓古今文鈔》卷六九）

全元文卷二八八

李　謙　三

張之翰神道碑銘

銘曰：學爲通儒，才應時須。事至物來，應酬有餘。早際休明，著鞭仕塗。乘御史驄，登使者車。摧折暴彊，糾繩貪污。知無不言，利必興而害必除。進陟地官，職思其居。尋倦值於北門，俄膺任於三吳。農安於田，公無負租。士安於學，朝詩夕書。方興來暮之歌，忍會哭之易傳呼。遺愛在人，當何時而已乎。繄天生材，意誠何如。曾未究施，胡遽然與，胡遽然與吁！（明嘉靖《廣平府志》卷八）

祁真人道行碑　大德三年

真人諱志誠，字信甫，姓祁氏，鈞之陽翟翟里人。家世業農，用致富饒。考逸其名諱，行善好施，人以長者稱之。母方震，夢道者遺之桃，取食之。翼日，里人遥望所居火，奔往救視，及即之，無所見而真人適生。少岐嶷，識度异常兒。歲壬辰，國兵下河南，真人年十四，爲軍士所俘。軍士資殘忍，同輩百餘人，殺戮無噍類，惟真人獲免。兵至太原祁縣招賢里，有大族强氏者，素與軍帥善，留真人子養之，俾從師就學。年幾冠，謀爲取婦，辭曰：「不肖生逢喪亂，離去親戚。白刃之下，孑身爲造物者所遺，心槁木，形死灰，安能復以人道立于世？將息情絶欲，入山學道。高門撫養之私，前死會當圖報。」强氏强之不可。時全真教盛行，聞披雲老師宋君居太原西龍山之静居，乃詣謁受教。承事數年，躬執勞苦。披雲識其偉器，謂門弟子曰：「弘吾教者，必此子也。」授以入道之要，輒忻然領解，業益進，道益隆，賜號洞明子。同門二高弟，曰宋、曰傅，皆知推重真人，不敢以先覺自居。一日，披雲呼之來前，爲書數語遺之。大略謂祁志誠可嗣其教，惟謹乃心，毋替吾言，敬之敬之。真人拜受而去。至保州之西沈村，築環堵以居，不出者凡三載。既又謁靈陽丁先生于奉先之瑞雲庵，群居力作者逾月，人未識也。一夕，先生獨坐丈室，真人前往參扣，先生持火燭其面曰：「吾于全真之門，久未見其人，不謂今得子。」喜不自禁，爲之手舞足蹈。自是講論道義，不令去左右。久之辭去，丁問子將奚適，真人言當還太原。丁曰：「汝南還不過老于卒伍，北行當張吾軍，爲統軍帥。」真人復之曰：「弟子日丐一食，且不得飽，何言統軍爲？」去之南行，至涿得疾，不能前進，追憶前言曰：行或使之，止或尼之，無乃非人力邪？反面北行抵燕，疾遂勿藥。歲庚戌，出居庸，至雲州。州將士庶禮遇良厚，爲擇地草庵處之，扁其庵曰樂全。口占漫與，皆達理之言，往往爲人傳誦。疾者來謁，爲符祝療治，應手良已，一方多賴以全濟。閒出郭，杖屨入西山，尋幽擇勝。至劉家谷，見其峰巒秀峙，清泉茂樹，意甚愛之。土人謂其地昔金閣仙人隱所，乃誅茆卜築，名其山曰金閣，谷曰游仙，觀曰雲溪，尋徙居其中。中統壬戌，大丞相安童聞其名，專遣今吏部尚書張元智持書迎致，一見如素知。問以修身齊家治國之方，真人曰：「身正則景正，身邪則景邪。大丈夫處其厚，不處其薄，居其實，不居其華。治大國若烹小鮮。」丞相嘆重，以爲名言。有問隨答，未嘗阿意苟容，由是待以師禮。至元七年，爲其師披雲宋君請謚于朝，贈玄通弘教披雲真人。所居金閣山雲溪觀，賜額曰崇真。八年，授諸路道教都提點。明年，嗣玄門掌教真人，仍錫璽書衛其教。歲奉命持香祠岳瀆，爲國祭醮祝釐，精誠感通，數有符應。宋平，所孚寶玉入内府，有天尊像及名鼎，詔送長春宫，俾真人奉事。尋以金飾紫檀麈拂賜之。真人感念强氏子養之恩，請復其家，詔從之。十五年，衡州入職方，命真人持香幣偕今御史中丞崔彧往祀南岳。既至之明日，遽蕆儀行事，禮成即趣裝就道。從者不悦曰：「此來凡跋涉七千餘里，不勝困憊，宜姑作數日留。」真人不應，行未及兩舍，州人追報岳祠爲盜所據矣，人謂真人有前知之明。十八年，道門多故，真人挺身直前，百沮而不撓。或謂宜及是時謝事引去，復之曰：「方玄風隆盛則以師長自居，少遇屯厄則退身爲隱士，人其謂我何？稍俟安泰然後辭去，爲未晚也。」二十二年，煩言已息，適丞相安童至自朔方，乃曰：「退歸岩穴，此其時矣。」春二月，移書集賢院，舉道教提點張志仙自代。集賢院以聞，詔可。羽流合詞言曰：「昌平北山三元觀，長春先師所居，宜爲真人歸老之地。」即日命駕還山，尋易名蓬山道院，鑿地修壙，爲卻後寧神之藏。又以崇真宫棟宇卑陋，不足以揭虔妥靈，躬率徒侶百餘人，出私帑所有，購材募工，經啓改作。王公貴人及遠近信道之士，皆樂爲佽助。創前後二殿，堅整崇峻，門觀顯嚴，金碧輝映。今皇太后道過雲州，遣使致香幣問遺。駙馬高唐王奉黄金五十兩，爲藻飾之費。三十年春，會徒屬匠者告之曰：「汝等當致竭心力，毋憚勞苦，比終歲尚畢斯役。吾老矣，幸及見之。」其冬行丐州境，未幾遽還，謂門弟子曰：「繪塑之工，吾不能竟矣，汝衆其嗣成之。」求紙筆作二頌示衆，易新衣冠，怡然而逝。是年十一月二十八日也，享年七十有五。十二月丁酉，諸弟子奉師之柩，權殯崇真宮之震位，從居民請也。前期行丐所至，凡遇故知，皆相與訣别。羽化之日，遠近吏民，奔走會哭，從事服役者日且千人。非待人以誠，能若是乎？今上即位，追謚存神應化洞明真人。真人明于性理，通世務，尤善論事，裁處得宜。丞相伯顔尤加禮敬。開府史公，一代名臣，不輕許可，聞其論議，至謂祁真人若在仕流，必長于治理。大抵平生所學，得于静境，真積力久，心光燁然。未嘗事筆研，及作大字，結密有法。游戲篇詠，輒出人意表。嘗有「閑把一瓢盛海月，常垂兩袖舞天風」之句，語意高邁，若此者衆。有《西雲集》三卷傳于世。竊常謂真人遯迹山林，草衣木食，守玄默而爲無爲，何嘗以趨時應務爲心哉。及聲光一出，不容韜晦，一旦膺尺一之召，嗣處教席，上承萬乘之尊，次則王公大人之所際接，其下則四海道流之所受教，非道德充實，誠有大過人者，必不能然。及其蹈止足之戒，復烟霞之約，翛然無累，浩然長往，視世間所謂榮利，不啻如土苴然，抑可謂知進退不失其正者歟！門弟高道輝等狀其行，介御史中丞崔公以道行碑爲請。謙數與真人相周旋，知其行誠然，爲叙次而銘之。銘曰：

維昔長春應征辟，弘教披雲侍行役，十八人中乃其一，洞明學道造堂室。耳聆微言探幽賾，圜居初不求人識，逃藏徑入空山寂，山深莫揜聲輝赫。殷然而雷起淵默，濟時名相思論益，皎皎白駒受維縶，玄門大宗衆所式。舍子孰當主師席，守靜以篤致虚極，不言而教以身率，和我簫勺化群慝。歲星一周應酬畢，還向中岩煮白石，居庸山南復山北，行雲去留無定迹。崇真杰閣霄漢迫，倏然草萊化金碧，大緣甫就俄厭世，勞生佚老此其息。莘莘徒侶人謹飭，道師之言世無失，萬古千秋報皇國。（《道家金石略》）

都元帥劉恩先塋碑銘

至元十五年春二月，四川平，其十有一月，大中大夫同簽西川行樞密院事劉公恩朝京師，上嘉之，授正奉大夫四川西進宣慰使，俄改遷都元帥宣慰使，賞四川之功也。初公以材武隸兵籍，從太傅耶律公入蜀，尋以勞陞百夫長，稍遷總管，太傅府經歷，共府爲招討，爲萬户，同簽行樞密院事，空有是命。首尾西十年，致身開品，虎符璽書，照映當代。公自以起身行陳，叠栒寵榮，每以不□報爲懼，重惟筮仕以來，離去鄉國，王事靡盬將事之念有所不違，今還歸告成，當得過家上冢，風樹之衰有不能已者，圖所以侈大國恩，光昭前人，惟有勒銘貞石以垂示永久而已。一日，介侍御史何君紬先來乞銘，我不得解，乃序而銘之。按公字仁甫，恩其名，世爲洺水人。秦改隸威州，共葬于大安鄉小成留寨者不知幾，昭殺□自太父以止，皆潛德弗耀。祖妣董氏，考歸榮，字仲謙，質稟善良，□□□謀屬。金季，河朔攪攘，歲薦饑所，亞寇盜充□□骨肉不能相庇，里人相率來歸，賴以保全者甚衆。歲戊寅，歸命國朝，擢署具州長。時新法喪亂，爲之立條教，寬力役，朝撫夕煦。居數年，流冗浸還，户口用增，治爲鄰郡最。壬辰，河南破，老幼攜持北歸，餓莩相屬于道，開公廩以廩食之，所活者不可勝數。大兵還，俘略多爲購以金帛而縱遣之，所活者亦不可數。屬纊之際，遺命戒其子毋妄殺，家僮數百人皆釋爲良，識者謂子孫當興。妣楊氏、胡氏、李氏，生五子：長曰整，行軍百户，與金人戰于衛，矢集于目而卒。次曰聚，早逝。次曰志，次即公，次曰進。公幼知讀書，爲人勇果幹敏，有口辨，饒智略。自結髮戍蜀，初破成□□取漢州以渡瀘水，若嘉定，若梁山，若馬湖江，若順慶府，所向戰皆有功。懷安之役，朱四川制置。蒲澤之役，諸路守帥合兵七萬，分遣入寇，公自龍瓜砦先驅逆擊，宋人大敗而還。成都之役，宋大將夏貴沓萬壽率兵三萬水陸並進，覘我成都。公先以鋭卒絶其歸路，躬率鐵騎突入與之接戰，往返數四，兵氣益振，敵兵大潰，馘首二千人，溺死者無筭。嘉定之役，我軍陳其東城，彼出師逆戰，公曰：「賊陳不整，可擊也。」乃奮戈直前，横馳陳中，所向披靡，獲其總管路分鈐將校十有八人。兩林之役，蠻酋建德據建昌府，自號都王，恃出剽卒擾我邊鄙，皇子西平王發雲南之師往討之，公將略騎爲前鋒，賊守隘道，我師不得進。公且戰且前，路梗遂通而達建昌。賊調兵來拒，公一日三戰，馘其裨將孛古，斬首千餘，縱遂成圍。建德率兵七千直夜犯圍，直當公所守分地。公身先士卒禦之，自丑至辰，矢石如雨，賊莫敢近，死者千餘人，乃退。我師屯駐既久，食且盡，公爲王畫策曰：「並江諸蠻，可往招諭，家給一符，俾允侵略，宜無不從。其爲利有三焉：版籍多寡，地利阨塞，我得知之，一也；家出所有，助我糧餉，可以足食，二也；師徒不勤，甲兵不頓，可以柔遠，三也。」王從之。乃躬歷蠻境，諭以威信，諸蠻遂爲我有，得糧米三萬石，牛羊二萬有奇，其氣益張。賊即出爲陳，山有巴巔險固，不可嚮。公潛視要害，請身率鋭卒，分道爲三，晝日攻取，自詎必得。伺賊隙而集奪其巔五，彼無所汲，乃降。其取嘉定也，公分兵樹柵，遮其要阻，彼勢孤援絶，遂拔之。嘉定既舉，瀘淑二州皆入附。其取重慶也，瀘淑中叛阻我饋餉，我軍懸守，莫有固志。公瞰江築柵，與瀘州對峙，合戰十餘，漕始通，奪其艦八十餘艘，捕虜四百人，死者甚衆。時春氣方燠，人多疫疾，我軍當暫還内地，賊人□其後。公還擊于折魚灘，敗之，獲其將領，乘勝追奔，遺尸蔽野，尋擣虚重慶，守者出，師逆戰，三戰皆北，走其僞唐都，擒其總管楊林，追及城下而還，軍聲大振。復至重慶，僞帥侍郎張珏以勁卒三千陣而待，公指麾部伍前進，三千人者殲焉，城中大震懼，遂開門迎降。重慶既下，率舟師順流而東，夔府、施州諸城，望風欵附，四川悉平。大小數百戰，斬首捕虜無慮數萬。前後賞賚合黄金百兩，白金三千兩，重錦衣緞，人馬鎧甲稱是。其臨軒慰撫，詔書獎諭，所以受知于兩朝者非一。國家遠撫長馭，開閫疏□，宜其感激奮發，以成信威印符傳檄巴渝之功。自今以往，戰□之場皆吾樂土，角逐之徒皆吾齊民，饑寒者得公以温飽，罷疾者仰公以休息，威惨化而惠和，又有不可勝言者矣。公娶谷氏早卒，生二子：長曰德祿，安遠大將軍就帶原降虎符同知四川西道宣慰使事，成都路總管萬户，鎮守嘉定事。次曰復祿，未仕。姪男德仁，進義校尉福建路諸邑人匠提舉。次姪男德義，武略將軍管軍千户。姪孫男思義，忠武校尉管軍把總。繼室費氏三子，側室張氏一子。兄整之，没王事也，嫂趙氏年未三十，守志不奪，字其二孤俾皆有成立，今年踰七十有四，鄉人賢之。銘曰：

介胄兮橐鞬，長戈兮短鋋。先人有奪人之心，孰非天而不前。盪師横衝，敵無中堅。巴蜀崎嶇，其險登天。踐層巔而爲城，下臨不測之淵。我征徂西，熾威靈之布宣。寇能往，我亦能往，何百二之有焉。既奠坤維，亦柔百蠻。告成于王，宣恩德之纏綿。錦衣故鄉，使車言還。故雖以名，起宗洽前。休之有傳，伐石西山。表公故阡，勳名不磨，亘千萬年。（明嘉靖《威縣志》卷二）

管軍千户魏君墓碑

管軍千户魏君既卒之七年，其長子茂遣其母弟英出先世□功行來請曰：吾先君幼從戎□，□十餘年，□未彰而□不□孤□肖□能奉揚遺美□事已□而□紀□焉，□敢以□爲□。初□更□□其先漢丞相相之後，□□之□者不□數世矣。祖□木□集，勇力絶人，善挽强弓，捉生矢□，百步之内□命中□。母尚氏，生二子：長□□，即君之父。棄家□黄冠師□通真，大德□羽流中□。母王氏，蚤世□。□州將李侯□見之，愛其勇□無比，□因□均□滄州牧□，皆□王命□事。□授滄州管軍千户，乙卯，改□上沂江淮。月□殳庀□之，始宋□兵□卻之城，成□人以□諸□兵爲必取之計，□□

等□□下，四面□真頃□□不滿千人，救援阻絶，糧食且盡，君□士卒，矢□去□是□㝷□有□之□。凡□以之□武功居多，□後□非□□畀麾下□抑□此□匪請於□曰：菴芾□往□弱□能□至□。承乏任使□刀□李氏□之許□。□□有戈年向之□者，今□矣。李氏世□李氏子斤代其□。□孝而能□□職□元元□十一年秋七月十有三日，以疾卒。□年四十有□。張□弘□布□同□張萬户□茂子□千里悉來□。□也□所□焉。□英□下士卒□不得止此而已茂□。東南北良村之□新阡□辛公之女，性□重居家□。□次即英，次曰□孝，次曰□，從都元帥□。（清光緒《重修天津府志》卷三八）

弘玄真人趙公道行碑

弘玄真人仙蜕之七十年，至元庚辰春，嗣法孫邢默庵道安托終南重陽萬壽宫宗主、天樂真人李道謙狀其行實，遣弟子至京師以道行碑爲請。推本源委，乃叙而銘之。按真人諱悟玄，字子深，姓趙氏，出臨潼之零口民家。在孕十有二月，生于金天德元年，驚姜之夕，室有光燁然，父母異之。早孤，事母魏以孝謹稱。性冲澹，屏棄外慕。既冠，讀書通大義，時全真教始興，真人聞而向焉。會第一代重陽公謝世，丹陽馬公扶護而西，道出零口，真人迎館于家，禮敬備至。丹陽觀其有受道之器，與之語，遂相契。翌日，遇丹陽行丐長安市，真人出貨泉百緡饋之，歸謂母曰：「人生幾何，汨没一世間，徒勞人耳。不若鄙遠俗務，棲心玄門，可以悟理，可以明性，可以達道。」母曰：「果若有志，吾與偕往。」乃舉家入道，訪丹陽于終南之劉蔣，師事之。親炙日久，丹陽教以息心養性之術，浸有所得。長安人趙恩虛第宅以請，乃築爲環堵，師弟子入居其中，今蓬萊觀是也。宴坐數歲，心境澄徹，至理貫融，得丹陽之學爲多。其後丹陽東游，有稷山段明源者，復究玄旨。丹陽喜曰：「關西已有趙悟玄，河東又得段明源，吾教得所傳矣。」是後關中之人，攀挹道譽，以不得參接爲恨。邠州淳化李氏築爲精舍，延真人以居，因剪柏四枝，手植于庭，且口占數語，以道其樹善本之義，柏遂生，迄今茂盛。泰和中，樊川雒六郎者，事真人執禮恭甚。其弟某，家居城中，屢于茶肆見一道者居座傍。暇日謁其兄來樊川，聞真人爲兄所禮敬也，同往拜之，閱其貌，則茶肆常見者。因以語兄，知真人未嘗出，大加敬信，遂割別墅朱陽村之柏坡爲真人築庵之地。庵成，命曰全道。又謂弟子然逸期曰：「京兆延祥觀，道祖玄元示迹之地，曩者丹陽師已築堂其側，他日必爲崇福道場，汝可居之。」真人時亦往來其中，歲增月葺，今爲名觀。大安壬申春，真人拜掃先塋，諸弟子皆從，中路聞虛空有聲，如樂音合奏，從者皆聞之，真人因作歌詞以志其異。僅成半篇，命弟子魯現琦識之。時弟子李道寶自洛西還，道中忽與真人遇，且曰「汝當速行，吾其逝也」，言終不見。至陝復遇真人，曰：「向嘗作歌詞未終篇，今足成之，汝其無忘。」道寶至淳化，真人已返真矣。道寶爲諸弟子言所見，舉其詞合現琦所識，遂成全篇，衆皆駭異。真人閱世六十有三年，自號了真子。明年葬柏坡之全道庵，同知平涼府事楊公庭秀實志其墓。國朝掌教宗師清和尹公拜祠下，嘆其崖巔峻狹，不足以容廣廈，命其徒芟夷坡之下，而改作焉，額曰翠微宫，尊之也。真常李公奉朝命追贈今號曰弘玄真人。真人邃于玄學，所謂修丹養性，黄庭内外景之説，得之于心，宣之于口，皆成詠歌，有曰《九九詩》、《無生吟》，具載《仙梯集》，傳于道流。山東諸郡目真人曰小丹陽。初，真人居灃西，嘗晨起呼衆曰：「三十年後，玄教大興，當有宗師闡化門人遍天下，汝等其勉之。」及長春丘真人赴太祖聖武皇帝之召，竟如其期，咸以爲至誠前知，静而能應云。門弟子甚衆，其尤賢而有道者曰清貧子王德遇、洗燈子然逸期、明微子王志清。嗣清貧者曰呂志真，嗣洗燈子者曰張道性，明微子度李志久，方主翠微宫事。銘曰：

道家者流祖玄元，太虚爲室静爲門，靈襟不受塵翳昏，擴然洞見天地根。厥初濫觴發真源，季世遂有支流分，禬禳科禁何紛紛，玄元至教幾湮淪。全真之興百餘年，弱而能强謙而尊，無爲而爲妙用全，不言而言真理存。重陽而下數散仙，翼贊其道能弘宣，就中丹陽得真筌，誰能繼之曰弘玄。妙齡不著愛欲纏，逃入徑入終南山，環堵宴坐百慮捐，天光内照如澄淵。關中道譽芬芝蘭，捐貲割土爭招延，築庵要結香火緣，嗣法有人今再傳。淳化之柏高參天，翠微之宫矗雲烟，御風乘氣返自然，惟余勝迹光樊川。（《道家金石略》引《甘水錄》卷四）

王善夫人李氏墓銘　大德四年十月

夫人李氏，其先真定獲鹿楊市里人，嫁槁城。王氏爲故金吾衛上將軍左副元帥知中山府事，王公諱善之夫人。其始在室也，貞靜淑婉，勤於女功，既醮事舅姑，供養惟謹，克盡婦道。其後公以拓地功致身帥職，夫人相其內治，一於勤約，未嘗以貴盛易其所守，遇內外使，均一撫御勞倈，恩意曲到，身居千人之上而未嘗厚一己之□，故人人皆樂效□而不憚其勞。歲戊戌，飛蝗爲菑趙境，民大饑，夫人言於公發私廩以濟，賴以全活者甚衆。公守永安日，郡去喪亂未久，公賦繁重，民貧不克時輸，公從□貸子錢爲補其不足，責家來徵則取償於民。夫人爲公言，如聞郡民負息至傾資莫能償，君爲牧長能忍坐視乎！我初來醮時，粗有奩□之私，今存焉，請爲民紓急，亦所以紓君之急也。即盡出所有，無難色。積歲重負，一朝獲釋，郡人德之。公子男女卅餘人，其諸母前□□□人撫之，不啻如己出，鞠育教誨，俾皆有成就著聞于世。公薨之四年，夫人亦卒，丙午歲二月十二日也，饗年四十有九，是年二月十七日，祔公之墓。一子慶端，今榮祿大夫、平章政事、行徽政副使、簽書樞密院事。一女，適中奉大夫、荆湖北道宣慰使趙椿齡，有賢行。男孫□人，桓廣威將軍、□□□□□□□□□□□□□□隆福宮左都威衛使。女孫二人，長適承事郎、管領諸路民匠副都總管趙瑜，次適征行萬户解震男□隆。夫人夙有至性，其父母偕没于兵亂，後失藁殯所在，歲時追感痛念，殆不欲生，詢訪故老，迹其死所竟得，爲具衣衾棺椁葬焉。慶端嗣職戎政，由右衛親軍副都指揮使入侍。□□□□□□□□□□□□□□春宮爲侍衛軍都指揮使，逮立詹事院，遷秩爲丞，忠信勤恪，始終慎密，不爲智名，勇功用締，□□□□□□眷知，遂進拜今職。居家清約，自奉如寒素，有以見夫人夙昔之教所以成其子者，至□平章狀其素行爲謙□。先太夫人棄養爲日久矣，罔極之報，已無所施，不朽之傳，儻可圖也，敢以屬筆爲請。謙曩侍□□□□□□□春坊，與平章數相周旋，義不可辭，廼叙而銘之。銘曰：

昔金吾公，膺一郡之寄，軫民之急，發私廩以濟，紓民之急，推所有以利，匪惟公賢，緊夫人相其內治。今金吾公都使相之位贊畫□□□□□□□□□□□帷幄，密勿從事，持身清慎，始終一致，匪惟公賢，以太夫人成其偉器。傾我囷倉，脱我簪珥，能婦人之所難，維以成君子之志。勤身以先下，嗇己而豐施，母儀嬪行，周旋克備。爰摭遺行，銘諸墓隧，至德匪酬，姑以慰九原之閟。（《常山貞石志》卷一六　以上李真瑜點校）

故鎮國上將軍江東道宣慰使蒙古漢軍都元帥張公墓誌銘并序

公諱弘範，字仲疇，涿州定興河内里人。蔡國武康公第九子，世次見翰林學士王公所著蔡國公神道碑。公資警敏，讀書博通大義，尤工歌詩，爲人容觀頎偉，善騎射，智勇過人。歲己未，公兄順天路總管弘略上計壽陽，留公攝府事。釐務之始，剖決詳允，吏不敢玩。軍士過其境或肆暴掠者咸杖決遣之，民賴以安。中統初，授御用局總管。三年改行軍總管，從親王哈必赤誅叛賊李璮于濟南，第功居多。明年，朝廷懲李璮之亂，兵與民不相統，長大藩者，其子弟皆不得親政，公以是例罷。至元改元，兄弘略入居宿衛，上召諸昆弟，面閲之，擇可以代其任者，畀公金虎符，授順天路管民總管。二年，移大名路總管。下車之日，詢民所疾苦，蠲去宿弊非一。不期月，令行禁止，吏畏而民安之。先是，達魯花赤愛魯以府庫之任授非其人，會計不當，至有自經死者。僚屬與愛魯有嫌，遂發其事，意不在公而幸其無援，公以同僚之故，力爲辯論，竟不得解，愛魯得罪，公坐連署，亦免官。閑居鄉里，與士夫相往來，日以詩酒自娱，恬然不以勢利爲意。六年，我師圍襄陽，括諸道兵以益之。益都一軍勇悍難馭，朝議難其帥，會有以公爲言者，允契上旨。詔授益都、淄、萊等路行軍萬户，復賜金虎符。既至，分戍鹿門堡，斷其餉道，且絶郢、復之援。主帥嘗曰，張九在鹿門，漢水之東，無復慮矣。尋建言國家規取襄樊，所以緩于力攻，而爲困守之計者，蓋重惜人命，姑欲圍之以待其自弊耳。向者，夏貴乘江漲，以一歲衣糧饋送入城，我師坐視莫之能御，何以困爲請，以本軍立栅灌子灘，以拒下流，使資敵援兵無自而入。襄陽西南地接江陵，歸峽商販之徒、更休之兵，往來絡繹，自漢水以西，絶無我師一人，何以困爲？請以本軍築城萬山，横絶西南之路，使敵衆無自而至。相府韙其言，皆奏從之。公以五千人戍萬山，申嚴號令，恒若敵至。嘗率偏裨燕射東門，敵人以步騎兵二萬奄至城下，諸將皆以彼衆我寡，難與爭鋒，請嬰城自守，公曰：「我輩率師而來，固敵是求。今敵兵在邇，選懦不進，非夫也，義當決死一戰，敢復言退守者，吾將治以軍法。」遂躬擐甲胄，躍馬横戈而進，遣偏裨李庭當其前，别遣它將以六百人攻其后，己率二百騎衷敵陳前后擊之。敵人步騎間陳而待，公率我軍列爲長陣，下令曰：「聞鼓而進，否則止，違者罪之。」敵麾衆一再入，我軍弗動，敵少卻。公曰：「彼再進，再卻，氣衰矣。」乃親鼓而進，前後奮擊，宋師大奔，死傷不可勝計。八年，築一字城，進逼襄陽，繼破樊城外郛。九年，會攻樊城，流矢中其肘，明日裹創復出，率鋭卒先登，遂拔之。襄陽既下，督護降將呂文煥入覲。上嘉其功，以錦衣、白金、寶鞍爲賜，麾下將校賞賚有差。十一年秋九月，我師南伐，丞相伯顔命公率左部諸將，循漢水東略郢而南。冬十二月，攻武磯堡，取之。大兵渡江，公前驅，啓行時，賈似道率兵阻蕪湖，孫虎臣據丁家洲，公身率士卒轉戰而前，大兵繼進，敵衆散走，前行宣布威德，所過無不降下。十二年，我師駐瓜洲，分兵樹栅守護津要。揚州都統姜才出兵二萬犯我揚子橋，公會都元帥阿朮禦之，與宋人夾水而軍，公率百餘騎逕渡奮擊，才所部多北人叛亡者，陣堅不動。我軍引卻以誘之，彼果來逐，公操戈憤還，掩渠帥殪之，敵衆潰走，死者自相蹂藉，追至城門而還。宋人調諸戍兵力陳于焦山，我師合擊，戰始交，公之一軍，横衝其旁，遂大敗之，追奔于圌山之東，奪戰艦八十艘，俘馘以千數。主帥上其功，改亳州萬户，仍賜名拔突。拔突，朝語謂勇敢，先朝嘗以名其父武康，而亳州之軍其世業也。公以爲請，故有是命。其年冬，從中書左丞董公由海道趨臨安，會丞相伯顔于長安鎮，尋次近郊，遣使約降宋主。往返數四，彼難于削號稱臣，止請以伯侄爲禮。公將命入城，詰其柄用大臣，且枚數其罪，宋人屈服，卒易表出降。十三年，浙東叛，公力疾討平之，師次台州，先遣人持書往諭，守將殺使者而焚其書，我師怒攻拔之，誅止其魁，餘并釋不問，台人戴其德，以爲死而復生。明年，師還迎，拜江東道宣慰使。爲政期月，闔境稱治。初，宋主出降，國人奉其二弟南奔，長曰益王昰，僭位二年卒，其弟廣王昺復立。十五年，公入覲。請往致討，拜蒙古漢軍都元帥，漢人兼統蒙古軍，國朝未有此比。上雅知公材，故屬任焉，陛辭面諭曰：「汝父爲國宣力有年矣，汝能繼志述事，不忝前業，則予一人汝嘉。今付汝大事，其尚勖之。」賜以錦衣、玉帶。辭曰：「臣猥以非才，薦膺寵眷。衣帶之賜，非所敢當屬。遠征弗庭，被堅執鋭，臣之願也，敢以劍甲爲請。」上壯之，出武庫劍甲，聽其自擇，公拜賜。即行至揚州，選驍將數人，發水陸之師二萬，分道南進。若漳浦、若潮陽、若惠州，皆寇盜團結，根柢盤互。公威服頑獷，濟以恩信，所至無不内附。僞相文天祥竄伏山谷中，爲我師所獲，公嘉其不屈，遽命釋縛，且待以客禮，族屬被俘者悉還之。十六年正月，入海道至廣州之崖山，宋人僑居海中，東西兩山對峙，其北舟膠于淺不得進，我師由山之東轉而南入大洋，始得相薄。彼碇舟千餘艘，環列如城，上建樓櫓，隱然一堅壁也。公肅整舟師，與之相向，號令既定，四面合攻，力戰終日，敵陳大潰。廣王君臣自度不免，皆赴水死，嶺海悉平。冬十月，來朝，賜宴内殿，慰勞良厚，尋以瘴癘疾作，命尚醫護視，日以疾狀報，凡方藥可以起死者，必遣近侍臨議。疾且革，沐浴易衣冠，俾左右扶掖庭中，面闕致拜，禮成，返室顧謂親戚僚屬言：「人生世間，一死何足深恨？姑取酒作樂，與諸君酌别。」平生所交，皆申懇辭訣，遺言無厚葬，甲一襲、刀一事，足矣。明器以陶爲之，劍甲之出内府者，命畀其子珪。且語之曰：「汝父嘗以是取功名，其佩服毋忘。」語竟，端坐而薨，時至元十七年正月十日也，得年四十有三。上嗟惜良久，俾有司考定命謚，且令子珪襲管軍萬户，佩其父金虎符。夫人趙氏，子男一人，即珪。公爲人尚氣節，敦信義，與人交久而益敬，筮仕以來，試之方伯則宣布德澤修明，教化藹然，有古良二千石之風。逮其出總兵戎，則戰勝攻取，所向無前，始于破襄樊，下郢漢，信威于江浙淮楚，卒之收福建平嶺海，滅故宋三百載遺孽，盡有其地。二十年之間，功業赫赫，著在人之耳目，顧雖天不假年，其所成就卓然，有大過人者。古有之死而不亡者壽，若公者可謂壽矣。銘曰：

開國其勳，世封其家。四海蔡公，礪山帶河。惟公嗣之，克肖厥德。其肖伊何，忠而能力。仕之初筵，剖符方州。誅鋤暴强，扶植善柔。尋膺戎寄，出總師旅。瞰江而城，遮其要阻。乃柵灌渚，乃城萬山。敵不敢逼，數敗而還。襄陽既拔，我師東下。鼓行而前，壺漿來迓。敵師蔽江，扼吾通津。焦圖一敗，不復能振。詰其柄臣，如折囚虜。臨安表降，出公數語。七閩既平，來慰江東。去其蟊賊，養以雨風。藐彼遺孽，尚阻聲教。臣雖不才，敢請自效。帝曰汝父，時予宗工，宣力我家，哀榮始終。惟汝相予，孝敬不息。肆予命汝，濯征嶺海。王旅嘽嘽，如飛如翰。颶風不興，鯨波息瀾。有渚其宫，阻居絶島。居亡幾何，一歸電掃。嶺表廓清，要荒大同。帝曰嘻汝，惟時亮功。寵眷方隆，瘴淪骨髓，萬金良劑，卒莫能起。人生壽考，奚計短長！事業卓然，斯爲不亡。我作銘詩，爰賁窀穸，尚告後人，其永無斁。（《文物》一九八六年第二期　曾貽芬校點）

全元文卷二一八九

楊桓

楊桓(一二三四——一二九九),字武子,號辛泉。兗州單縣(今屬山東)人。至元三十一年(一二九四)拜監察御史,尋陞秘書少監,與修《大一統志》,秩滿歸。大德三年(一二九九)卒,年六十六。著有《六書統》二十卷、《六書溯源》十二卷、《書學正韻》三十六卷。《元史》卷一六四有傳。本書輯其佚文十篇。

進授時曆經曆議表

協時正日,國政之大端;章往考來,曆書之明驗。一或失應,衆所共瞻。豈天運之靡常,殆人爲之未密。昔稱作者,初匪一家。其始也莫不精微,未幾則旋聞疏闊。蓋由年拘積算,日括周分,不知闕測以考真,率多傅會以求合。必欲行於永久,詎容失之毫釐。幸當累洽之辰,共仰同文之治。事加詳覈,法貴變通。欽惟憲天述道仁文義武大光孝皇帝陛下,政順陰陽,德齊穹壤。燭消息盈虛之理,得裁成輔相之宜。爰命文臣,若稽乾象。晝則考求實晷,夜則揆度中星。察氣朔之後先,定躔離之朓朒。精思密索，討本窮原。革前人苟簡之規，成盛代不刊之典。其爲要旨，具載成書，所有《授時曆經》三卷，《立成》二卷，《轉神注式》一十三卷，《曆議》三卷，已繕寫成二十一册，隨表上進。干冒天威，不勝惶懼震越之至。謹錄奏聞，伏候敕旨。（清宣統《涵芬樓古今文鈔》卷三六）

授時曆轉神注式序

近古曆法，必注人事動作吉凶之説，其式圖太歲統吉凶之神於帙端，令人知一歲之向背也。又注節氣日躔，及天道所向，天德月厭月殺月德月合月空，月之六候三白，圖於逐月之下，又令人知一月之向背也。又注干支於十日下，注五行納音於干支下，注月建十二於納音下，注二十八宿於月建下，合是數者，通取轉神之名，以爲吉凶之由。轉神者言其神隨時輪轉而無定位也，曰是日遇某神作某事吉，作某事凶。又注天恩天赦母倉天德，嫁娶修宅等一切吉凶宜忌雜法於其下，事之洪纖，一舉足，一動手，皆知所以擇地擇時而行之也。然經涉世代，不免有去取失當之弊，有司狃於習常，無所改正，亦已久矣。聖上以聰明神算，統一六合。萬機之暇，因知大明曆之度，有積久之差，乃更立太史院，命道德藝明之神，創置表儀，測驗推步，迎天道，揆日景，察往知來，研精極微，新其曆而敕賜名曰授時。其以鳥火虛昴爲日中宵中日永日短之驗，以正四時之遺制，蓋不敢失於古。然曆注之義，謂吉凶應於人，皆有所動，年月日方之善惡，不無乖於作善降祥，作不善降殃之理，雖然，至教所寓，無往不存。原夫曆注之初，亦所以教天下之敬慎也。天下之事，敬慎則致成而吉，否則致敗而凶。曆注之義微矣哉！特患夫用知者，知其流而不能推其源也，誠能推其源，其於作善降祥作不善降殃之理，渾然爲一體矣，復何乖之有！今依舊式爲之損益立辭，太重者輕之，闕脱者補之，衍餘者損之，位置失當者移之，事涉鄙俚者删之。既成，定爲《轉神》一卷，上、中、下《注式》一十二卷，上以備御用，中以備青宫之用，下以授庶官及億兆之民也。嗚呼，自古聖人之受天命，其於天之所以仁萬物者，無不致其極也！授時曆，存近古轉神之注於日下，使人趨吉而遠凶，亦所以資聖主仁億兆之大端歟。（清宣統《涵芬樓古今文鈔》卷一五）

六書統序

文字何爲而作也，聖人憂患天下後世，欲濟變通，備遺忘，息爭訟而作也。聖人始則憂患天下之變，欲以禮樂政教胍治卲天下，則以口傳，口不免有所遺忘，舟則憂患後世之變，欲以禮樂政教貽訓卲後世，則以賢傳賢，而不免有所泯𢇁卲，是文字之道興焉。聖人憂患天下後世可謂至矣！人皆知累文成章，累章成篇，然後可以衆瀍卲天下後世，而不知一文一字之間即至道寓焉。如制「仁」字，而爲人與天地並立之義，蓋人以至仁輔相天地好生之德，以成贊胍育之功，而後能參天地並立而爲三才也。如制「義」字，而爲善在我之意，蓋人制義由己而由人兮哉！如人、言爲「信」，言必當信也。

成、言爲「誠」，凡言必當以行成之也。如心、直爲「德」，日、正爲「是」。如此者，不能備東文字之始，豈苟然哉。後世特未察耳。愚自童幼讀書，既冠即知游心書學，曉述文字之本原，見古文、篆籀、石刻，輒倣玩不置手，始㐱禮部韻耑，得六書之名。少長讀《周禮》，始知書學爲六藝之一，保氏掌之以教國子者，雖屢目之，而趨進無門，繼觀肯宋杜從古集篆古文韻海，但博聞多識而已，夾不聞有所謂六書之原者。又幾十年，始獲見許慎《説文》全帙，雖有六書之説，唯形聲最備，其餘但千百字中一字下間注曰：此象形，此會意，此指事，餘皆略而不説，但類集篇旁而已。愚意許氏漢人，生近三代，宜當知之，其所以引而不發者，欲人存心肙飫而自求之也。深惟此意，輒不自量，當欲悉取古文篆籀之存者，析爲六門，冠以六書之目，恒窘以生理縈以多病而未暇也。至元乙酉，被召至京師，待詔㐱官舍賓客之餘日，且無事，始得償其宿志。明年校書太史院，秩滿再調祕書監，亟履清簡餘暇。三年之間凡三紀草而後成書，以凡文字之有統而爲六書也，因名之曰《六書統》。一曰象形，其别有十：曰天文，曰地理，曰人品，曰宫室，曰衣服，曰器用，曰鳥獸，曰蟲魚，曰草木，曰怪異。二曰會意，其别一十有六：曰天運，曰地體，曰人體，曰人倫，曰人倫事，曰人品，曰人品事，曰數目，曰彩色，曰宫室，曰衣服，曰飲食，曰器用，曰飛走，曰蟲魚，曰生植。三曰指事，其别有九：曰直指其事，曰以形指形，曰以意指意，曰以形指意，曰以意指形，曰以注指形，曰以注指意，曰以聲指形，曰以聲指意。四曰轉注，其别一十有八：曰天象，曰天運，曰地體，曰人體，曰人倫，曰人倫事，曰人品，曰人品事，曰數目，曰彩色，曰宫室，曰衣服，曰飲食，曰器用，曰鳥獸，曰蟲魚，曰草木，曰怪異。五曰形聲，其别如轉注之數，總其聲則有四：曰本聲，曰諧聲，曰近聲，曰諧近聲。六曰假借，其别一十有四：曰聲義兼借，曰借聲不借義，曰借義不借聲，曰借諧聲兼義，曰借諧聲，曰借近聲兼義，曰借近聲，曰借諧近聲兼義，曰借諧近聲，曰因肖而借，曰因肖而借，曰借同形，曰借同體，曰非借而借。凡序一文一字，必先置古文大篆，歸首以見文字之正，次序鍾鼎文，歸下以見文字之肖，次序小篆，歸其下以見文字之變。文簡而意足者，莫善歸古文大篆，惜其磨滅數少而不足歸用。文字備用者，莫過歸小篆，而其間譌謬歸後人之傳寫者夾所不免。今以古文證之，悉復其故，以古文大篆更相比究，小篆雖出歸秦，非秦創之也。但周室既弱，諸侯强暴，書不同文，六體變異，秦統一之後盡得周史載籍之正，乃削諸侯之紛雜，遷古文之本原，少加損益而爲是書也。籀文與古文既不相遠，秦□與籀文閏肖夾微自原而流，皆不□歸六書之制，但筆體或本大末殺首尾匀圓之異耳。至歸鍾鼎款識之文，以其古人欲刻諸金石，多所肖減，今歸其下，直曰肖文而已。凡集文字，總主歸聲名者、内古文重者、大篆重者、鍾鼎重者、小篆重者、譌謬别出者。凡釋言計二十卷。愚之荒學，實因許氏《説文》而得之。今就《説文》中取所明所識者，則□其下，直偁爲許氏曰云云。其未曉、未識而未設取者，仍有《説文》舊書在，既曰未曉、未識，設妄取以自欺乎。後之君子有知識繼人盡明許氏之舊而復之，斯愚之所願也。（明重印元至大元年刻本）

修孔子廟垣記

闕里廟制，周三里而弱，崇垣四護，皆毋以粉塗，庇以瓦木，與夫殿閣門廊等餘五百架，皆金明昌役也。薦經喪亂，表裏凋敝，中更灑掃百户，暫停主祀，財單力薄，扶傾綴朽，聯缺續墍，所成者不償其所壞。朝廷頻年議加修復，屢符本路，揆度工費，以軍國庶務方殷，而事未及措也。曩者山東東西道憲司諸公，自陳節齊以下，近及僉司粤屯公，皆嘗督諭本部爲救廢之舉。迨夫奉議大夫同知濟寧路總管府事劉侯用，至元壬午秋七月，繼謁祠下，奠拜既畢，周覽嗟惜而言曰：「夫州縣長佐之吏，考績於三載，必曰文廟有無增葺，況予爲方面之倅，廟庭在境，而曾未過省，何以處承流宣化之任乎！今朝廷方當布文教，善風俗，以爲致治之本，而於吾聖人祠宇，切於乖意。今廟貌雖殘，所餘者往往猶夏宇傑觀，而周垣圮剝，外連於荒莽，脱有野燒緣逸於其中，不旦夕矣！此事吾儕不得不任其責，以今竊計，莫若規橅舊跡，先起垣於四周，庶或可以亦愈重朝廷之經費乎！」凡兹所舉，有涉公帑之費者，予固不得以擅爲，以吾聖人之故，妨其農事，重其民役，而俾扞蔽他處。秋冬之交，農事畢入，蠲減他調而爲之，不亦美乎！」及歸，更與同僚謀之。時總府判官李侯書生也，聞之，樂與協其謀，劉侯之志，得以不沮。遂命孔氏五十三代孫權主祀事。曲阜縣尹親蒞其役，仍以兖州檢校之，乃於户大丁衆之家，從民意而借其力。民皆曰此非公役，惟吾鄉中之盛事，復何辭焉。於是相與執版幹捄削之具而至者，幾千人。於是，惟均之以廣袤，而不限其程，勉之以堅整，而不責其緩，繹繹繩繩，陾陾登登，不亟不遲，百堵皆興。縮基於季秋之將杪，斬木於陽月之既盈，宰牲釀酒，勞其衆而歸之。仍期於來春之首，變高堙深，夷蕪易壞，益植松檜一千本。於時衣冠行路，莫不稱歎，以爲殿閣崇嚴，倍增於他日，巖巖乎可謂夫子之牆也。孔氏令辭爲予言曰：自東平嚴公致政之後，而能加顧於祖庭者，蓋鮮矣！今侯體朝廷之意，以繼是美，是不可以不錄。桓時親睹其事，義不當讓，乃摭其本初，而題之於壁間。（清乾隆《曲阜縣志》卷二六）

重修廟學碑記

皇元有天下，以夫子之道保國家、安民生，莫不由之。又學校者，敦俗育才在焉。乃循報本之典，究清源之方，籩豆絃誦徧於海陬，况德平之爲縣聆睹皇化爲近哉！其尹佐能修典禮之事，宜矣。縣之學廟毁於金季，前邑長盛諭嘗營草堂於故地。至元壬辰秋，今縣令閻士安建政謁而歎曰：「明時尚文如此，禮樂之所兹何宜缺？師生咸曰：「人存政舉，匪賢尹孰任？」曰：「忝長於斯敢不自勉？」冬十二月，主簿楊亨至，謂尹曰：「學廟風化之原，今寸功未加，何以爲治。君其任此無讓。」曰：「待吾賢簿共之。」曰：「願從付委。」政暇乃會教官馮繼善與邑之賢者史益讓等，定其規制，爲役事起本，且請命於廉司，白於州監，贊以月給，縣之尹佐偕其屬各輸祿半載，四民同稱所有以助焉。

爲大成殿楹四，大成門如之，不徒壯麗，又益丹刻，觀者咸曰：「不圖儒宫之盛，使人敬仰如此，亂後未之見也。」適教官馮繼善修德廣業，足爲衆師，故縣之尹佐日率衆執經問難，訪議得失，爲學者先，風俗翕然一變於庠。學廟成矣，禮教興矣，爲政者知所以導氏矣，學士濟濟知向方矣，此邑之賢才盈溢於兹始矣。愚尚念二帝三王立教之原，孔子所以祖述憲章以昭後世者，請爲衆陳之。惟民生多欲，無教乃亂。聖人之爲教非遏其欲，實節其欲也。欲節則天理明，天理明則人道安，人道安則五品遜，五品遜則百姓親，百姓親則天下平，是道也，所以家諭而户曉者也。是故家有塾，黨有庠，鄉有序，國有學。蓋古者，比屋而教，亦比屋而學也。初不爲選士設，而士選則賢。後世此道不明，學者惟徒以堅利祿耳。漢以明經取青紫，唐以文藝應科名，專爲選士章而士莫能精，士選不能精，其敢望二帝三王之治耶？幸今盛運復古，一滌前日之僞習，將見因人心天理而立教，家諭而户曉，俾之五品遜，百姓親，太平可永保也。德平之爲縣，獨可後於皇化哉！道民者，其勉之。縣尹字仲和，資廉敏政，務清簡，不求聲譽。主簿字彦達，資質直，好善不忮，並鄉籍京邑，富於春秋，勤修德政，遠大未易量也。（《德平縣志》卷一一）

太史院銘并序

天厭下土之亂，眷求聖哲，以作民主。太祖聖武皇帝應運挺生，以神武戡除禍難，遂定皇元之寶命。累聖肖德，增功纘烈。逮今憲天述道仁文義武大光孝皇帝，稟資聖神，自潛藩邸，躬率師旅，有征無戰，天心人心，攸屬攸係。及位中國，大建都邑，任賢使能，分設百官。政教既行，乃制禮作樂，廟享祖宗。仍遣將帥，四征未臣，始統一六合，周臨天際，端居無爲，飛潛動植，仁惠溥霑。民既無事，唯夫耕女織，工器商貨，自勞衣食。聖慮周悉，凡厚民生者，無不爲之，以農事爲四民衣食之本，既設有司以董其勤，又思爲振舉之務，乃立太史院以講明天道，敬授民時焉。至元十三年，上以循用大明曆，久而失當，欲創其制。以太子贊善臣王恂，業精算術，凡日月盈縮遲疾，五星進退見伏，昏曉中星以應四時者，悉付其推演，尋遷太史令。以都水監臣郭守敬穎悟天運，妙於制度，凡儀象表漏考日時，步星躔者，悉付規矩之，尋授同知太史事，曆成，遷太史令。以前中書左丞臣許衡爲命世之賢，凡研究天道，斟酌損益者，悉付教領之，輔以集賢學士臣楊恭懿。其提挈綱維，始終弼成者，實前中書左丞轉大司農臣張文謙，尋以昭文館大學士領太史院事。凡工役土木金石，悉付行工部尚書兼少府監臣段貞以經度之。凡儀象表漏文飾匠制之美者，悉付大司徒臣阿你哥。十六年春，擇美地，得都邑東墉下，始治役。垣縱二百布武，橫減四之一，中起靈臺，餘七丈，爲層三，中下皆周以廡。其下面目，中室爲官府，以總聽院政，長曰令，次同知院事，次僉院事，以宰輔之重領於上者無定員。其屬有主事，有令譯史，有幹事，有庫局之司。左右旁室，以會司屬議，凡推測星曆諸生七十人，莅以三局：一曰推算，其官有五官正，有保章正，有副，有掌曆，分集於朝室。二曰測驗，其官有靈臺郎，有監候，有副。三曰漏刻，其官有挈壺正，有司辰郎，分集於夕室。凡器用出納於陰室中層，離室以列景曜，巽室以措水運渾天壺漏，坤室以措渾天象蓋天圖，震兑二室，以圖南北異方渾天蓋天之隱見，坎室以位太歲，乾室以貯天文測驗書，艮室以貯古今推算曆法。臺顛設簡仰二儀，正方案數簡儀，下靈臺之左，別爲小臺，際蔿周廡以華四外，上措玲瓏渾儀。靈臺之右立高表，表前爲堂，表北蔿石圭，圭面刻度景丈尺寸分，圭旁夾以連蔿，可圭上露天日爲度景計。靈臺之前東西隅，置印曆工作局，次南神廚，算學設位如上。初改曆之議既行，即遣官四遠測景，以相參驗，若高麗、瓊崖、成都、和林，蓋擬羲和、仲叔之命。又自上都南五千里，中若東平、陽城、鄂、吉等州，各遣官測驗，以求遠近之數。十七年冬至，以新曆進，遷官賞賚有差。十八年頒行之。十九年以祕書少監臣趙秉溫遷昭文館學士，知太史院事。明年啓皇太子旨，以諭德臣李謙撰曆議。二十一年，以左侍儀奉御臣阿剌渾薩理遷集賢學士，尋遷大學士，並兼太史院事。遂以二十三年春，同進曆經屬，共二十一卷，仍以餘書未成者奏。以臣桓與其議，若歷經曆式等序，若表漏儀象等銘。臣桓既冒言矣，又拜手稽首原立院之初，序而銘曰：

天鑑下民，亂靡有定。孰能一之，聖哲受命。太祖神武，始開乾坤。創業垂法，以貽後昆。纘緒紹功，剗除妖昏。逮今聖皇，天錫勇智。内修法度，外遣將帥。伐辠弔民，罔越厥志。炎方歸命，赦其後至。武功告成，萬國來萃。同軌同文，重譯奉贄。小大悉臣，師旅以甯。思與萬方，永保太平。黎民定居，蕃息生生。爲衣而蠶，爲食而耕。士勸其賢，工勸其能。闢阨夜開，商旅通行。民雖克勤，罔適天宜。匡之翼之，以煩聖思。乃立太史，法遵黎羲。欽若天道，敬授民時。教其動作，時種時獲。教其趨向，是宜是吉。五禮之舉，選時爲日。代卜代筮，不勞龜策。期措斯民，康壽之域。民祝聖皇，眉壽萬年。民祝聖皇，五福駢臻。民祝聖皇，億兆子孫。七政順軌，陰陽調均。時雨時暘，化育秋春。蕩蕩巍巍，盛德何言。天覆地載，太平無垠。（清宣統《涵芬樓古今文鈔》卷七八）

高表銘

聖人修政，唯農是本。農之所見，時則爲準。過與不及，民安究之。動措由中，聖人授之。時在於天，術何以得。制器求之，乃見天則。日月周運，閏餘歲成。盈虚消息，在表斯徵。分至既辨，氣序乃會。朔晦一定，弦望由對。爰演斯曆，用詔民時。百工充治，庶績用熙。表中以正，圭平以直。不言而諭，與時偕極。天德芒芒，參以明焉。民生皡皡，振以興焉。惟昔八尺，景促分密。爲用雖可，每艱辨析。聖皇御極，百度惟新。乃五其昔，其用益神。表高之法，先哲匪憚。其顛景虚，取的是患。表梁上陳，景符下依。符竅得梁，景辰精微。揆月有方，闚兒是映。兒限容光，圭表交應。器術之密，推步之精。歷古於今，斯畢其能。上天之載，無聲無臭。聖皇儀刑，在其左右。仁民育物，以對天佑。眉壽萬年，寶兹悠久。（清宣統《涵芬樓古今文鈔》卷八九）

渾象銘

於昭聖皇，德惟天希。密察乾坤，動符化幾。乃命太史，考順求違。制器象天，具體而微。度數棋布，星次珠輝。道分黄赤，擬議玄規。兩極低昂，中主璇璣。匱方象地，極樞以維。地本天函，術取外圍。反而觀之，其趣同歸。體雖至約，用足明大。象設目前，人居天外。觀天之裹，合象之背。日月交錯，五行進退。造化無窮，不出户内。始終參求，簡儀是配。於昭聖皇，夙夜睿思。先天天合，後天奉時。先後惟天，聖皇無爲。（清宣統《涵芬樓古今文鈔》卷八九）

玲瓏儀銘

天體圜穹，三辰在中；星雖紀度，天實無窮。天度之數，環周三百；六十五度，四分度一。因星而步，推日而得；月次十二，往來盈虧。五星參差，進退有期；判爲寒暑，分爲四時。太史司天，咸用周知；制諸法象，各有攸施。萃於用者，玲瓏其儀；十萬餘目，經緯均布。與天同體，協規應矩；偏體虚明，中外宣露。玄象森羅，莫計其數；宿離有次，去極有度。人由中闚，目即而喻；先哲實繁，兹制猶未。逮我皇元，其作始備；實因於理，匪鑿于智。於斯萬年，寶之無墜。（清宣統《涵芬樓古

今文鈔》卷八九）

單州夫子廟碑

惟生民萬物僉稟於天，養於地，保於聖。是則，聖人之於生民萬物與天地同功，惟其與天地同，後之報恩崇祀亦與天地之大而能久。我皇元統馭神器，混一萬國，詔令天下修葺至聖文宣王廟，仍命代任者以工役次第交相授受。各官任滿考績，以爲殿最。雖海隅之遠與京師同體，況單之爲州密邇於夫子林寢者乎！其崇嚴祀廟，建設學宮，以勸風化，故所宜也。然任州者，屢見屢易，一人不能成其功。癸丑，故防禦使劉公鄉官也，始於故基，搆殿堂並東西兩廡，功未畢而劉不祿。任城張侯自單父宰攝州事，補完牕扉、肖像、聖王及顔、曾、思、孟十哲，冕服如制。戊午，單父宰盛侯作講室。至元四年，耶律公自兗移監於單，雁門楊公同知州事，協議大成門。十二年，耶律公既至，時兩廡漸壞，乃爲補葺之，仍廣舊廡十分之四，又因講室之敝而革完之，因是單之廟弘麗過於他郡。十七年夏子，自單中來監州劉公，州判馬公，請紀其事。予嘗謂天下之事有君子創於前，必復有樂人善者記之，其或妬人之功，必曰功自我出者，然後爲我未見其有成也。今觀其嚴聖人之祀祠如此，則其服聖人之言行，不待言其信且篤矣！若是，則予可以撥其鄙陋，使諸公爲善之心見之於後世也。予惟先王之政教不明，則所學者何事，與學爲吏者何修？《周禮》，大司徒以鄉三物教萬民而賓興之，一曰六德，二曰六行，三曰六藝。後世乃以不明六德、六行、六藝，惟區區於章句長短之末技者目而爲儒，亦不達先王養民治民之政教，惟專於簿書徵發之，餘習而爲吏，又有儒吏兼通之語。然吏舍儒，則所資者何事，儒舍吏，則所行者何事也。以至妄至非毁，儒毁吏，則以貪污無行詆之，吏毁儒，則以孱不幹濟誚之，皆本自蠹其末枝自摧其幹者也，此皆不明政教之源遂至於此。方今聖朝，以還淳返樸爲天下之大本。學校偏於鄉黨，而後世當以六德、六行、六藝之準學之爲儒，仕之爲吏，明乎大源，無僅以章句之末技，簿書之末習，遂分儒吏爲兩途，庶乎知予之所憂爲不近也。（《單縣志》卷二〇）

朱子昌

朱子昌（一二三四？——一三〇二）字可大，溫州平陽（今屬浙江）人。至元二十三年（一二八六）任江陰州教授（朱子昌《重刊顔志題識》）。游京師，薦授浙西儒學副提舉。晚歲居吳。大德六年（一三〇二）卒（《元人傳記資料索隱》）。今輯得佚文二篇。

重刊顏志題識

江陰舊有郡志，遺闕泯漫。至元丙戌，分教於兹。重加校正，命工鋟梓，始爲全書，蓋存古也。

（一九二六年刻本《平陽縣志》卷六五）

吴江縣重建儒學記

元貞元年九月一日

吴江，平江之屬邑也。有泰伯、延陵之遺教，故其俗淳以厚。有鴟夷子皮、季鷹、魯望之高風，故其士清以逸。有三江五湖之形勝，故其地爲古今之雄盛。余曩奉三高祠，徘徊學宫，摩挲石刻，觀陳文惠公所記，則知此邑學校蓋甲於吴之諸邑，自大中祥符已然。紹興改創，規模宏大。風驚雨蕩，不復完。所僅存者，大成殿講堂而已。鎮國上將軍都元帥寧侯玉始葺而新之。自至元癸巳八月鳩工，正殿始復。相是役者，敦武校尉杜福，然講堂齋舍未及也。邑令王君柔勇於爲義，以明年八月與邑之長貳，復倡士民，舍其舊而新是圖。講堂、廊廡、齋廬、寢舍、倉庾、庖湢之室具備。前學録俞處仁，儒林偉士也。捐金繼粟，賴其力爲多。落成後，教諭王沂、李文傹合辭請紀成績。余謂承流宣化，守令職也，政教繫焉。漢言循吏，以西都爲首，稱龔遂渤海，黄霸穎川。不以柔服强暴爲能，則以發姦摘伏爲事。文翁治蜀，其治辦之績一無可言，不過興學校、教生徒而已。班孟堅傳循吏，顧乃列於龔、黄諸人之先。豈非詩書禮義之入人也深，教爲政之本，顧有在此而不在彼歟？邑當驛道，憧憧往來。仕於此者，將迎旁午，不至廢事，亦云可矣，何暇他及。有能以興學校、崇教化爲先務者，亦可尚矣。士之肄於斯者，其可負所學歟？《泮水》爲誦僖公而作，修泮宫一事，不書於《春秋》，而見於《魯頌》。蓋泮宫乃因魯舊有而能修，故《春秋》不書。然魯人誦美之辭，在聖人亦所不廢也。余職儒司，因士心從興論，不容以蕪陋辭。元貞元年九月朔，浙西道儒學副提舉朱子昌記并書。（清乾隆十二年石印本《吴江縣志》卷五二，明弘治元年刻本《吴江志》卷一四，清乾隆十三年刻本《蘇州府志》卷一七　以上李軍校點）

徐師顔

徐師顔，籍里不詳。大德三年（一二九九）以母憂家食。卒于至元六年（一三四〇）以後。本書收其文一篇。

依圓寺記

古睦州距城西北四十里有山曰「石樓」，俯仰環顧，無非石也。卓者如楹，横者如閾，突者如臺，嵌者如室。層層焉梯矗，峭峭焉壁立。木瘦而蒼，泉香而洌，雖萬宇藴隆之際，清涼自若。其爲形勝，天實造之，豈亦有所爲而然耶！山之趾有佛宫，唐之季年有僧曰可則，始請建依圓院額，傍有巖洞，能出雲爲風雨，歲旱禱於佛宫，甘澍隨應，院僧鐙續曆四百年矣。余弱歲常借榻讀書，或倦而息，則與僧徒倚眺望，因諗魚板之下，常不滿三百指，無寸土粒粗，惟仰給檀信而已。先君嘗割薄田四十畝，以食之僧。行昌師壽師圯即礲石請記，辭曰：「不足記也，俟有大長能豐其施，使廚供不至乏興，記之未晚。」時宋景定壬戌也。天啓元運，余逐鹿東西行。大德己亥，以母憂家食，行謙志洪仲可來告曰：小院自先府君首以田入，其後聞風而施者接踵，常住粗給。至元庚辰，仲可以衆力重構雲堂，而佛宫藏室相爲表裏，凜凜就壓。己丑，令弟詳議庀材鳩工撤而新之，至於庫宇神廚率皆改置，巖壑爲之輝煥，雖有檀信十之六七，别置一刹，而我之風雨有庇，巾盂不冷，惟公之父子伯仲實先後之。僧普明欲請於公，不幸而歸，寂敢繼其志以請。余因思宇宙間事莫不有數，况寺之廢興乎！此山昔日浩有檀信之時，而寥落藍縷，不見其有餘。今檀信十去六七，而輪奂翬飛徒侶楚楚，不見其不足。且於郡城之西，臨湖搆庵，名曰「水月」，而爲遠近所信。向事之消息盈虚難於測知，如此則亦歸之數可也，豈人力所能爲？雖然未也，齊民之家，田不足周其饑，桑不足周其寒，已奔走征徭之不暇，爲釋民徒有土田而無粟米布帛力役之征，宮居而粒食，優游以生死，苟或怠棄於行業，寧不辜上焉優崇之意焉！故併書之以警後人云。（《建德縣志》卷六）

胡夢魁

胡夢魁（一二三四——一三〇七），字景明，號澗泉。建昌新城（今江西黎川）人。宋末登進士第，調澧州户曹，改丹徒尉，累遷浙西制置司參議官。入元攝本郡判官，擢僉廣西憲事，懲治貪污腐敗，聲譽流布朝野。歸致仕。大德十一年（一三〇七）卒，年七十四（程鉅夫《僉廣西提刑按察司事胡公墓碣》）。本書輯得其文一篇。

修大成殿記

建國君民，教學爲先。唐虞之所以帝，三代之所以王，漢唐之所以治，秦隋之所以亂，亦在乎學校之興廢而已。嶺右之郡桂爲大。在宋淳熙時，南軒先生帥是邦，一新府學，規模殆與辟雍等。厥後帥臣復創宣成書院於其西，合南軒、東萊而祀焉。大元混一輿圖，靜江最爲後服，力屈自焚，悉爲焦土。聖上崇化厲賢，旁求儒雅，明良迭起，異世同符。至元十七年，今湖廣行省右丞史公格，即其故址而圖新之，始建大成殿。越五年，治中漢嘉張九垓創戟門。越十年，總管平陽趙珪創講堂。然而未備也，上命豫章陳懋卿提舉廣西儒學，議完其缺。顧學廩不足，有爲廣西道宣慰使祝真卜，慨然捐己俸以爲之倡，宣慰司總管府官之賢者翕然和之。乃屬教授周天祥命館下士，鳩工庀材，各效其力。於是講堂未畢，瓦之墁之；齋舍未立，經之營之；先賢未祠，攻之成之；庖井未啟，築之鑿之；門廡未葺，約之椓之。輪奐交輝，衿佩胥悦，羣詣夢魁而告之曰：「宣明教化，勉勵學校，聖天子之詔也，部使者之職也。子其不可以無述。」夢魁曰：「建國君民，古帝王豈無他道，而獨以學校爲先，何哉？蓋必有學以教天下國家之才，而後有人以治天下國家之事。學者，學孔孟者也。昔南軒新是學也，晦庵先生記之曰：『敬夫之學，近推程氏以達於孔孟。』而南軒記三先生祠亦曰：『瞻三先生之在祠也，其各起敬起慕，心存身履，以進於孔孟門牆。』孔孟遠矣，朱張未遠也。處斯學，味斯言，思朱張在是，即周程在是；周程在是，即孔孟在是。學以聚之，當深契孔孟之心；達而行之，必無負孔孟之訓。若曰泮宮修矣，繇役免矣，吾姑遊焉息焉，食焉怠焉(一)，是孔孟門牆之所靡也，二三子不可以不勉。」衆曰：「然。」遂著之記。（廣西人民出版社一九八八年出版清嘉慶五年《廣西通志》卷一三三　李軍校點）

〔一〕食焉息焉：息，原作「息」，據點校本《廣西通志》卷一三三改。

邢夢璜

邢夢璜（一二三四？——？），文昌（今屬海南）人。南宋時曾知昌化軍（據邢夢璜《節錄磨崖碑記》署名）。今輯得佚文二篇。

節錄磨崖碑記

渺矣朱垠，重溟絶島，百峒窟山，羣盜宅海。西交南占，而崖以百餘户孱民、五六千疲卒，植軍其間。有屬鎮曰臨川，距州百里而遥。國初寘統領，本軍是疆。暨五六十年，姦孽互相擾寇，自相易置，本軍力弱。明甫、公發倚黎藪，逋竊據爲盜，建砦於鹿迴頭。駕舶有雙龍首，服器僭越，榜稱王號。繫累軍卒，擅征民糧，占税户五十餘邨。剽襲商貨，司舶虚設，掠及瀕海八州居民以鬻外番。惡貫山積，尚逭天討。六年春，值瓊黎犯界，經閫薦欽守馬公成旺於朝，任南征事。秋偕其子撫機來莅，即率壯士，疾驅羣黎，數十餘戰，拓故地數百里，集流民數萬人。八年秋九月，詔馬正席瓊筦。十年廼遣其子撫機應麟總制軍馬，申命鈐轄雲從龍協贊軍議。三月辛巳，公餞於師，囑以盡賊廼還師，舟啓行。辛卯，舟次雙洲門，行汲不利，衆輒氣沮。總師曰：「有進無退。」乙未，至臨川港，賊以數十舟逆戰。善射者射之，輒斃，賊退保栅。丙申，輕舟濟精兵，潮涸涉淺，先登拔賊外栅。攻連珠寨，東西夾擊，總制中流矢，裹瘡乘勝拔其大寨。賊潰，自相蹂躪，死者枕藉。火其巢窟，累日燭霄。公發竄入上江洞。四月戊申，攻擒之。明甫走黄流峒，又遁占城，入交趾。遣軍跡之，計窮復回。五月甲辰，水戰，賊敗走。總制曰：「此賊若遁，我無還期。」四面截之，獲其父子，又縶賊孫六人。兵之所至，民悉安堵。六月獻俘，桂府徑使馳奏。上聞，詔廣右帥正法。乃取二凶，鈎脊懸竿，先剉子孫逆黨於碪斧，然後備刑兩醜。懸髻窒吭，穴手釘足，烙膚膾肉，運刀若風，民黎震悚。帥進二秩，帶閣職仍外任。總制特轉五官，餘功行賞有差。列郡諸民、峒落諸黎始知有朝廷、臺閫、州郡。是役也，運籌三載，出師七旬，平崖之勳，前此未有。馬公自桂歸命，雲鈐轄宣天府德意，撫餘黨，相陰陽，造廬舍，捐傜税，勞徠民旅，廼疆廼理。爰有遠邨近峒，色喜相告曰：「此地昔爲暴區，今爲樂土。」襁負而至者，肩摩接踵，殆無虚晷。崖風以和，崖人以歌，邦人咸願磨崖紀績，屬夢璜記之。璜雖不文，姑識其實云。

至元癸巳平黎碑記

至元三十年作

皇元以神武一萬方，自邃古正朔未加者，梯航悉服。海南一島四州，蚤列職方。迺百峒中蟠黎岐宅焉，猶雕題禽行，侵軼我疆埸，虔劉我編氓。至元辛卯夏丁酉朔，安撫使陳仲達詣闕奏曰：「天以皇帝合德，俾作民主，大一統無外。蠢兹獠黎，敢抗天威，願假臣兵數萬，以陛下聲靈，比及三年，庶克底服。」帝曰：「俞。」遣蒙古軍二百，漢軍二千，順化新附軍五千，承命載道。復慮權輕，請以重臣董師。命未下，軍已行。十月丁丑渡海，修械峙糧，佐以民兵萬有四千。師甫集而天不憖遺，帥星宵隕。天子乃命湖廣行中書省平章政事闊里吉思督視。十一月壬子至師，以仲達嗣謙亨，領萬户，墨縗即戎，繼厥先志。分命副元帥王信、伯顔、于思，萬户教化、楊顯祖、韓旺領蒙古、漢軍、順化軍，廣西宣慰楊廷璧、副使林應瑞、副萬户秦彪、千户蔡有聞等，領諸黎兵，鎮撫高祐領帳前拔都軍、南番兵。庚午攻大塘、清水，十二月己丑，擒賊符某。明年春正月，傳首諸峒。二月師次萬安，破清塘等峒。三月次南寧，戮符察等賊。值溽暑，瘴興，乃暫振旅息威。冬十月丙午，復攻陳萃，搗梁六犢之穴，凡十餘戰。十二月丙辰，得降賊，不殺，用其計，遣陳謙亨、林應瑞往擒六犢，戮以釁鼓，貸其脅從。明年春二月，取黎芋，降王郎，執王嗣，戮千餘人。轉攻陵水，降陳子淵，執黎福。平復普調、烏石等七十寨。三月班師如初，其鳥獸散者，柔惠招諭。七月辛酉，平章召赴闕，以善後事宜授元帥朱斌。十月戊申，西征儋黎，師次銅鼓。十一月己未，鎮撫高祐奉檄來趣師。十七日，會於茶根，十二日晦，分遣士卒抵古振州。斌攻其南，祐攻其西，謙亨攻其東，盡復故土。春正月壬子朔，登山刊石，昭神武功，翼日勒五指山。越三日丙辰，勒黎婺嶺。二月壬午朔，凱還。先是，平章納省幕烏古孫澤議，分立黎學，諭教新附，分遣廉幹，招徠未降。爰編户入籍，屬儒學李元吉、王季恭等掌之。統門路得峒六百二十六户，口四萬七千有餘。立屯田萬户，以鄧高領之。置定安、會同二縣，設萬全寨。三年底績，堪垂萬禩矣。（以上清道光二十一年刻本《瓊州府志》卷三八　以上李軍校點）

陳庚

陳庚（一二四七——一三一五），字南金，號月橋，陳新益長子，東莞（今屬廣東）人。咸淳三年（一二六七）以書舉鄉貢，因尚書省罷而歸，不再求仕進，致力於詩賦古文。劉應龍視陳庚爲奇才，辟爲幕府。戰亂起，回廣東，隱居東湖家塾，潛心研究道德性命之學，曾修撰《寶安志》，人稱有史才。延祐二年（一三一五）卒，年六十九。本書收陳庚文二篇。

竹隱梅外二先生祠堂記

至大三年四月朔

庚戌春仲，丁邑博士率諸生有事于竹隱祠，李氏子弟咸與籩豆。卒事，孫同文進而言曰：「吾大父竹隱祠，廣東憲劉叔子創於宋咸淳己巳，逮至元丁丑，邑人復繪先人梅外像于祠，歲月寖遠，祠未有記，願以爲請。」庚常執經梅外先生門，獲拜竹隱翁牀下，知之悉，不得辭。竹隱不事科舉，以經學誨生徒，《魯論》一書，遡洙泗之源，明伊洛之旨，訓詁明白，便於講誦，文溪李公昴英進其書於朝，賜校書郎。先生曰：「著書豈爲干祿計哉！」不受而歸。安貧樂道，視軒冕如弊屣，廣憲祠之，尊其道也。梅外少負場屋聲，挾春秋巨筆，與湖海俊英爭，同經之士，如趙格庵、盧梅波諸公，皆托文字間。嶺表後進，得子厚指教法度者，試藝有司，如羿審彀，百不失一，然皆先生之餘也。《詠歸》一編，道義精微取晦庵。平昔用功，字字皆在秤上稱來，底摘其玄要者，而爲詩以成。先生志韋氏一經之美，炳炳一門矣。惜夫河汾之道，值於季世，將敗者不得用，將興者不得振。天兵南下，所至不嗜殺，惟吾廣爲昭王膠舟之地，重兵至于城，將陟吾邑，人心洶洶，先生扁舟造麾下，掉三寸舌，活百里數萬之衆，且一時羣雄，探丸斫吏，斬關發篋，騷然無寧日，獨以先生不忍犯，故善類趨之如市，倚之如長城，垂一髮於九淵欲墜之時，屹大廈於風雨震凌之際，邑人祠之，感其功也。嗟乎！梅外之于竹隱不同者時也，其道未嘗不同也。孟子曰：「禹、稷、顔回同道。」道同矣，祀之同，疇不曰宜。禮祀先聖先師畢，釋奠於先老。成均之法，合國子弟擇有道德者使教焉，歿則祭于瞽宗。二公以道德著于一邑，是祠也，其古者先老瞽宗之意歟！晦庵先生徽人也，祠于徽之學，勉齋黄公作記，以惠徽士，曰：「思其人不若尊其道，慕其迹不若師其心。」吾黨生二公之鄉，風聲話言，耳接目擊，思其人、慕其迹者多矣，抑亦能心二公之心，而道其道否乎？勗哉！（一九二七年《東莞縣志》卷九一　曾貽芬校點）

祭趙必瑑文〔二〕

嗚呼！閩山幾千仞兮摩蒼蒼，閩江幾千尺兮流湯湯。鳩扶與之清淑兮，陶英鑄良；魁人碩士之挺出兮，背項相望。公孕秀其間兮，佩飛霞而頡頏；抱胸中之耿耿兮，蚤搜奇攬勝於遐荒。南士爭先快睹兮，景星鳳凰；負湖海之豪氣兮，直卧餘子於下床。賦飄飄而凌雲兮，前無班揚；持寸鐵而横行兮，眇萬鵠之詞場。年弱冠兮，掇一第於太常；睨蟾宫其闊步兮，踵郎罷而翱翔。軔方發兮駕飛黄，硎新露兮試干將。青雲方開兮，奈白日没而無光。倦鰲簸海而涸兮，膠龍驤萬斛於坳堂。珩璜至寶兮横道傍，青衫白首兮困一邦。萬牛回首而莫挽兮，卒歸根復命於水窮天盡之鄉。嗚呼！鈞天寥寥兮，滄海洋洋；柄生死晝夜而贏縮兮，孰居無事而主張。何耆而凶頑兮，折而剛方；何皎皎若奪兮，而癡者臧。嗚呼！公之豐標兮頎而長，公之膽氣兮慨而慷。手植吾道之赤幟兮，鐵作脊梁；面折朋友之過兮，心無太行。公巋然一靈光兮，今復淪胥以亡。渺世路其風濤兮，舍公孰航？

嗚呼！公屈青雲之武步兮，下追濁世之粃糠；倚松柏而干青雲兮，僕女蘿之不自量。始接僕以交好兮，不謂僕爲愚且狂；復締僕以姻連兮，俾永以爲好而勿忘。從公于盤兮，謂終吾生以徜徉；忽倚枕而呼我以訣兮，何遺音之琅琅。不鄙謂余亦託以慇懃兮，顧余力之甚涼；苟可盡綿薄之所至兮，敢負公於重泉之茫茫。矢心以辭兮侑我觴，公不少留兮我涕滂。（文淵閣四庫全書本《覆瓿集》卷六　李軍校點）

〔一〕題目依文意代擬。

林千之

林千之，字能一，平陽（今屬浙江）人。宋季知信州，博洽好古，爲江萬里諸人所知。元初里居不仕，以翰墨自娱。著有《根癡菴集》。本書輯其文一篇。

三易備遺序 至元三十年

自昔聖智開物，必有爲之先者。聖人有作，天不愛其道，發祥闡靈，無復隱祕。聖人則而象之，天地陰陽之情，始爲天下洩。此《河圖》、《洛書》，天所以開聖人，而聖人所爲畫卦，以開天下後世也。大傳曰：「河出圖，洛出書，聖人則之。」是圖書並出於伏羲之世矣。其言《河圖》示羲，《洛書》賜禹者，非也。周官掌三《易》之法，一曰《連山》，二曰《歸藏》，三曰《周易》。其經卦皆八，其別皆六十有四，是八卦已重於伏羲之世矣。其言文王重之者，非也。秦燔六籍，《易》以卜筮之名得全，然坤乾之義，夏時之等，吾夫子已嘆杞宋文獻之不足證，則二書不待至漢而亡久矣。水簷朱公，博極羣書，尚友千載，絶識異解，玄感冥契，自初年於邵子之書，有所悟入，著《邵易略例》若干卷，首明《河圖》、《洛書》之辨，以爲孔安國、馬融、鄭康成、關子明諸儒皆謂自一至十爲《河圖》，自一至九爲《洛書》，惟劉牧反是，牧非無見而然也。案《春秋緯》，《河圖》之篇有九，《洛書》之篇有六。河以通乾出天苞，洛以流坤吐地符。《河圖》本於天，宜得奇數而居先，《洛書》本於地，宜得偶數而居後，此其所據依以爲左驗者也。由是因往順來，逆之八卦，推五行納音，以明四十五數之爲《河圖》。因起《震》終《艮》之八卦，推五行生成，以明五十五數之爲《洛書》，而三《易》之大綱定矣。《連山》夏《易》也，賈公彦謂《連山》作於伏羲，因於夏后氏，夏后氏之《易》不可見，即伏羲之《易》可見矣。夏時之行，自漢太初歷至於今，未之有改。《連山》之《易》不可見，即春首純《艮》之義可見已。《説卦》曰：「《艮》，東北之卦也，萬物之所成終而成始也。」又曰：「終萬物、始萬物者，莫盛乎《艮》。」邵子雖以此一節爲明文王之卦，要之首《艮》之祕，固已具於所成始、始萬物之兩言，是以述《連山象數圖》，以備夏后氏之《易》之遺。《大傳》曰：「顯諸仁，藏諸用。」《説卦》曰：「《乾》以君之，《坤》以藏之。」賈公彦《周官疏》曰：「《歸藏》以純《坤》爲首，萬物莫不歸藏於其中。」案，《歸藏》黄帝《易》也，商人用之。昔黄帝命大橈作甲子，使泠綸造律吕。日辰有十干、十二支，而其相乘之數究於六十。律吕有五聲十二律，而其相乘之數亦究於六十。《乾》老陽之策三十有六，《坤》老陰之策二十有四，此六十也。《震》、《坎》、《艮》，少陽之策三十二，《巽》、《離》、《兑》，少陰之策二十八，亦六十也。稽之以納音，定之以策數，已亥爲陰陽之終，子午爲陰陽之始，六甲納音遇已亥、子午之間，陰陽終始之際，數必定，音必藏，交則生，生之機不息；藏則化，化之跡不露。一象一數，莫不與《圖》、《書》合，是以述《歸藏象數圖例》，備商《易》之遺。八卦之象不易者四，反易者二，此以六變而成八也。重卦之象不易者八，反易者二十有八，此以三十六變，而成六十四也，其説尚矣，未有究先天、後天之體用，因象數之合，以驗羲文之合者。《乾》、《坤》之體不互，《史》、《姤》、《剥》、《復》具《乾》、《坤》之體不互，《既濟》、《未濟》具《坎》、《離》之體不互，其餘互體爲卦五十六，其説尚矣，未有悉以繇辭爻辭彖象之辭證之者，是以《演反對互體圖例》備《周易》之遺。公於三《易》可謂補苴隙漏，張皇幽眇，尋墜緒之茫茫，獨旁搜而遠紹者矣。抑公之於圖書非求於文公先生之説，異也。先生釋「聖人則之」之義曰，則《河圖》者虚其中，則

《洛書》者總其實。虚五與十者太極也，則虚其中者亦太極也。奇偶之數各二十者，皆兩儀也，以一二三四爲六七八九者四象也，一二三四而含九八七六，從横十五而互爲七八九，六四象也。析四方之合以爲《乾》、《坤》、《坎》、《離》，補四隅之空以爲《兑》、《震》、《巽》、《艮》者，八卦也。四方之正以爲《乾》、《坤》、《坎》、《離》，四隅之偏以爲《兑》、《震》、《巽》、《艮》，則亦八卦也。且畢之曰，又安知圖之不爲書，書之不爲圖也邪？由是觀之，公之説若與文公異，而未嘗不與之合也。《備遺》既脱稿，當路以之傳聞，悉上送官，籍記後省，而公老矣，亡祿即世。其子起予在丙子歲以示千之，時方干戈搶攘，欲考訂肯綮未皇也。明年，起予即世。仲子起潛獨抱手澤於風波溟涬中，十有八年於兹。公遺言，我書必得能一爲序，於是繕寫成編，惠而好我，口授手畫，亹亹忘倦，其間眂舊書多所補正，猶司馬子長成一家言，於《周南》執手之後，而《太玄》可無俟後世之子雲。幸哉！有子如此。夫千之少以《三禮》從公之族子元夫先生游，辱公忘年定交，雖不獲面，受此書，請問論著大指，厥既從起潛，盡見其書而讀之，竊窺其槩。後，死不佞，序焉敢辭！起予，名士可，世登右科。起潛，名士立。癸巳臘月朔，林千之能一序。（康熙十九年通志堂刻本《三易備遺》卷首　曾貽芬點校）

重建麗水縣學明德堂記

宣慰侍郎西山李公，貽書同門老生永嘉林千之曰：「麗水縣學成於令尹韓國寶，學録潘菜以主學王度所述顛末來求記。物欲痼而德性昏，道義微而功利熾，寄百里之命者，不知弦歌爲何物、學道愛人爲何事。韓君能捐己帑興築學舍，此而不書，何以啓迪民彝，章明吾道？使事有指，悉數之乃留。更僕夫我則不暇，子盍爲我言之。」則敬受而爲之記曰：括在烟雨萬山中，好溪千仞，麗水實附庸。邑名公雖卿項背相連，是雖高寒清閟之所鍾。究其師友之淵源，鮮不由學校始。括學故在檡山，李鄴侯始創夫子廟，昌黎一碑，轟磕宇宙。宋康定間，孫威敏公移置城東南，而以舊學屬之邑。宣和毁于寇，邑宰王筠新之。時運而往，恃陋弗葺，州之學已非古。邑敞體微，其學又可知已。爲邑長於斯，奔走車塵馬足間，惟芻茭是供。鄙猥營私者勿論，鷙悍不學者勿論，其號稱不失職者，不過徭役賦斂，苟且文書，出没乎利慾喧豗之場。顧瞻魯泮，亦惟曰見老、釋之祠則拜之，斯固與二氏列爲三，吾亦從而拜之耳。室廬之有無興廢，何預吾事？其能毅然以興學爲己任，以崇儒重道爲吾責，經之營之，如韓尹之用心者，亦難矣。檡山孤起陡絶，下臨無隙地，將增築北隅以敞其堂，非得庫地三十尺無以爲趾，問其主誰歟？乃前太學釋褐吴海也。求之得，乃傾槖中裝，程工飭財。主學王度率協匪懈，士翕然和之。後築高墉，繚以周垣，環拱夫子廟，高其堂扁以「明德紫微」，右丞史公大書之。若先賢祠，若室廬，若庖廩，靡不備。工取於傭，竣事而民不知。經始庚寅十二月甲申，明年二月乙未告成。行者聳然如登凌雲之臺，止者釋然如入化人之國。市聲不至，山光吐吞，烝我髦士，來游來歌。無力後之征，有群居之樂。亦思察父哲兄之所聞於紫陽夫子者乎。始於灑掃應對，而脩其孝弟忠信；終於致知格物，而達於脩齊治平。日用飲食之間，無事而非學；藏脩游息之地，無學而非事。頌其詩，讀其書，歸而求之有餘師，藐然後死，其又何説之？敢贅釋貫革之射，而《貍首》、《騶虞》；説虎賁之劒，而被冤搢笏。吾不意天壤間乃有如韓尹者，其孟子所謂豪傑之士哉！抑《大雅》有云：「肅肅王命，仲山甫將之；邦國若否，仲山甫明之。」向非部敕使，有仲山甫將明之才，能宣布朝廷崇儒重學之意，則任百里之寄者，方以簿書期會間爲大，故惴惴然救過之不暇，雖有韓尹之盛心，有不能以直遂者矣。尹古申之治邑有能聲，屢平巨盜。是舉也，尤有關於民彝風化之大，敢推本究極備言之，是爲記。（明成化二十二年《處州府志》卷四　曾貽芬點校）

全元文卷二九〇

曹　涇　一

曹涇（一二三四——一三一五），字清甫，號弘齋，休寧（今屬安徽）人，自曾祖始居歙（今安徽歙縣）。幼穎悟，八歲能通誦五經。寶祐丁巳，年二十五，江東漕解第二。咸淳四年，殿試丙科，授迪功郎、昌化縣主簿。八年奉敕充廣西廊階祠官，九年充信州考試官，十年赴昌化簿，德祐元年權知縣事，不久奉親還里。元至元十四年建德路請教儒學，十五年充紫陽書院山長，十九年辭歸，不復出。延祐二年卒，年八十二。著有講義四卷、書文韻儷稿各五卷，其他如《服膺錄》、《讀書記》、《雜作管見》、《泣血錄》、《曹氏家錄》甚夥。見洪焱祖《曹主簿涇傳》（《新安文獻志》卷九五上）。本文收其佚文二十七篇。

與貴池縣尉胡同年書　一

涇去冬拜别後，無何，亦理歸裝。以十一月十九日抵舍，又以正月三日過相居，隨波上下，正自可笑，濟鼎應憐之也。去冬鈞翰曾得力否？嘗見孫同年朝瑞云：自秋浦來，曾得會面。又謂倉使見所投啓事，以爲上庠人物可敬，亦果然否？朱府教榮上涇，見附賀書，因併拜此。朱丈在翹館從容，屢誦才美，欲其相與扶持，渠亦謂願得一好朋友求益也。今于書中又申言之，併乞臺意。涇身事未有涯，姑置度外。所可喜者，與東閣諸君心腹稍孚，亦頗有心功。再意濟鼎，近況想佳。諸公有相念者否？月廩足支吾否？區區之心，以爲迎親之署，乃第一樂事，此外皆可爲也。何日過昌化，得吃菜根，亦所甘心。性急馬遲，爲之奈何！臨風惟有健羨而已。人去速挐楮拜此，恃至契，不及錄飾爲恭，仰告臺照。

與貴池縣尉胡同年書　二　三月二十四日

某頃繇迅便，率拜稟函，念心交莫如吾同年，故一切浮文悉用刊置，然亦愧其疎矣。來教介來，伏領謙答，小楷何謹，件教何詳，了不以先施爲譏。匪至情安得爾字字研詠，感極無言。雖然，所謂里年先生云者，非所宜蒙也。執事于某有數年之長，當年利見之文，某手抄口吟，心降氣懾，願一北面不可得。嘉藉慈思之契，許以兄弟之好，已爲望外之榮。今爲斯言，當作何顏拜受？夫世之以先生二字加于人者，爲其聞道在先，或以年長，否則直以權勢在焉爾矣。三者某無一有，而謂之先生、先生，欺予哉！記去冬賜翰亦有之，失于控謝，今敢百拜并懇願從茲勿復以云。恐傳他日，謂執事繆于施，某傲于受，俱非禮也。鈞翰委折謹悉，嘗以臺翰過鈞覽矣。內帖：所求格式一節并呈，亦笑領盛意矣。然聶守近有回書，首曰「某去冬恭拜鈞劄，謂以胡尉之才之美，敬嘗齋沐回申」云云，則是未嘗不仔細也。老師謂入僉一事，潔堂雖嘗移文，執事實未供職，則所謂按堵云者，因其已入者也。據某思之，忱如臺諭。爲一皈投劄子，只平直叙其卑猥困苦之狀，否則宛覓朱丈一語。某已力于府教書中言之，語又爲穩貼，又托兩俗神各書力言之，不如求此著爲最密，寧可少緩？得之不可，欲速如俱不可，則且甘苦忍貧，俟之畢竟，亦是時運所制，無如之何。少刻卑已求人，瑣細已甚，縱小有小得，所失已多，又不如清苦之爲浩然也。依緣從紅聊復爾，聞士大夫得時行道，有大于此者矣。伯詵尉聞有便郵，專寄一緘，見到已就道寄音矣。此翁近况甚適，但頗患細瘡，爬搔不禁，蓋自掌珠發之，延于聖善以及頑尊，謾供一笑。盧江之役，雪前大爽。手自申牘，豈邊機耶？蕪蔞滹沱之事，萬乘有之，况一尉也！遠翔佳况，想如來教。看來富者常有餘，貧者常不足，此一定之理分，奈之何也！濟鼎今所以浩嘆者，一以官卑，一以俸薄。然官卑實自爲之，不得尤人。既爲是官，合得是俸，此亦謂之天命。今卻是稍納青衿，薄助滲瀡，乃爲本行生活也。士大夫聞貧乏不能自存，此是好消息。學以本政，才以任事，又廉介主腳有不遇，遇則南溟天池矣。若某之事，卻是可笑。前冬之出僉，謂向陽一到，即得鈞翰過淮，不可謂之無力。去之數月，杳不見報。而主翁丐歸東，果成行矣，獨非命耶？今爲此來，敢作妄念？近在爐□之側，固如此而止矣，其又能甕筭耶？僂指成期，以刻爲歲，欲一學盧江雪景，不可得也。先生應重念之意，何幸傾倒。臨風拳拳，餘俟裔拜。伏干臺照。

與貴池縣尉胡同年書　三

某幸托同年相視，當如兄弟，而先生長五歲，文學复出其上，則師表也。然距今三十餘年，驟而講師生禮，見謂非情，正當以記禮兄事之禮爲斷。然相距數百里，兄年七十一，某六十有六，而書問之交，一用滑稽。既乖平仲久敬之義，又犯先賢戲謔害事之戒。兹謹釐革前例，一用竿牘，正式首告尊亮。某正月抵館，二月東宇來會，謂知有華翰在浩古處。至三月十一日，始克領教，蓋浩古來極遲也。即欲拜狀，而東宇言四月初方歸。數日前聞在月半，今初五日忽聞即歸，遂亟拜此，以叙前書之謝。來書雖曰諧謔而尊愛之，真未嘗不寓于其間，以自愉玩則忘疲，以示他人則絶倒，無所不樂，而心終以爲善謔不如純誠。變而之道，固未嘗不如正聲《韶濩》之在耳也。先生才高學富，發而爲文，實是可敬。某向來謂若減得一二十年年紀，謹當北面，而惜也老矣。每見高作，輒如武庫乍開，劍戟森然，一一銛利，又耐檢點。近又于東宇處見所爲《醉意記》，復是滂沛奇詭，發藥我多，敬謝敬謝。來喻年前頭目之窘備悉，使户之爲金也，決于忠告者之一言，所謂忙中之錯，危途之非，聽言之難如此。事既失手，何可追悔，忍之而已。今日得浩古數字，曰表叔餘翁，家學二蒙，老而益進，長表弟尤爲富人，其能謝俗躭書，嘲弄風月，調笑戲謔，宜也。浩古以所親見爲此語，當無釀飾，幸先生欣領焉。《醉意》之文既高，字畫亦復清勁，某兩眼如蒙霧，作字善欹向去，此當日甚一日。生年少先生五歲，蒲柳不耐乃爾。春來賤體卻少病，能早起，能晝坐，事文墨不打瞌睡。然傍人籬落，爲分文百陌計，是謂老醜不若歸。而以意眠起，閒來繙書，或弄幼孫，從事蔬食，待盡山中，斯爲全是。今冬遂當結局，所見決矣。次孫秋後當娶，家無贏財，歲爲多費，此生竟是如此波查，苦中作樂而止，雖然亦天也。賜教《元日》諸詩，當摘和；專賜一詩，當謹和。盡數遣歸，示舍弟小兒輩，以誇所蒙。元韻不能悉記，牢嗣貢。東宇在近，浩古非遠，時時有便可寄。遠翔令嗣障教者已歸，元鎮近不交信，弗齋已葬，程山總子名昭祖者即世已久，皆謾一知，總幾尊照。不備。

與貴池縣尉胡同年書　四

某啓：五月十一日東宇來領四月晦日書，時辛卯生令孫，因冗賜字差略，然猶能訝吾孫利市之負欠，以愚意所欲釐革爲遁辭，則無所不怡，正自可喜，謹竢次孫畢娶併償。先生六孫，某少一員，有出剩政。雖頹景迫我，兩家子弟能通知二父意，安知無餘味耶？兹言類于自惑，屏息竢譴。某六月望作暑假，巧值亢旱，加以老孟光失步如受病，閱月方能出户，一是無聊。二十三日甫抵館，今日爲二十五日，東宇意言初一又暫歸，急拜此。新秋尊候康佳，使媎均慶。辛卯生令孫，勿藥久矣。某之同年孫可以入學，而猶嬉厥祖父，或教之誦詩，若他文，能調十字爲一，連而瀏亮，但欲聽人讀而默記之，既乃單聲自讀，每不肯隨口隨聲讀也。乃祖亦嗒然付之一笑。諸令小孫亦當可教讀，岐嶷可人也。近公行不以是，何投充編役之説？儒户似有動搖，今而知月山之謂餘學必爲淘採者，范六丈真聖人也。前諭衡甫府教惠書意，未有可以奉承之理，東宇知之，見答衡甫一書，煩授其令，似併致此意。某積欠次韻之作，尚容續控。東宇之東忽棄盛年，乃祖隧碑，恐成擔閣，賴高文傳抄已廣，亦不假金石而壽也。卻恨一字三縑之酬，不如皇甫幽冥之間，其或能結草亢杜回乎？悶事悶事。某乍到百冗，復以暑盛，且此草草。歐公謂杜郎中曰：「吾徒老大，朋遊零落殆盡，存者無幾，又苦乖離。就使幸而相容，索然數衰。弱翁豈復昔時情緒，徒益可悲爾。」斯言似爲吾二人發，尊見以爲何如？東宇來或能賜數字爲幸。伏乞尊照。

與貴池縣尉胡同年書 五

某七月末一書附東宇，行計必達必報。暨其來則言，臺旆適入州，夫能出則康强可賀。念孫久已勿藥，則團欒之適尤可賀。雖不書，猶書矣，何慰如之！先是王浩古將歸，信來問有無問訊，不欲贅瀆。近歸矣，入十一月必來，倘可賜書，勿遐遺也。今拜此者，同里地理人程樂山純静老成，遊仙里日久，古修與之甚熟，欽仰大名，欲一拜識于吹送。知某托年契厚，特來索書爲容。某與言胡判簿與某是一般貧苦人，宜自知之，又必古修書乃可往。設其造門，幸與之進，而隨宜度事以應之，不費錢財而費筆舌，諒亦臺慈之所不深拒也。儒役仍免，亦芘之。及尊旆入州爲户門，何事老而傳矣，而猶出乎？可念也。樂山立竢書，草草，伏幾尊照。

與貴池縣尉胡同年書　六

某乃八月初東宇歸上狀，越月而來覓答字，無之，曰尊旆如州也。十月初，同里人談地理者曰程樂山索書求見，洊拜字，戒以必得。古修書乃往，否則不可，未知已至否？兹遂入臘，計自九月後不知尊履，自三月後不得尊翰，其爲尊仰，豈任下情？東宇歸，遂又拜此。某之近事，領累幸安。次孫以前月十四辛卯娶姑女成禮，前承戲徵，長孫利市宜併究之。然兩家相值，亦成畫餅談河耳，謹不敢以爲對。最負愧者，日坐猥冗，積欠和詩，遄解明歸當奮力併作，俟明春附東宇或王浩古之便。尊候清佳，尊媼康共，即日又慶尊年七十二歲。某雖晚後，亦六十有七。三十年前之事絶不入夢，見諸公哀哀，此心亦如死灰。想見康强有子孫，亦是人生一福。其貧且賤，當安之耳。先生與某大率相類，但未必如某之極貧，而胸中筆下飽滿伉壯高出于某萬萬，則某劣也明矣。雖然，天者不可强，人者猶可勉也，如何如何？「來年更有新條在，撓亂春風猝未休」，冀勿遐遺。伏乞尊照。

與貴池縣尉胡同年書　七

某去年八月後三拜書，意必蒙一答。正月二十二日過程樂山，僅見《風水説》而止。夫猝猝間能爲一篇覼縷，又書之，又朱其句，不憚煩，而不能以一字酬八月之欠耶？抵館後知東宇至，未見間，遇令姪胡東，嘗試問令伯有答書否，曰不知。然東宇至已久，審有之，曷不以貺？亦疑其遂欲答，其爲恕我決矣。至初九，東宇方攜尊翰至，值某寓外，明曉始克領讀。紙極佳，爲之深感，語純謔，頗似寡味。畢竟尊意如此，故嘗欣受而謹藏之。七十二歲人，筆精墨好如許，非奇事耶？非還諉東宇間，忽聞其歸，又怪東宇不以語我欠上狀，兹爲二月二十九日。東宇伯姪忽來領社日，所賜尊翰，只就元日拙吟内翻騰，無數議論，意盡止是爲一書，善哉謔乎！比前書稍稍有味矣。其爲真清江劄，前後一色堅瑩，恐是咸淳、德祐間物。某窶人，安得有此？感感。又以起敬樂山不并覓古修書，而見蒙即與之共飯，并飯贈之言所得多矣，某何愧謝如之。所欠和詩甚多，固是不暇，亦以不勝和也。望而難之，厥既聲迹闊疎，不相考擊，掣以他冗，寖成繆悠，此真語也。先生所料近于深文矣，丐少寬之。《元日》只當一首二首或三四五而極，才拙思澁，不能以少爲多，遂以一首狀一意，逐旋砌成，姑留以爲案沓，使他日孫息輩見之，知當時景物况味如此爾，不敢以示外人。東宇乃于一舍姪處見之，不惜抄傳，至塵尊覽。賴得是吾兄見之，或當行人，必當忍笑不住也，駟不及舌矣。近吟并已入抄，旦夕一一治報。伴食乃宰相事，某不敢當。「俟來世」三字，此前輩著書立言，不靳令人知之之意。然高作大篇短章每出，爲汗漫奇詭，有一瀉千萬里之勢，有爬癢鑿貌之快，令人駭視退立，亦何待來世而後知之哉？年高氣衰，病痛宜多，儻未至甚，姑以爲樂可也。某于書味自真，比來漸覺精神減怯，最是兩視花眩，常如在雲霧中，肢節酸疼，亦不耐煩苦，只飽飯而嬉。某又不甘如此，姑當順其力之所堪，勝而爲之。生老病死，時至即行，不怛化也。聞先生飲啖健甚，此壽之理。方虚谷今年七十四歲亦然，更告致重爲禱。此外勿吝時時交書，所謂謔語亦難盡絶。要好誠謔相半如何？要之吾二人至契，只説着自身及家事及閒談文字，亦何嘗不樂，何嘗無味？而必欲滿幅滑稽，何哉？前嘗稟似端切矣，不吾聽，亦惟命。即日尊年嫂恭人尊懿候多福，令子令孫合堂臺姥均安。某謹謹附起居問，兼謝東宇言。即有人回，便急拜此，伏乞尊照。

與貴池縣尉胡同年書　八

某二月三十日拜答後，非無拜書之志，而東宇于其令嗣之來而即去，與其自爲納婦而歸也，率不令知之，某又實不及知。以是忽忽六閲月無嗣音，未始不慊然也。秋半涼新，尊候康佳，尊姥均祉。近作必富，無從借抄，徒切跂慕。某淺于學，弱于才，兹事終不能與作者抗衡。年益高，聲望日益下，已矣已矣，惟天地父母所以與我之本然者，兢兢自持，毋致玷失。甘貧耐辱，老當益堅。他日或可全而歸之。此爲僅僅者，而猶未敢謂之能也。所許屢和高作，一蹉過後終是鼓舞不起，欠負欠負。然亦有由，某自三月後率是易病難愈，可笑。四月初十起連三日吐瀉，既小定將理，及月而後全安。然日飯比常減半，至邇日甫覺差勝耳。交秋，隨例感冒，痰癲大作，亦看看一月，始得復常。大率年邁則氣衰，氣衰則宜其病之易而愈之難也。前輩曰安知他日不難于今日乎，一笑復一笑，累輩相扶持，苟安如常。最小孫甲午十二月生者，今年三月甫入學，頗易教，稍慰意。先生六孫，比某多其一，近有所增益否？當次第授讀，此一件關係老人況味，逸少公所爲絶甘分少以爲樂者也。穡事大稔，庚子遂爲樂歲，奇遇奇遇。方虚谷獨處古杭十年，健于飲啖，其爲文益閎肆研密，當爲獨步。吴元鎮賀州杜門著書，有真樂。汪遠翔三子皆仕，少者尤佳，諸孫鼎盛。陳弗齋二子一仕，一求仕生。蒙厚三女適人，皆得男輒天，二子尚未有男也，恐欲一知。令姪寓老子宫甚適，尚不失本來面目，某似無所措力，而不敢不稱美也。春中承尊諭欠報，惶恐。某冬歸遂決意詮伏，不堪復出矣。儘歲除前尚可寄書，未間，珍重是禱。

與貴池縣尉胡同年書　九

某十月初三日，東宇以九月二十二日尊翰至，真是答書雜以諸語，每書之末爲寄聲，累輩同年有情如此，感喜何限！然所謂未卜嗣會，未卜嗣音者，語意欠密。嗣會誠未易言，若東宇在此，嗣音易矣。縱子不嗣，某忘之乎？前二年是元鎮書來曰：「相見欲期。」夫兩地相距可一二日程，而云爾何契也。元鎮是形容其杜門堅壁之意，然其語無味，姑置之。東宇歸，謹奉狀，輒因示教，内所和《雲峯》之作，次韻八首，更奏二首，共爲十首，因償前欠。而第六孫之和亦在其中，不揆蕪穢，亦不能一一具題，并仰體尊意，稍入滑稽。東坡忍笑讀李端叔詩，某不敢避笑，特以是獻笑也，忍否一唯尊意。某藉庇入秋後穩健，明年仍未能辭舊館。東宇易館仍相近，正二月之交，又望報書。二月以後，又可拜書矣。未間，爲斯文珍重是祝。尊嫂太安人齊眉尊安，令嗣二位詩學兩優，六令孫聰明日發，俊茂可人，某敢附拜興居問不備。（以上《梅巖文集》卷一〇）

謝涂則山增紫陽月廩啓

伏以梁炊夢斷，可能餬口於四方；芹水春回，不待折腰而五斗。見聞爲竦，被受知慙。恭惟路教翰學清氣，玉山太宗棋埜。魏公之笏故在，還乃祖風；子幼之文最佳，源于外氏。九萬鯤鵬而天路，一雙龜鶴以璜宮。春容講篇，深抉先儒之旨；縱横筆陣，盡降餘子之心。方鼎新革故，以尊明倫之瞻；亟養老欽賢，以奉揚庭之意。事關風教，光照雲山。已分蕉鹿之成空，忽似轍魚之得沫。接也以禮受之矣，寧須通乞米之書？無所用心難矣哉，尚堪爲炳燭之學。是名稱塞，敢昧皈依。

謝唐長孺和元日十詩啓

伏以不類而詩，已分曹牆之短；倚歌而和，忽驚唐律之工。況侑專書，具陳世契。賜誠出於望表，感固溢于情涯。恭惟某官遙冑比陽，高流練水。六典家學，尊翁之臞似梅；大雅宗風，仙人之謫姓李。認自渥洼之種，知爲梁棟之材。閃倏萍雲，逡巡角弁。别三日刮目相待，故非吴下之蒙；讀萬卷下筆有神，一似少陵之甫。慨此江空而歲晚，居然色正以芒寒。尚念吾衰，猶爲父黨。飛鴻之遺泥爪，往迹雖陳；驊騮之起霜蹄，脩程自駛。何許得永元之賦，於焉灑賡載之題。泉不擇地而流，諒同遊戲；玉乃無脛而至，奚以稱蒙？既昭佩歲寒之古心，且穩挹天葩之奇馥。十重斯襲，萬謝爲宜。某不恨數奇，頗憐才盡。無青玉南金之報，姑循駢儷之遺；有風泉雲壑之逢，定究輪囷之蘊。

(以上文淵閣四庫本《新安文獻志》卷四三　以上曾棗莊點校)

復先生啓

伏以短書雙燕，偶側入于文俳；良訊兼金，遽單提于譜引。竅鳴蠅其已細，玉抵鵲以何奢。極佩謙渠，稍抒摧謝。恭惟定宇先生，大宗濦汭，耆俊休陽。源深流長，稱門閥雲霄之句；宇定光發，兼文字德行之科。早亢志于青氊，師研精于黄卷。造車合轍，待旦枕戈。莊鵬運以搏扶，垂當立歲；漢龍興而設學，是亦亨辰。既不爲場屋綴緝之文，因得肆螢窗討論之力。英詞雄雅，餘力滂葩。念昔先人，没而可祭于社，施于孫子文而擢第。于官併賢書賢關之彦，踰二十人；自一姓一村以來，溢十九世。匪但杜鵑吟之可誦，何必瀧岡表之能書！吐以爲經簡，而有法。尚與憐于晚末，使附語于卷終。豈薄領卑官，敢向兩尚書而鼎足？或佛經賤氏，可在諸先達之後。塵封非愛，隆瓊瑶報。侈高文成于嘻笑，足窺綉口之奇；華衮以爲褒稱，惟覺汗顔之厚。某納交差晚，託好甚真。已嚴什襲之藏，庸效七襄之報。讀后山先世之狀，允謂重光；羞子建七步之才，倘蒙含垢。

答先生書

某七月十六日拜狀後，頗擬上丁可以望塵，謹伺之，不值也。鰲峰之作，決無出其右者，其評如何決賞。曷以某七月七日來館後，整襟細讀，嘗信筆數句贊之，本欲以示兒輩。今不易一字，僭越舉似其語曰，引胡氏據朱氏，先泛引《春秋》前後，以開其端，次就《春秋》，詳悉究竟，以伸其説，又次旁次《周禮》以佐其辨，又次併就四代禮樂，放鄭聲一併以餘力及之，以足其理，遂以數句斷之，無疾聲大呼，而至論不可破。雖春容大篇，而一節、一句、一字不可删，學廣識高，思精筆健，足以行世傳後。鰲峰一魁，何足以酬之。某八月三日點書圈抹後，謹書于此，俟示兒孫輩復之、熟之，以爲窮經作文之法。以上語，可以表某敬服之真。老泉曰，亦欲執事之知，其知我也。嗣有拜侯之便，此抄在手尚可呈，似兹不能改造綺語爲諛，卻未知説得是與否耳，一笑領之。此月十九日，舍弟緘至，賜汗一宗，專書一，語義上六篇，和詩一，并所惠舍弟和詩，亟拜并讀，如行山陰道上，應接不暇，感喜何可名。今書答如下：

一　語義之賜，豈惟可以示諸孫受讀。某與二兒亦得拭目以開心胸，千感萬謝，鶯股之封，此願由中，兹前未能耳。

一　賤生之日，所追賦俚甚。舍弟敢以過匠目至廑屬和，所押身、賓、孤、咨、陽、遲、詩等字，皆切本意，而出人意表。所界舍弟者稱是，當重緹襲之，或示人以爲榮事，禮合用韻爲謝，兹且以報書爲至敬。

一　與點之作，大意雖通，尚覺文字輕淺，見褒良溢，嗣當請教。

一　《虚谷集》當從中全問幣數工墨費，以報旌城，君子亦未至也。已上大略答所問如此。中全，虚谷長子也。

就有懇某與執事生年爭不多，自量所挾遠不逮，而臺翰一用事，師事父執之禮，實恐折福，嗣告裁緘，如雁行肩隨可也。某拜識若晚，而相好有真，不異平生，至契區區，性理之僻，曲謹之愚，似于執事有偶同者，似得窺斑，漱潤于文字間，又不異骨肉至好。蕭源明曰，不幸生衰俗，所不勝者識元紫芝也。某豈任榮艷注寄之，至歲事向晚，除日已前音問，盍且止此乎！梧山先生臺候清

佳，兹遂爲松蘿山中，貞元朝事獨員也。敬羡，敬羡，茶次引忱。不宣。（《陳定宇先生文集》卷一七）

（以上曾貽芬點校）

全元文卷二九一

曹涇 二

文公喪禮考異序

讀書難，讀《禮》尤難，讀《喪禮》又難。鄭叔則曳笏卻立，謂孫昌胤子冠何預我事，此不學禮之過。宰我親得聖人而師之，其時又未有秦人滅學壞禮之事，直以期喪爲可，以食稻衣錦爲安，又何責於昌邑王、阮嗣宗輩？《喪禮》之讀信矣，其又難也。科舉行時，士以剽竊爲學者，至不識《儀禮》爲何書，其父師授讀《戴記》，以《問喪》諸篇爲不祥，廢其讀，望其毫分縷析，心潛身踐，求所以自致自盡，難矣。波流風靡，士大夫或以百日爲卒哭，因之飲酒食肉不爲異。即有獨行之士，反詬病之。嗟乎，禮有學有教，將上之人之責，反化於俗，不少愧也哉！吳君孟陽著書一編曰《文公喪禮考異》，自男子至于婦人，自始死至于祥禫，自斬衰至于緦麻，自辟領加領至于笄纚總髽，有説有圖有象，爲經爲緯，爲源爲委，條理秩然。其爲説本之《儀禮》、《禮記》，若注疏，而以文公《家禮》與嘗言及之者折衷之，稍以己見佐其決。其書視《家禮》爲詳，如論一溢米數，旁參細覈，近五百言，其不苟往往類是。蓋喪親未小祥而所就如此，孟陽之思苦而用力亦劬矣。匠氏度材爲屋，郊原異地，杞梓松栢異名，長短大小異狀，既墨既斧，用漬于成，梁棟桷榱，門庭堂室，位置如畫，輪矣奐矣，而孰知斯人之爲此亦艱勤矣哉？孟陽此作是已。昔永嘉有張淳忠甫者，好學篤行，郡守曾公逮見之，於其倚廬如見古人，視其居處衣服，察其顏色，聞其飲食，無不應禮，因以《儀禮》屬其讐正。忠甫考究精詳，特爲一書，名曰《識誤》，曾公亟稱之。夫不學何以識，非篤行亦謂之徒言，有忠甫之學之行，是以有忠甫之書也。孟陽世其家學，居喪之禮，如其先君，好學篤行，豈遜忠甫？忠甫之《識誤》，孟陽之《考異》一也。所謂雖謂之文公忠臣可也。孟陽之高祖友堂先生昶實師文公，三傳爲古梅君，是生孟陽，以有此書，善言德行，非歟？子思曰：「先王之制禮也，過之者俯而就之，不至焉者跂而及之。」禮壞教衰，不至者衆，是書誠如指掌，何當人寫一通，使之習于心目，尚企先王盛時之風俗，以自別於無禮之類，又豈特《喪禮》一則而止，孟陽更究爲之也。（弘治《徽州府志》卷二　曾棗莊點校）

四書發明序

元貞二年

自朱文公《四書》行世，學者童而習之，或病其不能驟通也，爲《語》、《孟》句解，取集註語裂而附之，刊本如麻，數十年比比然，其體弗類，且於一章大旨闕焉。休寧陳君壽翁爲《論語訓蒙口義》以示曹涇曰：「吾以是詔其子，若童子生句釋之。章旨亦具不敢繁，欲訓蒙也，不敢求異，一本文公之說。」涇得壽翁于文字間，歛衽久之，恨未識其面，一見心降，亟讀之。其于文公之說，如李光弼代子儀軍，營壘士卒麾幟無所更，而氣象加精明焉。壽翁于是爲文公忠臣矣。《集註》外，元有《或問》，其後又有勉齋黄公《通釋》，壽翁疏而貫之，且不費辭，是其可尚也已。卷首學習孝弟二章，聯以警語，殊有理於上智下愚不移，謂是只言氣質，非言變化，氣質大是清峭，他皆此類。至山梁雌雉，上下文一段，能坦然明白通言之，又可喜也。予所見僅九篇，窺豹一斑如此。壽翁寶之，豈惟可以訓蒙？將白首紛如者亦爲之醒然，涇其一也，安得並二十篇借抄一通，用字恰甋以授城南之讀。元貞柔兆君灘之歲春上丁，里晚學曹涇拜手謹書。（《陳定宇先生文集》卷一七　曾貽芬點校）

深衣說跋

徽士自淳祐壬子歲魏公靜齋克愚來爲守，始知服深衣，蓋由特製賜紫陽生，涇在列焉。靜齋之先君子鶴山先生精於經，是必合法，自是同儕轉相倣慕，人具一通，學校期集，用准襴襆，以爲簡便。然習而不察，一仰成於縫人。行之且五十年，而予亦六十七歲，耄矣，猶夫人也。陳君壽翁以舊說見教，訓故叙次，若出於其自爲言，而未嘗不本之先儒，要其歸於經意，卒無背也。其爲說字字研審，其大節目則曲裾圓袂之辨，衣裳幅數連屬之當，令人一見渙然。至於以兩句十四字爲續衽鉤邊之訓，酷似孟子，説詩例比呂氏，尤爲峻潔。而鄭氏之云，亦可因是推之，以還本旨。然微壽翁，鄭意晦矣。嗚呼，兹古大人格物之學也。人人於讀書遇事，平心而玩，觸類而長，如此亦何經之不可窮，何理之不可通，而何事之不可處哉？（《經義考》卷一五〇）

明遠呂公祀堂記

至大二年九月

徽城西三十里有呂堨，呂公所爲堨也。堨之源在孝悌、忠鵠兩鄉之間，築絶溪流，匯爲一壑，釃而下爲南北二渠，灌田萬畝而贏。中有呂湖，爲呂公所居故址。郡乘載黄墩湖射蛟事，即此湖。公之生，蓋在蕭梁之前，惟名字不可考。世傳公爲堨時，賁力雄鉅，日率家僮數百，相視畚鍤，數年而成。祠事不知始于何年，刻像葺祠，自方節幹山甫，始明遠之題，用孟貞曜例，則察院左史竹坡公爲之。今遺胤猶蕃，仕者宗之，積善之慶如此。古者稱公不名，如三老董公，魯申公不害爲賢，以地配姓，如白渠、彭城，亦何嘗不著？自蕭梁時距今已八百餘年，此後可知矣。頃歲訥齋承相竹坡子西城監簿與朱迪功伯鳳、方尚幹汝直，或勸緣，或董事，葺舊構所，寢以完密，惟有記未。友人方士清移書曹涇使爲之。涇之言曰：「禹之明德遠矣，知者創物，匪明不能，其惠無窮，斯之謂遠。禹平水土，以有田賦粒乃烝民，萬世永賴。呂公奮自一身，惠洽一鄉，推之一國天下，殆無不可，謂之明遠，亦宜。禮不云乎？報本反始，農索坊庸之蠟，門户竈行之享，有由來矣。豈惟今日，豈惟此祠哉？又按二渠之旁，沿而數之，方、汪、徐、朱，四姓爲大。汪宦裔免于征徭，積世庀事，三姓而止。其出于方之主維者實多，姑摭近聞：行文爲鄉正，重行籍，定田主畝數，元旦谿免官户分管科夫。汝愚與徐自誠創用松木移堨疏渠若淳祐九年經印版簿，又運幹子回爲之起。唐大順以來，屢訂數更，毫分櫛次，所謂二十三管，百二十甲首者，如指諸掌，如昨日事，不可忽也，不可忘也。夫有此堨然後成此田，明遠公之賜大矣。治此田乃得營此報，成民而致力于神，又其序也。此記之所宜牽聯得書也。士清行文之來孫，節幹之孫，急義知禮，所謂鄉黨自好者云。（《竹坡類稿》卷二〇）

溪南吳氏長虹先祠記

歙西溪南吳氏，故大家。宋慶元、嘉定間，兩鄉貢馳聲甚都，親昆季也。季曰耨齋先生，先十五年而貢。貢之二十六年試南廊，勑授文學，未及銓注而卒，得卜於所居之南二十里曰長虹葬焉。踞坎挹午，四望適停，延袤可十畝，佳山水也。歲嘉熙庚子，厥孫景深翁祔焉。去之六十六年，爲元大德乙巳，曾孫君實翁祔焉，其配汪氏壽藏祔焉。伊川左昭右穆之圖，呂氏婺州明招山之例，有相似者。同里讚之，里人士誇之。玄孫崧高維申甫曰：「猶未也，古不墓祭重廟祭，卜兆之次，繼以鬼饗，始謂之備。」乃即東偏築屋，奉三塋之祠，而曹涇爲之記。涇聞之，先賢莫爲於前，其美弗彰；莫爲於後，其盛弗傳。耨翁由科舉登名，立門户，軔發軸折，微有欠憾。永宅協吉，如相補除。神靈安，子孫盛，慶事殆未有涯，前之爲不可泯也。維申用治命襄事，孝思所拓，如梯斯攀。三世合并，一堂揭妥。今日之祠，遂當與此山此水永相映帶，後之爲何如哉！昔徐甄氏之思亭，餘姚胡氏之存菴，止爲父母或兼昆弟。後山野處二公，猶爲之嗟啃不容口，使秉此筆，當復何如而惜也？涇之筆力弱也，因系之以歌，爲迎饗之侑曰：

魂來兮槈翁，閶闔開兮詞鋒。轅正南兮北風，歸來長虹。苟有以燾後兮，寧其劬躬。魂來兮深翁，槐花黄兮青驄。粱炊熟兮道窮，歸來長虹。視乃厥祖兮，事將無同。魂來兮賓翁，早孤而立兮晚壽宜隆。足見先人兮夜臺西東，歸來長虹。後百年兮德耀依鴻。

亂曰：

水遶兮山重，千載兮斯宫。粢潔兮盛豐，百禄兮來崇。是爲記。（文淵閣四庫全書本《新安文獻志》卷八七　以上曾棗莊點校）

横舟亭記

吴君叔震既新厥居，其西爲燕賓之堂，軒窗高明，廊廡脩敞，中以花畦見，方廣亦足名樂事賞心矣。既又得閒地於兩廡之外構一亭焉，高與廡平，廣與堂侔，上闔如蓬，旁闌如屑，如舟之制，丹青飾之。即而飲，如風止浪恬，帆收櫂歇，相勞苦以樂也。憑以睡如湖舫，意行次於林園，停篙徙倚，花繁柳緣，鶯蝶嫵媚，翫以忘歸，不知日之將暮也。其自西堂乍入，竦而視之，則又如龍驤萬斛，與岸俱開，漁郎去來，鳧鷗上下，自爲景情。而主人若無所事，乃命之曰「横舟」，而謂涇宜爲之記，則應之曰：「韋蘇州寇萊公之詩意也。」蘇州之事未暇論，萊公澶淵之役，君子有以見素定之略焉。夫水之有舟，濟險也，而横之，觀變乎哉！天下之理，擬而後動，至而後應，然後整暇舒肆，迄濟於成，莘之伊尹，隆中之諸葛是也。不三聘，不三顧，寧有躬耕高卧爾。其不然者，有憫窮徼倖之心，陋之爲儀、秦，鄙之爲光、禹。甚者如林甫、國忠輩，或浮游飄搖，窺切瑣細，禦人於蒲葦洲渚之間，以苟朝夕；或冒利乘險，當試而前，風濤卒起，人已兩敗，魚腹厭之，竟爲世笑。然後思擬而後動、至而後應者，不如是竦且易也，叔震於是所志遠矣。上方崇儒興學，明詔天下，郡國以茂異來上，寧得無意乎！疾驅者誰，喚渡方急，願戒櫂郎解維遄發。曹涇記。（文淵閣四庫全書本《新安文獻志》卷一四）

重修休寧縣學記

至元天子之一天下也，爲儒蠲傜各道專官勵學，前按察，今廉訪，必文學宿彦，名郡以總管涖其事，亦必于是人焉取之。至大德庚子，縣教諭直隸省差學校益重。休寧爲徽壯。縣故有學，宋紹興七年，始遷于南，後六十八年爲嘉泰甲子，重修之，各有記。以學廩之不腆，而有司之疲於簿書期會也，因循百年，禮殿講堂僅支傾圮，自堂而下，至于門兩廡諸齋先賢祠宇，無慮三十楹，上雨旁風，東撓西壞，莫可勝慨。庚子冬，總管布公來竦觀之，謂不亟圖，後將噬臍，閲其籍，於諸生有激發，得中統楮三百八十貫有奇，以爲繕脩費。未幾何，廉訪李公來，所見不異加詳懇焉，下之縣，縣下之學，以主簿趙君揚其綱，教諭直學汪君職其費，猶懼其不贍也，再勸率在籍士，得朱震雷任責文公祠，吴武、朱彰各占理所隸齋序。其力不任，自爲而願入錢者，從其便，後得楮若干。官督工趨，弗懈而縝，出腐易敝，爲堅爲新，舊睹既以春還，殿堂亦稍增飾，又從西廡拓爲一宫，以肄小學，創便門于櫺門之左，以嚴廟貌，往來觀者驚黠同聲。主簿君與衆人同之謂曹涇宜爲記，辭不獲，則謹對曰：大學之教，知行並進，以希聖賢，有虞司徒，三代校、庠、序，尚矣。然有科舉之累，則騁於文，其志分；有庶人之役，則伍于賤，其形瘁。是工不居肆而欲成其事，不可也，無二，患得專于學上之人，又次第振飭之，使之藏修息游，其至如歸，豈不足以收斂身心，真體實踐，以不失夫我之良貴而仰答君師之望乎。士於此自任其重，學校愈益重矣。昔朱文公先生自建上暫還婺源，爲縣學藏書閣記曰：某故邑人也。涇之爲故邑人於斯似矣，以擬先生豈其人乎！將從見大夫鄉父兄承教，而與子弟共勉之，道之云云，僭矣！廉訪、總管二公，實倡斯役，所謂文學宿彦者也。主簿君桂子由太學發身兩爲教官，皆大州，辨此固宜，教諭君士遜始被受省札，今爲再任直學，學君□華前鄉貢進士公驥龍之子，氣同而從，聲比而應，固有時數哉！（明嘉靖《休寧縣志》卷七　以上李真瑜點校）

鄂州太守存齋先生羅公傳

故鄂州太守存齋先生羅公，卒之百三十五年，爲至大戊申歲，其曾孫姪黄仲宣山長以公之曾姪孫前容州文學洪所具生年官歷卒葬之略來視，使潤飾成篇，待附家傳。涇生晚，不及識公，然從鄉先生四方名鉅遊，概知之矣。宋南渡後文字有先秦西漢風，惟公一人。乾淳間，朱文公、周益公視爲畏友。《淳安縣社壇記》，文公自謂不如。謂公交有經緯，又謂公文止此，可惜。邇歲湯東澗公漢實藏公小集，每爲文，必讀數十百過方下筆。客猝至，扃篋惟謹。馬碧梧公廷鸞久在翰苑，身至宰輔。里居之日，講問公小集，願見不可得，至從某轉求之。然則存齋之所以不亡者有在矣。羅氏之先在春秋爲小國，隸襄之宜城，徙荆之枝江，因以爲氏。公之先，五季時自豫章避地來歙，遂爲徽州歙縣人。七傳至尚書公，爲大家。尚書公，公父也。年十六上辟雍，宋政和二年進士，由大諫中丞遷吏部尚書，贈少師。六男子，公爲第五人，諱願，字端良，存齋其自號也。幼凝重寡言，資特穎異。甫七歲能爲《青草賦》以壽父。少長，落筆萬言。既冠，乃數月不妄下一語。紹興二十五年，蔭補承務郎，授臨安府新城縣監税。連丁内外艱，服闋，監饒州景德鎮税，有能名。乾道元年，監南嶽廟，遂踵世科，才望斗著。授饒州鄱陽知縣，不樂往，主臺州崇道觀。八年通判贛州，端攝州事。寇攘甫定，壹以政清訟簡化美風俗爲務。教官劉靖之子和官事之，暇時至學宫不爲倦煩，縫掖生淑艾之功居多。詳刑使者剡聞於朝，謂公宜在清要之選。秩滿，差知南劒州，陛對第一劄主於富民，不爲浮文，切中積弊。孝廟大賞異曰：「卿磊落，議論可采，必副朕委任。」從臣亦交口薦之，改畀鄂州。至郡上五事，其一謂鄂爲古來用武之地，城壁未立，下流陽邏正係險要，舊嘗築城，僅存堆阜，宜并議築，不可憚費。其二謂民饑以田質穀，後日乃爲准折，非法至於奪田還主，宜立中制。其三謂所收諸州配隸强盜貸命之人，久不問落，頂冒實多，滋長姦宄，乞下有司戒敕諸郡，少駐遣發，且候問落申數。其四謂重湖曠土，舊佃每行包占，官行新佃又欠存恤，宜令標立界至官鈔，明與指定，庶得兩便。其五謂民間所雇奴婢只憑客人販到，半是誘略，宜令遭誘略者自言於官，官爲立賞追捕。凡皆論病識源，切證用劑，一本儒術，如古循良。他所罷行，可類推已。貳車劉公清之子澄學行端飭，相與勸學，劭農甚力，所謂令脩庭户之間，而民自得於湖山千里之外，報政纔期，而公不少延矣，淳熙十一年甲辰七月十三日也。公生於紹興丙辰之三月，得年僅四十九。《新安續志》謂值早立日中，精禱致疾。志，公之猶子任臣、毅臣所共訂也。鄂人繪像靈竹寺孟宗泣竹處，劉貳車爲刊小集於郡。喪還，夫人吴氏卒。明年公兄端規自鎮江請檄，歸視窀穸。陰陽家以西峰先壟之次爲擬，族黨一辭，謂公生而孝，奉祖考共安樂之，遂葬於是，吴夫人祔，四月六日也。所著《春秋》、《新安志》、《爾雅翼》、《鄂州小集》行世，其與小集同類、已抄而未刊者，尚十之八九。年遠事殊，併爲亡是，太息而止。雖然豹斑鼎臠，不必求盡，姑從《爾雅翼》漫閱一則，《社壇記》讀之百遍，公胸次所貯，何可量數！筆底之文，又可以人力企勉也哉！公曾祖諱承吉，贈承事郎。祖諱舉，贈朝請大夫。父諱汝楫，通奉大夫、龍圖閣大學士、吏部尚書、敕封新安開國侯、累贈少師。妣呂氏，魏國夫人；王氏，楚國夫人；余氏，魯國夫人。兄顥，朝散郎；籲，承議郎，俱通判福州。頡，奉議郎，通判夔州；頌，即端規，朝奉大夫、知郢州，有《狷菴集》刊布。郢、鄂二公齊名，嘗聞家居講學，時東西異窗，鑽研各趣，飯餘酒隙，已晚未燈，説如交鋒，讙如辯訟。既定，怡怡如初。茲未可與上車不落之輩同日語也。弟頎，朝散大夫、通判蘄州，贈中散大夫。子男四人：縉臣、孝臣、欽臣，皆早卒；睦臣，承直郎、南康軍錄事參軍。女三人，其一適吳文肅公之子坰。文肅，竹洲先生也。孫一人樸。已上據文學公所具外，從人旁搜足之。來示於公官階、所歷所止、吳夫人封秩爲何、孫曾實計若干，俱欠登載，不敢億度。念昔昌黎伯爲樊宗師誌銘，即能似其語；陳師錫序《五代史》，王荆公顯譏之。某何人，敢操此筆？無韓之似，涉陳之庸，血指汗顏，衆知之矣。仲宣幸是正之。仲宣，名宣子，自號中山，能詩，爲虚谷方公所稱，屢攝紫陽山長，事二丈夫子，世其家，羅氏甥也。某既自詭爲傳，亦并效顰爲之贊曰：

彼貴一品，或壽期頤。負乘幸免，夸不償嗤。官止分符，五十猶啬。公有不亡，衆人不識。遠而彌芬，大也無垠。存齋之存，其惟斯文。（粤雅堂叢書本《鄂州小集》，《新安文獻志》卷九五上，光緒《南嶽志》卷一一）

從仕郎揚州路通州判官弗齋先生陳公宜孫行狀

公諱宜孫，字行可，號弗齋，取《中庸》五弗措之義，姓陳氏，徽州休寧人。其先唐廣明時自桐廬郡徙居縣南之藤溪，以一姓蕃大，遂爲陳村。税籍仕譜，儒業文聲，雄于一縣。公高祖始邑居生必達，曰默軒公，放懷山水，有詩聲。默軒生觀。觀生登，曰潙涯公，公父也。詩似其祖，書翰端麗，老於文學，再上橋門不利，乃委祉于公。豐神秀偉，雙眸炯然，其爲文落筆驚人。戊午遂貢，明年取第，廷對已在乙科，偶策語失權貴人意，得同進士出身。授迪功郎、江州瑞昌縣主簿，沿江制副、集撰汪公立信改辟蘄州廣信簿，兼制帥兩幕。吏能綽著，厥聲甚都。明禋貤恩，二親封承務郎、孺人。孺人，吴氏也。族里以爲榮。丁孺人憂，服闋，廣德知軍賈公蕃世欲辟爲令，東諸侯爭欲出其門，以親病俱不克就。歲辛未，月山趙公日起鎮姑孰，以節制司幹官剡辟，侍親從之。訟牒獄辭，多以諉公。衆健其決。月山奇之，將露章于朝，以階清切，遭承務公之變，號跣護喪還家。終喪，循文林郎，授常州州學教授。需次間，時事急，郡守存畊王公積翁辟知太平縣事，改知婺源縣事。未及上，爲至元丙子，闔邑草竊起如沸糜，公殫竭己力，激勇哀智，勉相保聚，以竢王師之至。上功外省，遂知休寧縣事。守土難，在鄉土尤難，革運之際又大難也。公才識絶人，不懾不暴，拉强拊柔，扶傾葺壞，事無遺力，功不勝紀。其抗言于郡令，本邑得以秈米代輸秔之窘，最爲長便。居三年，鄉邑大治。本道按察鄂通竹庵公始行部，以譽望知公，請爲郡文學。自乙亥兵興，堂堂學宫以駐戍卒，四壁傾頹，蹂爲圊溷，幾不可以芘身立足。公究圖之，如堂如構，爲塈爲茨，復侵田，新器具，齋扁鼎，創先賢閣，文其梁板刻之。徽學之大壞而重新，公之力也。辛巳入覲，授將仕郎、開化縣尹。衢俗獷悍，開化爲劇。公至爲説利害，使知避就。乙酉，秋民劉元五等倡亂焚掠，擒其渠魁十餘人戮之，以次招收，不費一矢。邑學毁于兵，風厲其徒，遄復舊觀。奉宣寬條，蠲其徭役，至今有去思焉。再詣選，江西道儒學提舉缺，集賢翰苑諸公列薦公以補其處，命且下，會時宰被罪，公意亦倦，竟授通州判官以歸。甲午闕司以維揚路昏鈔委解汴省，爲錠一萬七千有奇，公無所辭。浮淮鬭河入汴，不半月竣事，廟宫禾黍，城郭人民，無窮感慨。賦萬歲山而闕年授代歸，行李蕭然，元貞乙未三月也。公未至通州時築宅一區，不甚穹峻，加宏敞焉。一堂深静，軒窗翼之，旁有隙地，畦花莳竹，每曰：「以是終吾餘年亦可矣，鐘鳴漏盡而猶行乎？」頻年腹脇，間停飲爲闕丙申特甚，入丁酉有加，謂二子曰：「吾年六十有七，仕近四十年，守此江浙薊汴之身，以從先人丘墓之側，有何不可？而又求長不死乎？吾一生平心直道，粗可無愧，以此遺汝輩，應未爲拙，勉繼吾志而已。」言訖取水盥漱，端坐而逝，二月之初九申時也。公之生亦以申時，其年月日爲紹定辛卯之九月十二。惟公少負俊聲，壯老如一，在承平，鉛槧之士避其鋒；值危難，章句之徒伏其略。爲子弟修敬父兄，爲父兄攄忱子弟。於考德問業，有教善之忠；於喜慶急賙，有通財之義。體用該，常變一，武文合，庶幾乎全才，而惜也，止於州縣之勞。公娶吴氏，同生辛卯歲，與公媲德。男二人：元方，前浦城縣丞；季方，前休寧縣南五嶺巡檢。俱能仕，足紹其元方等家。女三人：永春縣主簿朱彰、休寧縣學教諭吳綺、遂安縣主簿朱宗周，壻也。孫女三人。夫行狀，門將以大德己亥三月三日甲申襄事於邑南嘉善鄉善慶之原，前期走書曹涇，以行實爲托。生故吏子弟責也。予得第闕大院，予就別頭，有一般燈燭之雅；入仕淺，然公領郡學，予長紫陽，有異時同僚之契。其生也又少公三年，然則於公固弟行也。知公爲詳，狀公行爲宜，乃不辭書之，謹狀。（文淵閣四庫全書本《新安文獻志》卷一五　以上曾棗莊點校）

曹季女述　大德十一年五月十日

弘齋夙與程鄉貢一震澤民善，咸淳丁卯，處其館，以長女許其姪英子飛。其秋，予再貢，明年第十二月十五日辰時，季女生，命名曰昌，以予待次昌化簿也。癸酉冬，長女嫁。甲戌二月之官，季女最幼，昌也才六歲，其貌厚而資性純明，老少皆愛焉。國事急，乙亥正月歸。丙子正月，遂革運，車馬驚怵，澤民挈內眷來寓予家，與昌女稔喜之，既去。澤民次子子魯希曾，戊辰生，年相次，以是媒親。甲申正月，澤民遷居長塘之北滆。七月二十四日，忽報澤民病革，是時昌子年才十六，未笄也，二十七日，遂行至，逾日而澤民卒矣。然姑氏賢，希曾賢，其生母與嫂俱賢，無不安者。丙戌十一月初三日戌時，生男，名之曹壽。己丑閏十月十一日午時，女愛娘生。吾女嫁早可憐，得男早可喜。然去六年餘，希曾病矣，辛卯歲十一月十七日，希顏謦報至，予疾走視之，母妻相泣不能言，予亦泣，明日死矣，爲之膽落心碎。死者固不復生，一寡二孤，其何以爲生也。賴姑氏以下俱賢，吾女性資明達，能識三綱之道，而又堅忍，故知其必能持節撫孤也。去之四年爲乙未歲六月十七日，伯母俞氏死，十一月八日，姑氏死，將家門之多故，抑吾女命薄之遭邪？吾女持守愈堅，送死恤孤，孝慈純篤。至大德八年甲辰正月二十有四日，男壽翁即曹壽一十九歲，娶矣。至大元年戊申三月二十二日申時，孫男曰申一生矣。女愛娘許藏溪汪節推之曾孫言，將結褵，而吾女亦四十矣。然吾女自甲申出門後十二年之間，三年之喪三焉，麄衰多於鮮華，悲哀溢于懽娱，何以堪處。夫婦之聚，首尾七年，而第七年間始之救病，繼之哭死，前之怵迫憂虞，後之痛楚悲結，何以爲懷，若此者，在丈夫處之，尚有不能無變者。吾女以一女子鐵心石肝而始終一節，内外無間言，不亦難矣乎！天之覆物生物信矣，而日月不照覆盆，雨露不入頑石，則夫自求多福者豈不自斯人之身而培之哉！稽之前聞，婦人早寡有子而能守者，其後昌大。歐陽公四歲而孤，其母蓋三十歲。聞魏公亦四歲而孤，母年二十有五。夫當母寡子孤時，安知其後之必昌大至於如此。然而卒至此者，一則祖功宗德所積者厚，次亦以厥母之執義字子出於至誠，造物蓋深憫焉，而以是報之也。吾女以二十三歲而寡，履艱茹苦，有二氏之所無者，則天之福其後也宜何如。書此付外孫壽翁謹收之，世傳之，以無忘乃母之義而又戰兢自持，孝敬弗懈，庶幾獲顯揚之。實以竊附先賢之後，然軒冕儻來者，外物也。人之所以爲人，求其在我者而已。戊申五月十日，弘齋老人述。弘齋謂誰，曹涇清父也，今年七十五歲。（文淵閣四庫全書本《新安文獻志》卷九八　李真瑜點校）

廬州梁縣尉事天先生江公潤身墓誌銘

故廬州梁縣尉事天先生江公，既葬之明年，其子心宇以前進士山屋許公月卿乙酉歲所爲行狀視曹涇，使爲誌銘。涇望輕筆力弱，慊弗敢任，然知敬愛公舊矣，憶春水鱗鬣之後先，悼人世萍蓬之閃倏，死生亦大，胡得無言？矧嘗涉筆存耕公之葬，其可辭乎？存耕公諱師夔，公考也。自存耕公上遡蕭公，十三世，居徙官歷名諱已見存耕公銘内。公諱潤身，字明德，徽婺源人。生而俊穎異常兒，髫齓時歲旦上元，族里歌呼、羣飲，長少畢出，獨凝坐一室，晝夜讀，存耕公大奇之。於書一覽即解暗誦，不誤缺一字。於文操筆立成，據經引傳，切中肯綮，而繩墨具焉。景定甲子以流寓領浙漕舉，登乙丑第，授廬州梁縣尉，明年攝本職兼簿事。自兵興，淮爲次邊，郡曹邑僚半出鶡弁，或起卒伍。豪民賈竪，至以賄權。公涖，以公廉不爲怯愞，首黜掌户胥數人，無譁者。上司若郡委送騂來，迎刃輒解，訟者至乞從公求直。居數月，平反大獄者三，衆以爲神。於是方議迎母攜家，忽報制司辟某人直替，即以詩辭制置應山李公庭芝。應山舊知公，愕焉，留攝寶應主簿，旋奏充瓜洲鎮官，曰：「吾知子貧又廉，姑用資以筦庫，毋見薄也。」朝旨猶以及期而辟非格，卻之，再奏命下，而公卒矣。嗚呼，俗吏文法，淹天下士如此！公貌古而岸峭直軒豁，幅巾縫掖，辭辨風生。少或爲矯世之行，喜面折人。當山屋公初第時，嘗戲取其綠袍服之，已又曰：「是何足云！孔明、景略，吾事耳。」晚乃不然，恂恂怡怡如也。居母夫人洪氏喪，哀毁過制。喪父，一遵遺令，以文公家禮從事。事繼母龍氏盡禮，遇二季嚴困愛而教之，不有私財，嘗大書於屋壁曰：「天下無不是底父母。」家人離必起，於婦人於姻族不肯隨俗炎涼，好奬後進，謀人必忠。未第前，嘗伏闕上書諫三事，其治兵條極言三衙諸閫廂禁營寨諸項利病，欲以兩淮曠土内地荒田給游民，貸其資糧，籍爲民兵，然後以諸寨移之松江，諸屯移之極邊，以襄閫經理京襄，以湖閫進守利路，皆指切精的。詩文少慕靚麗奇辭，逸語衝齒頰出不休。晚羞其爲，一主以理。壯歲師陸子靜門人，不慊。已而師北山何公基，實勉齋黄文肅公高弟，而勉齋晦菴嫡傳也，造詣益粹。戊辰春自廬書示心宇曰：「吾十歲見朱子祭張敬夫文，心慕之。癸巳得《近思録》，丙申得周程諸書，旁求於張呂陸氏，近始自信。蔡氏、程氏自《太極圖》而下之，勉齋自四書而上之，蔡謂四書梯階六經，《近思録》梯階四書，勉齋不謂然。吾今專守勉齋學。」又云：「佛氏勸人爲善，本不大畔於儒。至謂燃香誦經，飯僧一會，即滌陰慝，實無此理，秪足長惡。如胥吏輩爲欺爲虐，何所不至？每奉佛以自解，既恃有此，稔惡益甚。屠兒劊卒。操刀欲割，必誦佛號，亦此類也。吾州佛寺半是黄巢時所建，吾邑四月八日飯僧大會，其重施者多出於椎埋之徒，兹豈非佛氏實長其惡乎？」公之學問精博，議論勁正，大略如此。既第，鋭志及物，改號民齋。然事天云者，自少及壯，學者習知，如誦王彦方、司馬君實然。既卒，門人三山林茂春、應山祝櫸，相與言曰：「必存養事天，先生志也。用之不究，則亦曰天，是所謂事天以終身者乎！」因以爲私謚。公以己巳十月十六日卒于寶應。心宇號跣奉柩，浮淮絶江，藁葬于無錫之湖埭，實依從子一新寓居，則庚午之五月二十一日也。其返于鄉，以甲午九月六日。其合葬于夫人馬氏之兆，以乙未十二月二十一日。隸丹陽鄉瑞亭里吳村之官牌塢。抱亥挹丙，卜者曰祥。夫人之葬在丁亥二月二十八日，其卒庚午十二月八日也。心宇於是大事終而形神亦瘁矣。公生以嘉定丁丑十月，得年五十三。公惟一子心宇。孫男二人：賓王、佐王。女秉禮。曾孫遵善。狀謂心宇能世其學，所著《深衣説》有據。以予觀於心宇，君博洽不減前人，而深潛密栗以爲性行，紆餘峻潔以爲文詞，則豈惟鄉之同輩少比而已？賓王兄弟皆秀，文不凡，又將酷類其父。江氏世世有人如此，亦何必公慗卿，卿慗長，以倘來之物易無窮之譏哉？況所謂劬躬肅後而委祉者，又有在也。銘曰：

以爲不遇邪，則既第也；以爲已仕邪，則屢千百儲之而試者才一二也。夫孰匪中枵而外肆，此獨來之遲，失之遽也。將天所以命我，所以事貴其不貳，而流與坎姑置也。抑饑而豐，天亦至公。既嗇其躬，後當顯融。嵬嵬官牌，噫玉斯埋。庭則有槐，其大而家。（文淵閣四庫全書本《新安文獻志》卷九五上　以上曾棗莊點校）

肯堂程公心宇墓誌銘

論文於科舉之時，匪野則腐，論人於世變之後，匪庸則猾。其以清文得雋，以吉人擅譽，兹非所謂深林之蘭而歲寒之松栢矣乎，予於肯堂程公有感矣。公天孕不凡，落筆成文，自然清雅。歲乙卯戊午，伯叔父連貢，公與學聖公同生己亥者也，有遺賢之歎。謾曰：輸君一籌，遂踵得之，亦復奚憾遲之遲？僅一入亞選，又以陟屺之戚不成試太學，命之不猶如此，自是應舉之冗，折而從俗。經畬之世惟柔惟順，副以儉勤，公纂承之滋弘益謹。丙子之夏，冠稔於鄉，再剽掠無慭焉。戊寅而後，科差特繁，公費百出無靳焉。採金之初，自歙入昇踰七百里，力疾而往，竣事乃回，艱辛何可殫述，則亦怡然順之。迨甲申，始有幹蠱之子。入癸巳，始畢尚平之債，奄至甲辰，撫漆園子無生之感，稍以吟篇遣懷舊，與親知往來賡倡，至是成帙。每曰：「世味熟矣，吟自在詩，以是學堯夫可也。」庚戌春晚，始患痢，入夏寖劇，延醫禱神，邈不見效，猶欣然奮筆爲諸孫治姻書甚謹。至六月二十九日晨，起呼子孫至前，曰：吾今日脈絶矣。申初據床東向而坐，須臾而化。公於死生際了達如此，得年七十有二，生之年己亥八月十六日也。公襟懷粹夷，與物無競，於仲氏定宇友于篤至。其生也，不諉以事，極拊存之，其歿也，攜扶誨導其子孫至於有立，無幾微德色也。平生喜談地理，宅後蹕園，母夫人之葬既諧，僉論於經畬，公卜兆，凡三，不惜重費，卒用閔口，築屋買田以具祠事，贍守人既備也，又勇捐龍富己地以遷大父母塘坑之葬，崇孝急義，族黨夸之。辛丑歲，得地潁源，隸歙縣二十九都，於至大己酉十二月庚申以潘夫人竝遂合兆，庚戌十一月十一日也，築屋買田亦如閔口其地，又巧與五世祖三山府君墓爲一山之隔，樂哉斯丘，祖考其安之矣。謹按率溪之族，派自黄墩，遷於冶山，念二府君始遷者也。三世爲郡司馬，諱詢。四世爲公之祖，諱勵。勵生經畬公，諱一麟，公父也。母夫人柯氏。公諱心宇，字天懷，自號肯堂。娶潘氏。生以甲寅五月二十四日，歿以甲辰八月二十二日。男三人：

渴、忠、相。孫男十人：眉壽、椿壽、榆壽、山壽、箕壽、趙壽、延壽、仁壽、嵩壽、昶壽。銘曰：

不偶於時，公也有文。不悖於時，公亦有聞。展也此墳，其蟄璵璠。是有餘芬，有子有孫。

（清文淵閣四庫全書本《新安文獻志》卷八八）

游君務德克敬墓誌銘

古者，學無不通，而業必以世壹，是以儒爲命，《堯典》、曆象、《禹貢》、《水經》、詩相陰陽誥卜瀍澗通也，岐黄醫宗、后夔樂祖、重黎羲和，代爲天文、巫史、星曆、卜祝，乃有司馬氏父子世也。何以通，何以世，儒也。儒無所不知，此大學所以首致知格物，而斯文與天地竝也，於戲尚矣。道散學絶，斯人寖稀，予猶於婺源游君務德見之，而於其曾孫太沖沖古所爲《家傳説》讀之而三嘆焉。南唐李氏之將亡也，國師何令通先知之，曰在甲戌歲，忤旨。怵誅，遁迹來婺源依于妹婿僉判游公潛，稍行旁縣，始定休寧縣治，爲縣擇葬地奇驗，遂盡以其學授其甥提幹公翔。至十二世爲務德君，漸源遠矣。游氏家故青社，僉判之父僀仕南唐爲侍衛上將軍，出戍荆湖，至婺源道卒，僉判以葬濟口金家段，廬于墓家焉，是以提幹公傳舅氏之學日詣益邃，種有聞人。君名克敬，早慧，伯父伯珍曰：「是不凡子，吾將以家學試之。」隨疑即問，語皆俊警。時方競科舉，崇理學，君勵其業，而於周程諸老之書熟復深惟必索其至，屢戰秋闈輒北，移其銛鋭于青囊。來山逝川，賢傳先集，足目所到，心思赴之，於常得新，以奇用正，至其妙處，如解牛削鐻，人不能窺，而口亦不能自言也。謂《狐首經》爲地理之祖，十元之中包涵大備，肆筆箋釋，十年而成。海寧端明洺水程公珌、銀峰侍郎韋軒王公與權、歙左史竹坡呂公午見之，稱善，爲引，爲跋，使刊布之。同邑梁縣尉事天江公潤身，博洽重許可，謂其書於曆學、數學、易學皆精，而神即氣之云深得紫陽之旨。蓋天地間即物皆理，而莫備於文字，君得於經史，深於易辨，此固宜。然猶恥以一藝名家。課兒暨孫，趨庭而聞皆性命之奥，負笈而出必先達名輩之從也。君性耿介，不爲軟媚，孝友天至，盎然春如，遜而推之，遇長爲恭，在幼而慈，無失色者，財不求羨，以儉而足，交不附勢，惟賢是與。藏書之所植桂環之，扁曰「生桂」，竹坡公所命也。壽藏之所義取退藏，扁曰「於密」，君所自名也。晚惟以諸曾孫自隨，吟康節《擊壤集》爲日課，於人間事若將忘之。一夕，恍惚間如樂聲自空，二青衣腰鈴而至，奄然化矣，至元己卯十月十五日也。生以慶元乙卯三月十五日，壽八十有五。配俞氏，媲德成家先兩紀卒，葬三湉嶺道子塢。君曾祖上達，妣張氏。祖璣，妣李氏。考若圭，妣曹氏。子男三人：炳、夢龍、燦。炳質直好義，學博詞工，凡五上橋門，不偶士論，鬱之，壽八十二。孫男五人：嗣、建、起、鳳、麟。嗣負才識，有氣節，於地理精詣，其用奇出人意表，得年僅五十六。曾孫男八人：太沖、太和、太初、藻一、初天、俊、芝、椿。君未卒時，嘗效傅奕自爲墓誌。卒之七十二日丁酉之吉，襄事方泰，原其所□□二十二年當大德庚子，沖古來乞銘。涇惟近世朱晦庵先生喜談地理，而楊誠齋頗譏郭景純葬書。夷攷景純，傳其所註《爾雅》、《三蒼》、《方言》□□經楚辭等，皆大儒事，既儒矣，於葬書何譏。其子仕至太守貴矣，未知其學之必傳與否。若務德君承家也遠，著書也獨，爲儒也的，恨予筆弱言不足耳。然先世四墓，定于何國師之手，前嘗書遺沖古昌言之，而沖古又世其學儒者也。何氏世世有彌甥，務德君之後宜益大。乃銘之曰：

三才一致，百世一世。一之以儒，元命斯寄。伊人嗜學，緒于高曾。韋編欲絶，況狐首經。平子賦京，洛紙既貴。白雲青山，復自爲誌。瞻彼泰原，不朽者存。儒爲專門，子子孫孫。（文淵閣四庫全書本《新安文獻志》卷一〇〇下　以上李真瑜點校）

祭吕西城文

嗚呼，歙大好山水，佳氣磅礴，知幾何年，巖溪之上，始有竹坡、西城兩翁，父子一時。西城翁生八十一歲矣，聰明强健，不異五十許人，其壽考宜未艾也，而遽止於斯。今則已矣，音容不可復接，而平生大槩猶可得而言之。竹坡翁之入仕也，公生已七歲，豐姿標格，瀟灑出塵。則公之宜貴，蓋天分之素有，而非鄉譽之獨私。在宋端嘉，號爲諸賢之一會。公之得於天者既卓，而家庭聞見，師友摩切，又交發而互資。如臺九層，穹土弘基；如木百圍，碩本蔓枝。其文如萬斛之泉，其學如五總之龜，其清如無瑕之玉，其潤如入室之芝。備是四者，既已度越諸子；而浩然之氣，介然之節，不爲利害得喪而輒移。尊翁峨豸，公也趨庭。暮夜金來，吾畏四知。贊幕湖陰，才俊竝馳，爲霹靂手，爲出囊錐。然是特謂發硎，而不見其及物之施。於潛之政，牛刀割雞，大姓强宗，不得以撓吾健。而天目之神，精通誠格，甘雨連爲之應。祈嫠女之戍，有崇題輿郡印，魯煩於卧護，邦人尚切於去思。其最可仰者，一時寓公，多從櫜諫垣之貴；而三年公事，無旁蹊左腹之窺。然是猶止見其州縣之政，而未見其立朝之奇。偃月之堂，舞鰍號貍，炙手者利於由徑，畏威者甘於啜醨。公爲蹇諤，不爲喔咿。謂宰相大臣不當築湖山之館，謂公田關子必將階後日之危。匪但移書之私責，居然抗疏以顯譏。彼腹如劍，而口如飴，連畀竹符之寵，輒驚白簡之隨。士大夫識與不識，爲公咋舌短氣。而甘貧肥遯出於天性，終自信而不疑。雖然，是承平時也，而未見其坎窞之易，跋疐之詩。桑田海水，周宮黍離。南柯蟻之王侯，夢幻奄忽；太行谷之宮稼，鬼神護持。淡無長物，和以天倪。蘭蕙伏于深林，芳馨溢于九逵。或貴爲四輔，而願通尚父鷹揚之譜；或威行一道，而親灑魯公眉壽之詞。四海風塵，十年林壑，而不害其爲一家之三代，一身之怡愉。夫然後知吉人之有相，知至誠之動物。而忠信篤敬之行，先聖之言，良不我欺。蘭亭之帖，薦福之碑，有求輒應，雖耄不衰。而明道春風之座，堯夫花外之車，撫時懷舊，下賤勤小，又幾無一物之可遺。年年生旦，子孫羅列，賓客遨嬉，簫鼓嘲喧，醉舞屢僛。今年此日，意其復然。曾謂開籠之鴿，化爲鳴座之鸕。入門升堂，竟拜公於靈幃，嗚呼哀哉！某之視公，年晚位卑。公折行輩，與共襟期。一自戊秋之漕貢，幸依飛羽以差池。式偕蘋燕，同上蘭闈。暨戊辰之塵忝，晉程藝於中書。公又察案，銀緋委蛇。尋主江鄉之會，實聯姓字之題。是皆青雲道上之攀附，豈但桑梓陰中之棲遲！厥既還里，尤切倚毗。兩地無一長亭之隔，而東閤郎君之姻好，又偶爾出乎邢姨。音起筳篿，報隆瓊琚。梭擲乎詩筒，轡聯兮蔥裾。不自意失路之仇香，環堵之陋室，而得此五馬之貴公，當代之人師也。江空歲晚，前途巘巇，老成彫落，文獻其誰？幸即溫而聽厲，仰抽關而啓迷。山頹木壞，哲人竟萎。嗚呼，九月之初，嘗造臺墀，公倒屣迎欵以巵匜。覼縷乎文章之教，繾綣乎腹心之辭。蓋比年造門蒙愛類如此，而此爲迎欵之終也。自今入門，而公安在乎？重九之前，公車載脂，下顧蓬蓽，容欵房扅。偶僧廬之陪飲，忽夕陽之分攜。蓋比年之承訪，其謙光如此，而此爲公來訪之終也。自今欲一見公來，可復得乎？天地全人，如公是稀。有子有孫，其慶必餘。顧舊感之難忘，撫新愁而孔悲。北風悽悽，雪涕淋灕。已而已而，酹此一巵。尚饗！（文淵閣四庫全書本《新安文獻志》卷四六　以上曾棗莊校點）

全元文卷二九二

王恂

王恂（一二三五——一二八一），字敬甫，中山唐縣（今屬河北）人。父良，精天文律曆。恂性穎悟，生三歲，母劉氏授以千字文，再過目即成誦。六歲就學，十三歲九數輒造其極。癸丑（一二五三），太保劉秉忠薦之忽必烈，召見於六盤山，命輔導裕宗，爲太子伴讀。中統二年（一二六七）擢太子贊善，時進嘉言於裕宗。至元十六年（一二七九），帝知恂精於算術，授嘉議大夫太史令，命與許衡、郭守敬等釐正金大明曆。明年曆成，賜名授時曆，頒行天下。十八年居父喪，哀毁卒，年四十七。謚文肅。《元史》卷一六四有傳。本書輯得王恂文兩篇。

答燕王守心之問

嘗聞許學士衡言，人心猶印板，然板本不差，雖摹千萬紙，皆不差。本既差矣，摹之于紙，無不差者。（明天啓刊本《翰苑瓊琚》卷六）

鎮國上將軍同知忻州事趙氏昆仲忠孝碑銘

至元元年

金自貞祐南遷，河朔非國家所有，然忠義之士仗節死事者，時猶上達焉。生縻好爵，殁見褒贈，如威勝軍節使忠愍公即其人也。公亡三十八年，其夫人蒲察氏以壽終。子良弼宣撫秦蜀，哀毁過制，將招忠愍之魂，合葬于京兆咸甯夏侯村。平章政事宋公周臣作神道碑，左部侍郎王公予勉作其妣墓誌銘，慎終追遠，孝心至矣。重念威勝府君所以宣力國朝，績用章章者，亦有二子協贊之力。復請中書省都事劉公文季，爲贊皇丞恕之墓表，甯晉願之墓碣，斯抑可以嘉矣。又念其兄良貴與子讓同死社稷。恕之子良材、良玉，忠貞孝養，赫然有聲，囑予各文其碑。予不才，忝長史館，兹固所樂聞者。因以忠節名良貴之父子，而以忠孝名良材之昆仲云。良材，小字哲混木，定遠大將軍贊皇縣丞恕之子也。生承安五年，性英邁豪俠，不拘小節，鷙勇善騎射，尤長於步射。甫冠，以任子爲河北總帥府所辟爲百夫長。時用兵初戰，便如老於行陣者。聞金鼓聲，喜見於色。總帥完顔公屢呼于衆曰：「戰有此兒，何憂□□。」自是遇勍敵，則必命禦之。敵或據要地，亦命奪之，往輒如意。戰罷解甲，循循若書生，人益以此器之。正大甲申，署中軍副統。踰年升都統，佩以銀符。丙戌，北軍大至。忠愍以戰殁沿山，城砦無復同志。一日，贊皇君呼二子，諭以達變之事。良材率爾對曰：「食人之禄，勉人之事，分也。況兒身佩符印，惟有以死報國耳。」勉弟良玉善事尊親。即間詣平定州。時總帥完顏公方議攻取太原，得良材喜甚。是日署前軍提控，薄暮先發，夜半被命樹軍栅，實丁亥四月晦日也。朔日抵城下。先是城中有董都統者，約爲内應，夜懸脩綆十餘，良材手挽其一先登，衆從之，遂斬關而入。論功受上賞，良材悉散同行者。帥府承制受鎮國同知忻州事，忠勇軍提控。尋帥府受密旨，東入太行，留元帥封居守。封請忠勇一軍，後遂署良材太原四面督提控、兼河東元帥府鎮撫軍民都彈壓。未幾，北軍薄城。良材白封，及攻具未立，請突圍出求援。乃募十有九人與偕。是夜潛出北門，且戰且行。日將夕，抵盂縣，乞兵於總帥公。公以有別旨，且欲留之。良材曰：「太原事急。引領救兵今若不返，衆將解體。□□以□日爲期□□□□□□。」□然嘆曰：「義哉！壯士。」益以騎兵二千，遂還。殊死戰方得入城，創者十八九。□北兵日盛，晝夜更番擊城。東牆低且無水，受攻尤急。封帥選良材主之。良材紿衆以救兵必來，撫諭切至。人皆奮躍，勇氣百倍。既而，良材謂其下曰：「士卒戰城下，而我在城陴，疑若自便者。」乃出列陣，殊與士卒等。翌日晡，城衆忽然譁，望之女城，已立敵人之幟。良材頓足曰：「我固知封帥無能爲，果失城矣。」顧謂所親曰：「吾志已決。有能自便者，語吾親吾帥，使諒此心。」言訖，執短兵，戰愈力。腹背受敵，飛矢遍身而斃，時年二十有八。其原從五人，曰趙二屋啓□、李僧兒皆中傷死；曰李寔、劉福，遇所知在北軍，營救得免。二人者，贊皇農家子，後俱還，每到鄉人話及良材，至辭親赴府、夜半破看山寨、挽綆以登城突圍而求救、與夫□□之誠，必慷慨揮涕，努目叫呼，坐者奮衣起立，至有泣下沾襟者。天其或者借此二人者，以見其行實焉。良玉小字阿海，生泰和五年。性純質，寡言笑。早失所恃，事繼母尤謹，自兒時訖成立，其於二親無纖芥忤意事。方良材辭親赴總帥府，留以養親。兵饉薦臻，所在艱食，良玉與其妻唐括氏掇果菜、捕魚蝦以給之，手胼膚裂，懌如也。後聞正定稍有秋，冒險負米，未嘗闕食。間以其餘易酒以適其心，夫婦但食橡實野菜而已，贊皇君弗知也。里閈高其行，呼孝二哥，由是名聞四遠，人有自數百里來求識面者，其孝感如此。無何，泌山大疫，不幸卒，時年三十有三。易簀之際，執其弟良弼手曰：「恨不成我志，違養先歸。」吊者皆哭之慟，戴白之老至，撫柩哀號曰：「皇天奈何使斯人不壽乎！」實丁酉九月十三日也。槐陽士人盧衎，昔嘗從宣撫公游，歲丁未徙居贊皇，與耆舊歲時宴集，語及良材、良玉忠孝之□□，擊節三嘆。因採劉福、李寔之言，與鄉社所記錄者，爲行狀以遺宣撫。宣撫以囑予。予遐想高風，恨不得與公同時。乃退而銘之。銘曰：

忠慨之弟，昔承□□。生有二子，操守異常。仲以武奮，襲取晉陽。挽綆登陴，空拳獨張：突圍求援，久要不忘；血戰死之，死而不亡。季也事親，不違志養。他甑生塵，吾盃有釀。草食自甘，辛苦萬狀。聲聞四方，人知慕向。曰忠曰孝，言者不妄。我銘斯碑，未敢多讓。（清光緒二年《贊皇縣志》卷二五《藝文》　王樹林校點）

杜思敬

杜思敬(一二三五——一三二〇),字敬夫,一字亨甫,號醉經,晚號寶善老人。汾州西河(今山西汾陽)人,寓沁州。事世祖潛邸,累遷治書侍御史,歷户部侍郎、中書郎、汴梁路總管、中書參政,陞左丞,致仕家居。通醫道,輯醫方爲《濟生拔萃》十九卷。延祐七年(一三二〇)卒,年八十六,謚文定。《元史》卷一五一有傳。本書輯其佚文二篇。

故承務郎顧鎮鐵冶提舉杜公神道碑

展武以職,渠寇納策,此古今之所偉,仕宦之同尚也,提舉公其庶乎!公諱思忠,元帥沁陽公次子也。少襲沁州長官,不厭其心,徑去,朝廷委策春宫。會肇立樞院,公與幕府丁高麗金令公之亂,勑公佩虎符而討,既達其城,匪兵而衛,不甲而程,宣以仁義,片言折服,所至之處,風行草偃,凱還,授以承務郎顧鎮鐵冶提舉。公曰:「鹽鐵之政,古人所鄙。營利之術,非余之能。」于是斂衽歸休,放意邱隴,日以詩酒自娱,未嘗膏肓縈心,卒于銅鞮,葬于平遙故里。夫人馬氏,生二子:長曰憲文,次曰希武。若訥、若愚、若金、若冲、若虚,文子也。琬、琰,武子也。希武來而言曰:「先君之行止,非叔父莫克銘。」固辭不獲,謂之曰:吾兄步武弭寇既若是,拔萃清節又如此,拭淚忍銘之曰:

於赫元良,繼國之綱;密邇春宫,善譽日彰。勅討高麗,流休洋洋;巨寇陵夷,東土以康。凱還淺馘,爵投冶場;度非己宜,歛襟歸鋩。綿山蒼蒼,汾水湯湯;惟公之則,風之披香。窀穸既奠,厥蹟其張;文乎翠琰,千里垂芳。(清康熙《平遥縣志》卷七)

故明威將軍吉州路達魯花赤杜公表銘碑并序　延祐六年

竊聞傳稱欒武子之德在人,猶周人之思召公焉,愛其甘棠,况乎其身。惟我先君沁陽公之德,亦猶是也。累應爵寵,領兵牧民。其治躬也,未嘗不勵蹇蹇之節,其理民也,未嘗不施煦煦之仁,匪違道以干譽,惟慎己以便民。于其卒也,邦人思之,祠而祀之,口而祝之,具其遺愛而頌德之。傳曰:「有斐君子,終不可諠兮,道盛德至善,民之不能忘也。」諒哉!先君四子:長曰思明,字彦昭,性方而毅,剛中而聰,至於射御文筆,辨博勇敢,皆所素能,多才多藝,不止賢于人者五而已矣。襲爵充沁州管民長官,約勅羣吏,有幹蠱之譽。中統新法肇立,例遷隰、陜、鄧三州刺史,悉有能聲。公莅事一以嚴肅爲政,是非昭明,如得其情,雖豪家貴族一不假借,必齊之以法,猶夏日當中,物無逃影,人畏如神。初亦謂之過剛,既而盜賊屏跡,姦胥畏威,編户無擾,民稱之,書政鐫珉而立于通衢。孔子所謂剛者，公始可以當之。昔國僑戒子大叔惟有德者能以寬服民，其次莫如猛，此其驗歟。公治家之方一同斯道，子孫童僕，未嘗假以顔色，有小過微纇亦不少貸。衣服不在新故必以潔，飲食不在甘旨必以精，偶有不速之客促使供俱如提孤軍啣枚趨敵，不聞人聲，咄嗟而事集，大略如此。《易》曰：「家人有嚴君焉，父母之謂也。」又曰：「家人嗃嗃，悔厲吉。婦子嘻嘻，終吝。」竊嘗思之，公之嚴威儼恪以遵斯義也。至元丙子，大丞相伯公渡江取宋，遣使奉請能幹官十員，所下城邑俾之鎮撫。公豫其一，至則付以千人，命攻江左楊羅堡。公躬擐甲胄，取螯孤以先登，衆軍畢登，遂克之。寵錫虎符，授明威將軍、吉州路總管府達魯花赤，賞其勞也。大軍之後，疫氣甚熾，公涖政未久，亦染斯疾，請告來歸，踰歲稍愈，于是所藴進士之志涣然。遂已營理家事，施陶朱猗頓之術，以廣其業，以潤攸居，至使倉庾之積日益盛，私帑之財日益滋。足不躡權貴之門以借譽，口不道諂諛之言以求名，較之醉生夢死日夜孜孜矻矻以沽釣名譽者，則有間矣。不幸舊恙復作，以卒于家，壽年六十有四。權厝于牛山之東壁泉之左，待真卜也。夫人梁氏，太原平遙大帥梁侯長女也。和易淳潔，克諧諸親，每以柔克濟公之美，人賴以安。後公五年卒。長子曰恕，梁出也，以公廕除蕪湖涇陽縣尹，清而能，陞爲承務郎同知無錫州事。生孫男四人：曰格、彬、桂。次子曰淵，次夫人馬氏之子也，以侍王邸，積有歲年，以勞擢爲真州同知，累遷至奉訓大夫、長寧州知州兼管内勸農事。有孫四人：曰樞、楫、權、楷。次曰濬，有孫二人：曰松、檜。諸孫所娶洎曾孫輩，列名于碑陰，見于譜牒，此不復重載。得吉卜，於大德八年月日，返柩太原平遙西汾里祖兆之側，與諸弟列葬焉。以夫人梁氏、馬氏祔。嗚呼！先君積德累行，以利後人，蕃衍盛大，享國厚祿。詩所謂貽厥孫謀，以燕翼子孫者，此之謂也。葬有日，母弟前資善大夫、中書左承杜思敬集衆而銘之。銘曰：

猗歟我公，間氣所鍾，襲爵涖政以剛直，凛凛然，有前賢烈士之風。雖白刃臨之而不爲悚懼，雖貴勢迫之而不以雷同。上錫虎符，寵勤酬功。惜乎安民未久，呻吟甫息，而膏肓之疾，以嬰厥功。請告而歸，療治弗平。實鬼瞰高明之室，忽星隕臨淮之營。梁木其壞，影山以傾。轜車西邁，銘旌啓行。列葬祖側，不震不驚。千萬斯年，奠此佳城。（清康熙《平遙縣志》卷七）

陳犇

陳犇（一二三五——？），字肇芳，一字偉節，饒州安仁（今江西鄱陽）人。咸淳元年（一二六五）與其父詩川同舉進士。調滁州司户參軍，父喪免，改任荆州闖糧料院，又因母憂而離去。調朐山主簿。制置使印應雷徵召入幕。德祐元年（一二七五）秋，陳犇由海道歸杭州，授南安軍教授，不就，還家。當謝枋得在安仁起兵時，陳犇首先被提拔入幕。益王即位，陳犇入覲，遷宗正寺簿、太府寺丞、領江東安撫使。出上饒，接應郡縣，兵敗被執，逃去。後三年又起兵，不久戰敗，入積煙山中，自刎而死。著有《鶴心集》，其詩多爲譏刺當時士大夫之作。本書輯得陳犇文一篇。

重修石建寺碑記

咸淳庚午秋，石建寺僧大靖，揚其師祖如鎬中興之績介石，張公程命請記於予。靖之言曰：「寺肇自唐光化中。熙寧時，李日新重建之。歷年多屋老且壓，賴同里長者之力，寺得不廢。我祖住持發宏願：嘉熙庚子搆法堂，壬寅搆鐘樓飯堂，癸卯搆中門，丙午搆大雄殿，甲寅搆明閣等樓及聖僧兩廡。凡十有五載乃成，以俟來哲，請記焉。」靖之來也，予嘉其意之誠，則告之曰：「中興，美名也。而中者未之漸，興者衰之復。日中則昃，陽極而陰，理固然也。矧釋氏處四民之外，不自食其力，得之易，守之難，寧知其難歟？老石蹲虎，泉如建瓶，青山白雲，截斷世諦。請諸佛子入是關，視予記而熟讀，寧爾寂毋縛爾律；出是關，顧予記而深思，謹爾行毋破爾戒。毋爲如鎬羞，使中興之美常保，則斯記其有助乎！」

董嗣杲

董嗣杲，字明德，號静傳居士，錢塘（今浙江杭州）人。宋度宗咸淳十年（一二七四），爲武康令。宋亡，入孤山四聖觀爲道士，改名思學，字無益。著作有《廬山集》五卷，《英溪集》一卷，《西湖百詠》二卷。

本書收董嗣杲文一篇。

西湖百詠原序

咸淳壬申臘月

錢塘西湖，爲東南偉觀，窮騷人墨客技不得盡。元祐間，楊、郭二子，皆以百絶唱，乃無嗣音者。兩山偎佛盤錯，坡老守郡時，遊歷幾徧，遺跡尚可考。南渡後，貴臣邸第多在，亭館日闢，視前此復不侔，盖富盛極矣。予長兹地，與山水爲忘年交，凡足跡所到，命爲題賦以唐律，幾二十餘年，僅逮百首。然皆目得意寓，叙實抒寫，非但如楊、郭二子，披圖按志，想象高唐而已。搜索奇勝，難徧以數舉，此直據予所見，不以誇奇鬬勝爲工也。薄宧于霅，公事簡，輙是正完，恐故老傳説，誠僞不儗，將有以蝦蟆方言指下馬陵者，或將笑之。予狀景物，耳不暇恤，歲月無情，陵谷易變。將使百千年後，登覽降望於西湖上者，因詩有感焉。咸淳壬申臘月，靜傳居士董嗣杲，書于餘英堂。（文淵閣四庫本《西湖百詠》　龍德壽校點）

石廷玉

石廷玉，一作庭玉，約生活於元代前期，終南山道士。本書輯得石廷玉文一篇。

終南山古樓觀宗聖宮圖跋文[一]

至元二年十月二日

天下形勝之雄者，在郡曰長安；長安形勝之雄者[二]，在山曰終南；終南名勝之最者，在宮曰樓觀。樓觀者，真人尹氏之故宅，太上老君説《道德經》之處也。爰自結艸爲樓，觀星望氣，聖真際遇，經教宣傳，由是道家之學，風動天下，水行地中矣。自周而來，屢經世變，以教本所在，旋廢旋興。近又廢於金季。國朝開創之初，先師同塵真人承清和大宗師之命，篤意興復。未幾，樓殿凌空，金碧溢目，千年舊觀，一朝復還。草木以之生輝，煙雲爲之改色，南山益秀，而渭水增明矣。嘗試論之，天下名宮偉觀多矣，原其所起，斯樓觀者，張本之地也。諸方仙蹤聖迹廣矣，覈其所以而樓觀者，太上開教之所也[三]。論時則無前，校尊則莫大，是故萬乘數謁，詔旨累修，良有由也。諦觀先師傳所載，自古登仙得道之士，出乎其間者，無世無之。是宮也，其爲道之源、仙之祖、教之本乎？所以稍弛而更張，中微而益著，先德所謂「終南元氣老不死」，誠篤論也。比者修建告成，因以先朝宫圖故新參訂，重繪而刊之石〔四〕，使四方學道之士，得以稽古而知本云。至元二年十月二日，住山石庭玉謹識〔五〕。

（文物出版社一九八五年影印希古樓刻本《八瓊室金石補正·附八瓊室元金石偶存》　李軍校點）

〔一〕題目原闕，據正統道藏本補。

〔二〕長安形勝之雄者：雄，《正統藏》本作「鉅」。

〔三〕太上開教之所也：所，原脱，據《正統藏》本補。

〔四〕重繪而刊之石：刊，原脱，據正統道藏本補。

〔五〕住山石庭玉謹識：《正統藏》本作「石廷玉題」。

宋謙亨

宋謙亨，灤州（今河北灤縣）人。本書收其文一篇。

吉將軍墓誌

公諱士寬，其先邑於中山，五代末徙居灤右宜安里，四傳至公。幼而淵静，長而寬厚，深於翰墨，閒於治生，貲累巨萬，不自驕矜。人有不給者周之，小過者戒而釋之，是以鄉里咸稱爲長者。娶同郡翟氏，與公並耄期而卒，葬於艮岑。子三：長文用，次文整，並早卒。季曰天用，賴公餘庇，亦富於貲。性好廉直，重節義，古所謂畏四知、重一諾者，無以加此。乙亥秋暮中旬，疾終正寢，聞者無不悼惜。後贈鎮國上將軍、護軍都尉、河南郡侯。娶邢氏，性亦婉順，閒於婦道，事舅姑有禮，教子孫有法。後君一月卒，壽五十五歲，贈河南郡太夫人，與君並葬於公之兆次。其次子玉璋，早逝。長孫巨昌，有祖考餘風，藴大志，捐小節，與萬石卑公、古冶楊公相友善。二士亦一方偉人，近以氣義相高。後值亂離，人罹疲瘵，强凌弱，衆暴寡，甚者或斃於砧鼎，君慨然歎曰：「伍屬將無遺類矣。」乃與二公謀集親鄰昆弟等，聯爲保吾，出入相友望，疾病相扶持，賴以全活者，不啻數千。識者私相謂曰：「有陰德者，必享其報之，子其將顯乎？」不數載，果以衆譽，遽蒙大任。戊子春首，追榮祖考。巨昌娶杜氏，有男三人。長名斌，任鎮撫彈壓。偉哉！吉氏之名如是，子孫又如是，此非積善餘慶之明效耶？巨昌與余有舊，因叙其祖考行事，表於墓前，以垂永久云。（清光緒二十四年《灤州志》卷九　徐勇點校）

商琥

商琥（？——一二九三），字臺符，濟陰（今山東菏澤）人。商挺子。元世祖至元十四年（一二七七），薦授南臺御史。二十七年，徵拜中臺監察御史。三十年，遷國子司業，卒。《元史》卷一五九有傳。有《彝齋文集》，佚。本書收商琥文一篇。

濟瀆廟碑

中國之經瀆四，濟其一焉。古爲壇而祭，其禮視諸侯。隋始建廟於濟源縣北兩池上。唐封神爲清源公。宋加王爵。惟神以至清立德，秉靈濟物。犧牲以時，古今不怠。大元憲天述道，仁文義武。大孝皇帝在位之三十二年，詔加封善濟，所以答靈貺而光祀典也。昔禹導沇水〔一〕，東流爲濟，入於河，溢爲滎，東出於陶丘北。陶丘，舜陶河濱之地，周曹國境，濟出其北，漢爲郡，號濟陰。其後周丘而城，以濟之故，而有廟焉，而不詳其始矣。宋熙寧中，河決澶淵，入鉅野，濟爲河所吞，際河南壖，能獨清以自别也。金大定末，河就下，而南州將及害。太守趙安世，廣屬縣乘氏爲州，遷民居其中，今城是也。仍遵舊制，建廟郭西。州罹貞祐兵，廟亦毁。我朝滅金，河朔甫定，故濟南秦津始爲州守，廟於其基，僅比一居室。闠市間無人，望之懸罄然。逮至元初，時又歲稔，又近郭西居，巨室環列，囂然城市者，踰三百家。由是州人咸卑廟之舊制，欲鳩金市材改作之，推耆老田青等倡其事，疏請雲霞觀主道士胡志常爲住持。志常貨藥求贏，願爲廟費。至元六年，鑿地及泉，甃甓爲池。明年，創正門。又明年，求巨木商於山中，浮洛達河而東，北至於襄邑，登陸而載者，幾百乘。乃創正殿焉。州尹劉昭，督就尤力。像設綵繪，煥然一新。又五年，增獻殿焉。計緡錢萬有奇，積十年，厥功告成。掌教宗師祈公，劄授志常，提點本廟事。《書》載，濟出陶丘，而東至於菏，又東北會汶入海。按《水經》《地志》諸説，乘氏之西，濟分爲二，南爲菏，菏澤居州東郊。北爲濟，踰鉅野之澤而會汶。鉅野西南不兩舍，漢乘氏廢縣在。後魏太和中，用漢縣名而復置者，即今之爲州者也。自大河南徙，而鉅野菏澤涸，濟之水不可復識矣。然濟之性重而趨下，古謂伏流地中，出爲歷下諸泉者，固未竭也。蓋嘗論夫濟之爲水也，甚洌淵澄，撓之不濁，馳突千里，隱顯多變，能絶於河，又能經於河。蕩垢穢，通百川，興雲致雨，江河與淮同其德，而皆以瀆名，古之所以預四望者也。郡國則不越望而祀之，其或水旱災癘，螟蝗蟊賊，年穀用虞，饑饉將至，必竭己誠心以致祭，冀神之來享，庶幾易歉而穰，化沴而和，布惠宣靈，以福兹土。神之賜也，郡守之所爲也。彼區區者，以私禱求私福，是媟也。前尹張元智，狀廟重修所緣起，丐文以刊石，因叙其顛末，並記郡縣廢置，濟水出洑，而贅以銘。銘曰：

禹昔導沇王屋東，清流隱顯來朝宗。宅神陶丘表所從，城邑雖改廟貌崇。古之諸侯今王封，錫號善積禮莫隆。郡人戴神作帡幪，歲時薦享感必通。蠶安穀熟調雨風，利及曹境應無窮。

（文淵閣四庫全書本《山東通志》卷三五，光緒十一年《新修菏澤縣志》卷一七　查洪德點校）

〔一〕昔禹導沇水：水，原脱，據《新修菏澤縣志》補。

全元文卷二九三

張𤩽

張𤩽(一二三六——一三〇二),字達善,其先世蜀之導江(今四川灌縣東)人。蜀亡,僑寓江左。受業於王柏,潛心玩索朱子之學,所學弘深微密。至元(一二六四——一二九四)中,講學於江寧,後又到揚州,從游者甚衆,遠近尊爲碩師,稱爲導江先生。晚年任東平路儒學教授。以薦授孔顔孟三氏教授。大德六年(一三〇二)卒,年六十七。著有《經説》及文集,今不存。本書輯得張𤩽文十二篇。

太白酒樓賦

惟風姓之苗裔兮,爰資始於虙羲。分徐方以啓土兮,乃任國之攸基。稽成周之邦域兮,屬東魯之封内。逮季任之處守兮,至戰國而猶在。既郡縣之遂更兮〔一〕,仍舊號曰任城。顧漢世之多賢兮,緊白衣之垂名。余登樓以四望兮,慨山用之不改。溯沂泗之清泠兮,盼鳧嶧之杳靄。伊誰架兹棟宇兮,謂太白之曾游。時賀令之稱賢兮,微斯人其誰儔?想歡醻之歡樂兮,恍英靈之在目。鏘玉佩之陸離兮，美荷衣之被服。傷孔孟之不可作兮，嘆中行之莫與。睠耦耕荷蕢之爲倫兮，庶幾超絶而可語。指謫仙以相謂兮，冀青眼之夙開。取狂客以表名兮，亦曠世之英才。觀史氏之稱述兮，固莫知其志也。世溷濁而獨清兮，宜高標之不可幾也。托餔糟而混迹兮，匪慕晉人之風流。甯塗泥之曳尾兮，竊自比於莊周。仰青山之岐嶒兮[二]，觀鏡湖之渺漭。朝欲攀其美木兮，夕欲擘其宿莽。仰浮游於太虚兮，疑藹雲而乘風。將駕景而凌烟兮，追高躅而奚從。倚朱欄而悵望兮，天慘慘其無色。俛清流而鼓枻兮，空盤桓而反側。亂曰：我思昔人神飛馳兮，古今一息胡俾我底兮，往過來續逝者如斯兮。（清咸豐九年刻本《濟寧直隸州志》卷九，文淵閣四庫全書本《山東通志》卷三五之二）

〔一〕既郡縣之遂更兮：更，文淵閣四庫全書本《山東通志》卷三五之二作「置」。〔二〕仰青山之岐嶒兮：岐，原作「峻」，據文淵閣四庫全書本《山東通志》卷三五之二改。

釋奠儀注序

《禮》曰：「皮弁祭菜，示敬道也。」《禮》書缺殘，釋奠釋菜，名義徒存，儀文無可考者。唐《開元禮》，彷彿《儀禮·饋食篇》，節文爲詳。宋朱文公謂政和新儀差錯，獨於《開元禮》有取。申明至於再三，竟格不行。身没之後，郡邑彷而行之，能通其義者，甚少矣。中原文物肇開，四方取則，舍魯奚適？闕里昔罹兵革，宮室荆榛，蓋二十年。牲殺器皿，衣服不備，勢使然也。而儀章度數，固多可議者。象設非古也，《開元禮》猶云設席，是無象也。高臺巍坐，而席地之禮不可見。帶劍，秦漢冠服之飾也。《開元禮》，朝會猶有解劍之席，冕服挾劍，未之有聞。二者之失，所從來久矣。神位西坐東向，尸位也。配位東坐西向，主人位也。自尸禮廢，禮家謂自内出者，無匹不行；自外至者，無主不止。故立神以配而爲主焉。開元以後，遷神位南面，配位猶故也。進顔、孟南向，參列如浮屠、老子宫者。孔氏《祖庭廣記》(二)，謂金大定四十年所行，何所稽乎？楹間兩階，五齊三酒，以四代之器，爲備物之享也。列數瓦缶，果爲何説，尸尊不就洗，禮也。登罍爵於牀，洗者以尸尊自居。犧象不錯諸地，主人遂不坐實爵，簡亦甚矣。幣之未薦，寘諸神位之左，示不敢褻。陳之堦庭，與主人俱升，則不嚴矣。蓋事由草創，未之講也。予典教於兹，思有以正之。顧不學雜服，不能安禮。而雖善無徵，無徵不信。乃取朱文公所考訂，自《儀禮》、《開元禮》而下，裒爲一篇。命學徒肄習，且與講説義數，使之入耳會心。既知義禮之安，將不期改而自改。併附社稷風雨雷之祀，庶幾好禮者有取焉。抑禮有本有文，是書所載，文也。習禮之士，因文而究其本，知所以交於神明，不徒籩豆之事，微之顯，誠之不可揜也如此，則可謂知禮矣。若夫樂器冠服之度，則又博採諸家之説，從其是者，訂其失者，與此編并藏孔氏，俾後來之文獻，有足徵云。（清光緒十二年刻本《增修灌縣志》卷一三、清宣統刻本《涵芬樓古今文鈔》卷一五）

〔一〕孔氏《祖庭廣記》：氏，原作「子」，據《涵芬樓古今文鈔》本改。

修復子思書院記　元貞元年〔一〕

鄒人相傳，孟子故宅，在縣東隅〔二〕。其邑前臨因利溝〔三〕，南揖文賢岡，洄川掩抱。好事者築曝書臺其間，則昔日固有廬舍。又縣治東隙地，今爲淫祠者，舊名子思講堂，謂孟子傳道於此。按孟母三徙，自墓而市，自市而學宫旁。此地母所徙耶？孟子他日歸耶？受學固當在魯，豈子思子時至鄒耶？歷世滋久，文字不完，傳信傳疑，人心所鄉何如耳。今千六百餘年矣，邑人猶曰「此故宅也」，「此講堂也」，洞洞屬屬，如將見之。可不因人心所鄉以存其迹乎？東陽司居敬來尹茲邑，暨達魯花赤木忽難、主簿兼尉趙國祥，元貞元年，復故宅遺址，辟門修垣以表之。爰葺講堂于曝書臺，牓曰中庸精舍。子思子南面，孟子西鄉，侍皆章甫元端危坐，儼然昔日授受之容。謂翌曰：「思孟往矣。相傳之旨，具在方册，子盍揭以示人，副鄒人鄉慕之志。」翌謝曰：「何足以知之。」然嘗聞之先哲，曾子事孔子於洙泗之間，問答纖悉。若《禮記》曾子問者多矣，其爲學篤實切矣。惜乎嘉言善行，不盡傳也。孔子曰「吾道一以貫之」，乃聖人傳心之要。曾子一唯，授之子思，子思述之，作《中庸》一篇。首曰「天命謂性」，即曾子所聞一貫者。其書舉孔子「誠者，天之道」之言，以指全體。自謂「君子之道，費而隱」之言，兼指體用。子思親切爲人之意，獨孟子得之。其曰「性善」，子思「天命」之謂；其曰「思誠」，子思「誠之」之謂；其曰「萬物皆備於我」、「反身而誠」、「强恕而行」，則體用兼該、至誠不貳之效，與「無息」、「致曲」者無以異。授受之旨，若合符契。至於人心人路，安宅正路，四端四體，乃其神會心得。而知言養氣，又身親實用其力者。於是盡心知性以造其理，存心養性以履其事。知天而不以殀壽貳其心，事天而能修身以俟死，造詣於知之盡、仁之至，其用極於過化存神之妙。故辨禹稷、顔子、曾子、子思，迹異而道同。承禹抑洪水，周公兼夷狄、驅猛獸，孔子成《春秋》繼名世者，平治天下，而不得辭也。學者沉潛反覆，於焉有得。子思、孟子言論，常體諸身，聖門之學，未墜於地，不能無望於今之升斯堂者。或曰：「聖人之道，乃夫人日用所當行，如君臣、父子、夫婦、長幼、朋友是已。今而高談性命，毋乃淪於空虛而無實用邪？」是不然。性者，天賦於人物之理，而誠則天理在我之實然者。自得於天者言之，則渾然一理。及其散於萬事，則物物一理。人能窮是理，知其皆本於天，則知物物各有其則，不容一毫之私間乎其間。是則子思之誠之，孟子之思誠，三綱五常之道，胥此焉出，豈釋老空談比邪？周元公接孟子之傳，通書四十章，始之以誠，繼而曰誠，神幾自發，微不可見。以至於充周不可窮，皆寂然不動者基之。其旨微矣。《易》曰：「窮理盡性，以至於命。」斯道也，伏羲以來，聖聖相傳。其在人心，固無古今之殊也。嗟夫！子思、孟子不可作也。故宅講堂，遺跡僅存。縣學既建，又立精舍，以明斯道之所自。有德於鄒人甚厚，亦非私於鄒也。千載之下，必有來哲，聞風興起，如孟子稱百世之師，而企慕乎親炙之者。故因其迹，而叙傳心之要云。（清乾隆三十九年《曲阜縣志》卷二六、文淵閣四庫全書本《山東通志》卷一一之七）

〔一〕題目及年代原脱，據《山東通志》本補。　〔二〕在縣東隅：《山東通志》本作「在縣東南隅」。　〔三〕其邑前臨因利溝：邑，原作「一」，據《山東通志》本改。

曲阜縣廟學記〔一〕

孔子舊宅，因廟建學，昉于魏之黄初，其間興廢不常。有宋大中祥符三年，殿中丞公自牧，奏就廟側創學。帝曰：「講學道義，貴近廟庭。」當許于齋廳内説書。乾興元年，孫宣公奭守兖州，于廟建學，請以楊光輔爲講書奉禮郎，始賜學田。元祐四年，尹復臻以文潞公薦爲教授，給田二十頃，以贍生員，選任教導，其重如此。要必以講六經之道、傳聖人心法爲職。而小學之教，節目纖悉，宜有分任其事者。考之碑刻，則學正、學錄，皆孔氏子孫爲之。蓋當時乃教授自署，毋亦選擇而使、以寓激勸與？抑因其親愛、俾幼帥幼而入學者與？金氏因之。廩賜教育，有加無替。兵革以來，他務未遑，汲汲爲孔顔孟三氏擇師，可謂知所本者。而庶事將創，規模未立。暨予承乏，謹復齊廳説書之舊。夙興講經，不敢一日廢。而小學之教，未有所託。正錄既非所署，懷檄來者，率皆授徒自養，於分其任固不暇。予幸逃瘝曠去，任城楊君繼之，而衍聖公始嗣世職。司業楊君，首以爲言。五十四世思逮，適得以孔氏子孫爲學正，衍聖公遂付以入學之教。設几席，具器用，廩食虀鹽，無不畢給，專一人掌之。於是八歲以上者，皆有教養，得肄其業。屬予在郰，思逮實來，請紀其事，且問所以教之之方。古人有言：「在早諭教。」又曰：「少成若天性，習貫如自然。」是故能言能食，即示以禮。蓋幼穉之時，其心未放，則教易入、筋骸易束、德性易養也。奈何爲人父者，慮不及此，慈以蓄之，不知養桐梓於拱把。及其既長，習與性成，間有能稟志自立，亦復扞格不勝，勤苦難成。論者常有今日乏材之歎，豈天之降材爾殊也邪？《弟子職》一篇，猶存古者小學之意。顧貴介子弟，豈無僕役，而必俾親其事，非給事事而已，持敬之方，固從此入，是以子夏以爲先傳。程子亦曰：「灑掃應對，是其然，必有所以然。」又曰：「灑掃應對，便是形而上者。」一本故也。夫子教伯魚以學《詩》學《禮》，欲其事理通達而心氣平和，品節詳明而德性堅定。抑子夏所謂「孰後倦焉」者，是謂學之有成。然行遠自邇，登高自卑，子夏所以分本末爲兩事，蓋望學者合始卒而一致，聖人之教，不外乎此。子思既没二千年間，能言能立，世不乏人，求其造詣，蓋未見之。人斯學者，誠能從事於子夏之教、伯魚之學，以達乎子思廣大高明之極致，庶有以慰衍聖公之望。二君之所期，亦予之喜談而樂道者也。教授名演，司業名楨，衍聖公名怡，是爲五十三世孫也。（清乾隆三十九年刻本《曲阜縣志》卷二一六）

〔一〕題目據文意擬。

舜祠記

𤇶來遊於鄆，知帝廟在雷澤之北，瓠河所經，是爲姚虞，亟往拜焉。平岡故瀆，卑宮環堵，帝與二妃之神，恭已南面。上雨旁風，頹剝支柱。里人鳩工程材，徹而新之。峻宇崇墉，乃基乃搆，門觀嚴顯，堂陛等彝。顧有記文，登諸樂石，謹拜稽首，言曰：「帝之盛德大功，具載典謨，如日在天。孔子定書，繫之篇首，與門人語，多所稱述。漢司馬遷，掇爲《本紀》，其於紀録，亦既詳備，非文字所得形容。而𤇶寡聞淺見，不足仰窺萬一，乃作九歌之闋者三，以侑饗。」其詞曰：

雷夏澤兮河濱，爰築宮兮妥皇𩃬(一)。以陶以漁兮厥居孔寧，山川如故兮有懷古人。思事親兮如天，和兄弟兮宜家人，令聞不已兮惟德之純，享予肆祀兮萬世不泯。崇基兮嚴嚴，廟宇兮維新，松栢兮既堅，梴桷兮旅楹。神肅然兮來庭，載龍旗兮霓旌。廣牡兮肴蒸，甘醴惟厚兮旨且清。籩豆靜嘉兮苾苾芬芬，神其歆兮黍稷非馨。錫此純嘏兮惠式均，貽我來牟兮乞康年，九歌一闋兮於薦斯牲。帝子降兮有嬀，嬪於虞兮言歸。六珈兮副褘，玉佩兮陸離。親承兮結褵，與君兮一齊，掬芳椒兮成居，擗蕙蘭兮爲帷。諸娣從兮祈祈，雝雝肅肅兮左右攸宜。內朝退兮委蛇，陪黼座兮晏娭，酒香兮牲肥，鐘鼓樂兮韶歌。問公桑兮治絲，織元紘兮垂衣，相我室家兮福禄是釐，九歌再闋兮右享元妃。館甥貳室兮陶唐，誰其媵兮女英。俔天妹兮定厥祥，有女同居兮志同行。芰荷爲衣兮芙蓉爲裳，君之袂兮不如娣之袂，良揄狄兮葱珩，八鸞兮鶬鶬。御采車兮來帝旁，何爲鼓瑟兮沅湘，南國雖樂兮不如帝鄉。桂棟兮蘭堂，蓀璧兮藥房，肅祀事兮孔明，舉匏尊兮嘉薦令房。獻繭兮承筐，朱絲兮玄黃，爛昭昭兮黼文章，女心傷悲兮祈福慶，九歌三闋兮嬀美娥皇。（清乾隆二十一年《曹州府志》卷三，文淵閣四庫全書本《山東通志》卷三五）

〔一〕爰築宫兮妥皇靈：兮，原脱，據《山東通志》本補。

聖檜銘

兹檜之幹，高參於天；兹檜之根，深及於泉。是爲手植，自古有傳，去聖伊何，曰歲二千。氣芬而遠，色殷而堅。誰謂崑岡，良玉以瑱；誰謂斧浙，美茹以連。嘉種載衍，有芽其卷，茁乎甓間，東廡之偏。乃徙故處，全其天然，孔氏以興，矢言有焉。粤若三祀，葱葱芊芊，聖道以緒，聖澤以延。肫肫其仁，淵淵其淵，自今以始，於億萬年。（文淵閣四庫全書本《山東通志》卷三五）

嘉禾贊

大德四年，歲在己亥，館陶縣尹溫仲謙行農畝，得一莖六穗，乃牘上之州。僉謂「國家致和之應，都邑不可私有」，遂以上聞。溫侯於是圖禾刻石縣治之壁，其堂曰嘉禾堂。時導江張𧨏客於鄆，溫侯請文，以識其事。因爲贊曰：

天生百穀，于以養人，實種實褎，萬寶告成。維寶之成，六出真穗，六穗同莖，允矣嘉瑞。彼芝産九，言□其祥，孰若斯穀，我農之慶。連理之枝，是爲瑞木，□若是穀，我農之祿。厥草惟夭，厥木惟條，人貴異□，乃歌乃謠。睠是嘉禾，有相之道，豈無聲詩，善頌□禱。斯稷斯穗，其實離離，斯稷之苗，一幹而支。在昔成周，同穎異畝，嘉禾一篇，魯國是有。邑呈其祥，□于邦侯，邦侯不私，曰國宏休。六府孔修，穀居其一，勸以九歌，俾之勿失。含哺鼓腹，其樂熙熙，爰述民情，敢造一辭。（明萬曆二十八年刻本《東昌府志》卷二〇）

元貞元年鄒縣創建儒學碑記[一]

元貞元年春，縣尹司居敬、鄒士邵景等至魯請曰：鄒故有學，卑庳湫隘，祠宇弗嚴，肄讀無所。

爰兹度土，于城西隅。載經載營，期月克就。爲門三重，正南不屋，以祠櫺星。次揭縣學之榜。又次大成門，列戟二十四，以肅儀衛。入門爲庭，升階爲殿，東西爲廡。殿後講堂以「養浩」名，二齋左曰「求仁」，右曰「集義」。有庖有庫，規制粗舉。教官居舍在學東。稽之《禮經》，遡之道統，古人危坐之制、配神西向之位、曾思備食之典缺焉，以俟來者。惟是鄒近于魯，孟子是生，上續孔子。斯道之原，心法之要，昭揭日月，以詔方來。予嘗聞道，先哲宜任啓迪之責，提挈綱維，開示藴奥，有不可固讓者。翌辭不獲，乃曰：天降生民，厥有恒性。人倫之至，規圓矩方，由己及人，修道立教。聖王不作，道在洙泗。恭惟孟子，蚤承母訓，親受師傳，思誠之學，有的其緒。深造自得，克蹈中庸，達于天道，以承三聖。知言養氣，瀰淪宇宙，氣涵剛大，言窮内外。集義所生，于心則慊，于身則誠，此正人心、息邪説之本也。故曰：「然而無有乎爾，則亦無有乎爾。」其自任以斯道之重如此。凫繹相望，地靈猶昔，山川孕秀，必有傑起千六百餘年之後者。人心人路，無間古今，體驗擴充，無負孟子之教。「養浩」以提其綱，「求仁」、「集義」以張其目，蓋古人之學，庠序、學校之教，舉不外是，非特爲鄒人言也。

（清康熙五十四年刻本《鄒縣志》卷三）

〔一〕題目據文意擬。

重修孟子廟碑

元貞元年[一]

鄒孟子廟，有宋景祐四年孔道輔守兖州，建於墓旁，後自墓旁徙縣東郭。宣和三年，令朱𡊮復徙南門外。金泰和間，命王瑀葺之。甲戌燬於兵，惟門垣在。幾八十年[二]，孟氏有德昌者，資力四方，閱歲既久，僅成一堂。元貞元年，進義副尉達魯花赤木忽難、從仕郎鄒縣尹司居敬、主簿兼尉趙國祥，以建學餘資，崇兩廡，與堂構，凡四十間，新其階庭級道。屬𤨏掌教，考《特牲饋食禮》，俾春秋倣而行焉。正配神西鄉之位，徹旁祀之不如法者。廟成，司侯請記。𤨏讀墓旁廟記，舉闢楊墨之一事；南門廟記，舉稱堯舜之大綱。顧皆有孟子一體而未能得具體者。孟子學足以繼往聖之正傳，才足以立百王之大法，豈惟千餘載之後莫能知之，雖當時及門者，亦未能窺其奥。是以出處之際，仲子詭其説；辭受之間，陳臻致其疑。公孫丑、萬章之徒，雖以問答，未能默悟。蓋知言養氣，得天地之性善，擴前聖所未發者，其學也。談仁義，黜功利，貴王賤霸，以正人心者，其志也。周衰禮廢，諸侯惡其害己也而去其籍，先王紀綱法度，辨上下、定民志者，未見存什一於千百。而三年之喪，井田之大略[三]，班爵禄之等差，於文字廢缺之餘，本帝王之大經，而合時措之宜，考諸三王而不謬，建諸天地而不悖，質諸鬼神而無疑，百世以俟聖人而不惑。即是而觀，以其才用天下，居帝者之世，則皋夔、稷契；居王者之世，則伊尹、周召。奈何無舜禹也，無湯武也。時君昏庸，謂迂闊於事情，宜矣。後世英明之主，亦指君臣一二語以爲言，豈能探其學、觀其志而知其才也哉？世無真儒，斯民不復見三代之治，邪説誣民，充塞仁義之害，至斯極也。司馬遷取荀卿同傳，儗非其倫。又班以雕龍炙轂，譏以方枘圓鑿。趙岐釋其書，亦不過謂長於譬喻、長於詩書而已。微韓愈一言，孰知孔子没，獨孟子傳得其宗也耶？韓愈既有是言，宗孔氏者，尚或非之，或疑之。嗚呼！知者過之，愚者不及，道難明也久矣。然則欲知孟子，質諸關洛諸君子之言，庶幾信而有徵，固不在多言也。元豐六年，封鄒國公。七年，定九章之服，配食孔子。政和五年，以樂正克配享，封利國侯。從祀十有七人〔四〕：公孫丑，壽光伯；萬章，博興伯；浩生不害，東阿伯；孟仲子，新泰伯；陳臻，蓬萊伯；充虞，昌樂伯；屋廬連，奉符伯；徐辟，仙源伯；陳代，沂水伯；彭更，雷澤伯；公都子，平陰伯；咸丘蒙，須城伯；高子，泗水伯；桃應，膠水伯；盆成括，萊陽伯；季孫，豐陽伯；子叔疑，永陽伯。舊别祀成都伯揚雄、昌黎伯韓愈，今遷祔焉。既釁廟，司侯命繪事如禮。銘曰：

天地儲精兮，聖賢所資，或厚或薄兮，錯揉不齊。虞夏商周兮，會元之期，禹皋伊吕兮，見知聞知。期月不用兮，空嘆愁遺，其居甚近兮，世未遠而。天欲平治兮，舍我其誰，安得所遇兮，性之身之。無有乎爾兮，孰知我悲，書徒存兮，旨則微。道在邇兮，夫何疑，千六百祀兮，此厥施。山凫繹兮，川泗沂，廟奕奕兮，神格思。春秋饋食兮，歌或庶幾，有仰於心兮，載歌銘詩。（清康熙五十四年刻本《鄒縣志》卷一，清乾隆三十九年刻本《曲阜縣志》卷六，文淵閣四庫全書本《山東通志》卷一一）

〔一〕題目及年代原脱，據《山東通志》本補。〔二〕幾八十年：幾，《曲阜縣志》本作「歷」。〔三〕井田之大略：田，原作「地」，據《曲阜縣志》本改。〔四〕從祀十有七人：原脱，據《曲阜縣志》本補。

重修孟母墓碑　元貞元年

成宗元貞元年，縣尹司居敬始修孟母墓樹碑。張翌記曰：孟子自齊葬於魯，蓋母喪也。其地在鄒縣北二十五里馬鞍山之陽，馬鬣其封，隆然岡阜。千六百餘年，宜有豐碑記載，而蔑之或聞，豈歷世既久，遂湮没耶？片石在旁，題曰「鄒公墳廟碑」者僅存，於母之德或略。鄒縣尹東陽司居敬，完孟子廟宇，復孟子故宅，葺孟子墓廬，用心既勤，亦各紀其事矣。而又以孟母墓碑爲請。翌讀鄒公墳廟碑，莫釋其疑，用不敢固讓，以祛觀者之惑。其言母氏曰李，未知何據，當考。而謂孟子後孔子三十五年生，時周定王三十七年。謹按：孔子以周敬王四十一年壬戌歲卒，後二十五年丙申，又三年戊戌，貞定崩。孟子之至魏，顯王三十三年也，歲在乙酉，逆數至貞定丙申，爲一百十年。慎靚王二年壬寅，去魏適齊，視乙酉十八年。赧王元年丁未去齊，在齊六年，自齊葬魯。此六年間，《皇極經世》書謂孟子顯王四十三年乙未爲齊卿，四十四年丙申去齊，則葬魯丙申前事。其生不在孔子卒後三十五年明矣。且周敬王四十一年壬戌，即魯哀公十六年，孟子安得「二吾猶不足」之語、禁哀公於口舌間耶？孟子曰：「由孔子至於今，百有餘歲。去聖人之世，若此其未遠也。」蓋自孔子卒，至孟子遊梁時，方百四十餘年，而孟子以老，則孟子之生，去聖人未百年也。其葬魯也，充虞以「木若以美」爲問，孟子答以「得之爲有財，古之人皆用之」。而臧倉沮魯平公之來見，亦曰：「孟子之後喪踰前喪。」然則實爲齊卿時，所以恔然而盡於心者，報母氏劬勞亦至矣。夫以聖賢之質，在傳不勤，處師不煩，固有不待教而能者。考之劉向《列女傳》，孟母之教，歷歷可紀。墓而築埋，市而賈衒，其居使之舍學宮之旁，則設俎豆，乃性然也。以有知而教信，示斷機以勸學，猶曰「童之教耳，子行子義，吾行吾禮」之言，實在齊時。孟子老矣，而母訓益嚴，謂教之所致，非耶？世之人知以教子責之父師，而不察母教之尤近也。知乳哺之爲恩，而不知訓誨之爲恩；知蓄養之爲慈，而不知禮法之爲慈。噢之咻之，賢則視，無能則憐。媮惰於襁褓之中，養成於長大之後，習與性成，父師之訓不能入，雖有美材，不得爲良器矣。孔子再歲而孤，孟子夙喪其父，操心危慮害深，以達於大聖大賢之域，繄母訓是賴。因表諸孟母之墓，使天下之爲人母者，知所取則焉。乃爲銘曰：

惟昔任姒，來嬪於姬，秩秩徽音，爲周之基。粵若孟母，爰適魯族，篤生大賢，喪父以夙。輔之翼之，教之誨之，聖道有傳，繄母之儀。乃徙其居，乃斷其機，毋廢於食，毋墮於德。自古孤孽，克成其材，譬彼桐梓，拱把孰培。來葬自齊，居卿之位，不儉其親，有木以美。馬鬣斯封，隆然其岡，千六百年，山高水長。嗟爾有子，勿曰能食，企而及之，惟母是似。（文淵閣四庫全書本《山東通志》卷一一）

重修孟子墓碑　元貞二年

成宗元貞二年，縣尹司居敬重修孟子墓立碑。張𩑈記曰：有宋景祐四年，歲在丁丑，孔公道輔守兗州。訪孟子墓，得於鄒縣東北三十里四基山之陽。即其地廟而祀之，泰山先生孫復爲記。以闢楊墨事著孟子之功，可謂識其大者。後二百五十有九年乙未，是爲元元貞元年。東陽司居敬尹鄒，度爽塏以新學宫，復故宅以建精舍。導江張𩑈爲述養浩之旨，稱命世之才，叙傳心之要，來遊來歌，有所興起。既而葺孟子墓，齋廬琢石，爲危坐像，冠章甫，衣縫掖，俾觀者有考乎古。謂𩑈曰：「子三刻石，於孟子之學、之志、之才，論撰至矣。孟子出處大槩，史傳不詳，盍考焉，以表諸墓。」𩑈以孫先生在前，固讓不敢。司侯請曰：「子無所稱述記載，猶有闕焉。」𩑈不得謝，乃稽諸載籍。孟子師子思，問：「牧民之道何先？」子思曰：「先利之。」孟子曰：「君子教民，亦仁義而已矣，何必曰利。」此生平出處之本也。周顯王三十三年乙酉，至魏，慎靚王二年壬寅，去魏適齊，赧王二年戊申，去齊。先儒朱熹作《資治通鑑綱目》，備書之，厥有旨哉。居魏十八年，居齊六年，當時西有秦，南有楚，以地則大，以力則强，從衡之士，馳騖不暇。孟子曾無轍跡，豈智不及哉？所不爲耳。魏瑩、齊辟疆之於秦楚，地醜德齊，莫能相尚。而「願安承教，願輔吾志」之言，視諸秦楚，彼善於此。斯言也，山徑之介然也，用之成路可也。故絶瑩之言利，而道之以仁義，對辟疆桓、文之問，而開其不忍人之心。將朝則稱疾，以全進退；出使則不言，行事以遠變倖。槩舉乎此，他皆可知。其間不用茅塞之者，彼有取爾也，故曰：「吾退而寒之者至矣，吾如有萌焉。何哉？」其去魏也，瑩卒而赫立也；其去齊也，辟疆卒而地立也。《史記》顯王二十六年戊寅，載齊辟疆立。《通鑑》在三十六年戊子。《史記》顯王四十五年丁酉，載齊地立。《通鑑》在赧王元年丁未。史藏周室者既滅，六國表本之秦記，不載日月，世本多舛。《通鑑》據汲冢《竹書》，不經秦火，蓋可信也。《皇極經世書》載孟子去齊，在顯王四十四年丙申，固辟疆之世去齊，或以伐燕故耶？伐燕，辟疆事也。《燕世家》謂在地時，誤矣。且謂孟子曰：「今伐燕，此文武之時，不可失也。」又《廣記》備言之。又審者，其伐燕也，始則沈同之問，終則陳賈爲之辭，既有以解辟疆甚慚之心，孟子於是致爲臣而歸矣。人生幾何，遨遊齊魏二十四年，如《經世書》所載，則十有八年矣。其間不過之魯、之宋、與滕、薛數小國而已。心則聖人不敢忘天下之心，五百年必有王者興，我未見之，不得在名世之列者，時也。如廢繩墨，變彀率，枉尺直尋，吾恐反爲虞人御者羞矣。司馬遷智不足以知孟子，盛誇諸侯郊迎撇席、擁篲前驅於騶子者，謂豈與孟子困於齊梁同。槩世知詭遇獲禽，而不知爲之範，無以見聖賢之志也。儀、衍得志當時，景春稱爲大丈夫，孟子直謂妾婦，故雖不可「三月無君」，「必出疆載質」，又安肯「鑽穴」、「踰牆」，以取國人之賤？宿晝居休，綽綽餘裕，在《易》「困而不失其可亨」，此之謂也。由是而觀之，騶子、田忌之徒，乃所謂邪説、詖行、淫辭。孟子於此則息之、則距之、則放之，以正人心者，豈所屑爲也。今千六百餘年矣，孟子之墓，如岡如阜，萬世觀仰。彼佞僞馳騁，果安在乎？尚友古人之士，有考乎此，亦可知所自處矣。故因司侯之

請，刻石墓旁，而記其大略如此。（文淵閣四庫全書本《山東通志》卷一一）

濮州新建大成殿碑

承直郎達魯花赤紐璘既踐世官，慨然以敬教勸學爲政。朝列大夫州尹孟説始至，相謂曰：「日者祇承制詔，聖帝明王，凡在祀典，靡不崇修。學校之政，一如先朝故事，守土臣所當對揚休命。今也先聖廟祠弗稱，懼非宣化所宜，此紐璘夙夜惕然于中者。」對曰：「説敢不任事。」詢謀同列，承直郎同知州事李謙、忠翊校尉州判官耿佐、教授劉授贊其成，忠勇校尉鄄城縣達魯花赤石文理董其役，六邑令佐具材用以其費。經始以大德二年戊戌十二月庚申，落成於庚子五月。趾崇八尺有一，堂上延廣九益二分，深六筵三分。梁長三崇尋，有半棟崇五尋。榱題楶棁，桴�梃桶，跂翼軒翔，石甓黝堊，塼埴巧鏝，校板實實。孟侯日親涖之，故匠民咸精其能。審曲面勢者，東平張興，經使則州史王良、縣史閻澤。方紐璘嗣守是州，既期年，思有以淑艾郡士，謀賓師於鄉之耆艾。前御史中丞吴公衍謂「翌可」，乃具車乘幣帛聘于魯，以來翌。繇是居四載，是營是度，與聞于斯。將南，國侯與孟侯同辭請文，翌幸得以孔子之道教人，故采其言語登諸樂石者，豈徒記歲月云。乃作頌曰：

奕奕新廟，于鄄之墟；穆穆宫庭，孔聖攸居。天牖斯民，道在文武，眷惟洙泗，纘成厥緒。爰兹故鄄，衛國之封，於聖環轍，以西以東。時有變遷，地無今古，神之來兮，於斯焉處。夫何卑陋，俎豆弗容，惟二邦侯，詢謀僉同。乃度其新，乃轍其舊；乃經乃緯，乃基乃構。有址斯崇，厥土燥剛；有棟斯隆，厥材孔良。塗既丹雘，翬飛矢棘，有殿屹然，岧嶢崒嵂。冕旒黼扆，睟然德容，袗珮環列，蒼玉葱葱。多士鼎來，陟降庭止，於善緝熙，萬世明祀。春秋匪懈，秩秩威儀，尊爵既潔，籩豆孔嘉。神其醉飽，載咨工祝，錫爾純嘏，釐爾百福。釐福伊何，惠以光明，六經大訓，昭若日星。松桷有舄，路寢孔碩，如崗如陵，永永無斁。（清宣統元年刻本《濮州志》卷八　以上李軍校點）

全元文卷二九四

閻復 一

閻復(一二三六——一三一二),字子靖,高唐(今屬山東)人。弱冠入東平府學,師事名儒康曄。時東平行臺御史嚴實迎請元好問校試諸子之文,預選四人,復爲魁首,世人稱復及徐琰、李謙、孟祺爲「四傑」。憲宗九年(一二五九),始入仕爲東平行臺書記,擢陞御史臺掾。至元八年(一二七一),因王磐舉薦爲翰林應奉文字。十二年,進職翰林脩撰,出任僉河北河南道提刑按察司事。十六年,入爲翰林直學士。十九年,擢侍講學士。二十年,兼集賢院侍講學士。二十三年,陞翰林學士,改集賢學士。二十八年,出任浙西道肅政廉訪使。因受桑哥牽連而免官。三十年,成宗繼位,以舊臣召入,除集賢學士。大德元年(一二九七),遷任翰林學士。四年,拜翰林學士承旨知制誥脩國史。十一年春,武宗繼位,晉階榮祿大夫,遙授平章政事。上疏請求致仕,詔從其請,給半俸終養。仁宗即位,遣使者召,以病辭。皇慶元年(一三一二)三月卒,享年七十七歲。贈光祿大夫、大司徒、上柱國、永國公,謚文康。復以文學見長,且以之爲己任,不肯爲執政官。在翰林院最久,嘗備顧問,自至元至大德年間的重要詔令典章,多爲復所起草。京師建宣聖廟、恢復曲阜守冢户、設置孔林灑埽户、設置祀田,以及大德元年加封孔子至聖封號等,皆復上疏所請。《元史》卷一百六十有傳。袁桷撰有《翰林學士承旨榮祿大夫遙授平章政事贈光祿大夫大司徒上柱國永國公謚文康閻公神道碑》。著述有《靜軒文集》五十卷（《元史》本傳），及《内外制集》若干卷（袁桷《閻公神道碑》），皆已散亡。今存清末繆荃孫輯本《靜軒集》五卷，首卷爲詩，後四卷爲文。本書所收閻復文，以清人繆荃孫所輯《靜軒集》爲底本（光緒二十一年至宣統二年江陰繆荃孫輯刊《藕香零拾》第十六册），以《國朝文類》、《元朝名臣事略》、《元史》參校之。另補輯佚文十三篇。

加封五嶽四瀆四海詔

至元二十三年二月

朕惟名山大川，國之秩祀，今嶽瀆四海，皆在封宇之内，民物阜康，時惟神休，而封號未加，無以昭荅靈貺。可加上東嶽爲天齊大生仁聖帝，南嶽司天大化昭聖帝，西嶽金天大利順聖帝，北嶽安天大貞玄聖帝，中嶽中天大甯崇聖帝。加封江瀆爲廣源順濟王，河瀆靈源弘濟王，淮瀆長源溥濟王，濟瀆清源善濟王，東海廣德靈會王，南海廣利靈孚王，西海廣潤靈通王，北海廣澤靈祐王，仍各遣官詣祠致告，以稱朕敬恭神明之意。

建儲詔

大德九年六月

惟我太祖聖武皇帝、世祖聖德神功文武皇帝，規模宏遠，預建儲嗣，式與古合。朕恪遵祖宗成憲，允協昆弟，僉言立嫡子德壽爲皇太子，茲有日矣。比者遠近宗親，復以爲請，又中書百司及諸老臣，請授册寶，昭示中外。朕俯從衆願，於今月五日授以皇太子寶，所有册禮，其如常制。屬茲盛舉，宜布新恩。於戲！慶衍無疆，既正名於國本；仁同一視，尚均福於黎元。

即位詔

大德十一年五月

昔我太祖皇帝以武功定天下，世祖皇帝以文德治海内，列聖相承，丕衍無疆之祚。朕自先朝肅將天威，撫軍朔方，殆將十年，親御甲胄、力戰卻敵者屢矣。方諸蕃内附，邊事以寧，遽聞宫車晏駕，迺有宗室諸王、貴戚元勳相與定策於和林，咸以朕爲太祖曾孫之嫡、裕皇正派之傳，以功以賢，宜膺大寶。朕謙讓未遑，至於再三。還至上都，宗親大臣，復請於朕。間者姦臣乘隙，謀爲不軌，賴祖宗之靈，母弟愛育黎拔力八達，稟命太后，恭行天罰〔一〕。内難既平，神器不可久虚，宗祧不可乏祀。合辭勸進，誠意益堅。朕勉徇輿情，於五月二十一日即皇帝位。任大守重，若涉淵冰。屬嗣服之云初，其與民而更始。於戲！丕承丕顯，敢忘持守之心；于蕃于宣，勉效忠勤之力。共毗新政，聿底隆平。

〔一〕恭行天罰：恭，原作「舉」，據《國朝文類》改。

皇太子册文

皇帝若曰：祖宗聖緒，恭承丕顯之謨；兄弟懿親，宜正元良之號。立天下之大本，示天下以至公。咨爾皇太子，仁廟御名。德器淵深，英姿玉粹。武奮清宫之偉績，文參定策之殊勳。豈特華萼交輝之情，式相好矣；其在鳧鷖守成之治，須爾贊之。故於連氣同枝之間，付以監國撫軍之任。兹上承於母意，蓋允出於朕心。已於六月朔旦，面授爾皇太子金寶，今復遣攝太尉丞相塔思不花，持節授爾玉册。維寵命之薦膺，尚謙恭而自牧。益盡甯親之孝，益勤事上之忠。以敦九族内睦之風，以衍億祀無疆之慶。

加封孔子制

大德十一年九月

蓋聞先孔子而聖者，非孔子無以明；後孔子而聖者，非孔子無以法。所謂祖述堯舜、憲章文武、儀範百王、師表萬世者也。朕纂承丕緒，敬仰休風。循治古之良規，舉追封之盛典，加號大成至聖文宣王，遣使闕里，祀以太牢。於戲！父子之親、君臣之義，永惟聖教之尊；天地之大，日月之明，奚罄名言之妙。尚資神化，祚我皇元。

追封伯夷叔齊制

蓋聞古者伯夷、叔齊，逃孤竹之封，甘首陽之餓。讓爵以明長幼之序，諫伐以嚴君臣之分。可謂行義以達道，殺身以成仁者。昔居北海之濱，遺廟東山之上。休光垂乎千載，餘澤被於一方。永懷孤峻之風，庸示襃崇之典。於戲！去宗國而辭周粟，曾是列爵之可縻；揚義烈以激清塵，期於世教之有補。可追封伯夷爲昭義清惠公，叔齊崇讓仁惠公。

丞相伯顔贈謚制

天下大統，不嗜殺則一之；聖主弘功，蓋必資於賢者。昔在至元之際，方隆混一之期，有來命世之奇材，懋建殊常之偉績。故太傅、開府儀同三司、錄軍國重事伯顔，崆峒孕秀，列象騰精。居政府則不動聲氣，措泰山之安；秉戎律則純乎仁義，猶時雨之降。當其聲鶴浦渝盟之罪，總龍驤飛渡之師。克廣世祖好生之心，允獲宋人誠服之意。衣冠不改，市肆不易，恩威普洽於三吳；車書以混，文軌以同，聲教遂覃於百粤。逮朕纂承之始，益申推戴之誠。永懷社稷之宗臣，宜侈山河之高爵。於戲！曹侍中江南之役，規摹一何小哉；郭汾陽異姓而王，崇報斯亦至矣。可贈宣忠佐命開濟功臣、太師、開府儀同三司，追封淮安王，謚忠武。

丞相阿朮贈謚制

邊外開邊，四達弗庭之域；將門出將，三持分閫之權。緬思百戰之勞，宜用九原之賁。故光禄大夫、中書左丞相兼都元帥、贈開府儀同三司、太尉、追封并國公、謚武宣阿朮，英才閒世，勇略邁倫。當先皇大理之征，佐乃父雲南之役。靖蠻方而平交趾，拔襄漢而下江南。鳶瘴揮戈，萬里若衽席之上；龍驤飛渡，三吳歸掌握之中。贊成混一之圖，式副元勳之號。按禮寺易名之典，加王章異等之恩。於戲！青史屢書，諒騰芳之有永；黄河如帶，尚流慶於無疆。可加贈推誠宣力保大功臣、太尉、開府儀同三司、上柱國，追封河南郡王，謚武定。

丞相線真贈謚制

蕭、曹翊漢，素非閥閱之家；房、杜匡唐，卒乏鈞衡之嗣〔一〕。眷先朝之碩輔，綿累世之芳猷。永懷弼亮之賢，庸示褒崇之禮。太傅、錄軍國重事、開府儀同三司、中書右丞相、監修國史完澤之父，故光禄大夫、中書右丞相、宣徽使線真，稟靈河嶽，著象星辰。應明良千載之期，萃忠孝一門之慶。梯天力競元戎，奠鶉首之郊；扶日功高奕葉，應龍飛之運。惟昔中書之草創，歷陳治古之宏規。位望冠於百僚，利澤施於四海。躬承世祖，肇隆中統之丕圖；子侍裕皇，復贊元貞之初政。方倚具瞻之重，宜昭先德之華。維垣進秩於上臺，列爵仍疏於大國。錫號著勳庸之偉，易名申節惠之文。殊恩允出於朕心，卹典非由於汝請。表南宫雲臺之像，既彰異渥於宗臣；措天下泰山之安，抑助貞勤於上宰。尚服休命，永播英聲。可特贈宣忠保德佐理功臣、太師、開府儀同三司、中書右丞相，追封秦益國公，謚忠獻。

〔一〕卒乏鈞衡之嗣：鈞，原作「鉤」，據《國朝文類》改。

丞相和禮霍孫贈謚制

北方間氣，實生命世之材；黄閣清風，蓋出登瀛之選。慨英靈之已往，當卹典之崇頒。故光祿大夫、中書右丞相和理霍孫，派接元勳，慶鍾全德。早躡鼇峰之首，誕披雲漢之章。開闢賢關，爲司徒而敷五教；更張化瑟，位冢宰以總百官。恢揚累世之洪休，新美至元之大政。掄才如崔祐甫之廣，潔己有張忠定之剛。著績熙朝，既闡文明之治；疏封列國，宜居禮義之鄉。可贈保德協謀佐理功臣、太師、開府儀同三司，追封齊魯國公，謚文忠。（以上《靜軒集》卷二）

謝解啓

芹宮角藝，初無黄絹之辭；藻鑑垂光，誤中青錢之選。名非情稱，感與愧并。竊惟辭賦之淵源，是乃古詩之糟粕。荀氏子發明其大槩，宋大夫鼓舞乎後塵。英華秀發則洛陽少年，文彩風流則臨邛詞客。自茲以往，作者寖多。摛章繪句者，往往有之；操紙染翰者，滔滔皆是。若孫綽擅聲金之美，子雲韜吐鳳之奇；二班父子卓冠一時，陸家兄弟獨步當世。莫不振金石鏗鏘之調，窮霧縠組麗之文。大而仁義諷諭之至言，細而鳥獸草木之多識。禁踰侈則有《東京》《西京》之作，辨時事則有《吳都》《蜀都》之編。或《上林》以諷其畋遊，或《甘泉》以述其郊祀。升堂入室，然未窺孔氏之門牆；宣德通情，亦庶幾風人之旨趣。何此源流之降，演爲科舉之文。一變唐宋，尚餘作者之典刑；再變遼金，無復舊家之風骨。拘之以聲律之調暢，檢之以對偶之重輕。以窘邊幅爲謹嚴，以黏皮骨爲親切。描題畫影，但知一字之工夫；抹東塗西，不覺六經之破碎。習非成是，以變爲常。事馳驟者，輒謂之荒唐；務雄贍者，例云乎唱叫。雖子建胸中之八斗，不得騁其才；雖少陵筆陣之千軍，無以施其勇。然有司之獲選，亦壯夫所不爲。何承平歷世而來，莫之敢指；蓋僥倖一第之外，孰知其他。必待權衡至公之流，庶展琴瑟更張之手。伏惟提學郎中先生，儒林冠冕，學海宗盟。憫斯文重厄於秦灰，贊東國復修乎泮水。甄陶後進，殿最於春秋二季之間；鑑視前車，洗滌乎場屋百年之弊。俾削拘攣之熊，庶還麗則之風。格雖守而必文辭之可觀，辭雖尚而亦義理之爲主。加程文律，度於古今骨格之內；取古今氣，艶於程文規矩之中。自非卓爾不羣之才，曷起裒然舉首之選〔一〕。如復者，青衿小子，白面書生。學淺鮮而不根，氣葳甤而易涸。文慚七步，才愧八叉。僅知弄筆以作文，未免尋章而摘句。五音中度，敢論擲地之宮商；八表神遊，安有凌雲之氣象。聊作戰蝸之兩角，尚慚窺豹之一班。鼯鼠之窮，顧將奈何；黔驢之技，蓋止此耳。豈意不以菲葑之下體，遽令糠粃以先揚。敢不益礪操脩，重鞭鄙鈍，進而不已，雄以當前。庶取百中之功，不負千金之顧。銘心鶚路，謝九秋桂子之風；刮眼龍門，看三月桃花之浪。（《靜軒集》卷四）

〔一〕曷起裒然舉首之選：起，原作「其」，據《國朝文類》改。

泰山佛峪寺創建藥師七佛寶閣化緣疏

至元□六年

青山萬疊，表佛峪之精藍；碧瓦三簷，起藥師之傑閣。謹公和尚，揚清瀚海，挺秀禪林。顧瞻劫火焚蕩之餘，允廣意師經□之志。輦石□□，役數百人。□骨勞筋，凡□□紀。琉璃影裏，幻成寶界之三千；菡萏□中，踴出雕欄之十二。嘉議大夫、禮部尚書劉果，贊妙功德，作大檀那。樂輸布地之金，用□凌雲之觀。蛟騰鳳翥，竹溪之古篆增雄；虎攫猿拏，杜老之怪松動色。尚期衆力，集此勝緣。布施百錢，乃至布施鉅萬許錢，普發願心於一切；供養七佛，即是供養恒河沙佛，□□聖祚於無疆。廣種福田，同躋壽域。謹疏。（《靜軒集》卷五）

風科集驗名方序　大德六年十月

按《素問》，上古聖人之教下也，皆謂之虚邪賊風，避之有時。風者，百病之長也。其傷人也，有淺深、内外、寒熱之分，至其變化以爲它病，病有萬殊，醫之用藥，烏可執一而不達其變。此《集驗名方》所由著也。國初，虚白處士趙公獲是書於荆湖間。今湖廣官醫提舉劉君卿得之，用以起廢多矣。慮其歲久，謄寫失真，命廬陵左辰叟校讎增定，鏤板以行，需予叙諸編首。予聞公輸之巧，不以規矩不能成方圓；師曠之聰，不以律吕不能正五音。況醫者人命所係，可無師傳輕用之哉。若夫述《内經》之旨要，究病證之根源，列聖賢之治法，具古今之方論，廣記而備言，有條而不紊，所謂藥疾之司南，醫學之鈐鍵歟。予非知醫者也，獨美君卿刻意茲術，務廣先哲仁民濟物之心，於是乎書。大德壬寅陽月初吉，翰林學士承旨、正奉大夫、知制誥、兼修國史閻復序。

劉太傅藏春集序

至元二十四年四月

《易》曰：「觀乎天文以察時變，觀乎人文以化成天下。」大哉文乎！在天爲日月之著明，雲漢之昭回，星辰之錯綜；在人爲三綱五常之道，禮樂刑政之方，典章法度之美。文乎，文乎，章句云乎哉。太傅文貞公，學參天人，思周變通；早慕空寂，脱棄世務。一旦遭際聖主，運應風雲，契同魚水，有若留侯規畫以興漢業，召公相宅以營都邑，叔孫奉常緜蕝以定朝儀，陸賈詩書之語，賈生仁義之説，當雲雷草昧之世，天開地闢，贊成文明之治。其謚曰文，不亦宜乎。至於裁雲鏤月之章，陽春白雪之曲，在公乃爲餘事。公殁後十有四年，是集始行於世。夫人竇氏，暨其子璋，及翰林待制王之綱，求爲叙引。晚生愚陋，誠不足知公萬一，姑以時論所同然者，附諸編末云。至元丁亥四月初吉，翰林學士、太中大夫、知制誥、同修國史閻復序。（以上《静軒集》卷四）

定興縣三皇廟記

鴻荒而下，三聖人有作。伏羲畫八卦，成變化，行鬼神。神農造耒耜，教以稼穡，蒸民乃粒。黄帝鑄五兵，立制度文章，以昭貴賤，舟車以濟不通。□仁天下，後世□矣。醫家者流，乃謂制九鍼、嘗百藥、察色辨脈，著之於經，尸而祝之，以爲醫之宗。噫，醫果可以盡三聖人乎。夫民之生，天也。生其生，聖人也。寒而衣之，饑而食之，露而宫室之，野而禮樂之，生生之道備矣。然猶有厲其生者，疾也，則又爲之醫焉，救其瘥扎夭殤，躋諸仁壽之域。三聖人其天年其祀與天地無極可也。聖朝自至元以來，詔立三皇祠，始於京師，達乎郡邑，著之甲令，以爲彝典。定興有祠，在縣東北隅，亡金大安庚午所建，前進士張珇文石在焉。國初，蔡國張公，改築於縣治西南河内村，距城二十里而近，藻薦之儀，弗克時舉。大德壬寅秋，邑主簿劉君弼，會邑人王仲義、張伯祥、李繼明，耆老蔡德澤、郭□通謀曰：「三皇氏立人之極，功被萬世。而陋祠於野，瀆神孰甚焉。邑址固在，盍更諸。」衆以爲然。伐木於山，甄甓於郊，鳩財僝工，亡胥用觀，閎殿穹窿，像設尊嚴，取法邃古。十大醫師，配坐侑食。翼以修垣，敞以闔扉。會劉君滿秩，後簿許謙，繼董其役。縣長紐里皆，洎尹李從慶、尉邦懷，寔始終之。落成於九年，奉牲幣薦誠，籩豆薦馨，神人以和。邑以是年嘉穀告豐，物無疵癘。父老相與狀其事，因杜衡謁文於予。予聞定興爲保定屬邑，密邇京畿。朝廷政令，朝發而夕至；縣政疵美，必達於上。職司牧者，撫字之餘，恪遵詔旨，聿修三聖人祀，示民報本之義，賢於土木、淫祠遠矣。雖然苾芬事神，求其所以庇民，不若求三聖人庇民之道。治崇簡□，興化厲俗，□其漓而樸之，使百里之内大安。田里涵泳，聖澤熙熙，皞皞如太古之遺民，斯無愧於事神矣。予既叙作廟梗槩，作歌以嗣塊桴土鼓之音，俾歌以侑神。其辭曰：

陟巢啄蠡世鴻荒，首出巍巍古羲皇，天苞浮河龍馬驤。立天之道陰與陽，立地之道柔與剛，乃爲人生立綱常。誰其繼者農與黄，聖德烜燿日月光，欲使萬姓躋壽康。楮鞭鞭草力□嘗，俞跗岐伯參翺翔，八十一篇究毫芒。疏瀹腠理砭膏肓，詡袚疫癘祛不祥，□□□□甘稻粱。孰知皇澤流沛滂，易水浩浩燕山蒼，閟宫森邃神所藏。昔鞠茂草今備嘗，儼然端拱垂衣裳，春秋牲牢奠椒漿。三后在天靈煌煌，翊贊元祚垂無疆，百世毖祀騰芬薌。

藥師七佛閣記

天有七曜而四時行，地有七澤而九土寧，人有七情而善惡生。惟金輪氏立教，洞貫三才，包括萬類。所謂藥師七佛，象數之妙，將無契於是乎。按經之所載，瀍界凡七，界居一佛。其光明徧照，惠澤普及，在浮圖法中，猶元天之有日星焉，百川之有江湖焉，故爲其屬者，奉之惟謹。岱宗之陰，曰谷山道場，巖巒回抱，林樹虧蔽，蓋雲山之都會，烟霞之堀宅也。謹公上人，興滯補敝於劫火廢隊之餘，疏鑿而泉，種蓺而園，墾埆而田。齋庖之衆，無慮數百指。既殿中央，以居大雄法像，謂七佛之壇，不可不嚴，於是闢層崖而閣焉。一日，上人赴京師，杖錫踵門，請爲是閣作記。問諸興造一蹟，曰：「吾因山以爲基，故不假覆簣而高；伐木以爲材，故不煩市易而足；以願力爲役，故不待鼛鼓而集。」問閣之大小及爲役幾何時，曰：「揭檐爲三，列楹惟五，其高九仞有奇。經始於至元十七年春，落成於今年之秋。」又問谷山興置始末，曰：「自元魏高僧意師現化之後，曰甯、曰朗、曰崇、曰靖，凡四傳，而寺緣益大。竹谿党公文石具在也。」復謂上人曰：「惟閣之役，若寺之緣，既聞命矣。敢問谷山之陽，自歷劫以來，有無上寶閣，以蓮峰爲楹，以蟠岡爲礎，以雲虹爲飛棟，以煙霞爲浮藻，以萬象爲瓔身，眎今所作，爲何如也。」上人曰：「不然。吾聞天地之外，復有覆載；陰陽之外，復有造化。故自其大者而觀之，須彌一芥子也，大千一棗葉也，曾何泰山之足云。自其細者而觀之，大空之一塵，恒河之一沙，中間自有佛國在。仁者無用妄生分別，且爲我作七佛閣記。」子曰：「即如上閣答語，子爲若作記已竟，請歸而摹諸石。」上人曰：「唯。」時至元癸未十一月二日也。上人漁臺人，俗姓蔡氏。夙喪父母，從琿師祝髮此寺。壯歲游方，始參陶山仁公，再禮紫蓋暉公，卒得法於普照鑑公。行業爲衆所推，錄泰安僧司事，凡數十年。與當世名士杜徵君仲梁輩從游甚款。其好賢樂善，蓋有本云。翰林、集賢侍講學士、中順大夫、知制誥閻復記。

松江南山勝地記

佛氏説大因緣，舉世間事無非前定，出世間人無不□知，事有遠在數百年後，而言驗於數百年前。得道者慧眼一照，於未來世，或興或廢，若著蔡於前□，符契於後人，亦以前知者，悟其前定者焉。松江府南禪寺，爲在城諸禪冠。唐元和間，船子和尚過□合爪曰：「此地形勢最勝，願來興福。」時未省其語。至宋崇寧，有頭陀張氏，即其地而廬焉，掘井得羅漢像十有六，頗異之。後以掩骼賞不受，換牒爲僧，實名普願，而船子「願來興福」之言始驗。顧雖草創數椽，歲久若廢祠敗驛。歲在紹興，得後公而復興焉，請於朝爲寺。南渡百餘年，寺門終未光顯。天兵下江南，踰三十年，住山如寄驛，倥傯不暇顧。彼□來住此山，樽浮苴漏，僅僅完備。每出入是門，徘徊四顧。西則儒老二宮，頡頏爭先，寺斂然退後，若有物壓其首。東則牆垣塞路，斗絶築底，若有物障其目。南則斷流如綫，過橋民居櫛以隙不通軌，若有物橫其臆。思欲挈山門而東之，規摹定在胸中，凡三四年始克就緒。舊有大石龜，蹣跚水涘，輦致其左，背負崇墉，若鼇戴山而前抃也。入門不數步，東南築小土山，植松其上，若虎伏林而旁衛也。□水來其西，巽風避其南，繚以矮牆，夾以佳植，委蛇曲折，漸入禪境。見者生歡喜心，咸謂布置之巧。□未有顔其門者，寶公輒以「南山福地」四字，乞書於中書右丞馬公。公曰：「洞天福地乃道家事，非禪□本面。」采賜鉤畫，易以「勝地」二字。而船子「此地最勝」之言又驗。夫地不自勝，因人而勝。向也行即面□，入即窺室，門外曾不容數騎。一轉移間，由南而東，舉即見山門，由門而入，林影陰翳，若行詰曲，□徑間才見有寺。地雖勝，因人而益勝，固無怪也。獨怪船子和尚距今四百餘年，其前後如□其年，安知昔之願、今之寶，非船子身後身耶。時大德改元夷則之月望日。正奉大夫、翰林學士、承旨閻復記。（以上《靜軒集》卷四）

加號大成詔書碑陰記

至大三年六月

大德丁未秋，近臣傳旨，議加至聖文宣王封號。臣復承乏翰林，獲預其議。竊謂自古稱夫子者多矣，而莫如孟子。孟子曰：「自有生民以來，未有孔子也。」又曰：「伯夷，聖之清者也；伊尹，聖之任者也；柳下惠，聖之和者也；孔子，聖之時者也。孔子之謂集大成。集大成也者，金聲而玉振之也。」蓋言孔子集三聖之事，爲一大成之事，猶作樂者集衆音之小成而爲一大成也。宜加號。奏可，璽書錫命。臣復職當具草，既已頒示天下矣。邇者江南浙西道僉肅政廉訪事吳舉建言：褒封先聖，實當今盛典，若不騰芳琬琰，曷以昭示罔極。於是省臺檄下諸路，勒石廟學。噫，自木鐸聲沈千八百年，有國家者追崇聖號非一，至唐玄宗始進爵爲文宣王，宋真宗加「至聖」二字，是皆議出一時，雖□徽美之稱，孰若我朝取孟子之言爲準，以聖譽聖之深切著明也。凡在郡邑長吏，祇若朝廷尊師重道之意，謹庠序之教，申之以孝悌忠信，興化善□爲務，豈不□歟。至大三年歲次庚戌，夏六月丁未朔，翰林學士承旨、榮祿大夫、知制誥、兼修國史、遙授平章政事閻復謹述。

平江路常熟縣重修文廟記

洙泗發源中國，言吴公導一脈而南，湔我吴俗，變樸陋爲文學，聖賢之澤後世深矣。至元壬辰，復監治吴郡，朔望過郡庠，縫掖雲集，周覽殿廬，歷年滋久，往往廢而弗治，頗以教風不競爲憂。是時，聞常熟有楊公麟伯，睹廟學缺壞，樂輸私帑，爲崇飾之聖殿、賢廡、門牆、幄座，以至吴公、宋諸儒祠宇繪塑，丹雘粲然復新。竊爲常熟，言公故里，故水號琴川，橋名文學，薰陶漸漬，宜其異於他邑。傳曰：「魯無君子者，斯焉取斯。」方春按行屬縣，亟欲一往觀之，尋以疾告，遂不果。是年冬，閒居吴中。前令尹孔君文貞價公之婿盛琦、子應順，謁文以誌歲月。復聞學舊有記，先儒文石具在，辭不敢當。孔君道公之意甚勤，復亦嘉公用心有過人者，不得不爲一言。雖然，公之作新廟學，豈直爲觀美哉。方今文軌混同，皇仁一視，疏濬教源，此其時也。吾願居是鄉，莅是邑者，仰聖賢之遺像，誦聖賢之格言，深求所謂君子小人學道之義。爲人上者，推廣愛人之念，以撫其下，若慈父之保赤子；爲人下者，祇服易使之訓，以奉其上，如孝子之事嚴父。上下相安，風恬俗熙，庶幾武城絃歌之化，復見於兹邑，豈直爲觀美哉。於是作爲歌詩，以詔邑人。公字祥甫，世爲常熟人。甲子入太學，戊辰登進士第，仕至揚州觀察推官。是役也，糜錢五千緡有畸。督工婿與子，洎鄉士李敬甫、金應澤。其辭曰：

句吴之墟，古維荒遐。維此常熟，言公之家。公登聖門，學列四科。湔我吴俗，洙泗一波。

縣邑有學，歷年孔多。塈塗剝落，棟宇攲斜。彼美楊公，好善靡他。作而新之，亦孔之嘉。孔堂巍巍，言祠峨峨。有來邑人，瞻望咨嗟。如聆誨音，如彼切瑳。學道一言，是訓是訛。君子愛人，刑靡濫加。若保赤子，維職撫摩。小人易使，奚俟譴訶。如聽父教，罔或僭差。邑子彬彬，樂育菁莪。民俗熙熙，薰沐泰和。昔我來斯，忝接使華。尚觀厥成，贊以詠歌。（以上《靜軒集》卷四）

全元文卷二一九五

閻復 二

重修莒州儒學記

天之生才，罔間遐邇，長育作成之功，繫乎學而已。閩蜀崎嶇，去中國萬里，一沐漢、唐循吏之化，雋造如林，民風丕變，學之不可已也如是。莒之爲郡，僻處海隅，民居數百家，占儒籍者絶無而僅有。廟學廢址，在州治東北。棟宇毁于金季之亂，鞠爲斷□者，數十年於兹矣。至元乙亥歲，前知州凡源始□□基作廟，以祀先聖，釋菜於新宫。籩豆之列，陟降之儀，象□□之□目。按《郡志》：莒，故春秋莒子國也。楚既滅莒，其地入齊。戰國而下，世爲用武之地。俗衽金革，蓋風土習氣使然。至於樂毅伐齊，堅壁不下，以明君臣之分；杞梁之妻，隳城著蹟，以全夫婦之義。雖栢舟共姜自誓，魯人爲項羽守城，不是過焉。二者，人道之大綱見於顛沛危亡之際若此，矧兹世屬隆平，人熙田里，行無佩犢之虞，居無吠犬之警，講明政本以淑諸人，不患其俗之不美矣。爲民師帥者，既先輪奂之功，必以育才美俗爲實用。異時，莒人子弟胥學者之衆，居爲善士，出仕爲良臣，化荒僻爲詩書之壓。江漢朝宗沛然，嘗自濫觴始。《傳》不云乎：「齊一變至於魯，魯一變至於道。」聖哲立言，豈欺我哉！（嘉慶元年《莒州志》卷一三）

江浙行中書省新署記　至元三十年

至元二十九年夏五月，江浙行中書省新署成。明年夏五月，復遊杭省府，會宴政事堂，請記興造之蹟於石。謹按：中書，漢官名。魏晉以來，始改秘書省爲中書省。唐置三省，中書其一也。地位尊崇，列尚書門下之右。國初政尚簡古，有中書之名而僚屬未備。中統建元，更定官制，乃置中書總握機務，尚書六曹隷焉；又酌近代之典，立行中書省分鎮方國，荒服諸郡隷焉；蓋古方伯連帥之任也。王師渡江，詔命巴延丞相行省軍中。江南既平，遂置數道行中書省，撫綏鎮遏之。惟兩浙，東南上游，襟江帶湖，控扼海外，諸番貿遷有市舶之饒，歲入有蘇湖之熟，榷貨有酒鹽之利，節制凡百餘城，出納以億萬計，實江南根本之地。蓋兩浙安則江南安，江南安則朝廷無南顧之憂。膺是責者，非股肱大臣威望素著，鮮克稱任。粤自政化更張，今榮祿大夫平章政事烏瑪喇首拜玆命，榮祿大夫平章政事阿喇卜丹、資善大夫左丞趙仁榮、中奉大夫參知政事特穆爾、嘉議大夫簽行中書省事郭筠，前後接武，同寅協恭。若夫内給弓兵，外通海漕，理財以經國，勤政以綏民，以至築圍田以備水，平糴價以賑饑，盜賊止息，人安田里，以布宣皇澤唯謹。先是，省署居亡宋之秘閣，屬有回祿之變。今福建行中書省平章政事史弼時爲右丞，共議作而新之。杭州路達嚕噶齊斡齊爾、理問官柳澤寔董其役。度材於官，傭力於民，規制有經，工用有節，閱數月而後畢。前逮政事堂，爲發號施令之所。後爲便閣，以居八座。左右二廳，爲郎幕。東西二廡，爲掾吏舍。旁起兩公廨，一爲理問所，一爲鎮守萬户府。中堂有甓，棨戟有門，宏敞壯麗，視舊有加焉。愚聞古者，堂室座右皆有銘，所以陳箴規示儆戒也。省府以台鼎之重，統治三吳，生民之休戚係焉，中外之供億賴焉，東南之安危寄焉，勿謂兹庭距京師遠甚，慶賞刑罰得以專之。洪惟聖天子明见萬里之外，愚願居是任者，入門蹴踖如趨文陛之下，踵堂祗肅如侍丹扆之側，威顔咫尺如天日之在目，玉音諄誨如雷霆之在耳，相與兢兢業業，正己以率天下，安静以致治功，協和以熙庶績。一善未宏，思務舉之；一才未進，思務與之；一弊未除，思務去之。俾三吳百郡之民以至海隅遐陬咸被維新之化，歲樂豐登，域躋仁壽，異時述職天朝，褒德賞勳，薦膺寵渥，新之又新，焕然宜自作省新署始。先民有言：「詢于芻蕘，勿以老生常談，而棄日新之功也。」（文淵閣四庫本《天下同文集》卷七）

重修廟學記

高唐，齊之西邑，漢隸平原郡，唐宋爲博州屬縣，國初隸東平府。至元七年始改邑爲州，附以恩夏津、武城，凡三縣。民物之繁，繭絲之富，遂爲山東名郡。臺表絃歌之化，地維禮義之鄉，聖賢之遺跡可尋，鄒魯之流風未泯，前代名臣則有華表父子、劉寶昆弟，近世師儒則有狀元閻公詠、教授康公曄、御史趙公安世。喪亂以來，雖學校久廢，故家遺俗猶有存者。先聖廟貌綿歷兵燼，像設儼然，視他邑爲完。宋大觀八行碑、金大定名士任詢題扁在焉。縣既爲州，太守張侯廷瑞始闢廟堧故地爲師生受業之所。今鄭侯德鄰治郡之二年，時和歲豐，民安田里。一日，同監郡武略君周覽廟庭，嘆其規制狹隘，慨然有更大之志。會江東宣慰從事李敬祖贊畫其事，且求大匠于他州，侯及武略君首出俸金以爲倡，郡邑屬吏鄉長者士民翕然助之。于是，琢他山之石以爲楹，刻近郊之木以爲桷，定方中而即役，火西流而訖功。殿既落成，宏敞壯麗，十倍前制。凡締構之功，圬墁之餙，侯心計口授，各盡其藝。至于崇鱣墮之堂，廣飛翬之廡，作室以祀鄉賢，給田以資學產，方以次經理，屬侯秩滿當代。教授劉恕相率郡人伐石紀德，昭示永久，乃命鄉校諸生致書京師，謁文于復，復奉書欣然，謂諸生曰：「廟學之興，吾黨禮樂修習之漸也。諸生不聞綿駒之説乎？夫歌曲小技猶能遷革人心，變易國俗，矧吾賢方伯當國家興學養士之際，闢聖賢之廣居，明風化之大本，幸予他日言歸故里，思樂新宮，觀其士行潔修、民俗粹美、家形洙泗之風、人期淵騫之德，相與頌武略君之賢，歌鄭侯之遺愛，不亦偉乎！昔昐子有守城之功，威王以爲千里之寶。惟吾賢方伯禮教興行，光明盛大，將照四表，豈直千里哉！」諸生再拜，以斯語志諸廟石，于是乎書。（康熙五十一年《高唐州志》卷一〇）

鄉賢祠記

古者，鄉先生歿而祭于社，所以尊道貴德也。後世仍之，以祀先賢。若董仲舒之于廣川，東方曼倩之于平原，羊叔子之于泰安，馬賓王之于茌平，在在莫不有祠。高唐，山東名郡，漢魏而下，代不乏人，宋金百年，列名科第者非一。其風聲氣習耳目之所接見，曰復軒先生閻公、澮軒先生康公。二先生之名德懿範，足以儀表士類，俎豆千秋。長民者久不暇舉，東陽吉君士安尹是州，乃用予言，謀于監郡幹朵忽都及郡邑僚佐。鄉人好義者，相與起堂廟學西廡之南，肖二先生之像而祀之。堂成，走書京師，以記爲請。按：復軒先生諱詠，字子秀，其先六世登科，先生擢金承安詞賦魁選，應奉翰林文字，居翰苑凡十年，終于洵南治中。子孫今爲郡人，有《復軒集》藏于家。坊名狀元者，表先生故居也。澮軒先生諱曄，字顯之，復軒先生高弟也。登正大詞賦甲科，與翰林學士承旨王文康公鶚爲同年友，釋褐鄭州司侯。試政畿郡，豪右斂跡，直聲聞于朝。金亡北歸，鎮國上將軍劉侯海，館于家塾，教授諸子。右轄嚴侯忠濟鎮東平。先生門人翰林學士復齋徐公世隆爲幕客，時方調兵經略江淮，首議修復泮宮，興學養士，職教導者非耆德宿望不可。遂起先生於高唐，當儒林祭酒以主師席。于是，四方學者雲集影從。先生憫喪亂之後，庠序久廢，慨然以陶成士類爲任，雖年踰從心，諄誨忘倦，凡經指授，往往著名當代。自復齋徐公接武始，國子祭酒集賢學士周砥、翰林學士承旨李謙、江西行省參政翰林學士承旨徐琰、翰林供奉淮東提刑按察使孟淇、禮部尚書集賢大學士張孔孫、集賢學士劉懋、國子司業楊桓、吏部尚書翰林直學士夾谷之奇，揚歷館陶者十餘人，司風憲握郡符暨不求聞達者尚衆。觀其作成人材之盛，先生之師友淵源可知已。雖然，在二先生論之，猶緒餘土苴耳。復軒先生當金元盛際，廷試魁天下，士論厭服。素慕張忠定公，爲人氣節豪邁，嘗以第一流自負。屏山李公純甫高視一世，獨深知先生不以爲過也。至若澹軒先生之篤信好學，六經子史無所不闚，發爲詞章，仁義之言藹如也。平居論學，言必稱師。其誨人，則日予不足法，當以希聖希賢自期。又嘗云：聖人之道，自徐行後長者始。蓋以操行爲先，文藝爲末。世之言醇儒者，率以先王爲首稱。嗚呼！古之所謂鄉先生德義可尊，非二先生其誰歟？尸而祝之，社而稷之，不特此鄉之人有所矜式，省風教者過之，抑可以觀政矣。（康熙五十一年《高唐州志》卷一〇）

楊氏義學記略

吴郡義田，自范文正公始。常熟縣楊侯實踵行之。侯家居琴川百有餘年，宗派既蕃，思以義庇其族。於沙頭里墾田若干，築舍二十楹，延耆儒以主師席，凡族中之貧者有養，老者有奉，少者得致力於學。予嘗爲部使者，知侯尚義之志，老而彌篤，不可不爲表見於世。（乾隆十三年《蘇州府志》卷二七）

加封桑乾河神廟碑記　大德二年

聖天子大德改元之明年，詔加封桑乾河神洪濟公爲顯應洪濟王，廣濟公爲協應廣濟王，溥濟公爲孚應溥濟王，從榮禄大夫平章政事御史中丞省或請也。按《水經》：桑乾河源潛承太原汾陽北山之天池，周環里餘，泓渟鏡鈞，洑流至朔州馬邑縣雷山之陽，匯爲七泉，曰上源，曰玉泉，曰三泉，曰司馬洪濤，曰金龍池，曰細盧，曰小浦，總謂之七輪，取其源泉混湧流轉不息若車輪然。其泉淵深莫測，水旱不加盈縮。七泉合而爲一，是爲桑乾河。由縣治之西，東南流朔州，北有七里河，西北山峪有朧河，南山有灰河，及雁門關太和□，凡水自南而北者悉歸之。過應州則渾源水自東來，雲中水自北來。又沿朔州之襄山，至順聖，則胡盧河水注之。經廣靈、靈仙、定安而北，以至□陽□□河懷來之瀉河。又縉山之水自東北來者，及山西之水皆會焉，是爲合河。入山至宛平縣境，分而爲二：一從瀘溝東南入海，一從金口絡都城東至通河，又會白河入海。此河之源委也。廟祀其來尚矣。稽諸石刻，自元魏隋唐相傳□蹟甚著，土人奉事甚嚴。其祠則重建於遼之應曆，再造於金之天會。祠在内麓有觀曰玉泉，綿歷兵燼，同墮劫滅，金大定所鑄之鐘僅存。天兵克汴之境，道士張道朗將爲起廢，而老弗勝任。時薦光大師吉知柔及其弟知明避兵河南，甫還鄉里，居朔州之寶籙觀，乃召昆弟二人爲己助，邑令朱獻鄉士上福成輩伯全相與協力，鳩材訓工，歲星一終而祠觀畢舉。道朗卒，薦光還居寶籙，命其弟知明代主祠觀。未歲，知明卒，復命其徒哉志冲主之。志冲卒，傳之其弟志和。歲戊午，志和以觀距祠差遠弗便香水之奉，謀之薦光，移置祠側，中建三清大殿，左右構十一曜十二元長殿，仍爲曾廣，廟制丹雘。煥然一新。日積月累，雲堂靜室庖庫之屬以次就序。置田四百畝有畸，導水以衡□磑，歲入贏羨以食其徒□□旅主。是後，朔武馬邑三處管民匠達魯花赤楊泰亨、朔武州管民長安□□州縣僚屬鄉邑士庶以力以財爭走祠下。武寧鐵冶官張天祐山陰□□寬資助尤多，左右志和。始終集事者，薦光之徒楊志樸也。今主祠事□□昭一淳和大師。先是，平章公崔彧家弘州，因娶朔州某人女，往來過寶觀，薦光見而異之，即約爲忘年。又日與講明道妙，且勸讀經史，熟古今治亂。乘間爲公言：「此鄉自昔豪傑輩出，邇來未見其人。昔人有言：『三年不飛，一飛衝天。』觀子之相，足以當之，異時榮吾鄉者，必子也。子其勉旃。」公曰：「予聞：桑乾神祠，前代皆有封爵，而未沐熙朝盛典。誠如師言，當以是爲報。」後公入侍禁輦，世祖高皇帝異其才，擢爲引進使，累遷集賢侍讀學士、刑部尚書、御史中丞、集賢大學士、僉樞密院事，出爲隴右河西道行中書省右丞，入參政府，進中書石轄，朔人始服薦光知人之明。公自居侍從，因代祀嶽瀆還，且言桑乾靈異，有禱輒應。古者山川能潤澤百里，天子秩而祀之，宜頒封號以應典禮。詔從之，事下中書省。公素秉直，不阿權倖，由是久爲當路者所抑。及拜御史中丞，乃申前請，始降璽書，封洪濟公爲顯應洪濟王，改玉皇觀爲玉皇宮。時薦光已上壽，終師臨終之日戒淳和等曰：「神祠舊列三像，洪濟之號雖有成議而二者未舉，予老不及竟事，爲吾謝崔公勉成吾志，庶無憾於九泉矣！」迨公進爵平章政事分司憲臺，至上都，復請于朝，遂有加封之命。此廟祀褒崇之所由也。璽書未頒前數月，公還自上都，以疾薨于中途。初以無恙日嘗以碑事相屬。公薨後三載，淳和走書幣京師，因公之子引進，使云叟道公疇曩之意，謂銘甚勤。于素辱公知厚，言猶在耳，其可以固陋辭？竊聞五嶽視三公，四瀆視諸侯，古之制也。自代東封西祀之禮行，封爵之號隨進，侯者自公而王，公者自王而帝，其崇奉可謂至矣。洪惟聖元，光□九有，懷桑百神，嶽鎮海瀆，悉仍近代之爵而徽顯之，號有加焉。惟桑乾爲燕朔巨浸，出畿甸而走京華。其襟帶之雄，溉潤之利，猶八水之於秦，三川之於洛，秩視江河淮濟，其孰曰不然，矧兹輪泉之奥，神龍所宅，靜則淵潛自彰，動則呼吸風雷，膏潤下土。比歲春夏之交，京畿雨暘不時，淮朔野之民，吁嗟雲榮，先沐神惠，民皆所戴，以神廟食此鄉，孚佑此鄉之民，理之常禮。予謂國家以殊常之禮事神，神必以殊常之效應之。惠澤沛於多方，靈死□於四遠，曼水德之遐昌，衛皇居於億載，凝旒端冕歆南面之祀，傳之無窮，豐功厚利，豈特浹一州而庇一鄉哉！廟碑之立，父老追念崔公盛德，請載石。公之爲人，莫辨邁倫。居中憲餘十年，振厲臺綱，敦明教本，直言確論，裨益時政，天下陰受其賜者多矣！議者猶以弗秉鈞軸終老惠文爲公惜也，姑爲述其梗槩，附諸編末，以慰鄉人之思。世傳六月十三日爲降神之旦，遠近來會，大合樂以享之。予既序作廟加封始末，乃賡報侑人之章，俾歌以祀神。其辭曰：

桑乾之水雄朔方，七輪派出雷山陽。東會衆流挾太行，襟帶燕薊遠海洋。□蟠鳳蹙環帝鄉，豐功厚澤何渺茫。古今廟祀秩有常，昔公其爵今乃王。命書三請誰肅將，平章公彧師薦光。

師今羽化公云亡，宜配廟食如彼桑。瓊爲饌兮桂爲漿，麗生有碑民涕滂。神兮福我時雨暘，祓除裁沴年降康。王京□盤壯金湯，聖元寶祚垂無疆。（成化十一年《山西通志》卷一四）

瓶城齋銘

爲淮東憲司知事凌德庸作。

利慾之兵，或隳吾城；躁厲之機，或發吾瓶。墨其守，不若修仁義之干櫓；金其緘，不若駕聖賢之説鈐。若然，則城何懼於脱扃，瓶何患乎建瓴哉。（《静軒集》卷二）

遠齋銘

吾友鉅夫，自洪之燕。有宅一區，有田一廛。舉頭見日，尺五去天。以遠名齋，義或不然。彼美鉅夫，學爲通儒。秉内相權，乘御史車。慶流千載，道濟八區。由是言之，不亦遠乎。（《永樂大典》卷二二五三五）

曲阜孔子廟碑

聖上嗣服之初，祇述祖考之成訓，興學養士，嚴祀先聖，自曲阜始。制詔曰：「孔子之道垂憲萬世，有國家者所當崇奉。」中外聞之，咸曰：「大哉王言，拭目太平文明之治。」粤明年，元貞改元，先聖五十三代孫密州尹治入朝，璽書錫命中議大夫，襲封衍聖公，月俸百千，秩視四品。孔氏世爵弗傳者久，至是乃復申命有司，制考辟雍，作廟於京師。由是四方嚮風，崇建廟學，惟恐居後。闕里祠宇，燬於金季之亂。閣號奎文，若大、中門闥存者無幾。右轄嚴公忠濟保魯，嘗假清臺頒歷錢，佐營繕之費。歲戊申，始復鄆國後寢，以寓先聖顔、孟十哲像。至元丁卯，衍聖公治尹曲阜，主祀事，將圖起廢，奎文、杏壇，齋廳、爨舍，即其舊而新之，禮殿則未遑也。國初，封建宗室，畫濟、兖、單三州爲魯國。大長公主駙馬濟寧王分地置濟寧總管府，屬縣十六，曲阜其一也。濟寧守臣按檀不華，恭承詔旨，會府尹僚佐鄉長者謀曰：「方今聖天子守成尚文，此鄉風化之源，禮義之所從出。爲守臣者，敢不對敭休命，以廟役爲任。」首出泉幣萬緡，衆翕然助之。傭工顧力，市木於河，輦石於山，掄材於野，宋棟櫨桷楹礎之屬悉具。又得泗水渠堰積石數百，石堊稱是，露階釦砌，咸足用焉。郡政之暇，躬爲督視。甄陶鍛冶，丹雘髹漆，以至工師廩積，各有司存。經始於大德二年之春，屬歲祲中止，蕆事於五年之秋，不期月而告成。殿矗重簷，亢以層基，繚以修廊。大成有門，七十二賢有廡，泗沂二公有位。黼坐既遷，更塑鄆國像於後寢。締構堅貞，規模壯麗。大小以楹計者，百二十有六。貲用以緡計者，十萬有畸。落成之旦，遠近助祭者，衣冠輻湊，衆庶瞻顒，千禩祖庭，頓還舊觀。於是衍聖公治遣其子曲阜令思誠奉表以聞，且以廟碑爲請。會選胄子入學，擢思誠國子監丞。特敕中書，賜田五十畝以供粢盛，復户二十八以應灑埽。仍下翰林，書其事於石。臣復承命踧踖，既述興造始末。竊惟聖人之道，與天地並；聖人之祀，與天地無極。堯、舜、湯、文之君不作，而道在洙泗，立言垂教，推明堯、舜、湯、文致治之由，模範百王，仁及天下。後世願治之主，莫不宗之。廟貌相望，達乎四海。聖人之道，固無係於祀禮之隆殺。夫尊其道而毖其祀，蓋治古之恒規，王政之所先也。洪惟聖元，神武造邦，天兵傳汴，戎事方殷，不忘存敬先聖之祀，詔求五十一代孫衍聖公元措歸魯裒集奉常禮樂於兵燼之餘。燕翼之謀，肇於此矣。世祖聖德神功文武皇帝仁霑義洽，九域混同，文物煥然可觀。内立國學，外置郡邑學官，而於先聖之後，尤所注意。遴選師儒，訓迪作成。需賢以嗣封爵，兹志未究，皇上纘而成之。故自紹膺景命，以敦化厲俗爲先務。至於博施濟衆，敷文來遠，哀矜庶獄，惠鮮鰥寡，由天縱之聖，見於設施，皆堯、舜、湯、文之舉措。諸聖經之言，若合符契，用能張皇教本，光昭先業，以致魯國臣民，思樂泮水，如附靈臺，子來之衆，至矣哉。觀文化下，必世後仁之效，豈特震曜一時，實宗社無疆之福也。銘曰：

道之大原，實出於天。天何言哉，乃以聖傳。傳道維何，唐虞三代。儀範百王，萬世永賴。聖人之功，與天比隆。聖人之祀，垂之無窮。皇元肇基，撥亂右武。天兵趨汴，周禮在魯。烝哉世皇，載整乾綱。始定終綏，遂臣萬方。肅肅魯庭，嗣封有典。德音孔昭，聖謨丕顯。王者之作，必世後仁。繼序不忘，成於孝孫。遹觀厥成，是訓是則。思樂泮水，作廟翼翼。如矢斯棘，如翬斯飛。籩豆靜嘉，陟降有儀。祀事孔嚴，世爵以延。汎埽有户，粢盛有田。聖政聿新，希蹤治古。僉曰皇明，登三咸五。泰山巖巖，聖祀綿綿。與國無疆，於萬斯年。（《靜軒集》卷二）

太師廣平貞憲王碑

三台平，乾象以清；五嶽奠，坤載以寧。三公得人，鼎祚以隆。蓋力莫競於柱天，勳莫高於靖亂，忠莫大於扶日。惟我太師、廣平貞憲王月呂魯公，自乃祖乃父，光輔聖元，豐功盛業，在天壤間，猶星之有台，山之有嶽歟。公阿爾剌人，小字玉昔。曾祖納忽阿兒闌，所居與烈祖神元皇帝接境，素敦仁里之好。始祖孛端察兒，以才武雄朔方。迨至貴顯，寵以不名，賜號月呂魯那演，譯云能官也。祖博爾朮，贈推忠協謀佐運功臣、太師、開府儀同三司，謚武忠。父孛欒䚟，贈推誠宣力保順功臣、太師、開府儀同三司，謚忠定，並追封廣平王。家分地，故以封之。武忠志意沈雄，善戰雄兵。太祖聖武皇帝在潛，共履艱危，義均同氣，征伐四出，無往弗從。時諸部未寧，每遇武忠警夜，寢必安枕。寓直於内，與語或至達旦。魚水之契，殆若天授。初，要兒斤部卒盜吾牧馬，武忠共往追之，時年十三，知其衆寡不敵，乃爲出奇，從旁夾擊之，寇捨所掠而去。及戰太赤兀里，鋒鏑既交，約畢命勝敵，無或退步。武忠繫馬於腰，跽而引滿，方寸不離故處，太祖推其膽勇。嘗潰圍於怯列，太祖失馬，武忠擁與累騎而馳，頓止中野，會天雨雪，張毳裘以翳，及旦，雪深數尺，龍顔弗霑，武忠植立通夕，足跡宛然不移，顛沛造次，脱主於難，雖古烈士無以加。蔑里期之戰，風雪迷陣，再入敵中，求太祖不見，急趨輜重，則御勒已還，卧憩車中，聞武忠至，曰：「此天贊我也。」及得天下，君臣之分益密，視夫人蔑里乞真，不廢邱嫂禮。皇子察哈解出鎮西域，有旨從武忠受教。武忠教以人生，經涉險阻，必獲善地，所過無輕舍止，謹白龍魚服之戒。玉音謂皇子曰：「朕之教汝，亦不踰是。」武忠既老，以病薨，太祖悼痛如喪所親。初，忠定之生，方還自蔑里期戰所，中涂護視，不啻如己子。長率父兵，襲爵萬夫長。國初官制簡古，置左古萬夫長，位諸將之上。首以武忠居右，東平忠武王居左。翊衛辰極，猶車之有輪，身之有臂。電埽荒屯，鼇奠九土，柱天之力競矣。貞憲王月呂魯公，器量宏達，襟度淵深，莫測其際。弱歲襲爵，統按台部衆。世祖皇帝聞其賢，驛召赴闕，見其風骨龐厚，解御服銀貂以貺。國朝重天官内膳之選，特命領其事，侍宴内殿，公起行酒，詔諸王妃皆執婦道。未幾，拜御史大夫。江南既下，裂土益封功臣後，即以泉州路爲分邑。公長臺憲，務振宏綱，弗親細故。興利之臣欲援亡宋舊制，併憲司入漕府；他日當政者又請以郡府之吏，互照憲司檢底。公言：「風憲所以戢姦。若是，有傷監臨之體。」其議乃格。公事上遇下，一本於誠。事有廷辨，當雷霆之下，辭益鯁直，天顔爲之霽威。至元二十四年，宗王乃顔叛東鄙，世祖躬行天討，命公總戎以先之。大駕至半道，則公已退敵，僵尸覆野，數旬之間，三戰三捷，獲乃顔以獻。詔選乘輿駞畜百蹄勞公，公謝曰：「天威所臨，猶風偃草，臣何力之有。」駕還，留公剿絶餘黨，執其酋金家奴，獻俘於朝，同惡數人，戮之軍前。明年，乃顔餘燼哈丹禿魯干復叛，再命公出師。兩與敵遇，皆敗之，追及兩河，威乘破竹。敵衆大衄，酋長遁去。時已盛冬，聲言駐兵，俟春方進。忽倍道兼行，過黑龍江，徑擣巢穴，殺戮殆盡。其酋莫知所終，夷其城郭，鎮撫遺黎而還。國家承平日久，而變生肘腋，貽九重宵旰之憂。公英猷載奮，不期月而三叛悉平，靖亂之勳偉矣。詔憫其勞，賜内府七寶冠帶以旌之，加太傅、開府儀同三司。申命禦邊杭海。二十九年，加錄軍國重事、知樞密院事。宗藩帥鉞，一切稟命於公。特賜步輦入内，位望之崇，廷臣無出其右。三十年，今上皇帝以皇孫撫軍北邊，公爲輔行，請授裕考所佩儲闈舊璽，詔從之。鼎湖上仙，公奉鑾馭而南。宗室諸王畢會上都，定策之際，公起謂皇兄晉王曰：「宫車遠駕，已踰三月，神器不可久虚，宗祧不可乏主。疇昔儲闈符璽既有所歸，王爲宗盟之長，奚俟而弗言。」王遽曰：「皇帝踐阼，願北面而事之。」於是宗親大臣合辭勸進。公復坐曰：「大事已定，吾死且無憾。」惟公一言，合臣民共戴之誠，成先皇付託旗之意，扶日之忠至矣。上即位之始，進秩太師，佩以尚方玉帶寶服，還鎮北邊。元貞元年冬，議邊事入朝，兩宫賜宴，酬酢盡歡，如家人父子然。先是，夫人禿忽魯蒙賜侍宴之服，曰只孫昭，異數也。命婦獲受此服，由公家始。自餘奇珍祕寶，賞賚弗可殫紀。還鎮有期，不幸遘疾，以十一月十八日薨於賜第之正寢，雨水冰者連日，春秋五十有四。上聞之，震悼不已，敕有司給喪賻賵有加，刳香木爲棺，錮以金銀，北葬於怯土山之原。大德五年春，詔贈宣忠同德弼亮功臣，依前太師、開府儀同三司、錄軍國重事、御史大夫，追封廣平王，謚曰貞憲。祖妣蔑里乞真，妣完顔氏，及夫人抄真、夫人禿忽魯，皆封廣平王夫人。抄真先卒，禿忽魯今主家事，訓迪諸子克成，奉先述繼之美。子男三人，曰木剌忽，曰脱鄰，曰禿土哈。女三人，曰失鄰，適太師興元忠憲王完澤之子中書右丞長壽；曰不蘭兮，適宣政使答失蠻之子泉府少卿不列禿；曰班真，在室。木剌忽年未及冠，詔選皇彌甥女八都馬妻之，仍襲爵萬夫長。復命公之介弟禿赤爲御史大夫。九年春，有詔爲公植碑通逵，載揚丕績（二）。事下翰林爲文，臣復竊惟伊尹相湯，伊陟復稱名臣。呂望興周，呂伋嗣封大國。載在方册，以爲美談。公家歷事累朝，奕世載德，師垣萃於一門，王爵加於異姓，其視商周賢佐，宜無少讓。以之勒景鍾、光信史，其誰曰不然。小臣作銘，不獨表異渥於宗臣，尚篤子孫忠孝之勸。銘曰：

皇元肇基，天挺神武。祝栗驤龍，崆峒嘯虎。猛將如雲，謀臣如雨。矯矯武忠，攀鱗附羽。草昧經綸，疏附禦侮。力竭股肱，誠殫心膂。忠定桓桓，勳伐繼樹。命佐商周，德符伊呂。龍斷立極，鷹揚啓土。元祚如天，忠力可柱。顯允貞憲，事子世祖。綱振烏臺，望崇紫府。寇起東藩，天戈奮舉。公在前鋒，氣盈一鼓。敢以虜憂，遺之君父。駕至中途，公已退虜。一戰而勝，還師帝所。孽燼復然，餘勇再賈。威乘破竹，敗之水滸。三叛悉平，遺黎按堵。天語勞公，賞錫繁舞。公曰天威，如拉朽腐。還鎮朔方，彈壓虎旅。日贊重明，龍飛九五。乃冠台纏，乃執圭珇。公之庇民，如室斯宇。公之衛社，如棟斯礎。方倚長城，遽停相杵。當宁盡傷，行路悽楚。褒德賞功，恩洽施普。績紀金石，家联簪組。咨爾後人，無替成矩。泰山如礪，黄河如縷。爵以永傳，焜燿千古。

〔一〕載揚丕績：載，原作「戴」，據《國朝文類》改。

駙馬高唐忠獻王碑銘

大德九年秋七月，詔謚故駙馬高唐王闊里吉思爲高唐忠獻王，曾祖阿剌兀思剔吉忽里追封高唐忠武王，曾祖妣阿里黑爲高唐王妃，祖駙馬孛要合爲高唐武毅王，祖妣皇曾祖姑阿剌海別吉爲齊國大長公主，父駙馬愛不花爲高唐武襄王，妣皇姑月烈爲齊國大長公主。忠獻王前尚皇姊忽答的美實追對齊國大長公主，繼尚皇女愛失里追封齊國公主。從介弟高唐王朮忽難請也〔一〕。恭承卹典，命府屬王元舉狀先世勳德，謁銘麗牲之碑。謹按家傳，系出沙陀雁門節度之後。始祖卜國，汪古部人，世爲部長。亡金塹山爲界，以限南北，忠武王一軍阨其衝。太祖聖武皇帝起朔方，併吞諸部。有國西北，曰帶陽罕者，遣使卓忽難來謂忠武曰：「天無二日，帝無二王，汝能爲吾右臂，朔方不難定也。」忠武素料太祖智勇，終成大事，決意歸之。部衆或有異議，忠武不從，即遣麾下將禿里必答思齎酒六榼，送卓忽難於太祖，告以帶陽之謀。時朔方未有酒醴，太祖祭而後飲，舉爵者三，曰：「是物少則發性，多則亂性。」使還，酬以馬二千蹄、羊二千角。上詔忠武：「異日吾有天下，奚汝之報，天實監之。」

且約同征帶陽，會於某地。忠武先期而至，既收帶陽，天兵下中原，忠武爲嚮導，南出界垣。留居鎮守，爲疇昔異議所害，長子不顏昔班死焉。武毅尚幼，王妃阿里黑挈之，偕猶子鎮國夜遁至界垣。門已閉，訴於守者，縋垣以登，逃難雲中。太祖聞忠武死，悼痛不已。戎事方殷，未暇治也。雲中既下，詔求王妃二子，得獲賙卹，孤嫠甚渥。鎮國至，封北平王，握金印。武毅自齠齔，太祖攜征西域，還，年十七[二]，鎮國已卒，繼封北平王，尚齊國大長公主，仍約世婚，敦交友之好，號按達忽答。鎮國之子聶古斛，亦封北平王，尚睿宗皇帝女獨木千公主，略地江淮，歿於戎事。詔以興州户民千計給葬，其户至今隸王府。齊國大長公主，明慧有智略，祖宗征伐四出，嘗攝留務。軍國大政，率咨稟而後行，師出無内顧之憂，公主之力居多。初，武毅未有子，公主爲進姬侍，以廣嗣續，鞠育之恩，不啻己出。子男三人，長君不花，仲武襄王，季拙里不花。君不花尚定宗皇帝長女葉里迷失公主。從憲宗皇帝伐宋至釣魚山。宋人堅壁不下，我師環攻。宋卒乘壁而詬，傍有坐而張蓋者，以謂弧矢不我及也。君不花素善鞭箭，射之以顛，遂拔其壘。三子：曰囊加斛，曰邱鄰察，曰安童。邱鄰察尚宗王阿直吉女回鶻公主。國朝之制，凡宗室之女皆稱公主。武襄雖貴爲帝婿，總戎日多，家居日少。中統初，釁起鬩牆，敗叛將闊不花於按檀火爾歡，獲其屬。鎮海、濟南之役，環城當南面，寇數出南門，禦以勁兵，輒復内竄，以至授首。還率所部從大軍伐叛西北，敗叛王之黨撒里蠻於孔吉烈。數日之間，會戰凡七，俘獲甚衆。撒里蠻尋復來歸。拙里不花鎮雲南而卒。子火思丹尚宗王卜羅出女竹忽真公主。武襄所尚齊國大長公主，世祖皇帝季女也。生四子，長忠獻王。次也先海迷失，早世。次阿里八解，耽嗜儒術，尚宗王完澤女奴倫公主。今高唐王尚宗王兀魯解女葉綿千真公主，早卒。再尚宗王奈剌不花女阿實禿忽魯公主。女三人，必札匣爲皇兄晉王妃，葉里蠻爲宗王按攤不花妃，忽都魯爲河間王也木干妃。忠獻王生長北方，金革之用，固其所長，而崇儒重道，出於天性，興建廟學，裒集經史，築萬卷堂於私第，講明義理，陰陽術數，靡不經意。宗王也不干叛，率精騎千餘，併行旬日。追及之時，天盛暑，將戰，北風大起。衆請勿戰，王曰：「盛暑得風，天贊我也。」策馬以進，大敗敵軍，殺掠殆盡，叛王以十餘騎竄。是役也，王身中三矢，一矛斷其髮。凱旋，詔賞黄金二鎰，白金千鎰。聖上御極之初，特頒金印，封高唐王。駙馬封王，蓋自王家始。王以西北未庭，請往征之，詔初不允，請至再三，方許之。將行誓曰：「邊塵不清，義不旋轡。」大德改元，夏四月，與敵遇於伯牙思，或謂俟大軍畢至，戰未晚也。王曰：「丈夫爲國死敵，奚以衆爲。」於是鼓譟而進，大破敵軍，殺傷甚衆，禽將卒百餘人以獻。詔嘉其勇果，賜以先皇所御貂裘、寶鞍，繒錦七百，介胄、兵器有差。二年秋，諸王將帥會於邊，共籌邊事，咸謂：「往歲敵無冬至之警，宜各休兵境上。」王曰：「今秋候騎至者甚寡，所謂鷙鳥將擊，必匿其形。兵備不可弛也。」衆不以爲然，王獨嚴兵以待。是冬，敵果大至，彼衆我寡，三戰三卻之。王乘勝追奔逐北，深入險地，後騎莫繼，不虞馬傷而僕，至陷敵域。敵初待以婿禮，數欲誘降。應對之際，皆效忠保節之語。又欲妻之以女，曰：「吾不睹皇太后慈顔，非聖上面命，不敢爲婿。」卒不能奪其志。上憫王陷敵，欲遣使理索，未得其人，王府藎臣曰：「阿昔思往在戎陣，嘗濟王於險，衆推其可用。」乃遣使敵。一見王於稠人中，首問兩宫萬安，次問嗣子安否，語未竟，輒爲左右所蔽。翼日遣還，王竟以不屈而終。嗚呼！昔忠武以一旅之衆，經綸草昧，去僞歸真，繼以北平父子、武襄昆仲，披堅執鋭，畢命邊陲以死勤事，至王凡四世矣。蓋王平生潛心聖學，綱常之分了然於胸中，知義重於生，故臨難無苟免，可謂無忝爾祖矣。至於世締國婣，奕葉封王，河山帶礪，子孫世爵，聖朝所以崇德報功，斯亦至矣。初王之北也，世子主安甫脱襁褓。以詔其弟术忽難，才識英偉，授以金印、玉帶、海東、白鶻，封高唐王。襲爵之後，恪守父祖成業，撫民御衆，境内乂安。時齊國公主卒已久，凡王之珍服祕玩，悉令謹厚者掌之，以需世子成立。又慨兄死節，及先德闇而弗彰，俾元舉走京師，列其事以聞，光荷封謚之號。其孝友敦睦，雖儒素承家，有不逌焉。嗚呼，賢哉。銘曰：

太祖聖武握乾綱，風飛雷厲起朔方。忠武華胄踵後唐，疆界南北司壕隍。有國西北名帶陽，射日之弧期共張。告以僞謀吞厥疆，孤忠竟爲寇所戕。帝聞其死久盡傷，世婣汝締寵渥彰。鎮國金鈕何煒煌，武毅繼踵服王章。子復尚主歿戎行，一門三將迨武襄。東殄海寇斧其吭，北禦邊釁平鬩牆。偉哉高唐忠獻王，外系演慶疏天潢。帝姬再降惠澤滂，尊師重道興郡庠。俗衽金革北方强，禮義一變齊魯鄉。英風勁氣直以剛，捐軀報國分所當。千載烈日横秋霜，河山誓爵奕葉昌。

〔一〕從介弟高唐王术忽難請也：术，原作木，據《國朝文類》改。

〔二〕年十七：十七，原作「七十」，據《國朝文類》改。

樞密句容武毅王碑

公欽察人。其先係武平北折連川按答罕山部族，後徙西北絶域，有山曰玉理伯里，襟帶二河，左曰押亦，右曰也的里，遂定居焉，自號欽察。其地去中國三萬餘里，夏夜極短，日暫没輒出。川原平衍，草木盛茂。土産宜馬，富者有馬至萬計。俗衽金革，勇猛剛烈，蓋風土使然。公之始祖曲年，高祖唆末納，曾祖亦納思，世爲欽察國王。太祖征蔑乞國，其主火都奔欽察，遣使諭亦納思曰：「汝奚匿子負箭之麋，亟以相還，不然禍且及汝。」亦納思謂使者曰：「逃鸇之雀，藂薈猶能生之，吾顧不如草木耶。」歲丁酉，憲宗在潛邸，奉命薄伐，兵已扣境，公之父班都察，舉族迎降，從征麥怯思國。世祖征大理，伐宋渡江，率其種百人侍左右。以其俗善蒭牧，俾掌尚方馬畜。歲時潼馬湩以進，其色清徹，號黑馬乳，因目其屬曰哈剌赤，蓋華言黑也。中統初，同氣有鬩牆之釁，靖亂第功，賞銀百兩。公年逾弱冠，亦以功受銀五十兩。班都察卒，乃襲父職，備宿衛。宗室海都，粤自先朝，畔涣朔方。國家根本之地在北，詔遣皇子北平王率諸王鎮守之。至元十四年，諸王脱脱木、失烈吉叛，北平諸部暨祖宗所建大帳盡爲所掠。公請爲國宣力，率兵討叛，以其年三月敗敵將脱耳赤顔於納蘭不剌，邀諸部以還。夏四月，應昌部族只兒瓦解構亂，脱脱木聞之，引兵相應，中途遇公，將會戰，禽其偵高者數十騎，敵乃引退，只兒瓦䚟勢孤不能振，尋即殄滅。夏六月，聞敵駐禿兀剌河，馳至河上〔一〕，追奔逐北，三宿而後返。秋八月，復敗敵於斡歡河〔二〕，獲所掠祖宗大帳。北平部衆，悉追還之。詔公率欽察驍騎千人，從大軍北伐。十五年正月，追失烈吉，過金山，禽扎忽䚟等以獻。繼敗寬折哥等〔三〕，被創力戰，獲輜重、羊馬甚衆。有旨：欽察種人，或隸諸王，或在民編，皆命析出，隸公部伍。於是户給楮幣二千緡，歲賜粟帛，擇材堪宿衛者從事輦轂。二十三年，置欽察親軍都指揮使，公以樞密副使攝都指揮使，衛之官屬，聽以公宗族將吏爲之。夏六月，海都兵犯金山，詔公與大將朶兒朶懷共爲守禦計〔四〕。二十四年春，東藩諸王乃顔叛，陰結其屬也不干、勝剌哈於北邊，諜者二人至軍中，爲公所執，盡得其情，遣使以聞，且言宜召勝剌哈等赴闕。一日，勝剌哈設宴召公及朶兒朶懷，朶兒朶懷將往，公止之曰：「彼包藏禍心，吾屬至，必被禽，大軍誰與統屬。」遂不往。尋有旨，令勝剌哈入朝，將東道進，公言於北安王曰：「若輩分地在東，脱有不虞，是縱虎入山林也。」乃命從西道進。既而有言也不干叛者，衆欲先聞於朝，然後發兵，公言：「兵貴神速，吾盡忠於國，當臨事制宜。若彼果叛，兵至可即屠之。否則，與約而還。」衆以爲然。即日啓行，公爲前鋒，疾驅七晝夜，渡禿兀剌河，與也不干戰於孛怯嶺，彼大敗，俘獲無算，也不干僅以身免。世祖親征乃顔，聞也不干敗走，遣使諭公收其餘黨。沿河而下，遇叛王也鐵哥軍萬騎，擊走之，獲乃顔羣牧馬畜，禽叛王哈兒魯等，獻俘行在所，悉誅之。欽察、康里之屬，自叛所來歸者，即以付公。始置哈剌魯萬户府，欽察之散處安西諸王部下者〔五〕，悉令公統之。冬十月，乃顔餘黨復萌。成宗時在儲闈，詔命公扈從往征之。十一月，兵至海刺，誅叛王兀塔海等，降其部曲。二十五年，諸王也只里部衆爲叛王火魯哈孫所掠，遣使告急。公復奉命從成宗率師往援〔六〕。夏五月，與敵戰於兀魯灰，彼軍敗衄，也只里部衆盡復。師還至哈剌溫山，聞叛王哈丹軼我邊鄙，宵濟貴烈河，大敗敵軍，哈丹脱身以竄。遼左諸部悉爲我有，乃置東路萬户府鎮守其地。二十六年春，從皇孫晉王征海都。夏六月，兵抵杭海嶺，敵先據險，我師失地，爲敵所薄，軍士隨潰。公一軍獨前，鏖戰久之，翼衛晉王而出。行至信宿，聞襲騎在後，公選精鋭爲殿，設伏以待之。襲騎聞之，遂不敢進。秋七月，世祖巡幸北邊，褒諭公曰：「惟昔聖祖肇基，失利於王罕。二三藎臣，同飲班术河水者，至今稱之。卿心衛社稷，馳譽朔南，雖死之日，猶生之年。卿其勉旃。」還至京師，會宴羣臣，復諭公曰：「朔方人來，海都有言：『杭海之役，使彼邊將，人人善戰如土土哈，吾屬安所措矣。』凡有功將士可令入見〔七〕，朕欲面加優賞。」公言：「慶賞之典，蒙古將士宜先之。」世祖曰：「卿毋飾讓，若輩誠居汝曹之右，盍效汝曹力戰耶。」明日，召諸將士，頒賞有差。二十八年秋，公率哈剌赤萬人北獵漢塔海。敵衆將入寇，知公在邊，遂引去。二十九年秋，略地金山，虜海都之黨三千餘户，還駐和林。三十年春，有詔進取乞里吉思。師次欠河，冰行數晝夜至其境，盡收五部之衆，屯兵鎮守之。遣使奏功，進秩龍虎衛上將軍，仍給行樞密院印，以便文移。夏五月，海都聞公取乞里吉思，引兵至欠河，復爲公所敗，禽其將孛羅察。一歲之間，三著雋功。成宗即位，以邊圉事重，須公鎮守，有旨無預朝會。元貞二年秋，宗室諸王附海都者率衆來歸，邊民驚擾，往往逃匿山谷。公率兵直抵金山、玉龍罕界，饋餉資糧，安集衆庶，導諸王岳术忽等入朝。公爲將鷙猛，先期制敵，應變如神，尤善激昂士氣，臨陣誓師，人百其勇。至若出司閫鉞，入贊機樞，忠國大計，知無不言。古之所謂熊羆之士、不二心之臣，於公見之。

〔一〕馳至河上：至，原脱，據《元朝名臣事略》補。　〔二〕復敗敵於斡歡河：斡，原作「幹」，據《元朝名臣事略》、《元史》改。　〔三〕繼敗寬折哥等：哥，原脱，據《元朝臣事略》、《元史》補。　〔四〕詔公與大將朵兒朵懷共爲守禦計：計，原脱，據《元朝名臣事略》補。　〔五〕欽察之散處安王諸王部下者：者，原脱，據《元朝名臣事略》補。　〔六〕公復奉命從成宗率師往援：奉，原脱，據《元朝名臣事略》補。　〔七〕凡有功將士可令入見：入，原脱，據《元朝名臣事略》補。

丞相興元忠憲王碑

公祖士薛〔一〕，乘時草昧，從太祖起朔方，平諸部。歲壬辰，太宗大舉伐金，六師趨汴。先期命睿宗由陝右進，以士薛爲前鋒，取道金房，絶漢上流，略襄陽、方城而北，破金卒二十萬於陽翟。金亡，有事於蜀，襲武林、興元、閬、利諸州〔二〕，拜都元帥。辛丑，取成都，誅宋將陳隆之，西蜀以平。父線真，早侍潛邸。中統元年，天戈北舉，捍禦不虞，率身先之，還拜宣徽使。四年，進中書右丞相。時朝制草創，登政府者多宿儒耆德，相與訏謨廟堂，皆經國永圖。中統三年，封皇子爲燕王，領中書省，是爲裕宗。詔選王府僚屬，聞公之賢，即以應選。久之，署東宮詹事長。入籌帷幄，出掌環衛，小心畏慎，夙夜在公，裕皇甚器重之。一日，會宴宗室[三]，指公語衆曰：「先正有言：爲人上者，當務親善遠惡。善人如完澤，豈易得哉。」鶴馭上賓，仍主東宮衛兵。成宗以皇孫伐叛北方，詔公總治軍旅，輔行者凡再。至元末，姦臣竊弄威福，事敗伏辜，端揆難其人，博選於衆，無以踰公，乃拜中書右丞相。登進善良，湔除弊法，朝政煥然一新。方權姦之熾，分遣使者乘傳諸道，以會計爲名，肆爲掊克，公私騷然。公爲奏請，自中統初積歲逋懸一切釋而勿論，迄今人賴其利。公承玉几末命，參定大策，內稟皇太后睿謀，外合宗親大臣之議，居冢宰統百官者踰三月，古之所謂不動聲氣，措天下於泰山之安，惟公足以當之。成宗纂承大統，首議加上祖考尊謚，致隆福長樂之養，分寶展親，大賚四海。朝廷之治，一以倚公。公在相位[四]，上體淵衷，勤卹民隱，數下寬大之詔，散財發粟以鉅萬計，宣布皇仁，斯亦至矣。大德四年，加太傅、錄軍國重事。內秉鈞衡，外綜邊務。位望益崇，股肱心膂之託益重。天祐皇元，宗臣碩輔，稟靈河嶽者，不爲不衆。若夫忠藎傳家，薦履上台，績用著於累朝，處中書十有二考，惟公一人。當其四罪咸服，治厎雍熙，既彰世祖知人之明。至於運佐重光，元貞載造，偃革以宅南交，睦族以協萬邦，拯災救患，博施濟衆，克廣聖朝安民之惠，致君唐虞之效，昭然在人耳目矣。

（以上《靜軒集》卷三）

〔一〕公祖士辥：士，《元史》本傳作「土」。

〔二〕襲武林興元閬利諸州：林，原作「休」，據《元朝名臣事略》

改。

〔三〕會宴宗室：會，原作「重」，據《元朝名臣事略》改。

〔四〕公在相位：公，原闕，據《元朝名臣事略》補。

全元文卷二一九六

閻復 三

平江府報恩萬歲賢首教寺碑 至元二十九年

至元壬辰，予客吳郡，正月望日，游報恩寺。南軒薰公大師迎憩丈室，導予登塔，周覽殿廬。師體貌魁梧，儼若梵僧。問年則與予同庚甲。他日肩輿來訪，持報恩興替之蹟，求爲寺碑。予辭以未暇。居數月，觸熱復來，申命典記，往返再三，辭不獲命，遂書其事，俾刻諸石。按：報恩本吳通玄寺，吳主孫權爲乳母陳氏作也。隋代陳，爲吳令孫寬所廢，唐僧慧頵更築之。開元中，詔郡國命藍爲開元寺，郡以此寺應詔。大順、乾寧，復毁於兵。錢氏有國日，即故址而新之，揭以支硎山報恩舊額，報恩之名，實本於此。古塔起於梁僧正慧，久墮劫灰。元豐重建，蘇文忠公軾嘗捨銅龜以藏舍利。崇寧初，賜名萬歲。建炎之難，鞠爲煨燼。今所存者九成，蓋紹興僧金大圓所造。寺有釋伽文佛示寂像，長及數丈，弟子環繞擗踴哭泣，極形似之工，土人多呼爲卧佛寺。近歲，淳祐敕造傑閣，以覆兹像，且錫今額。圖志相傳，又有不染塵觀音像，唐太和石經像，毁於建炎而復於紹興，金石則蕩爲泠風矣。自吳赤烏紀年，迄今千有餘歲，浙右精藍，此爲最古，舊分文殊、法華、泗洲、水陸、普賢五院，合而爲一，大敞法筵，榜曰華嚴性海，實出芝林、石橋諸師手。薰公，即開山崧鑒義法孫也。皇朝混一之初，來主教席，以謂寶坊淨域，臣子祝釐之地，不可不嚴。於是度材訓工，歲緝月累，起外山門，營東西廡，中甓法堂，上嚴塔劫。若賓寮、若懺室、若土地祠、若華嚴寺祖師殿、若僧堂，以至井亭、浴室、猊座、法器之屬，弊者以新，缺者以完，墜者以舉，輪奐以楹計數百有畸，墍闢以畝計數千有畸，工用以緡計數萬有畸。予既叙寺緣始末，且諗以報恩之説曰：「父子之親，人皆有之；君臣之義，人皆有之。今師以無礙辨才，闡揚妙法，因權顯實，納民於善。俾爲子者，思竭力以報親；爲臣者，思盡忠以報國。豈非真報恩耶。十篇之義，孰外乎是。」師曰：「善哉。」謹繫以銘。其辭曰：

佛日西暉，慈雲東冒。赤烏紀祥，通玄斯肇。禎明被兵，乾寧陷盜。扁去開元，迺崇今號。塔始蕭梁，中嚴佛寶。元豐起廢，蘇文可考。圮於建炎，金圓再造。滄海幾塵，炎岡幾燎。不壞真如，長圓覺照。孰主是緣，孰明是妙。崧秀相傳，維薰克紹。載闢堂筵，載嚴塔廟。彩繪虚空，金瑰蓬藋。鷲表靈蹤，龜呈吉兆。花雨晝零，蓮燈夕耀。啓迪愚迷，闡明道要。何恩不酬，何德不報。爲臣思忠，爲子思孝。是名報恩，允符真誥。歷劫光華，恢弘象教。（以上《靜軒集》卷五）

大元重修釋源大白馬寺賜田功德之碑

聖上大德改元之四年冬十月，釋源大白馬寺告成，詔以護國仁王寺水陸田在懷孟六縣者千六百頃充此恒産，永爲皇家子孫祈福之地，仍命翰林詞臣書其事於石。臣復謹按清慧真覺大師文才所具事蹟：漢永平中，摩騰竺法蘭以白馬馱經至於西域，初假館於鴻臚，後即東都雍門外建白馬寺，爲譯經之所。嗣後沙門踵至，若康僧會之於吳，佛圖澄之於晉，鳩摩羅什、求那跋摩之於宋，玄奘、無畏之於唐，千載而下，經綸日繁，教風日競，北至幽都，南踰瘴海，東極扶桑，西還月窟蓮宫，梵宇彌亘大千，實權輿於此。綿歷劫火，寺之興廢所可考者，宋翰林學士蘇易簡文石在焉。國初有僧白英山主，以醫術居洛，罄藥囊之貲，謀爲起廢。或訝其規模太廣，工用莫繼，則曰：「茲寺中華佛教根柢，他日必有大事因緣，予弟爲張本爾。」至元七年，帝師大寶法王帕克巴，集郡國教釋諸僧，登壇演法，從容詢於衆曰：「佛法至中國，始於何時？首居何刹？」扶宗弘教大師龍川講主行育，時在衆中，乃引永平之事以對，且以營建爲請。會白馬寺僧行政言與行育叶，帝師嘉納，聞於世祖聖德神功文武皇帝，特勅行育綜領修寺之役。經度之始，無所取財，遍訪檀施於諸方，洊更歲龠而未睹成效。帝師聞之，申命大師丹巴董其事。丹巴請假護國仁王寺田租以供土木之費，詔允其請。裕宗文惠明孝皇帝時在東宫，亦出帛幣爲助。於是，工役始大作，爲殿九楹，法堂五楹，前三其門，傍翼閣，雲房、精舍、齋庖、庫厩，以次完具，位置尊嚴，繪塑精妙，蓋與都城萬安、興教、仁王三大刹比勳焉。始終閱二紀之久，緣甫集而行育卒，詔贈司空鴻臚卿，謚護法大師。文才繼主席，酬酢衆務，率其屬敏於事者曰淨汴等，以畢寺之餘功。落成之際，仁王寺欲復所假田租。文才即遣僧奭言於丹巴曰：「轉經頌禧，寺所以來衆僧也。有寺無田，衆安仰？」丹巴令宣政院官達實愛滿等奏請，遂有賜田之命，且勑有司「世世勿奪」云。（文淵閣四庫全書本《河朔訪古記》卷下）

高唐斡朶忽都政績碑

高唐，齊右上游，襟帶□□，爲燕南名郡。聖元開創之初，封建宗室，皇曾祖姑齊國大長公主駙馬高唐武毅王，有佐命之勳，裂高唐、夏津、武城三縣，爲湯沐邑，迄今爲皇甥駙馬都尉趙王分地。國朝之制，宗室諸王得承制署官監治封域，號達魯花赤。武德將軍斡朶忽都，自乃祖、乃父來涖兹郡，有德于民，凡三世矣。予壯歲游宦南北，是時君年尚幼。襲爵之後，予在翰苑，凡輶傳往來□□，語賢監郡者，□以及君。郡之守令，秩滿謁選至京師，稱君之賢，如出一口。迨予致仕言還，君以鄉長者事予，禮文甚至。君系出朔方右族，讀書通大義，體貌謙恭，尊賢容衆，雖位居牧守之上，年長于己，則必待以兄禮。歷官兹久，律己益嚴，御衆益寬，上民愈加敬愛。一日，郡之耆艾孫居禮、李義等，將爲君礱石頌美，持文學掾翟若玉所述事狀，相與謁文于予。予謂：「武德君之賢行，路之人皆知之，碑之衆口久矣，奚俟予言哉？」雖然，觀水有術，必觀其瀾；觀政有方，必觀其迹。予去鄉餘三紀，還至其境，田野開闢，桑麻交蔭，見其留意農事，激勸游惰，力穡務本者衆矣。過其市，則商旅駢集，列肆相望，夏屋渠渠。見民居，視昔富且庶矣。入其庭，則無鞭朴之嚚、牒訴之煩，囹圄屢空，見吏民嚮化，盜賊屏跡矣。瞻仰郡學，禮殿廊廡，宏敞壯麗，有加于前。講授有堂，鄉賢有祠，儲書有所，籩豆簠簋，禮器咸備，爰及郊遂百家之聚，皆立廟庠。見武城絃歌之風，所被者廣矣！至于嚴公廨以聳民望，新驛傳以安使軺，祀三皇以勉勵醫學，置義阡以救喪葬無所歸者，仁民之事，靡不具舉。前後所閲守令至十餘輩者，總持大綱，倚以事功，居無媢嫉，而行無掣肘，俾各盡其才分之所至，可謂樂取諸人以爲善，得監治之體矣！史敍循吏，所謂寛厚簡靜不至于嚴，而民從化，庶幾德讓君子之遺風，于君見之。迺的輿人之誦著于編，觀風謠者尚有采焉。其辭曰：

一郡之政，責在于守。書境制行，監郡居右。郡符予握，郡寄予授。或肆巇輒，爾可與否。守也難才，將無措手。惟武德君，朔方華胄。世爵相承，□朱結綬。福我郡人，明崇德懋。敦睦僚屬，義同交友。假以事權，間或掣肘。布宣皇澤，賑恤災咎。我行其野，農熙于畝。靡田不桑，無地不耨。我過其市，商賈輻輳。繭絲之饒，交相易貿。乃觀郡庭，事無紛糾。民樂公輸，怯於私鬬。囹圄屢空，□講攘寇。乃瞻廟學，丹碧户歸。□□□□，□□□□，禮器範金，犧尊象卣。明倫有堂，師席訓誘。亂□□祠，先儒領袖。四及郊遂，孔堂畢搆。化被絃歌，民□俎豆。新驛皇皇，庖傳庫廄。遷置近郊，以便馳□。□祀羲農，軒岐配侑。勉勵醫學，以拯疾疢。

乃置義阡，闢田近藪。貧無所歸，民喪爾救。若守若令，才多異茂。凡此治功，樂爲予就。境川清寧，民川安富。豪猾斂跡，風俗歸厚。郡人美君，將勒瓊玖。惟君令名，播之衆口。作爲歌詠，庸視永久。（明萬曆二十八年《東昌府志》卷二〇）

吉公士安去思碑 植節

高唐知州吉君仁甫受代後，州之耆老吏民將植碑郡庭以著遺愛，請于監郡武德君。君聞之忻然，礱石兹久，以郡邑事煩而不暇舉。今知州王奉議、縣尹戴承事到任之朞月，武德君洎縣長進義君語及其事，咸謂吉君惠愛在民，民之情不可拂也，君之善不可泯也，相與謁文于予。予詢諸耆老曰：「古之所謂長吏，必有異政，若劉琨、宋均之虎暴去境，王阜、令狐燕白烏甘露之瑞，見于史傳。吉君爲政，寧有是乎？」曰：「無有也。」又問：「古之所謂良民吏者，必廣耳目以示明察，使民畏服，若黄覇之亭烏攫肉，趙張三王鉤鉅之利，發奸摘伏如神。吉君爲政，寧有是乎？」曰：「無有也。」「然則，君之爲政，奈何？」曰：「君之律己也廉，處事也平，遇下也寬而有制，以謂治道在安靜，克謹老氏烹鮮之戒，病民之事，力務去之。郡當南北之衝，江浙物貨歲走京師，隆冬河結，課民輦運，跨越德州陵州之境，直抵河間，往返八百餘里，人牛凍餒于道。君下車之日，講求民瘼，首及于此，即以逸勞不均言之省府。符下德之平原，協力三之一近，至陵州而代。大德壬寅，歲荒，民饑至割榆膚而食。君具以其狀，聞于朝。朝降寶券七萬五千緡以賑之，均散貧民，獲免流移之患。齊右繭絲沃壤，視他郡爲最。君謂歲入豐儉，係人力之勤惰，勸課弗嚴，長吏之責也。乃遵《農桑要旨》，勗民耕耨，懇切至到。老良農之訓誨子弟，不啻過焉。君才優治劇，樂取諸人以爲善。州之驛舍舊居廨署之側，路經闤闠，老稚竭蹶以避馳傳。會縣尹趙君請事改作，就令相地東城，鬻署前隙地得錢萬緡，創構新驛，堂廡庖庫大小數十楹，工用材力，一切不煩於民，規模壯麗，甲于他郡。律度量衡，治天下之先務。君以民間所用輕重大小不同，吏得以高下其手，于是命工制造，一遵省部定式爲便。吾黨素號禮義之郡，澹軒先生康公及其先生閻公桑梓在焉。郡之學者，霑丐膏馥爲多。君捐俸貲，倡率士民，爲二先生立祠，配享廟庠，使郡人有所矜式。每至朔望，率胥吏入學，聽教官講讀律令，以啓迪其良心。冬夜爲置講席，至春首始罷，躬親庶務，弗以爲勞。至于賦斂有程，無追呼犬吠之警。庭無留牘，群下不得夤緣以爲奸。前積年所未決者，一旦剖析，人情靡不悦服。若此之類，吾屬受賜者非一。」予聞耆老之言，詳君政績，蓋職分之所當然，初無過高難行之事，何致吾民眷眷如是哉？豈非仁信篤誠有足感于人心，不求譽而譽自至。予既美君能盡職分之所當然而結吾民去後之思，又嘉武德君監治有體以成同列之名而流芳琬琰，奉儀君相率郡邑僚屬共爲贊成之，其視人之有技娟嫉以惡之者，賢不肖何如也。故樂爲之書。昔籧伯玉耻獨爲君子，凡居是任者，上體聖朝勤恤民隱之意，下有賢監郡得展其才而無掣肘之虞，勉圖治效，盡職分之所當然，則人皆可以龔召，他山之石可勝既哉！君東陽人，名士安，仁甫其字也，今官于朝，位至華顯矣。（清康熙五十一年《高唐州志》卷四〇）

東方朔祠碑

鳳德既衰，鴻飛冥漠。夷齊高蹈，園綺長往。巖隱者之所慕也，而有風霜矯性之悲。卷懷道妙，不求聞達。韓康鬻藥，君平卜肆市。隱者之所好也，而有染迹闤闠之污。委質下僚，禄足代耕。抱關于吳，飛舄于葉。吏隱者之所尚也，而有俯仰塵埃之勞。若夫舍巖谷之幽，去闤闠之污，釋吏役之卑，不晦不明，非狂非聖，全身避世于金馬門宫殿中，偉哉，漢太中大夫東方公其人也。公負出倫之材，自以不逢三代之隆，卷舒隨俗，從容大隱，淵兮其龍蟠，蔚然其豹變，滑稽雄辯，忠言讜論，顧雖時見一斑，人皆莫測其藴。是時朝廷英才接武，有若仲舒之博、汲黯之直、司馬遷相如之文、嚴助朱買臣、吾丘壽王之辯，數者之能，公實兼之，故善謔而不爲虐，自污而不爲狂，嬰鱗而不爲忤。至于汲黯斥逐、馬遷遭刑、仲舒下獄、嚴助朱買臣之屬咸被夷戮，公獨以明哲保身得聖之和，其柱史聃柳下惠之徒歟？生爲名卿，殁爲明神，揮斥八極，旦暮千載，是理無可疑者。高唐在漢爲平原屬邑，尸而祝之，社而稷之，不特畏壘之民于庚桑楚也。廟在城東北十里而遠，金明昌間題扁在焉。年祀既久，廟貌圮壞，不蔽風雨，故武略將軍高唐尉劉侯義洎其子侍衛軍千户傑、其孫懷遠大將軍侍衛軍副都指揮使繼英相率此鄉之人，興舉廢墜，凡三世矣。堂殿門廡，園亭樹樾，蕭爽靖深，所以揭虔妥靈者甚備。墾田八十畝，又以爲粢盛之奉。至元丙戌秋，繼英馳書京師，請記營繕之蹟于石。予讀遷固漢史，感公平生出處大略，不禁掩卷太息，乃爲叙述梗槩，仍作歌以祀公。其詞曰：

公乘蒼龍兮，出東方。冠飛霞兮，佩流光。芙蓉爲裙兮，薜荔裳。夕弭節於瑶池兮，朝發軔乎扶桑。摘蟠桃以療饑兮，覆王母之瑶觴。一朝謫降兮，朝未央。金門大隱兮，聊以徜徉。伯夷爲隘兮，接輿爲狂。公之去兮，白雲鄉。渺予思兮，遺像在堂。蘭菲菲兮，菊芳。瓊爲糜兮，桂爲漿。福我民兮，壽而康。驅疫癘兮，螟蝗。俾予歲兮，穰穰。民拜公祀兮，百世不忘。（康熙五十一年《高唐州志》卷三三）

齊城鎮重修廟學碑

監察御史劉公某，尹高唐之期月，吏服其廉，民安其化。前大有署令孟侯奎白于公曰：「吾黨齊城鎮有文宣王廟，舊矣！故老相傳，石晉末，契丹人中原，孔族有北遷者，迨金克遼宋，子孫還過是鄉，愛其風土，因家焉。廟之初基，寔本於此。今附鎮有孔氏，即其裔也。金季，廟毁于兵，遺像僅存者五，鄉人惜其暴露。前有東方曼倩祠，相與權厝是祠，積有年矣。典舉廢墜，非公之力不可。」公曰：「此固予之職也。」他日以事過鎮，召耆老，語之曰：「聖人之功被萬世，聖人之祀達乎萬世，今廟貌隳廢至此，使曼倩有靈，聖哲在傍，將跼蹐無所容，曷暇端居受享耶？悖禮傷道，莫此爲甚！願即故基爲新廟，因新廟立學舍，訓誨此鄉子弟，申以孝悌忠信，顧不美乎？」衆皆悦從。公及監縣進義君首捐月俸，倡率吏民，假役于農，運甓于陶，伐木于野。此鄉士庶房乂、李世英、王用、孫貞、劉成等，以力以才，爭赴事功，孟侯寔綱領之。初，監郡武略公作新郡學，撤去故殿木門金牓，皆前代舊制，至是，悉歸于我廟。既落成，乃涓吉日，奉安聖像，鄉人大悦。以繪素弗完，方議營繕，公拜御史之命，士庶惜公之去，礱石請記于某。噫！庠序之廢久矣。宰百里者，率以簿書爲先務，催科爲上考，語之風教藐如也。惟公惠政在民，振絃歌于十室之邑，百年墜典一朝而復，是不可不書。如其潤色，以俟後之君子。銘曰：

古之治民，風教維始。風教繄何？庠序是已。三代之隆，率由此理。彼美劉公，化孚百里。墜典百年，一朝興起。有嚴新宫，聖賢蒞止。莞爾牛刀，前言戲耳。昔公來思，如鸞棲枳。豸冠峨峨，公之去矣。孰爲後賢，毋替成美。斐然作歌，以勗君子。（明萬曆二十八年《東昌府志》卷二〇）

玄都萬壽宫碑　至元二十三年

至元丙戌春，玄教大宗師洞明真人祁公踵門修敬曰：「絳州玄都萬壽宫，先師披雲真人宋公所作也。國初己卯歲，有王尊師志成自吴璧入絳，屬兵燼之餘，城邑荒廢，感令威化鶴之嘆，乃即城西北隅爽塏之地，規爲練真之所。會尊宿牛志淳、道友裴志清相與披荆棘拾瓦礫，作强立事，日積月累，稍見成效。請額於京師長春宮，錫名爲全真觀。清和真人尹公以事入秦，税駕於此，改全真曰興隆。既而，志淳等謀曰：『絳，名郡也，當結盛緣。主是盟者，非至人則不可。』相率備禮迎先師於平水。至則狹其舊制，乃廣平岡右地庀徒。□事願力雲集，伐夏臺之木以爲梁，刻管岑之林以爲桷，鑒姑射之石以爲礎。殿廣五楹，其高九仞。沈沈翼翼，甲於一方。崔志明、樊志堅等寔董其役。落成之始，捐囊金五百星，購求良工爲三清塐像。以仙宮瑶壇當爲國家祈天承命，易以今名。先師去絳，遣提點殷真卿道士甯志一主之。於是，闢田園，廣列肆，增置水磑，凡所收入，齋廚日用之餘，率資營膳之費。二人既殁，提舉史志靜、道正郝志迪繼掌宮事。往歲西遊過絳，以崇門復殿尚闕，就戒司鑰者，以次修舉，庸畢先師之志。其作宮始末如此，不有紀述，將遂湮滅，敢請文諸樂石。」辭不獲已，乃爲論次之。竊惟老氏之教，宗無爲，體自然，玄妙希夷，廣彌六合，纖入無文。自漢初崇尚其説，而五千言與六經并傳炳如也。唐有天下，尊爲始祖，侈其宮室儀衛，祀以王者典禮。歷代相仍，率加崇奉。去古益遠，畦畛疊出，其文愈繁，其道愈晦，千載而下，重陽王公將革其弊，號稱全真，作者七人矣。麻枲而衣，耕鑿而食，以還淳返樸爲功，以少私寡欲爲務。泝流尋源，庶幾混元之學弗墜於地。若清和、被雲，蓋能嗣其業者也。二公，予不及見，以洞明觀之，其謙冲守約、逡巡退讓合於老氏知足之義。公掌教餘十年，夢寐煙霞，言歸故山。其高風懿範，足以續道統之正傳，爲玄門之矜式，豈特完一官而化一鄉哉！吾聞大方家以天地爲□廬，以形骸爲外物，作宮已自事，何以文爲？雖然，學道之士以予言爲筌蹄可也。銘曰：

至哉玄元！道配皇□。□聖逾□，淳風漸離。既泊其真，全之皆誰。重陽王公，志慕希夷。長生□□，□□繼之。載□玄綱，戰闢玄機。□嚴絳宫，于汾之湄。霞紓紺宇，□截□□。□□□鄰，物無癘疫。祚我聖皇，萬壽無疆。（成化一一年《山西通志》卷一五）

劉氏先塋碑

輔國上將軍、征東行中書省左丞、僉書沿江行樞密院事劉公國寶，因友人户部郎中唐君仲輝，持家傳及平生戰績，踵門致謁曰：「不肖以祖考遺澤，奮身戎行，歷位華顯，在制得碑先□□論譔先德，顯揚於後者，不在斯文乎。惟子職居紀述，敢請銘諸樂石。」復辭讓再三，以仲輝之故，不得終辭。竊惟忠孝，臣子之大節也。惟公勇於赴敵，盡瘁國事，非忠而何。立身揚名，以顯父母，非孝而何。合是二美，萃於一門，其銘之也固宜，乃爲叙而銘之。謹按：劉氏之先，系出女真望族，本姓烏古論氏，逮至國朝，始改今姓。先世塋域，在泰州普一路者，不知幾昭穆矣。祖仕金季，襲世爵爲千户。譜諜遺逸，名諱行實皆無所於考。父諱德寧，國初侍宗王斡成，以掾屬從軍，久之益見親用。王既畫境青、齊，得承制封拜，以其才堪治郡，遂命副蒙古官合剌溫管領益都路軍民公事，因而家焉。春秋五十有八，以疾卒。妣奥里氏，渤海人，祖官至龍虎衛上將軍，資稟賢明，治家有法，享年七十而卒。子男四人：長曰國秀；次曰國才，今居遼東；次曰國華，嘗任山東淮南行省理問官，早卒；次曰國傑，是謂輔國公，國實其字也。幼讀書，長習騎射，以門閥從軍，攻下□海有功，擢軍馬隊長。至元六年，王師有事於宋，以材勇應選，爲管軍千户。襄樊之役，分屯萬山堡。宋人伺我軍渡江樵采，發兵萬五千人，欲擣其虚。堡中兵可戰者不滿數百，陣既成列，公首出□敵，衆因乘之，宋人敗走，斬首四千餘級。主帥嘉其功，賞銀百兩。俄奉軍前行，中書省檄攝萬户，提兵二千人鈔略荆南、歸、峽等州，深入敵境，轉戰數百里，俘獲生口萬計，師還，賞銀百兩。復與宋人戰於城下，殺掠甚衆，賞銀五十兩。樊城外藩曰東土城，主帥命公取之，豎雲梯先登，俄中火礮，夷其左股，裹創力戰，遂平其城。奏功於朝，特降璽書金符，加武略將軍。襄陽被圍既久，城中乏食。宋人有矮張都統者，潛師運糧以入。省檄命公以八十艘邀其歸路。宋人製爲輪船數百，結栰相連，狀若城堡，舟師運機其中。一夕順流而走，公先獲間者，偵知出期，中流逆擊之，舉火聲礮，我軍繼至，鏖戰三十餘里，舟中之血没踝，生獲矮張都統。樊城來漢水，宋人置樁橜水中，以成輔車之勢。公馭戈船，泝流而上，斷拔樁橜。與宋人戰，盡毁樊城南面木栅，堙其壕塹。進攻外城，城上矢石如雨，會日暮，我軍引退。詰旦，復選鋭卒，坎墉以登，拔之。未幾，樊城亦下。是役也，公身被數創。尋奉詔旨入朝，賞銀百兩，及内府錦衣、弓矢、鞍轡，再加武德將軍、管軍總管。渡江之役，大軍次郢。宋人築黄園城堡，以絶要津。省檄付公三百人徑往，奪其城堡。大軍既進，郢將趙都統率騎兵襲其後，公還擊走之，斬首七百餘級。行省上其功，詔賜金虎符，加武節將軍。繼取沙洋、新城二堡，皆宋人阨塞處也。師次洋洛渡，公先以五十艘退其守兵，進攻城堡，凡三晝夜乃拔，以功賞銀二百五十兩。次丁家洲，宋將孫虎臣，萬艘横江，以禦我師，公時以選鋒當前，大軍既合，敵衆潰亂，追奔逐北，直抵蕪湖，以功超受管軍萬户。是後略地江南，累功賞銀至千兩。維揚之役，詔公以五千人立揚子橋堡，以扼宋兵往來。宋將張都統，率數萬人暮夜來寇，我師嚴備，宋人既失利。遲明，開門縱兵追擊，彼衆大敗，自相蹂踐，溝港爲之斷流，遂禽張都統。有詔褒諭，賜名曰霸都，蓋國朝驍勇之稱。揚州糧援既絶，守將李庭芝棄城遁走，追襲至泰州，斬首千餘級，江淮悉平。奉詔入朝，賞銀千兩，及錦衣、弓矢、鞍轡之屬，仍賜璽書、金虎符，僉書西川行樞密院事，未赴。有詔統侍衛軍，鎮撫北方。師還，遷鎮國上將軍、漢軍都元帥，賜以内府錦衣、玉帶、弓矢、鞍轡，及寶鈔五千緡。復領侍衛軍萬人，北至金山，屯田和林，安集、歸化户民，所全活者餘數萬□還，加輔國上將軍。以海夷未賓，再遷征東行中書省左丞，駐兵廣陵。會福建逋寇黄華作亂，烏合至十餘萬，公將二萬人討平之。二十一年冬，入覲京師，會置沿江行樞密院事，節制諸道戍兵，詔公僉書院事，行中書省左丞如故。先是，公既受西川行院之命，聖上憫其勤勞，聽子弟一人襲爵，遂以先佩虎符傳之猶子漢臣充管軍萬户。公先娶曹氏，早卒。今夫人李氏，次姜氏，次王氏。男曰愛先不花，李氏所出。姪男二人，長曰漢英，次即漢臣，皆國華之子。初，公之考妣權厝於益都城南，以至元己卯正月己酉日，備禮合葬於益都縣東北四十五里麻家營洱河之陽，從吉兆也。復既爲公叙述先世事蹟，仍以戰多爵賞，附諸篇末，尚俾來者知劉氏起家有自，以爲臣子忠孝之勸云。銘曰：

劉氏之先，派發金源。職長千夫，世爵相傳。聖元龍飛，儷景同翻。還定安集，佐治海藩。

輔國桓桓，實大其家。桓桓維何，戰功日多。犀甲蛇矛，一葦江沱。馬革裹尸，誓爲伏波。載策殊勳，金虎煌煌。玉帶錦衣，爲龍爲光。出入將相，榮歸故鄉。乃卜先塋，洱河之陽。旁置萬家，允協吉兆。豐碑有銘，以勸忠孝。（《山左金石志》卷二一）

故昭勇大將軍都指揮使張侯神道碑

至元二十三年十二月二十六日，昭勇大將軍、後衛親軍都指揮使張侯卒於長清私第。明年二月，祔葬先塋。後三年，仲子宣武將軍、後衛親軍副都指揮使珪狀侯之行，以神道碑銘爲屬。按：侯諱立，世爲長清人。祖諱玉，父諱山，皆農，隱不仕。侯少占軍籍，隸東平百户嚴公麾下，略地江淮，以勞署百夫長。歲戊午，憲宗皇帝出師於蜀，徵諸道兵。侯佐千夫長劉侯將東平一軍而西，師次大獲山。宋人阻山爲城，塹以江水。侯率鋭卒攻陷外堡，奪戰艦百餘艘。釣魚山之役，復力戰有功，憲宗面賜金帛以旌之。中統初，扈從車駕征北方還，授管軍總把，佩銀符。至元二年，進侍衛軍鎮撫，佩金符。八年，改侍衛軍千户。未幾，遷左衛親軍副都指揮使，佩金虎符。十四年春，率步卒千人轉輸赴和林。路出應昌，屬酋帥畔援，謀爲不軌，以彍騎一千踵吾後，佯言避暑朔漠，實欲乘隙剽吾資糧。侯覺其有異，急命圜車爲栅。賊衆已合，飛矢雨注。侯之發上都也，車載一板，以備不虞。至是，建板於車，矢不能入。騎卒少前，以戈撞之。强弩繼發，賊騎少卻，我軍突出。相持至連日，賊乃解去。侯臨時暇豫而能以寡敵衆類此。是歲，增置前後衛兵，遂拜後衛之命。長子溫，即以世爵爲千夫長，屯戍和林，加宣武將軍、左衛親軍總管。父子並佩虎符，鄉里榮之。侯帥後衛凡十年，以老疾乞閑。家居餘數月，一日親友會棋局終，悉召諸子，誡以後事，奄然端坐而逝，享年六十有七。侯久居宿衛，能以敬慎上結主知。性俊精敏。兩都新造，常督□繕之役。初白河宮殿落成，上命賜爵以旌其勤。侯辭以無功，卒不受爵。其致仕也，有旨令子珪代領環衛。侯謝曰：「臣起身行陳，遭際盛明，揚歷通顯。自惟衰朽，無以報效國家。誠得歸骨先壠，恩至渥也。長子已登三品，次子復蒙銓用，補以千夫長足矣。」上憫侯宣力中外，多歷年□，拔珪今職，以侯所佩金虎符付之。侯於進退之際，逡巡廉讓，有古名臣之風。至於三進官階，三銘先塋，以致顯親揚名之義，殆非常人之所及也。用能奮績熙朝，致爲將帥。圭組傳家，令始令終。《經》曰：「事父孝，故忠可移。」於君侯其近之矣！

（《長清縣志》卷一〇）

全元文卷二九七

閻復 四

董文用神道碑

世祖皇帝堯日御天三十五載，正明良胥。會治格雍熙，當窮奇檮杌，未底天罰，竊弄威柄，不爲勢奪，不爲利誘，有若王文康公鄂、許文正公衡、張忠宣公文謙，高風懿範，無愧千古。若夫忠孝傳家，世濟其美，風節矯矯，頡頏數公之後者，資德董公其人也。公諱文用，字彦才，世爲正定藁城人，贈司徒、趙國宣懿公諱昕之孫，龍虎衛上將軍、上柱國、趙國忠烈公諱俊之子也。忠烈起自畎畝，爲國竭忠而死，有八子。其元子文炳，以左丞從伯顔丞相平江南，功第一，贈金紫光禄大夫、平章政事、上柱國，封趙國公，謚忠獻。其季子文忠，幃幄近臣，贈光禄大夫、上柱國，封趙國公，謚正獻。公忠獻之弟，正獻之兄，於次居八子中之三，生十歲而孤。伯兄忠獻，教諸弟如父之教子，故公器業夙成，偉然爲文儒。少時，侍世祖皇帝於潛邸。中統元年，張公文謙宣府大名，辟爲左司郎。今没，不親及見公之行事矣。謹按前碑，叙公之大概，以表於墓。初，憲宗南伐，先加兵於蜀。世祖以太弟帥東侯之師趨鄂，諸將次江上。公伯兄忠獻謀爲兵法先以有奪人之心，須假戈船先諸軍渡江。公暨季弟，統勁卒數百人，徑薄南岸，三戰三捷。公還報，世祖駐馬臨江，酌公巵酒，使申令諸軍，旦日畢渡。會憲宗崩，咸請乘勝進取，獨建議班師歸定國事，以爲他日南土可傳檄而定，世祖然其議。其後，宋既平，每對朝臣加奬公之先識。公征西夏，行者難之。公言人臣不當避難，悉心撫治，開諸渠，溉平涼、甘肅、瓜、沙數州之田，與民種及農具，諸部落渡河來歸日衆。留西夏三年，所畫皆便民，夏境以安。齊魯故饒穀粟，公勸農山東，躬自督視，闢其汙萊，至於海瀕，績最諸道。公之爲兵侍也，前侍郎平章阿合馬私人教鷹監人愬今侍郎不給鷹食。世祖怒，召至，望見公，乃曰：「董文用豈治鷹食者耶？」愬竟不行。公之爲衛輝路總管也，江南初臣服屬，輦致金帛送京師，道衛晝夜不絶，日役數千夫護送。公曰：「東作方興，毋奪農時，遣胥校足矣。」議引沁水入御河以通運曹，公曰：「沁水地勢高於衛，倘積雨彌旬，沁水灌衛，又使入河，河不受，還入衛，則衛罹其厄，且無大名、長蘆矣。」部使者相衛地勢，一如公所言，遂止。衛人德公焉。公之爲兵尚也預議大政，江淮行省惡臺憲繩己，欲使行臺受制行省。公曰：「不可。風憲之司猶虎，雖睡猶有所憚。若受制於人，貪虐之官吏，蔑顧忌矣。」議遂寢。倖臣盧世榮主賦斂，詔廷臣集議，衆莫敢言。公時爲翰林集賢學士，詰之曰：「是錢若不取於民，倍入之利將安出？譬之牧羊，每歲但可再翦其毛，時復三薙其毛，羊主得雖多，而羊死寒熱矣。取民者亦然。日削月朘，邦本先蹷，甯復有財可取？太祖皇帝提尺箠起朔方，有此而於此戕之乎？」

丞相安童曰：「董尚書議是。」未幾，世榮誅。公辭江淮參政之命，曰：「錢穀事繁，臣不能治劇。」上曰：「江淛重地，煩卿鎮之。」乃奉詔。時行省之長放傲，同列畏懾，公與論事，無所屈。一日，選嚴酷吏百輩，將括民田，民大駭，公力止之。浮屠人得旨於亡宋故宮造塔，有司役民入山林伐木。大雨雪，多凍死。公命緩其事，道長揚揚言參政閣詔旨，公曰：「隆冬興役，民不堪，將失淛人心，非詔旨也。」長有愧色，事亦紓。日本之役，依辦兩淛調度，公私用瘁。公言：「邊將倖功，耗中國有用之財，爲遠方無益之舉，遂入奏，有詔罷兵。桑葛擅威橫斂，雖臺臣莫敢誰何。公爲中丞，怒公不附己，捃摭臺務百端。公與廷辨，不少挫。常慨然曰：「郡縣病，拯救之無它策，惟當選按察使。」舉雷公膺、胡祗遹等十餘人，天下賴之。復以桑葛奸狀告上，不報。而桑葛奏公惷戇不聽令，沮撓尚書省政，將陷於辟。世祖曰：「董文用，朕所知。」由是不言，則褫其臺權而擯公於農官。欲奪民田爲屯田，公執不許，則又褫其農職而擯公於翰苑。桑葛敗，公譽望益重。世祖命公授諸皇孫經，曰：「老人畏寒，須暄和時至帳中。」勑命近侍，親具膳，每預宴，與蒙古鉅族序齒，或賜飲御榻前，特命無拜。其眷遇之隆，漢人無出其右。常命公見其諸子，公奏：「荷國厚恩，報效無所，不敢以子弟累陛下。」成宗初，公覲於上都，召入便殿，賜錦衣玉帶雙玉佩環，從幸三部落，又賜緡錢萬五千券。日夕奉顧問，公陳國朝故事，累累言先帝虛心納賢經國之務，常至夜分。國朝譜系勳舊世家，公記纂詳盡。史院修實錄成，就公考正。上章請老，詔賜緡錢萬券，官一子於郡，以便侍養。既得請，咨院呈省，言：「故父歿於國事，自願不令子孫承廕，乞將自己職事易故父封謚。」時臺臣有送公出境者，比還，有同僚訝其來之遲，則具言公居官廉貧，賣居室以償所稱貸而去。其父忠勇歿後，未蒙旌異，今請以蔭其子者易封其父，豈非忠孝兩全之人歟！聞者莫不嗟愕。於是，合臺備舉其事於省，并以聞奏。旋蒙聖恩，特贈其父功臣名號官勳封謚。夫人王氏，先公卒。再娶周氏，後公四日卒。其男士貞輩，葬公於藁城縣西北高里先塋之東。謹爲之銘曰：

維董命氏，豢龍是先。受姓虞廷，著望廣川。由漢歷唐，代不乏賢。藁城之宗，實佐聖元。顯允惟公，忠孝家傳。宣力四方，事不避難。畫謀中興，反側其間。勸農海瀕，敦本力田。郡政之良，民力汝寬。遺愛在人，永矢弗諼。公之立朝，大節可觀。聚斂爲奸，折以正言。首虺可撩，須虎可編。讒者翩翩，媒孽帝前。維帝念公，曲示保全。逸老鑾坡，純嘏自天。天祐善人，報施罔愆。蘭茁其芽，珠玉成淵。滹水之後，馬鬣其阡。載德貞珉，百世弗刊。（清同治十年《畿輔通志》卷一七一）

翰林學士趙公墓志銘

大德七年正月辛亥，翰林學士趙公晦叔卒於官。其年十月，中書右丞相入對天子曰：「趙與愚事世祖皇帝，迄今凡三十年，敦確清謹，身死家貧，無以歸葬，敢奏以請。」於是，天子命有司賻緡五千，復給舟車傳費。將行，其子孟實等以狀來請銘。復往歲直翰林，公爲待制，其叙遷也亦相先後，知公尤詳，義不得辭。方至元十四年間，公以驛來朝，深衣幅巾，見世祖於上京。冰澄玉瑩，詞氣整朗，言宋亡根本所在，親切感動，世祖傾屬。自是，入翰林爲待制，爲直學士。公之爲侍講也，言：「江南箕斂急督，移括大姓，宋世邱隴暴露，皆大臣擅易書詔明旨。」又言：「庚寅，歲大霧，蔽塞。正月甲辰，虎來西城。其徵爲下臣執權籔政。」言訖，公闔門待罪。後翰長司徒公俾同列諭意，始復入署。公每視職清望近思，欲以言議質直、理道確近，條縷報上，故所言常若剴切無隱，而世祖沈幾先物，神量莫測。或爲公懼，至平章政事不灰木奏公私負歲積，帝曰：「得非指故臣爲虎者。宜官酬其逋，別給廩粟布帛以養。」由是，始知君臣脗合明著如是。曾祖伯洙，宋朝請大夫、知南外宗正事。祖師雍，宋朝議大夫、直寶章閣。考希聖，宋宣教郎、史館校勘。高祖宗正子英，南遷時丞臺州黄巖，因家焉。伯祖師淵，與朱文公纂次《通鑑綱目》《凡例》《微言》《奥語》。耳受身履，故公所行尤近。嘗與魯齋先生許公論伊洛闖域，以力行爲致知，首清簡爲高。沈默自祕，皆東南極弊。文以顯道，捨是無以議。許公深然之。至觀公待人愛士，恩禮周洽，不爲疏數翕訿。其持家簡泊，無復商確計慮，非知道者不能也。天性孝友，自宗正四世而下，力請於朝而復其役，贖媥黨男女爲奴而不能歸者，凡十七人。始登宋辛未進士第，爲鄂州教授。由鄂來京師，迄爲翰林學士、知制誥、同修國史，積官至嘉議大夫，年六十有二。其所成就，不爲甚過。而公以榮祿豐遇爲可愧，不獲老田里爲可喟。噫，公之心如是而已矣。初娶夫人舒氏，不一歲卒，歸橐中裝于婦翁，不取。今夫人史氏。三男：子孟實，以公爲侍講時特官承事郎，同知瑞安州事；孟賚，溫州路教授；孟貫，將以廕入官。孫男女七人。以大德九年十二月甲申，歸葬於黄巖塔山之原。予嘗讀《大雅·文王》之詩曰：「商之孫子，侯於周服；殷士膚敏，祼將於京。」以知文王之德之盛，商士之恪謹温愻。篤承天心。惟我世祖，明德造邦，式混區夏，内外大小，共爲帝臣。而公陟降左右，承賚接錫，終始若一，至不幸而死。今天子復申命而寵綏之，則公死猶無死也。是宜銘。銘曰：

錄不斂贏，謀不課利。我以其拙，彼以其智。衣敝策駑，内澡玉雪。誦聲清泠，鏗出金鐵。蹇蹇九閼，壬人隕魂。維帝有訓，四方於聞。之身云亡，之德不爽。邱環麓茂，一息以往。繄彼之豐，維時之通。尚詔後人，以封以崇。

元故翰林侍讀學士國信使郝公墓志銘

一天下之道有二：以仁，以得人。奚以仁？孟軻氏所謂不嗜殺人者能一之。奚以得人？漢史所謂知人善任，使所以成帝業也。洪惟世祖聖德神功文武皇帝之取江南，其審是道歟。我朝肇起朔方，奄宅中夏，惟靖康餘孽假息一隅，干戈相尋餘數十年。中統建元之初，首遣信使通好，以偃兵息民爲務。宋人怙險，執我行人，久之而不返，始興問罪之師。臨軒命將，引宋將曹彬不殺爲戒，其一天下之仁，灼見於此。爲將帥者，卒能以仁義之師席卷三吳，所過市不易肆，三代名將不啻過焉。奉使節者，被執十六年之久，卒能完節而歸，不辱君命，兩漢名臣無以尚之。嗚呼，世祖皇帝知人之明，遠追堯舜，豈區區漢祖所可比隆哉。將帥謂誰，大丞相伯顔是已；奉使謂誰，故翰林侍讀學士郝公其人也。公諱經，字伯常，系出有殷帝乙支子，封太原郝鄉，子孫因土命氏。八世祖祚，自潞徙澤之陵川，遂爲陵川人。祖諱天挺，考諱思溫，八世同居，以儒術教授鄉里。考殁，門人謚曰靜直處士。靜直公三子，公其長也。幼不好弄，沈厚寡言。金季亂離，父母挈之河南，偕衆避兵，潛匿窟室。兵士偵知，燎煙於穴，𤊾死者百餘人，母許亦預其禍。公甫九歲，暗中索得寒菹一瓿，抉齒飲母，良久乃蘇。其卓異見於童稚若此。金亡，北渡，僑寓保定。亂後生理狼狽，晨給薪水，晝理家務，少隙則執書讀之。父母欲成其志，假館於鐵佛精舍，俾專業於學。坐達旦者，凡五年。初被郡帥賈侯之知，待以賓禮。蔡國張公聞其名，延之家塾，教授諸子。蔡國儲書至萬卷，付公管鑰，恣其搜覽。公才識超邁，務爲有用之學，上泝洙泗，下迨伊洛，諸書經史子集，靡不洞究，掇其英華，發爲詞章，論議視前古，慨然以羽翼斯文爲任。自是聲名藉甚，藩帥交辟，皆不屑就。時世祖在潛，以太弟之貴，開府朔庭，招集四方賢士，講明當世之務。歲丙辰，公應召而北，優被顧問，首陳唐虞三代治道以對，又條經國遠圖及民間利病，凡數十事，悉見嘉納。歲己未，憲宗皇帝大舉伐宋，取道巴蜀。世祖奉命帥東道兵直趣鄂岳，以公從行。公乘間進言：「王者之師，有征無戰。巴蜀地險，宋人邊圉孔固。萬恐鑾輿西邁，非萬全之舉也。我師未可輕進，宜修德以應天心，布澤以系民望，敦族以固根本，警備以防未然，蓄鋭以養兵力，相時而動，江左不足圖也。」世祖偉其説。會立江淮宣撫司，授公宣撫副使，以先啓行，布宣威德，招納降附，所活不可勝計。是歲秋，王師渡江圍鄂，憲宗皇帝次合州，綴於一砦，師久無功。未幾上仙，凶聞至軍中，會宋人請和，即命班師。明年，世祖御極，欲柔服宋人，以公奉使，告登寶位，且徵前日請和之議。或謂公言：「宋人譎詐叵信，盍以疾辭。」公曰：「自南北遘難，江淮遺黎，弱者被俘，略壯者死原野，兵連禍結，斯亦久矣。聖上一視同仁，務通兩國之好，雖以微軀蹈不測之淵，苟能弭兵靖亂，活百萬生靈於鋒鏑之下，吾學爲有用矣。」乃授翰林侍讀學士，佩金虎符，充國信使。初，鄂渚之役，宋將賈似道遣介乞和，王師既還，遂以扞城爲己功，入拜僞丞相，顓制國事，宋主仰成而已。聞公來聘，恐泄匄和之議，故館於儀真，不聽其入。公被留既久，上書宋主，移文相府，開陳古今和戰利病，喻以禍福存亡之理，累數十萬言，皆不報。又數以詭計撼公，公曰：「吾家業儒凡七世矣，顧肯虧忠義大節，以厚中州士大夫乎。」佐從數十輩，雖被館穀，嚴扃錮鐵，環兵擊柝，如墮狴犴中，人人鬱抑，殆無生意。公厲志堅貞，確然如石不可轉也。至元十一年，大丞相伯顔戈船南下，奉辭伐罪。宋主懼而歸公，始知似道姦謀誤國，即加竄殛。十二年，公至京師，世祖錫宴於路朝，慰勞良久。公自中途遘疾，至是增劇，異日車駕幸上都，公留治疾，以七月乙酉，終於所居之正寢，春秋五十有三。朝廷憫其忠節，特授公子采麟奉訓大夫、知林州。凡從公使宋者，賜爵有差。噫，宋之亡也，非若吴皓之昏暴，陳叔寶之昏淫，以姦臣制主，弗體聖朝好生之德，拘執行人，自啓兵端爾。嚮使從公之言，講信脩睦，則干羽之舞，不專美於虞庭；宗廟血食，微若敖氏之歎矣。蓋宋運將終，天開皇元，混一之期以至，歸版圖於職方，納降王於軒陛，惜公不及見焉，悲夫。公在儀真，日以著述爲事，準《通鑑綱目》作《續後漢書》，以正史壽之失，著《春秋周易外傳》、《太極演》、《原古録》、《通鑑書法》、《玉衡真觀》，注三子一王雅、《行人志》等書，凡數百卷。先哲立言垂世，多是幽憂困吝中。是知天之厄公，適所以厚公也。夫人淇澳張氏，貞靜端淑，教子有法，後公十年卒。三子二早卒，采麟今官集賢直學士、朝請大夫，文章行業，克世其家。二女適某氏、適某氏。孫墅，尚幼。二弟：彝字仲常，韜晦不仕；庸字季常，累官奉訓大夫、知潁州事。公之歿也，權厝於保定西郭靜直君墓側。大德三年春，遷窆於河陽虎頭山之原，從吉兆也。先事，朝請君持淮東道肅政廉訪副使苟宗道所述家傳請銘幽隧，復嘗與君同僚，義不可辭。銘曰：

虎山兮蒼蒼，河水兮洋洋。山之麓兮河之陽，有堂其封兮郝公之藏。昔公之往兮，金虎斯煌。偃革息民兮，仁信是將。羌宋人之弗寤兮，乃氐滅亡。公陷荆吳十六年之久兮，秉使節之堂堂。英風義概高古之人兮，耿百世其垂光。虎山兮茫茫，河水兮湯湯。山之永兮河之長，郝氏餘慶兮淵乎未央。

故榮祿大夫平章政事王公神道碑銘

裕宗文惠明孝皇帝居東宮，博訪英賢以備宮僚。左右元良，文學行義，皆天下之選。其在衛官府率德望兼隆，忠勤素著，惟榮祿公爲稱首。公諱慶端，字正甫，姓王氏，世爲真定槀城人。顯考金吾衛上將軍、右副都元帥勳德具見神道碑銘。公早孤，能自樹立。諸兄已襲世爵，公被府檄司筦庫，非所樂也，尋署水軍提領。北方有警，詔宰相馳驛和林，以督餽餉，水軍長一人從行。冰雪萬里，行者憚之。公毅然請往，事不避難，已見筮仕之初。中統三年，敗齊寇於老鶴口，以功拜千夫長，佩金符。至元八年，城大都，板榦方新，數爲霖雨所墮，或議甃石運甓爲固，公言：「車駕巡幸兩都，歲以爲常，且聖人有金城，奚事勞民，重興大役。」遂獻葦城之策，詔用公言，所省鉅萬計。議加遷賞，辭焉，第引督役者至千夫長。詔嘉廉讓，賜白金六鎰。王師渡江之歲，淮安未下，師駐新城，遣將分戍清口，公爲之副。城中卒不滿數百，老疾居半。宋人偵知，載攻具爲必取之計。衆寡不敵，主將死難。寇燬門將入，公樹栅以禦之，撫劍誓衆曰：「丈夫捐軀報國，此其時矣。」士皆感激，人百其勇。先以弱卒列幟城上，擊銅爲鉦，響震原野，颺言援兵至，躬率鋭卒，踰栅禦敵。時公丁腫在臂，自拔佩刀刃毒，裹創力戰，敵衆敗衄，淮水爲赤。繼而連河浮雲，羣盜蜂起，公復擊走之，屢中流矢，不卹也。以功加武節將軍。十四年，扈從世祖北征，凱旋，拜右衛親軍副都指揮使。十六年，進侍衛軍都指揮使，肇建威武營都城之南。先是，衛兵至京師，僑寓民間，靡有定居。公相近郊隙地，起廬舍，畫井邑，規爲屯田，俾安耕鑿。謂訓練不可不時，爲閱武之堂，曰「整□」；長技不可不習，爲蹶張之翼，曰「神鋒」；兵甲不可不堅壽，爲雨矢之局，曰「犀利」。資食有倉，以足軍儲；康濟有局，以備醫疾；浚渠通漕，以來商賈；僦屋取直，以佐兵須。公廨列肆，偏裨部曲諸衛，莫不取法，軍士歲上番，其至如歸。初，是役之興，衆頗憚勞，公不以爲疑，迄今人賴其利。十九年，置詹事院，以本職兼詹事丞。威武歲入豐羨，屯峙山積。司民政者，欲假粟數萬以佐經費，事達裕皇，有旨問公，公曰：「兵、民一也，也。」或至物故，則歸骨於家。北伐之日，卒長偶遺一骼，嚴加督責，必獲而後已。僉事有外府稱貸，請於東宮，俾尚醫一人主藥醫，士卒有疾，如視子弟，更相謂曰：「吾屬處鄉閭，守父兄，不如是之至二十六日也。公平生事上忠，蒞官敬，總戎有律，而以仁信將之，出入行陣，與同甘苦。威武之建也，憾。第恨不獲效死邊陲，殁於牖下。汝勉輸忠力，無忝爾祖，則吾目瞑矣。」言終而逝，實八年十一月俟其良愈，別降恩旨。」公竟不起。易簀之際，戒其子桓曰：「予荷國恩，忝列臺司，年登八秩，宜無所寢疾於牀，上遣中使諭旨：「王指揮篤實人也。宣力既久，家無餘財，其錫寶券三萬緡，爲藥餌之資，副使、左都威衛使。嘗以疾在告，皇太后亟遣醫往治，曰：「活此老，所以活蒼生也。」公即引年謝事，都威衛使。元貞改元，進秩資德大夫。大德二年，加榮祿大夫、平章政事、僉書樞密院事，仍兼徽政望。」既而改東宮爲隆福宮，僉事院爲徽政院，拜金吾衛上將軍、中書右丞，行徽政副使，兼隆福宮左上都。公外總諸部，親翊禁禦，内進言裕聖、皇太后，謂：「神器不可久虚，宜促定大策，以慰天下之東宮自鶴馭上賓，總率衛兵，膺股肱心膂之託，在漢將中，唯公一人。聖上御極之初，諸王宗室畢會衛兵而南，公引臣子之義，復從北征，卒與大軍俱還。是行也，料敵制勝，參與機務，贊畫之力居多。十，遇敵則披堅執鋭，摧鋒陷陣；駐蹕則環車爲壘，以備非常。東寇既除，大駕狩北邊，有旨命公將報，賜禦寒烏貂以旌之。二十四年，世祖伐叛東方，以公宿將練兵，特敕將所部以從。是時年踰六世祖遣近侍覘警夜者，爲公邏卒所邀，近侍告以有旨，曰：「吾屬知有王將軍令，孰知其他。」近侍還甯有彼此之間。」即日付之。玉音勞公，真宰相器也。二十三年冬，大會藩鎮諸王，公典禁衛。一夕，取息無度，公憫其然，謀於同列，爲立倍稱之法。宋氏之亡，有葭莩之屬，以事拘京城，久不獲免，公濟以衣食，奏請歸之。其廣聖朝一視之仁類此。至元末，姦臣未即天誅，人皆側目，公介然，未嘗阿意取容，特以丹誠衛社，結累聖之知，若尚方玉枝、寶箑、珠衣、玉帶，賞賚優渥，諸將莫與爲比。公素純儉，雖位使相，自奉泊如也。所居僅庇寒暑，服御不事華飾。至於賓筵禮士、賙濟困乏、資給宗族婚葬，則弗計家之有無。其立朝行己大節，雖服儒服，飽經訓者有不逮焉。嗚呼，賢哉。夫人劉氏、李氏、齊氏、孟氏、燕氏、也速真氏。子桓，李出也，廣威將軍，襲爵萬夫長，同僉徽政院事，佩三珠金虎符。娶劉氏。二女：長適承事郎管領管諸路民匠副都總管趙瑜，次適萬户解世隆佩金虎符。男孫一，女孫三，皆尚幼。廣威君卜以九年正月十有四日，舉公之柩，大葬稾城先塋之左。持樞密院判官張浹所書行狀，謁文以識幽隧。復企公盛德有素，又感廣威君能盡子職，義不可辭，乃爲叙而銘之。銘曰：

太茂維嶽，儲精降神。篤生王公，智勇邁倫。禦寇淮壖，國爾忘身。翊衛天戈，載策殊勳。肅事儲闈，威武有屯。將令申嚴，廩粟阜殷。金革之威，實濟以仁。運贊重光，聿效忠勤。克壯其猷，尊主庇民。趙充國之金城□略，周亞夫之細柳令軍；馬文淵之志死邊陲，張萬福之不阿佞臣。兹數公者，合而爲一人。稾城之阡，馬鬣有墳。表貞珉以誄德，諒無愧於斯文。

大元故鎮國上將軍浙西道吳江長橋都元帥沿海上萬户甯公神道碑銘

天水氏靖康南騖，抗衡中國，餘二百年所恃者，長江而已。天畀聖元，混壹南北，篤生虎臣，衽金革之强，通舟楫之利，贊成飛渡之功，故長橋都元帥甯公其人也。公諱玉，孟州河陽人。曾祖諱淵，金盟津渡都巡檢。祖諱源，敦武校尉、河陽屯田提舉司副使。考諱泉，懷孟勸農副使，慈祥愷悌，與物無忤，鄉里稱善人。妣韓氏。生公，體貌魁梧，膂力絶人。兒時聚嬉，好作戰陣狀。年十七，以鼓枻之勇，爲水軍萬户張侯所知，署盟津渡長。鄂渚之役，大軍駐南陽，遣公督漕宿、亳，軍食以濟。明年，從世祖皇帝渡江，以勞補百夫長。中統初，定鼎於燕，召公充河道官，疏浚玉泉河渠。至元三年，有事襄樊，被帥府檄，導鄧之七里河，由新野而南，以通轉漕。圍守襄陽，立萬山屯堡，攝□□府事，兼主浮梁津渡，教習水戰。既□淮安，忠武王統大軍而南，公以千人導前，至白河，結浮橋濟師，遂拔沙陽。十一年冬，師次臨江，分道以進，與宋人合戰江中。公將勇士千人，以輕舸五十艘，徑奪南岸，力戰卻敵，指揮戰艦分渡諸軍，凡三晝夜而畢。自壽□□黄池口，所過浮梁立就，兵無留。行至彭蠡湖，風濤洶湧，梁成輒壞者數四。公言：「梁之不成，力不至也。」躬督士卒，取瀕江場圃巨石爲碇。忠武立馬以需其成。進及丁家洲，宋將夏貴、賈似道舳艫蔽江，忠武命公列樹四礮，擊其中堅，舟多覆溺，宋兵大潰，威乘破竹，下蕪湖，取姑熟，入建鄴。幕府上功，明年三月，拜管軍千户，佩金符。建鄴内外，橋梁戰艦悉主之，又督造巨艦可勝百萬者。艦成，分二十艘付公，守龍灣，藩蔽東寇。七月，真州守將夜來斫營，公潛以巨艦出其後，夾擊之，殺溺殆盡。從拔常州，取平江。平江之南曰太湖，跨越數州。自吴江屬嘉興，舊有長橋，實南北要衝。忠武命公完葺腐敗。鎮守須其人，特以□公。時江南甫下，反側者衆，且具區瀕海，羣盜淵藪。公密斷諸港汊，置輕舸數十，上下巡邏以察非常，每有竊發，隨折其萌。華亭澱山諸賊，聞皆解散。殲其渠魁陶機察、曹横天等八人，餘黨不可勝紀。又降鹽寇□百，併獲妻孥。起居百楹以居戍兵，置安樂堂三區，以養病卒，招集流民四萬五千有畸，俾安生業，闔境爲之宴然。公前後七拜璽書之命，由金符管軍千户，遷宣武將軍管軍總管、明威將軍鎮守長橋等處總管，尋降虎符，職任仍舊。升昭勇大將軍管軍萬户。未幾，就帶已降虎符，鎮國上將軍、浙西道吴江長橋都元帥、□沿海上萬户，佩金虎符。二十三年，公以久事戎行，起居蒸溼，積勞成病，謝事家居。俄奉宸旨，從鎮南王征交趾。公力疾以行，師至安南，公當前隊，闢山治道，樹立營栅，率身先之，凌冒炎瘴，痼疾增劇，王憫其忠勤，表公長子居仁襲職。公逸老吴江私第，晚節徜徉，以自娱樂。二子俱登顯仕，伏臘奉歡，朱紫侍側，時人榮之。素喜賓客，不吝施與。寓吴會幾三十年，賓禮儒士，崇飾縣學，營建梵宇，威惠洽於一方。春秋六十有七，考終於所居之正寢，實大德六年三月十日也。夫人王氏、楊氏，皆先公卒。夫人蕭氏，後公五月卒。子男五人：長即居仁，初授明威將軍、沿海上萬户，佩金虎符，出征爪哇，升昭勇大將軍，改佩三珠虎符，左軍上萬户。凱旋，策勳，世祖皇帝賜賚優渥。成宗皇帝登極，加昭毅大將軍、沿海上萬户，鎮守浙東道慶元等路。今上即位，至大元年七月，欽授宣命就帶已降虎符，升鎮國上將軍、廣東道宣慰使、都元帥。娶中書左丞許文正公孫女，湖州路總管可成之女也。次居正，從公征交趾，累功擢忠翊校尉、杭州路管領海船千户。還備宿衛，服勞一紀，加奉議大夫、樞密院斷事官。大德十一年，授朝列大夫、簽行宣政院事。娶鄉先生商文嵒之女。次居贇，娶前建康路獨吉總管之女。次元貞，從釋氏法。次萬奴，庶出也。女三人：長適宋氏，次適池州建德縣尹寇居敬，次在室。男孫九人：曰顯祖，見膺宣命，襲父職也，娶宋故相史公之孫女。曰聖童，娶鄭參政之女。曰斗童，娶丌縣翼王萬户之女。曰保童，佛保、衆家奴、佛童、百家奴、拾得。女孫四人。曾孫男一人，光祖。嗚呼，公自弱齡，拔起行陣，奔走先後，蹈萬仞不測之淵，以取封侯，視古名將龍驤、伏波，未足多讓，以至賞延於世，增光祖考，貽慶方來，豈偶然哉。公薨後四年，昭毅君居仁，舉公之柩，與三夫人合葬河陽先塋之次，狀以請銘神路之碑。予往年客吴郡，公歲時遺問，又嘗肩輿相過，傾蓋如平生。問年同丙申也，感念疇昔，義不可辭，乃爲叙而銘之。

皇元五葉，四海混同。一葦長江，忠武御戎。爲王前驅，糾糾甯公。公起偏裨，志略沈雄。轉漕河渠，習戰艨艟。造舟爲梁，畢命前鋒。奪岸濟師，合戰江中。蘄黄既下，彭蠡阻風。碇石浮艘，步騎以通。四礮丁洲，實樹儁功。何堅弗摧，何鋭克攻。惟是震澤，沃日涵空。爰有長橋，隱若垂虹。喉衿南北，襟帶西東。具區瀕海，盜肆姦凶。公鎮四方，豪寇潛蹤。乃通驛傳，乃扼兵衝。人熙田里，家樂耕農。公私絡繹，往來憧憧。醫疾有堂，校學有宫。一紀安集，民物皁豐。敵愾南交，夔鑠是翁。鳶飛墮瘴，柱立標銅。逸老吳江，有子嗣封。曼秀孫支，哀榮始終。河陽之阡，勒堅樹崇。洪濤如帶，流慶無窮。

中書參知政事張公先塋碑銘

人門之慶，始於積善；人子之孝，盛於顯親揚名。二者風化之原，人道之大本也。參知政事張公斯立，自以襲先世餘澤，致位華顯，深懼祖德闇而弗彰，摭其所以劬躬燾後者，將識諸石，昭示來裔。復猥當授簡，辭不獲命，謹按國子祭酒劉君敏中所著家傳，張氏世爲濟南章邱人。縣治東南十里而遠，左枕長白，右帶繡江，鄉曰錦川，公家桑梓在焉。遠祖有諱汝礪、義通者，譜亡，世次不可考。五世祖九思，善富名一鄉，會亡金普恩，官進義校尉。四世祖安上，處家以孝友聞，配喬氏，生四子：鐸、鑑、鉉、鋭。鋭即公之曾祖，□身務本，操行如前人，配孫氏，生三子：長曰侁，次曰伸。季曰仲，是爲公之祖。昆弟皆入粟佐軍，授進義校尉。金季盜熾，山東張氏既饒財，爲衆所□□，數被剽劫，伯氏及於難，公之祖僅脱虎口，至體無完膚。避地他適者久之，事定還守邱隴，率諸子力田爲業。日葺月累，生理復就緒。喪亂之餘，遂序舉廢，乃置家□□桐子師率衿佩就學，申以孝悌之義。行之既久，禮俗爲之寖復。嘗啓首體創痕，訓諸子曰：「吾家素履勤儉，猶以羸羨致寇，貨可悖而入乎。今示汝曹，已事之戒，終□□約可也。」長子琮，從事河南，凡俘獲男女，時其配偶悉聽自便。其仁厚類此。卒年七十有一。先娶喬氏，二子琮、澤。繼室李氏，三子寶、珍、瑞。公之考澤，生長亂離，兄□□□幹蠱叢一身，綿歷艱苦，尤尚節儉。獨爲子收書，雖罄囊槖無少靳。見參政公從師友講習，喜曰：「吾遭世多故，自恨廢學，兒能耽耆文儒，吾復何憂。」每對書秉燭，蕭□□曰：「聖賢在是，敢不加敬。」其義方迪子可知已。至元乙亥八月四日，以疾卒，春秋六十有六。妣齊氏，内行純備，戚疏無閒言，卒以元貞丙申十一月十有二日，壽七十有九。三子：曰澄、曰斯和，皆不仕，季即參政公。幼穎悟過人，日誦數千言。及長，刻意問學，無所務爲，無所不窺，辟山東提刑按察司掾史。時憲司初立，憲長陳公慶甫，風節矯矯，人皆憚其剛嚴，公爲屬吏，獨被甄奬。自是行業日脩，聲問日著。擢江南行臺監察御史，轉行省員外郎、郎中，入爲户部侍郎、參議中書省事、户部尚書，出僉江浙行省事。揚歷中外，蔚有名卿、才大夫之目。大德改元春，應召入參大政。初公從事憲府，祭酒君之父文瑞先生居濟南，先生亦錦川人，清操雅望，爲鄉里所宗，一日見公，與之語，驚謂公曰：「吾嘗往來吾鄉，覽山川之勝，意必有通博儁偉之才，出膺昭代重任，求之二十年，未見其人，覩子足以當之。」先生素慎許可，聞者始知異公，至是乃以先生之言爲驗。故祭酒君爲公紀述先德，稱山川靈異之氣，藴蓄融液，生夫才與賢也，又恒在於積善之家。予固以爲確論，然公家先世錫羡之祥，出於險阻艱難，其善近止一鄉一邑。公方佐理明廷，勉圖報效，利澤加於民，貞勳著於國，以彰人門，積善之慶，以盡顯親揚名之道。異時封爵，賁於九原，褒榮及於三代，將見錦川之人，晝錦名鄉自公始，則張公氏餘慶，與長白、繡江相爲永遠矣。銘曰：

積善襲慶，理有固然。如水斯源，涓流成川。如木斯根，毫末參天。張氏在齊，世德有傳。善富名鄉，輸粟助邊。泯之蚩蚩，甫脱戈鋋。乃置鄉塾，敦復化原。有來佩衿，詒□□言，；有來俘纍，曲示保全。儉素傳家，孝弟力田。奕葉其昌，奮蹟英躔。弗三槐而命相，弗高閈而乘軒。揚名顯親之謂孝，利澤加民之謂賢。長白兮嶙嶙，繡江兮淪漣。□□慶之未涯，又將沐餘潤於子孫耶。（拓本，碑在章邱）

太廟火災告祭祝文

維大德六年，歲次壬寅，六月癸亥朔，十二日甲戌，孝曾孫嗣天子臣某，謹遣攝太尉中書左丞相臣哈剌哈孫答剌罕，敢昭告于太祖聖武皇帝：

於穆清廟，對越在天。便殿火災，震驚神御。聿懷懼省，祇薦苾芬。祖考以寧，來格來享。（四部叢刊本《國朝文類》卷四八）

尚書省上梁文

龍蟠虎踞，近依天闕之九重；鳥革翬飛，肇啓文昌之八座。昭風雲之慶會，聳華夏之具瞻。麟鳳來游，燕雀相賀。欽惟聖朝，磬天張宇，亘地開封。混六合以爲家，攬羣英而入彀。周卿有六，以冢宰統百官；唐省分三，曰尚書總庶務。喉舌典樞機之密，股肱資輔佐之良。惟政事之有堂，實熙朝之盛典。再涓吉地，爰築新基。輦來落落之奇材，構出潭潭之仙府。左帶鳳池之水，右瞻鼇冠之峰。聽雞有便於趨朝，待漏不煩於他所。三槐論道，端居上相之尊；一筆爲霖，廣作蒼生之福。允協龜策，共舉虹梁。博采歡謠，庸申善頌。

抛梁東，日出扶桑化景融。盡道今年春澤好，安排歌酒慶年豐。

抛梁南，解愠風清澍雨甘。萬頃黄雲登夏麥，千村白雪簇春蠶。

抛梁西，月窟無塵太白低。九曲河清蛟蜃遠，萬年枝穩鳳鸞棲。

抛梁北，玉牒交歡懷聖德。草芳騏驥附龍鱗，沙暖鶺鴒攀鳳翼。

抛梁上，調元上應璿璣象。輔德常依紫極垣，洗兵更挽銀河浪。

抛梁下，發政施仁自鰥寡。甄陶萬類入洪鈞，蔭庇八荒開廣廈。

伏願上梁之後，三辰即序，庶政惟和。邦畿符鼎足之安，輔相協棟隆之吉。二十四考，休誇中令之賢材；萬八千年，共祝天皇之聖壽。（《靜軒集》卷四　以上郭立傑校點）

全元文卷二九八

尚　文

尚文（一二三六——一三二七），字周卿。祁州深澤（今屬河北）人。博學，至元初參預制定朝儀，得世祖賞識。累官湖北廉訪使，元貞初拜侍御史，歷河南、山東廉訪使，遷江西參政，入爲中書左丞，大德九年（一三〇五）告老歸。武宗、仁宗時曾召問政事，泰定三年（一三二六）以中書平章致仕，次年卒，年九十二。謚正獻。《元史》卷一七〇有傳。本書輯其佚文一篇。

論蒲口不塞便

長河萬里西來，其勢湍猛，至盟津而下，地平土疏，移徙不常，失禹故道，爲中國患，不知幾千百年矣。自古治河，處得其當，則用力少而患遲，事失其宜，則用力多而患速，此不易之定論也。今陳留抵睢，東西百有餘里。南岸舊河口十一，已塞者二，自涸者六，通川者三，岸高於水，計六七尺，或四五尺。北岸故堤，其水比田高三四尺，或高下等。大槩南高於北，約八九尺，堤安得不壞，水安得不北也。蒲口今決千有餘步，迅疾東行，得河舊十，行二百里，至歸德橫堤之下，復合正流。或强湮遏，上決下潰，功不可成。揆今之計，河西郡縣，順水之性，遠築長垣，以禦泛濫。歸德徐邳民避衝潰，聽從安便，被患之家，宜於河南退灘地内，給付頃畝，以爲永業。異時河決他所者，亦如之。信能行此，亦一時救荒之良策也。蒲口不塞便。（明崇禎《歷代名臣奏議》卷二五三）

周天驥

周天驥，號耐軒，宋末以神童科顯。歷知吉州。德祐二年（一二七六）降元，授吉州路總管。本書收周天驥文一篇。

三元延壽參贊書序跋　至元三十一年

儒醫澄心李君，教人衛生，而名其書曰《參贊》，大哉言乎！非取《中庸》所謂贊化育、參天地者乎？天地以生生爲心，人能助天地之生生，則可與天地並立而爲三，此吾道大功用也。天下固無二道，然醫家者流本無是言，非儒而醫者奚足以知之。世俗業醫，名爲活人，其實常欲其術之售，或盻盻然，惟恐衆生之不病。今澄心之書，顧乃切切然，惟恐衆生之有病。自今家有是書，人用是説，各自愛其天地父母之身，則亦無所事於醫矣。衆人之醫，以醫爲功，澄心之醫，獨以無病可醫爲功，切意神聖工巧，雖若秦越人、淳于意、華佗、豬澄輩，論其用心，猶恐未及於是。仁矣哉，澄心之爲心也，書有諸公題跋，乃復徵于同府一語，以模寫其心事。予不能作醫家語，輒以儒家語繫其後。（中華書局影印《正統藏》　龍德壽校點）

文　璧

文璧（一二三七——一二九八），字文溪。盧陵（今吉安）人。文天祥弟。開慶元年（一二五九）進士，累官知惠州。宋亡入覲，授惠州路總管，官至廣東宣慰司同知。大德二年（一二九八）卒，年六十二。本書輯其佚文一篇。

重修府學記

天地百神皆有祭，方伯連帥與守土之臣，奉命祭于封内者，曰山岳海瀆，曰社稷，曰文宣王廟。

夫山岳海瀆，所以載物而厚民之生者也，社與稷所以有土而生民百穀者也。山岳海瀆之祭，使之奠安順理，而無震裂沸騰之災，社與稷之祭，使之豐登盈足而無凶荒饑饉之患，是皆不容廢者也。若夫孔廟之祭，則肅然齋宫，省牲具禮，合樂登歌，縉紳逢掖，相與升降進退，俯伏奠享于阶楹庭陛之間。若甚迂遠于事，檮祈禳祓之舉，報應休咎之符，而祀典先焉，何也？三綱五常之在天地間，將一日不可無，如饑饉之于菽粟布帛也。古之聖人有德有位，作君作師，斯人出作入息，仰事俯育，罔不協于有極。及正義衰微，五教不敷，彝倫攸斁，民無所賴，夫子生焉。有聖人之德，無聖人之位，垂萬世立教之法，存于《易》、《書》、《詩》、《春秋》，使三綱五常大明乎天下。天地以之位，日月星辰以之行，山川草木鳥獸以之寧，豈獨人蒙其賜哉。漢初以太牢祀，歷代命州縣皆立學，夫子之宫牆巍焉峙焉。春秋行釋奠禮，爲百世帝王之師。蓋微夫子立是極也，山岳海瀆誰其奠之，惟社與稷，誰其尸之，天地且不可違，而况山岳海瀆社稷哉！邕學初在城外沙市，徙城中南隅，又徙五花嶺第一峰，前臨清流，後倚高阜，王宫噲噲，從廡斯翼，前門後堂，累疊書閣，其創立規矩，所由來尚矣。炎陬遐壤，山林材木不能支久遠，比歲撤而新之，壯觀有加焉。知風化之本，祀事之重者，大名趙公修己也。公奉天子詔，來殿西南，雖數遷，凡十有五，不離兹土，由是秉鈞衡，登樞要，蓋有日矣。跐美述事，永永無斁，不墮教基，又將有望于後君子云。（清光緒《廣西通志》卷一三八）

程逢午

程逢午（一二三七——一三〇三），字信叔。休寧（今安徽休寧）人。元貞二年（一二九六）薦授徽州紫陽書院山長，大德七年（一三〇三）除授海鹽州教授，未赴，卒，年六十七。本書輯其佚文一篇。

晉新安太守程公墓誌

徽之程氏，自新安太守元譚始。晉元帝興江左，太守由襄州刺史守新安郡，及代，百姓遮留不得，發詔褒嘉之，賜第於新安之歙縣，子孫家焉。其墓在州之西十里，今名雙石前，蓋指墓前二石人也。有地廣袤可容數萬人，先端明少師嘗掌其丘域，至孫曾四世矣。大德丁酉九月，裔孫深甫沿檄故鄉，因得過家上冢，與族黨親戚欵接甚歡。以其年十二月十七日回途至太守墓，拜掃焉，顧瞻徘徊，僅有二石人出土半體，餘地已寸耕而畦種之矣。問之，乃屬别姓。因思程氏爲新安望族，蕃衍盛大，家有詩書，世傳簪笏，其散處諸郡者，亦多貴顯，夫以積世封植之久，子孫千億之多，一旦芸夫蕘子，負荷鋤來縱横其間，行路之人且爲嗟悼，爲其後裔者忍此至哉！既抵郡之明日，訪逢午精舍，語以其故而白之府。公率枝下子孫期以二十六日會墓所，詰朝風雪大作，不憚衝寒，集里社父老，指畫疆界，復還舊物，屬近墓子孫崧主之收地所入，歲時展省，世世無替。蓋根本固則枝葉茂，而枝葉之茂者亦足以庇其本根，祖德深厚實子孫悠久之基，而爲子孫者容可昧所自來不以丘墓爲念哉！尊祖故敬宗，敬宗故睦族，深甫可爲能盡其道矣，亦其天性仁厚知所重而不敢忽也。因記其事，以貽後來。（文淵閣四庫本《新安文獻志》卷一四）

曹說

曹說，號泰宇居士，鄞縣（今屬浙江）人。邃於經學。南宋末，皈依佛門，受菩薩戒。至元十五年（一二七八），住鄞縣資福寺。本書輯得曹說文一篇。

資福寺銅鐘銘　至元十五年五月

陽五經，一陰緯，集象志，成偉器，寶惟金，積乃備。水土和，火房沸。鯨鏗以木五行會，端而牖，虛而不匱，在五天曰健椎。一擊聖賢萃，二擊鬼獄罷對，三擊萬物育天地位。示有節於域中，廓無明

於界外。□□成就不思議無量佛事，豈直清韻度山翠。（清光緒三年《鄞縣志》卷五九　以上王樹林點校）

陳大震

陳大震，廣東南海縣人（《南海縣志序》）。仕元，爲廣東道儒學提舉，後約居鄉里二十年（《重建波羅廟記》）。

重建波羅廟記　大德七年

古者，帝王巡狩方岳不至四海，以四海在要荒之外，不可得而至也。《周禮》凡將事于四海山川，校人飾黄駒而望祭焉。祭有坎壇，未有祠廟。漢武帝惟登之罘，浮大海，欲求仙耳，不在海也。至隋文帝，始命於近海立祠，以巫一人知灑埽，多植松柏。南海祀於南海鎮，即今之扶胥鎮，距城八十里者也。唐武德、貞觀之制，則嶽鎮海瀆年别一祭，以五郊迎氣之日祭之，各於其所。南海於廣州，祠官以都督刺史望，此祠祭之始也。天寶十載，封四海爲王，南海曰廣利，以三月十七日同時備禮，此封爵之始也。惟兹南海神次最貴，元和間刺史孔戣拓舊廟而大之，又得韓愈碑爲之發揚，祠禮之盛，莫盛於此。時至宋康定，加洪聖之號。皇祐，加昭順；紹興，加威顯；合爲八字。前乎紹興，四海同封而異號。及紹興，疆土乖離，獨南海耳。自天命歸于皇元，至元十三年，乃入職方氏，神始有會同之喜。二十八年，世祖皇帝加以靈孚之號，天使奉宣命馳驛萬里至廣城，官吏無不肅格。將致寵光于正祠，聞祠已廢，乃於城西別祠，行禮焉。同知總管府事趙公勝興曰：「自隋唐歷宋，踰七百年，鎮之祠無不修舉。今廢不治，遺神之羞。夫君所以養民，神所以衛民，君之敬神，正以民故。食君之祿，而不以君之所以敬神者事神，可乎？」乃捐俸修之，未備也。二十年，公陞宣慰副使，復修之，苟合矣。已而被命簽都元帥府事，始得展其力，乃於農隙募材鳩工人執宫功。一木一石之未良，一斧一鑿之未精，必更之，使盡善乃已。大門三間，横二十二丈。翼以兩廡，從三十二丈。正殿巋然其中，又演兩廡三十二丈至寢殿，崇廣如正殿，明順夫人之所處也。下至輿衛翼從，悉有寧宇。又崇館以爲天使弭節之所，雖祝使庖夫所棲亦皆完好。凡爲屋一百二十五間，歷十餘年而後就。吁！公之勞心殫力而爲是者，何也？或謂：「公初涖職，平海寇，禱于神，神克相之，故契契于是。又以上恩久任獲與斯民相安，民亦知有上命子來經營，乃克就緒。」大震約居二十年，有田數畝，在廟傍，時勞耕者父老誇侈其事，得大震記之。韓碑在前，何敢穢珠玉側，第公之功德踰於孔戣，不書則後人何以稽？故不得辭。復有一於此，初亦不能無惑。張宣公栻嘗云：「川流山峙，是其形也，而人之也何居？氣之流通，可以相接也，而宇之也何居？」遂疑唐以王爵封神者，未然也。及觀《家語》云：「季康子問五帝之名，孔子曰：『天有五行，金木水火土，分時化育，以成萬物，其神謂之五帝。』然則五行既可爲帝，則四海之爲王，又何慊乎立之祠而設之像？亦靈星之尸之意，幽爲神，明爲人，是或一理？弁冕端委亦其爵秩之當然爾。然乎不然，必有能辨之者。」元大德七年歲次癸卯四月朔旦，承事郎前廣東道儒學提舉陳大震記。（同治三年《廣東通志》卷二一四）

南海縣志序

韓愈與張韶州有「願借圖經將入界」之詩，又張籍《送鄭尚書》亦有「嶺南封管送圖經」之句，然則百越之有圖經，自唐已然，不特供地主之求，亦可備過客之借。廉訪使江陰義齋陸公以儒被選，遠有光華原隰，咨諏索圖經於故府，無有，遂命里耆舊陳大震、路教授吕桂孫求舊志增修之。竊謂：圖經之作始於《禹貢》，是史錄其事以爲篇者。周大司徒掌天下土地圖之廣輪方物名數，漢得秦圖書知户口阨塞去處，光武披輿地圖知天下郡縣，始得其一爾。後代代相承，各紀其所有以爲志。廣自元鼎開越分疆後始爲郡，後又爲州，或屬交，或分理，千餘年間屢有更革。《南海志》從來久，廢則必修。今蒐之故笈，存者僅有嘉定、淳祐二本，首尾殘缺。淳祐迄今五十年矣。大元混一區宇，亘古所無，長城外不知幾萬里皆入版籍。鄒子所謂「中國者，八十分之一」，信不誣也。南海荒遠，在圖中一黑志耳，然無地志則又何以備史館之需。今在職方已三十年，官府制度革故鼎新，不錄則久將焉考，爰即舊志而增益之。若盡去其舊，則三百年前事不能詳知矣，故兼取之。序成，白之公，公頷之，遂付

之梓。(同治十年《番禺縣志》卷二六　以上郭立傑點校)

杜道堅

杜道堅(一二三七——一三一八),字處逸,號南谷子。當塗采石人。宋度宗時錫號輔教大師,住武康昇元報德觀。元初入覲世祖,命住持杭州宗陽宫。大德七年(一三〇三)授杭州路道錄,仁宗錫號隆道冲真崇正真人。延祐五年(一三一八)卒,年八十二。著有《文子纘議》十二卷。本書輯其佚文七篇。

平宋錄序

司獄平慶安上言于朝,立太傅巴延公之祠於錢塘武成、忠烈二廟之間,未獲先世之令典,以宜其施,惟耆艾是求,次及於僕。夫爲世功業,吾山林之士所不言也,謝不能已,復以所聞。昔先王之有天下也,於其左右之臣,必疇其爵邑,錫之土田,樹之旂常,公之彝器,使其子孫奉其祭祀,若周之太公,漢之子房,是其人已。封建既廢,斯道不復,而名臣之迹,亦有所表以不泯於世,故白起祠於杜郵,馬援祠於南海,諸葛祠於三巴,張巡祠於睢陽,皆所以明施報之義,揚盛大之業也。今國朝之興,元輔之臣，股肱爪牙之士，辨博之人，肩摩踵接，固多有之，以僕所覿，未有逾於太傅者也。用兵江漢，不嗜殺戮，城下之日，萬姓謐然，是太公之將也。輔我聖皇克正大位，是子房之傅也。而廟祀之禮，未及白起、馬援之徒，則人之説者固斷斷於是矣，亦何以顯昭代之恩，立賢者之勸哉！況於錢塘爲立功之地，飭之祠宇，使耄稚承事，無有厭斁，其義不淺，亦使武成之廟，太公子房之靈，有昭有烈，顧不偉歟！夫揚國家之美者，臣子之心也，捐已然之物者，天下之言也。僕夙嬰孤蹇，寄迹黄老，飄舉世外，何取何遺，以其諏於僕也，聊誦所聞酬其請。當塗杜道堅敬書。（《叢書集成》初編第三九一〇册）

中和集叙

維揚損菴蔡君志頤瑩蟾子，李清菴之門人也。勘破凡塵，篤修仙道，得清菴之殘膏賸馥，編次成書，題曰《中和集》，蓋取師之静室名也。大德丙午秋，謁余印可，欲壽諸梓，開悟後人。余未啓帙，先已知群妄掃空，一真呈露，謂如天付之而爲命，人受之而爲性，至于先天太極，自然金丹光照太虚不假修鍊者，漏泄無餘矣。可以窮神知變而深根寧極，可以脱胎神化而復歸無極也，抑以見道之有物混成，儒之中和育物，釋之指心見性，此皆同工異曲，咸自太極中來。是故老聖常善救人，佛不輕於汝等，周公豈欺我哉。覽是集者，切忌生疑。當塗南谷杜道堅書于錢塘玄元真館。（上海古籍出版社

影印明正統刊本《道藏》）

玄經原旨發揮序 大德十年

老子自孔子稱曰猶龍，莊周尊曰玄聖，歷代尊行其教，上尊號者至矣。竊觀由商歷周九百餘年，三度散關，四掌史職，著道德玄經二篇，槖籥天地，玄同有無，實一天人之書。道堅嘗著《玄經原旨》，亦既脱藁，思昔觀復謝高士所編實錄年譜紀載頗詳，然引用年代尚多異同，久懷考正未能也。今採摭皇極元會運世，參訂經旨，輯爲十有二章，非敢有作，吾猶及史之闕文也。夫孔子本魯史作《春秋》，始周平王。邵氏本《連山》著《皇極經世》，書自堯始。愚之本玄經著《原旨》，復徵古史，爲發揮，故不得不自先天始也。此書之旨，不惟有極以來已然之世代可徵，而無極以前未然之朕兆庸有可推。後之有志古始者，當有考云。（上海古籍出版社影印明正統刊本《道藏》卷一二）

通玄真經纘義序

古之君天下者，太上無爲，其次有爲，是故皇以道化，帝以德教，王以功勸，伯以力率，四者之治若四時焉。天道流行固非人力之能强，然則時有可行，道無終否。冬變而春，存乎歲，伯變而皇，存乎君，此《文子》作而皇道昭矣。文子，晉之公孫，姓辛氏，名鈃，字計然，文子其號。家睢之葵丘，屬宋地。一稱宋鈃師老子學，早聞大道，著書十有二篇，曰《文子》。歸本老子之言，歷陳天人之道、時變之宜，萃萬古於一編，誠經世之樞要也。楚平王聘而問道，范蠡從而師之，勾踐位以大夫，佐越平吳，功成不有，退隱封禺之地，登雲仙，去吳興，計籌之陽乃其故處。唐玄宗時，徵士徐靈府隱脩衡嶽，注文子之書，上進，遂封通玄真人，號其書爲《通玄真經》。僕生江左，身老吳邦，訪文子之遺踪，建白石通玄觀，因獲文子故編，暇日分章纘義，參贊玄風，若夫化教勸率道德功力之辯，則不無望於世之大賢云爾。（上海古籍出版社影印明正統刊本《道藏》）

玄元十子圖序

道無定體，聖無定名，惟無定，故變化無方而有不可知也。洪惟先天道祖大聖老君象帝之先，而吾不知誰之子可爲天下母，而吾不知其名，是故世人知有始有形之老子，而不知无始无形之老子，又何知未始无始未始无形之老子乎！嘗謂老子歷商周九百餘年，當時親見猶龍如關尹子者，豈特十子而已哉！必有不可知者存。集賢學士趙子昂本其有書有言者作玄聖十子像，將使學者瞻其像，誦其言，而求爲聖人之徒，是誠在我。詩云：「執柯伐柯，其則不遠。」大德丙午元日，教門後學當塗杜道堅稽首恭書。（上海古籍出版社影印明正統刊本《道藏》卷三）

大宗聖宫重建文始殿記

大德七年九月十五日

文曷從而始乎？昔者姬周之世，有真人焉，于此望紫雲，徯玄聖，傳經受道，鑿渾沌，開鴻濛，章自然，明明既襲，教于是乎興焉。復見于青羊之肆，錫號文始先生，玄旨其在兹乎。古樓觀即當時結草樓之地。尋其遺迹，所謂授經臺、系牛柏，尚無恙。世代曠遠，屢罹變故，一經廢圮，旋即興修，蓋以玄教權輿之所故也。近又盡于金季，國朝撫定後，同塵洪妙真人李公志柔，承清和大宗師命，率徒興復，直寥陽殿北，即舊址重建文始之殿，以嗣師太和、太極二真人配焉。高明巨麗，至者聳觀。殿既新矣，以前代碑志殘缺，宗源黮暗，無以開悟後學，乃狀其顛末及紀述近代關尹子書出世事實，訪余爲刻石之文。辭以不敏，不聽，因掇其事而記之。按《史記》，周室衰，老子西游出關，關尹曰：子將隱矣，强爲我著書。于是著道德上下篇五千余言而去，不知所終。切觀聖真契遇，汲汲然以著書爲請，有以見其憂世之切，思復隆古之治，意則至矣。至于泄先天有物之機，啓後天不盡之傳，微文始，其孰能發之。是既書受而得旨矣，于是千日清齋，窮數達變，乃復著書九篇，號《關尹子》，此又内傳所紀，與《漢·藝文志》所錄書名正合。寥寥千載而下，求其所謂關尹九篇之書，則世莫之見，討于藏室無有也。宋碧虚子素博古，嘗叙老經而及此，乃斥《西升經》是政和中刊藏典，凡兩詔郡國，搜訪道門逸書，所獲雖衆，而此書竟無聞。是知方外真仙之書，造物者之所靳，固然終不可泯，行之有時爾。國初，全真教啓，清和嗣教之五載，有得《關尹子》書于永嘉山中，持詣教席以獻者。義玄辭古，自成一家，見者聞者，莫不胥慶，咸謂尹氏典教而尹書出世，非天時道運，其能如是乎？閲其書，首言「非有道不可言，不可言即道，非有道不可思，不可思即道」，翻老子語也。若謂道豈不可言、思哉，其不可言思者，即道也，指法瑩切，信夫老子之脱胎也。在當時也，宜乎莊子聞其風而悦之，稱之爲古之博大真人，自以其學出于關尹；列子則見而師之，故多請問之辭。以二子之高致而屈服如是，豈苟然哉！然老子之書則尊道貴德，它不及言，而是書也，大綱舉，衆目張，蓋所以集大成也。是故游太初，契一息，萬物寓，天地冥，凡直指道之道者，豈復容啓喙。即其道之事者言之，如曰女嬰龍虎，即今之丹道；籩豆瓦石答問，即今之空宗；水可火因，南夭北壽，即今格物致知之學。互會兼曉，若此者衆，后代理性命三氏之學，于時未彰，而此書悉已建明。由是觀之，啓重玄，開衆妙，其爲門闑亦大矣。第造履者，不無堂奥之别也。逮世下降，源遠派分，各以所得之重，署爲顓門，然學者自壯之耄，本宗有不能悉，求其具體，尤難其人。頃年以來，尚玄之士頗有作爲箋解者，然燭此昧彼，未免管窺之誚。今驗夫書，首有劉向表，末有葛洪叙，按其説，漢蓋公授曹相國參，參薨而書葬，孝武得之方士，淮南王遂復匿之，晉稚川遇鄭思遠，得聞且重言愛誦，藏拜而幸其親受。核是數説，則知前代受者皆寶秘自善，不與世共，要自稚川後，秘絶無聞矣。今皇元啓運，華夷混一，文同軌會，而書乃出焉。海内學者，有志是道，不遐搜，不艱致，人傳家授，咸得受持，亡白首望洋之嘆，何其幸歟！抑嘗思之，古者芝草生，卿云見，職史者猶或以爲瑞而書之册，今載道之書不世而出，則其關盛衰，興教化，非常事也，是宜志之本源之地，以俟太史之采，亦俾學者知得幸之所自焉。嗚呼，非天所畀，其孰能與于此？且是宮自周而來，興廢廢興，不知其幾矣，物之成毁，固有數也。依山而望，若秦之阿房，漢之未央，隋之仁壽，唐之九成，其成也，莫不極一時之盛，然而數世之后，遂化爲禾黍丘墟矣。而是宮自穆王建樓觀以來，代更二十一姓，年歷二千四百，雖嘗例墮灰劫，然稍隳而更振，暫弛而益張，不趁物遷，不隨代盡，玄胤繼繼而世守，觀往知來，則雖與山并久可也。噫，是所謂基道址德，不老之壽域歟？離塵蜕俗，物外之仙都歟？今焉廟貌重新，日嚴祀奉，將以啓來者固有之善，然而四方萬里之士，有誦其書領其意，猶若親承而面奉，矧終南萬古，聲容在玆，而獲蹈靈場，登秘殿，瞻睟象，洋洋乎如在其上，如在其左右，是豈有古今仙凡之間，而亦孰使之然哉。經不云乎：恍兮忽其中有物，窈兮冥其中有精。其精甚真，其中有信。于此有見，亦可以反諸身而自得之矣。嗚呼，其懋哉！歲癸卯大德七年九月望日計籌山人杜道堅記并書（文物出版社《道家金石略》）

宗陽宮銅鐘銘　延祐二年五月十九日

維大元延祐乙卯五月戊申朔十九日丙寅，隆道冲真崇正真人、杭州路宗陽宮住持宮事、臣杜道堅，范銅千二百斤，作商子癸鼎乙壺二，永鎮昊天寶殿，爲國家祈天永命，徼福生民。（文物出版社《道家金石略》）

連文鳳

連文鳳（?——?），字百正，號應山，三山（今福建福州）人，仕履不詳。然其文集中《暮秋雜興詩》有「仕籍姓名除」句，是則宋德祐前嘗從仕。據《四庫全書總目提要》至元丙戌，連文鳳與吳渭、謝翱、方鳳等宋遺民結月泉吟社，詩歌往還。時已改名羅公福。又《庚子立春詩》有「又逢庚子歲，老景對韶華」句。庚子爲元大德四年，是則其於成宗時猶在。著作有《百正丙子稿》，四庫館臣考證即爲《百正集》。又賦三首、序二首、記二首、説一首、傳一首，皆散於《永樂大典》。清廷修《四庫全書》，裒輯排比，統編爲《百正集》三卷。本書所收連文鳳文，以文淵閣《四庫全書》本（簡稱文淵閣四庫本）爲底本，校以民國上海商務印書館據清鮑廷博《知不足齋叢書》本排印之《叢書集成·初編》本（簡稱叢書本）。

登高賦

天氣清兮高哉，雲溶溶兮四開。泣玉露兮既降，金飆翔兮埏垓。維兹時兮辰良，陟彼岡兮崔嵬。尋幽壑兮邃谷，坐白石兮蒼苔。攀龍山兮逸駕，樹冥冥兮翳霾。矧伊人兮高風，俯同寮兮嬰孩。曠千載兮寥寥，羌渺渺兮余懷。桂芬芬兮椒馨，魂欲招兮不來。邈今古兮宇宙，紛流俗兮喧豗。漂翻翻兮上下，溷汩汩兮氛埃。念浮生兮須臾，復何樂兮何哀？采落英兮盈掬，挹天漿兮如淮。聊自適兮容與，左持螯兮右杯。欸暮景兮短促，將駕言兮遄歸。舞醉影兮婆娑〔一〕，歌明月兮徘徊。

〔一〕舞醉影兮婆娑：舞醉，叢書本作「醉舞」。

獨居賦

藐吾生之若浮，寄流光之過隙。撫景忽以西邁，倚長風而抱膝。時會運之相禪，窅洪濛而莫測。揆余初兮無爲，奚終罹以憂戚。謇晝短而夜長，羌天寬而地窄。能虛已以游世，非達觀其疇識？此長慶翁所以叩至順於香山，柴桑子所以賦歸休於彭澤也。嗟夫！蟻戰蝸爭，紛紛詐力。魚追獸奔，汩汩形役。以靜觀動，由今視昔。流芳胡緋緋乎尼父？遺臭胡昧昧乎盜跖？奚是奚非，害喪害得。孰若委道化以樂天，泯識知而順則；託信宿於蘧廬，假夢寢於槐國。如斯可以爲無懷之民，游葛天之域也。因論夫俛仰之間，貿貿陳迹。自其以人勝天者觀之，則彊弱、小大，或得以紊其常。自其以天勝人者觀之，則富貴、貧賤，亦各順其所適，非天之不可必乎。光風韶春，好天良夕。持白雲以怡悦，酌明月而幕席。隨坎止而流行，付盈虛與消息。善葆練以餐和，對爐熏而讀《易》。

虛舟賦

汎彼中流，其名曰舟。遠可以涉，深可以遊。伊誰爲之？有熊氏作。如鳥斯飛，如馬斯躍。彼誕而迂，其名曰虛。若盈而竭，若有而無。伊誰爲之？太空是侶。奚放奚歸？奚涯奚涘？我有虛舟，不纜不維。篙不可設，梔不可施。其材孔良，其質孔厚。般輸顧之，吐舌縮首。匪樓而高，匪鐵而堅。李郭升之，儼若登仙。放乎巨浸，泛無所著。係之頹岸，淡無所泊。萬斛匪重，一葉匪輕。東西上下，不槳而行。颶風橫江，弗震弗擊。惡浪排空，弗覆弗溺。昔有孟明，濟河自焚。賈勇作氣，敗北晉軍。繼有公瑾，蒙衝鬬艦。天與一炬，曹師破膽。勝則櫂歌，負則楫摧。一喜一戚，往來於懷。喜者患得，戚者患喪。孰若吾舟，從吾放浪。利污吾綱，名玷吾罾。有鼈可庖，有魚可羹。暮雨朝烟，草衣箬笠。日出而出，日入而入。萬山夜行，一笑當空。山河大地，在吾舟中。此時觀之，非舟非我。心焉如灰，形焉如槁。適有漁父，鼓枻而歌曰：「月白兮風清，雲淡淡兮水泠泠。子亦知夫月之所以明、風之所以生、雲之所以作、水之所以行乎？吾將與子汎濫乎寬閒之野、廣莫之濱。」余歌而答之曰：寬兮閒兮，天地之間兮。廣兮莫兮，天地之廓兮。嗚呼！天地亦不過其如是。

送荀厚夫學正之昌國序

三代鄉舉、里選之法久不行於天下。吾道一脈綿綿延延，至於今不廢，幸三代之學法存焉耳。不幸而不得其人，雖存猶不存也。嗟夫！學校之設，其來非一日。漢、晉、魏、隋之間始有學校官。有州博士，有經學士，掌以五經教授。繇是，教授之名始立。名「正」、「錄」者，其又何始乎？安定胡先生掌太學，其正、錄第補諸生，後以上舍、内舍充。及三舍興，始置官，如學官之例。然則凡學之正、錄，殆昉是而設也。雖然，是可以倖得哉？始也，羣試於學，月書而季攷，蠭積而分累，校數歲之中，第其最優者，升之州若府，州若府然後出是命焉。然則得一職也亦勞矣。向也謂之職，今以官名之；向也得之州若府，今以省命之。是選不爲不重矣。然而不以道藝，不以德行，不由科目而來，往往技術之流與夫彊有力者得以居是官，可歎也已。成都荀厚夫無技術之可挾，無彊有力之可恃。然觀於今世之材之能如吾厚夫者，亦不多其人。曩任松江學錄，以恭敬事上官；其於朋友，則謙以和；其於講課也，切切偲偲。三載攷績，官箴無曠。今也，授以昌國學正，蓋不過循級而進，俾竊升斗之祿，得以便朝夕菽水之奉。厚夫之本志也。奈何力有所不逮，技術有所不及，故不暇擇地之美惡、近遠焉。吁！亦可歸之命也矣！然吾聞之，昌國多有材士，風俗亦不惡。廩稍不敵他學之萬一，幸而不至乏絶。太凡士君子以道自任，無一毫妄求苟欲之心，何往而不可焉？昔范文正公掌睢陽學時，有孫秀才者來謁。公贈以錢，則以母老、無以養爲辭。公曰：「吾今補子以學職，月得三千以供養。子安於學乎？」孫於是大喜。今君誠能委於命，安於學，月取三千以歸養其親，安知他日不爲孫泰山也？厚夫勉乎哉？是行也，厚夫固不以地之遠且險爲難，而惟母老是懼。余姑借是説以寬之。

送吳子敬序

釣臺，嚴之佳山水也，子陵先生硎於是。後之人堂而祠焉。祠之者，敬之也。今名其所曰「書院」，以「山長」名官，固將以此處當今之士，亦所以重祠事也。吁！先生，隱者也，而使仕者居之，恐非先生意也。然而先生有言曰：「懷仁輔義天下悦，阿諛順旨要領絶。」政欲使天下仕者行其義也，行其道也，不失其要領者也。松江吳子敬，端友也，不汲汲於仕，從吾學聲律二年，以文字往來其間者又四三年。由是，學益進，文日益工，而略無一毫侈然自足之態。每告余而言曰：「仰事俯畜，非某所憂也。倘能屏去俗慮，無所介介乎其中，則杜門讀書足爾。」今子來長是山，雙臺相欽，羣樹茂植。錦峰繡嶺，清麗奇絶。是造物者以讀書之地假之也。若夫廪稍之虚實、生徒之衆寡，固皆無賴乎此。然以有所挾之才，而置之寬閑之野、廣莫之濱，惜夫！雖然，「學而優則仕，仕而優則學」。今日之仕，今日之學。其於遠且大者，若稼而穀、圃而蔬，其方來未艾也。吾故以要領之言贈吾子。子敬其勉諸。

學魯齋記

錢塘丁君强父，文章士也，鄉之人咸譽之。初，余游杭頖，君居前廡，與之識，且嘗與之爭功名於場屋間。後十載，奎文歛耀，芹藻無香。君於是閉門讀書，不復以榮進亂心，名讀書之齋曰「學魯」，課其子，命之朝夕學焉。一日造其齋，見之，且大笑曰：「異哉，奚而名也？父字以『强』，子教之『魯』。何勇於己，而示子以怯與？是必有故也。且魯有等級，有真有似。曾參之魯，魯之似者也；周勃之魯，魯之真者也。夫以椎魯少文之夫，一旦處大變故，不動聲色，而能安傾危之社稷，若曾子者，又非絳侯比也。聖門高弟，顔、曾爲首稱。顔有得乎愚之如，安知曾不得魯之似？然則真，可也；似，亦可也。今將教之學真乎？學似乎？」强父曰：「知愚，一武子也。吾夫子獨以其愚不可及，以善於處愚之時者爾。某之子稍聰悟，易通於學。方今薄習靡靡，易以移人，可不慮哉？《詩》云：『他人有心，予忖度之。』予之心，子其得之矣。」嗚乎！强父往矣，有子曰君瑞。讀父書，世其業，心術、氣質不爲習尚所變化。謙於己，恭以待人，言語、動作、容止、進退，無一不於魯之學得之。君瑞年方壯，籍籍有詩名。夫詩，亦道也。由是懋於詩，篤於學，庶幾可以進於道。進於道，是亦曾子已矣！是亦曾子已矣！

四望亭記

《詩》不云乎：「駕彼四牡，四牡項領。我瞻四方，蹙蹙靡所騁。」釋者曰：人君所乘之馬，但養大其領，不肯爲用。喻大臣自恣，不能使也，瞻望四方，蹙蹙然無所馳騁。烏乎！此刺詩也。方今乾坤清夷，風雲際會；氣類感召，人材翕合，殆非《詩》之所謂云爾。真定高君章業儒吏，由吏而仕，官水監。急流勇退，休於家。家之側，買地數十弓，更創一亭，爲棲息之所。左右引水，翼以池沼。疊石前後，樹以花木。琴棋圖籍、筆床茶竈次第於其間。落成之後，觴客賦詩，相與慶斯亭。客曰：「快哉！曠瞻遐眺，上下四方之宇盡在是矣，名不虚得也！」主人哆然大笑，曰：「噫！是不然。東望太山，虎豹居之；南望黄河，黿鼉魚鼈生焉。函關據其西，大海坐其北。江濤如許，人物眇然。吾之所望者，在此不在彼也。」客悟，曰：「向也，子由之謁魏公也，亦曰『於山則見終南，於水則見黄河，於人則未見韓太尉』。然則亭之名，《詩》之意也。烏乎！子老而致仕，猶將以此望天下四方之人材，可謂明也已矣！可謂遠也已矣！」於是，主人與客盡醉而别。真定距杭不下四千里，遠以書來，述乃事與客之言，乞余文。於是而爲之記。

潛谷説

余生平讀孔氏書，晚年，遠公輩招入白蓮社。社有孫一之者與焉。一日，孫子出手卷，名曰「潛谷」，求予詩。予觀其自敘所以名之之義，因語之曰：「山，谷也；水，亦谷也。子獨不觀老氏之説乎？谷神不死，是謂玄牝。是谷也，乃人身中一虚空處，與儒家所謂腔子相似。朱文公曰：『谷之虚也，聲達響應焉。』子惡知乎谷之爲彼耶？又惡知乎谷之非此耶？子學儒者，曩也，舍儒而學吏；今也，舍吏而學佛。文公早年洞究釋氏之旨，故其言曰：佛説皆出老莊。今子讀佛氏書，誠能參以老氏之學，而有得乎潛虚之道，將見子之心，潛天而天，潛地而地。谷之義大矣哉！」諸君長篇短什賦咏盡之矣，余不能詩，敢借老氏言以爲之説。

冰壺先生傳

先生，蔡州人也，姓蔡氏，不以名字語人，故人皆以氏稱之。其先爲周諸侯子孫，因以國爲氏。後之種類蕃滋，姓氏不一著。先生性樸素，淡然無欲，且善與人交，自王公至於庶人，莫不親愛之也。先生亦不以貧富、貴賤厚薄之。昔孔子往見之，必齋如也。顔子與之處，不茹葷者三月。嘗過秦，秦大夫逢氏子患迷罔之疾，視白以爲黑，享香以爲臭，嘗甜以爲苦。留先生於門，三日不得見。及與之語，卒不入。終其身而不相遭者，惟逢氏一人而已。及遭蘇峻之亂，干戈蹂躪，辟地江南，舍于陶公之圃。會太尉庾公來奔，陶公素雅敬之，爲設供饌。太尉入見，矍然而驚，恍然而失。良久，曰：「百姓流離，歲且大饉，卿獨無恙乎？吾不患其無遺種矣！」相與於邑而別。自是，先生退居田園，無出仕志。日與陸葵黄菁之徒往來山谷間。天子聞其才，欲屈，不能致，乃遣小黄門賜以八珍之食，復命宗室貴戚出五侯鯖餽餉之。先生毅然作色曰：「非其義也，非其道也，一介不以與人，一介不以取諸人。」遂辭讓不受。晚年，尤喜浮屠，信道術。一日，往適市，市有老翁賣藥，挂一壺於肆。市罷，輒入壺，人莫之見。先生於樓上睹而異之，因奉酒果以往，請學其術。翁與之坐壺中，盡飲而出。先生由是頓悟，息心屏慮，斂迹匿形，深扃固閉，出入食息必以時。盎無升斗之儲，惟虀鹽是奉，故以「冰壺」之名自號。同郡有劉伯倫者，性嗜酒，無以檢束。一夕痛飲，夜半吻燥。中庭月朗，殘雪未消。不遠秦楚之路，而踵先生之門。先生愛其知己也，倒屣出迎，延之上坐，開樽而飲，擊缶而歌，乃出石崇所作「韭萍虀」一品與之，咀嚼而去。當時，王愷富傾天下，驕淫侈靡，方且歆慕健羡，想望其風味而不可得也。宋太宗皇帝嘗於經筵中命蘇易簡講《文中子》。至有楊素遺子《食經》「羹藜含糗」之説，因問食品何物最珍。蘇公侈談先生韭萍虀之美不絶口，且謂上界仙廚，鸞胎鳳脯殆不及此。屢欲作《冰壺先生傳》而竟不果。太宗笑而然之。余嘗經遊蔡地，過其廬，見其二子焉。長曰蔬，幼曰蔌。豐姿秀美，卓然有祖風。不知其爲幾十代孫也。二子相與言曰：「吾先公利足以濟人，誠足以通神明。家世寒微，史失其傳。不獲遇於蘇公，命也。後之世將無傳焉。」余感其言而語之曰：「經不云乎：中庸『其至矣乎！民鮮能久矣』。人莫不飲食也，鮮能知味也。今子誠能守先公之道，勿替其家聲，子不求知於人，人自求子矣，何患乎無所傳？」二子聞言，喜而退。余故爲之補傳，以成蘇公之志云。贊曰：

先生之美，溢人唇齒。先生之德，漬人胸臆。非玉而珍，非冰而清。宗廟享之，敦素而行。子孫保之，甘旨是承。肉食者鄙，爾羶爾腥，又安得與之而爭名？嗚呼！富者不可保，貴者不足恃，惟澹泊之士無窮。信哉！（以上《百正集》卷下）

全元文卷二九九

姚燧　一

姚燧（一二三八——一三一三），字端甫，號牧庵。洛陽（今屬河南）人。三歲而孤，依伯父姚樞長成。拜許衡爲師。至元七年（一二七〇）奉召至京師，始任秦王府文學。未幾，授奉議大夫，兼提舉陝西、四川、中興等路學校。歷任陝西漢中道提刑按察司副使、翰林直學士、大司農丞等職。成宗元貞元年（一二九五），以翰林學士召修《世祖實録》。大德九年（一三〇五），拜中奉大夫、江西行省參知政事。武宗至大年間（一三〇八——一三一一），授翰林學士承旨，知制誥兼修國史。仁宗皇慶二年（一三一三）卒，年七十六。謚曰文。《元史》卷一七四有傳。著作有《牧庵集》三十六卷。本書所收姚燧文，以《四部叢刊》本（上海涵芬樓藏武英殿聚珍版影印）爲底本，校以清鈔本（不分卷，上有黄丕烈跋語。現藏北京圖書館），參校《叢書集成初編》本。集外共輯得佚文十九篇。

烏木杖賦

去年，史仲威得烏木杖，大徑尺，高可過顙。嘗析一杖遺余，許爲賦報之。其秋仲威疾，歷三時未勿藥也。今年，余生朝使人肩木之半相壽，且促曰：「吾疾於以嬰綿者，豈思不償賦致耶？」不佞誠得一誦其辭，或可釋杖而起矣。余勤其言，而賦曰：

或曰：「炎海之山，珍木產焉。金爲之聲，石與其堅。魑結伐荷，投諸瀧淵。依居蛟蜃，漱沫濡坎。歲月俟之，化而爲元。要出人爲，非得自天。此島夷假以售利於中土之微權也。」抑齋聞而笑之曰：昔賈鬻鞭，梔蠟其膚。市者一濯，已呈蒼枯。胥是黝材，裏表一如。從可占知，迺受形其本初者也。胡子以由彼而然乎？今夫中山之山，有衆其植。斧取觀之，内各異色。樟作稠文，杜棗栵赤，檀柏柘黄，蒲椒椷白，與爾萬里，遐裔絶域。瀘嶲杉紫，儋黎沉褐，罽賓雞舌，相半白黑。一隅斯舉，三可反隤。茲度品之爛爛，果熟漚以何澤？況於兩間，滋雨噓風，敷土華耀，爲白爲紅，深淺濃淡，萬不齊同。令人感之，欣心悦瞳。問誰爲之能然？皆著妙於化工。夫其見諸柯葉之外者如此，又何惑理質於其中哉？且水火之赤黑不一其色者，雖童子猶能知之。至語其相賊而爲用，有戴白之老所未思。維男丁與婦壬，實雄黑而赤雌。始若離而難馭，終爲夫之所移。今其色之幽幽，乃昔赤之由基。是何資於遠譬？只煬竈亦可闞。彼炎艷而烈者焰也，其烟液爲煤，必黔而緇。因以曉夫巧繪之棄鉛朱，亦懼夫既久漫漶而爲黟。又以信道書坎盛之侵離也。不然，南服之洲，祝融之宅也，歊金石而焦流，蓋火熾之已極。非盛其水以滅之，則物將不能以生活。故伊人之睟，面不渥赭而深黑，亦火色索藏，惟獨見夫水而已矣。其木理之如漆者，又何惑乎哉？史鰌之孫，其畏可象。析而杖之，奔走相餉。輟矛廬於猛士，配几屨於席上。試扶衰以起策，觸爪甲而鏗響。思卷鐵而含簧，陋柳侯之爲匠。必求同於所異，緦黑蛇之佛彷。噫！物之變化不可期兮，猶足以乘雷而騰往也。（《牧庵集》卷三二）

左丞許衡贈官制

天非繼聖學之墜緒，則不生命世之大才；國欲與王道以比隆，肆用爲烝民之先覺。何物故之已久，尚人思之未忘。故資善大夫、中書左丞、集賢大學士、兼國子祭酒兼領太史院事許衡，玉裕而金相，準平而繩直。出處則惟義所在，言動亦以禮自持。休休焉有容，屬屬乎其敬。人能弘道，惟朝聞夕死之是期；我欲至仁，匪晝誦夜思而不得。行己似秋霜烈日，化人如時雨和風。來席下之摳衣，滿户外者列屨。達簡在帝心者，率多丞弼；窮固守師説者，不失善良。鶴鳴九皋，而聲聞於高；鳳翔千仞，必德輝乃下。爰立相以堯君舜民之志，所告上皆伊訓説命之言。丹扆斥姦，少不避雷霆之軋擊；青臺治歷，本于猋日月而送迎。繇理窮而智益明，隨任使而職斯舉。今既亡矣，誰其嗣之？於戲！在爾身有垂没世之名，于朕心有失同時之恨。雖成廟納書以命謚，固已振木鐸之高風；而功臣胙土則未加，用申錫蜜章于下地。光靈如在，寵數其承。可贈正學垂憲佐運功臣、太傅、開府儀同三司，追封魏國公，仍謚文正。

中書右丞相塔喇台追封淇陽王制

出入帷幄，在人十能，而已則千；訏謀廟堂，爲相一年，而疾居半。竟邦家之殄瘁，宜王禮以追崇。具官某，維昔開國之遺苗，乃今太師之元嗣。由爾世胄，爲我親臣。事世祖至今也凡三朝，職食官而久者非一日。灼其廉明而忠亮，與夫恭遜而溫文。眷兹中書，出庶政之原，居以右相，絶百僚之席。使加中政，機總六軍。善調護而長宮師，監纂修以成國史。如此重責，皆所裕爲。一德可以寬鄙夫，片言奚止簡繁務。思過榮之可懼，視倖利以不貪。同綰銀艾者十人，爾先辭免其太尉；均受錫田以萬畝，爾獨還致于司空。觀父子之并相一門，求聖賢與尚友千古。改爲改作，緇衣何賴乎武桓；拜後拜前，赤舄未憖於周魯。方歌功於清廟，倏委魄於玄閭。豈意少者歿而老者存，益信神難明而理難測。憐乃公獨傷於漠北，暂爾後均胙乎淇陽。於戲！何但上下牀，盡餘子可束之高閣；如失左右手，慨正人不作於下泉。咨爾靈明，歆朕休命。可特贈封謚爲懷忠昭德佐治功臣、開府儀同三司、太師、上柱國、淇陽惠穆王。

索隆噶台贈營國威翼公制

朕聞康王之入端門,其從呂伋;文帝之來代邸,亦拜宋昌。固知非心膂之臣,不以付爪牙之士。某官某,任足以致遠,斷可爲克剛。以世祖見萬里之明,于親臣極一時之選。愛其春秋之方盛,責以夙夜之惟勤。昉試于中,俾執干而衛闕;旋出之外,與受鉞以平淮。召移全軍,往追叛戚。既誓捐軀之許,敢辭奔命之勞。何以報之?所未聞者,杯盂璪瑳以陳玉,賓虞秩秩之初筵;鞍勒盤陀以校金,人避騤騤之上駟。榮生如此,哀死可無。庸建爾於上公,即家爲國;廣綏予之孝子,與親共尊。靈而有知,歆是殊渥。

楊恭懿贈弘農郡文康公制

聲相應而氣相求,允謂風流之二老;生有封而死有贈,式昭恩數於九原。其肩隨許魏國者誰歟?而目爲秦君子則公也。故集賢館學士、太中大夫、兼太史院事楊恭懿,抱經濟學,恥章句儒。守四書,爲入道之階梯;持一敬,爲立身之根柢。其辨析則江河之莫禦,其操履則山嶽而不移。信蠶有績而蟹有筐,化三輔喪親之自致;無鶉生突而牂生奥,視萬鍾於我亦何加。所師授者,皆成德達才；有朋來者，必忠告善道。非商山之幣不起，而宣室之席始前。由道德禮樂刑政藴之胸，故歷象日月星辰指諸掌。明朝花謝，數之精者堯夫；何處星來，君其問諸李郃。是皆非常人所企及，宜其爲吾道之指歸。今也則亡，誰其能及？於戲！天下之事，日銷月鑠，惟餘不朽之聲名；關西之風，山高水長，尚爾克開其苗裔。英靈不昧，異渥其承。

劉秉忠贈趙國文正公制

運際風雲，不可謂生時之無益；名垂宇宙，斯克當没世而不忘。將求若人，展無與匹。開府儀同三司、太傅、上柱國、趙國文正公某，淵深而智，山靜其仁。方見龍之在田，嘗迨天之未雨。貫百王之一其道，于聖學以開明；敷五典之三爲綱，肇人紀之修叙。身本斯立，政倐用張。頒禄于陝之東西，屯田于淮之南北。從征六詔，與越三江。贊神武不殺之仁，洽民心好生之德。咸嘉謨之入告，至大業之佐成。是以楓宸之念功，俾于蘭省而總政；屬王旅簞壺之迎勞，隨王輿文軌之混同。而獨身不及見之，亦衆心所甚惜者。至元之贈，進保爲傅。大德之謚，以正易真。在先朝之恤，雖曰已隆；自今日而思，猶答未盡。何功臣之見後，復太師之未加。豈朕待爲，于爾其告。於戲！非登朝霞以棲其魄，從往聖陟降于帝庭；則抱明月而遊乎方，訪裔孫徘徊於神道。章追刻密，恩重書棺。

王思廉之考贈恒山郡正獻公制

陰雨膏之，由太山出雲于膚寸；滄浪清者，乃嶓冡導漾之濫觴。即物理已然而求，見世德自微而著。某官某之考炳，稟姿溫粹，涖事敏恭。知惟讀其父書，示不忘乎家學。方兔在野之並逐，猶鴻集澤之未安。筮仕其時，立勞于國。爲令雖囿乎百里，施治可型之四方。收敲樸之威，以求得情乎獄；拒榷筦之策，以堙與利之源。得古人用其一緩其二之心，故取民也有制；非後世朝而三暮而四之術，其得民也以仁。逮夫中統之建元，治最十路于宣幕。不享其身者，淵停而雲滀；以昌爾後者，天施而地生。由服勤祖宗之兩朝，俾進秩丞疑於二品。於戲！推子以及其父，不于大郡以疏封；知臣宜莫如君，曷報舊人之共政。

妣贈恒山郡夫人制

婦人之爵，視夫若子之貴賤而爲崇卑。夫貴而子卑官，始大而終成寥寥無聞。夫卑官，子致位將相，故人生榮而死哀之。雖勢之必至，營魄有知，寵數欽若，然猶視媲德娠賢之何如？某官某之妣武氏，其夫雖未至于顯庸，而盡瘁州縣。惟恐利澤不加于民，而聲名日延，可謂媲德。迨其子壯，美知世祖，典瑞於中，大官再上食，必以見及而不後之。隨時燠寒，歲賜之服，而克翼翼小心，未嘗見貶于聖訓者。兩朝四紀，自宥密而進丞疑而館閣。于月旦評者，推傳相爲稱首，謝事而去。晚有宮賓之招，亦以老辭。凡若此者，皆出斷機之教，可謂娠賢。汝武氏兼有之，斯具美矣。

散周氏塔塔爾贈蜀國武定公制

朕惟他臣之家，由其子孫位登將相，故褒命其親，上及三代，皆有國之禮經崇大臣也。具官某，惟爾家則不然，尚論其世，雖源遠未分，而同出於天潢。矧其考博囉岱呼爾罕，有功太祖立國之初，及爾之身，承是勳勞。由帶憲宗御器械，出秉旄鉞。疆理四川，西起劍閣，而東盡夔門。勁騎一蹂，而宋人去平土城郭，壁山栅水，假息歲月，不敢出犯其鋒，非獨爲國震耀武威，張今混一之本。使爾子孫，席是以興，接武爲將，纘乃舊服，亦爲爾家邁德之祖。求他臣家，由子孫貴以褒命者，語豈同日哉。於戲！可嘉也已。

考贈蔡國武穆公制

知臣宜莫如君，君曰有勞而必報；推子以及其父，父雖未仕而亦封。實原始之教忠，特飭終而追恤。具官之考福寬，初由力穡，旋致豐貲。嘗倒囷以周窮，率裂券而免負。俾鄉鄰傾心而懷惠，善頌其家；鍾光嶽全氣以生賢，元勳于國。禄及養以五鼎，年幾躋於九齡。於戲！世皆流澤于目前，潢汗隨涸；爾獨揚名于身後，華衮何加。尚其光靈，服此茂渥。

妣贈牛氏蔡國夫人制

四民之中，士無恒産，工利器用，商遷有無，而皆資衣食于農。斯古有國，官人必于力田，由善務本；故生子勞而向義，多爲鉅臣。具官某之妣牛氏，由生令子，當今季朝砧夕鼎之時，獨完其宗。來歸吾元，以開勳爲顯諸侯，而與其夫安享禄養以終。循是褒章，宜及所自。

某官之考贈韓國敬穆公制

惟勤夙夜，莫踰暬御之臣；何物暑寒，敢曰休安其室。屬世皇之違豫，召路寢以入居。方憑几之道揚，俄綴衣之庭出。恨不攀龍髯而俱上，悼其附鳳翼之不終。從事孫曾，如臨父母，最是三朝之知遇，加於百辟之等威。何以報之？先德用章；庶其逝者，下泉無憾。某官某之考，秉氣通正，爲才裕優。當僉其國之都議司，聞振下民之餓羸者。損布爲端之三百，與米爲斛之一千。百銀桶之副諸，五金品之亞者。初匪干民之譽，如家量貸而公量收；實以推君之仁，示朝信道而工信度。種德若此，生賢則宜。求臣鄰之顯親，至師垣之極爵。於戲！高車駟馬，維不覿于生前；袞冕桓圭，亦足華于身後。光靈不泯，明命用歆。

妣賈氏贈韓國太夫人制

夫封婦命，雖君禮臣之所同；子貴母榮，以古驗今而尤異。欲彰孝之潔白，可後典其焚黃。某官某之妣賈氏，賦質柔嘉，爲心恭懿。出移天北山之李，宜爾室家；求奉祀南澗之蘋，奠其宗牖。匪真善閨門之主饋，又佐割帑廩以振饑。如聞壼外之媚，皆曰女中之士。篤生哲嗣，實爲親臣。於戲！由雛引以鳳飛，故得飾終於下土；信蟹匡而蠶績，可以興孝于他門。

妻韋氏封韓國夫人制

惟爾之家，世緒絶遠。自漢儒賢及玄成父子繼爲丞相，傳《魯論》於灰燼之末，實開道統之源。至唐，其族尤盛，女爲后，而男尚主，與仙李蟠根相終始。歷數百年，其遺澤餘波及爾身者。與袞衣赤芾者匹，最爲近象于魁三；而朱幘翟茀以朝，何異去天之尺五。出門輝耀，行路咨嗟。可謂極命婦之榮，而未正小君之號，不其闕歟？爲降恩綸。

中書左丞相阿都台追封順昌郡王制

臣爲委質，勞於同軌之間；國以念功，恩以襚衣之後。雖飾終其時，有所未及；在追恤今日，烏可或遺。爰寵幽褒，用昭異數。具官某，力齊嶽負，量與川涵。託開國將種之苞根，挺明堂工師之大木。受任閫外，賈勇籌邊。爲憲宗入蜀之前鋒，因殘百粵；非世祖投江以尺箠，不返三苗。報效之私，寤寐不置。百其身以奚恤，一乃心之是期。會師征險順而貞，得夬剛決柔之兆。考版圖之幅裂，秉旄鉞以鼓行。將削尊號于偏方，必使義聲以先路。勢乘破竹，名正苞茅。有不待陣風蛇之蟠，而已飛塵星馹之捷。如震如怒，衽金革北方之强；于理于疆，盡江漢南國之紀。羣黎壺漿而崩角，幼主席稾以泥頭。瘁事非伊，成功能爾。凡十年爲丞于行省，奄一旦違世於先朝。白雲杳歸于青山，清風空遺于黄閣。像未麟臺之貌，服先龍衮之升。既進師垣，又建王國。俾大書于神路，過者式焉；示絶等于臣鄰，忠則勸矣。尚膺茂渥，少慰營魂。可贈推忠翊運宣力功臣、開府儀同三司、太師、上柱國，追封順昌郡王，謚武敏〔一〕。

〔一〕可贈推忠翊運宣力功臣、開府儀同三司、太師、上柱國，追封順昌郡王，謚武敏：原脱，據元蘇天爵《元文類》卷一一補。

妻扎拉爾氏追贈順昌郡夫人制

大帝立極之十五年，嘗曰：「昔我太祖，戡定中夏，日不暇給。由天未厭宋德，帝制偏方，命將出師，一家天下，今惟其時。」曾不三年，墟其廟社，雖曰睿算萬舉萬全，亦大臣奉辭宣力，死職忘身，有以致茲，厥功茂哉！用是追崇故光禄大夫、江西等處行中書省左丞相阿都台，爲推忠翼運功臣、開府儀同三司、太師、上柱國、順昌郡武敏王。其故妻扎拉爾氏，在父母家幽閑而禮，其移天也，淑慎有聞。所可盡傷，在不壽考。以語媲德，不及夫丞相建希世之功；以語娠賢，不得食子大夫糾官邪之禄。非賁玄壤，曷慰貞魂！可封順昌郡王夫人〔一〕。

〔一〕可封順昌郡王夫人：原脱，據元蘇天爵《元文類》卷一一補。

妻哈達奇氏封順昌郡王太夫人制

漢祖王吳芮於長沙郡，史豈及其家爲；晉武君祐妻以萬歲鄉，夫則未嘗王也。求能兼者，伊何人斯？非爲臣利用，行師有瓴水建高屋之功；則其婦大疏，封爵無女蘿施長松之好。具官某妻，姆于華望，嬪我元勳。貞順範乎閨門，恭儉化其姻里。問安興聖，錫宴大明。導必中貴人以前，坐則外命婦之上。寵莫宜于象服，光何賴乎魚軒。皎日穴同，天豈私從其死矢；高風物表，人則爭仰其生榮。與爾貽謀，服我休命。

張弘範贈齊國忠武公制

由弓冶而爲箕裘，世其家之餘子；用詩書以驅鋒鏑，儒能將者幾人？非資文武之全才，安立功名于昌運。鎮國上將軍、江東、建康道宣慰使、都元帥、贈銀青榮禄大夫、平章政事、謚武烈公張弘範，純明而敏學，沈毅而善謀。爲二千石，則有譽于魏邦；嗣萬夫長，克有光于蔡國。城濟南夾寨，卒圍齊盜以梟夷；壁漢陰上游，式遏荆蠻之豕突。臨長江而先濟，拔列郡之後降。獨制帥堅守其揚州，盡全師反攻吾木栅。奮前茅以騎擊，居顔行纔十三人；麾後騎以鼓乘，斬首虜倍九千級。震兵威于淮右，授使節于江東。方遣伻趣三宮之入朝，其丞相挾兩王以出國。建僞號以干正朔，萃亡命而蠢甌閩。率趨利之孤軍，活坐屠之一郡。獲俘不戮，就敵是求。遂令衆叛以親離，猶且兄終而弟及。轉偷生于溟海，竟滅跡于崖山。萬里言旋，九重入覲。殷典之紀緒已絶，吳語之勞苦甚溫。方恃爲祈父之爪牙，而遽啓曾參之手足。於戲！雖爾身不及識，而世祖告策則具存；于朕心不能忘，在功臣胙土之末錫。故即發身之自，爰疏賜履之封。尚其明靈，服此茂渥。

妣贈齊國夫人制

身先齊家，所以立興仁之本；天昌厥後，昭其有教子之方。憫爾劬勞，寵之贈卹。贈推忠效節翼運功臣、太師、開府儀同三司、上柱國、齊國忠武公張弘範之母趙氏，肅穆持正，含弘有容。心靜而安，惟修善以積慶；氣稟者秀，能爲國以毓賢。信有開之必先，庸厚報其所自。令譽永傳于千古，湛恩下及于九泉。於戲！後之視此亦猶今，典章具在；逝者如斯未嘗往，神爽如生。

妻封齊國夫人制

因親教愛，孝可移忠，揚名顯親，報不忘本。彝倫所繫，典則用彰。贈推忠效節翼運功臣、太師、開府儀同三司、上柱國、齊國忠武公張弘範之妻某氏，厚積慶源，恪遵禮範。純乎坤道，能靜守于母儀；正乎家人〔二〕，可敦勸于風化。親見門閭之高大，載加名爵以推崇。佩此光榮，俾之耆艾。於戲！寵章所賁，推吾永錫之仁；慈教是遵，尚勵堅貞之節。

〔一〕正于家人：于，叢書集成初編本改作「乎」。

鼐呼封營國顯公制

開國居先，亦既攀龍而附鳳；傳家有託，尤在峙鵠而停鸞。非天不享，而日斯邁。故北京路噠嚕噶齊鼐呼，自夫幼學，以及壯行。藹翩翩佳公子之稱，植矯矯大丈夫之操。嗣爲元帥，代其耄親。虎節相承，可謂父菑而子播；龍光不爽，式昭臣敬而君仁。纔纘舊服之數年，遽棄慈闈于一旦。噫！雖功不施于遠，而芳其流則多。有後而才，方將天門之宿衛；於中何憾，已增泉壤之輝光。加有褒章，以慰貞魄。

妻封營國夫人制

仙李蟠根，夭桃華灼。既及閨其名族，而作配于元戎。內佐堂構其父基，外勉勤勞于王事。棄詩書乎馬上，髀肉從消；對勳業于鏡中，鬢毛未改。何爲不淑，俾稱未亡。求斯世之賢哉，亦爲女之士者。於戲！適從夫而死從子，身既令始而令終；高爲谷而深爲陵，名必傳今以傳古。

烏雅爾贈營國忠勇公制

惟太祖之基命，龍遂乘雲；有良臣以樹勳，魚猶得水。展我同姓，豈伊異人。具官某，氣鍾光嶽之純全，誠貫金石之堅確。智足謀國，勇則冠軍。佐天運之維新，慣人心之未定。既降復叛，必煩以行。既自北而徂南，首遼尾魏；亦攘左而塞右，膺齊背秦。語其跋履於四方，數豈戎衣之百襲。爲庸已懋，其報宜豐。可當非劉氏之不王，姑啓若魯侯之大宇。併申褒典，少慰英靈。噫！佳城之鬱年三千，名固已昭乎白日；分國於肇州十二，澤期不斬於黃河。

妻李氏贈營國夫人制

佐命龍飛，及見九斿之大旆；剖符虎節，可輕十乘之元戎。贈以報其忠勞，禮宜均乎伉儷。具官某之妻，由有淑質，莫不令儀。鬱桃李之穠華，藹茝蘭之芳佩。季女齊而奠牖，吉蠲克謹其禴祠；之子狩而韔弓，險阻備嘗于軍旅。實從于疆而于理，豈專宜室而宜家。於戲！雖魚軒未及于生歸，以新觀美；而象服可由乎死泯，不大疏封。

張柔贈蔡國武康公制

風雲從而龍虎騰，物有感于類應；日月出而螢爝息，理無待于他求。具官某，當聖武蹂山東而北歸，旋貞祐棄河朔而南播。俾司留鑰，兼秉帥麾。知曆數之將窮，束干戈而胥附。殄孔山堅壁之賈瑀，抗真定反虜之武仙。徙治保州，斬荆棘以立府寺；從戎汴闕，棄寶玉而收圖書。事睿、太、憲之三宗，封易、涞、遂以萬户。至世皇移全軍以成亳，偃枹鼓不鳴郊壘者十年；懲齊虜削諸侯俾城燕，平板榦可壯邦畿於千里。年雖云其耄矣，功誰出其右焉？求先朝爵之上公，何啻無十一於千百。故今朕贈以太傅，實加異尋常而再三。又增賁於九原，兼追揚及二代。而父而子皆使同大帝之已封，我祖我孫可謂于功臣而無負。庸躋絶等，以慰明靈。

妻毛氏贈蔡國夫人制

朕惟祖宗創業之艱，必有摧鋒宣力不二心之臣，雲從影附，克戡多難，以成耆定之功。是用賁以追錫之榮，而配亦與焉。於戲！非吾將相勳業之家，其孰能得之？具官某之妻毛氏，淑慎柔嘉，涉獵書史。在金叔世，實與蔡國同其艱危。及後爲顯諸侯，憤世婦人妒悍爲俗，寧殄其夫之後，不使媵侍在側者，而獨善逮其下，藹有惠及小星之譽。男女二十餘人，教養不異己出。故敦勸閨壺者，莫不舉是爲師。先朝旌異之，賜衣一襲。《詩》曰「鐘鼓于宫，聲聞于外」者，其不信然。死既同穴，而追崇者，其可異諸乎！（以上《牧庵集》卷一）

楊爾昌贈壽國安惠公制

人之祖，其木之本，培植既深；曾之孫，如榦之柯，散分斯茂。比切雲霄于千尺，豈濡雨露之一朝。具官某，生際時艱，役編氓籍。雖迹沉浮于里社，而名表襮于鄉閭。德邁乃身，盡力菑畬其地；澤流爾後，聯芳侍從之臣。矧侍前皇，有聞今日。苟不上推其所自，爰進丞疑；何以下詔夫將來，用光冥漠。

妻富察氏贈壽國夫人制

姆名門於遼右，醮華望之弘農。言必女箴，動循婦道。篤生奕奕之令子，實爲洸洸之武夫。觀其臨陳以捐軀，于時蹈難；可知卜鄰之提耳，平昔教忠。矧曾孫以宫臣，爲儲貳之傅友。上推德澤，皆發慶源。於戲！朕之贈右揆而勳護軍，疏恩已極；爾于穀異室而死同穴，受祉不那。告第以兹，制綸欽若。

楊德崇贈壽國康懿公制

羈于人而合于天，徵書惟信；非其身而任其子，從古已然。源不浚則流豈長，弓必勁而矢方剽。取譬若近，爲理則同。具官某，自葉流根，去華務實。以名聞于裕廟，遂驛致爲邸臣。不大其施，以昌爾後。膳祠主客，郎官所職之殷繁；嘉吉軍賓，閣老相資而損益。生而有光于門户，死者何憾于泉扃。位亞師垣，展矣三司之列；寵加公衮，巋然九命之尊。伊爾明靈，尚膺茂渥。

妻陳氏贈壽國夫人制

以育姜敬仲之遺苗，歸有周揚侯之餘裔。合姓皆神明之後，生子宜禮度之閑。進長儀曹，近清光之尤切；動咨閣老，率舊章而不忘。因觀從橐之能然，皆出斷機之所自。秩上公以九命，既疏大國之封；開壽域于八荒，宜正小君之號。用資告第，貞魄是承。

王守道贈壽國忠惠公制

臣之邁德，固將流慶于後昆；王者念功，必使被澤其先世。肆即下地，爰進大封。具官王顯之父守道，生值時艱，出膺人傑。屬金源之南播，屹恒鎮而中居。彼猶冀死灰之然，而潛出代交之策。誘同官以所部曲，殲都師不遺稚孩。佐太尉之孤軍，奮雪讎恥；復連城以千里，盡返故常。鴻集之氓，遂其奠居；梟悍之卒，戢不爲暴。用輕典以刑新國，克遠省以任舊人。損户薄征，折券恤匱。故飲惠者相率而尸祝，其聞風者或形之詠歌。非獨專乎軍諮，兼亦正夫侯度。帝曰嘉止，璽書爛雲漢之章；民曰異諸，金節等河山之誓。於戲！功豈一書而足，爵宜九命之加。矧有子嘗任其股肱，尤可厚飾終之典；雖若汝不復于骨肉，必猶多用物之精。其克欽承，尚永無斁。

妻封壽國夫人制

凡曰有官之君子，克慎其終；亦惟主饋之家人，能勉以正。典既所天之加恤，義無同穴之見遺。某官某之妻，姆張懿徽，婦主貞順。令閨門之不出，奠宗牖之必親。齊國賢妃，纔警雞鳴于昧旦；魯侯壽母，未聞燕喜于期頤。合斯異代以觀，有不同年而語。養以辨章之廩禄，何報春暉；服其裕聖之笥衣，足華歲晏。居勤纂組而無逸，動釋几杖而不隨。受祉之那，比隆安有，亦黄髮之良異者，而素心之所慕焉。於戲！開予壽域于八荒，疏封先汝；進夫上公以九命，濟美後人。（以上《牧庵集》卷二）

全元文卷三〇〇

姚燧 二

耶律祭酒考贈涞水郡莊愼公制

臣克厥艱，而始明敏其德；子焉能仕，皆由父教之忠。眷予問義之人師，實漢僕射之位長。固求還笏，難斷抗章。是用追崇其先，庶以垂裕乃後。某官某，中書猶子，丞相從兄。宗承遼室之遺苗，禰祀金源而全節。尚論其世，孰踰爾家？而又誨嗣續善詩禮之敦，于以見平生戞紈袴之習。自夫共工之謝，晏然同俗之安。爭饋肆乎五漿，振衣罔於千仞。奉先惟孝，雖耆耋于禴祀也親焉；接下以恭，其臧獲之久故者民耳。匪直入官而知止，抑展在家而必聞。惜棄世于九齡，負爲國之三老。於戲！神遊安往，定徘徊乎故鄉；衮寵即封，用昭章于疑墓。嘉誄以副，殊渥罔遺。

王思廉之祖沂贈恒山郡莊惠侯制

商容殷臣，周武過閭而必式；廉頗趙將，漢文制敵而尚思。至公因見夫古人，褒善不嫌于異代。某官某之祖沂，言出無擇，量深有容。當天步未改玉之時，明刑書爲亡金之用。立人由己，飾吏以儒。始知法以佐州，尋假令而爲縣。以不揚威于長吏，斯免濫罰于平民。不惡而嚴，雖文無害。伍符尺籍，事專司六部之間；駟馬高門，報顧在百年之後。有孫四紀，及相兩朝。晚年嘗作客夫青宫，時竟遂明農於綠野。遺榮若此，垂裕尚多。於戲！父爲士而子大夫，爾知守死生于葬祭；考贈公而祖侯服，朕誕敷隆殺之等威。尚其光靈，歆此明命。

祖妣贈恒山郡夫人制

求世德于上古神明後者，莫先于帝高陽。屈原云然，亦豈顧後之人哉？惟自是屈節雖不可譜，其次傳則汝爲其遺苗，從可知也。然自佩繽紛于繁飾，及夫曰黄昏以爲期。思公子于芷蘭，不言而喻；貽下女以杜若，無忌可知。溯厥芳聞，宜兹象服。於戲！教爾孫導其先路，既竭其力以事君；恐王母懷乎故都，俾從夫爵而啓宇。降斯寵命，賁彼幽扃。

贈焦德裕考制

我國家禮御羣臣，凡有位躋乎將相，恩推上世，必皆宇啓于公侯。匪專勸忠，用以光孝。具官某之考某，生當立武之日，負其先衆之才。既長千夫，將經百戰。每獲俘而不殺，其久奴而必民。化盜賊而爲善良，振餓羸使遂生活。方亂離之靡定，而仁惠之兼施。自他人若是之有爲，而平日皆在所可紀。由爲子之束于貧賤，故世德不能以昭明。則爾後之熾昌，亦式穀之教誨。夫既一門各盡其道，可于九原不顯其光。

焦德裕贈恒國忠肅公制

事睿太憲，以及世祖，可謂圖任之舊人；官趙蜀源，而盡東甌，亦既敉寧于新國。于勞庸之是迹，何甄錄之可遺？爰啓大封，用昭幽壤。具官某，忠壯而信厚，剛毅而純明。皆得自天，且資以學。當王略經綸之際，適金源逋播之秋。覆巢太行，遂武仙之首惡；引翼開府，雪史帥之血仇。後從蹕董漕于川中，尋持憲省風于隴右。行役之遠，聲名益延。及太師之濟江，乏才臣之謀闔。自家而起，乘傳以從。既同輻裂之軌文，又翦彙興之莨莠。爲勦之夥，枚舉豈殫。方分省政之參，俄有邦光之殄。於戲！永辭白日，佳城鬱三千年；不及清風，黄閣留一萬古。

納喇追封蜀國忠武公制

朕聞率土之臣，莫如同姓；干城之將，尤可異恩。故遠稽于《禮經》，用厚加乎愍册。具官某，其在弱冠，嘗爲選鋒。迅與鷹揚，號爲萬人之敵；虓如虎視，隱然千里之威。屬鉅寇之反郊，乏總戎之制閫。來可居此，孰有異然。其爲人心所歸，不待君命之至。推使秉鉞，辭拒循牆。即下令于轅門，已折衝于樽俎。握機旗建，四川之草木知名；開壁鼓行，三峽之星河動影。勇頗牧之非匹，策孫吳之可方。入阽危則膺衆所不先，分賜予則如士之最下。勁騎所蹙，堅城每摧。如斯宣力于兩朝，何止出奇于百戰。於戲！降年弗永，爲烈則多。雖狀不及識之，亦心未嘗忘者。置户以守，何樵牧可侵馬鬣之墟；故壘即封，或魂魄猶思蠶叢之國。

伊蘇德勒贈蜀國武襄公制

遣戍以歌《采薇》，命于天子者爲將三世；故國非謂喬木，名曰世臣者即戎百年。生而他人孰可方之，没則斯朕所甚愍者。具官某，川涵而岳負，玉裕而金相。受鉞于成童之年，交綏于大敵之陣。

觀其進退以坐作，得於生長之見聞。勇必冠軍，功則推衆。非有是爲將之體，其何以服人之心？雖崎嶇殘蜀之餘，久纔五稔；顧敉寧平宋之後，艱已百罹。置郡縣于夷蠻，斥邊疆于甘肅。或分使節，或秉政鈞。自陜右而雲南，躐辨章而丞相。勳亦懋矣，年則未焉。何期立極之新，而失圖任之舊。於戲！乃祖乃父，既不異乎錦里之封；爾子爾孫，亦可同是蜜章爲刻。光靈如在，明命用歆。

張弘略贈蔡國忠毅公制

保塞承勳，孰曰將門之無種；陵川受學，共推師道之有傳。既不墜其冶弓，而復敦以詩禮。方資用世，奄鬱佳城。中奉大夫、河南江北等處行中書省參知政事張弘略，易武以文，克忠由孝。在憲廟已頒其虎瑞，故世皇洊致之龍光。會盜發于東秦，加兵助平南紀。援徐方之傳檄，夙料如成；當炎夏以交綏，宵奔已聾。歸守衛士，兼長儀司。賜金釦之卮，被錦綮之服。以巾奉秉宣麾於淮浦，仍前授移使節於洪都。大憝既殲，餘孽何賴？超參南省之機政，隨開北首而棺懸。雖未陳夫襚衣，猶及贈其褒衮。於戲！乃公既邦之蔡，無庸改封；其家有廟於燕，可從與享。精爽不昧，明命用歆。

秦國忠翊之弟巴克實巴追封古哩郡恭懿公制

緊朕聞汝，惟昔在軍，謂人集菀而己集枯，羨烏烏之暇豫；何寸有長而尺有短，投龜策之卜居。道理之安，死生奚計。某剛毅而明敏，貞信而沈幾。逃自叛王，棄其盡室。義定君王之分，石可轉而心靡移；思輕妻子之私，裾雖牽而首不肯。遄其歸以萬里，始克覲于九重。帝曰：「嘉哉，世所難者！」故其賚賜之物，俄然充牣其庭。或爲廷士于中，或將邊兵于外。居無常所，至則有功。月旦之評，士咸高其一節；《春秋》之筆，史無待于他書。不有褒章，何發潛德。於戲！恩如爾家之奕葉，能令名者幾人；封依兄國于拂林，兼位崇以二品。靈而有識，生氣凜然。

楊福贈壽國武莊公制

所貴乎死，丈夫横尸于戰場；其凜若生，太史納書于幽隧。人臣斯得，天寵何加。具官某，方初入官，于遠行役。第知爭先而賈勇，何有反顧而蓄疑。將工礮之萬夫，壯軍威于千里。志恢王略，恨衣帶不甘南紀之存；魄毅國殤，殉枹鼓以示北方之矯。與馬革包棺以奚異，詎蜜章納壤之未聞。展也興哀，爲之賜謚。爰加美號，思期昭白于廣庭；式慰門靈，制許焚黄于神道。

馬實贈扶風郡莊惠侯制

惟仁者爲能愛人，雖甚急賢才之得，觀遠臣以其所主，始可精淑慝之分。故世皇大公其心，致多士善用此道。具官某，棲身巖穴，屏跡市朝。既力稽資其讀書，復懸榻慎于取友。用先正魏公之薦，得溫室省樹之觀。問惟對以國言，事見可于天聽。賚衣在笥，進秩題輿。萬里之塗牽車，共期到遠；九仞之山止簣，不願爲高。竟自遂以終身，敢維憎茲；多口傳家有子，應宿爲郎。治膳祠主客之殷繁，酌嘉吉軍賓而損益。諸有疑貳，皆資老成。於戲！克對無羞，皆汝教忠之自；或靈有識，欽予追恤之褒。

蒙克特穆爾祖考伊蘇追封秦國康惠公制

朕禮遇臣下，將責其報上而效忠，故先之惟親而立愛。人曰予知不力善，烏得夫令名。祖以孫尊，必既貴乃推以哀典。大夫、尚書左丞蒙克特穆爾之祖考伊蘇，繄我高后，于爾先人。聞爲世之所賢，奏遣伻而將致。由渠既耄，辭不能往，以汝克肖，代之而行。非家學有自而來，不父譽如是之力。春秋方富，初供奉乎東朝；夙夜惟勤，載徒征于西域。託椒房之親，以爲傅父；居畫室之館，以鞠帝姬。雖一話而一言，可三薰而三沐。即其時皆書之册，視他日取用爲模。至今天府，所藏尚存；擇古地官，爰加以贈。於戲！子兆民以敷五典，生不及邦教之是司；公九命而動上階，没其與子封而爲亞。英靈不爽，幽賁其承。

祖妣克哷氏呼實尼沙贈秦國夫人制

婦人能動循禮度，既宜室而且宜家；王者之加錫號封，不從夫則必從子。存亡奚間，古今所同。贈光禄大夫、大司徒、上柱國、秦國惠康公之妻，大夫、尚書左丞蒙克特穆爾之祖妣克哷氏呼實尼沙，貞靜而幽閒，柔明而茂淑。德實在己，貴不以夫。由嬪椒房，娶妻必食于河鯉；爰從戎輅，大人未造而淵龍。由託子其王姬，是用尊爲傅母。盛哉車服之出入，蔚爲門户之光華。生子則賢，既間關功成于萬里；有孫而相，亦崇高位至于三公。何爾身不及見之？斯朕心所尤惜者。於戲！高后之明並日月，生及依其末光；夫人之行如山河，没可忘其幽賁。大秦啓宇，貞魄用歆。

考崇福使阿實克岱追封秦國忠翊公制

贈以褒忠，凡善無微而不録；名取副實，夫官有大而非夸。惟遠藩之舊人，及承事乎列聖。匪封大國，安賁下泉。某考，昔在憲宗未登宸極，初因太子同生于其地，故即在軍鈞錫以是名。嘉與帝姬，共其傅母。臣求愛遇于當世，人誰過諸；女采撫鞠于内庭，妻亦賜者。逮六飛之巡蜀，乘世傳而超燕。世祖異觀，宗臣不劣。所欲則與之聚，爲猷而必其成。屬叛王阻兵于北荒，致懿親絶使于西海。責從間途以往，奚翅乎十萬里之遙；竟懷重寶而歸，已忽焉四三年之久。最其勞勩，無與比倫。報宣其身，顧後者天；命由出舌，在今其子。補豈專乎袞闕，用方賴其錢流。設爾無是之雋功，亦朕不遺其哀典。位崇太傅，何及鍾繇虎賁之共昇；宇啓大秦，足表造父馬迹之不至。英靈不爽，茂渥其承。

李道復曾祖考執贈韓國公制

于《傳》有言，至誠之道，可以前知；在《易》亦曰，積善之家，必有餘慶。何天道之應，若質劑而取償？而人事之倏，如菑畬而望穫。具官某之曾祖考某，尚論其世，孰踰其家。自後唐僅十五傳，至今代實四百載。秋闈戰藝，嘗從退鷁以俱飛；晚節考槃，遂卷屠龍而弗試。猶不失一鄉之善士，矧其其資上黨之素侯。源濬也則其流長，城高者由夫基厚。宜爾來裔，爲我藎臣。一乃心之是期，百其身以奚恤。與同休戚，嘗憂杞國之天；不大聲色，再抱咸池之日。將以圖報，惟有疏榮。故于三代之相承，皆以上公而爲贈。於戲！汝爲其曾王父，雖不及股肱于廟朝；朕命以子大夫，尚或可肉骨于泉壤。光靈不泯，恩綍用歆。

曾祖妣郭氏贈韓國夫人制

内言不出于閫，雖無事之可書；大孝能顯其親，凡有功而必報。此古聖人勵忠之意，亦士大夫反本之心。某官某之曾祖母，秉德淵純，移天令淑。正位乎内，利家人在饋之貞；以禮自防，見君子采薇之説。遂衍曾孫之慶，用疏列土之封。精爽有知，欽承惟永。

考贈韓國忠獻公制

九仞爲山，覆簣其址；百川學海，濫觴是源。因於已然而即觀，莫不積始而至厚。某官某之考某，淵深而智，山靜而仁。當勝衣弱冠之年，奮前驅執殳之役。以從王事爲馮忠靖周旋者，勤不告勞；能審敵情效余華明成敗者，算無遺策。後移漕幕與府佐，所至事治而言行。在乎他人，自足爲賢，而推爾能，猶未言善。屬裕皇妙擇乎師友，俾子孟入侍于皇孫。凡太后之所如，必耄年而不後。興疾河内，道卒冀方。其盡瘁以事爲如何，于無德不報之有待。遭成廟違棄其萬國，與先帝臨御于四年。洪濟于艱，嘉猷是賴。兩扶青天之紅日，一新黄閣之清風。能蹈難而不辭，實教忠之所自。

於戲！觀子可知其父，乃古人不同時而云然；事君能致其身，則今朕與偕行而見者。生負爲明堂之八柱，没宜享清廟之六瑚。爰啓茅封，式光蓬顆。

母王氏贈韓國夫人制

婦人能循禮度，既宜室而宜家；王者之加號封，不從夫則從子。死生莫間，今古所同。某官某之母，溫恭而懿徽，柔惠而貞順。觀其儀之不忒，宜爾子之曰賢。會姦宄伺鼎湖之格天，潛圖内難；賴忠良辨虞淵之取日，尋復重光。如斯借筯之籌，皆出斷機之教。延登伊始，追錫維新。爰循從爵之封，庸示歸魚之寵。尚期冥漠，少慰靈明。

妻贈韓國夫人制

國家以名器之公，盍深求于崇報；夫婦乃人倫之本，宜並著于顯榮。爰考典章，用敷寵數。某官某之妻，賦柔嘉之性，凝婉靜之姿。姆于名門，素守女箴之訓；婦此良士，峻居儲傅之嚴。所斯夙夜之相成，不謂死生之有間。慨駒陰之不待，失同依日月之光；緬象服之是宜，尚足表河山之行。進封大國，正號小君。庶其營魂，歆此嘉命。

妻封韓國夫人制

王政重于報功，國風本于正始。齊家有道，内助臣忠。賞爵惟公，尚從夫貴。以厚人倫之别，以彰婦德之嚴。某官某之妻，懿敏柔明，雍和專静。遴選早由于名閥，篤恭密侍于慈闈。嘉若令姿，歸于重輔。行學素足乎己，富貴尤虚其心。義調琴瑟之和，禮餙笄珈之盛。俾爾壽，俾爾昌熾，豈惟偕老之榮；在其身，在其子孫，孰愈兼全之美。克膺寵渥，茂介禎祥。（以上《牧庵集》卷二）

高麗國王封曾祖父母父母制

昔我太祖皇帝之奮舉漠北也，東旃西施，分甸南服，昭德示威，所向臣妾。惟時三韓境壤相聯，天戈一臨，開府儀同三司太子太師、上柱國、駙馬都尉、瀋陽王、征東行尚書省右丞相高麗國王王璋之曾祖故高麗王王暾，深察機運，舉國内嚮。事會之來，間不容髮，自非秉志端慤，明識遠慮，疇克如是哉。又屬遼民餘孽，偺竊島嶼，狂肆弄兵，陸梁假息，重煩命將致討。于時冰雪冱寒，饋餉不通，而暾乃能供時轉輸，師皆宿飽，軍興器仗資助無闕，復濟師徒往殄殘寇。其於肇造開基，立勳王室，保民興邦，莫之與比。故得守土享年，殆將四紀，澤及後昆，流慶斯永，傳子若孫，與國連戚，不其韙歟。

是宜追崇上爵，仍易嘉名，魂而有知，歆兹異數。可贈敦信明義保節貞亮濟美翊順功臣、太師、開府儀同三司、尚書右丞相、上柱國、高麗國王，謚忠憲。崇德報功，法舉追榮之典；分邦列爵，恩頒及內之章。酬我舊勳，同兹顯號。具官高麗國王王璋曾祖母柳氏，傳芳令族，作配高門。屬皇祚之興隆，偕名藩而臣附。明賢所化，貞信無頗，傳子至孫，極富與貴。三韓保國，位同異姓之侯；王五等疏，封名亞寡君之宗室。聿新殊渥，庸慰淑靈。可追封高麗王妃。朕觀今天下有民社而王者，惟是三韓。及祖宗而臣之，殆將百載。厥父菑而子復肯播，曰我舅則吾謂之甥。既勳以親，宜貴與富。禮克先於事大，典可後於追崇。具官高麗國王王璋之考純誠守正推忠宣力定遠保節功臣、太尉、開府儀同三司、征東行中書省右丞相、上柱國、駙馬、高麗國王王昛，移孝爲忠，易威以惠。禮樂刑政之脩者，典章文物皆粲然。惟大猷之是經，與小心之以翼。初由世子，已帝女之降釐；旋俾嗣王，非公孫之復始。遂罷時貢其方物，顧同歲賜於宗親。責秉鈞以東征，期奠枕於南面。追叛王挺身於遼水，出選兵壓卵以泰山。戰踵未旋，逆首已授。雖居位未周於三紀，而享年實過乎七旬。中壽共言，今代希有。矧其子式穀之是似，則斯人没世爲不忘。自官階而進之，至師坦而極矣。夫既封玄菟之墓，表滄渤以爲襟；何必刑白馬以盟，誓黄河之如帶。尚期貞魄，庸服恤章。可贈純誠守正推忠宣力定遠保節寅亮弘化奉慶功臣、太師、開府儀同三司、尚書右丞相、上柱國、駙馬、高麗國王，謚忠烈。三韓爲國，五季已王。雖居東溟之濱，實享南面之樂。由其先有功於太祖，許帝室以連姻。故季女鍾愛於世皇，即公宮而命醮。方穠青軒之桃李，俄凄白露於蒹葭。眷懷懿親，用隆恤典。具官高麗國王王璋之妣皇姑安平公主高麗王妃，發祥坤掖，分派天潢。以舜妃癸比之霄明，爲古公亶父之姜女。善於媲德，車服不矜其夫家；樂有娠賢，茅土已纘其父服。可謂全妻道之終始，苟不因湯沐之安平。原進大封，曷彰尊屬。於戲！最他邦之道里，距比闕以五千；移近甸之河山，盡東秦其十二。明靈可作，殊報是膺。可追封皇姑齊國大長公主高麗王妃。（元蘇天爵《元文類》卷一一）

淇陽惠穆王妻啜思蠻公主封王夫人制

朕自踐阼，于今三年。洪惟天地祖宗之佑，陰陽和平，星緯感若，民物豐阜，邊鄙不聳。朕是用大賚于羣工，凡嘗執政柄理者，必追錫及于三世，而伉儷之賢亦與嘉褒。於戲！是曠代之典也。具官塔剌哈妻某，毓秀朱邸，作配相門。少習儀訓，閑于婦道。貞順著稱，垂範閨闈，相厥夫子，爲世英宰；而芳蘭早萎，不終榮顯，懿彼宗戚，失此女師。開吉壤于淇陽，正邦君之顯位。服我新寵，妥爾幽靈。（臺灣鼎文書局版《古代圖書集成》第三九七册）

行銅錢詔

己酉　至大二年十月

錢幣之法，其來遠矣。三代以降，沿革不常。世祖皇帝建元之初，頒行交鈔，以權民用，已有錢幣兼行之意。蓋錢以權物，鈔以權錢，子母相資，信而有證。今鈔法一新，期於公私兩利，重惟經久之計，必復鼓鑄之規。

即位詔　至大四年三月

惟昔先帝事皇太后，撫朕眇躬，孝友天至。由朕同託順考遺體，重以母弟之嫡，加有削平内難之功，于其踐阼，曾未踰月，授以皇太子寶，領中書令、樞密使，百揆機務，聽所總裁，于今五年。先帝奄棄天下，勳戚元老咸謂大寶之承〔一〕，既有成命，非與前聖賓天而始徵集宗親議所宜立者比，當稽周、漢、晉、唐故事，即正宸極。朕以國恤方新，誠有未忍，是用經時。今則上奉皇太后勉進之命，下徇諸王勸戴之勤，三月十八日，于大都大明殿即皇帝位。凡尚書省誤國之臣，先已伏誅，同惡之徒亦已放殛，百司庶政，悉歸中書，命丞相鐵木迭兒、平章政事完澤、李道復等從新拯治〔二〕。其可爲今法程拯民急者，具如左方。於戲！凡爾有官君子，皆古所謂治天職食天祿者，宜一心力，欽乃攸司，無替朕命。

〔一〕勳戚元老咸謂大寶之承：承，原作「繩」，據《元史》卷二四改。

〔二〕命丞相鐵木迭兒、平章政事完澤、李道復等從新拯治：拯，原作「極」，據《元史》卷二四改。

至大三年十月赦

朕自嗣守丕基，致孝太室，奉上玉册寶，加謚太祖爲法天啓運聖武皇帝，光獻翼聖皇后；睿宗仁孝景襄皇帝，顯懿莊聖皇后；世祖聖德神功文武皇帝，昭睿順聖皇后；裕宗文惠明孝皇帝，徽仁裕聖皇后；順宗昭聖衍孝皇帝；成宗欽明廣孝皇帝，貞慈靜懿皇后。于斯之時，宜降德音，誕告天下，猶恐數赦，或賊良民。今因西北叛王不受正朔五十餘年，其子齊博爾蓋愆前人，盡數部衆歸命闕庭。乃庫庫齊謀爲非覬，未忍置理，刑以輕典，與夫崇建大刹，上爲列聖，報德冥冥，下爲生民，祈福昭昭者，亦既成功，皆我聖母之德之致，已於此月五日，奉玉册、玉寶，上尊號曰：儀天興聖慈仁昭懿壽元皇太后。屬大慶禮成，宜敷涣號，以新民聽。於戲，凡在有司，一乃心力，以輔予治，期底隆平。

加謚祖宗告祀南郊祝文　至大二年十月

維至大二年蒼龍己酉冬十月庚戌朔，十有九日戊辰，嗣皇帝臣某，臣賴上天之祐，祖宗之靈，得以眇末之躬，託于億兆京垓臣民之上，持盈守成，凡今三年。身至太廟，兩嘗祼將。非獨于親立愛臣家，庶亦孝治可先天下。而祠官讀祝于太祖室，惟曰聖武皇帝；睿宗室，亦惟曰景襄皇帝；至世祖室，則曰聖德神功文武皇帝。名譽之美垂無窮者多及六言，顧於創業之祖、垂統之宗、開我後人繼繼承承億萬維年者，稱述成功盛德有所未盡，心實歆然。謹遣太尉、尚書右丞相臣某，禋致牲玉，燔柴泰壇，昭告昊天上帝，加謚太祖曰法天啓運聖武皇帝，睿宗曰仁聖景襄皇帝。伏惟圓靈居高聽卑，灼臣微忱，敕我祖宗，歆此嘉誄，臣不勝感激戰栗之至。

皇帝尊號玉册文

至大二年正月

維至大二年正月乙酉朔，越七日辛卯，皇太子、中書令、樞密使臣某，謹率中外文武百僚，頓首頓首謹言：昔我世祖既平炎趙，質之於書，幅員廣長，振古無倫。覆燾之下，八紘萬國，莫敢不庭。何獨一王，西北岸然，憑道阻修，方命正朔，德綏之而不摯，威董之而不讋。夫豈不能聲罪致罰，深入其地，終以聖人親其宗親，包荒有年。成宗繼序，憤久驁頑，天鑒昭明，於裕皇孫獨異，陛下授以太祖皇帝信寶，撫軍漠北，是固以張，足付神器之本。時未及冠，承命即行。其視萬里莽閬寒冽之鄉，不遠不難，如堂適庭。至則獎厲諸軍，修明法志，簡拔果毅，均苦分勞，解衣燠寒，推食飫饑，洸洸汔汔，士氣日作。睿算伐謀，待寇歲至，奪人以先，身踐戎行，霆馳電擊，大北其羣。虚己不矜，日慎一日，始終十年，不狃屢勝。狂狡不懲，悉鋭來加，當以選鋒，伺間出奇，盡襲輜重，彷徨無歸，度不能軍，耄倪纍纍，降口百萬，致兹敉寧。平四十年未靖之梗，成兩祖宗未究之志，天下之人，聞其風聲，思睹天光者，顒顒翹翹。九圍一心，握是乾符，歸正宸極，弛武事之夙習，洽新化以文治。立愛自親，曾未旬浹，上尊太后，問安以時，下建儲宮，庶政是先。又舉列聖未遑之典，欽崇元祀，玉瓚黄流，薦祼太室，還蹕龍興，徘徊太祖，龍斿九斿，劃金于斯，肇基帝業，爲城中都。又以孔子垂範百王將二千年，而顯謚未稱，加大成于至聖文宣王上。立勞于軍，與凡庭臣，悉大賚之。間歲不登，既賑既恤，虞施未博，民罹罪罟，再肆大宥。至德難名，赫赫巍巍，惟天爲大，挂一漏萬，井觀如斯。求可盡臣下歸美報上者，惟是徽稱。謹奉玉册玉寶，上尊號曰：統天繼聖欽文英武大章孝皇帝。欽惟陛下立心天地，立極生民，茂對鴻名，于億萬年。

皇太后尊號玉册文　至大三年十月

維至大三年歲次庚戌冬十月甲辰朔，越五日戊申，嗣皇帝臣某，臣伏思顯考順宗未臨海寓，眇眇小子，託其遺體，顧踐丕基，惟事聖母，養以天下，何無不有，何欲不臻，而隆名盛典，辭未見俞，非臣所以表微忱，酬大德也。欽惟皇太后陛下，貞順而齊肅，淵哲而剛明。居常處變，愛威異施。臣在先朝，受詔漠北，往撫諸軍，可謂遠役，以義割恩。縱臾其行，追軺河陽，永懷彌切，親至五臺，禱于佛乘，尚憑陰隲，早遂振旅，殿閣是崇，靈貺用昭。旋聞國恤，併日馳赴，邪謀方興，授册儲皇，曾不再日，掃清宫掖，待臣以來，畀付神器，自非睿斷，安敉内訌。往歲鑾輅，再軺五臺，淨供大修，以畢夙願。極心爲臣，天𤍣地持，日居月諸，其大其明，非言所喻。《詩》之言曰：「母氏劬勞。」推之眇末，咻仁煦慈，百倍爲艱。圖以報塞，惟崇顯號者，强而名之，庶幾聖德昭明天下。是用類于上帝，禋于太室，奉玉册玉寶，上尊號曰：儀天興聖慈仁昭懿壽元皇太后。欽惟皇太后陛下，慶躋莫上之尊，福衍無疆之歷，菲躬是保，慈訓是承。（以上《牧庵集》卷一）

全元文卷三〇一

姚燧　三

序江漢先生事實

某歲乙未，王師徇地漢上。軍法：凡城邑以兵得者，悉阬之。德安由嘗逆戰，其斬刈首馘動以十億計。先公受詔：凡儒服挂俘籍者，皆出之。得故江漢先生。見公戎服而髯，不以華人士子遇之。至帳中，見陳琴書，愕然曰：「公亦知事此耶！」公爲之一莞。與之言，信奇士，即出所爲文若干篇，以九族殫殘不欲北，因與公訣，蘄死。公止共宿，實羈戒之。既覺，月色爛然，惟寢衣留故所。公遽鞍馬，周號於積尸間，無有也。行及水裔，見已被髮脱履，仰天而祝，蓋少須臾，蹈水未入也。公曰：「果天不生君，與衆已同禍矣〔一〕。其全之，則上承千百年之統，而下垂千百世之緒者，將不在是身耶？徒死無義，可保君而北，無他也。」至燕，名益大著，北方經學，實賴鳴之。遊其門者將百人，多達材其間。燧生也後，不及拜其履前，獲識其子卿月者七年矣。凡再見之。初以府僚見之洛陽，雖嘗以好兄余，猶未語此。今以憲屬來鄧，始及之，且德先公不忘也。燧曰：「嗚呼！自先公言之，夫既受詔，出之軍中，而使之死不以命，非善其職。且儒同出者將千數，纔得如先生一人，而使之泯没無聞，非崇其道，此公所懼而必生之也。自先生觀之，孰親于其七尺之軀，而大其所關。人持瓦缶將敗之，猶有惜而不果者。必茹毒罹禍不可一日居，故忍而爲此，出處非不思也。乃中夜以興，蹀膏血以禦魑魅，徑林莽以觸虎豹，而始及水，仰天而祝，其行非不決也。夫思而後行，行之以決，則其勢多難奪于中路，使非先公自行，而他人赴之，能捨所忍爲，以回其復生之志，收其已遊之魄，反就是一日不可居之禍毒乎？由是言之，先生之死，求以無辱，不以全歸。其生也，不以有赴，而以知己。此其胸中揆制一時，相爲高下之權衡也。然古之人，爲知己死者有之，無有爲知己而生者。先生以古人所不爲者報之先公，而先公所受先生也已多矣，奚德哉！」卿月與余相視一泣。卿月歸，序所與言者贈之。

〔一〕與衆已同禍矣：矣，原爲爰，據元蘇天爵《元文類》卷三四七改。

别丁編修序

至元十九年，余辭秦憲而歸東周。明年，復受命貳荆憲。自惟才之非也，行路之遼也，家貧而力之薄也，多疾而江南風土之未宜也，實難其來。然不遑偃蹇自寧者，公則壓于君命，勢不容已，私則以爲人生文軌混同之時，不及夫年未艾，以覽江山人才之勝，勿之，則有歉然之悔。斯意之不欲已者，出處之大略然也。自歷荆憲至今，其間望舒二十四弦晦，居府者三一；而水舟陸馬，周歷乎復、澧、峽、歸、鼎五州十七縣者，反居三之二焉。其于江山之清駛奇峭，人才之標特秀異，實若富于胸中。求如鼎之前編修密院官丁公，及事勝國三朝，嘗光顯者，或無有倫焉。宜其文章之宏肆，年德之高邵，日聞天朝累起而將官之，而公辭之，至今又于嚮見干進，而不釋者之中所無也。余以是多公，公之報遇于余者，宜與人異。今按部已竟，將還憲府，辱以高文叙行。再三讀之，愛其辭甚華而義至嚴，情甚密而禮至周。而其病在夫一失之不攻，衆長之是諛。曰：「雄其文，粹其學，正其傳，尚其世，而善其政。」斯豈余所虞于公者？公之世所不知，其學其文果余匹乎？其傳與政，果不與加乎？豈均無之，姑爲是甘言相愚乎？非歟，余如何知公，而知如是爲報？余如告人以公善懷術，不余知也，公心焉如何？不然，公誠無意焉，而余過疑及此，則反取罪爲高明妄人矣。或有意督過，將肆公所責之，公心焉又如何？獨甚善于公者，已辭徵不仕，若忘世肆志，而能損己有權輿，沅陽書院聚徒而育材〔二〕，師聖而祝釐，以成己而開物，詠歌太平以老，不可謂賢者不出，而無益斯世也。書院之基，已移文鼎牧，俾給左契，復移文軍府，俾拔其園蔬。又爲榜懸之院門，以勸其速成，而戒其中止。余今之歸，或得請去荆憲而北，不知公由何事何時相遇中原一握手，復道今日爲舊。或蒼蒼者再牽而南，又過是州，必睹書院既成，升堂以揖，峨弁之士，來而告之曰：子觀夫大役之築者乎，十人爲什，操杵負畚而力作者九人，逸者一人，袖手旁歌，俾九人者勤力而忘勞，乃董役而犒功，逸者與受直焉。今日之居，諸君知德編修，負畚操杵之勞，亦思袖手旁歌者乎？以是爲學者引譬，而資公一笑。

〔一〕沅陽書院聚徒而育材：材，原作「林」，據叢書集成初編本改。

送宰先生序

至元三年二月未盡之三日，宰先生謂燧曰：「余將遊秦，子能序余茲行乎？予掉鞅遊天下殆周，獨秦未嘗一至。又秦士捨修撰雷君，亦莫有一識。子昔家秦，其所忠者誰人，所通信者又誰？盍枚舉之。予階子言，一進謁之也。」燧曰：「秦固衣冠之藪澤也，在燧有未遍知者焉。蓋年之前乎燧者，率隆名碩德，既幼燧而未與之言。後乎燧者，燧何所慕賴乎彼，而爲之伍，故遺十百而得一二也。請爲先生誦之。有楊元父者，吾師與之抗禮者也。其學也粹而正，其操履也堅而不渝，其執親之憂也哀而禮，其能也博而肆，尤邃史學，讀至落落奇傑之士，必慷慨感激，思見其人。于今使先生之至，不嫌于自明，肯曰：『向之儒服登常山，一言折猖狂之盜，而落其角距者，實余也。』彼有聞而不奇先生者乎！雖先生夙有負氣使酒之聲，彼將視爲古奇傑士之恒態，必闊略而有取乎此也。先生行哉，其尚有合于斯人歟！又有韓邦傑、劉無競、呂伯充者，皆吾師之弟子也，年皆長于燧。若韓之能官，劉之天質之美，呂之問學之該徹，皆燧所不敢望而及。計之今日，呂以練服在躬，未可出之。二人有造先生之館，煩從者爲燧一訊安焉。」

送雷季正序

余從魯齋先生遊，最故且久。于同門之士，學爲最怠，而不加進，自親夏楚時猶爾，況今載名仕版，遠處數千里之外哉。昔之怠者爲忘，不加進者，弛而爲退矣。宜季正之取友而羞際，余之心安焉而不敢有憾，不謂徒以從遊之久故，願因鄙言，獲進拜先生履前。嗚呼，其志則勤，其意則良，惜所藉以爲介者，非其人也，是一也。又先生自謝政而歸，屏跡桑梓，養安泉石，家事不以干于心，鄉人莫得見其面。于時求欲如祭酒之授徒，來則受之，亦難也。余則止之無行。雖然，以先生平昔樂教之心，且熟子之兄伯靜之名，嘗哀其願見未得，竟抑志以卒。有弟如此，篤道而善學，行己以化鄉，岸然不流于今俗，翹然自視以古人，千里贏糧而就正焉。又觀夫人有可進成德達才之具，必不拒其見也。余則勸之令行。且景星鳳凰之爲物，人或睹之，猶爲生之幸。況大人君子道德之容，可以興起一世；仁義之言，足以發揮百王者哉。獲一進拜而聞其緒論，必決滯爲通，易暗爲明，大有得于曩昔也。有得而私之，仁人之用心不然。行哉，余將須其歸而見告也。

送暢純甫序　至元二十四年

歐陽子爲宋一代文宗，一時所交海内豪俊之士，計不千百而止。及謝希深、尹師魯二人者死，序《集古録》，遂有無謝、尹知音之恨。嗚呼！豈文章也作者難，而知之者尤難歟。余嘗思古之人，惟其言之可以行後爲恃，以待他日子雲者出，將不病夫舉一世之人不余知也。今乃若是，其以有知者爲快，而失之爲悲歟。余冠首時，未嘗學文，視輩流所作，惟見其不如古人者，雖不敢輕非諸口，而亦未嘗輕是於心也。過而自思，人之能者，余操慮持論且然，余不能之，何以免人無嫉賢之譏。余年二十四，始取韓文讀之，走筆試爲，持以示人，譬如童子之鬬草，彼能是，余亦能是，彼有是，余亦有是，特爲士林禦侮之一技焉耳。或謂有作者風，私心益不喜，以爲彼忠厚者，不欲遽相斥笑，姑爲是諛言，以愚之。不然殆皷舞之希進其成也。自是蒙耻益作，既示之人，且就正于先師。先師亦賞其辭，而戒之曰：「弓矢爲物，以待盜也。使盜得之，亦將待人。文章固發聞士子之利器，然先有能一世之名，將何以應人之見役者哉？非其人而與之，與非其人而拒之，鈞罪也。非周身斯世之道也。」余用是廢作，有亦不以示人。純甫自言得余隻字一言，不棄而録之。又言世無知公者，豈惟知之，讀而能句，句而得其意者猶寡。嗚呼，世固有厭空桑之瑟，而思聞鼓缶者乎？然文章以道輕重，道以文章輕重，世復有班孟堅者出，表古今人物，九品之中，必以一等置歐陽子，則爲去聖賢也有級而不遠，其文雖無謝、尹之知，不害于行後，猶以失之爲悲。下下之外，豈别有等置余爲哉？則爲去聖賢也無級而絶遠，其文如風花之逐水，霜葉之委土，朝夕腐耳，豈有一言之幾乎古，可聞之將來乎？純甫獨信之，自余不可不謂之知己，足爲百年之快，恐純甫由此而取四海，不知言之非也。然純甫實善文，其不輕以出者，將以今爲未積，積而至於他日，以《騷》、《雅》末流《典》、《謨》一致乎將恃。夫涖民既爲循吏，持憲既爲才御史，富民又將爲良大農，道行一時，無暇于爲言乎。豈以世莫己知有之，而退藏于密也。由積而爲書，至於他日，與道行一時，無暇于爲言，則可由莫己知而不出。若余也，雖不善文，而善知文，則純甫爲失人矣。今以農副行田隴右，于其别也，叙以問之。至元丁亥七夕。

送郭肅政安道序

書有道有體有勢，謂爲大耶，《周官》則班之六藝；謂細耶，次之《禮》、《樂》；難耶，舉天下之人孰不爲之；易耶，則曠一代能名世者，不數人。若是者，亦未可以細視易言之也。斯其道也。其體則有篆、隸、草三等，本而上之，草出隸，隸出篆，則篆者書之源。或曰「隸而下有正」。走則曰唐湖刺楊漢公跋《干禄字書》，以顔魯公隸書爲盡鍾繇之精能，則正者實隸也。其勢則有拘有放。篆譬則弁冕端委之人，將執事于郊廟，于于其趨，縮縮其循，周旋則至圓不能加規，折旋則至方不能過矩。隸則常服燕居，不可多拘，家人視以爲嚴君，而亦不可少放。草則雄勇武夫，纓曼胡而衣短後，挺矛運鈹，進踴退躍，横入傍出，頓挫起抑，揮霍斫拂，極其放而惟吾意之所至焉。然爲是者，雖云出乎手，而一心爲之師，心拘亦拘，心放亦放，未有心放而能篆，亦未有心拘而能草，勢必至，理必然者也。走嘗觀今爲篆者，無枚舉其誰，求一蹴而可臻古人之閫阤者，則郭肅政安道一人焉耳。夫日爲是拘藝，則心存而不放，豈不幾于克念作聖者耶！視走之惟事乎草，心放而不知拘者，遠相萬也。安道號西埜，好學而善文，無乎是，則書不能獨振耀今之世矣。將别而斜郡于岳，序以問之。

送李茂卿序

大德三年八月上弦日

大凡今仕惟三塗：一由宿衛，一由儒，一由吏。由宿衛者，言出中禁，中書奉行，制敕而已，十之一。由儒者，則校官，及品者提舉教授，出中書，未及者則正錄，而下出行省宣慰，十分一之半。由吏者，省臺院、中外庶司、郡縣，十九有半焉。吏部病其自九品而上，宜得者繩繩來無窮，而吾應者員有盡，故爲格以扼之，必歷月九十始許入品，猶以爲未也，再下令後是增多，至百有二十月。嗚呼，積十年矣！勞乎哉！李君茂卿，嘗同燧受學先師司徒公，儒者也。父户部，恩澤既推其兄之子，及將試吏，堂帖令出掾湖廣省。盈九十月，將赴銓中書。燧賀之曰：人有不職，幸不糾於御史者，君以勤效無此。人有饕墨，幸不罹罪罟者，君以清慎，無此。人有依庇有力，竊竊離所事同列之懽，以自求容一時，幸不譴斥者，君以中行不阿，無此。人有挾仕而商，賦之州縣，而倍責贏入，以肥其家，幸不訟于民，與衆樹姻黨，子弟入官，以妨後至之塗，幸不貶于士者，君禄入外無他營，捨僕馬則顧影無朋舉，無此。舉無爲爲賀，其可賀者。諺曰：「兩姑之間難爲婦。」上政事堂，下參幕多或二十人。其事之來，抱案求署無一可後者，皆視其色，聽其言，動立移晷，比不齟齬，使馴馴如式從己而出，譬則庖人善適衆口酸鹹嗜好之不齊。然非暫也，必八年之久。大而經國子民，細而米監甲兵，于盡得夫人之情，而熟知夫事之勢，增益其所不能者，不既多乎。今之老于刀筆筐篋，以致達官貴人者，皆下視吾逢掖以爲言闊事情，而不適爲用者，恃其能此焉爾。君既能之，是行也，以軍國公相知之，素無曰峻擢，惟循所宜資，亦畀善所。昔也，人吏之，今焉吏人。其留中，其居外，主乎聞司徒平生六經仁義之言，而濟以今所能，古所謂以儒術飾吏事者，非君其誰哉！

送姚嗣輝序

取士以文，始于隋，而盛于唐。其法：有司擇學修其家、名聞其鄉者，歌鹿鳴而進之朝，謂之貢。至則試之以聲律之文，中程度者謂之選。猶未即得仕，必待有位者之舉，猶視舉主何人，或衆且賢，以斷其人之材否，始授之官。勝國因之，而小變焉。選即官之，惟不使得爲令。必制置提刑轉運諸司五人舉，始用爲令。今而上郡牧、侍從、五府之官，無不能至者，則自貢而選而舉，千百人不一得焉，亦磽乎其艱哉！吾宗嗣輝，勝國選士也。赫奕其時，瞠後塵者，千百人烏可少跂。迨今改玉，聲名昭晰，不可終閟，猶官洪校，滿秩而觀光天朝。求通刺秉政之臣盧公、吴公門者千百人，未有一得，獨于嗣輝傾身接之，迎譽諸公間，文云乎哉！有見於道德之實耳。士而得此，亦曰：「逢矣。」逢而至於達也，奚惑？然終不能增多其舊尺寸。復調武岡，益遠于洪，豈兩公面是而中不力耶？曰非也，囿于法制之密，先得之多，兩公拱視不可躐其級也，以故南榿安意而往。既軷，燧告之曰：凡今仕者，聞職乎民，以有治賦聽訟之事爲，莫不色喜。聞職乎士，則以無有貢選利禄之望，人怠于學，虚師席而夏楚不試，卒不懌乎其中，嗣輝將亦若是乎？盍亦思校官風化之原，治忽所寄也。無遠稽古，而監之今。司徒文正許公微時，于大名，于輝，于秦，于河内，以倡鳴斯道爲己任，諄諄私淑，少長不一其年也，鋭鈍不齊其材也，積多至數百人。聞之天聰，徵爲成均，俄拜左相。歲餘辭免，復求成均。後其弟子繼司鼎鉉者，將十人。鄉曹風紀二千石使，棊錯中外者，又十此焉。其于隆平之治，豈不少贊乎？嗣輝苟以是爲心規矩，薰陶是邦之多士，得其達才一二，以用斯世，使海内之人，指而誦曰：「是大夫所梯接者。」于以亞匹吾司徒公，其獲將多。行矣，勉事乎此。嗣輝蜀人，以蜀多榿木，雖寓荆吳，不忘其鄉，號南榿云。

李平章畫像序　至大四年夏五月

陛下之未出閤，由李道復日侍講讀，親而敬之。嘗召繪工，惟肖其形，賜號秋谷。命集賢大學士王顒大書之，手刻爲扁，而署其上。又側注曰：「大德三年四月吉日爲山人李道復製。」至大四年辛亥春，正位宸極，制授道復光禄大夫、中書平章政事，以盡學焉。後臣之義，裝潢是圖，填金刻扁，而摹賜號與御署，加卷標軸，寵耀至矣，人孰與儔？敕臣燧序之，將俾詞臣頌歌其下，而親覽焉。臣聞命屏營，反覆究思，在昔帝王，圖其臣者，商高宗之傅巖，漢中宗之麒麟閣，世祖之雲臺，唐太宗之凌煙閣，四焉耳。麟閣而下，皆將相之開國承家，平亂亡以贊彌綸，資訏謨，以致隆平者。傅巖不然，初未有是赫赫顯烈，肖其夢形，求得諸野，爰立作相，以道復肖形可同説乎？高宗圖于既王三年之後，陛下則圖於未帝一紀之先。其時繪工運思，有所未至，手爲設色，高宗于説有是乎哉？斷所無者。李泌從肅宗于途，人指目曰：「黄衣者聖人也，白衣者山人也。」已乃爲相。而道復姓偶同乎泌，亦白其衣〔二〕，今亦已相。謂道復山人可同泌乎？爲之賜號刻扁，肅宗于泌有是乎哉？亦斷所無者。泌雖賢者，而言涉神仙迂怪，以故史氏短之，惟説則無間然。嘗改觀之，古今之世，相去若異，帝王爲治，道罔不同，何則？陛下所居，則列聖之位也。列聖君臨之中土，堯舜昔嘗有也。乃若高宗，亦商聖賢之君，恥其不爲堯舜，故命説曰：「若金，用汝作礪；若濟巨川，作舟楫；歲大旱，作霖雨。作酒醴，惟麴櫱；作和羹，惟鹽梅。」取喻再三，求其交修者，皆陛下有虞道復之心。今謂道復其才有足方説，孰敢犯是不韙？然其所處，則説地也。如較其學焉，後臣顧説所無，能求多聞以建事，學古訓以道，積厥躬招俊乂，以列庶位，對揚天子之命，亦足襲説遺芳餘烈，報陛下矣。然非舊學之臣，世不以是責難。俟夫治定而功成，德尊而年及，或遂懸車于秋谷，釣雲月以弄泉石。朝堂有疑，馳使諮之，猶不得專爲山人，世則目曰山中宰相者，所不免也。是年夏五。

〔一〕亦白其衣：白，原作「曰」，據清鈔本改。

馮雪崖二孫名字序

大德四年閏月

余以漢刻瑞碑，筆意深古，嘗模麒麟字，促而小之，刻諸瑜玉，佩爲私章。故人馮憲副雪崖，見而求之，曰將賜吾孫以爲名也。故長曰麒，次曰麟。後十年，主長林簿者，謂余兒麒輩元服矣。盍字之？因思漢孝明圖功臣于南宮雲臺，實本孝宣之麒麟閣，而征西大將軍陽夏侯與居其間，當諸將論功，侯獨避而休于大樹之陰，世多其不伐，目爲大樹將軍，而麒其遺苗，宜字曰漢功。周穆馳八駿，以升崑崙之墟。後好事者，圖其騫翔若麟鳳。柳子厚誕之。余觀天閑，馬其名而麟其形者奚少，况瑞刻所圖，延首而長鳴，振尾而高驤，孔阜以碩，如馬而角，則駿之，去麟，有不大相遠者。麟字曰周駿，如是命之，以必難犯，則新而不奇也。以求義意，則係而不離也。且各即其人性情之近似。漢功循循斂密，王母嘗稱其克孝如父。夫能嗣守家法於今，不能遠而言念，追鼻祖之踵于古乎？其出而仕，見諸事功，可期以不伐者。周駿翹翹發達，類彊有力者，則夫道遠千里，可一日而致焉者，亦或可幸冀焉。

序牡丹

余于牡丹，始于中統之元，見壽安紅洛西劉氏園。三年，見左紫洛陽故趙相南園。兩花皆千葉，株皆四尺。壽安二十萼，廣經七寸，高與之等。左紫四萼，八寸，高等。又三年，見千葉狀元紅燕都故楊相大參宅。株五尺，四十萼，七寸，高等。後二十年，見之長安毛氏園最多，將百株，株二尺少，然皆單葉，小大參參不齊，無絶奇者。後二年，見玉板白洛陽楊氏園，株亦二尺少，多葉，十萼，七寸少。鄧州見三家，張氏肖齋之衡山紫，陳氏終慕堂之淺紅，兩花皆千五葉。衡紫株二尺少，將二十萼，五寸少。淺株三尺少，將五十萼，六寸少。惟蕭仁卿之承顔亭白花大，株三尺大，可六七十萼，七寸少，千葉最盛。又有色緋紫碧相錯，株三尺少，可四五十萼，盛亞白花，七尺大。復有緋花，株單，十萼，八寸。二花皆多葉，而緋花獨奇，故爲佳品，今失其名者。别有鶴翎紅，爲千葉，小株，獨萼，五寸大，高等。他日株大，花則隨大矣，是爲鄧花之冠。仁卿舊云此洛陽壽安諸孫，自余觀之，大非壽安則淺紅，而今名余所命之，蓋即其形色近似爲言也。長安、洛陽諸花，余忘其香孰勝。萃鄧花而校，噴勃穠綿可喜，如紫薇者，衡紫爲第一。此余生五十一年所見者。然自元年至今爲二十九年，其間六年六見。自燕、長安、洛陽而至此，幾數千里中，元及三年，與至元二十年，三見洛陽，爲同地。至元六年、十八年、二十五年，各一見之燕、秦、鄧，爲異地。亡慮百十株，而千葉名品，纔四見，則千葉獨難遇，亦猶千人爲英，萬人爲傑，尤世不恒有者，矧賞酬有數耶。劉、趙二園雖皆有酒，年甚少，不善飲。楊大參時與先世父中書左丞同朝，爲父執，與之酒不敢飲。毛園時爲秦憲，毛氏方業市酒，纔下馬行觀，擇剪數蕚，不可飲而去。楊氏欄時滿秦憲，將走荆憲，借居其廬，客懷牢寂，無誰與爲飲。張齋、陳堂纔持一二觴，各剪一二蕚持歸，不名爲飲。其盡醉相歡者，惟承顔亭一焉而已。嗚呼！以齒五十一年之老，行數千里之遠，始觀至今廿九年之久，六年六見之希，而無負可當賞酬者。其醉明日，仁卿求記其事，余口未拒，而心勿是之，以爲樽俎之樂，屑屑者奚足筆。其夏白花忽槁死，其秋又固求記之。余始思，昔者之坐斯亭也，孰逆知是花旋踵不可復見，亦可謂異事也。又思左紫止一株，已移植嵩山廟中。洛陽今亦絶，聞壽安固在。其玉板白及毛園百株，將如左紫移植他人耶？無亦若是花之已槁死也。嗚呼！往者既然，況來者之不可必耶。細者且然，況大此之倍蓰十百者耶！則吾平生所當勉吾身，而因循弗力以去不可追者已多也，誠可爲老將至之一慨。而植物之死生，又不足怪也。仁卿惟喜余文，已記其承顔而求之屢，如老父取張長史判，吾特賢其能以是心至而已。然又益思六年之間，不善飲，不敢飲，不可飲，無誰與爲飲，與不名爲飲，非他，蓋無詩人同臭味者發其極意焉耳。而承顔是日者，則梁宣慰貢父、張總管孟卿、王工部景韓，是皆善詩，安知不可爲他日故實，亦未易以復得者，據蘭亭例爲序。惜其時無唱酬，未嘗罰依金谷酒斗數也。（以上《牧庵集》卷四）

全元文卷三〇二

姚　燧　四

讀史管見序

宋社既墟，詔令湖南憲使盧摯，以内翰籍江南諸郡在官四庫精善書板，舟致京師，付興文署。以故宣之致堂《讀史管見》，亦歸興文。自是庠後學之士，廢讀是書。大德辛丑，燧持憲節使江之東，物色久之。明年，得本旌德吕氏之塾，而劉安官校是邦。會其月廩師生之餘，穀充于庾而錢羨于帑，足以傭工，俾翻刊焉。因憶曩遊江西，閻編修宏方掾此省，出《管見》藁數紙曰：「斯公遺墨，俞秋山故物也。嘗貽其子婿黄有開，有開貽宏，宏敢以上之先生。」遂受寳之。踰十年矣，併摹卷首。每笑鍾繇求蔡邕書于韋誕而不得，誕死至發冢以取，其癖如是。觀公今書于用筆，精未必逮邕。求邕書之存今者，止于《獨斷》，惟箋漢氏名物，豈若公于千二百六十二年之事，千狀萬彙，叢臻其前，一揆義禮之正。褒以勸善，貶以誅惡，使地下之人，寵受華衮，恥蒙市撻。其效法《春秋》，扶植人極之功，何邕所敢跂及。復哀其時邕死，孔融思之，以虎賁之貌惟肖，飲必引與之同賦《蕩》之七章，曰：「雖無老成人，尚有典刑。」然非是槀，世烏乎知其竄削之勤，已精求精，已密如密，垂後之不苟哉！足使學者不煩發冢，可少槩見公書于今。移融之慨歎，夫尚有典刑者，不在虎賁，而在此也。其書已貽之同門友許約，安求爲序。既喜是板爲興文之始，兼其得藁之由，與今所歸，以諗觀者。

國統離合表序

走未壯時，讀《通鑑綱目》書于蘇門山。嘗病國統散于逐年，事首不能一覽而得其離合之槩焉，因年經而國緯之，如《史記》諸表，私藏諸篋。遇有疑忘，即是而叩，無異多聞博識之見告者，四十年矣。是歲之秋，同門友許君得卿，自金陵過宣，留語再月，間以示之。得卿善其非出己意，而新奇爲説，特抽《綱目》所有，彙而爲編，雖刊置凡例之後，猶不謂僭。而校官劉君德恭，方刊胡公《讀史管見》于宣庠。聞之，謂因是工，可斷手于旬浹，遂取徽、建二本，重勘校之，得三誤焉。其一，建安二十五年，徽作延康元年。凡例曰：「中歲改元無事義者，以後爲正，其在興廢存亡之間，關義理得失者，以前爲正。」其下注云：「建安二十五年，改元延康。」考之范史及陳志注文，是漢號。《通鑑》所書乃若曹丕稱王時所改者，今不能悉見例云。然則，爲漢爲丕疑猶未決，矧其時正在興廢存亡之間。今以前爲正，從建注二十五年。其一，章武三年，徽大書三年。後主禪，建興元年建，無三年，餘與徽一。凡例則曰：「章武三年五月，後主即位，改元建興。」而《通鑑目録舉要》自是年之首，即稱建興，非惟失其事實，而於君臣父子之教，所害甚大，故今正之。即是觀無三年者，則昭烈爲無終，獨建之失曰後主者。徽、建皆非。嘗求其原由，陳壽晉臣，晉受魏禪，不敢帝漢而臣魏，故不曰漢、曰蜀，謂昭烈父子爲先主、後主。《通鑑》因之，反帝魏而主蜀。後爲《目録》，事皆書漢，豈晚知其非，欲正之而未及歟？至《綱目》書出，始曰：「漢中王即皇帝位。」統斯正矣。而于其子獨曰後主，何哉？且自建興以及炎興，用天子制以臨四方者，實四十年。鄧艾至成都，書帝出降。明年，又書魏封故漢帝禪爲安樂公。亡國之餘且然，豈于即位正始之年不帝，反曰後主乎？是與十四、十五、十六卷之起，盡反凡例。諸曰後主者，皆溺於熟口，順耳不思，而失於刊正者也。凡例又曰：「有被廢無謚者，但曰帝某。」而不用後人所貶之爵。建興之帝，未嘗被廢，亦均於無謚者，故下取晉帝奕，與唐睿宗景雲二年，注：「玄宗皇帝先天元年。」明年，始大書「玄宗明皇帝開元元年」者例，大書三年，注帝禪建興元年。明年大書「帝禪建興二年」。庶前後參稽，可皆吻合，無齟齬也。又其一，天寶十五載注：「肅宗皇帝至德元載。」明年，惟曰「二載」。未嘗大書肅宗皇帝至德，爲無始故。今于二載上加「肅宗皇帝至德」，使得上同于開元。嗚呼！三者均失，而延康之取，至德之去，猶皆小小，何也？統固在也。若章武之距建興纔三年耳，遽有帝父主子之異，豈不于統大有關乎，故特書曰「帝禪」。有罪走爲不韙者，度不可以户説，雖面受之，心不然焉。或以爲知言，非獨走也有見可一時之快，而建興之帝，亦將雪其比德失統主稱千載之耻於九原矣。

唐詩鼓吹注序

鼓吹軍樂也，大駕前後部設之，役數百人。具器惟鉦、鼓、長鳴、中鳴、觱篥，皆金革竹，無絲，惟取便於騎。作大朝會，則置案於宮縣間，雜而奏之。最聲之宏壯而震厲者也，或以旌武功而殺其數。取以名書，則由高宗退居德壽，嘗纂唐宋遺事，爲《幽閒鼓吹》，故遺山本之，選唐詩近體六百餘篇，亦以是名。豈詠歌之其聲亦可齒是歟。嘗疑遺山論詩，于西崑有無人作鄭箋之恨，漫不知何說？心竊異之。後聞高吏部談遺山誦義山《錦瑟》中四偶句，以爲寓意于適怨清和，始知謂鄭箋者，殆是事也。遺山代人，雲南參政郝公新齋視爲鄉先生。自童子時，嘗親几杖，得其去取之指歸。恐其遺忘，以易數寒暑之勤，既輯所聞與奇文隱事之雜見他書者，悉附章下，則公可當元門忠臣。其又鄭箋之孔疏歟。公將種也，父兄再世數人，皆長萬夫，于鼓吹之陪㩧矟而導纁幰者，似已飫聞。晚乃同文人詞士，以是選爲後部，寂寂而自隨，無亦太希聲乎。其亦宏壯而震厲者，亦有時乎爲用也。兵志有之，不恃敵之不我攻。走聞江南詩學，壘有元戎，壇有精騎，假有詩敵挑戰而前，公以元戎握機於中，無有精騎孰與出禦？走頗知詩，或少數年，使得備精騎之一曲，横槊于筆陣間，必能劘壘得儁而還。惜今白首不得公一振凱也。公由陜西憲長，以宣撫使巡行郡國淮河之南，欲序，故燧書此。

馮氏三世遺文序

古之人，道德積躬，而孝弟行于家，風教及于鄉，而勳名流于天下後世。父基而子構，祖塗而孫轍，存乎當時，簪紳榮之，垂之于今，竹帛焕焉。是之謂世德之家，如楊震、袁安，四五世迭爲三公；桓氏世爲帝者師，與後漢祚相終始。下乃唐之韋、杜、八葉、蕭氏，其間彰明較著者尚多。由是以來，有志樹立門户者，夫豈無其人哉。然不一再傳，子或不才，孫復不令，仁義之不脩，詩禮之日捐，徙業下逐百工衆技之利，自混於齊氓。能不觸刑辟以及其宗祀者，又於不才不令之中，有絶俗之識者也。嗚呼！世德之易賈而難傳如是者，果天歟。天未嘗禍善人，有開于始，而無聞于終，有先于前，而見羞于後者，必自夫人焉，必人也耶。簞食豆羹，爲物亦薄矣。吾之與人，猶必揆之于義，以裁其當否。況如天者，將畀人以世德，寧不靳吝愛嫪，誘之于冥冥，相之于昭昭，俾繼繼生賢，不墜其世者，未必人力能致然也。馮氏由中議擢金天眷己未第，中順、通議、右部以及今奉議，凡五世儒仕，鬱爲清風素望之家者，百四十有八年，亦庶幾古之世德人哉！子休復進學方力，諸孫蓁蓁，紅蕖碧蕙，穎發庭下，又如是來者之未艾也。求今喬木故家，可甲乙者，輪指不滿四三。嗚呼！亦有非天之爲者。中順以中議卒官同知山東轉運，時年五十有九，故甫年六十，以同知横海節度致仕。通議以同知集慶節度，亦六十致仕，率不滿年格而止，不盡享有之，留爲裕後之謀。若良農之休其地力，而不竭其出也。然三世皆止同知，亦理之不偶然，事之可異者。中議之文逸，不可蒐輯。中順《白雲集》，通議《松庵集》、右部《常山集》，奉議皆板之行世矣，目曰《馮氏三世遺文》。俾燧爲序曰：夫人之言爲聲，聲原於氣，中順之氣勁，故其辭簡潔而峻清。右部之氣和，故其辭溫厚而優柔。通議之氣粹以正，其學綜博而趨約，故其言之見于誕布除拜、吟情託物、誅姦彰善者，劌戞陳言，一以經史爲師，淡麗而不諛，奧雅而雄深，多體而不窮，視金諸作，最爲高古，信一代文章之宗也。嘗致仕居嵩山之松庵，以故人多不敢官公，第曰松菴，猶魯人於石守道曰徂徠然。奉議名岵，僉河南北憲事。

紫陽先生文集序

紫陽先生，長先世父少師文獻公十有五年。交友間，少師獨畏而不敢字者，言必稱先生。由其爲河南徵收課税所長官兼廉訪使，按部洛西，識燧于幼稚。迨少師棄長尚書幕，隱居蘇門，輦致子之，以不力于學，數加困楚。先生聞而馳書止曰：「某令器也，姑無爲是急其蚤成，長自不爾。」先生四子，保垣、萬駒、緱山、嵩山，皆中下殤。既俾弟之子元楨嗣其職。世祖以王教起爲京兆宣撫司參議，年七十。其歲乙卯，卒乾州。四女，長適張篪者，相失兵間；次王亨，皆前夫人劉出。且卒，執亡妻手，語夫人吳曰：「他日無醮他門，必歸姚氏。」後是四年，燧婿其家，得觀《還山集》者于夫人所。夫人襲先生遺集，寶有甚至，不以付三婿。夫人卒，亡室在蘇門，其書歸王氏，亨亦不得而有，次姨自櫝之。燧後爲秦邸文學，亡室求之百至，不可，恚而與其姊絶。尋卒。刺膠州子子監江州路位總管上者晦，求板之，亦不可。季姨適任良，及主荆門長林簿，求公書與俱，十一帙中，止校其四。時晦已卒，弟曙也，自江州來長林省其姑，錄四帙歸。後亨子某，婿昭文館大學士楊元父，其母亦卒得疾喪心。燧持憲節使江之東之三年，當大德癸卯，昭文子寅，由爲南臺監察御史，過華陰，于王氏敗笥故書間，得其七帙，寅橐以遺燧。思四帙在季姨所者，他日必合而一。會季姨終良喪，攜其子某，親迎吾家，舟及齊安，亦卒。燧傷之曰：嗚呼！何是書之多艱哉。今年四月，曙滿秩南劒錄事，將西入秦，求七帙板之建寧書坊，過宣。燧以寅所授授之，因慨晦始受學先生，常面命之。曙後先生卒一年而生，顧能成其兄志而文其祖書，行今與後，亦弟弟而慈孫哉。若先生鄺國世家傳次，及平生嗜學述作之富，與一世之士，服爲關西夫子者，有遺山、江漢、西庵三先生之碑銘之集序言，故燧著是五十年間幽鬱于昔將昭章于今者于篇終云。

郭野齋詩集序

古之人，武以戡亂，文以守成，顧時義焉，何如遇斯爲之。今爲士者，事會之來，縮項惴讋，不敢一出而用其學，自班乎武人成功之間，無已太固而拘乎。嘗聞郭野齋公，自其未冠而爲士子時，喜關弓馳馬，讀韜鈐書。其先公禁切之，每不爲止。交遊或近狂之，而弗善焉。迨筮仕也，連三佐戎幕，用其畫，軍旅率輒效，而先公始信其他日果繇武立勞者。會至元丁卯，大集諸道兵襄陽，張平宋本，一時材武、智計之士，莫不繩聯輻湊，各試其能。長圍之下，凡六年而拔之。乘破竹鋭，浮馬箠渡江，乃得專一旅之衆。踐蛇茹蠱，崎嶇楚越之徼，以蠻獠之驁岸詐諼，曾不敢少傃其鋒。既懷柔者，必仁存而信撫之，使人不知有易代之懼。又握虎節，以卒于軍。今縣官故事：職乎民者，子孫或不必世，能世之者，率職乎軍，父死而子繼之，兄終而弟及之，如漢之徹侯。以故其子嗣長萬夫，而始弗善之者，自妄其言之迂狂，朵頤瞠目，若不可少望其遺塵。嗚呼，亦諸生之壯偉哉！燧遊餘杭，都漕寇公理賦兩浙，曰：「余野齋相好者，子亦有雅一日焉。今嗣奮成是，求序其遺集，子容讓爲。」因得讀之盡卷，爲詩六百餘首，曰：「嗚呼！子曰：『詩可興可怨。』今之詩雖不得方三百篇，可考以知國風與王政之小大，要亦繇于吟咏性情，有關美惡風刺而發，非徒作也。矧其善爲形容所遇，如函夏蠻裔之山川習尚，諷之如人身履其地，史氏斷章取之，亦奚異于觀之風，其有咈吾耳，感吾心，而出吾口者，直至而激烈，不自知其言之不可爲誅姦之屬鏤也。今也同時拔蹟襄陽，材武智計之士，功與公等，位與公夷，與或過之者，將千輩，而有一言若是幾于道者乎？則公兼衆人之能，在衆人則不敢覬公之至也。」公諱昂，字彥高。始知山東統軍司事，改經歷官，再經歷襄陽統軍司。擢副沅州路安撫使，同知沅州，再副招討沿邊溪峒使。俄陞爲直，改虎節，長萬夫，戍撫州。遷廣東宣慰使，仍虎節。將本軍以卒。嗣侯震也，輯其遺文板之，播曉一世，曰：「吾先人非獨功如是，有言又如是。」其能子哉！

樗菴集序

余讀《陳杞世家》，叙舜、禹、契、稷、伯夷、伯翳之裔，于帝王與顯諸侯，曰有本紀言，有世家言，獨于皋陶封英、六，曰無譜。嘗爲之廢卷曰：嗚呼，英、六建國也，歷虞、夏、商、周四代之間，將二千年，由無譜，雖以太史公之綜博，猶不能推采其世，竟與滕、薛、騶小不足齒列者，同歸于弗論，則清風素望之家，子孫能完有其譜，不隕世德者，豈不難其人焉！此歐公取以表宰相世系于唐書也。然惟世事搢紳者，知尚乎此，其或徙業不儒，纔四三傳，于所宗親，猶不能舉名曾高，况族從之遠而蕃乎。千歲之緒，一朝而微絶，其發太史之歎，而見比英、六者，不知他日幾何人也。近世惟吳氏從五代晉少帝降遼，爲遼名臣，三世三相，國陳秦燕，秦燕皆中令，中令而下官少異矣。然繼繼搢紳，至提舉鄧州學校君，八世宗從百數十人，非君死生二譜于板蕩之中，不使其遺裔得見先德之盛于今日。嗚呼！其善爲子職者。後君没之十九年，至元庚寅，子京出其譜，而見其然，且求叙君《樗菴集》。因伏讀終帙，得古賦三，古詩八十四，律詩九百八十七，樂章三百二十，表、書、啓五十四，序、引、記三，碑、誌、事狀十三，祭誄、青詞、祝文九十二，榜疏十一，凡千五百七十篇。非其中閎肆該蓄，能是富多乎哉。聞君在金季也，年猶甚盛，已受海内聞臣譽士之知，書候其門，必曰内翰，蓋已與其不蹈是地，不足以盡其學能。今斯人者，復皆淪亡，顧求君故人子，及識之垂髫中，若燧者耶，亦足爲斯集之悲也。竊嘗泛觀，大率古人之書，不行其時，而傳諸後。故其時之人，及見其槩，有不若後人之盡其完。則斯集之所悲，豈非適爲燧所幸歟。夫讀其書，必知其人，質者拘窘，掞者游誇，近者膚卑，豪者峻宕，剛者麤厲，而弱者氣乏，與夫徇今者陳苶，戾古者無法，葩豔者遠實，喜異者艱崎，失志者詆訕，躁淺者迫切，而挾數者詖傾，其失非盡乎此也。惟所性中正宏厚者，故能優柔而明炳，洞暢而溫醇。斯大雅君子，言符其德者也，斯集有之。然不苟作，尤致意于朋舊患難死生之際，亦足爲後學篤倫理之師。又聞其出處，詳見故河南府提舉學校李君竹齋所撰埋辭。我外舅紫陽翁嘗勸其爲書，豈將資筆近鑑耶，惜不果成也。京今嗣爲州教，偘偘自持操，置門第甚高，其姻與友必求其類，真不隕世德者。其喜譚遼、金世族，蓋習聞餘論，庶其能成書乎。

趙樊川集序

樊川，宥密公長安別業也。其地得姓，則由漢舞陽侯噲有墅乎此，豈與葉邊舞陽封國，改爲樊國者，同其時耶？唐則韋、杜二家專之，皆宅北山之曲，韋西而杜東，以故中舍杜牧名其集爲《樊川》。公居二曲之間，余少之時屢至焉。其地先甚荒棄，由爲公有，歲新而月盛之。泉石、巖洞、池塘、林木，出没窈窕，魁奇繁薈。凡可娛心而駭目者，悉甲其鄰，人亦目公樊川。中統之初，京師諸貴詩其圖者，惟大參楊公西菴爲絶倡云：「一賦阿房萬古傳，而今還有趙樊川。」謝公墩上王公住，異代風流各自賢。」公平生精練世故，每自負其沉幾先識，算無遺策，國家亦以是期之。初未知其文，公没十有八年，中子饒總管通議君訓，始摭遺稿百數十首，爲集而板之，嘗因最公自予。無幾何，會予自中書舍人出牧杭州。歲餘改右庶子，移疾東洛。明年，復刺蘇州。四年間三换官，往復奔命，不啻萬里，席不遑煖，矧筆硯乎，所託文久未果就。及刺蘇州，又劇郡，治數月，政方暇。因發閲篋中表，睹居敬所著文，其間與予唱和者數十首，燭下諷讀，憯惻久之，怳然疑居敬在旁，不知其一生一死也。遂援筆草序，序成復視，涕與翰俱，悲且吟曰：「黄壤詎知我，白頭徒念君。唯將老年淚，一灑故人文。」重曰：「遺文三十軸，軸軸金玉聲。龍門原上土，埋骨不埋名。」嗚呼！居敬若職業之恭慎，居處之莊潔，操行之貞端，襟靈之曠淡，骨肉之敦愛，邱園之安樂，山水風月之趣，琴酒嘯詠之態，與人久要，遇物多情，皆布在章句中，開卷而盡可知也，故不序。時寶曆元年冬十二月乙酉夕，在吴郡西園壯齋東墉下作序。

盧威仲文集序

一元之氣，不能皆陽，故陰時出而乘之。然而制陰者，必陽也。世道不能常泰于君子，故小人迭出而否之。然制小人者，必君子也。聖人作《易》，于君子小人之際，必寓其扶陽抑陰之意。聖人何心哉，順天道也。一小人生，而君子必與之並生焉，生此者所以制彼也。仲舒、汲黯并弘、湯而生，張猛、周堪並恭、顯而生，朱雲、梅福並光、禹而生，天意可知矣。是以鳳憚王章，賢憚王嘉，覽憚陳蕃，冀憚李固，操憚孔融，諸式憚仁傑，仙客、禄山憚九齡，守澄憚劉蕡，異鎛憚韓愈。憚之者，人也。所以使之憚者，非天乎？吾友威仲之生，其將使世之有所憚乎，其天以傾世道之陰乎？其文吾不得而多，見其大者矣。甲辰一疏，奪權臣而褫其氣，蠶績而蟹匡，范冠而蟬緌，夸者知位之不可恃，悖者知禮之不可失，其有功于名誼如此。垂紳學館之際，是非必陳，邪正必辨，闕政無能言而言之者，必威仲也。巨憸無能拒而拒之者，必威仲也。射精而猿號，鑑明而塵至。威仲於是不見容於表著之底矣。湛浮田里，嘯傲江湖，此自古忠臣志士所不免。威仲身詘，而道不詘矣。予嘗熟玩其文之一二，大抵體根于氣，氣根于識，識正而氣正，氣正而體正，故勁特而偉健，明白而洞達，激烈而懇到，望而知其爲威仲之文。蓋君子之文也，抑余有聞。年有少壯，老之不侔，氣有明昏，憊之殊致，故爲善于少壯之日則易，而自立于衰暮之節則難，惟學則一而已矣。孟子曰：「我善養吾浩然之氣。」又曰：「以直養而無害。」又曰「是集義所生」者。夫如是謂之學，此威仲所素講者，余復誦而勉之。

高麗瀋王詩序

天下之事，以古方今，不異則同。異乎古則同乎今，異乎今則同乎古，異必一居，無有若高麗氏之古今兩異者。姑即己事而觀之，始晉惠之永興，盡宋文之元嘉，偏方立國，若成李雄代什翼犍，涼張寔、呂光，南涼禿髮烏孤，西涼段業、李嵩，北涼沮渠蒙遜，夏赫連勃勃，後秦姚萇，西秦乞伏歸國仁，燕慕容皝垂，南燕慕容德，西燕慕容沖，合是數國之年，取其兩端，沖少不能踰紀，沮渠不及四十年，一何促促若是耶。庸以較夫高麗氏王建，立國于唐明宗長興壬辰，歷晉、漢、周、金、宋以及至大庚戌，傳二十八，歷三百七十九年，垂統之遙遙，繼序之昭昭，況賴聖世億萬維年，其來猶未艾者，獨何修而臻此哉！豈負固海隅，中土之兵，不能以至與？將善于事大，不失其貢職歟？將修明治具，禮樂刑政維持之效歟？抑箕子之澤百世而不斬也。吾所謂異古者，此焉耳。其異于今，均之曰王，異姓之于天宗有間也。然宗王雖受封大國，同升虛邑，何也？未嘗祖別子于廟，人民則天子使吏治之。其府雖得置監郡與府屬，皆請而命諸朝，而刑人、殺人、動兵何敢越律。其民五家賦絲爲斤纔一，猶不聽下令擅徵發其地，皆輸之天府，歲終頒之，其網亦密矣。遇高麗氏則不然，有宗廟蒸嘗，以奉其先也；有百官布列，以率其職也；其刑賞號令，專行其國。征賦則盡是三韓之境，惟所用之，不入天府。若是而曰，異乎今者然乎，非歟？最二祖之所併苞，何翅萬國。其苗胄有世其土而王者乎？雖牽塗人之裾以問之，亦皆曰無有，萬國獨一焉。世祖又爲乃先王降以安平帝姬，追封秦國，實生今王，于屬爲甥，而妃又裕皇元子晉王公主，父子先後連姻帝室。當儲皇之敉寧內訌也，王與定策，故皇上報之，加開府儀同三司、太子太師、上柱國、瀋陽王、駙馬都尉、征東行中書省左丞相、高麗國王。後以宗王封大國者惟一字，遂與同之。又原降制，惟曰瀋王，進尚書右丞相，加推忠揆義協謀佐運功臣。湛露恩光，可謂無以尚者。其相與參軍踵門，謂燧曰：「詞垣之臣，不可不有詩也，君爲序之。」翰長乃帥其屬，共爲賦頌，褒揚揄拂，歸美聖德，歌功臺階。其聲鏗鍧，若金鐘大鏞之戛乎虡業焉；其文焜煌，若山龍藻火之摛乎繪絺焉。既不遺于一善，燧序先之，則爲箕舌之粃糠，有譏其贅者矣。

遐觀臺唱和詩序

遐觀臺者，今常之無錫丞前南陽府教、梅谿楊蔚彦亨之别業也。其扁則致仕翰林承旨王公鹿菴所作，用筆高古，神閒韻遠，真天下之奇書哉。彦亨自賦之外，詩若歌者十有三人，余識五人，曰欒吏部、梁兵部、李庭賓、王繼明、張毅也。其八人未之傾蓋焉。捧玩披吟，名篇俊發，諧互鏗鍠，皦繹通暢，金石之音，未足以喻其正而麗也。摛藻煥輝，絢爛奪睞，黼黻之繡，未足以方其實而章也。二十五年，余罷直玉堂之明年，彦亨亦秩滿無錫，聚居穰侯之國，余忘爲詩，君先挑嘗焉。日夕和賡，浸淫卷軸。顧余豈敢追配大雅，然騏驥千里，駑馬程以十日，或猶及之，是以竭力蹶倒景之後，而不辭也。于是之時，彦亨求序《梅谿唱和》。余莞然笑之，非求序也，特詑彼十三人者之能言相媿焉耳。雖然，子見夫善弈之與拙弈乎？拙弈獲偶善弈，則其智日增。善弈之避拙弈，則懼其術之日退也。君懼退術耶，余智烏乎增？將日負博局，而惟夫子之是從也。

壽龐禮部母夫人詩序

古之人曰：「觀其子，可以知其父。」父丈夫也，我丈夫也，身以接之何嫌，宜若不待由子而知。若夫母也，則非有親好，於平日有不得，一躋堂陛，而跂其几杖，非由子以觀，其知有無從者，蓋迹其己事也。天下之人，惟善其常而變，故欣戚一發乎情，必善常其變，而變其常，而後欣戚不干，一揆以義。方龐詠之銓官海南也，去京師萬里，蒙犯炎瘴，蒸如毒厲，而至于海船涉洋矣。蕩以春雲之濤，引以排山之風，幸其既岸，始礪兵負甲以鬬未服之獠，出萬有一生之塗，滿歲不可必其來歸，亦至戚也。使母夫人如他人，去其子百里，期盡旬月而反，煦煦以節早夜，時饑渴爲戒，繼以牽衣相泣者，則詠雖勇于功名，亦安能斷襟以去乎哉！其果爲行，由夫人之能勉以君命之不可反汗，臣職之宜于賢勞也，故曰常其變。然詠嘗御史裏行，嘗修撰翰林，今爲小宗伯，皆清列也。鄉距京師，可再日而至。其養則膳服足以華悦其口體，其遊則貴家姻里願賴其儀法，亦至欣也。而夫人猶不輕去先人墳墓，以安享有，寧家於涞水之濱，視榮耀若無與己然者，故曰變其常。諺曰：不啼之兒，誰不能持？嗚呼！如是求之，其情與義有遯而不得者乎。至元二十有三年，燧始識詠于燕。後是七年，相遭武昌。是年，如海南，皆數夕而别。元貞始年，始同官翰林，入同事而出同適，驩浹而閒暇，計始至是，踰一紀矣。可訪親好以縻官于庭，無所爲而至于涞，故于躋堂陛而跂几杖，且不得而遂焉，矧齒其年乎哉！惟知生以四月一日。詠自善爲文，凡庭臣之文者，率作歌詩爲壽。燧欲序之，前年妨以史事，去年迫南歸。今閒退于郢，無掣乎中，故書所由爲序，示詠以致三千里之賀。（以上《牧庵集》卷三）

全元文卷三〇三

姚燧 五

王憲副母夫人九十詩後序

嘗讀《詩》、《禮》之言，而知其祝壽考者，恒在于有官君子也。聖人之心，非不欲四海之民盡然，顧其勢有不可必得，而其仁止于不饑不寒，無金革以没其齒而已矣。君子則不然，責以其治，代天工也。效以其澤，及斯民也。縻之以好爵，酬之以重禄，王者既崇高富貴之，故人之蒙其賴者，其報惟有壽考之一言，曰：庶幾乎由吾是祝而永年，可悠長父母吾也。嗚呼！君子之于民，有父母之道者也。非生而出之者也，而民猶忠厚若是，况君子于親託其遺體乎。則其祝壽考者，將什百千萬于斯民之于吾也。匪徒祝之，又以其禄養之。卿士有家者也，以家養。諸侯有國者也，以國養。或曰：「民之無國家，而壽考者若何而爲養？」曰：「漢民之長吏，存問歲時，致帛絮牛酒者，猶其遺意也。」允中方爲河南北憲副，有官君子也。母氏夫人年今九十，壽考者也。食四品禄，家養者也。養有禄，故能備儀物。備儀物則可愉裕而無憂，愉裕而無憂則壽考者益昌延而無期矣。允中以黄髮之子，奉白髮之親，篤其孝者爲如何。然未嘗觀木之稚也，氣鋭皆上聳而挺直，無求依其旁。其老也，勢竭皆下樛，而婆娑有求質于下，亦理之自然。而人亦或有不是異者也，則夫人以白髮之親，撫黄髮之子，益隆其愛者又如何？是皆足爲吾身昊天不吊者之深悲矣。余識允中，十年于今，未嘗言及其親。己丑秋，遣其子銘持諸賢爲夫人序詩八十者，二十人二十五篇，詩序其九十者，二十六人三十三篇，編爲兩軸。最之爲四十三人五十八篇。蓋有同是一人，先後兩賦之者，或累篇者。其孫錫，於其王母，不得比之他人，宜别之。嗚呼，多乎哉！大而庭臣之賢，下而髦士之良，稚髦之不必齊其年也，戚疏之不必一其好也，亦容有不得升堂以企望夫彤管之儀者焉，而洋洋誦歌若是。于以見凡允中交者，皆母之訓也。然反披而覆誦之，猶病其言有矛盾者，既稱夫人婦王婉順矣，當節度君守趙，將以城活斯民，而夫人一言制之，是越壼内而出于戎律也。顧以節度君之雄烈識度，其揆義委質取必夫人之一言，是舉閫外而入稟牆帷也。兩戾其道，恐君夫人之賢，兩不爲是。筆斯言者，將以是而信來世，非誣人耶。且今之巧于術智者，人猶莫忖其心之何在，况蒼蒼之高天幽邈，卑人以年，而曰吾得之，必由是事而致，非誣天耶！余之斯言，雖足取愠一世，而世之人以爲知言者多矣。詩中或有贊夫人能誦浮屠書者，抑不知爲是者，將報德在今歟，其徼福未來乎？以爲在今，外宰物而歸之浮屠之鬼，迷孰大焉。以其未來乎，既享有于昭昭，又求不可必得于冥冥，覬孰甚焉。彼爲浮屠法者，必信其書而崇其道者也。懷之西堂德公，亦僧之巨擘焉，年百十一。方年百有三時，尼有白姓同齒者，日夕誦浮屠言，德止之曰：「人恃氣以生者也，今老而衰，已不能充乎五内，而暢之四末，汝猶忍秏之故楮上耶？」白爲之止。彼爲浮屠法者，猶戒其徒以老無讀其書，而夫人不爲浮屠法者，顧誦之不置。允中其以是幸諫之曰：某之友姚燧者實云然。誠由是能止誦，則夫人當氣實而神深，多蓄而少出，不伐而益完。自今保壽考益昌延於無期者，皆由燧得之，敢以是祝。

鄭龍岡先生挽詩序

觀人之道，當概其心所存與身所履如何而論之，夫然後中而無失。今也名卿賢士之物故，莫不有詩人挽悼之，髣髴其平生。或以德書，或以交言，或以遇榮，或以御恤，或以名而慕，或以年而仰，或以政而思，或以文而揚，往往各得其一事一言，而未概心所存、身所履，始終何如也。譬之繪工，始學畫人，耳、目、鼻、口、顴、頤、顔角、理髮，須各自爲處，終未嘗集而爲面，使人真見夫妍醜、善惡、壽夭、貴賤，爲誰某之全。燧少時聞鄭龍岡公，第知家富清玩，可與古李鄴侯王副車者敵，薰然承平故家習也。後爲國學生，始與其孫有節、有文二人者友。于時公即世已久，而二友年尤少，亦未嘗詢及先德何如？今年來關中，有文以安西行省員外郎示吾友江西行省郎中高道凝所撰埋銘，而得見公大節有三：一曰廉，太宗賜銀五萬兩，辭；今上賜鈔二千緡償責，辭。二曰讓，太宗再富以地，比諸侯王封，再辭；貴以上相，位兩中書右，又辭。三曰仁，金以蹙國，汴都尚城守，太宗怒其後服，拔將甘心，公彿逆曲折陳解，城賴不屠，所全無慮數十萬人。世之知公淺淺者，惟曰尚醫。夫善鍼艾藥石者，孰與和、扁、意、佗，稽之書傳，所起死惟各數人。使四子者存，盡鍼艾藥石一世之技，能起數十萬人之死于膏血横流之下乎？嗚呼！四子之所能者，公或能不能。公之所能，不惟四子之必不能，雖一時四海動戚將相結主知未固者，皆不能也。古稱仁人之言，其利溥哉，其不信然乎！然自公之賓謝，凡在庭將相，善言經爲通儒，文爲名家，詩以誄之，集將百篇。焕乎其黼絺，鏘乎其璜珩，所以髣髴平生者，將無一善之遺餘矣。吾猶病夫各得一事一言，未概其全也，故著三大節而叙之，俾觀者未及其詳，而先領其要焉。

馮松庵挽詩序

二十有三年夏，燧以湖北副憲奉檄趨京師，以疾留襄陽。僉河南憲馮君岵，亦以疾得告來襄陽便醫。予雅與之姻友相好也，故得與讀遺山、敬齋所撰君祖松庵之碑誌焉。以兩公之文，形容大君子之盛烈，可謂不遺餘力，曲極爲言矣。然論出處要歸之際，不過反覆用違其長，而德有銜，若哀其不遇然者，私竊惑也。且諧于時之爲遇，未若不乖于義爲遇之善者也。自今以觀，亦嘗思金之叔世爲何時哉？譬如病阽脈絶息困之人，爲良醫計，惟有如秦和之于晉侯，不發藥而委去，自免誤人之名一策焉耳。彼大君子者，顧豈不醫，若而强起，自試于必亡之國乎？雖然，有義焉使死生，已爲將相，國命民心，休戚存亡，視吾一身，故死生有不恤焉耳。幸其時無是位，浮沉于常官，于時不可爲，于義無必死，膏車而歸，搴裳以行，徜徉于泉石，肆志于文酒間，此正大君子用世全名之先識高致。茲可謂大遇，尚奚不遇之云爲哉！當時之人，年位居前者，猶俯而友之。其敵也，皆跂而師之。下焉者，恨望屨絇而未見者，未必不由乎此，惜兩公略不及之也。嗚呼！燧言爲妄，後生之論立崖而求異，斯其恒態，果有取乎？先生未必不以燧爲獲我心，一興慨于九原也。又先婦翁紫陽之詩「髯雷短宋是門生」，而元碑止載雷、李、王、冀及渠五人，宋不與焉。然兩峰亦人豪也，遊先生之門，若不玷焉。遺山何爲獨見黜，此又惑也。先生之殁，距今四十有七年，自當其時，及身接之，殁而哀之以文者，亦遠而忘焉。況如燧者，生長去先生千有餘里，地如彼其遠也，年甫三歲，齒如此其稺也，目未嘗接其輝光，耳不及聞夫謦欬，殁不知所謂哀，久不知所謂忘，亦人之情宜然也。而燧之不忘先生者異甚，蓋先生殁以庚子歲七月十有四日，我先人之棄其孤，亦同以是歲月日。燧雖惡逆，非忘先忌者。是日收淚之餘，必思吾先人，維昔于先生及識不及識，不可知，而得與海內重名之士，蓋棺同以是歲月日，亦可少無憾于冥冥。而燧思先人，必及先生者，盡此身而後止也。（以上《牧庵集》卷三）

跋雪堂雅集後

至大三年秋八月

釋統仁公見示《雪堂雅集》二帙，因最其目序四、詩十有九、跋一、真贊十七、送豐州行詩九，凡五十篇。有一人再三作者，去其繁複，得二十有七人：副樞左山商公諱挺，中書則平章張九思，右丞馬紹、燕公楠，左丞楊鎮，參政張斯立，翰林承旨則麓菴王公諱磐、董文用、徐琰、李謙、閻復、王構，學士則東軒徐公諱世隆、李槃、王惲，集賢學士則苦齋雷君膺、周砥、宋渤、張孔孫、趙孟頫，御史中丞王博文、劉宣，吏曹尚書則谷之奇、劉好禮，郎中張之翰，太子賓客宋道，提刑使胡祇遹，廉訪使崔瑄，皆詠歌其所志，喜與搢紳遊者，求古人之近似，惟唐文暢，故柳送其行曰：「晉宋以來，桑門上首道林、道安、慧遠、慧休。其所與遊，謝安石、王逸少、習鑿齒、謝靈運、鮑照，皆時之選。」夷考其言，有失有得。其失者，以天官顧少連、夏官韓皋之徒，爲有安石之德、逸少之高、鑿齒之才，其不倫何啻相去千百而十一，又且近諛。其得者，文暢亦桑門上首，時不相及，方以林安遠休，夫誰曰不然？與以靈運、明遠之文自居，皆無媿德。斯自唐視晉宋者也，自今而視唐，獨不可爲之比乎？柳之頌文暢，曰：「道源生知，善根宿植。脱棄穢累，宣滌凝滯。」施之仁公，亦聲聞稱情而不過者，然求如靈徹、澄觀、重巽、浩初、元暠、文鬱、希操、深濬之流，與文暢生同其時，若是之多，則仁公爲獨行而無徒矣。又彼少連、睪者，豈足躅二十有七人之遺塵，而求安石、逸少、鑿齒之德之高之才，吾亦不能必其當者何人，況文乎哉？其敢以靈運、明遠自居，如柳州者，蓋不知其誰也？然此中予未之識四人，鎮、琰好禮，瑄然已皆物故。其存者，閻、李兩承旨而已，可爲人物眇然之歎。至大庚戌秋八月下弦日跋。

跋張夢卿所藏紫陽楊先生墨跡　至元二十五年二月

此先婦翁紫陽辭翰也。嘗聞其幼時文已奇，由歌「白水滿長於紫陽閣底清風細」之句，遂號紫陽。初名焕。後由上金季主《河朔中興頌》，季主壯之，置紅篋中，黄龍戰北，紅篋爲我元所獲，恐蹤跡物色姓名獲戾宜避，更爲奂。及後受我太宗簡文制，誤奂爲英，遂不敢私更，始就名英。其平生於書差喜米南宫，故筆法時時似之。其卒以乙卯，時燧未婚也。其歲上距今二十四年，當至元戊子。張總管夢卿嗜古博雅該妻見配，時燧未婚也。其歲上距今二十四年，當至元戊子。張總管夢卿嗜古博雅該洽之士，慮其未得平生之槩，故斂襟書此。其年二月，子婿姚燧觀於穰城寓舍。

師濂堂跋　丁巳　宋寶祐五年

周君宣仲，以師濂名其堂。濂溪萬世師也，天下師也，而况派其宗者哉！夫子爲宋朝正學之祖，師夫子，取水初源也。侯師聖見程先生，語未徹，往見夫子，語三日，自謂：「如見天之廣大。」再見程子，程子曰：「是必從濂溪來。」師濂之功如此夫！雖然，侯生之言，止可隔壁聽。程先生終未深與之，何也？受學之初，每使求仲尼、顔子樂處。既得矣，吟風弄月以歸，有「吾與點也」之意。嗚呼！

是真師濂者乎？故師濂者，當如程子。寶祐五年夏閏之晦，姚燧書。

書觀臺劉氏嘉蓮卷後

往年，燧在翰林，使有持憲節于山之南，曰馬公煦者，馳書來，言吾邢之觀臺劉氏所自出。先夫人之兄軌，字子範，蕃字子榮，皆金文臣。其官所止，舅範京兆轉運判官，榮汶上令。方範決科之年，池蓮一茄數花十三，亦祥之不世有者，雖見之《夷堅續志》而略，願特筆之。時以史事已修，而未之進也，無遑致思。今年以葬告還郢，郢適公所督刺郡，再書促之。乃求《續志》以較，謂範易轉運爲按察，又不載榮登第。嗚呼！志所傳聞，不若其甥之可信，惟十三花者爲同。因思草木之祥，或以二而合，或由一而分二焉而已耳。甘泉之芝，九莖同葉；河中之木，異本連理，此以二而合者也。漁陽之麥兩岐，李翕之禾九穗，此由一而分者也。然未若是十有三花之分之多，豈天鍾祥不以言喻，惟假草木得氣之先者，異其花實，而示人耶？其既應範、榮一世，而遂泯泯已耶？無亦猶有遺嗣蒙其未斬之澤也。然是氣也，所以父母萬物者也。和之盛，或溢而旁暢他達，如人子於其父母，貌必有一肖焉。何也？隨其氣之盛者也。夫天鍾祥於劉如是，固不專範、榮兄弟之身，亦必及先夫人，移其盛於所家者，理容有也。故公兄弟蟬嫣簪紱，列居臺閣，他日載勳旂常，勒銘景鍾，未可知也。夫然後可當宅相十三花之祥。

跋西溪珍翰　至元二十九年三月

中執法之書，計今在人間者，無慮數萬番，而諸賢獨感泣此軸者，由張君式者不忘，知與求評賞之也。嗚呼，古之人所重乎門生故吏者，豈不以是夫！使其遺嗣，人人持是手澤，求光前烈，其爲先友者，操筆之情，又何如也。至元蒼龍壬辰暮春，姚燧跋。

書米元暉畫山水

米敷文之畫，全法其父。山水樹石，不事工細，多以雲烟映帶。只喜作横挂，長不三尺，自題曰墨戲。今此獨雙幅鉅軸，豈當時奉詔與朱敦儒輩對畫禁中者耶？真曠代希有物也。張肖齋夢卿，以至元戊子夏四十千購得之，姚燧寓目焉，爲識末幅。（以上《牧庵集》卷三一）

天地交泰后以財成天地之道輔相天地之宜

造化之奠位，必合兩而成其和。聖人之成位，必參兩以用其中。蓋和者，致泰之極功。中者，致和之大本也。徒知保合太和，而氣化之流行者，固所以通乎兩間之天地，乃不知「允執厥中」；而道化之運行者，實有以位乎一身之天地。吾恐道化之中，有時而偏；則氣化之和，亦有時而息矣。聖人之宗主是泰，豈其然哉？且天秉陽而居上，確然其體也。而氣則下交乎地，地秉陰而居下，隤然其形也。而氣則上交乎天，氣化交感，絪緼磅礴，至和流通，在在無間。造化之泰，何其盛也！其必有致此者矣。曰有元后焉。天地之道，或太過也，而元后則以此之中而財成之。天地之宜，有不及也，而元后則以此之中而輔相之。道化潛通，無過不及。一中懋建，天地不悖。聖人之泰，不亦溥乎？合兩以致化者，造化之泰，此泰之蟠際也。參兩以贊化者，聖人之泰，此泰之宗主也。有聖人以宗主是泰，則成位乎上下者無非中，而奠位乎上下者無非和矣。泰之象云云，其意如此。嘗謂有致泰之實應，有致泰之實感。應者其驗，感者其本也；應者其流，感者其源也；應者其和，感者其中也；應者其在天地，感者其在聖人也。是故「天地絪緼，萬物化醇」，「陰陽妙合，萬物化生」，天地固以和應矣。何應非感？天地設位，聖人成能，皇極茂建，雨暘時若，聖人固以中感矣。何感非應？應者非先，感者非後，天地聖人蓋相爲因成爾。或者昧之，往往謂高明博厚，天地之體也；下降上騰，天地之氣也。體立而氣行，交通而旁達，則形和氣和。而天地之和應矣，于聖人奚賴焉？吁！是未知有感應之實理相爲流通者矣。天地之化，而範圍者聖人也。天地化育，而參贊者聖人也。聖人者，擬天地而參諸身，以一身而贊化育。陰陽闔闢，我轉其機；寒暑推遷，我總其運。此精神之感召，和氣之流通，使之三光全而日月無薄蝕之虞，五紀協而風雨無凄苦之變。財之成之，輔之相之，而無過不及之偏。何莫非大中之感者，亦何莫非太和之應者！嗚呼！和在天地，則天地一聖人之應也；中在聖人，則聖人一天地之感也。要其所應，則太和所播，上際下蟠，無彼此也，無間斷也。天地之泰，天地之氣化所由通也。而位天地，育萬物，元后之於天地，實有功焉。太過，其財成之；不及，其輔相之，以斯中也，致斯和也。氣化之和，即道化之所由驗也。原其所感，則大中一建，萬物咸睹，無偏黨也，無反側也。聖人之泰，聖人之道化所由通也。而亶聰明，作父母、天地之於元后，實有賴焉。寒暑，其教化之；日月，其順動之，以斯和也，驗斯中也。道化之中，即氣化之所由基也。然則中和無二致，感應無二機，在天地者非有餘，在聖人者非不足，渾渾乎一中和之盛，此其所以爲泰治之極歟？今夫得氣之清，穹然而高，天之位固奠於上矣。得氣之濁，隤然而卑，地之位固奠於下矣。上下不相紊也，而有氣以行焉。兩者交合，二氣氤氳。天稟陽之清，而至陽赫赫，必下交乎地。地秉陰之濁，而至陰肅肅，必上交乎天。其未交也，則上下異位；交焉則二氣薰蒸而成和。其未交也，則陰陽異質；交焉則二氣流通而成泰。交斯和矣，和斯泰矣！將見協氣嘉生，薰爲太平，時和歲豐，百祥交致。天地固和矣，而萬物則咸和；天地固泰矣，而萬物則咸泰。甘露降，醴泉出，溢而爲和，氣之祥也。嘉禾生，芝草植，欝而爲和，氣之應也。由此和而推之，其往來不窮，施生無方，其噓吸變化，無非此和之升降飛揚也。不然，則和氣一乖，天地否矣，非《大易》有取於乾坤交泰之象也。然成氣化之泰者在天地，而開道化之泰者在聖人。聖人者出，父乾母坤，而藐然中處，則成位乎天地矣。大生廣生，而大寶曰位，則成能乎天地矣。聰明作元后也，而有道以運焉。兩儀同流，一中不踰，陰慘而陽舒，天地之道也，過則不能和。春生而秋斂，天地之宜也，不及不能和。一喜怒有同乎陰陽之慘舒，惟皇作極，而財成之，則無愆陽，無伏陰，而天地之道所由泰。一賞罰有同乎春秋之生殺，惟皇作極，而輔相之，則無暑雨，無祁寒，而天地之宜所由泰。協斯中矣，中斯泰矣。將見王道正直，蕩蕩平平，會其有極，是行是訓。吾之道，無非天地之道，吾之宜，無非天地之宜。鼓元氣，雷域中，天地之豫也，即聖人之中也。騰百川，雨天下，天地之解也，即聖人之中也。由此中而推之，其平秩平在，寅餞寅賓，其在璿璣玉衡，無非此中之彌綸曲成也。不然，則中道不立，天地否矣，非《大易》有取於財成輔相之義也。大抵有氣化之泰，有道化之泰。氣化之泰，一天地之和也。道化之泰，一聖人之中也。若不相閡也，而實相因，若不相與也，而實相爲用，其殆一道氣之相爲貫通者乎！何者？有道斯有氣，道降而氣，其在天地，則爲陰陽之運，其在聖人，則爲中節之和。氣統於道，其在天地，則爲陰陽之粹，其在聖人，則爲未發之中。天地以氣運，則有上下交通之妙，氣即道之流行焉耳。聖人以道運，則有財成輔相之功，道即氣之主宰焉耳。融道氣，致中和，天地大造化也，聖人權造化也，天地聖人同一中和之泰也。使天地徒以氣化之泰，奠位乎上下，而不有聖人以道化之泰，成位乎其中，則陰陽失其道，寒暑失其宜，日月失其經，和者流矣，其何泰也哉？抑嘗考泰之爲卦，而有疑焉。天尊地卑，而乾坤以定。皇極建中，而彝倫以叙。今而象泰之卦，則有取於乾下而坤上，元后之任，則有及於天地之道與宜，何也？蓋天地以形言，乾坤以氣言。天地奠位，而乾下坤上者，氣也。天地之交，以氣而交，是之謂泰。乾坤其父母也，元后其宗子也。乾坤以氣化，而賦形賦色於元后，元后其可不存吾順事，而財成輔相之，以盡其宗子之職哉？是知乾下坤上，氣化以交而成和矣。而乾坤以定，則和者未有不中。曰道、曰宜，元后財成輔相之以中矣。而「彝倫攸叙」，則中者未有不和，此其所以有取於泰之象歟？雖然，聖人之用中，其應在天地，其感在民心。民心罔中，惟爾之中，則人和而天時地利無不應矣。古之聖人，端居乎宥密之中，而尸財成輔相之職，豈必曰：夏則致天地之陽氣而導行之，冬則閉藏之歟？又豈必曰：秋則取天地之陰氣而施用之，春則閉止之歟？夫乖氣致異，和之反也，和氣致祥，泰之極也。禮樂所以合天地之化，中和所以致萬物之育。吾之於民，苟能以禮樂導其中和之教，以中和行其左右之道，則吾民之中，即天地之中也，吾民之和，即天地之和也。聖人象泰，以財成輔相之任屬之聖人，而必以左右民繼，言之厥有旨矣。昔之言泰和者，必曰唐虞。則唐虞之時，地天交泰之時也。以言其治，則地平天成也；以言其道，則精一執中也；以言其化，則黎民於變也。中和之應，未有盛於此時也。然要其所以致中和，無非用中於民始之。作訛成易有其時，析因夷隩有其序，六府則孔修，三事則允治。彼其潛通天地之和，默制造化之機，固有左右爾民之治存焉。如曰舍斯民而他有所謂財成輔相之事，特陰陽固閉之學，聾巫瞽史之爲，堯舜其然乎？不然也。春秋以來，日蝕有書，地震有書，不雨又有書，是何陰陽繆戾如是耶？得非治不唐虞，世則春秋，大中之治不建，而太和之治不復乎？吁！是必有寤寐堯舜於千百載之上，而爲天地立極，爲萬世開太平者。(《牧庵集》卷三一)

李綸字說

李明之以其子讓來見曰：「願易名而字之。」予思古之人，生子三月，而父名之，避其在常語而難爲諱者，所以爲他日爲父計也。故《曲禮》曰：「不以國，不以日月，不以山川，不以隱疾。」而《春秋傳》亦曰：「不以官，不以畜牲，不以器幣。」讓生已久矣，雖其名無國官、日月、山川、隱疾、畜牲、器幣之犯，而犯舉世人之常語，使其子宜如何而諱於今哉？亦觀夫治絲乎，其緒之弱，不大於秋毫之末，力引銖錙，則紛然而絶。苟治而繩之，則可以轉百鈞。故曰：「王言如絲，其出如綸。」言綸者，比其類而合之也。或曰：「青絲綬亦爲綸。」爲訓雖異，其組織爲服，亦垂首千百，而比其類爲之也。反而求之，蓋人心之善，惻隱、羞惡、辭讓、是非四者之端。其始甚微，其絲之緒乎？學者爲能體驗擴充之，使可以放四海，塞兩間，其比其類之綸乎，邵子曰：「人於心上起經綸。」士而知此，始可語自治治人之道矣。名以綸，字曰治夫。

梁氏三子名說

梁宣慰君三子，其伯也既名矣，由犯先諱，求予避之。嘗聞誦簡約而嗜靜，重遲而可久，然先民以湛靜安舒者戒於後時，予懼其流或後事也，惟力於果敏，斯可正其失。質諸《字訓》，有以疾爲適者。古之人有伯適，南宫容亦名適。然司馬長卿以慕藺名相如，趙相國、鄧高密名不避堯禹，士而希賢，固其志也。伯適、南容奚避焉？故名曰適，而字亦不能即其舊，又易曰子容焉。嗚呼！伯適同名，南容一字，吾固以先賢望子，適曷知自勉哉！其下二人，仲曰迪，叔曰述。有父兄者，迪以蹈之，述以繼之，無所自遂焉，亦孝子悌弟之一事也。然古人之名，有非徒義意之是擇，如伯達、伯適，仲突、仲忽，叔夜、叔夏，季隨、季騧，必二人相從，而諧其韻焉，可謂言無所苟出而有章者矣。故予於適、迪、述，亦三人諧韻，其古之遺意哉！迪、述未冠，不字。

高氏諸子名説

袁之上佐洛人高直夫，以予少與其先子游，拜於洪都，請爲其子姪十二人製名爲訓。長曰統，次經、績、繹、緝、約、維、絢、紘、紱、絇、絅，且字而序之曰：家政統於尊，其傳者大。小宗之子，傳必立法。法立而家道用成，統宜曰元宗。經元立，績元用，然非本學，亦烏乎成？學則始思，思而成。輟則息，而不能文。又有要焉，必由博而趨約，固以守之，而後德業積中，輝光發越，而不可掩。譬設色然，必先資夫可受之質。繹曰元思，緝元文，約元博，維元固，絢元質。絢之所以華身者，莫服若首紘膝紱足絇，曰元瞻、元粲、元履，衣之文備矣。又惡其著，絅以尚之，故絅曰元著，其意義相仍，皆有徵

於書。然字者名之副也，有是德，則爲稱情。無之而弗自勉，亦非予鄉先生所期於後來者。（以上《牧庵集》卷三七）

全元文卷三〇四

姚　燧　六

武陵縣重修虞帝廟記

昔司馬遷由病孔子所傳宰予《五帝德》、《帝系姓》，儒者或不傳，故于《唐虞夏紀》曰：帝嚳之子帝摯立，而弗善崩。帝放勳立。舜名重華，禹名文命。既弗深考二典三謨之書，曰放勳，曰重華協于帝，曰文命敷于四海，曰允迪厥德，皆虞史贊堯、舜、禹、皋陶三聖一賢之辭。且以天下相傳，事孰大是。堯不曰重華，曰汝舜；舜不曰文命，曰汝禹，則舜、禹之爲名章矣。後千有餘年，孔子稱德三聖，止曰堯、舜、禹。又況紀自戾其言乎。前乎堯者，帝嚳、帝摯。後乎禹者，帝啓、帝仲康。中獨堯、舜爲非名，豈坐信《五帝德》、《帝系》文耶？二篇見《大戴記》。孔安國《家語》無《帝系》。其《五帝德》雖小異，文亦止曰堯、舜、禹。故後儒辨之，以文命爲禹名，則敷四海爲何事？而皋陶不名允迪，鏡是，則紀所名之非名，又章矣。或曰：「孟子放勳殂落，屈原陳詞重華者，皆非歟？」曰：「不若是也。」今之君子，于大賢之不可字者，猶以鄉邑齋居命之，况三聖乎？其遠而不斥，擇贊辭而號之，亦厚德之至也。如必其信百世而不惑，舍孔子焉折衷，奚以惟帝舜崩葬與二妃事。他經于《書》鑿枘者多。《虞書》曰：「舜生三十徵，庸三十，在位五十載，陟方乃死。」崩未知地也。至《孟子》始曰：「舜卒於鳴條。」鳴條在安邑，甚邇蒲坂，以避堯子南河之南例之，帝固未嘗遠所都也。然《虞書》實百一十年，孔安國以爲百一十二年。自今積之，詢考底績三載，陟帝位二十八載，喪堯三載，在位三十三載，薦禹于天，十七年而崩。所謂三載，皆再期耳。由置底績在徵庸在位之間，故多書二年，猶未大遠。《紀》以爲二十以孝聞，三十堯舉之，五十攝行天子事，五十八堯崩，六十一代堯，三十九年南巡狩，崩于蒼梧之野，葬于江南九疑，是爲零陵。總之纔百年。鄭玄則「徵庸二十」爲句，攝位至崩共五十年，總之亦百年，與《紀》皆不足十年。如《紀》則舉之十九年無所事，攝位九年，喪堯三年，爲天子四十年。玄則登庸二十無所事，攝位喪堯三十年，爲天子二十年，宜唐孔穎達皆排而謬之。又《大戴》止言「葬蒼梧之野」。《家語》則以爲陟方岳，死蒼梧之野而葬。故《紀》遂曰南巡狩。不知薦禹十七年之中，當三巡狩，帝皆親之耶。獨崩年往也，如皆親之，禹何爲哉？崩年往也，于時百一十年矣，必將以歲二月柴岱宗。岱宗之去南岳，何啻踰五千里，吉行五十，車埃風而舟濤瀨者，不曠一日，百日而始至焉。是獨勤身于數千里，不勤心于萬幾，倦于九十三，而不倦于百一十年也。《檀弓》亦云：「舜葬于蒼梧之野。」蓋三妃未之從也。玄以爲帝嚳、帝堯皆四妃，舜無正妃，故止三妃。以天子之女，不爲正妃，則正妃將待何人爲哉？屈原《九歌》謂娥皇湘君、女英湘夫人。君與夫人固有别矣，君非正妃矣。穎達乃傍牽晉皇甫謐《帝王世紀》以實之曰：「娥皇無子，女英生商均，次妃癸比生二女霄明、燭光。」癸比，《山海經》作登比，皆不知爲何説也。秦皇南浮江至湘山祠而風，問博士湘山何神？對曰：「堯女舜妻葬此。」大怒，發刑徒三千人赭其山。而謐云葬衡山，雖不同地，可徵于帝葬而未之從。王逸不詳未之從爲不祔，合而曰：「帝征有苗，二女從之不及，道死沅湘之中。」又曰：「墜于湘水之渚。」固已自二其説。且有苗已來格分北，而竄之三危矣，豈侮帝老，復逆命耶？其煩六師投帝以艱，禹何爲哉？又二女者，在釐降時，或上下少帝十歲，方幼艾也。至是崩年，皆嫗然而耼矣。中原無急變，帝何爲不及將二妃，二妃何爲不及從，必追之而取道死水乎？由遷則祀，由逸則戎，翬翟篋之，非盛舉也。觀後世匹帝者，雖甚幼艾，率土之臣，莫敢不母。未聞既母率土之臣八十餘年，而後世猶女之。又《帝系》曰：「舜娶堯子，謂之女匽氏。」然堯伊耆姓陶唐氏，子而不係其父，而別氏焉，皆不可以理究者也。二妃之祠湘中，原世云然，亦尚矣哉。惟沅洞莫知所始，嘗火于宋，民雷立倡郡人復宇之。宋德夫爲郡，病其專祠二妃而遺帝，始大其宮而合食焉。皇元大德之元，僉江南、湖北道肅政廉訪司事李僕庭詠，按部常德。夏六月，一夕洪水驟至，平地尋丈，幾冒城郭。乃率曹牧諸君日夜行水，戒民具畚築登陴以捍之。發義倉積，下其估以廪餓人，不足，則勸富民出穀以繼。水去，今左丞相方平章湖廣省侯，請曰：「常德爲郡，岸沅之東，古人虞水齧城，當其衝波，西南爲二石埽，延袤里所，尾入江中，順導其勢，以遏東潰。罹此暴漲，盡根株去，大浸稽天，四縣槩及。其實土爲防者，宜盪而無有遺餘也。可乘農休，急務修復。以倉粟傭役人，則民必舒困于今，而功亦賴垂于後也。」丞相是之，民利得食，爭日赴程，工不踰時，衆作斷手，乃謁帝祠，而告成功。見其榱棟庭墀，傾落蕪穢，詰牧守曰：「明詔有曰，聖帝明王，其令有司歲時致祭。今乃若此，甚非陛下欽崇禋祀之旨，宜帝不顧享，而降此大沴也。」其議完之，五通爲鬼，經禮無文，祠廟宏麗姸縟，其撤而資其材，爲門五楹，殿三楹，行宇五楹，寢三楹，兩序八楹。爲老子法者李道昌，主諸鍠鑰，旦望祝釐。别爲宫以居其徒，三清殿三楹，兩序六楹，歲德真官殿皆一楹。民之聳觀，十其舊矣。後三年，其郡官民多侯奉詔之恪，恤民之勤而禮神之虔也，求記所由。嗚呼！惟帝之名，載諸六籍，而不泯泯。日月在天，未加其明，岱華在地，未儕其高，與穹壤相終窮者，世則知之。前帝諸皇，功斯人者，太昊帝春，炎帝帝夏，黄帝帝土，少昊帝秋，顓頊帝冬。既分五辰而司之，與穹壤相終窮者，世亦知之。以帝之功，何斯皇之弗若，而况乎過之？其爲明神，左右上帝，斡元化以順行四時，或乘雲御風，省方下土，福善癉惡于斯宫，與穹壤相終窮者，理所固然也。烏乎知哉！故燧惟列夙疑而未瑩者首之，未敢少及法程萬世人倫之至者之德之，如何也。

汴梁廟學記

至元二十七年夏四月

自魯哀公十六年，當周敬王四十一年壬戌，孔子卒。歷六國、秦、漢至孝武即位之年辛丑，爲三百四十年。其聞而知者，纔司馬遷一人而止耳。既編其年，與夫言行出處之槩，爲世家。又爲弟子傳，載其居里、問對，與夫經事何君。又考知其少孔子幾何歲。是書皆孔門弟子與孟氏所未著，其有功聖門，真非淺淺哉！然猶病夫時有不一其說，不可參伍者也。《世家》：「弟子蓋三千焉，身通六藝者七十二人。」而弟子傳則曰：「孔子曰：『受業身通者七十有七人，皆異能之士也。』」夫既曰身通六藝矣，雖未盡合聖人爲教之本，然而猶有所指名也。其曰受業身通，竟不發爲所通何業，亦晦焉而已耳。又曰皆異能之士，聖人爲教，于以修叙彝倫，而容異能者于其間。孔子自言七十有七人，則七十二人者，誰後是五人耶？其爲傳亦多淆雜而無次，先顔回，曾參而後，無繇蒧，固已戾于明人倫，其甚誤，至以闞止子我爲宰予。又曰：「孔子之所嚴事者，于周則老子，于衛蘧伯玉，于楚老萊子，于鄭子産，于齊晏平仲，于魯孟公綽。」孔子于公綽，止稱其不欲與優爲趙魏老。子産有君子之道四，其他不足孔子者亦多也。老萊子書今存，其爲道術，尚黄帝。老子爲聖人所與者不經見。子入太廟，每事問，況老子周守藏室之史，問禮則有之。使及見其書曰：「失道而後德，失德而後仁，失仁而後義，失義而後禮。」已不知道、德、仁、義、禮根于人心之固有，而視爲世降之不同，未必不見黜于孔子，況爲其道乎哉！惟蘧伯玉寡過未能，爲不悖于聖學，故與之特深。至漢文翁圖石室，列之七十二人中，亦可灼其非師，而實弟子云。晏平仲者，如遷之言，足以暴其人賊賢之罪，何也？夫人既嚴事乎己，苟于學術之僻，歸宿之差，何害于明告？告不爲止，則隨以不屑之誨，始盡夫師弟子之義焉。當欲封孔子尼谿之田，乃説其君景公曰：「儒者滑稽，不可軌法；倨傲自順，不可爲下；崇喪遂哀，破産厚葬，不可爲俗；游説乞貸，不可爲國；盛容飾，繁登降，累世不能殫其學。」當年不能究其禮，非所以移齊俗而先細民也，若預憂一旦代有齊政，惟懼醜詆之不力焉。夫善交久敬，報人嚴事之道者，固如是乎哉。先儒嘗疑晏子尚儉，墨子欲貴其道，取必于晏子之言。不然，何爲亦見墨子之書，而遷辯之不明也。又自叙曰：「儒者累世不能通其學，當年不能究其禮，博而寡要，勞而少功。」由是知二語者，非必一出晏子，乃遷薄儒素定於胸中不易者也。遷嘗適魯，徒觀諸生以時鄉飲大射其家，迷眩於規規節文之細，低徊不去，以爲是足盡聖人之道，斯正經生、博士之汩汩以皓首者也，豈聖學爲己之切致哉！故燧有功于遷，而亦有是數者之恨，況又甚惑未盡祛于今者也。孔子卒，哀公誄之，子貢以爲非禮。至漢平帝始封謚褒成侯宣尼公，蓋王莽假善以收譽，將遂其姦謀也。後魏孝文法之，謚文宣尼父。後周宣帝封鄒國公。唐高宗贈太師。僞周武氏封隆道公。玄宗謚爵文宣王。宋真宗加玄聖，後易爲至，至今遵之焉。有若：「以自生民以來，未有盛於孔子。」誠是言也。雖極天下之美謚，猶不足萬分一盛德之形容，斯燧發其目而不深言者一也。杜預《春秋傳叙》曰：「子路欲使門人爲臣，孔子以爲欺天。」而云仲尼素王，邱明素臣，又非通論也。斯言爲獲聖人之心，而後世王之堯、舜二帝也。宰我以夫子遠賢堯、舜，何王之不可居。然後世天子之子、有功之臣，皆曰王，以孔子之聖，卒下比爵於其子臣，誠不知其可也。斯燧發其目而不深言者二也。其享配諸位善乎？柳宗元《序道州廟碑》曰：「從于陳蔡，亦各有號，言出一時，非盡其徒也。于後失厥所謂，妄異科等，坐祀十人以爲哲，豈夫子志哉。」後之時進顔、孟，并孔子南面，别躋曾子以足是十人，于非夫子志中之又非者。而江之左，又進曾子、子思并顔、孟，别躋子張于曾子之舊。由孟子而視子思，師也。由子思而視曾子，又師也。子思，孔子孫也。弟子于師，孫于祖，坐而語道者有之，非可並南面。燧知四子已避讓于冥冥中，不能一日自安其身一堂之上。況又祀無繇蒧、鯉于庭，其失至于崇子而抑父，又非遷之爲傳矣。夫爲是學官，將以明人倫于天下，而倒施錯置于數筵之地如此，奚以爲訓。又在在之廟，皆泥像其中。《北史》：「敢有造泥人、銅人者，門誅。」則泥人固非中土爲主以祀聖人法也，後世莫覺其非，亦化其道而爲之。郡異縣殊，不一其狀，短長豐瘠，老少美惡，惟其工之巧拙是隨，就使盡善，亦豈其生盛德之容，甚非神而明之，無聲無臭之道也。曩長安新廟成，繪六十一人與二十四儒于廡。畫工病其爲面之同，縱人觀之，而擇貴臣圖其上，蓋肖今人之貌，而冠以先賢之名，使過而識者抵掌相語曰：「是某也，是某也。」未見其起敬于他日，顧先足來不恭于一時。是邦如是，孰必其他邦之不爲是？一歲再祀，第借位于先賢，以俎豆夫今之人也，其可哉？曰：「是溺習之已然，若何而變？」曰：「人臣有見上布是區區，則可。」若夫議禮也，制度考文也，天子司之，亦幸一旦遑于稽古之事，學禮之臣，必有能策其一二，得所當議者矣。至元庚寅，汴梁新廟成，學錄劉元佐爲狀，以其府諸公之意，求記其由，故燧首之以此。其狀曰：宋建隆中，南宮城數里立太學，後爲國子監。金貞祐，都汴。國日益蹙，大城少兵難守，度中宮，垣大城，再城之。監當城，所經弗便也，壞而徙之東南大城之下，不及屋而亡。皇元受多方，始爲殿七楹，亦廢宮屋也。其制度宏麗，爲天下甲。壬子，楊中書忠肅公來董括舟役，又壞宮取材，以其餘爲門廡。至元癸酉，故同知宣慰使袁裕，時爲是府判官，始構講堂于廟西，神庖于堂東，鑿池其南，勢如半璧，瀹汴注之，擬魯頖水，殆足觀矣。歲月滋久，風雨雟屋，困于撐拄。自總管、提刑，悉捐金割俸起新之。總管則權輿于成某，斷手于杜思敬。其同力者，同知胡某、治中益祖、判官完顔某、推官姜某、提刑使則闍闍都高某、副使王忱、僉事劉某，始終五十餘年，凡資畫十二官，而後完。富民佐財力以就功者，又多也。燧曰：嗚呼，不易乎哉！自今師生之講肄于斯，其移學文之力，而篤志于切問近思，責其躬，以成德達才，而收夫化民成俗之功于他日，斯不孤縣官待多士志矣。

澧州廟學記

大德三年冬十一月

至元十有四年，肇置諸道提刑按察司，而澧在山南湖北道所糾郡。二十年，燧副使是道。明年，按部至焉。拜瞻廟庭，未嘗不病其爲制之隘陋也。殿南閣曰「六經」，因語校官張公綬曰：「《易》、《書》、《詩》、《春秋》，其繫定删作，實出夫子之手。《周官》雖云周公之書，《冬官》篇亡，當以《考工記》與《小戴記》。禮者皆漢儒，豈可與是四經班而爲六？且今四海禮殿，皆名大成。」爲改書曰金聲玉振之閣。後時議不欲諸道糾郡者，錯壤江之北南，改爲肅政廉訪，澧遂割入江南湖北。元貞乙未，居民不戒于火，廟爲延燒。總管是道者，故鄂屯實魯將復之，俾計吏最其學租，直緡五千餘緡，曰：「是所謂時詘而舉嬴者也。」乃下令郡士在籍多田者，勸之佐爲，凡又得萬緡。委材集工，責校官李寓、學正張子仁身敦其役。而糾郡諸公，如副使賈仁、僉事蔣某、姚某、李庭詠、郭貫，凡至者必促其成功，五年而落之。其橅構，則稽梓人之書，爲四柱屋，古者王居之制也。惟太行一山似之，故曰王屋。重門周序，講肄之堂，合食之舍，庖廩之室，燕遊之亭，秩秩焉焉，靡一或遺，凡百有三楹。周以繚垣百三十餘丈，雖未嘗身見，然聞之談者，舉以爲可甲湖之北南諸州。豈天者厭昔隘陋，火之使改爲耶？亦偶然也。又範金爲祭器二百七十有二，竹木髹漆之具三百有四。嗚呼，備乎哉！然嘗思夫子之道之在兩間，無間治亂古今，如饑食而渴飲。夫婦之愚，莫不由之，不可一日而離焉。固不以廟之存毁而加污隆，國家必聚耆英俊髦教育乎是，蓋須其成德達才，舉而庸之，以立化民成俗之本也。則廟學豈不甚有所關哉！地以求之，衡之爲州，南澧千有餘里，南嶽在焉，舜五載一巡狩所也。及誅四凶，放驩兜于崇山，實今澧之屬縣慈利，則放流之人，顧居巡狩之境之内。戰國時，楚都南郢。在漢則南郡江陵。澧去西南，鳥逕不二百里。屈原之逐，常行吟者，故《九歌》曰「澧浦澧蘭」，則放流之所。近薄修門，是皆不可曉知者。澧于其時爲黔中，秦欲以武關之外易之，楚方怒張儀，謂曰：「願得張儀而獻黔中。」夫以甘心一人寧棄地而不恤，固以要荒鄙之也。而今也料次户口之繁庶，貢賦之征入，澧則亞于長沙，而近湖廣省治，岳、鄂諸州不能半之，豈天時風土有古今之變，而人事亦隨以遷而異耶？士四民一也，民庶而士必衆，洙泗夫子之居也，士爲洙泗之言者也。澧去洙泗西南將三千里，非密邇也。賴皇上仁，不忘遠守土之臣，視要荒與洙泗鈞然。洙泗也，燧嘗至其地焉，户不能當澧四之一。户損則士不多，亦理勢然。不知自今澧民沐士之化，要荒而洙泗乎？士不能拔民之溺，洙泗而要荒乎？要荒而洙泗，正國家所賴以化民成俗者。洙泗而要荒，其身之不能成德達才，何有乎推之人？士是之思，則居縣官所築之室，食縣官所樹之粟，必知黽勉其躬，圖報稱矣。庭詠俾子仁求記所由，興作于翰林學士、朝請大夫、知制誥、同修國史姚燧。大德己亥冬十有一月日短至，書于鄂之南陽書院楚梓堂。

崇陽學記

世祖御極之十有七年，當至元十有三年，宋平。凡江之南，財之儲府庫，賦之産山澤者，悉輸京師。獨遺貢莊、學田，仍畀之學，俾資教育。後尚書用非人，大綱羅天下之利，奪歸之官。在庭之士子，媒進取而不得者，乃希其意，求分道鈎覈素所出入。于職學之官，責償其負，而促爲期。有鬻木而嬰笞者，士窮不堪，至圖其慘以上之。帝聞不善也，其人罪誅，希意者亦竄廢，詔還所奪，至仁也。皇上嗣聖，申詔若曰：「聖人之道，垂憲萬世。其還正貢莊、學田。」以爲釋奠完廟，養老師生之廩之須，至明也。爲良有司昭睹兩聖崇植斯文之盛，在在莫不作新廟學，求稱宣化。將仕郎、主鄂之崇仁簿夏承祖，書來諗曰：是縣學官，二十五年，陳彧爲尹，一既完之，于今七年，可曰未久。迨承祖始治事而入謁也，上棟旁楹，穿漏傾撓，已窘風雨。承祖傷之，乃割己俸，爲邑士先，萃其附而應者，俾龔應旂、葛公亮敦匠再完之，積役傭二萬六千錢，米不計也。願鑱之石，爲佐財著勞者勸，曰：「夫究心此者，狃國人習，雅不識書，忽不知爲也。圉文法吏，急赴事功，迂不知爲也。非知學孔子如承祖者爲之，責將誰在哉？」雖然，簿在一邑，惟筆朱墨鉤，校出入其職，其上有監丞焉，壓抑者非一人也。比其道行乎百里，言信乎羣士，越而出爲，爲之而成功，不制于同官，其彊有力歟？戛戛其難，有倍乎昔尹之爲者。嗚呼，賢者也！然以張山翁所記，參伍今書而惑焉。始爲陳尹敦匠者，應旂公亮也。今而夏簿敦匠者，亦應旂公亮也。以兩君善于作室歟？亦烏有苟于爲心而不固，俾旋踵有今之隳，不善作室歟？于何舉所既敗者，復使爲之，而不固于後，豈邑士爲才無兩君比歟？將懲其不固，于今奮然思改，自必異前，可不隳于後歟？皆未足爲信也。要也，非作者之罪也，守之者之不獲其力也。夫人極其思而創之，劬其躬而樂之，美矣完矣！畀以界之職學之官而守之，且屋以待風雨者也，而風雨亦所以賊屋者也，諒非一日可遽隳也，亦必有其漸焉。雨罅而入，微而視之，曰：「未害也。」今日而不加覆焉，風有隙而乘，徐而安之，曰：「未害也。」明日而不加塞焉，月弛慢而歲因仍，以及于隳，乃咎夫敦匠者，始苟于其事之致也。嗚呼，果苟于其事歟？當佐陳尹之時，勵其自捐，凡爲楮緡二千一百，可獨當學廩邑士之半，曷若靳是而不捐，不知于今峽教龔必勝、漢陽尉葉桂發、德安尉黄朝英、壽昌山長徐逢午、教諭趙泰來、徐應奇、葉常春與煥彭、黄裳、熊萃老十子者之中，其捐有多寡也。予誠嘉其始終忠是學也，非有故而私夫人曰：「非作者之罪也，守之者之不獲其力也。」嗚呼，守者之不獲其力，特不職爾，其小者也，甚者爲罪其間。蓋江南學田，宋故有籍守者利之，私櫝其家，或投水火以滅其迹，使他日無所稽，曰：「城下之日，學吏持而失之也。」或曰：「其人死，不知何歸也。」以幸迷誤，久而爲已產。一聞有司將加覈正，反肆爲謗語，訐揚其短，恐之使不得竟。又有身爲教官，自詭佃民，一莊之田，連亘阡陌，名歲入租，學得其一，己取其九。又有以己磽确，易所上腴，曰：「故簿惟是。」至與學吏爲訟詆譸嚚。租入庾矣，猶掊諸生之堂餽，留耆儒之廩俸，而虚爲之名，以徵逐府縣，而歸餘其室。提學之司，又繁爲文，魚鱗而取之，惟與求薦教職，入賄爲市，罷而去者相踵也。嗚呼，守以是曹，譬如以狼牧羊，不盡不止也。或曰：「人之言曰：『髮有疾，幘則冒之。手有疾，袂則蔽之。』子而記學，不諄諄乎教養之道，而惟歷發職學之慝，非長者也。」曰：「上之膏澤斯士也，如何而不善其職者，屯之事有急此乎？且始疾者猶先其標何也？苛痛呻苦之所在也。教養之道，如三代以德行六藝，賓興賢能。漢舉孝廉，經術而廷策之。魏晉尚文辭，猶不遺乎經術。隋煬始專賦詩。唐因之，雖置科明經，而止乎記誦。又有投牒自售之賤，貢舉之法熄，楊綰、李德裕極言其非。宋神宗始罷之，治五經、語、孟。哲宗復賦詩。遼金不革者，有我世父太子太師公故竇、太子太傅公故楊昭文君議貢舉之法在，皆朝廷制度，考文之事，非州縣所得擅擇。歷古所宜，于今而爲者，惟得是説，而爲鍼石，庶己罷而未敢者聞之，懼其掩剽于冥冥，而廷臣亦有灼見其然者。知所悛也，是亦救失之一道也。」（以上《牧庵集》卷五）

聖元寧國路總管府興造記

至元丙子，宋亡，詔列諸道憲司于江之南，建行臺揚州以統之。後由徙臺建康，復徙江東道之治建康者于寧國，居有其府，徙府于南倅廳。二十有七年，燧思士生文軌混同之時，亦千載之曠遇，江山之形勝，風土之媺惡，民俗之澆淳，必一求觀。遂浮洞庭，亂彭蠡而東極海門，南折而至乎餘杭，于之數者，若盡得焉。大率宮室園苑土木工麗者，皆將相侍從私居，而公署皆苟簡，取足朝聽夕視而已。大德辛丑，余持憲節使江之東，病其堂室、門廡凌萃風雨，凜乎其將壓也。既一改爲憲司且然，則府于倅廳者，其牧皆取過目前，以幸滿秩而去，孰有爲善後之謀，一加繕完哉！斯余所目擊者。皇慶改元之冬，故平章政事子陳侯杞來牧是邦，涖事之初，因慨歎曰：「杞受明命以守此土，統屬縣六，户二十萬，地周千里，可十古公侯之國。坐視府署老弊不治，則爲誤恩。」乃倡府僚捐俸爲的，厚直市取府北民居，通會同場，以廣隘陋。圖其譙樓、儀門，廳以聽政，堂以燕處，廳翼兩室，右居府推，左居幕府，吏列兩廡，架閣、交鈔、軍資諸庫與夫庖廏各自爲所。集郡豪傑授其成，俾分爲之，民用歡趨。經始明年之春，役不三時，如圖告成。位置之序，輪奐之美，翦然一新，大饗落之，闔郡之氓，稱咨嘖嘖，服其神速。又闢金光塞門，經府前東直青陽門。青陽之外，雙溪夏秋暴漲，泛入民舍。南橋植柱中流，載板其上，朔望謁廟，踰此千步始至。餘畏湍悍，舍馬徒過。一府僚乘馬示勇，板陷墜溺，抱柱而免。北橋疊石爲之，水後齧去，侯皆造舟爲梁。又新廟學百楹，狀其事，遣屬吏汪杓元、盛天佑，三千里走郢，求記其興作歲月，將告來者。因懸度之，鈞大役也，廟易而府難。蓋學校之設，明詔每飭有司勉勵，廟有學田、貢莊、步泊歲入錢穀，資廩師生，猶有羨焉。又且士籍不雜民版，無有賦役，凡厥修營，責使佐力，夫誰敢違。府則不然，雖牧欲舉有焉，其連署則監郡焉，同知治中焉，判與推焉。

下乃幕僚、屬吏，上下相司，權分而不專，動必衆詢，烏可一遺。一或有言，府無公須。山虞、澤衡皆有例禁，財無所于取也，民不可擅徵而役也，是非叢前，利害相傾。又有以事不己出，媢其成功，歸美他人，陰計撓之以幸，猶未敢率作，上干風紀。司風紀者亦非一官，必先以不可安居，闔府諸官圖以改爲者，口陳于堂，足及其家，辯告往來，懇切悃欵，少或旬時，不得要領，伺其肯曰：「將審計而徐思之。」情有見從而始入牒，俟其報可，末纔及民。民小人也，未知學道，夫豈易使于出貢賦，佐天子邦，經徵斂有期，後則刑以隨之，猶有頑驁不時入者，矧出話言告之，正所謂築室道謀者，其怠忽前，卻又不可束之以威，非禮致而誠格之，使怵然有孚於中，知義爲如子之幹父蠱，能是乎哉。《兑·彖傳》曰：「説以使民，民忘其勞。」其不信然。若是之難，其强志一力，特立而獨行者，事狀蔑有，余以意求而知其勢必至，理固然也。繼侯至者，無徒樂其成，盍亦知所自哉。侯雖昧其平生，而先正則及識之于朝，觀其子之能仕，又可得其教忠于趨庭云。不可曉者，宣在勝國，升州爲府，反下取屬縣寧國爲名，不嫌于重。又金光則唐長安都城西門，今猶仍不變焉，不知何時取稱于此，故併及之。

千户所廳壁記

我元駐戍之兵，皆錯居民間，以故萬夫、千夫、百夫之長無廨城邑者。其有統齊徵發之政，無文移，惟遣伻銜言，至受命大帥，或依高邱曠野，爲律以行，此近代之故事也。克呼蘇卜實君，長千夫洛陽鳴皋山下，繇祖暨身三世矣。舊集其屬，恒即佛宇、神祠，不然于其私居。聖皇中統以來，制度寖備，官始有品，祿始有秩，統齊徵發之政一信于書。故君得以斂是一軍之祿，買田爲廨，門以表堂，堂以聽事，廡以居吏，儲書有庫，閱射有亭，數十年苟簡之弊，一朝而新。又思居乎此者，必有所箴警，始不敢弛然而怠，故書堂曰「居敬」，亭曰「觀德」。由未識余，千里走書于鄧，以其友乃滿子堅爲先，求記其然。余聞其知學周公、仲尼之道者，爲告之曰：今夫人過祠廟，必聳肅起敬，如有精神魂魄在其上而立其傍者，何哉？由夫平居無事之時未嘗敬也。使平居無事之時，恒有上帝臨汝之心，則兩間百神其尊且大，孰有加于上帝，雖日過祠百千，而心與敬一，不待有所起而無不聳肅矣。敬實聖人傳心之至言，而學者由狂躋聖之基，豈惟五典賴是其康靖乎。古人見其然，故歲訓而時講之于鄉射，蓋束是不仁之器，修之于俎豆之中，雖有頑驁弗率之人，相漸以禮而相摩以樂，不敢萌啓邪心，知尊君親上，而易使于一旦，此先王維持太平之宏綱大經也。其法：主賓有送迎之拜，耦繼有上下之比，弓有横邵兼弣弛張之度，矢有搢挾順羽拾取之儀，行有鈎楹相左之章，揖有當階及階、當物及物、當楅及楅、取矢卒取矢之數，衣有袒襲，決拾有說，翿有舉偃，籌有奇鈞，而侯有去負，司正有請誘作命之目，燕饗有獻酬酢旅之節，奠觶有豐，糾而惇，以及應事接物無有外此而能中道者。况軍旅之事尤在能敬，孔子所慎齊戰疾，與夫臨事而懼者也。敬乎，敬乎，其可斯須離而弗居乎！或曰：射于何而觀德？曰：若知夫鑑也，明足以燭鬚髮，塵弁之久，或步仞而不見邱山，此無他，用不用之分也。惟兵亦然，五兵之長，莫長弓矢，至不仁之器也，王者用以威天下，則足以芟暴亂，而仁元元，逮功成治定，而無所試，必世之間，老將宿兵日益耗亡，膏粱紈袴之子制外閫焉，無賴惰窳之人備前驅焉。不幸卒有狗吠之警，使其曹出而禦之，而能必過有撲。日出即事，窮日而休，必强志勉力之士，能無衰墮以有終，否者或取恥一庭也，故曰：可以觀德。行惟志乎復古者，可與言此。而君以國人不在禁挾弓矢之科，宜于貫革尚武之射，何待夫試閱，始閑其技，其名是亭，欲納是身于禮樂，以觀德一方，其有見于維持太平者，在此而不在彼也。嗚呼，其知所務哉！然天下萬事皆出吾心，而有本有文，居敬本也，觀德文也，合堂與亭記之，夫豈二道歟？（以上《牧庵集》卷六）

全元文卷三〇五

姚燧　七

忠勤堂記　至大三年

皇上立極，曾未踰月，詔建儲宮。位其下者院，因裕廟之舊，惟詹事肇置宮師府，首以六傅，統中允、洗馬、庶子、文學、舍人、學率更、司經，合掾屬將百人。由無廨舍，惟會佛宇。後以不足聳民具瞻，下令發官帑爲緡二十餘萬有奇，市人私第爲府。居無幾時，病其事少而員夥也，罷黜之。六傅之開府者，聽于其家，徙家令舊隸詹事者治是府。令丞文者，將侈其美，名堂「忠勤」。李昭文溥光書扁楣間，賜酒燕樂之，下令俾集賢大學士姚燧爲記。燧曰：大哉，爲名臣之居其職而職修，授以事而事治，惟忠以盡其心，勤以致其力焉耳。然二者相須，忠内也，非盡其心則不能，本以爲勤，勤外也，非致其力則無以見諸行事而實其忠。禹、湯聖人，禹臣虞，克勤于邦，舜賢之；湯臣夏，爲下克忠，伊尹明之，然非忠之至勤之極也，不可曰克。兩聖則然，下兩聖者宜如何哉！先民不日賢希聖君之職臣，未嘗不以賢，官之職其官者，亦未嘗不以賢自居，不聖焉希，烏可冀其克萬有，一稽《唐六典·家令》：「出入乘軺車，具禮儀，先諸官以導，祭祀賓客，供酒食以爲獻主。」今則增劇，領凡隸官之民，與捕獵鷹師、綿户稻田，自安西、河南，遠及成都，秩登三品，總管者五府，與典樂一司；降一品者，嘉醞一司；又降一品者，典膳、典設、典幄三署與供用一庫；七品者，兩都柴場。在他司，則聽于朝而視于夕，其會與歸，猶有恒時。是司則不然，由供奉之近也，出納之富也，呼召之煩也，需索之星火其急也，故傳餐于晝，而夜更直，始不失其應焉。且時有規切，酒食歲上旬遠郡味色變者，徒勞生重焉，啓止勿進，亦可謂居職而修，授事而治，盡其心而致其力。其于克也，亦庶乎哉！抑又聞前事之不忘，後事之師，爲今令丞，夫既若是，將必久是，必階而升，後之來者，或曹隨蕭規，則爲無負于居斯堂。苟或劣焉，非獨見貶于月評，必目速戾于官箴矣。且爲記。令六人，庫克岱、穆爾圖老、哈特穆爾、張君讓、三閭、薛處敬。惟庫克岱官通奉，君讓、三閭正奉，三人皆中奉。丞二人，科爾羅、尉遲德誠，朝列。經歷完者都從仕，都事法哈魯克都、閻士芳，皆將仕。其年至大三年，其歲上章閹茂，其月餘月，其日下弦乙酉云。

舊德堂記

初太師淮安忠武王戡炎趙于江南也，詔濟衛士萬人爲突騎，以盛軍容而撓敵，敕游江陵、澧州之郊。及南紀平，即割二境萬家之民，江陵纔十之二，澧獨居八，置府松滋，不關中書，惟領宥密，歲集其賦，待以分賜衛士。而毛君巨源實爲總管，李君德隆經歷宥密，大德乙巳，制以兩君易地爲之，巨源既入，而德隆出。或疑德隆舍是要津而甘爲人制，聽命于外。會燧歸，自西江相遭于鄂，從而問焉，則曰：「吾家自遼世居縉山，距先塋木蘭山甚邇，爲堂吾鄉，將時溫凊，奉晨夕于膝下。大人以嘗主澧陽簿，有田車渚，顧慕忘歸。今則不能，留家弟守舍，而來便養，願名斯堂，成夙志焉。」且示其先太保忠愍公祔葬，與太師功德二石幢記〔一〕。前記作于乾統壬午，載太保諱傑，以言斥死，忠愍其追褒，末具三子官〔二〕：西京馬軍都虞候、銀青榮祿大夫、檢校刑部尚書、行左千牛衛大將軍、開國男佺，洺州刺史、銀青榮祿大夫、檢校左散騎常侍、隴西縣開國男儆，朝散大夫、守少府監、知儒州軍事騎都尉、賜金魚袋、開國伯偓。後紀則乾統丙戌，不載太師何諱，其文有曰：「自保寧統和，迭承重任，徽太師，由食舊德益部，時爲桂州管内觀察、留後、檢校司徒、兼侍御史騎都尉、開國伯，惟易將部，銀青自若也。儒州則保信軍節度使、廬州觀察處置等使、金紫光祿大夫、檢校太傅、御史中丞、騎都尉、開國侯。」嗚呼，世有以金石刻辭，爲溢美無刺，或失其事實，忽不之信，曾未究孟子雖無武成之血流漂杵，然亦不遺失二三策而取之，則于金石，豈不可以若是觀。矧由以得何代何地何歲何人何爲者，匪細益也。稽之以史，乾統，海濱王之始元，十年爲天慶，又十年爲保大，五年遼亡。保寧，景宗之始元。統和，聖宗之始元。推後記上之，至保寧己巳，實百三十有六年。可考而知太師暨孫，三世四爲公師者，非金石爲賴耶。則保寧而下，奕葉垂芳，珪衮蟬嫣，失爲何人者，豈不益可慨也。其曰桂、曰洛、曰廬，皆中夏之州，遼非其有，必是取名，因見其不忘南伐者。儒近幽州，唐末所置。然名之不可常者，惟郡國，而山川或終古有不變。夫既曰居邇木蘭，則縉山豈故治耶？可重感者，其地當居庸交衝，經遼、金、皇元三易代之兵，子孫不去其鄉，尤曠今無有者。古之人曰爾祖爾思，以取法于人，不若本其家之功也。扁顔舊德，奚以尚之。君復請記。余曰：「君爲憲山南，按部歸也，余叙其行矣。作孔子廟于澧，新虞帝廟于鼎也，余碣其成。既三矣。其于顯親之孝，勵學之力，繩愆之嚴，恤民之隱，禮神之虔，亦既言之不遠矣。今又記兹，人無謂獨私君諛善者。」君曰：「昔人有愛吳張旭書者，虞得無從，寧受健訟之名，每干其判狀，僕其公言，區區瀆求，豈不亦若是乎。」遂相視一莞而書。

〔一〕與太師功德二石幢記：與，原作「興」，據叢書集成初編本改。〔二〕末具三子官：子，原作「茅」，據叢書集成初編本改。

遐觀堂記

至元四年六月

長安城西二塗，西北通咸陽，王公之開府于此，與西南北三陲之使冠蓋之去來，樽俎之候餞者所出，行旅之夥，不列也。西南入鄠抵山，無所適貲，乃令承餘，則田夫、樵婦，與城居有墅于郊者所出，斯固已可爲倦遊，而休仕者所託廬矣。二塗同出，其相遠無幾何，而喧寂異然，亦可見利勢之在與所無也。鄠塗之北，距城不數里，則宣慰張公之别業。規園其中，築臺爲堂，崇袤尋丈，縱廣十轍，清風之朝，長日之夕，四方勝槩，極目千里。凡秦、漢、隋、唐之陵廟池籞，由人力以廢興，可弔而遊，可登而覽者，在所不取。其高上如華陽、終南、太白、嵯峨、吴嶽、岐梁之奇峰絶巘，爲三輔之鎮，窮古而有者，皆環列乎軒户之外，而卧對之几席之上。余曰：「遐乎觀哉，古人堂者多矣，其壯有加于此乎！使誠有耶，雖風摧雨剝于千載之上，亦宜略存阤然之迹，可尋于今。今則束板以載之，負畚以興之，以是知無因于前，而獨始于公也。今我與公屬觴乎此，夫豈苟然哉？百年之身，其有幾何，是及賞其成而不及憂其敗也，及樂其完而不及悲其毁也，後之時或風摧雨剝于千載之下，有登吾阤然之迹者曰：『嘻，斯何世何人之爲。』公名不既壽矣乎！」公笑曰：「吾何嘗期如是之久哉，第擇君言與吾堂稱者，即名曰『遐觀』，盍記諸？」余曰：「公通介貴臣也，請與之言臣可乎？古之人，惟見危受命者，故得守節仗義，殺身成仁之名乎？可見無死而死，猶爲徒死而傷勇。然則出處之際，死生之所關，死生之所關，善惡之攸歸者，莫大於爲人臣。使不遇存亡危急之會，亦未嘗不以明哲保身爲賢，斯揆道歸義之臣所能也。嘗聞之望諸君，善作者不必善成，善始者不必善終，九原可作，將無謂秦無人也。今之仕者，吾不知孰爲道義之臣，能志功名者，亦鮮矣。志富貴私身以毒世，卒離尤而蹈禍者，駢首接踵也。是于計功謀利之間，且有不能，況揆道而歸義乎哉。究公平生，嘗吏民矣，嘗治兵矣，亦嘗持憲矣。忠炳日星而難不辭于湯火，氣吞湖海而信不移於邱山，視竹帛之書、鼎鍾之勒，恒有晚古人，薄前世，不足爲之心。以故在庭之百辟，山東數州、秦蜀九路之氓，瀘巂荷旃，方三千里之獠，孰不聞其名而奇其才，沐其愛而怛其威。年五十二，竟以許國盡瘁而歸，鼓舞僮奴千指，而食其力，甘自儕于匹夫，讀書以教子，飲酒以樂賓，將終其身，非熟爛世故，遐觀一代之表者，能是乎哉？蓋天下之事，觀遐則先識，先識則幾矣。雉兔之不能搏人，誰不知之。突起道左，或失聲辟易，而喪其常守，以其卒然遇之也。使前見于數百步之外，無曰雉兔，雖虎兕之暴，人得以爲備，將不患矣。斯不亦吾堂言外之微意乎？未易以語他人，將惟公可。」公名庭瑞，字天表，至元癸未，以太中大夫、諸蠻夷部宣慰使致事云。又，四年丁亥六月下澣日記。

清風堂記　大德四年二月

榮禄大夫、湖廣行中書省平章政事劉公，齊人也。由左右丞，與副樞，與今平章，皆在于鄂，視齊顧爲寓舍。鄂其家焉，肇基斯堂，深廣崇庳，題節繪飾，勢與省夷。嗚呼，位不極臣，而爲斯則妄，功不蓋代，而居斯則僭，有位以功，人則宜之。求扁于太史公牛馬走，爲賦尹吉甫頌仲山甫《烝民》之卒章「穆如清風」者，書曰「清風」。世喜曰今之人，或不如於古，使誠不如古人，引與之匹，固如所譏，誠如古人，則引者非諛而匹者亦奚憾而多爲辭讓。今枚觀公其式是百辟者，仲山甫也；好是懿德，小心翼翼者，仲山甫也；不侮鰥寡，不畏彊禦，既明且哲以保其身者，亦仲山甫也。是其所同，若夫補袞職闕于内，出納王命，而爲之喉舌，以賦政于外，與四牡八鸞出祖而徂齊者，則公無也，援枹鼓以前三軍，北戍于龍庭，西踐于庸髳，而南鋤乎交之兩江，百戰餘軀，鋒鏑所創，發作無節，與今制地廣隕數千里，敷施天子德澤，使海隅蒼生無怨咨于饑寒，悉獲我所者，復仲山甫所無也。若是究思孰大而孰多，孰細而孰賢，豈不易判乎哉！然是堂也，雖公獨居，其推是清風，蓬蓬然户，至于南荒，吹滌瘴癘，使民不罹薦瘥，視徒穆如，爲賜如何也？或曰：子賦尹吉甫頌仲山甫者頌公，其以尹吉甫自況歟？走則曰：尹吉甫之賢，走何跂及，然以後妻掇蜂之讒，逐伯奇，而使履霜中野，世今懲之。九原可作，或聞斯言，當一莞也。

董氏立本堂記

立者顛之反也，本者末之負也。天下無無本之物，亦無不大之本。其觀植戈乎？下鐓則立，下刃則顛，鐓大而刃小，大爲之本，而小其末也。語學則不然，大顧其末，而小爲之本。故天下本國，國本家，而家本身。至于身，則居億兆人之一，若是小矣。要其歸也，乃爲天下安危治亂之關，則身非獨本一家，實爲本于天下。故曰：小者本之，大者末之。然立本有道而非他，立吾身焉耳矣。孔子語孝子之終節，第立身于事親、事君之後，則立身者，惟忠孝之家爲克對，而無著聞。今評董氏者曰：世將如漢絳侯，世相如韋賢，家法則石奮，以故十七年，故商大參公爲今中書左丞公，時以翊衛指揮使，書先正平章忠獻公碑，因扁堂曰「立本」。嗚呼，非知道者，孰能名斯堂；非篤道者，孰可居斯堂哉！後十餘年，上以江浙省臣處非其據，詔公來換之。燧以士生皇輿一軌之時，誠千載之曠遇，浮遊江湖，求觀南紀禹迹疆理之槩，相遭東吳。見其圖畫之叙，措注之宜，潔白之守，任負之力，有非喬木故家，漸涵庭訓，上結主知者不能。《詩》曰：「雖無老成人，尚有典型。」孫叔子劣甚叔敖，楚王思其先烈，猶封之。況託忠獻遺體式穀似之者，宜聖皇擢繩父武，爰立作相也。暇則相語曰：昔者商公特書扁耳，時未堂也。去年始落矣，其記諸。燧思藁公鄉堂此以告苗胄，固宜。今是東吳，忠獻以大參左相，兩嘗開府，既薨，公季父今承旨公又大參乎是，去位而公繼至，一門再世之間，三相而四開府矣。豈國家惓惓忠獻，徇地是邦，撫綏有勞，非弟若子不命出鎮，不足以繫其民情然歟。又益思夫董氏之大，立本忠獻，忠獻之相，立本東吳，公不可不原爲堂於此也。

仁知堂記

金溪危侯季梁，舊家于邑闤闠之南湫焉，得閒壤，距其居百步，前有溪，溪上有池可魚，有園可花竹。且宅于山水之要，有曰翠雲嶺者，有曰卓筆峰者，有曰僊山者，嶒崆峭崒，奇踴秀擢，則山之峙乎前者也。有自翠雲關而發者，有自石眼泉而溢者，有自白面塢合流而來者，逶迤委折自遠湊近，則水之匯於前者也。危侯自糾廬陵歸，始得以其俸之贏，築堂以爲讀書之地。左竹右水，嚮池面溪，春則翠色蘢蔥，練光繚繞；夏則濃陰四合，陂澤如秋；秋則木瘦潦淨，月焉而益清；冬則水落石出，雪焉而愈絶，殆人間希有之境也。堂以仁知名，雖取選詩卜此仁知居之語，而究其本始，則亦自孔氏「知者樂水，仁者樂山」之訓發之。夫動而無窮者，水也。知之達于事理，周流無滯者，實似之。靜而有常者，山也。仁之安于義理厚重不遷者，實似之。夫知者豈必不山之樂，而仁者豈必不水之樂哉！特指其動靜之似耳。仁知四端之二，人所同有，本無所輕重。其生，質則有近于仁者，有近于知者，故其成也，氣象似分焉。如夫子，則元氣不可名也。如顔子，則可以仁言矣。如孟子，則可以知言矣。雖然仁者必知，知者必仁，不仁不足以爲知，不知不足以爲仁，非知者不必有仁，仁者不必有知也。苟局於一，不得謂之兼體用矣。紫陽夫子作精舍于武夷，其堂亦名仁知。其詩曰：「雖無仁知心，偶自愛山水。蒼崖無古今，碧澗日千里。」夫無古今者，體也；日千里者，用也。危侯，其亦有得于此乎？性之仁，其情之發爲惻隱；性之知，其情之發爲是非，充之，則達德也。危侯尹高安，其治盜議獄緩刑。或以不快人意譏之，侯曰：「吾非不能斷擊，特非辜而誤，則不可耳。」此心也，其是非之正，惻隱之真乎，充乎此言，則知仁之達德幾矣。顔之仁，孟之知可希矣。紫陽之仁知堂，講道之堂也，危侯之仁知堂，亦讀書之所也，必有得乎此矣，故記之。（以上《牧庵集》卷六）

江漢堂記 至元二十九年

江漢南北之限也，三王之德之封建，嬴秦之力之郡縣。漢氏則曰吾王霸雜兼封建郡縣，而犬牙之。是時無有裂幅員而自帝者，繼漢始有之。德不能以相高，力不能以相卑，雖皆畫是爲守，而帝南者終不能北。有尺地藉以一天下能一之者，皆自北而南也。故吴自帝，晉平之。宋、齊、梁迭自帝，以迄于陳，隋平之。宋自帝，我元又平之。豈江漢能限世道之否，不能限天運之通歟！嘗合二代而觀之，以皇上之冠古無倫，晉武、隋文，何人斯哉！然非有君，無以開是功，非有臣，孰能成是功。古今人不相及，而謀或一揆。隋臣不道也。晉羊祜首策平吴，吴平而身不及見。武帝追念其功，封其夫人萬歲鄉君，于太尉忠武史公，其事差似。蓋公自事潛藩，嘗使經略于汴，總兵十萬，屯田千里，不專强武，而惠信是敦。耕商之民，錯行其疆，不相賊殺，有獲俘亡，皆生還之，雖鄰國臣，亦許其自負羊公者，無慙德焉。于時堂曰「江漢」，固已張吾雄，噬南紀之本。皇上踐阼，又以四聖元臣、丞相、中書，燮和雍熙者，十有六年，方將百萬之衆南伐，至郢而疾，詔他將專制而還。公于軍其詞若曰：畫翦宋策，汝也，成功而疾，汝安何言？誠有不諱，碑汝之勳，班汝之爵，予不可必死者之知，能知之者，非人與汝子孫耶。四海聞之，以皇上歸平宋功于公之生，已賢乎思祜于死。及薨，有今贈謚。又詔其元子格，以平章政事行省湖廣，季子彬宅端揆于中，皆相繼薨。又詔中子杠，爲中書左丞，行省湖廣，孫燿，以平章政事行省江西，視封祜妻君萬歲鄉又何如也？左丞今至，無第于鄂，完官屋以居，謀名其堂，燧應之曰：「斯堂也，非專晝訪而夕脩，必將歲時奉嘗太尉，其鋪張勞庸，揚侈蟬冕，報皇上而歸美，必文爲聲，諧之笙鐘，侑其利成，爲詩之，名捨曰續江漢者，他宜無稱。」于以格其精神魂魄，乘雲御風，陟降在庭，必懌然曰：「始爲吾堂，北此千里，于時未踰江漢也。後數十年，吾子乃能尸祝吾于江漢，庶其善成先志哉！」漢祖之誓功臣曰：「黄河如帶，泰山如礪，國以永存，爰及苗裔。」今由河而視江漢，曾不得其三一，河誠可帶，江漢猶當爲襟，計將來及吾苗裔者，或終古而無究也，必容與依歸，不是去焉。公曰：「記之，吾思不及者。」公字柔明，以至元壬辰下車，人見其不儉不及，不豐過中，恢乎有容，屬屬乎敬坦以明也，相語以爲託太尉遺體，而得其遺風。《詩》曰：「雖無老成人，尚有典刑。」

奎章閣記

臣嘗官外，每聞詔下，惟諭行省、院臺、宣慰、廉訪、轉運三司，與職軍民之官。讀已則還之中書，或掌于行省、院臺、廉訪、轉運。而宣慰與職民者，省治之，職軍者，院臨之，故惟受其成文以行，無有所掌，三司中，宣慰班最高，諭所及者，猶無所掌，况提舉學校，五品居職軍民官下，其受成文以行無惑也。然其治必居宣慰、廉訪，所治府州教官聽其約束者，其地與二司等，此實世祖建元後故事也。

二十五年，始分降詔，復江淮多士力役，俾一提學，自掌其一。由是師生鼓舞相語，以爲平日諭所不及，一旦與行省、院臺、廉訪、轉運者同有是掌，卑于名而尊其實，其勢反若居宣慰、職軍民者上，自十三年平宋後所無。北方人士聞之曰：是豈獨無，平宋之後，列聖兹降所無，實興起斯文萬世之成規也。今上皇帝當寧，首致意于學校，爲分降詔如世祖，又加密焉。其宏綱曰：聖人之道，垂憲萬世。其目則還正貢莊、學田，爲釋奠、養老、完廟與師生之廩，俾有司舉其才德，亦一提學自掌其一。江西提學臣王謙亨、龍興教授臣葉聖時，相與謀曰：「至矣，聖祖神孫之惠逢掖也，復其力役，既富之，還正學田，以廩其師生，又教之，俾有司拔其才德，又庸之，士生斯時何其幸哉！觀今掌詔者，多隨印所歸，祕之私家。其完是六經閣，表曰奎章，鏤櫝而丹髹之，錦韜而金鐍之，職教之官日夕番直其下，庶以遠褻而少致崇敬，亦小臣報上區區萬分一也。」請諸省臣，省臣曰：宜俾臣爲記。臣聞虞、夏、商、周四代之書曰典也，謨也，訓、誥與誓，與命也，爲體者六，詔有其五焉。曰《尚書》，所請近于謨，誕播多方鈞乎誥，爲法將來則訓，俾職教臣恪以持則命。先儒謂二典者，册在丌上尊閣也。今是重屋，上以除風雨，下以遠塵濕，既翼矣。金匱其上，豈不加盛于丌，孰曰非典也耶？表曰「奎章」，敬以侈兩聖作之君師之賜，且風厲是道方千里之士，使人人自飭，責成德達才于躬云。

南平樓記

天下有形便之地，如衣之領，身之項也。在戰國世，秦函谷、齊歷下、韓宜陽，魏馬陵、趙井陘、燕易水，我守之足以爲固；敵有之，踵不旋，國隨以亡。方地千里且然，况楚之襄漢，爲南土六千里，東南兩際海，可出戰以入守之領項乎？晉羊祜之規以平吳，梁蕭衍之資以襲齊，無不由此者也。其甚惜者，當顧成廟襄陽下矣，守臣北人，歌謳思歸，棄而弗戍，使宋竊築，闢荆制閫，因唐節度牙城南門，爲雄樓，扁曰「山南東道」，恃爲北鄙以扞天刑。豈彼炎趙九鼎，時未淪泗耶。世祖潛藩，歲壬子，嘗置屯田萬户府于鄧，後易爲都督府，又易爲統軍。司戍兵積穀，與襄掎角，凡十五年，迺大集天下之兵，又長圍六年而下之。其明年，詔故太傅巴延公節度圍襄諸軍，而濟以新師南伐。比其啓行，實下申令斯樓。旬月亂漢而南，浮江而東，瀕岸之城迎下恐後，雖驚風之振槁葉，瓴水之建高屋，有未易以喻其速者。宋社既墟，循本以求，高觀而思，則斯樓其南平之基乎。後爲戍守，故萬户楊侯珪府之治事其上，歲久檐傾榱腐，人之過之必仰視，鞭馬疾馳，惴惴然恐瓦木之擊軋。嗣侯萬户顯祖謀新之，賦竹木瓦一軍。或勸其聽省命，或以爲役大作衆，非盡歲成功不能，或教小易，故敗無大擿修，則應之曰：「事所義爲，奚省之，白吾一軍三抽其一，可不再月而落。且材已集，爲苟完計，羸將安施，分有之乎？吾不能爲。就省罪其擅興，請身任之，不以累諸君也。」副萬户張侯塔塔爾岱，亦以爲然，從而鼓舞之，不盈一月而斷手。嗚呼果哉！大德蒼龍辛丑端月丙午，兩萬户侯觴賓其上。酒酣，余起謂侯曰：「是扁『山南東道』者，勝國之臣所書，豈堂皇巍煥之吾元，可仍夫人之舊稱乎，其易爲『南平樓』。」兩萬户侯跽受曰：「甚善。」遂酌酬而楚歌曰：「繄南土之幅裂兮，實三甲子焉于兹。世祖自其龍潛兮，肇屯田于漢之湄。夜火鼓之千里兮，晝萬耦其耘耔。蓄威武以積歲兮，乃大濟以天下之師。三進夾寨而簿隍兮，踰五稔乃下之。」制曰：「乘勢可逞志兮，亦猶鎡基之待時。前太傅假以黄鉞兮，即襄陽其禡旗。將師景從紛如雲兮，竇龍虎之陸離。」曰：「受誓于斯樓兮，義聲先路而交馳。齊千萬艘以奮櫂兮，江永之不可方思。彼孱主度不能國兮，組面縛而頸縻。思就是振古之功兮，太傅固命世之雄奇。匪世祖之神明兮，混庭臣偉論其疇知。緬今在天之靈兮，猶臣都而君咨。」曰：「授神輿于今皇兮，克玉執而盈持。來萬方而臻百瑞兮，如舜恭已而衣垂。」辞曰：「太史生斯昭代兮，亦井坐而天闚。乏求金馬碧雞之才兮，歌樂職其或宜。書南平揭之翬楹兮，頌寶歷于無期。」兩萬户侯無他言，惟北向瞻跂曰：「鼓鼙之臣，知捐身圖報而已。」

滕王閣記

龍興，即唐之洪、宋之隆興，世祖賜今名以封裕皇者也，故闢省乎是，其治所及，北始江，而南際之西溢而北。盡乎人跡所不可踐者，纔三分有一，地不足並也。滕王高祖支子，而視裕皇爲世祖元嫡，今天子皇考，其位與聖，又不足並也。觀察非有是省之尊，所觀察地已于八州，亦無是廿有八城之遠之衆，葺者支傾補敝，故易辦。非若今出錢隆福宮，一瓦一木，不階其舊，悉毁而新之，如是不變其名，猶曰「滕王閣」。蓋不欲求勝前人，又以見太后之仁也。嗚呼，得恭記之，其侈盛美，當如何哉，當如何哉！今記者之遇，閣之不遇也。雖然事有可知不可知，由可知言，龍興距兩都數千里，塗非乘輿所出，尹府之臣圖閣上之，亦必經聖覽。或者裕皇在天，從兩先王風馬雲車，遐狩八極，過之而一息者，人則不得而知也。

三賢堂記　大德五年

奉訓大夫、知輝州司侯仁，以至元三十年下車奠謁孔廟。已乃謂曰：「是州學宮堂而不陛，簡陋至矣。薦盥春秋，何以稱百事之奔走籩豆。」捐奉爲勸，鼓舞士民，撤而改爲。凡再閲歲，殿廡門垣，崇庫適宜，豊儉居中，既嚴以翼人之改觀，可什百于誰昔矣。又舉我先世父太子太師公、故翰林學士承旨王公、故中書左揆許公，語州人曰：「之三賢者，比股肱元首，爲今聞臣，毓德含休，實在乎此。白叟及見而談，黄童所聞而知，其可不祠。」乃以羨材，爲堂三楹于殿之東，像而事之。元貞蒼龍丙申夏五，燧以得告，會燧從葬先公于輝，侯求記之，燧曰：古之人，必其生也，世之相繼，情洽而道符，功夷而德齊，而後死可合食一堂也。近世祀唐白居易、宋蘇軾、林逋三賢一堂而不揆其世不相及，貴賤勢殊，文章非倫，孰與四皓之同不臣秦，同避漢之高帝，而同應惠之招，成功而同歸，死而爲墓相邇，同廟商於，情洽而道符，功夷而德齊也。今以三公方之，固不如是出處齊同，若其平生之相與，微顯之相後先，同其大者，有不得而讓焉。矧成功反有過之者，合而祀之，誰曰不然哉。然燧于先公也、左揆也、承旨也，爲猶子、爲弟子、爲故人子，親而尊之者也。智慮未嘗少及乎是，由侯發之，使人終始以觀，反覆以思。損其一，則後其相與，而失于遺也。加其一，則所志不相如，而難爲輩也。雖有善權人物者，終亦不能推移其間，蓋以語友也。先公生以辛酉，承旨少一歲，左揆少八歲，齒固不大相絶。吾姚氏營人，先公生于汾，承旨永年，左揆河内，于輝非鄉，一旦聚居而爲寓公，其處同也。先公以癸卯來此，而承旨已師是方，後將以事趨燕，盡前其徒，假先公以所函丈，俾師之，以無廢受業。迨庚戌，左揆從家自魏方，先公爲相，即其年。無幾時，先公出應世祖之招，左揆獨留師是方，其道同也。先公中統建元之明年，由嘗侍讀裕皇，以東平宣撫使，拜太子太師。四年，拜中書左丞，卒官翰林學士承旨，詳定禮儀事。左揆之聘，則在癸丑，惟居長安。中統之元，始召入對。至元七年，拜中書。左丞以昭文館大學士，領太史院事，去位。承旨則由中統三年，燭壇亂徵，自海濱，輦妻妾，逃還濟南。世祖忠之，始召入對，自講讀爲學士、爲承旨，去位。一官翰林二十二年，則左揆之相，雖後先公，而同贊元。承旨之長禁林，亦後先公，而同爲代，言其出又同也。以語其學，得聖傳，濟人利物于干戈之際，上説而下教，贊神武以不殺，開文物之先，肇太平之基，已裨巍巍之化，進寸退尺，拱而讓人，與夫建大議，決大疑，不瘖結舌，視身如捐，觸試雷霆，與道德仁義，化服一世，扶植人極，爲儒臣宗，而不少詭，其守于正，致君謀國，不同爲道，而同爲心，其事載諸國史，燧與有聞，不敢漏于爲言以告人者。嗚呼，君子用世，譬則治田，不難于耰播，而勞于鉏根桥于荒，世有以是爲知言者，然後可語三公之易地也。先公以十五年卒，年七十八；左揆十八年，年七十三；承旨三十年，年九十三。其卒若以顯之先後爲次歟？兩公遂其去位，先公獨卒官京師。蓋由于久故請而不釋也，與承旨不後者，此爲異焉爾。今惟左揆葬其鄉，承旨雖葬天平，必時魂遊永年。是州東北望永年，西南望河南，實道里均，歲時合食，雖主輝人，則先公有田有私廟，與墓此者，又非兩公之專于賓也。又嘗思古者大臣，死爲明神，配食廟庭，于以左右先王陰隲下民者也。或三公者將終古廟食止一州乎，亦從祀有時，此起本也。嗚呼，二家子孫，其無忘司侯始之志焉。先公諱樞，字公茂，號雪齋。承旨諱磐，字文炳，號鹿庵。左揆諱衡，字仲平，號魯齋。侯字毅夫。觀所事不濫而宜，則守土吏民，善于其職，從可知也。後是記一年，而三公同受贈謚：先公少師文獻公，左揆司徒文正公，承旨少保文忠公。則記所謂從祀有時者，豈不亦億則一中乎。（以上《牧庵集》卷七）

全元文卷三〇六

姚燧 八

喬木堂記　至大三年二月

余讀孟氏書，至所謂「故國非謂喬木而謂世臣」者，每歎漢之通侯，其鼻祖頭蓬葆而手胼胝，百戰以得之，子孫恃其有土與民，相師非度，傳纔一再，罪已國除，其善失者，坐酎金色惡而免耳。幸後念功德世續之，無幾何時，已復效前。嗚呼，尚何有于故國世臣哉！今兼有者纔汪氏。蓋義武公，以金亡明年乙未，開壁天門山來歸，而有隴西廿有四州之地，介于羌、渾、氐、涼之間，將其衆首殘全蜀。諸子顯者忠讓、忠烈、忠惠，忠烈子忠肅，三世五公。忠讓推節其弟，忠烈從憲廟伐蜀，盡瘁死綏，忠惠斬叛將燉煌，忠肅擒叛王略畔，國家皆恃爲西陲長城。自外將相使牧，猶廿有餘人，名以世臣通侯，而豈慚焉。中統之末，詔奪强諸侯之世其土者，俾不得而有，轉使牧州。獨是一門父死而子以繼，兄終而弟可及，旄鉞相後先，圭衮相焜煌，自乙未至庚戌，七十有六年，襲守其土而不變，非列聖私之，亦克終爲下有以致也。嗚呼，不曰故國，謂之何哉？校今名臣，無亞匹者。忠讓之孫懷遠大將軍、莊浪路總管安昌，求名其堂爲喬木，且語其故曰：「國固不賴乎喬木以爲故，然無是亦無以知爲故國。」何則？其始也，世臣樹之，自夫甲坼而蘖，培而溉之，而拱把，不枉斧斤，使得全其天年，而後至于喬，其極者可表以百尋。不然世臣去之，故國遷焉，則亦何顔而存，爲匠石所材，資矩矱矣。雖有條枚萌蘖之生，樵蘇利之，牛羊牧焉，幾何不爲牛山之濯濯哉！又所樹也，南北異宜，南方氣燠，葉旆旆然，凌冬不解，必春而新葉挺出，而始隕籜，其喬也易，故厥木惟喬，《書》載惟揚，南有喬木，漢廣《詩》歌。北方氣寒，木榮于春，而夏以長，秋而零，冬藏之，根生纔半年。隴西得金氣之先，而寒逾蚤，其遲于喬也，逾倍他方。而史遷曰：十年種木，百年種德。觀今十年，纔拱把耳，雖乃鼻祖樹于種德之初，至今七十六年，未必能百尋。其百尋者，非貫千歲，不能以至。君能知乃祖種德之艱，亦邁種之自身，而子而孫而雲仍，期百尋于千載之後，則爲國益故，而臣之世數益多，則喬木者豈不與故國世臣相始而相終歟！是爲記。其年二月清明，書于神州客舍。

遺安堂記

大德五年十月

故上懷恩監州唐括君，齊年友也，以燧之生偶先，兄命之。其不恙時，嘗請記其遺安堂。疾革猶促爲，將啓手足，顧言其子師皋曰：「記成，當奠几筵以告。」嗚呼，君欲鄙文，忍死以待，而吾遲忽于操犢，其真負君哉！追記之曰：時有治亂，故士有晦顯。炎漢末世，何時哉！中原板蕩，曹操託名討賊，挾天子令諸侯。孫策再戰而有江東，以故龐公荆州焉依，非依劉表，蓋幸是方無有日尋干戈之事，爲避地謀耳。及表即隴上來候，發不官無以遺子孫之問，故對以遺安，表終不白其心之不欲臣己，徒高其事而去。自今思之，畎畝果可以盡天下之安乎？是有二焉，有定在之安，有無定在之安。有定在則道，無定在則義，猶權衡也，加銖于兩，則不安而仰，徙石于鈞，則不安而傾。且錯置輕重于尺寸之間，而不安有是焉，况大此者乎。三仁同事殷矣，微子安去，箕子安囚，比干安死。二老同歸周矣，太公安爲伐紂之師而鷹揚，伯夷耻不聽其扣馬。安亦不可必人之安，伊尹又異是焉。方耕莘畝，非不安也，及湯三聘，遂任天下之重，一人之身始終之安，自不能同者，非《易》所謂時義者乎。義之安，可推移於一時。道猶規矩也，哲匠亦止守此，有不能捨以爲方圓，如君止仁，臣止敬，子止孝，父止慈，交國人止信，非書所謂安汝止者乎？道之安，可不易于萬世。以君生平，一官裔夷，呼噓毒癘，不難爲往，既時其出，至郡踰年，而求終養其親以歸。擇有道，俾師其子，篤其成材，與自汴而鄂，安而能徙。又時其處，臣責塞，子職供，而父道周矣。其安于道義者何如，君嘗深思乎？故于先民歌哭聚族之地，揭以是名，其意以爲取之古，未若師之今，與其法之人，未若本之家。然遺必有受，師皋其受者也，年方壯矣，好學有譽，其行于家，既如君之孝其親者孝其親，其聞諸鄉，又如君之信于友者信于友。推是移忠他日，有不能如君事其上者事其上乎？君見龐公之策可施其時，未可施是家於休明之世也。

壽萱堂記

至元十一年，既詔大軍南伐，别遣宿衛之臣，將突騎萬人，出荆州，爲之聲威。大將下鄂東岳，湖廣諸軍謀方江陵、沙市，是軍已翱翔峽澧、江陵之郊，入聞曰：「三郡某縣，吾所下也。」封之萬家，領以一府，俾歲傳致其賦京師，待以分賚衛士。毛君巨源，由副總管而總管，踰二十年。自燧貳憲山南，分刺其府，寄治松滋也，聞唱邑士，舉司馬溫公真率會約，而月修之，使民知長長于鄉，因惟曰：「弟實孝之推也，非善老老其家，不知篤此。」遂友之，亦十五年矣。大德之元，請記其壽萱堂，爲賦《伯兮》之率章曰：「焉得萱草，言樹之背。」竊怪漢儒鄭玄、許慎，同其釋而異其文。箋者曰：「諼草令人忘憂。」《説文》者引以爲藼，曰：「諼藼同物。」後本草者亦第言忘憂，不及所忘之方，將枵然徒對之耶，佩之耶，餌之耶？至唐孔穎達疏之，專訓「諼爲忘」，蓋欲得令人善忘憂之草，不謂諼爲草名，始與諸説判不相契矣。斯堂製名，其在于忘憂乎。夫曰：「忘者，猶始有憂，有待于排解消拂之也，使初無憂，烏乎施忘。」燧未嘗及識夫人之几杖，以君白髮占之，則夫人之黄髮而耆其年者，從可知也。夫以黄髮之親，頫而撫其上，白髮之子仰而承其下，四表之内，兩間之中，得是幾家。雖啜菽飲水，猶胥與樂，况宅是光顯，而奉以華堂，定省以候晨夕也，溫凊以節寒暑也，悦其口體有甘旨之充也，伺其色言有使令之備也。是府久其官而不調，無三歲一徙，陸走水浮，資車與舟，銜橛維節之戒焉。爲之鑒者，人歲訟之，至以罪去，而獨無絲毫汙。蓋善慎身，羞親之所不蹈，顯親之事必立，憂情以忘，用是道也，萱何爲哉！不然，彼閭閻之子，力爲可憂，譴于有司，詬于鄉鄰，無俚之聲，日盈親聞，而富樹萱，求以忘之，雖甚昧者，皆知其不可也。故萱能忘不憂之憂，而不能忘有憂之憂。疏者未深信之，蓋亦若愚推類，而不得其説者也。雖然，耆年之人，方歡而歎，不疾而呻者，情所同然，同乎憂乎，求易于愉心而快目者，莫草木敷華之若。或當其時，君服命服，爲壽而前，萬室之人，其戚且故，從而毋之，得其一莞而忘之者，誰曰：非萱之德哉！

承顔亭記

嘗謂人子之事親，不難于燠寒其衣，旨甘其味，以適其口體之奉，而難于承顔以得其歡心，斯政孔子語子夏以色難者也。又嘗思之，夫人之心，變動于中，千百不同，而幾微必形于顔面，塗人過前，其安而色舒，恚而色厲，莊而色專，有懷者其色鬱，而肆滿者其色揚揚也，吾皆得以識之，況人子者，日侍親側，久接熟伺，而不去者乎，其承顔也，亦易焉而已耳。雖然，天之厚薄于人者不齊，有役是心，履霜踐露，不及承顔者，斯固非人力所爲，末如之何也已。又有生而不學，倫理不明，恩愛不篤，不知承顔者。亦有墮四肢，束于貧而力不能自拔不足于瀡瀡之具，不能承顔者。力至矣，或牽于禄仕，遐遊遠適，委親而不遑，將反曰吾能公爾忘私，不得承顔者。是數者皆五典之罪人也。仁卿嘗仕矣，行年五十，而母氏八袠，猶康彊，咸棄不就其色養，而仁卿思以終身寧燕，休心娛目，乃作亭中園，周植嘉卉、奇石，名樹叢篠，綺張繡錯，馥芬雲蓊者，亡慮百品，風雪之朝，花月之夕，稱一觴爲壽其間，其善承顔者哉！《詩》曰：「孝子不匱，永錫爾類。」客之登斯亭者，内顧其家而及承顔者，將同是樂。其内顧其家無有承顔者，將有不勝履霜踐露之悲，則亦斯亭之感之爲者矣。亭舊有名，余病其不關于子職也，故易之。仁卿名炤，遼氏遺裔也，由金人惡耶律爲字有父嫌，謫爲移喇，後逃亂奔宋，再謫爲蕭云。

朋簪堂記

至元二十五年

天下之道二，君子、小人而已矣。然各視其爲勢，孰主而孰賓之，己主而人賓，則人從己，己賓而人主，則己從人，無有無其朋者。《易》之爲書，本爲君子謀，不爲小人設，于小人則懼其爲朋，故《泰》之六四曰：「翩翩，不富以其鄰，不戒以孚。」于君子則恐其不朋，故《豫》之九四曰：「由豫大有得，勿疑朋盍簪。」蓋《豫》之爲卦，五陰一陽，九四以才幹之臣上見信，于六五，柔中之君，而無多懼之嫌，是以若是易爲成功也。《大傳》曰：「崇高莫大乎富貴。」然舉爻位之貴，孰加于四臣而五君，貴之所在，富不必言矣。而卦亦有專言富者，不于他爻，而亦恒在四五。故《泰》六四與《謙》六五皆言不富以其鄰，《家人》六四亦曰：「富家大吉。」苟無位之士而富，其勢亦與崇高之一，故亦由我和順得志，開誠而朋從之，則富者又爲兼善之資，而有朋從之樂耶。然又思朋從則羣居，羣居則必有事爲，而言及義，必也如《兑·大象》之講習，乃有互長相滋之益，有必粹焉，而得其要，如《乾·文言》學聚問辯，寬居仁行，以行其德，斯盡善矣。聞者其然余斯言乎，非歟？其踐行有素乎驟歟！史君生洛，徙穰，奇士也，名儀，字仲威。其豐殖若可比封君素侯，力善而泛愛，赴急而施積，寒士之來歸者，如以器浥泉流，隨其小大而斟酌飽滿之，不虚其往，而遂所願欲，言其處《易》時位，可當《豫》九四。適余讀《易》，求名新堂，爲書「朋簪」，俾揭之楣間。蓋仲威與余同邑，以年偶先，嘗兄之，禮意甚至，言其可諛，況潛齋先生之弟子，猶懼其盍簪于燕遊好也，故又舉《兑·象》、《乾·文言》者申告，亦庶幾輔仁之一道也。至元戊子日次實沈。

歸來園記

歲壬子，余與今令醴泉雷君損之交，至至元丁亥最之，三十六年爲故人。始余從先世父中書左轄公受讀《四書》，君與横經几席爲同業，交不爲淺，年不爲少，故凡見其小不足余意者，必爲之盡言。蓋君自踐仕至今三十年，位止一令，所至與去，人稱其賢。今老矣，不厭不已，猶爲之將行道耶。縣之上，莅而壓之者，數十府、寺，守成法而遵之，幸且無事。苟自鬻其能，自用其情，則摇手觸禁，而罪隨之，是其道非易行也，將爲貧耶！諸子孝且克家，有脂田十頃，終南堂室高麗，周其墅植榆、楊、雜果數千，小者園栝梡，大則合抱充棟梁。歲入絹多于江陵李衡木奴，其本富已埒封君素侯矣。嗚呼，豈余蒙闇之甚，未真嘗宦味之甘便者耶？余嘗激之，使委印而去，君以故人同業之故，受其説而不慍焉。此可見其寬有容也，然復有優游牽制未斷之言焉。曰：「今遽不可，吾必以開歲某月而行。」嗚呼，君子進三揖，退一揖，所以礪難進易退于平居也，如君所言，正如東萊譏魯隱當授即授，何謂將授；當營即營，何謂將營之説也。君又不以余爲躁而斥，己肯服其非，是又見其善從人也。徐曰：「吾家有園，鑿池其中，中池爲堂，外爲四亭，東亭藝蘭，蘭則春芳，取屈原之辭曰『紉蘭』；南亭北軒，闞池種蓮，蓮則夏敷，取周子之説曰『愛蓮』；西亭植菊，菊則秋榮，取陶潛之詩曰『采菊』；北亭樹梅，梅則冬花，取林逋之句曰『疏影』。順四時草木秀發，循環流居四亭，期没吾齒。獨中池之堂與園未名，子爲製之。」余曰：「屈原之愛君，周子之鳴道，陶潛之明達，林逋之隘狷，能法四賢足矣，又何他求爲耶？《詩》曰：『高山仰止，景行行止。』宜名堂曰『景山』。雖然，周子爲人，鄒孟氏之亞，其言亦六經洙泗之遺餘，固不在淺學之妄論。餘三子則皆有説，屈原之不忘君，其失未免怨懟激發而不平；林逋終身遁棄而忘君，又類潔身亂倫，其吟嘯多賦近體句律，清快可誦者有數；陶潛既仕矣，其則心爲不忘君，知其不可，以恥束帶見督郵，爲目以去。正得孔子燔肉不至，微罪行之遺意。又其言和平微婉，猶元酒希聲，後世雖有效而和之，終不能一造其堂奥。三子之中，古所謂吾無間然者也，園宜以『歸來』名。君試誦其辭，將不待人之勸激，自窮日力而歸矣。」以是爲記。是歲十月晦書。

楚山山房記

孟德麟作楚山山房，或疑而問曰：古人之樂山者，皆有所指名，晉謝傅之東山、唐白傅之香山、宋王舒公之半山，雖枚舉之，將不能一而盡，未有若德麟之槩而名楚山者。因嘗思之，盡《禹貢》荆州之域，皆曰楚，宗火維衡嶽，巍其高大，與細而邱垤皆曰山，是則楚之爲地，亡慮周數千里之遠也，山之爲名，雖布斗粟爲算，有不能以殫之。之名也，而自命之，無乃鮮廉而已貪乎？使止曰楚山，猶曰隨吾歷覽之至，何所非楚，何地無山，猶足以禦人，而綴以山房之名乎。孟子之言堂高數仞，蓋人臣之居，其極不過乎是。是房也，崇不踰于尋丈，深不出乎數轍，今將舉是名，是盡《禹貢》荆州之域周數千里之遠者之楚，與火維衡嶽，巍其高大，細而邱垤，雖布斗粟爲算有不可殫其名之多之山，曰吾將納之一房，則并藏山于澤者爲尤誕也，良不信之。燧聞而笑曰：子辯辯，余真能納辯。天壤之間，二者而已，曰同耳，曰獨耳，同則與人共之，獨則我其知之。今一世之人，鼎鼎所趨逐者，意亦曷嘗在山。意不在山，是人之所棄也。太史公曰：「人棄我取。」余所獨得者也，烏乎貪？然之山也，人有廬其麓者，梁其澤者，車來其原者，舟其川者，材其林者，蒐其藪者，曷嘗不與世共之？是人之所取也。太史公曰：「人取我與。」是人所同得者也，烏乎廉？且以跡求之，房誠不足以納楚之山，由理言之，德麟生平歷覽之熟，或時讀書之休，飲酒之醒，作詩之暇，看雲白晝而眠，聽雪清夜以思，則夫崔然嵬然，截然岌然，藥而離離，峭矗而坡陀，千變萬殊，不易狀名者，莫不呈露彷彿于眉睫。余見納之一枕之上而有餘，豈崇以尋丈，深以數轍之房，有容而不足者耶。或者舌撟不下，惴讋而退。噫！余由愛楚山，買田郊郢以分是風烟泉石之勝，而南郢實楚都，去郊郢纔數舍，亦將名楚山。君能視同廬者、梁者、車者、舟者、材者、蒐者，來即共之則已。或校其君先，將謂余後，則余將以郢去楚都踰千里，未免以遠近爲訟，上勞山靈，聽其直之誰在也。德麟名之紱，在勝國爲少保佳公子，明時嘗令潭之湘鄉，今辭仕而休居焉。（以上《牧庵集》卷八）

暖翠亭記

九江爲州，居廬山之陰。城有二阜焉，其一在州治東南一射上，故有亭，邇南門，則都漕公宇，距堂西北，無有三十步軔。其阜南北延而東西狹，嵑然獨荒邱。辛君持使節來之明年，當大德乙巳。而茗産諸河南、湖廣、江西、江浙四省之地，廣周且萬里之賦，爲緡幾九百萬，半歲而集，人誦以爲前政未有。君以事治，思有自娱。其秋八月，作亭三楹，八日而成。中楹東西爲門相直，北其墉而南其牖，可洞闢以納廬山勝概。余由洪江告老而歸，首塗疾作，艤舟九江，五旬而始少間。君集同官觴余其上，由扁未名，求以命之，爲賦歐公《廬山高》辭而慨曰：東坡公門下士也，其賞公詩，則稱「滄波萬古流不盡，白鳥孤飛意自閒。萬馬不嘶聽號令，諸蕃無事樂耕耘」。未嘗一言及是辭。山谷坡友也，獨甚愛之，大書而鑱諸石，已一異也。其甚異者，在漢甄鸞之測海島，一立重表累矩，無有遠邇，而高深廣袤皆可坐致其前，無所遁形于茫忽。韓公《南山》之詩，亦復如是。且其强韻險語，實則步驟《北征》。然山谷又謂方之《北征》，雖不作可，歐之與韓，特變其音節爾。山谷親爲書，無乃譏其始作而媢夫繼爲乎。自後世推歐亦一代文宗，是辭固瞠《南山》後塵。至叙巖岫出縮，泉石窈深，雲烟變滅之得于天，禽魚飛沈，草木蕃暢之遂爲物，道流釋子，依居其下，大爲室屋，以侈靡相軋，由人力益致夫奇秀者，非巨筆如杠，孰彷彿其全體能爾之盡。兹亭取名，苟外是焉，將奚以。今余與君屬觴乎此，爲何時哉？當建子月，水火地坼，而衰日暄融，助爲明妍，浮嵐佳氣，綿亘百里，容容勃勃，泛溢簷户之外，豈兹山之英，顯幽發微于賢主乎，抑爲病客而然也。平昔之遊，熟秦與蜀，天宇之濃綠，石壁之空青，皆身至其所而目接焉，角之以是，無少退讓。于時且然，則夫春風方永之晝，秋露暑雨晞霽之朝，其倍蓰什伯不啻焉者，可意知也。其以暖翠名之何如？君則曰：「善。」君名仲實，字仲和，號松隱，其年日短至，書於廬山太平宫。

易安齋記

醫之爲業，有相道焉。伊尹耕莘，説築傅巖之野，太公釣渭，諸葛亮耕南陽，之數子者，其始豈有心求商湯、高宗、周文與漢昭烈之知己乎哉。彼四君者，知有命世之才，可與共天位，故或三聘，或俾以形旁求天下，或見于卜兆，或聞之水鏡，三顧草廬之中，身先求之，深拒固閉，弗得弗已。彼數臣者，由禮至情篤，始起而應之，是與夫醫者，不求疾家，而疾家懇懇夫我，奚以異哉，是一也。彼爲相者，見時君任己貳而不專，則解冠納履而去，是與夫醫之爲彼疾家不專主己，參以他醫，則卷其術，不發藥而委去，亦奚以異哉，是二也。其甚不異者，古賢相之爲治也，必當天下阽危之際，其君任之信之，成焉由汝，圮焉由汝，而後爲相者，始自任天下之重，展其所蘊，措幅負于天下四維之安。天下後世誦之曰：「彼相之才，能易危而安者也。」夫人誰不有疾，非必委頓之劣，而後爲危。凡小不康，失治于蚤者，皆危漸也。爲醫者，惟疾家知之仗之，生焉惟汝，死焉惟汝，而後始敢盡其搦髓、擢胃、剔蛇、斃犬之技，如扁鵲、華佗之爲，而易危爲安。范文正公之言曰：「得志願爲賢宰相，不得志願爲良醫。」其真知言哉！醫師趙君濟和，鄧之良醫也。秦和古之良醫，趙君字和，其尊其名者，已與秦和者符，况其讀書多學，以濟其術乎。其居有亭，故扁以「易安」，蓋取晉陶淵明《歸去來辭》也。或嫌與婦人李易安名同，謂余可更，余曰：「更不必也，變去爲入聲，讀則義意自異矣。」余思醫與相皆易危爲安者，故以是諶之。然又思余不難于徙居，而難于其居之學無師友，而疾無良醫焉。今穰城有濟和，求吾身之危將託以易而安者，舍之其誰？賴于二者之中，先有其一矣。

朝陽洞記

穰秦魏冉侯國也，余所寓西鄰王工部景韓園，邇于城西墉，因鑿窟室，樹桐其東，暎蔽朝陽。余嘗過而遊憩其中，爲賦《大雅·卷阿》之辭曰：「鳳凰鳴矣，于彼高岡。梧桐生矣，于彼朝陽。」又聞鳳鳥見濁世之險微，無德輝之可覽，翱翔千仞而不下，此賈誼所以重歎夫屈原之無時也。然由書契而來，至于今，唐、虞、夏、商、周五代略而不道，視秦、漢、晉、隋、唐、宋六代之一家天下者，若皆慚德于吾元，亦人生曠世所難遇者。而余與子沐浴太平斯洞之中，則所際爲何時也。且漢之中宗未爲盛治，其時猶致五鳳之集，顧于今有不可得見者耶。然鳳凰棲必梧桐，黄帝之時，蔽日而至，嘗止東園不去，則固致鳳物也。其後重華臣禹，蒻嶧陽孤桐，張而絲之，爲琴瑟，及八音倫諧，而簫韶九成，鳳凰來儀。若然則蒻桐爲樂，猶足以致鳳，其封溉是桐，以待其止，或不能致，其蒻桐爲樂，以待來儀，二者或有一焉。是二吾君于黄帝、重華也，誠及見之，余雖老，尚能揚厲天休，播之金石，詠歌率舞，以没餘齒。斯區區之幸願也。如終不可致，天其或者使景韓出而遇，能一言而傾四海之聽，如古人之鳳鳴朝陽逾美矣。奚必飛鳥之出類者，始名鳳也耶。

康瓠亭記

金石爲物至壽者也，壽之極上止三代。九鼎淪泗而夏金絶，石則無先岐陽之鼓，故金始商而石始周，則金又壽于石。所曰三代者，實二代耳。余晚無所嗜，惟得二代彝器，則喜而忘寐，行隨而坐，皆與之接，若多聞爲益之師友焉，若至親甚密之昆弟焉。其置也，褥以文錦，櫝以髹漆，一不役人，而惟身之，猶以爲褻也。嘗建一亭名曰「康瓠」，而特居之，于商則殳丁卣、父辛爵、禾目鬲，周則屈生敦、臺夫鼎、麟鳳罍，惟罍無銘，以飾命之，猶恨壓辨其世，不知爲臣何王何人先之也。漢之鼎、壺、洗、鑑、鐎、斗、鐙、鑊，方之六物，猶王公之皂隸，故亦班之下陳。或曰：「賈誼所謂斡棄周鼎寶康瓠者，譏賢否易處賤尚貴也。君之商彝光輝出周鼎上，寶之又極其道，所以使君怫鬱軒冕，而清寂山林者職此，孰曰玩物者，非君爲道之賢乎，何至誣一世之人，而詬二代之器，矯曰康瓠。」余聞而笑之。子必以陶器爲康瓠，故宜其言之膠膠，余有感而云爾。古者製銘，如卣曰：「敦作殳丁寶尊彝」。首字未詳，蓋殳丁子之名也，敦曰：「屈生始作寶敦。子子孫孫，其萬有年，用享如在。」或以繼上，或以垂下，類非賊國之臣，覆宗之子所能爲也，必世家鉅室，有民與廟諸侯卿士之賢哲，有民與廟，爲世家鉅室者，何啻乎萬人？求其豐祀而儀享者，將不人作一器而止，于宜乾濡生熟，殊用而異施者，莫不畢備而悉陳之，有其副焉，則世雖有二三鉅萬爲數，不足夥也。秦惟務除先王之道，其禍豈專于燔書，銷兵爲金人鐘鐻者，未必無此。吾何以知之？宋景祐作樂，銅不足，充以寶龢鐘，則世之發諸荒祠敗塚之間，售之窮鄉賤肆之下，而毁于野人，鼓于冶工者，又可既也耶。今名賞鑒若余篤者，世無百人，惟嘗柄政一二家，積多至數十，餘皆一二有，亦有一無者。以吾所有六物均之，世無數百，其盪而無迹者，曾不如康瓠之有礫焉。然則今所存，皆康瓠之遺餘也。矧是六物，卣梁斷而爵折戈，鬲項穿而罍腐臀，鼎蓋亦缺，康瓠之兆形矣，惟敦完然，而猶重哀夫屈生而子而孫，用享何人，如在安在。自夏至今，三千餘年，而九鼎淪泗者，千六百年，使後是之年，如夏至今，則商周之金，悉爲九鼎，能獨俟夫萬有年耶！余感如此，以理要歸而命之，何誣乎人，而何訴于器。其曰職此而怫鬱軒冕，清寂山林，以玩物資爲道者，真若高識所燭焉。

赫羲亭記

人莫不有嗜，其甚有志者，能克絶于暫，或不能必終身之不蹈焉。雖大賢如程子之好獵，既嘗痛自克絶，自謂已忘之，可終吾身。又質之其師，以覊學道之進，周子甚不然其說。及後遇獵，雖不與馳逐，其心猶躍然喜者存，始以周子爲知言。自今思之，獵之事如影之于目，聲之于耳，既過而無可尋之迹，猶克絶難忘如是，况金玉珠璣爲物，目視之而有形，手觸之而有質，可以貧人，可以富人，其利者大，前乎吾身而存，後乎吾身而不忘，其壽也久。人既已嗜矣，一旦驟然欲克絶而不有之，誠難。

故嗜而積，積而至于鉅有，鉅有而人嫉者衆，以及于禍。法書、名畫亦物也，歲久則爲敗縑、壞楮，不得不足以爲貧，得之不足以爲富，嗜金玉、珠璣者弗顧也，雖賞鑒之家求之，得以彷彿古人遺意于千載之下，雖聚有之，而人不爭，且無禍焉，斯非嗜之可爲之一道耶。余白首來，亦痛自戛去此習，故于己之甚愛者，人或欲之，略不留吝。篋笥中無十年物，可謂不積矣。然見人尤物，猶時有覬得之心，或發口以求。嗚呼，嗜之賊人也，如是乎哉！是可謂終吾身不善克絶者之戒也。余故有右軍三帖，皆出宣和中秘，嘗以姊告安和者畀馮憲副壽卿，今又以遺書者畀張總管夢卿，其所存者子鸞而已。嗚呼，是書也，姑率蘭亭永和癸丑退數之，以及至元戊子，爲九百三十六年。如曰非真，皆出唐臨，亦五百餘年物也，俱可爲兩公家法書第一。夢卿儒將也，其用世才有聞于時，年甚盛，其事業方水湧而山出，非宜成退居，託物以怡老，玩心敗縑壞楮之間者也。去年自湖湘行營得告歸展先墓，即其第省齋，爲亭東偏求名。余思晦菴嘗書湘西嶽麓之頂，曰「赫羲臺」。後知彼爲不足以當之，將移之雲谷。然赫羲之文，實原屈子騷經，余愛其雄偉，嘗名余長安賜第之樓。又思彼嶽麓猶不足當，易爲祇芳。今輒以名斯亭，而義意異焉。爲疏之曰：羲之，右軍名也。赫者，章明較著之也。將章明較著右軍之書于斯亭，固可名「赫羲」。由右軍之書，而斯亭之名益章明較著，亦可名「赫羲」，是亦蕭齋、寶晉之例。（以上《牧庵集》卷九）

全元文卷三〇七

姚燧 九

斯得齋記

南陽醫師劉君大亨，有齋如舟，來求扁額，書「斯得」歸之。懼未達其旨也，又記之曰：舊疑叔向譏子産之鑄刑書爲非，夫作士如皋陶，可謂曰能，而《虞書》不曰象以典刑，典即刑書也。不有所垂示，何以使人知避其犯。後聞先師談筵，謂昔子師可嘗疾，診證宜餌峻劑，而心猶豫，拂蓍扣之，遇《噬嗑》之上九曰：「何校滅耳凶。」或者曰：「弗善也。」我則曰：「此罪人斯得之徵，飲是而愈。」燧曰：「嗚呼，世亦有悲士師以疾爲罪人，方爲刑書，用獄如醫者乎！」醫乃生民司命，弱者恃以强，脆者恃以堅，危者恃以安，而夭者恃以爲耆也。惟施治神巧，使疾不測所禦，故能如罪人斯得，而昧者爲之，顧使疾先得其爲疾之淺疏，肆而侮之，遁刑爲罪于攻所不及之地，以不可必得，故先師之詩曰：「醫能宛轉深求病，病亦間關巧避醫。」夫爲疾求愈而卒不愈，職誰之由？此古人所以有藥石入喉甚于莫耶之歎也。且莫耶爲物，非能自躍而前以殺人，必有手之者。後世以《春秋》爲仲尼刑書誠律，以是爲斷，則爲法受惡，而手莫耶者誰耶？嗚呼，可畏哉！然又聞斯，語辭也，《風》《雅》《頌》咸多作思，則思者亦可同斯乎。蓋天下之事，其理則具，于吾心弗思，則弗得，矧醫于疾，尤欲致思，則思得者，斯得之基。而斯得者，又思得之搆也。今醫之居藥市，惟知招徠求己者之衆，貪得而泛應，以幸爲利，率未暇深致夫思，安求能斯得乎。大亨非其術可服輩流，孰能推而先之以師是州？人之服而推而先是州，必其爲術之密，而善爲思者。古語有曰「官怠于宦成」，弗思然也。醫至于業進而名著，亦宦成矣。其怠而弗思，人情同然。大亨以余年先，而求有言，余可爲佞，惟稱其所長，不進其未至乎，故是以警之。大亨于醫言，將藥石之歟，莫耶之歟？又在夫思之斯得也。

學稼亭記

孔子之言，不可執一求，學者由之，不可執一居。樊遲請學稼，出，則曰：「小人哉，樊須也！」南宫適問「禹稷躬稼，而有天下」，出則曰：「君子哉，若人夫。」君子小人，所以概終身没世、善惡義利極致爲言。或曰：「小人，細人也。」其不相及，亦不啻什百而千萬，而乃進適退須如此，進而君子，亦可已矣，猶以爲未然，繼又曰：「尚德哉，若人。」豈于稼也，學于今者爲非，而躬于古者爲是乎？豈須之問也，以己小而私，適之問也，以聖人大而公乎？嗚呼，聖人之生德，天也；知不知之，人也。蓋當其時雖不尤桓魋匡人之莫我知，亦未嘗不與儀封人太宰之知我，況須、適日親而月炙，宜時化而歲遷者。其知我益非儀封人太宰之可與，其莫我知，又益非桓魋匡人之漠然不足尤也。使須聞「吾不如老農」之拒，有「禹稷躬稼」之對，意在于知聖人，亦可得君子尚德之稱。顧請學圃，爲問愈下，殆于適什百千萬而不啻矣。雖然，須事聖人，猶子之事父母無隱，苟其心所未安，必將辯而求義理之真是，不憚見拒于聲音、顔色而止，故能自拔于三千之徒，終廁七十二子之列，與適也並。其困知勉行，而後有至者歟？吾故曰：言不可執一求，其學者由之，不可執一居者，官使然也。且官以農爲名，而曰吾學稼之是羞，教督之不先也，藝樹之不勤也，銍穫之失有秋也。使千耦之夫，環視其授法如此曠怠而窳，豈惟大農他日隨以不恪之殿，就曰無之，亦非臣職可一朝安也。蓋君仲修爲丞，屯田南陽之東穰。明年，市牛課僮，墾萊疇盈數百畝，視日晨昕以爲作止，候時寒暑以趣發斂，以一身爲千耦之倡，故歲入增多，諸屯即墅爲亭，余榜以學稼，所以著夫善其職也。雖然，視有若可易，而事實關世道之大。蓋天下之民，去南畝而遊食，擇金玉之易持，逐逐於販夫、販婦之末，罔利相攘于市路，而較錐刀者爲日已久，是以錢益輕，物益重，廊廟恒低估改幣以救之，其勢莫之能止也。今守令之近民者，孰不兼官訓農，使聞其風者，人人如斯人之善其職，亦不可以少復本富，而衰澆風乎。仲修由嘗受學今太子贊善劉君夢吉，是以始政知所先務。

天寶壇記

壇之名肇于《書》，而詳見于《周官》。《書》止曰「爲三壇同墠」。《周官》則曰「爲壇三成」。疏者曰：「一成敦丘，再成陶丘，三成崑崙丘。」至太史公《封禪書》曰：「三坎。」釋者曰：「三坎，豈三成自趾而升，三坎者自顛降耶。」後世爲壇，必皆三成，其取法此。又病夫葳祠之時，或風雨害其行事也，爲屋覆之。天寶之壇，惠慈利物至德真人作于金亡。其時汴南倍百里與宋錯壤，小大城皆戍守，諸將爭撤汴宮資材爲樓棚，故惠慈得摭其所遺，而汴之守臣捍者，不彼之禁，專視是宮委積在目睫間利，將奪而有之。適道流族居者，且數百人，彼憚與鬪而止。爲道流者，猶心且覬之未止也，益急其程，夜則燃火構之，與通明閣作于一時。故閣上下四周未門，壇甃石爲之，上清宮故物，徙置乎此。門楹皆未丹，蓋牽于他營，而勢有不至者，餘六十年矣。資德大夫、參知政事朱公清，行省于汴，謁而太息，謂崇玄誠德洞陽真人曰：「大哉役乎，不因于前也，不取材于國也，不藉力于民也，皆方外之士，親寒暑于其肌膚，撙衣食于其口體，月積歲進而自爲之，良不易哉！凡今壇閣之未竟役者，吾思佐之。」乃戒其家髹沐之工，市汞鍊朱，即儀其門，將百闔盡丹，壇楹閣門，惟丹其陽，他方皆墨，最其直可萬五千緡。提點孫履道由徵朝元宮銘于郢，爲燧言此。且曰：「公之言曰：『吾故貧賤，宋平而始官，賴先聖今聖之德，致位將相，吾亦不知吾嘗所由以來，義不可爲，不可得吾銖兩，于所宜爲，邱山之失，不愛焉，自我得者，自我盡之，不猶愈于鄙出而力守，甚愛而厚藏，一日子孫不能有，皆歸之官耶。』」燧曰：「嗚呼，是皆熟于世故明理之言，可謂積而能散者也。然自惠慈之逝，經文醇德懿知常、與虛玄應物通和兩真人，而至乎崇玄，凡四人，終一甲子以待公，豈斷手有數耶？使公初無是志，而有求之言，出于崇玄之先公，亦未必滿其應。崇玄無有是言，出公之誠，非崇玄之德足以動人，亦不可得其所捐若是之多，目擊心傳，其相知與爲何如也。又聞周廡尚有缺所，公面促其基之，豈佐竟之志不已是耶！可筆也。」

太平宮新莊記

真君殿碑，蓋龍興據其所見而作。及以疾歸，留宮踰月，與身見而言傳者或異，遂更訂而丹書之，既入石矣，猶有一遺，其曰始田履畝纔及三千[一]，金萬有奇，曰：若合其舊爲一而言[二]。今則不然，由冲靜真常凝妙法師湯君提點之宮，錄江州路道教之後之致者，獨萬有一千。其道有三，曰貨取，曰施入，曰力作。余歎其用志之確，親勞之多，無文以彰之，世烏乎知，爲目其諸莊與地在所，及其施入之主之名，自多袁之，以及其寡。今最貨取三千六百五十，惟石門千二百八十爲多，其不足是者，啓石二百八十，錦溪七百五十，石塘九百一十，龍岡九百六十，上龍溪千一百三十，惟啓石居興國大冶，餘皆江之德化。最施入者五千三百五十，惟翠麓二千二百爲多，高岸半之，元山千二百，萬安千七百，福興千七百四十，趙陳二千一十，惟高岸居興國之永興，元山居蘄之黄梅，其故主則厲堅孫、項至大。餘皆江之屬縣翠麓、湖口、萬安、德安、福興、彭澤、趙陳、瑞昌，其主周恕、胡榮、呂師山。則福州路同知者，與齊永年云。力作者，創茶磨四所，凡四十二盤于德化，莊曰義興。又墾田二千，肇爲五庵，宫之前三，曰東西、太平、與紫元，宫之後二，曰湧翠、穀峰。其始皆菅茅樸樕，衆所薪牧之囿，皆募人錢鎛銍斧而出，高蒔松杉柏茗皆摘實授子，畦而苗之，移置其地，下種薑芋藷茜，與水可塍稻者，皆令募人有之，其利不入公宫，以勸夫未至者。余聞之，肩輿歷至其所而觀焉。經始久者方五年，近者一歲，而木之布列岡阜，新者雖没草間，而生意茁然，久者已離立如人，將數萬本，其畦而未分，猶盈畝焉。篁篠則斬梢而不傷其鞭，畚故土，取諸他山，爲箇不可計，意者倍蓰乎。木筍已叢出其下，特未林耳。君登高邱，指宫林以相語曰：「聞之故老，之山始亦榛莽如是。百年木皆連抱，後人以資治基先民。今荒山可芟治者猶或數里，天假吾年，而爲之不置，可使盡闢。吾所材而用者，皆宫，亦吾于世生不虚也。」余曰：「嗚呼，君之所言，正古人所謂人棄我取，本富之要也。迹是爲心，何事不可爲，何功不可集，宜人之動盪鼓舞，割所愛惟懼施入之後。不然，彼其家田民，賴以食其力者也，將以尺帛斗米遺之，猶戀嫪移時，呴呴然收恩而後以授，况是連阡亘陌，非有動其心者能然耶！」余惟久此，又聞其將大衆之法，道流非有故，不入田民家，民之入錢取薪炭山者，皆給之券，恒遣力人持梃行邏林間，盜采者有罰。錢穀出入井井有稽，舂磨之細，不遺糠籺，公宫大庖，日炊米十斛，可食千人，其徒皆就食公堂，來必道服以示不褻。職宫事者各有子院，有釜鬲不作飲食，待煮茗頮水之須。其僮奴之守舍，與諸菴遠在數里者，爲飲食皆日賦之，子院不得設塑像，旦夕惟即瞻禮于宮。余問其然，則曰：「子院强則公宮弱，强日益富，則公宮日益不足，不足勢必下求子院，一則應，再而緩，三則柔者德之以色，剛者拒之以言，上下之情寖以離矣。不若同甘共苦，以公宮所廩養之，爲可恒也。」嗚呼，他道流能遠計若是乎。嘗與一二知己私竊評之，白鬚蝟磔有熊豹之姿，已見其力足任事，加以深沈有謀，寡言而信，威而和，誠而恪，視數百人黄童白叟，約束如一，使不爲老子法，用世而爲將帥，可以進退三軍，立勳萬里。今顧爲九江黄冠師，枯槁山林，已是也耶。因叙田及此。君名德潤，字季玉，號香澗。其左右君，靡朝以夕，盡其勞勩，忠于其宮，同成功者中外四十九人，紀諸殿碑可考而知。嘗觀漢費鳳、韓仁諸碑，書多不滿石，或三之一，或半焉，而空其後，豈待夫嗣有所書耶？故余例之，亦法古之一也。

〔一〕其日始田履畝纔及三千：曰，叢書集成初編本無。　〔二〕若合其舊爲一而言：叢書集成初編本在「若」前有「曰」字。

儲宫賜龍興寺永業田記

史稱後漢孝明永平中，由夢金人，遣博士遵，自乾竺求迎其法至函夏。或又曰：在先漢孝武世，驃騎將軍霍去病過焉祁山，得休屠王祭天金人，則後世範金像佛者，實其遺法。至唐藩鎮趙王鎔，爲大悲像于龍興寺，具千手目，高七丈三尺，以語其大。九圍之間，無有與京，爲閣三重五霤覆之。歷宋而金，補壞爲完，易舊而新者，四百年。元貞始元端月八日午時，儲皇猶未出閤，金剛上師丹巴，開長生講，修番漢二疏，領講主明公、住公、僧判迭凡巴求主等之功德。皇上立極，既正元良，明年至大之元，辰在戊申四月十有五日，乃爲下令，割真定屬縣獲鹿隸震宫石同北魏劉三郚，與官院營之田五千畝，賜爲永業，資開講席。又舉太祖、太宗、世祖、成宗四聖成訓，凡僧道伊囉勒琨以名與國祈天永命，門徭田税既屢蠲復，申飭兵民之官驛傳之，使諸郡之臣，自今水輪廐馬在野之墅在城之肆，是所業無敢干騷祝髮之徒，或恃有此肆爲不度，罔知所畏者，則入畏矣。明年三月，俾翰林學士、承旨姚燧爲文，刻之石。燧亦嘗思，惟昔儒臣于佛氏書臻藴奧，凡爲寺碑必能概舉備言其法，燧性顓蒙，于周、孔書，童而習之，白首不知其源。矧于佛書，未嘗一望其塗涯，豈敢妄謂曰知，然以壓于儲皇之命，不敢禮辭，故惟即夫賜田以言。蓋民恃粒食以生，彼學佛者苟無田自業，勢必見求之人，積日而月，月而歲，民自有仰事俯畜其家，且歲或豐凶，亦安能哀其所有，久應其無已之求，此諸山無田之歎，所由以聚散不恒也。今有賜田盈五千畝，率以夏秋入止一石，當爲穀五千。姑大其耗，糠粃四之，猶得精鑿三千，日人賦升，可食八百人。以一宫居而八百人者，交無身口之累，夫誰力哉？其不開講席演法言，與國祈天永命者，又將何爲？雖然，猶有阱民者存，不可不預言之。蓋由溝洫畎澮之制，廢天下無有畔之田，必與民犬牙相錯，末世衰風，讓畔其誰。古之人防其訟也，既明券契，且書所由，質劑于官，以待異日，可恃爲徵。如是，又私于界表石以識。又虞可轉，或十百步椓杙地中，穴實石粉，計亦周矣，而猶不能弭人之爭。矧是賜也，東西南北，必畔民田，祝髮之徒，將奔走服勢，錢鎛未耨，務盡地力，以供歲事。或如奕人布施于局，稍蠶食之，利其寸尺之畔，而盜侵以耕，挑釁交惡，怙勢力取，則民將奮起而致死以訟矣。今文之終戒者，豈在是歟？其年夏五記。（以上《牧庵集》卷九）

宣慰都司郭君實持眉歙研相壽僕以端研報之渠後遺姬令伯陽

端爲州，濱海浦。孕奇石，研資取。雖器也，視爲主。彼其子，腹枵窶。求一辭，痞不吐。第塵棄，瓦甓伍。中道歸，伯陽父。遷喬木，鶯其羽。之賢胸，蟠三五。出言章，氣風雨。述聖哲，誅姦窳。其爲價，琮琛琥。資山石，非速腐。後視今，今猶古。讀吾銘，孰敢侮。

劉無競歙石研銘

黟歙之產石則實，黃金爲聲蒼璧質。德先如是疇可匹，無競惟人士之吉。銘以發幽友燧述。

簡儀銘

舊儀昆侖，六合包外。經緯縱横，天常斜帶。三辰内旋，黄赤道交。其中四游，俯仰鈞簫。凡今改爲，皆析而異。取其疏明，無窒於眎。四游兩軸，二極是當。南軸下貫，赤道天常。天常不摇，則乾安靜。上鏤百刻，及時初正。赤道上載，周列經星。三百六十，五度奇贏。紫微安加，北極攸戴。穹然突出，狀同倚蓋。别置立運，下履地平。錯勒于隅，十二子名。五環挈周，丈有八尺。紫微等之，三旋在一。六環之安，三負衡旋。衡綴闚距，隨捩流遷。欲知出地，究兹立運。去極幾何，即游是問。赤道重衡，四弦末張。上紘北軸，移影相望。筴日用一，推星兼二。定距入宿，兩候齊眎。巍巍其高，漠漠其遙。蕩蕩其大，赫赫其昭。孰曰無形，而兼賾考。明乎制器，運掌有道。法簡而中，用密不窮。歷較古陳，未與侔工。猗歟皇元，發帝之藴。畀厥羲和，萬世其訓。

釜儀銘

不可體形，莫天大也。無競維人，仰釜載也。六尺爲深，廣自倍也。兼深廣倍，挈釜兑也。環鑿爲沼，準以溉也。辨方正位，曰子卦也。衡縮度中，平斜再也。斜起南極，平釜鐓也。小大必周，入地晝也。始周寖斷，寖極外也。極入地深，四十太也。北九十一，赤道齗也。列刻五十，六時配也。衡竿加卦，巽坤内也。以負縮竿，子午對也。首旋機板，竅納芥也。上下懸直，與鐓會也。視日漏光，何度在也。暘谷朝賓，夕餞昧也。寒暑發斂，驗進退也。薄蝕終起，鑒生殺也。以避赫曦，奪目害也。南北之偏，亦可槩也。極淺十七，林邑介也。黄道夏高，人所戴也。夏永冬短，猶小差也。深五十奇，鐵勒塞也。黄道寖平，冬晝晦也。夏則不暮，永短最也。安渾宣夜，昕穹蓋也。六天之書，言殊話也。一儀之揆，孰善悖也。以指爲告，無煩喙也。闇資以明，疑者沛也。智者是之，膠者怪也。古今巧歷，不億輩也。非讓不爲，思不逮也。將闚天聯，造物愛也。其有俟然，昭聖代也。泰山礪兮，河如帶也。黄金不磨，悠久賴也。鬼神禁訶，勿銘壞也。

太史院靈臺鐘銘

靈臺設簴嵬以尊，懸間大吕非其帬。摯曠善鼓手自煩，宫商良諧等釜盆。請勿以聲以功論，一日之中兩昕昏。二十四鳴有度存，九圍一圚折柳樊。黔首時作時饔飧，日月如是相告敦。三辰聽命循軌垣，四序不忒迭寒暄。萬物生翕盈乾坤，何獨治歷逌此源？凝熙帝績高羲軒，積世而運會而元。吉金之舌慎莫捫，輟響誰其代天言？

大朝元宮鐘銘

吾聞儲祥千石之鐘，離世蕩訌，不脛而趨朝元之宮。器碩而聲洪，震百里而千層穹。千柱之下，侯叟侯童。萬指攸藥，旦旭而昬蒙。其出其作，其偃其饑。必告而使之齊同。尚其微功從可卜斯道之污隆。方昔污也，金函索索以灰滅，故噎希聲而爲聾。及其隆也，玉書幡幡而天出，則播大音而爲聰。矧善藏用乎中，不擇棄人皂隸王公。手以問之，喙應無窮，如槖之鼓風。我書魚蟲，畀之鏤工。期萬斯年，與之宮兮相終。（以上《牧庵集》卷三七）

無名人真贊

古之遺直，今見髣髴。何其百年，凜有生意？緬懷用世，愈益可畏。宜使羣公，笑言寬味。烜赫大名，其所被衣。世百年千，其有可既也耶。

太傅楚公像贊

盈常之躬，碩大而豐，氣肅而神充。自非降嵩與三光之鍾，能生上材之偉雄。（以上《牧庵集》卷一七）

先聖像贊

趙集賢孟頫所貌。大德二年二月甲申，後學姚燧爲李侯肅政新齋元讓盥手再拜以贊。

憂世之志，固見於不遑寧居。樂天之心，當求之恭安而舒。從大夫之後而舍車，弟子三千踽踽而獨趨，其相失鄭東門之初乎？雞鳴爲善，猶舜之徒。耳順之年，對越是圖。窮朝以晡，誦其詩，讀其書于是新齋者，其願學孔子之徒歟。（清文淵閣四庫全書本《天下同文集》卷二八）

太華真隱褚君傳

雲臺真隱褚君，幼業儒，長而遭時艱，求所以託焉而逃者，寄跡老子法中。受學劉真常，栖遲不在城邑，多名山中，如保之葛洪、琅邪之七峰、應之嶽神，無常居焉。後由真常主華陰之雲臺宮，始從之西。真常逝而徙上方，留弟子主雲臺。雲臺華嶽也，爲山益奇，上方又天下之絶險。自北望之，石壁切雲霄，峻峭正矗，非恃鐵絙，不得緣墜上下。又不知鐵絙成於何代何人？意者古能險之聖也。將至其顛，下臨窰谷，深數里，盲煙幕翳其中，非神完氣勁，鮮不視眩而魄震。君負食上下自給，如由室適奧，嬉然不爲艱。薄寒，則上下負食益勤，爲禦冬備。一歲，偶未集，冰雪塞山門，計廩纔得當冬之半，始服氣減食爲胎息，遠則數日一炊。明年，山門開，弟子往哭求其尸，見步履話言，不衰他時，方神其爲非庸人同。下山，止之曰：「不可復有往也已。設向師食不繼，僵死冰雪，弟子雖有喙，何説自白其能孝於天下，必勿復往也已。」君難逆其請，指牛心谷曰：「此漢太尉楊公震授徒之槐市也。」或聞而稽，疑其傅止，得公常教授，胡不見其居華陰者，不識君何據曰然。谷南直中方，入行二里許，深林奇石，泉濺濺鳴其下。墾地盈畝，構室延袤不足尋丈，環蒔佳花美箭。人之來者，始則愛其蕭爽，不自知置身塵埃之外。居不昃晷，既已欠伸弛然，而思去矣。君又屏弟子獨居。或勸宜留一人自佐，曰：「吾居此樂，彼居此戚，所安先不同，猶彊而留之，能施期月之外，要終相棄去。吾故與之爲約，非春糧采薪不至，絶而繼，具而去，亦古之君子以人望人不竭忠也。」其出山還雲臺，必以水冰，無所仰飲。十月爲候，二月還谷。性嗜讀書，逾熟左氏博議。日食數龠，飲酒未醺而止，不盡醉也。人家得名酒，爭攜餉之。至則沉罌泉中，時依林坐石，引瓢獨酌。日入，則入室而休。或坐罷寢覺，起行庭中。一夕，如聞林間行聲戛戛，君則曰：「獸也。雖不得其名，可試而知。」引石投之曰：「麇鹿哉，將驚而奔；或止而不去者，虎耳。」果止聽不去。明旦，視樊垣外虎跡縱橫。再夜，起行如前夕，不以自戒而止。聞而談者，神明之。亦有他士樵人獵夫之適山，初未聞君爲孰何人，賷之具炊，寢則假榻，甚者易而訴之。隨之益勤以安，無難色忿言其外，若職宜然者。去，或問姓名，惟他語，不告。終問之，則曰：「吾求人知耶？必求人知，而求若知耶？吾居此，在人所不問，而吾所不告也。」人見其苦身不近人情如是。然不違俗，上自王公，而下及臺皁，爭以一際顔色爲快。燧亦嘗再造廬焉，告以人間聲利，泛如秋風之過耳，噤不酬應。叩之山間爲樂何如，必盡舉平生所見好石幽樹，佳泉危棧，亹亹忘罷。若幸夫人之一往，而我能先之者。相送以出，覺胸臆塵鄙，如雪之見晛，消釋無留餘者數日，益信夫遊方之外，有恬愉靜退之士如君者，罕類例求也。君名志通，字伯達。名聞天聰，俾禱有應，不爲沴，賜號佑德真人，提點嶽祠灝靈宫。又以嶽祠風雨將騫，内出鈔萬八千緡，爲完葺，費三千，易敝而新，飾湫爲鞏，過者改觀，始知有應務之才，特韜之耳。年八十，得益深，聞益彰，聖皇思見益急。當歲己卯，至元十六年，詔中使起之。北面受命，稽首曰：「草莽之臣通也自知審矣。疇昔壯也，言不足以資廊廟擇，力不足以彊禦侮。今老矣，先狗馬填壑晨夕，至蒙冒龍光，力疾以行，終不達，恐傷陛下仁及草木之化，是以昧死請。」中使竟虛車而返。今李大參公號知君深，且樂誦人善者，戒燧傳之，無俾不聞於今，而泯於後焉。公名德輝，字仲實。前北京等路行中書省，今以中奉大夫出相安西府云。(《牧庵集》卷三〇)

全元文卷三〇八

姚　燧　一〇

烈婦胡氏傳

劉平妻胡氏，濱州渤海縣秦臺鄉田家子。至元庚午，平挈胡洎二子南戍棗陽，垂至宿沙河岸。夜半有虎突來咥平左臑，曳之而去。胡即抽刀前追，可十許步及之，徑刺虎，劃腸而出，斃焉。趣呼夫猶生，曰：「可忍死去此，若他虎復來，奈何？」委裝車，遂扶傷攜幼涉水而西。黎明及季陽堡，訴于戍長趙侯，爲救藥之。軍中聚觀，哀平之不幸，咤胡之勇烈也。信宿，平以傷死，趙移其事上聞，得復役終身。嘻，胡柔懦婦人也，非不懼□之殘酷，正以援夫之氣激于衷，知有夫而不知有虎也。平雖死，其志烈矣。方之太山號婦何壯毅哉！（清康熙《古今圖書集成》之《明倫彙編·閨媛典》卷三四五《閨奇部》）

金同知沁南軍節度使事楊公傳

金之季年，天兵滋張，庭臣專謀一力惴惴，以不卒保河外爲懼。捷河之北綿地數千里，信敵牧蒐，其中不敢認寸尺爲己舊時則有。若滄海、河間、恒山、遼陽、易水、平陽、東莒、晉陽、上黨九公，集創殘餓羸之餘，收其魂魄，化悖爲果，出而用之，或一二年，或四三年，七公竟無事效，相繼亡敗。恒山聲言入援，蹴踖不敢近京師，形涉擁衆自衛。獨上黨不首鼠謀去就，提孤軍鬭府馬武，根窟潞、澤、沁、輝、懷、孟、衛七州，之心終始北捍者十二年，最名純臣。戲下激義多節，死聲跡著者襄垣、銅鞮。襄垣懸府五百里，軥鞮、襄垣又百里。府控十餘壁，皆阻山爲守，獨襄垣居易地，受敵西北東三道之鋒。府議非得綿上招撫使顯守不可牢，即版顯移綿衆往。始顯部將有楊公者，與顯同里，用武略聞。顯戰每求副往，連以勞得官。至是，從守襄垣，籍其部衆纔一旅，合縣民得千人。敵嫌梗己，未嘗涉旬月不一至，公開門延之，晝止其驅，夜斫其營，凡戰禦事，朝荷夕集，不以勞顯，若此者五年。其後塹夷城穿如盞室，石積其下者四望各盡一射，人心轉一，不綫髮搖，敵以爲難，稍引不逼。會從顯從上黨公再復潞州，皆再有勞。詔進顯銀青榮祿大夫、沁州節度使、元帥左都監行元帥府事。公懷遠大將軍、同知沁南軍節度使事。時縣官調用特怯其待，戰勞一賚，以官地多入敵，懷數告身無所上，槩遥領，故仍治襄垣。公一日請顯曰：「以今形勢，襄垣今年跌，明年保無馬武，願分部曲百人立軥鞮，以緩兵衝。」顯允以便，版公以前官行鞫鞮令。公至治栅北磧，處艱危中且期年，聲呼牒招，山逋谷竄，稍出集附。敵悉衆攻。公行夜至隘樓，褫衣止宿其上，中敵偵刺未殊，猶張空拳搏數人以僨。顯聞哭曰：「鎩吾翼矣。」明年，顯死。又明年，上黨公釋師，養安京城，一實公言。公代人。諱閏。少孤，鞠於姊之夫禹家，即今榮禄顯也。始顯以募兵戍郡，遷戍潞，改孟。戰有勞，調臨洮司録。臨洮尤深地。戰又有勞，遷招撫綿上，取上黨節度，公一從行。死事之年生二十有九，後如干年，子仁風謂燧宜傳，庶他日職館者得涉筆以承金史之漏云。仁風歷懷、邢、洛三治中，有善政。（元蘇天爵《元文類》卷六九）

中書左丞李忠宣公行狀

公諱德輝，字仲實。世居通之潞縣。曾祖某，祖全，再世不仕。考樸，尚書吏部主事。妣宗夫人。三子長德英，次德芬，季公。吏部君生三十九年，且卒，指公謂宗夫人曰：「吾爲吏治獄，不任悍鷙刻削，人蒙吾力，脱罪罟，齒平民者衆。天或報施善人，是兒其大吾門者，勿憂貧且賤。」公方五歲，哭之如成人。家纔儲五升菽，夫人春蓬稗爲糧，芼藜莧爲葅，活之荒歲。既就外傅，嗜讀書。束於貧，無以自資，輟業。十六，監酒豐州。禄食先足旨甘，有餘，則市筆札録書，夜誦不休。夫人以過耽苦，慮傷其孱薄也，爲滅燭止之。已乃厭糟麴，歎曰：「志士顧安此也耶？仕不足以匡君福民，隱不足以歡親善身，兩間之間，人壽幾何？烏可無或有聞，死同腐草木也。」絶少年輩不游，召其所親與，率一時名公碩儒。歲丁未，用故太傅劉文貞公秉忠薦，徵至潛藩，俾侍今皇太子講讀。薦故翰林待讀學士竇默，故宣撫司參議智迂賢，皆就徵。癸丑，先朝封周親，割京兆隸潛藩。擇庭臣可理賦者，使調軍食，實出公從宜使，辟故真州總管高逸民自佐。時汪忠烈公始宿兵利州，扼四川衿喉，規進取，數萬之師，仰哺於公。乃募民入粟綿竹散幣集之，或給鹽券，使歸京兆受直。陸輓興元，水漕嘉陵，一年而錢粟充棟於軍中。宋臣余玠議棄平土，即雲頂，運山大獲，得漢白帝釣魚青居，苦竹築壘，移成都、蓬、閬、洋、夔、合、順慶、隆慶八府州治其上，號爲八柱，不戰而自守矣。蹙蜀之本，實張於斯。丁巳，深峻用事臣，大集關西河南諸臣八計局，以中嘗爲潛藩用者，文致多方，於公獨無絲髮得。己未，從南征，至鄂，留後行營。庚申，以爲南京經略使。再月，又以爲北京宣慰使。其年，皇帝即位，中統改元。五月，又以爲燕京宣撫使。燕多劇賊，造私幣，雜真行民間，陰結死友，相誓復仇怨殺人，公悉捕誅之。雖中書開府在燕，令行禁止，多不上白，由是忤時相意，以誣去位。從北征還，守北山諸關。三年，惡己相反誅，以爲山西宣慰使。罷權勢之籍民爲奴，免而良者，將千人。至元改元，罷宣慰司，授公嘉議大夫、太原路總管、兼府尹。至是潛藩故臣相，無有出爲二千石吏者。上以太原難治，故留居此。會我先左丞公當分省遷調山西湖東世職守令，即遣諭旨，公拜稽首曰：「陛下以臣堪一縣，俾爲令，臣烏乎可擇？況以千里寄治，非材大，懼任使不稱，以傷陛下之明，敢薄之耶？」自爾愈益勤勵，崇學校以明人倫，表孝節以敢風俗，逐姦贓以剔民賊，裁婚葬俾師簡儉，敦耕桑以富生理之出，立社倉以虞水旱之歉，一權度以絶欺詐之攘，嚴鼓柝以警奇衺之覬。凡可與民漸摩仁義者，無弛不張，嘉禾瑞麥，六出其境。滿秩，左部差功最天下，右部考過，惟草竊盜不獲一人。五年，徵入爲右三部尚書。人有由訟財而失其兄子者，公曰：「何疑焉？叔殺之也。」深竟其獄。公所信厚及權貴，言可撼公者，莫不請求，保爲衣冠之族無有是也，皆漫不爲應，懸己俸爲賞購之。其家人果上變告，情狀呈露，言者慙服，叔竟以是病死。俄轉户部尚書，事無大小，必決之一日，書判煩劳，指爲之璽。七年，會上以蝗旱爲憂，俾錄山西、河東囚。行至懷仁，民有魏氏，發得木偶，持告其妻挾左道，厭勝謀殺，已經數獄，服詞皆具，自以爲不寃。公燭其誣，召鞫其妾，搒掠一加，服不移晷。蓋妬其女君，謂獨陷以是罪，可殺之也。即直其妻，而杖其夫之溺愛受欺，當妾死罪。觀者神之，或咨賞泣下。八年，授中奉大夫、參知北京，行尚書省事。九年，罷尚書省，以故官參知北京行中書省事。京南水歲泛溢至城下爲患，公築堤捍去。皇子安西王有土關中之明年，當十一年，奏求公輔己，以故官改安西王相。至則視瀕涇營牧故地，可得數千頃，起廬舍，疏溝澮其中，假牛種田具，賦予貧民二千家屯田。最一歲入，得粟麥石十萬，芻槁束百萬。公是來也，貧不能從妻子，留之京師，事或上聞，賜錢二千緡遺之。明年，詔以王相撫蜀。其年，重慶猶城守，東西川各開樞府，合兵數萬人圍之。公至成都，兩府爭遣使咨受兵食方略，公危語動之曰：「宋今既亡，重慶以巨擘之地，不降何歸？正以公輩利其剽殺，不得有子女，懼而不來耳。不然，他日兵未嘗戰。及招討畢某偕中使奉璽書來赦，最宜正言明告，嚴備止攻，以須其至。反購得軍吏杖之，爲僞得罪，懷之入降。水陸之師，雷鼓繼進，實堅其不下也。中使不喻詐計，竟以不奉明詔反命。如是者，皆公輩玩寇疆埸心迹之著白者。況復軍政不一，相訾紛紛，朝夕敗矣，豈能必成功爲哉？」兩府多致金帛子女爲謝曰：「戎捷與人，法令所不禁也。」公讓不受。出未至秦，瀘州畔而重慶圍果潰，再退守瀘州，十三年秋也。明年，詔以巴哈與公代爲西川副樞，公兼王相。大軍既發，公留成都供億。食纔支半月，賦粟繼之，官船不足，括商民船千艘，日夜督運。其年復瀘州。十五年，重慶之圍再合，踰月即下。紹興、南平、夔、施、思、播諸山壁水栅隨之皆下。而東樞府猶故將也。徽前與西川相觀望，致敗惡相屬，願獨軍圍合州。初公撫蜀，徑東川歸，以爲重慶帥閫受圍，必徵諸屬州兵，盡鋭拒守，合州宜虚，誠使諜人持書曉之，兵隨其後，亦制合一奇也。即出合俘繫順慶獄者，縱之，使歸語州將張珏，以天子威德遠布，宋室淪亡，三宫皆北，又頌聖量含宏，錄功忘過，能早自歸，必取將相與夏呂比。又爲書反覆禮義禍福，譬解其言，以爲均爲臣也，不親於其子孫，合之爲州，不大於宋之天下，子孫舉天下而歸我，其臣顧偃然負阻窮山，而曰吾忠於所事，不亦甚惑乎！昔也此州人不自爲謀求去就者，以國有主，寧死不欲身被不義之名，故爾得制其死命。主今亡，猶欲以是行之，則戲下以盜賊遇君，竊若首以徼福一旦，不難也。其説累數千百言。又約書言爲檄，刊木於山，浮板於江。珏未及報，而公還王邸。至是合遣李興、張郃十二人者，詗事成都，皆獲之。當斬，復爲書縱歸，使喻其將王立。其言如喻珏者，而益剴切。興至，立亦計夙與東府有深怨，懼誅。復興等導帥幹楊獬獲獵書，間至成都降。公從兵纔數百人赴之。東府害其來爭，有言：「前歲公爲書招珏，誠亦極矣，竟不見䆒，無功而還。今立珏牙校也，習狙詐不信人，特以計致公來，使與吾爭垂成之功，延命晷刻耳，未必定降。定降，公冒吾圍而來受，何物視我，必不汝進。」公曰：「前歲合以重慶存，故力可以同惡。今也孤絶，窮而來歸，亦其勢然。吾非攘若功者，誠懼汝憤其後服，誣以嘗抗蹕先朝，利其剽奪，快心於屠城也。吾爲國活此民，豈計汝嫌怒爲哉！」即單舸濟江，薄城下呼立出降，安集其民，而罷置其吏。立德之，輿金玉飾、少艾爲謝。公曰：「若以吾爲是來耶？吾無事乎此。其持往餽之東府。」合人自立而下，家繪事之。川蜀平，復以王相還邸。是年王薨，公感其受知深，而悼夫棄國之蚤也，哭之幾不能生。十七年，詔公與南省參政程某，即其地聽思播湖南所訟鎮遠王平田。會西南夷羅氏鬼國叛，别詔雲南、湖南、四川，合兵三萬人誅之。前茅及境矣，公曰：「蠻夷無親，爲俗吝貪。始由邊將撫之失策，積怨以叛。好事之臣，請加兵誅。旁諸小夷汹懼相擅，繼叛者必衆，恐非直三萬人能歲月平也。吾賴天子仁聖，馳一介之使招之，可坐俟其徠，豈必煩兵？」不及以聞，遣安珪止三道兵，張孝思諭鬼國降。其酋阿齊熟公名，問曰：「是活合李公耶？其人明信可恃。」即日受命，身至播州降，語且泣曰：「吾屬百萬人，非公惠活，寧鬭死不降。」事畢驛聞，上爲之開可，改鬼國爲順元路，以其弟阿哩爲宣撫使。其年王相府罷。十一月二十一日，始至黄平。是夜也，星如斗賫館垣外，公弗善也，歎曰：「他日嘗夢主烏江，今播水適名烏江，與是星，皆吾死徵也夫？吾嘗誦馬伏波『老當益壯』之言，而奇曹武惠爲將不殺，得今活羅鬼，馬革裹尸歸何憾！」二十七日卒。後七日，資政大夫、中書左丞、安西行中書省之命下，蠻夷望轜車爲位祭且哭者，動百千人。塗所經，男女空家咨嗟聚觀。使之安撫使立，衰絰率吏民迎哭，傾振山谷，爲發百人多，皆視爲己職當然，未嘗語人由我而然，以期見德。遇事謹敏，好謀善問，多不自用。及其末路，生木，殫匱民力者，中外所厭誦。凡人賢而有聞，滿調將東歸，必薦汲之王，陞秩留之。故關輔得士爲王相七年，及事先王五年，言必切切，臣職子道，請聞斯行，以絶事嫌，簡約侍衛，以裁浮費，無急土公共事累年，足跡獨不及吾門。以薄祿用奢爲言，願奉母錢百金交歡，令取子自益，卻之，亦不爲謝。也。」故自入官，非素所往來，有相答報者，未嘗恃形勢取一錢直餽。再爲尚書，權臣力能生殺人，恥之，無負矣。吾貴而薄功，又可富而厚享耶？不思而兩有之，神不福人。幸以是，人曰我貧，吾利器百緡，止留其服物，餘悉分之親戚賓客，一日而盡。人問之，則曰：「曩吾家多責券，縣官憐而賜償無校言復意。自奉甚薄，有積則施之，不爲子孫他日計。西川副樞，上嘗賜以玉帶、錦衣、錢二千五檢姦慝，奮發忿急，不能容其過。然亦不能留怨惡於胸中，雖舊欲擠己入不測淵者，事已輒忘之，略與人交，誠易炳白，不張城市機阱。不面爲許，退與他人語，必諄諄暴其人所長，而韜其不及。至繩大耀於時，每分吾有，不至以寡乏見告。其盡禮姊氏，不以語人，人知爲姑若從母，不以爲兄弟也。宗亨有小過，對衆奮杖撻之，不少惜。公若何而歡奉，使未嘗有厲色遽言，其亦能子哉！二兄既位不赦拉頦也。女二人：長適嘉議大夫、禮部尚書劉秉恕；幼在室。嘗槩公平居，以先夫人剛嚴，其弟「可。」薨年六十二。夫人胡氏，前公卒。今夫人某氏。子一人，嘉議大夫、安西路總管，兼府尹諸軍書王相府事博囉，賻錢五百緡具奠。明年，僉播州安撫司事何彦，抗章請即州治之東爲廟，制曰：護喪達興元。上聞而悼之，贈光祿大夫、中書右丞，謚忠宣公。賜錢二千緡具葬。先妃嗣王遣前僉人之心愈切，取信蠻夷，聞其諭招，椎結荷旃，竭蹶慕義，三道之兵，爲之抑首。思徼利於萬里，羞成功於一介。賁星烏江，馬革包柩；斬木通道，舁歸要荒。抑嘗觀今中統以來，將相臣死，率於其家。天下之情，稱其平生所爲，功高者惜，德大者思，不過如是而極，然未有若公逢掖死事，爲世所壯者也。嗚呼賢哉！又嘗觀古君臣莫難于合，尤莫難于信。蓋合或可伺所欲以中，而信則必不可襲取于一時。自公始侍潛藩聖皇，非遽貴之地，亦嘗身接之，面訓之，指受之。親以細微，觀其敬忽，置之糾紛，試其理解，讋以雷霆，察其變常，納之汙濁，驗其潔白，既久而後知遇也。其後三十三年之中，或使或牧，或從或留，或相或傅諸侯王，或將，凡賞勳勞，優耆舊，可以勸人臣者，公皆與爲之。至商論羣臣能否，于公不曰清，則曰剛，或曰不欺，不見有貶于聖訓。用未盡，年未耄，人猶未足其悲。受任于已試，知遇于既久，可與疇咨海内者，將不知誰在也？嗚呼悲哉！後三年，頍彙進遺事求狀公行，燧亦荷公知，且久遊其門，又與頍嘗同受學，義不得以不文爲讓，姑爲論次如此。（《牧庵集》卷三〇）

希真先生祠碑

王氏自其大父義，年四十生棄其父定。定四十一亦生棄君。與君凡再世爲男官。始李冲虛居丹陽菴，後以奉金主元辰京官朝。朔望祝釐，隘陋。縣官易殿廡爲雄麗，賜額丹陽觀。君年十七，從冲虛學者。十九年，師卒。初即汴藁藏，後遷之其鄉德興龍陽觀，塋居三年，還汴，再居丹陽觀。汴人敬之如見其師，四方賢士大夫假館其廬，無有虚月，雖其徒厭譏不卹也，視其尤寒窘者，或質衣爲具歸之。其施如此，其入也殊有擇。初，汴受兵，有富人將逃亂，藏金二穴。去後數年來訪，張人觀聽，即詐喪服，若發埋骨者。兆緒將見，謾謂役夫，可市取祭物，僅探得一穴，恐禍己，不暇及其餘也。約公取之而歸我其半，指藏所去，去而其主死。竟君死，未嘗語人，無有知其處者。與之期事，雖風雨寒暑未嘗爽言。于孺子問以前朝勳戚大家事，其言亹亹，能傾究其隆赫衰摧之由，聽者忘倦，皆可筆之野史。亦知爲詩，精于賞識，裝褫書畫，蓋與其師及從翰苑諸公遊故，聞見獨不囿于道流之狹也。年八十五，至元十三年十二月十三日無疾而終。前終二年爲塋曹門外，表之以碑，凡夙與其師相友，與非其師之友嘗名價重一時者，皆具棺衾移葬其中。又各傳其鄉里、世次、年壽爲誌，以別墓。至是，其同門友王道祐及其弟子張某者，葬之新塋，從顧言也。後七年，族姪埭自汴至長安，無他營求，惟誦君夙昔之賢，曰：「是埭所善也。且其爲人亦公所詳，宜銘其祠。」燧曰：「王君賢也。王君方外人，無形勢可藉以動人，子徒以故舊而不忘之，爲計其久遠，子亦賢也。」君諱道清，字正之，河中臨晉人，賜號希真純素大師。銘曰：

謂爲不壽耶，年幾九十，而人誰與夷？謂爲壽也耶，享止其身，而後者嗟誰由？尊其所聞而不疑，行之曰：「君所安，我又何悲哉！」噫！從享其師，表祠有碑。平昔之善，載筆于斯。尚俾來者，可考而知。

資善大夫中書左丞贈銀青榮禄大夫平章政事謚武愍公李公家廟碑

燧嘗觀人臣私廟之祭，易乎古而難于今。三代不論也，漢之時，功臣侯者，土地人民傳及子孫，故嗣侯得以致隆數于其祖考，世世無有所殺。後封功臣，皆虚邑，無有土地人民子孫，或官卑力微，往往不能爲廟。《記》曰：「父爲大夫，子爲士，葬以大夫祭以士。」祭既用生者之禄，勢有必不能致隆者。姑借先宋氏言之，如文潞公作廟洛西，其先未嘗將相，顧受祭將相，潞國嘗將相者，其子及甫惟得祭以大夫禄，是于不爲將相者致隆，其真爲將相者復加殺也。如斯者幾何人哉，惟呂正獻惠穆于文靖、范忠宣恭獻于文正，世其將相者，史册二百年間纔一二見，事亦曠世希有者也。然自中元以來，漢人父子繼相者，故丞相史忠武公與今資善大夫、中書左丞、贈銀青榮禄大夫、平章政事謚武愍公二家，重輝襲芳，震耀一時，豈獨爲之子者，信敬于昭昭，厥考亦足以慰靈于冥冥矣。惟李氏家隴西成紀者，實秦將信諸孫。漢至六朝，門閥甚峻，惟與崔、盧、鄭世姻，不連他族。唐季王西夏甚盛彊，雖宋、金嘗加兵，終莫能服，我太祖始平之。其宗有守某某城者，獨戰死不下，子惟忠尚少，求從父死，爲今分土淄州諸侯王所得，于公爲考，後以金符監淄州。有子十三人，公次居四，王妃愛其穎異，嘗子之。在先朝故事：凡諸侯王各以其府一官，入參決尚書事，公代其兄爲之。李璮爲逆，有迹淄州，君獨從公馳聞，瓊繫闔門獄中。瓊誅得出，上盡賜償所亡失，授公淄萊路奧魯總管，後改宣威將軍、益都淄萊路新軍萬户。與城夾寨，圍呂文煥襄陽，四年而下之，加明威將軍，虎符。丞相布延南征，宋兵戍郢十萬城西，郢鎖戰艦，絶隘爲陣，我舟不可越，乃渠黄灣，拖舟泛藤湖以出唐港，棄郢去。留公後拒，敗其追兵，行拔新城。沙洋下，復破夏貴陽邏口，下鄂漢陽。從故丞相阿里，公時以左丞戰荆口，禽高世傑，下岳，進沅沙市，下荆南，傳檄歸、峽、辰、沅、靖、澧、常德諸州，皆下之。又從鎮常德，左丞狥地湖南，丞相兵及浙西，以地遠援踈，詔公與宋都統張茂實、呂師夔闢都元帥府江右，公爲左副都元帥，破劉槃軍，下隆興，擒熊飛，建、昌、撫、瑞、吉、贛與廣、閩諸州皆下。會宋幼主出降，其將相陳宜中、張世傑挾益王昰、衛王昺，浮海趨福，立益王元以景炎，閩、廣諸州應者十五郡縣，豪傑亦爭起兵。公出定反地，大破吳浚軍十萬南豐，浚走如張文虎，復合兵十萬，又破之兜港，伏尸三十里。浚走，合其相文天祥瑞金，又大破之。天祥走，據汀，別將孔遵窮追，併破趙孟濳軍，復其州而還。龍興守帥覬利鉅室，罪以陰與賊連，已誅夷百三十家，公還，白其非辜，出其未盡誅者獄中。帥府改宣慰司，加昭勇大將軍、同知江西宣慰司事，尋加鎮國上將軍、福建宣慰使，又改江西宣慰使。天祥復陷汀州，收兵出興國，又擊走之，追四百里及之空坑，散降其衆二十餘萬，禽趙時賞以下文武將吏數百人。拜參知政事、行中書省江西。益王殂，廟以端宗。世傑復立衛王元以祥興，移柵海中崖山，近去廣治四百里。授蒙古漢軍都元帥，經略廣東，進復梅、循、英德與廣之清遠，走王道夫擊凌震海上，獲船三百艘，禽將吏宋邁以下二百人。又破其餘軍茭塘。江淮省亦遣都元帥張宏範至自彰，與共圍崖山。勢計窮蹙，度不能國，資政陸秀夫抱衛王蹈海死，獲其金璽。其將吏死焚溺者十萬餘人，翟國秀、凌震皆降，世傑遁去，風壞舟，死海陵港。南海平，朝京師，上勞苦之，賜宴。其將佐之有功陞者千，授資善大夫、中書左丞，移省荆湖。凡虜民男女奴鬻之者，皆罪而正之。常德、辰、澧、沅、靖五州大荒，民至易子以糴，爲發廩賑之，所活爲口亡慮十萬計。征占城，詔使給糧仗，造舟海南，取得其宜，黎儋之民勸趨之，疾還。詔從皇子鎮南王征交趾，敗其兵天長府，其王遂舉國航海，將舟師追之，敗諸洋中，獲海艦三百。始公策城天長，儲穀待賊，敚衆議不果，盛夏軍士疾作，漲潦冒營，遽議旋軍，賊躡敗吾後拒，王以公殿。賊閉永平關，傅藥弩矢，射公貫膝，負瘡敚關出，竟以毒發薨思明州，年止五十。最其平生小大百戰，下城邑百有五十，爲户三百萬。嗚呼，其亦勤已。後薨七年，而贈官賜謚封公之命始下，玉音仁煦，恩重書棺，人臣獲此哀榮極矣。公雖不可作已，安知其不骨肉九原耶。公諱恒，字德卿，自號長白，篤孝純至。淄州君卒，方擊兩王閩、廣，淄州君顧言：「我死必無訃吾兒，使會喪縱敵。」南海平，始克銜哀，摧動屢絶。且薨，謂所從曰：「爲我語舅弟妻子，吾不得以時喪先公，既抱恨以終天，今復棄養太夫人，而身先朝露于是遐夷，吾目不瞑下泉矣！其謹事之。」夫人王氏，視分土諸侯王之妃姑也，訃至，夫人秘不敢聞之姑，惟發哀私室。公則再見夢太夫人曰：「兒今死戰日南矣。」太夫人泣言：「吾再夢如是，豈誠然耶？」夫人始情告曰：「婦恐無以安吾姑氏心也，覆是久矣。」始位哭服喪。嗚呼，死而精魄猶惓惓其親，可哀也已，可哀也已！子二人：世安以監廣州，從朝京師，授新軍萬户、同知江西宣慰司事，再嗣公益都、淄萊本軍萬户，後以正議大夫仍將本軍，僉江西行中書省事，再陞中奉大夫、參知政事、行尚書省。江西尚書省罷，今以上官參知政事、行中書省，仍江西。嗚呼，六官而三踐公武，已可見其才之無羞子職者，自其既相，亦解兵。其弟世雄，以宣武將軍將之。乃作河洪之詩，使歌以祀公。其辭曰：

李氏之在，與水細大。河洪姑臧，有夏而王。越三百年，傳歷既長。極崇而墮，亦天之道。日月作矣，衆星匿曜。王孫始卑，徂東自西。淄水幽幽，東楚之流。曰位不豐，猶監一州。有蠢吾民，有梟吾土。吾力不能，天子肆汝。從父奔告，帝嘉乃心。寢向用公，廼涉潛沉。泱泱漢水，南紀所恃。乃地襄陽，金湯陛陛。公將萬夫，長圍四裸。而竟下之，岷江失藩。沿流列城，振落摧乾。至莫難一，文軌判裂。萬里收功，九重授策。維是武庚，狂志復殷。爵人號年，大蠢甌閩。終兄弟及，公膺奮擊。與鬬四年，崖山翦克。血其鱷鯢，南海無波。廄馬笥衣，其賚如何？帝曰：「汝烈，宜置左相。授兵而子，西護湖廣。」公拜稽首，天子萬年。帝德聖神，臣何力焉？湖廣聽命，壤三千里。陰翕陽施，賞刑自已。及兵占城，轉粟黎儋。歸佐皇子，致討日南。不測風洋，冒履而三。由淄而漢，由江而海。其涉日深，蜚聲日大。蕞爾南夷，曰尺箠笞。狃勝者衆，輕于出危。賊策我師，不能炎暑。雕弓綿綿，犀甲敗雨。避來弗迎，邀歸以爭。既奔先編，左廣亦傾。孰作士氣？公殿奮武。斬輻短兵，援枹鼓鼓。格鬬比死，冠纓不顛。裹轊馬革，踐迹文淵。維昔禡時，皂纛有翩。廼今旋歸，粉篆丹旃。兆寢悠悠，魂魄遼遠。致身移忠，惟孝其本。黼扆思之，錄其庸勞。寵幽上公，可謂曰遭。公亡不亡，公有良子。亦秉國鈞，實法實似。有嚴作廟，籩簋維時。神容與耶？去此奚之。維淄維漢，維江維海。其流或枯，廟主斯毁。何以麗牲？樂石峨峨。太史詩之，以侑以歌。（以上《牧庵集》卷一二）

全元文卷三〇九

姚燧 一一

袁氏先廟碑

嘗謂天下之人光顯其家者，由二道焉：一則曰積德有漸，二則曰成功有會。之二者不相資以始，則相須以終，如升也有階，而搆也有基，開也有門，而來也有塗，無有無所乘依而徑得者。且千金之子將運千金之資，猶不輕以相畀，必擇善賈可付而後授。況造物者儲靈奇之氣，賦經綸之才，假光濟之具，俾佐興太平之業，非求夫修仁潔行，善爲燾後之謀，没身百年，窮蹷不變，未享其報者之家，他子孫孰克當此哉！蓋袁氏由高王父而下，皆以諸生學修于其躬，道行于其家，化及于其鄉，不吏禄而本富于田者，四世一轍，而公受之始克大施于今。嗚呼，積德之難也如此夫，而成功之難也又如此夫！高王父諱亨，曾王父諱迪，王父諱企京，父諱鐸。公諱湘，字潤夫，位至延安路兵馬都總管。其功烈之備，年壽之至，子孫之麗，燧已最而叙之墓碑。其可以屢書者，今申言之曰：方天之訖金命也，提王公佐一節度之師，來歸吾元。拔之鋒鏑之下，而卧之衽席之上，脱民兵死，狥地鄜延，拓境千里。凡負險羣聚資人爲糧者，莫不投甲相率而至，去民盜死。治延之初，假之種牛，而授以耒耜，免民饑死。自燕市藥，負以百十馬牛，即城爲樓，居之致醫，司掌爲劑，其間有以疾來者，視所宜藥與餌，不求贏利，去民疫死。至今州民戴白者，道舊相語，猶泣然指城樓謂曰：「吾司命也。」昔漢朱邑爲桐鄉嗇夫，其惠止于未嘗笞辱人，且死，其子曰：「後世子孫奉嘗我，不如桐鄉民，必葬我桐鄉。」自今觀之，一鄉之政，非有夫千里之治也。嗇夫之貴，非有夫通侯之位也。不笞辱人，未嘗日拯民于死也。奉嘗者民，而非歆其子也。然魂魄猶徘徊戀嫪，不忘其土，無惑乎。公遂爲明神，以禍福斯民，歲時妥靈，享黍稷之馨，于其孝子之手也。廟在今延安屬縣膚施之東川，去府治十里外袁氏别墅，取延民之助祭之來之易也。其年至元十九年，其歲庚午。其子昭勇大將軍克忠，前隴右河西道提刑按察使。凡今廷臣之平章人物者，必曰：「袁昭勇和而嚴，不伐有功，賢而有文章，可倚以集事。」可謂能顯親，無間言于子責者矣。後之子若孫，惟無他求，其孝以是爲師。作迎送神樂章，俾歌以祀公。其辭曰：

延阪兮上下，延山崟崎兮，其童如赭。延水湍駛兮，不可以溉田。天早霜兮，又不宜于多稼。城巖邑兮無衍夷，公何爲兮安留斯？慕吾義兮懷吾仁，曰我延民兮，吾父母之。公逝兮再紀，民過其廟兮，其敬益起。延故老兮淪亡，其存今者兮，匪孫伊子。生者逃亂兮，奔公爲依。死者白骨兮，魂魄公歸。矧公後兮鼎昌，子奉嘗兮孫尸。華衣兮綷縩，金章兮玉帶，緫緫兮林林，來廟庭兮覲拜。歌鐘兮舞鼓，蘭烝兮桂糈，舍登數兮備儀。公飽德兮焉所，公何爲兮睨顰？曰哀繭絲兮，日窶吾民。曩者五袴之家兮，或今也無襦。吾又何心兮，獨樂乎余身？公子孫兮聞聳羣，民子孫兮感而繼泣。謂公逝兮幾年？猶闕有無兮于余一室。公明神兮若兹，苟有善兮將知。我祖父兮且毋公欺，我子孫兮可公鬼饑。子越兮父令，婦齟齬兮夫命。俗斁兮紊帶，公不刃誅兮，猶殺之以病。稼我田兮蠶吾桑，糗我腹兮完我衣裳。輸賦孔時兮，無後倉箱，無重俾公兮，一日增傷。（以上《牧庵集》卷一二）

岳氏宗塋之碑

天定生民，古有氏無姓，迨軒轅氏作姓始著。嘗稽岳姓，其來遠，蓋自陶唐命掌方岳，爲牧長，因揭岳以表其宗，即《禹貢》所謂別土姓也。世居相州湯陰縣，本支蕃衍，喬梓桂蘭，流蔭數千載。其間人材輩出，固有不待五百年名世，如景星慶雲快人先睹者，惟宋安撫公鵬舉。聲名忠孝，昭如日月。矧廟食江左，英風凜然猶在，雖陵谷海田有變遷，而名稱不朽者，騰青史之芳也。今德秀公克紹厥後，膺服祖父遺訓，熟知安撫公舉自劉韐，從高宗開封、河北，扈駕南渡，留妻養母。姚氏夫人後爲金所陷，密遣人十有八返，得請歸養。值弟婿齊河鄧氏家名傑，弗果從侍。生三子：孟名青，娶劉氏。仲名義，早卒。季名靜，娶王氏，皆隱德弗仕。青字仁叔，生四子：曰安、曰寧、曰全、曰政。寧即德秀，娶馮氏。少博學，從仕三爲令尹，德政四馳，秩增贛推刑，清訟簡宣。知武安郡，兒童騎竹，父老歌棠，撫字邦氓，襟度寬適，春煦海涵，雨暘時若，而賑惠克足，千里擊壤。繇是封親，贈判官。封母，贈恭人。妻亦贈恭人，榮矣哉！有子五人：福、禄、慶、壽、昌也。福在嫡長受蔭，餘皆彬彬成材，若徂徠松，新甫柏，挺楝梁奇氣，是其積德鍾秀，而人莫不以爲燕山竇禹鈞也。嗟乎！安撫公忠孝所感千百世，宜其宦譜昌盛。况德秀之生，去安撫公僅百年三世。今百九十有餘禩矣，子請述其事而誌之，使公之雲礽春秋祭掃馬鬣之封，聿念宗先，而興起者將衰衰公侯，永保弗替。詩不云乎「惟其有之，是以似之」。於是敬爲之銘曰：

岳氏先烈，忠孝是傳。本支百世，官譜綿延。衣冠詩禮，修德象賢。思親追遠，昭穆焕然。瞻彼佳城，永矢弗諼。（一九三三年《齊河縣志》卷三三）

開府儀同三司太尉太保太子太師中書右丞相史公先德碑

至大之元秋七月二十有八日，制曰：「丞相慶公之先，及事列聖，繼世忠謹者，既敕有司，既謚既封，非刻金石，終恐不能垂示悠久，其令翰林學士承旨臣燧，爲撰次之。」臣聞命兢惕，誠以不文，不能鋪張大君子盛烈，上負明詔。其冬，而其家乘始至自夏，故得反復究觀。公夏人，史姓。曾祖考持持理威，夏臣，贈同德濟難功臣，謚康穆。祖考拉吉爾威，宿衛太祖，贈服勤翊衛功臣，謚敬簡。考算智爾威，關弓馳馬，拳勇絶人，入侍世祖潛藩。歲癸丑，從平雲南諸國，以驍果聞。及歸行賞，賜馬五匹，鈔二千五百兩，價與銀埒。己未，又從濟江攻鄂，戰疾力。明年，帝正天位，從征叛王漠北，小大之戰十五，賜白金幣錦，以爲蒙古唐古軍民達爾噶齊。年七十八，終。贈推誠翊運功臣，謚忠宣。三世皆太師、儀同三司、上柱國。公祖考加開府。曾祖妣伊拉齊氏；祖妣蔡氏；妣烏納氏，夏王外孫，皆從封夏國夫人。七子，同出五人，公次居二，以奇塔特布濟克名行。自童幼，從忠宣出入世祖帷幄，天監灼其己克恭勤。至元丙寅，選侍裕宗于東宮，將二十年，敬畏益加，無少偕忒。逮順考生皇上儲皇，詔公保育鞠視之。每帝召見，則必左右兼抱之至前。方幼而學，詔教之經，以其嫡子額爾吉納侍讀，俟其遨嬉廢誦，輒撻其子以警之，故能終業。大會將畢，聚諸侯王讀太祖大訓，加丁寧告戒之，始遣就國。或皇上儲皇不在列，必邀致之，使與有聞出申飭曰：「是汝他日所宜爲者，其謹識之。必舉其辭，無庸怠忘。」徽仁裕聖皇后以善于薰陶翊贊也，責其四衛番直諸臣，事皆咨聞。大德二年，成宗詔皇上撫軍漠北，曰：「是昔大帝授朕者，今以付汝，且以輔導扈從。」壹是軍務，悉聽于公，宿衛諸將，皆父事之。至則訓練六軍，總裁法令。胥地所宜，可屯田者，必分耕之，以佐軍實。屠羊不湯其毛而皮之，與餫餽棄餘諸物皆集以市諸部，易皮爲裘，禦戰士冬。四年，以文移無印難杜罔欺，又身入聞，得裕宗信寶以歸。明年八月，寇大至，公教吾軍表紅衣于甲以自別，俾鬭不迷，大崩其羣。自是寇望紅衣軍，則退不戰。九年，皇上踰金山，公視軍士失馬徒者，空其羣散之，死則不責其償。十一年，成宗賓天，使至，皇上欲棄大軍入主居憂。公曰：「是使之來，惟以告哀。且彼事宜，難以遙度，須召赴使皇太后儲皇。」隨以削平内難見告，且促其來，即日假公平章政事。驛至大都，輦致金帛于北，爲朝集備。五月，皇上立極，真授榮祿大夫、中書平章政事。蓋公雖歷事世祖、裕、順、成三宗，其貴有位，則始乎今。踰月，儲皇入陳疇昔調護之勞，制亦曰：「非夫人之力，安及此！」加銀青，封慶國公；妻庫庫楞同封慶國夫人。七月，進儀同三司、太子太保。九月，加開府、太子太傅。明年，至大之元二月，拜中書左丞相，復以爲太子太保、加上柱國。四月，拜太保。六月，進太子太傅，再進太子太師。七月，加錄軍國重事。十一月，中書右丞相。十九易朔之間，凡九降制，人臣之位，至是極焉。又以其兄阿拉克布濟克、弟昂齊，皆榮祿大夫、司徒。兄兼都元帥，弟遥授平章政事。弟日爾塞，榮祿大夫使宣政院寧夏、甘肅。釋都，總統托羅岱管軍千户，蚤卒。他母亦烏納氏。二子：烏尼爾威、珠特爾威。男孫十有七人，達實和爾布，管軍萬户、虎符。倫圖爾威、塔海、諾海、都迪爾威、伊齊特穆爾。額爾吉納，年二十二，至漠北之明年，寇出金山南庫布哩，額爾吉納將左衛射士居顔行，當寇驍將，既接戰，刀槊兩不能施，手搏墮馬，斬其首。明日，皇上解御衣、所乘馬鞍勒爲賜，仍偶一良家女。寇夜襲他部輜重以遁，又將數百騎追敗而止還之。四年，又殄寇于昂吉爾圖，獲人畜財貨不可口匹貲算。又明年，寇舉國至，又戰于哈喇台，以數十騎出入其陳數四，所當披靡，莫之與敵。寇大駭，卻，皇上乘之，遂大潰，斬馘不可級計。十年，踰金山前茅獲俘萬餘人，斯皆效死于乘輿前，天目昭睹者。明年，寇平，第諸將功，膽略材武，推爲冠軍。立極之日，授資德大夫、同知樞密院事。六月，賜虎符，使太府院事唐古親軍都指揮使。七月，加特進，遥授中書左丞相，又進知樞密院事，又兼使典瑞院。至大之元五月，兼使仁虞院。十一月，拜御史大夫。哩日初事晉王，有謹敏稱。皇上至軍之。明年，大戰庫布哩，雖勝而寇退未遠，與晉軍合，而大官廪肉不足，則日餽二羊，又繼諸軍糧。其府又盡，則賦他部供億，後多其忠，從晉王求致左右。立極再月，授資善大夫、翰林學士承旨。十月，進榮祿大夫，遙授平章政事，行大宗正府伊克扎爾固齊。十二月，授卿典牧。至大之元二月，使尚服。五月，拜光祿大夫，遙授中書左丞相。七月，兼使將作院。爾祿，幼爲沙門。十一年，至軍中，賜御服帽帶，俾不祝髮。其年，官以正議大夫、僉宣政院事。女孫十八人：有從者十，曰戩伊特楚、曰按巴、曰哈達遜、曰斡斡、曰聶辰、曰世兼千户、曰聶爾布、曰吉連布、曰染齊、曰善布。男曾孫六人：額爾吉納威、玖哲爾威、布都爾威，宿衛乘輿，卓爾齊、阿嚕琿徹爾、濟勒爾威。女曾孫二人。臣嘗槩公父子有四德焉：一則曰保育聖躬；再則曰舊學；三則曰周旋軍中，十易寒暑，脩扞于艱；終則曰扶植皇極宏濟，登兹高明。一門之間，三爲丞相，無盛與儔人，奚間然。敢再拜稽首而銘之曰：

維史胄出，書焉有質。伊誰云從，則周史佚。踰二千載，餘慶茂蕃。推而上之，實一其原。嗟公之家，中土亦始。其來姑臧，不知其紀。可系而名，則由其曾。奕奕其繩，陞陞其登。祖衛聖武，左右興祚。龍咆虎號，風雲胥附。考事世皇，荷祋與戈。昉于南詔，爨僰壘摩。再從濟江，攻鄂東北。舞干梯衝，執訊雲壁。又偕度漠，冰雪峨峨。手瘃足皸，拳勇維何？固叛是求，凡十五戰。不搖疾飈，勁草乃見。歸以壽終，生子如公。帝灼其心，惟一效忠。式昭德音，選臣裕廟。其盡其職，其德其要。洞洞其信，屬屬其恭；介介其守，廓廓其容。皇上儲皇，既生順考。詔輔翼之，俾躬是保。及惰授經，撻子示懲。止其遨嬉，大訓服膺。其彌爲善，若是非一。臣鄰德將，疇與爲匹。成廟降制，俾從撫軍。朔方十年，日伺寇氛。晝横雕戈，夜衽龍盾。惟彼不至，至戰必遁。未踰金山，危巢是傾。竟令飛揚，不逭大刑。惟皇作極，言念大德。既贈祖考，公以夏國。美謚崇階，罔一或遺。父子丞相，百辟用師。尚服其衣，尚乘其馬。門户輝光，世無二者。爰詔史臣，樂石特書。賀蘭可磨，而銘始渝。

河内李氏先德碣

至大庚戌，郇王府長史，兼經歷典食司，與所部人匠都府官李惟恭，持其鄉士席雲漢狀其祖潤文玉使懷之利用庫日，民調商征之入，吏禄公須之出，不遺于受，不僭于發，如他人侵蠹以益其家，負而債償，罪没産者，皆無之。與人交以誠，御下以寬，禮賢樂善者，求表其阡。燧曰：「管庫之官，則古委吏，亦下士也。所可筆者，豈專由孫貴耶？」蓋郇王之考，初尚主世祖，再尚主裕宗。自稱晉王克用裔孫，爲置守冢數十户于雁門，禁民樵牧。由分地在高唐，即是進爵爲王，世居静安黑水之陽，爲廟以祠孔子。元貞始年，表賀聖節，獨書漢字，庶其尊禮斯文者。惟恭今臣其子，觀其所事者賢，若不可辭，矧有大此者。懷之爲州，憲宗大封同姓，初國世祖于秦，以户寡，益封之。至元之末，以封其孫順宗，既之國，未至，疾返。賜名懷寧，以王今聖，時方撫軍于北，皇太后、儲皇往居者二年，則懷爲三聖龍潛之地。《傳》曰：「小國之君，當大國之卿。」爲下士是邦者，當宜何哉？則君善職管庫者，有不必言矣。卒以大德乙巳三月十有八日。年六十七。垂絶，猶念惟恭不置，曰：「吾平昔鍾愛是孫，今遠宦數千里，不及聞吾顧言，可憾也哉！」妣王，後二年亦卒。二子：從鼎、從信。孫則惟恭其長，初由王府郎中羅忠國使懷，聞其好學，慦有立志，遂與偕北，即婿其家。進之于王，王甚禮之，言無不從，事必見咨。妻卒，賜楮緡二千五百，爲取元氏子。季惟寅。銘曰：

荀卿子言臂非長，升高而招所見彰，斯若可用爲君方。惟懷爲州河之陽，實爲三聖淵龍鄉。其間下士雖守藏，或小大國君卿當，其貴可參攀鱗翔。況復有孫翼賢王，遠塞而近孔子堂。仕優學以能自彊，何畏潛德無輝光。（以上《牧庵集》二六）

冲虚真人郝公道行碑

爲老子法者衰於火，經於時，天下宗而事之者無名爲何？人分而凌□内而□端，將千餘年。其壓抑於人者無不身受之，甚至有關號者度不能爲□□，續推今輔元履道玄逸真人張志仙實嗣爲教，斂躬一堂，淵冲而柔順，處事□以不競者十年，而布識智之會。今天子即位，灼其爲厄久矣，思以大亨行之，賜金帛、寶玉、冠服，皆前嗣教者所未有。又推其所受學爲降制曰：「故太原道教講師郝志松，道冲德盛，忠潔行脩。始頎然穎異之姿，事卓爾忘言之操。朽株和木，本無意於青黄；白鶴長松，豈有心於風露。平生學問發而爲高世法言，受紫門生儼以正尊師天下。同贈能仁普濟冲虚真人。服我嘉命，賁乃仙靈。」觀此，則聖皇亹亹，華兩真人父子於死生者何如也？真人郝姓，字善甫，葭州著族。生金泰和甲子。意兒不凡，從張法師受學，盡讀其書。時天下騷然亂離，求託迹老子法。其用志一，親戚不能度也。癸未秋，年二十矣。聞長春真人南軒爲玄門宗，候之宣德朝元觀。立談之隙，得其異目，賜今名，及預書希真觀，有「是他日能鼓動一方，可昌吾教者」。事之八年，其歲庚寅，舍而遐遊。過□疆，爲兵官孟導邀，事伺意所欲，惟飛其無言無求，有言有求無有不犇走致之者。知真人將安此，倡是縣豪傑改築道廬而師之。南北爲殿，東西爲序，堂庖廩福，所所皆具，翼藻之麗，爲其鄉冠。至是，始扁所賜希真觀者。會試道書，六縣道流聞所講解，皆頫下之，推爲冀州道正。清和真人嗣教之十三年戊戌，來觀室下，弃其初師正一法，求爲弟子。清和嘉其信道確也，授之微言，作詩留之，俾往來五華、太房。兩山星地道流名以老師碩德，爲書走幣皆盛講席爭致之，以幸一至吾宫也。癸卯署提點太原天寶宫，又改署提點平遙太平宫。翼交士子，讀書爲文，尤妙於琴，專其技者聞其一鼓，不敢自爲工也。真常真人嗣教之十六年壬子，奉命祠華嶽，真人覲之關輔之東，客河中永樂□□陽宫。不疾，書頌憑几而逝。其徒輿歸，藏之平遙先塋。先時得□刻崇聖□壁，宛然無一字殘。讀乃載居，覽郝十事□葬，與郝王之墓之□□人以爲。其后是四十三年，今玄逸真人轉教事，躬身至平遙，奉是□□□之幽關，俾神東徬徉此者□言曰：「吾不能人世，以俟今天子之南面，乃使吾子二千里北面。」致是寵光乎。又可資兩仙人者之越掌也。銘曰：

維霍爲□嶄而崇，下流汾水清如空。盤盤何人此玄宮？乃今寓東數所隆。追謚六字真人窮，勳祭蓋世如王公。賁章一語有未蒙，信哉悠悠彼蒼穹。高抑下舉□張弓，亦借有子當天衷。仙家爲心澹冲融，言且不見文字中。何未四紀不永躬，安知有生要有終？反覆□之彭殤同。于晉有石言高風，吾良不信卑怕嵩。（明成化十一年《山西通志》卷一五）

玉陽體玄廣度真人王宗師道行碑并序　大德十一年

至元二十有四年歲丁亥，秋九月，提點秦蜀九路道教天樂真人李道謙，偕終南上清太平宮提點賀志冲、李志真來言：伏讀六年詔書，令掌教光先體道誠明真人張志敬，執行省節文。皇帝若曰：自東華垂教，至重陽開化，朕心慊于追崇，乃命儒臣加徽號，教主可贈東華紫府少陽帝君，鍾離真人正陽開悟傳道真君，呂真人純陽演正警化真君，劉真人海蟾明悟弘道真君，王真人重陽全真開化真君，馬鈺丹陽抱一無爲真人，譚處端長真雲水藴德真人，劉處玄長生輔化明德真人，邱處機長春演道主教真人，王處一玉陽體玄廣度真人，郝大通廣寧通玄太古真人，孫不二清靜淵貞順德真人。其于誄德述道，聖謨天出，稱情適中，死濡生被，道紀光賴，永永萬年。重惟重陽真君七弟子〔二〕，平生求道之確，成道之艱，尚恐行實流之人間者，不托金石，無以聞之將來久遠，用是有禱詞臣，真君并六真既各有傳〔三〕，獨是玉陽尚無屬筆，敢以累君。燧由職史館以來，嘗思古者史臣，不要死者之或知，不必生者之見求，于德于功，于事于言，見書見而聞書聞，信傳信而疑傳疑，實錄直致，俾觀者自判是非于千載下。細及龜筮貨殖，方伎滑稽，隱逸卓行，猶特傳之，況聖皇下詔褒崇有道之真人哉！固宜有述，不可以吾儒者不爲其道，非職而辭也。按事狀及《顯異錄》，真人王姓，名處一，寧海東牟人，以金熙宗皇統壬戌三月十八日母周夢丹霞被身而生。七歲，無疾死而復生，由是若知死生説。後遇異人坐大石來前，撫首與言，又聞空中神自名玄庭宮主，歸乃敝服赤脚，狂歌市中。人謂或病失心，或識爲無疾，將收斂冠巾妻之，不可，遂與母皆爲老氏法。世宗大定八年，年二十七，聞開化真君至州，願廁弟子列。真君知可授其道，爲製今名，從居崑崙烟霞洞，又名其母曰德清，號玄靖散人。明年辭居查山，真君從其徒馬無爲、譚蘊德、邱演道、郝太古四真人者，自文登將歸寧海，徑龍泉，去查山二百里。時炎暑，真君持傘自手飛出，未晡，墜查出，柄得絫陽子三字，識其師迹。絫字書所無，若真君特制之，以號真人。後有詩絫竹通爲七個人，又若傘爲本字，五人合竹二人爲七者。後居雲光洞，志行確苦，嘗俯大壑，一足跂立，觀者目瞋毛竪，舌撟然而不能下，稱爲鐵脚仙。洞居九年，製練形魂，其友長春爲詩頌之曰「九夏迎陽立，三冬抱雪眠」，亦庶幾其跨火不焦入水不濡之徒歟！遨游齊魯間，大肆其術，度人逐鬼，踣盜碎石，出神入夢，召雨搖峰，烹鷄降鶴，起死嘘枯，麾訶嗾斥，一方千里，白叟黄童，竭蹶其廬。或以爲善幻誣民，因召飲可鴆，真人出門，戒其徒先鑿池灌水，撓而濁之，往則持杯盡飲，曰：「吾貧人也，無嘗從人丐取，今幸見招，願丐餘杯以盡君歡。」與之，又盡飲，歸解衣浴池中，有頃，池水沸涸，以故不死，猶須發髡髾，不纓不能受冠。二十七年，征至燕京，居之天長觀，嘗問衛生爲治，對曰：「含精以養神，恭己以無爲，雖廣成復生爲陛下言，無易臣者。」世宗嘉之。繼問飲鴆，對曰：「臣素無取仇人者，良由得疾致然。」或曰，或謂異人，或讒善幻，世宗試而鴆之，見不可殺，悔怒而逐讒者，當時諱之，謬云然也。明年爲修真觀，居不逾時，求還山，世宗贐之，委去。其年世宗不豫，復來征，真人對使者曰：「吾不難斯行，誠不及一仰清光矣。」明年正月三日下車，世宗崩已一日。章宗留爲醮，資大行冥福。其年復還山，萊陽富人劉植無子，六月爲供致真人而薄其酒，曰取汝某室藏樽煮酒來，植依求之，則其妻密置，人初不知者。飲已，留書「四四應真」四字曰：「以是嗣汝。」明年四月十四日真君降辰，植果育子，舉家喜曰：「四四，真人指月日爲告耶？」即求子名，真人曰：「吾已名之應真矣。」承安二年，再征至便殿，復問衛生，對如告世宗者，賜紫，號體玄大師，居之崇福觀，月給錢二百緡。是時吕道安將建祖庭，蓋真君故廬，以無敕額，不敢集衆，真人奏立觀靈虚，賜道安冲虚大師，而祖庭造建始盛。以母玄靖年九十，求還山侍，厚贐遣之。泰和改元及三年，詔兩設普天醮于亳州太清宫，度民爲道士千餘人，其年玄靖逝。七年，居聖水玉虚觀，元妃送道經一藏。大安改元，北京請居華陽觀。庚午醮薊州玉田縣，謂其徒曰：「若聞空中劍楯擊撞聲乎？北方氣運將回，生齒必有横罹其毒者。」是年天兵南牧。丙子，文登請居天寶觀。明年丁丑四月廿三日，沐浴衣冠，拜上下四旁以逝，年七十六。有《雲光集》行世，爲其言者，條分派出，多于六宗，數不啻萬。邱演道弟子尹清和真人，爲道大宗，視真人爲叔。歲乙未，擇其孫清泠子劉志源俾建上清太平宫，蓋由傳應大法師張守真受翊聖真君至言以彰宋朝[三]，當來休咎征，且授九壇三劍之法，以捕逐鬼物，宋太宗嘗敕有司作宫千柱，以妥景靈。金季蕩焚，木灰瓦屑，清泠剪棘誅茅以居。時日薄西山，才構孚佑一殿，卒。其弟子陳志玄、朱志彦、趙志古、張志隱、李志宗、李志明、崔志安、趙志真及今賀、李兩君，十人相嗣爲之，歷四十五年，構通明、紫微、七元三殿，虚皇一壇，凌霄一門，靈官、演法、湛然、傳應法師祠四堂，鐘樓齋庖廡廩將二百楹，位置雖劣祖庭，猶足爲自關而西名山福地土木之冠。嗚呼！上清作于宋太平興國中，出内帑，殫西土財力爲之，既其毁也，乃復于道流數人之身。真人生逝于金，而見贈于皇元，真人生逝皆在山東，其徒教行關西，擇勝地以祀其祖，亦事理之不可必究者也。彼真人者果能不死，排空御氣，載營而西，顧不抵掌雲中曰：「吾孫若曾，亦有可才如是者耶！」詩曰：

少正純重兮，四君皆陽；生不并時兮，名相襲芳。豈以陽者兮，本天親上；輕舉凌空兮，易爲向往。何獨一君兮，海蟾自名；將取月魄兮，隨日受明。日月爲易兮，衛生要訣；世微五君兮，奥疑誰析。又嘗思之兮，少正蟾純；歷世綿邈兮，絶學無人。嗚呼重陽兮，才七弟子，有婦人焉兮，六人而已。父雄子良兮，中有玉陽；體玄廣度兮，始人爲狂。行歌市中兮，望道未見；從學崑嵛兮，識習一變。離隱查山兮，旋徙雲光；冬眠抱雪兮，夏立迎陽。九年德就兮，鬼盜避逐；騰神入夢兮，群異傍出。莫毒匪鴆兮，持飲如漿；名藹燕都兮，征來天長。衛生爲治兮，宸扆問益；鴻言剖疑兮，中夜前席。别建修真兮，還山固求；鳳翼承旗兮，邈不可留。歸軫經時兮，世宗不豫；章廟累起兮，奏章帝所。惟不拒人兮，崇福玉虚；華陽天寶兮，不恒其居。在在授業兮，其出一户；由子暨孫兮，獨逾萬數。東海之波兮，百里涵濡；今焉西流兮，溢及鎬都。太平之宫兮，古仙聖宅；一孫十曾兮，剪棘攸作。身生不西兮，逝未百年；而教之西兮，玄門孰先[四]。碑其平生兮，道行彌晣；爾祖尔思兮，來裔無斁。（一九八八年文物出版社版《道家金石略》）

〔一〕重惟重陽真君七弟子：《甘水錄》卷二於此句下有「有婦人者一餘六真」句。　〔二〕真君并六真既各有傳：《甘水錄》卷二此句作「并真君既傳六人」。　〔三〕蓋由傳應大法師張守真受翊聖真君至言以彰宋朝：《甘水錄》卷二作「蓋由盩厔民張守真能誦翊聖保德真君語必爲今及」。　〔四〕玄門孰先：玄門，《甘水錄》卷二作「他門」。

全元文卷三一〇

姚　燧　一二

洞觀普濟圓明真人高君道行碑

我元自太祖聖武皇帝視邱長春有道，聘爲玄門宗，厥后太、定、憲三宗及今皇帝，皆稟孝自天，善繼以述。雖長春返真，不虚其位，命尹清和、李真常、張誠明、王純真與今張玄逸嗣焉而疊居之，如邱在太祖世。其徒認縣官崇禮斯道之盛，語其師之居，不敢斥，必曰堂下。然堂下治京師，而祖師之藏，與夫成道之廬，則在今終南山之劉蔣。自堂下視之，猶木根而水源，必茂濬乎此，乃始不憂傳脈之不盛。故凡四方走幣堂下爲香火之奉者，必割界而實之祖庭，待以興化弘教之須。豈惟是爲然，惟人亦然，苟可以任興化弘教之責，亦必擢置祖庭，受事之際不令拱手肆志于無用之地。嗚呼！才有大細，故任有重輕，德有著微，故居有久近。自秦而夏而梁而蜀，治轄恒半堂下，其任如彼其重也。自庚子從洞真入關，今兹四十年，職道教者，獨再紀其居如此其久也。則夫爲才之大，爲德之著，尚待言説而始白之人耶？君姓高氏，諱道寬，字裕之，應之懷仁人。其世夙豪于財，而係則不詳。幼業讀書，能通大義焉。長爲吏長安，丁内外艱，始棄室爲黄冠師。其從受學三人，始則安蓬萊瀹其源，繼則李冲虚大其流，終則于洞真會其融而導其歸，故游洞真門最久，洞真亦恃君有受而克大其傳也。既告以道德之微言，又授上清紫虚之篆，賜號圓明子，署知重陽萬壽宫，及提點甘河遇仙宫。歲壬子，真常擢爲京兆道録者十年。中統辛酉，誠明薦之朝，制以爲提點陝西興元等路道教兼領重陽萬壽宫事。至元辛未，純真易子爲尊師，加「知常抱德」于「圓明」之上。丙子，天后、皇子安西王，各錫黄金雲羅冠服一襲，教令又益以西蜀道教，猶仍圓明，第易「知常抱德」爲「洞觀普濟」，尊師爲真人。以明年丁丑春正月二十有五日上征，逆而推之，盡金明昌乙卯秋七月十有九日爲閲春秋八十有三，而藏冠履于仙蜕之園云。其年五月，嗣真人李天樂實狀其行，俾道録郭志祥持示燧曰：「真人之德，宜顯詩之，將維子是請也。」燧曰：「嗣真人與道録之言不可辭讓，況及先真人風概之一際乎！」乃遂詩之，其辭曰：

繄昔君生，應之懷仁，後由兵興，避走而秦。幼知讀書，長而試吏，束于親存，供爲子事。棘棘時艱，風樹悲纏，乃斬慈愛，一志求仙。中夜耿光，天門啓奥，瓊屋磊嵬，飛揚葆纛。是皆平日，積想之爲，初匪高高，善幻爲斯。以君達觀，能不是覺，蓋以自信，精神之確。伊誰云師，迺即安君，望粗有見，要眇靳聞。久之于于，東亂汴水，丹陽之孫，冲虚是倚。及門不屑，示教多方，輒以擊摧，觀其競疆。納以濁垢，察其茹受，積久不移，用視持守。投畀井臼，臧獲所難，人勉于暫，君久益安。積信冲虚，待目日改，作新授付，已密有在。洞真征車，既牽既膏，庭議具虞，翩其避逃。乃敕冲虚，悃款相布，使就其徒，擇爲行輔。冲虚戒君，中使與西，曰惟若人，丹陽耳提。穴石吳岳，聞道日躋，彼伏鵠卵，知求魯鷄。子今幸際，猶升有梯。竟偕洞真，自隴而汴，趨風後塵，聞見再變。洞真留主，中太一宫，君遂不去，幾舄與同。玉步既改，君始北邁，結廬德興，規以自晦。洞真逾燕，挈徒而東，衍教白霫，召君來從。曰子爲道，輕世自足，偃蹇雲山，其過乖物。其反子者，同塵無厭，征逐府寺，其歸附炎。二者揆道，無一而可，由先失人，后則忘我。安知至人，與世斡流，濬其靈臺，與理充周。余也誰昔，子外之病，教之無爲，恬淡虚静。上而人失，性命之原，欲子内服，玄聖之言。子守是説，膠轕拘礙，囿于一小，曾未聞大。修身有得，及物利生，鈞之爲德，何害并行。勉出酬應，無憚而退，若金用礪，磨鈍而鋭。小子識之，劬心自荷，君拜稽首，受訓不那。又從會葬，祖師劉蔣，關中刳兵，所在榛莽。白骨陵丘，熊虎爲群，作室幾時，雄樓切雲。后爲終南，勝概之甲，君時佐用，身任寡乏。行哀四方，言能動頑，虚馬與輿，出以實還。勞則夥矣，略而不有，鼓鐘于宫，譽者盈口。洞真亦期，可振玄風，署知重陽，甘河兩宫。真常拔之，俾録道教，廣員千里，實長京兆。蝟礫琳宫，簡其條章，草靡風行，教益奮張。誠明奏制，提點延慶，隴秦山南，治轄之廣。孰非開府，皇子異諸，裂地之多，古先有無。帝曰欽哉，汝有河外，官惟其能，承制自拜。乃降教令，益之兩川，蜀凡道流，曰始願焉。嘗觀爲治，教難政易，政恃賞刑，民有勸避。教以道民，孝悌之興，難也烏在，身先未能。矧乎教道，難者之又，如適斷髮，鬻髢求售。彼捐彝倫，何有于師，無賞以詠，無刑以隨。來則受之，去不越逐，總總而居，從厥攸欲。自非其道，不令而從，孰久不斁，賤貴歸心。嗟君居此，歷逾再紀，年八十三，隤乎順委。冠履安壙，仙蜕有園，誰其嗣君，君有顧言。既謂天樂，子余所厚，匪我私之，子蘊之茂。畀汝印奩，賜服命書，子欲不取，人疇汝逾。高風日邈，皇子悼怛，即命天樂，從君顧托。立君之位，師君之爲，猗哉皇子，始終君知。北山之石，貫古不朽，有龜作趺，有螭絡首。于以樹之，清渭之陰，刻此銘詩，式耀來今。（一九八八年文物出版社版《道家金石略》）

重修中太一宮碑

勝國昔有中土也，作三太一宮，太平興國于東南郊，慶曆于西郊，元豐于汴都，故隨其方東、西、中爲名。中後火于崇寧，政和復之。其東、西見毁者，豈在金垂亡，恐資敵用爲攻具耶？何以知之，若熙春閣，亦傑構也，嘗賦一軍令薪之，以艱于撤，欲火傾之，取其餘材，束蘊已然，或惜勝先而臨西，死氣也，而尅寅，是時尅其日，月又助之，所求之事，上下有憂，豈非天網四張，萬物盡傷者乎！迹此則壬在春秋世已有其説。後讀獨孤及《八陣記》，門具將發，然後合戰，漫不知其如何。因問歷翁孫氏子，渠云韜鈐之家，惟視三門具不具，五將發不發。蓋三門謂遁甲之客大主，小開休生。五將謂監本與主。因攷沈括《筆談》「太一之外，其九太一各自爲目，曰五福、天一、地一、君基、臣基、民基、大遊、九氣、十神，唯太一最尊，不可別名，止謂之太一。三年一移。後人遂對大遊而爲之小遊，實出誤加。京師東西太一宫，正殿祠五福，而顧居太一于廡，甚爲失序。熙寧中，初營中太一宫，下太史考定神位。余時領太史，與議，爲二殿，前祠五福，後祠太一，各全其尊。惟謂三基爲棋者，由避唐明皇諱而改，不能正之，仍襲舊云」。嘗考其制，爲殿三重，前榜真室，中膺慶，後太歲。今疑真室爲九太一所共，膺慶則太一專之，如應沈議共以前祠三清事，萃九太一于膺慶者，豈改于金源氏耶。不然，天下三清殿榜或直曰「三清」，或曰「金闕寥陽」，無有名真室者，亦足證也。後陰陽家無太一、九氣、十神，于五福而撲以滅。予于中統辛酉，屢躋覽焉，及觀黔迹，故曉中太一惟半存者，豈異然耶？嘗求太一所由，《楚辭·九歌》首以東皇太一居楚東，以配東帝，故曰東皇。其後漢武感神仙，亳人繆忌奏祠太一，方曰天神貴者太一，其佐曰五帝。中宫天極星，其一明者，太一常居也。古者天子以春秋祠之東南郊，後遣祠官寬舒具太一壇，壇三垓，五帝壇居其下，各如其方。祭亦曰郊，與天地同太牢，祝宰祠。太一衣紫及繡，五帝各如其方色。今不知五帝謂太皞、炎帝、黄帝、少皞、顓頊耶，抑他有是神也。《淮南子》又曰：「太微者，太一之庭；紫宫者，太一之居。」至宋太平興國作東南郊，猶守其舊，惟覆壇以屋。慶曆、元豐作于西、中，至以道流易郊爲醮，祠而不殺牲，皆異乎古始者。近世陰陽之流，以太一與六壬、遁甲爲三式，有司設科試之，以驗其學之精疏，即書以求，壬最先出。吴王囚越王石室，將赦之。越王心獨喜之，又恐其不卒也，以告范蠡。以爲十二月戊寅日，時加日出戊，囚日也，寅陰後之辰，合庚辰歲後會也。夫以戊寅日聞喜，不以其罪罰日也。時加卯而賊戊，功曹爲騰蛇而臨戊，謀利事在青龍，青龍在天地一、君臣民三基、大遊之外，別加文昌、飛符、始擊、計神、主客、叅爲十六神，蓋變遁之小者爲參耳。又壬用天一貴神者，實太一神之一。或曰：「若然，是三式相爲用者，皆出人爲，何以推人事吉凶得失，無不巧發而奇中。」皇元祝金歷于甲午之歲，宮由凋于兵，榱棟傾落，牆圮崩弛，風雨震凌，牛羊降陟。知開封府富察君哀之，謂非藉名德之師，疇能以興。乃書遣警副董德輝，香幣迎致惠慈利物至德真人于河朔，請主上清及是宮。上清由規南征，撤以造舟。真人求得重陽開化真君爲道所廬，作新朝元宮，他不暇爲。署其徒提點張志夷、知宮田志淨，責使營葺。若有緒矣，而志夷逝，後惟志淨與知宮王志實、吳志超、提點劉道資、朱道輝爲之，積七十餘年，而三清殿、真室、歲君殿，周廡庖廩，既美既完。泰定，虛白文逸真人孫君履道，實四傳而嗣其師惠慈之位，以有國者作之于全盛之時，而數子者修之于已壞之後，度力校財不能萬一，其舉贏于時，詘瘁盡而智殫，久其年而勤不少懈，迄用有成，與國妥神，祈天永命，惓惓爲心其如何也。請其友燧宜文諸石。遂詩之曰：

古有國惟上帝祇，羣祀禮秩疇與夷。太一名肇見楚辭，武帝耽惑偓佺思。爲壇三垓太一祠，大牲一以郊爲儀。千載勝國乃取師，去壇而屋凡三爲。兵惟中存東西隳，存者罅漏風雨闚。伊誰哀之曰惠慈，來前其徒責繕治。四夫位微爲功遲，甲子一周一紀奇。六子迭守成其虧，于焉妥神神安怡。何必三年始推移，願于皇輿歲周馳。上錫吾君壽無期，左右相協帝績熙。中爲百辟登稷夔，癉共殛吺絶姦欺。下與萬方澤羣黎，奮張百穀不麇饑。凡是厥職神所司，迺今國家歲禳祈。峙爲嶽靈流川示，與夫無文亦秩之。非于天神獨見遺，由彼無廟禋安施，自爾豐報當有時。

延釐寺碑

大德八年，蒼龍甲辰之秋，制移江東憲使臣燧于江之西，參行省政。十月而至，裁再閱月，嘉平上弦，王相塔齊自軍中啓遣開成路總管府判官常謙，數千里驛致安西王教于燧曰：「吾繇不忘世祖聖德神功文武皇帝、順聖皇后深恩大惠，常請于帝，求即六盤興隆池園爲寺，用資兩聖冥福，以永帝之億萬惟年。制可。加賜黄金兩計者二百五十，楮幣貫計者五萬，米石計者千四百五十。規制一以都城敕建諸寺爲師，而小之。又虞衆設顓俾有司，緩則後功，急將罷力，命王相阿爾輝身綱維之。而時其饔勞，節其休作，經始于元貞丙申，省成于大德癸卯。非託金石，將無以白始此者吾之心，成此者帝之力也。汝製寺名而文之，碑其令集賢學士劉懸書，徵士蕭𣄠篆額。」燧敬受而伏思之，今焉詞垣之臣，雲蒸林立，教不是徵，而燧之命，實由燧者，嘗以文學及侍先王，烏乎可辭，敢上本所自而言曰：在昔憲廟大封宗室，以世祖母弟國之關中，于後立極之十三年，當至元九年，詔立皇子爲安西王，以淵龍所國國之。明年，至長安，營于素滻之西，毳殿中峙，衛士環列，車間容車，帳間容帳，包原絡野，周四十里，中爲牙門，譏其入出，故老望之眙目怵心，齎咨嘖嘖，以爲有國而來，名王雄藩，無有若是吾君之子威儀盛者。其時犍河之外，秦固内地，教令之加，于隴于涼，于蜀于羌，諸侯王、郡牧、蕃酋，星羅棋錯，於是聞者靡不輿金篚帛，效馬獻琛，輻輳庭下，勃磎竭蹶，如恐或後。其大如軍旅之振治，爵賞之予奪，威刑之寬猛，承制行之。自餘商賈之征，農畝之賦，山澤之産，鹽鐵之利，不入王府，悉邸自有。又明年，詔益封秦王，綰二金印，易府在長安者爲安西，六盤者爲開成，皆聽爲宫。邸用不足，取之朝廷，歲或多至楮幣貫計者百三十萬。裁七年，而棄其國。明年詔遣今王，嗣國之四年，當十九年，益封江西吉州，實食之户六萬五千，歲入楮幣，貫計者十萬三千，春秋之服，紵綀爲匹各千。嗚呼，斯又歷古展親之未聞者。于吉王未始至，歲惟關中，夏則樂其高寒，即六盤居。稽諸地者，實漢北地郡之略畔道，道下于縣。其吏長而不令，後廢。隋義寧中，置樂蟠縣，既譌略畔矣。六盤又樂蟠之譌，然以其地介乎涼隴、羌渾之交，時平則列置監牧攻駒而蕃息之，有警則命將出禦，無有常制。四海無所爲，而至者惟世祖潛龍之加兵大理也。既嘗禡牙于玆，及平而歸，又飲至焉，最其駐蹕，三易寒暑。夫既久此，必遺澤餘波，深浹他邦，而王父子再世受之。古稱河潤九里，海潤百里，信如斯言，則發源天潢，衍溢涵濡，將不千里。其藩輔天子，寬西顧憂者，又不百世而止也！亦竊思之，王之有國二十有六年，克自卑所抑，恒遠之宫，而弗遑處，爲天子援枹鼓，進退諸軍于外，以捍侮西北，其忠勤如何，于此之地，心焉慺慺，求祈年今聖于昭昭，追福往聖于冥冥，王考妣亦與薦焉，爲宇事佛，猶不率作，得可而行，其孝恭如何，枚是數者，善美孰與大？《書》之言曰：「天道福善。」又曰：「作善降之百祥。」《易》又曰：「積善之家，必有餘慶。」燧學儒者，未嘗知爲佛氏之言，如佛亦視是忠勤而孝恭者，爲善而福之，則其教與儒可殊塗而同歸也。禮：諸侯祭其封内山川。華之爲嶽，實王封内，嶽祠之門，揭爲宣釐，則表寺之名，莫「延釐」爲宜也。銘曰：

於昭列聖，事佛盡敬，爰質之書，古無有並。土木之工，雕楹繪墉；朱塵綺疏，匹帝之宫。金莖一氣，頡頏上下。静供之修，乘輿必駕。佛遊悠久，其言斯存。孰爲其言，百世梵孫。帝度其孫，而教善治；無間邇遠，京師必致；匪徒致之，曰時予師；坐而衽連，出轡並馳。有如今王，于親則懿。制地千里，規爲時寺。頤指其相，展若易然。矧錫金粟，帝開其先。面勢略畔，八稔成績；巋然都城，敕建遺則。帝師帝師，時寺門楣；以長以雄，匪弟子誰。鼓鐘之音，梵唄之力。釐帝之餘，必王見及。帝億萬年，王年斯千；爲盤石宗，以固以綿。燧作是詩，刻時樂石，尚憑佛乘，垂示無極。

崇恩福元寺碑

大德十有一年，先帝立極，親祼太室，乃慨然曰：「予曾予祖，世祖聖德神功文武皇帝、裕宗文惠明孝皇帝。至元三十有一年，成宗既祔廟矣，而惟皇考實誕眇躬，未大尊顯，肆類上帝，誄行定謚曰：順宗昭聖衍孝皇帝。琢玉寶册納諸廟中，尊皇太后以儀天興聖慈仁昭懿壽元之號。邇之爲子，遠之爲孫，其孝以慈，可謂致極，而于宸心猶若未然。」明年至大之元，詔羣臣曰：「昔朕萬里撫軍北荒，險阻踐踰，躬擐甲胄，北寇底平，實難實棘。時有願言：皇曾考妣、皇祖考妣之豐功茂德，皇考太后之厚澤深仁，圖以報塞，必俟他日，振旅而南，大建寶刹，馮依佛乘，上爲往聖薦福冥冥，慈闈祝釐昭昭，下而億兆臣民，休祥蒙賴，初匪有永年，千百世專利一己，卿曹其灼是懷。」惟以其日，鑾輅親巡，胥地所宜，于都城南，不雜闤闠，得是吉卜，敕行工曹，甃其外垣，爲屋再重，踰五百礎，門其前而殿于後，左右爲閣樓。其四隅，大殿孤峙，爲制正方。四出翼室，文石席之，玉石爲臺，黄金爲趺，塑三世佛。後殿五佛，皆範金爲，席臺及趺，與前殿一。諸天之神，列塑諸廡，皆作梵像，變相詭形，怵心駭目，使人勸以趨善，懲其爲惡，有不待繙誦其書，已悠然生生者矣。至其榱題棁桷，藻繪丹碧，緣飾皆金，不可貲算，楯檻衡縱，捍陛承宇，一惟玉石，皆前名刹所未曾有。榜其名曰「大崇恩福元寺」，用實願言。外爲僧居，方丈之南，延爲行寧，屬之後殿，庫厩庖湢，井井有條，所置隆禧院，比秩二品，守以相臣。割田外郡，收其租入，以給祝髮，日廩月餼，坤維爲殿，乘輿時臨，留必信宿，久或旬浹，其急其成，爲何如哉！功垂什八，期以四年正月八日，大慶贊將，徧賚工官，下及役夫，何意其日，奄以奉諱，羣臣進勸，宜如故事，即踐天位。皇帝未忍，宅恤經時，而始受朝，稱天誄曰：「武宗仁惠宣孝皇帝。」恭抑之道，亦云至矣。又哀先志之弗竟，懼成功之將墜，飭敦匠臣，益虔乃職，罷行工曹，入于留鑰曰：「凡修營木石陶繪，百工衆技，汝實司之，與煩文移，入取汝所，何若從汝自爲，則易爲力，而程蚤集矣。」且敕臣燧，汝文之碑。臣管以、闕，天子以四海爲家，何適非鄉，而獨不忘其生所者，人情之同。漢祖西都關中，若忘沛矣，及平英布，歸過其鄉，賦《大風》，使子弟歌之，曰：「朕千秋萬歲，魂魄猶思沛。」太祖奮跡龍庭，斯固其鄉。由世祖都燕，宮室池籞，百官府庫，根柢乎此。一歲乘輿，留居者半，以故武宗巡幸之還，蒐田而歸，必于是焉，大饗飲至若鄉然。矧建大刹，位置行列，棋錯星羅，出其睿畫，爲往聖今聖薦福祝釐者，尤所惓惓。陟遐之日，有未訖工，在天之靈，懷乎故都，他日過之，睹是翦然而完，粲然而新，必甚懌曰：「畢吾願者，真嗣皇爲賴哉！」臣燧載拜稽首，爲之頌曰：

鈞之爲地，匪福不異；其異維何，由建而寺。且地之有，于開闢初；何千萬年，混爲民廬。何于其時，曾不蒙福？而至今也，梵宮大築。曰不難知，譬人之身；正氣周流，隨日而新。嗟若梵宮，相方視址。授其成規，維昔天子。寫材于江，伐石于山；言出風行，草靡庶頑。又假相臣，汝往敦匠；易衣寒暑，饑俟汝餉。于茲三年，大立細捐。垂欲落之，而陟配天。皇帝曰噫，朕兄所志；有銜未究，其在傳次。乃敕攸司，無替爾程。其用則取，邦賦之經。佛宇敕爲，前古有是；而其所無，兩聖之治。前聖往矣，于佛焉依？今聖萬年，與日齊輝。濡軌長江，拳石喬嶽。善頌之存，梵唄攸記。

重建南泉山大慈化禪寺碑

皇慶之元，普蓮宗主明照慧覺大師慈昱書遣弟子嗣瑞、嗣泌叙：南泉山大慈化寺，爲臨濟十三世孫普庵印肅所基，以勝國乾道己丑示化，既累謚矣，至皇元大德庚子，實百三十一年，昱再爲之請謚于朝，成廟制可。即以其年大德者，加舊謚寂感妙濟真覺昭貺之上，其褒其德，無以侔大。視昔八字，猶爝火之當皎日，黯不輝矣。又叙：寺火于至元壬辰之春，主僧去之，府縣具僚合諸山高德，請南源山廣利萬安正叟禪師紹中經理其廢。四年乙未，昱始繼席，循復完矣。當是加謚之歲，再火，再繕治之，踰紀乃成。且錄劉必大爲國博應奉翰林文字、翰林修撰、提舉湖廣省儒學所撰加贈大德禪師萬佛寶閣、圓堂、普蓮堂、普度橋、袁士趙璧之橋墩、吉士宋處仁之昭烈廟、與立仰山太平興國寺佛鑑大師希陵之壽山慈化寺、與主南康開先寺了萬之天竺圓通殿及昱自爲高麗金字經諸記，丏燧曰：「以是爲迹，銘之寺碑。」爲讀盡卷，漫不知位置何地，乃詢瑞輩，俾圖示之而統其要。寺蓋距州百二十里，蓮蕩横前，三門之内，對峙二塔，儲金字經，左右鼓鐘二樓，中拱二殿相沓，前曰普光，明以事佛，後曰定光，以覆普庵。塔次萬佛寶閣、雨化堂、達本堂、圓堂。樓下祠武安、忠靖兩王。武安之爲漢關羽者，世則知之；忠靖爲五季漢、周張翼佐南嶽者，則世莫聞。廡以周之，門左右則東西藏殿，儲經三藏。自餘齋閤、方丈、香林、書院、月臺，仍普庵之舊爲。大圓堂、諸小殿、僧寮、賓館、倉庫、庖湢，再廡周之，凡三重。中兩廡皆重，屋凡千四百楹。南泉之山四環其外，盤盤如城。天竺、圓通與昭烈皆在寺北黄圃市、壽山之間，昭烈則忠靖原廟，普蓮堂與橋則在州中。堂有亭、閣、廊門。橋當隆興吉瑞鄂潭，東西南北通塗，石墩十四，秀江中貫，而梁其上，有佛閣、鐘鼓樓與普蓮各五十楹，亦大役也。役大財不屈己力之，獨其攻金、攻木、攻石、陶冶、髹漆、彩繪百工，無一可後之。又衣食其徒，多至千人，若是其衆也。衆則用奢，而寺無寸田以自業，惟恃昱之言出化行，鼓舞作興于江湖西南方三千里地之民，最歲施入多至中統楮泉千計者百萬有奇，而佐力操畚锸具薪爨者，猶不與存，何修而臻此哉！謂普庵澤歟，何前乎此，學佛之人不能振舉，至昱爲人心服而動趨于事者，非直其才致，然亦有道也。且人之情，能勉志竭力于一燬之後，再燬則弛而怠焉，昱不加退，規制益侈，輪奂益美，《易》曰：「神而明之，存乎其人。」其不信乎？雖然，猶當上求其所自。西方之教行中土也，漢、唐而下正朔所及，有遠踰海國，若今者乎？星羅棋錯，小而鄉、縣，大而府、州，爲佛宮者何啻萬區，爲其言祝除毛髮者，其徒又無慮百有餘萬。列聖爲制，不雜民版，又屢降璽書，禁人無侵覬其産，驛傳不宿，官物不儲，飲食燕樂不聽肆筵嚻雜于中，其崇禮而保祐之已至矣。皇上又以司是僧爲正録者，衣食百需，取足諸山，虞日繭絲，使就困削，爲罷黜之，歲一再誦經五千四百八卷，天下何啻千藏。集祝髮之徒，散幣饋食，果茗膏燭之微，一出公帑，人又别加賜焉。是舉天下爲徒百有餘萬，沾浹恩波，無有一人或遺也。嗚呼，昱所以能就事功，與人之風行草靡樂推與者，豈不亦乘是機偶是時也。余儒者也，文乃儒之一事，言之不文，則行之不遠，昱其有見乎此，遠以求余，自非瞽顙童而習之白首，不知其原。矧余平生未踐其域，不嚌其味者，苟剽而强爲之，知終亦膚近而多所謬失，爲自欺且欺人，以速專門者所疵。韓子嘗曰：「如欲聞浮屠之説，當自就其師而問之。」何故謁吾徒而來請，余知守此，故不敢效必大之博洽，爲浮圖説，探其懷以與之，祇屢書其善興而教日夕祝釐，上酬帝力，下昭祖德者，而詩之。其辭曰：

普庵肅公，僧中之雄。由篤其道，爲世所崇。遇有潦暵，爲民祈禴；曰雨曰暘，罔不時若。去世悠遠，傳之昱孫。猶以哀榮，上敷帝閽。於皇成廟，閔其克孝；不斥異代，加謚有詔。維兹大德，表歷紀年；不僭誄之，其仁立天。肅由是名，充塞普率；雖昱于藍，未敢曰出。作室燼餘，無田菑畬。人以賄來，如取寄諸。伐材赭山，鑱礎窮石；百工鼎鼎，孰後爾職。杵之騰騰，斧之矜矜；視址視方，其直引繩。楄以負棟，實千四百；丹漆之塗，如翬斯赫。嘗觀有司，鉅室責爲。有書以徵，有罰以隨。人將趨事，憚貽已勩。巧爲避逃，猶幸不至。于何浮圖，無罰與書。視所欲爲，諾不待呼。功成不有，歸之其祖。于橋殿堂，必字以普。倡其徒千，釋言日宣。于以祝釐，天子萬年。天子萬年，期昱孫子。有來源源，世受其祉。（以上《牧庵集》卷一〇）

全元文卷三一一

姚　燧　一三

長春宮碑

元貞之始年秋九月七日，皇帝御香殿守司徒臣鄂爾根薩里、集賢大學士臣布呼齊奏：輔元履道元逸真人臣張志僊言，臣之曾師長春子邱處機爲全真，學於寧海之崑崙山。太祖聖武皇帝當劉金之十年，方事西域，聞其有道，自奈蠻俾近臣劉仲禄持詔求之。又急其見，而遲其來，繼伻以迓之，抽兵以衛之，與語雪山之陽。帝之所問，師之所對，如敬天愛民以治國，慈儉清靜以脩身，帝大然之，曰：「天遣僊翁以寤朕。」命左史書其言。又以訓諸皇子者。世祖聖德神功文武皇帝以敕臣徐世隆，載諸靈應之碑。惟是太祖格天之年丁亥夏五，詔因其號，易所居太極爲大長春宮，猶未有碑。至是六十九年，人已無知受名所自，不及今焉陛下昭代曉之詞臣，俾刻金石，則益不白于將來也。敢昧死請。制曰：可。十月十日事下翰林，臣燧實以其日直筆，故得競惕以奉明詔。臣聞老子曰：「取天下者，常以無事。」用是究觀歷古受命之君，規規務取止乎禹迹之舊，其所後服，固非兵不能讋，故萃衆智驅羣雄，謀而鬪之，櫛沐風雨，露處暴衣，審彼已效成敗，或累歲踰紀，耘鋤未平，可謂紛紛，事至殷也。矧我太祖天戈所直，無敢傺刃，視徹四海之土疆，墟萬國之社祧，與臣妾億兆蒼蒼以生之黔首，不啻疾風之振林槁，非囿夫祝槖蒙汜，燭龍不照，而馬足所及，其勢猶不是止焉，庸以較夫聲教不出禹迹者，僅如耳之在面，有不能居其十一，可曰自有生民以來所無。惟所有遠，故後服益多，惟爲猷大，故久焉而成功，其事之殷有百十于古先者。于是之時，乃遑旁求方外之士，從容暇豫，猶功成治定，束干戈無所于試之世，不知垂統之艱苦，不待長春之告顧，于老子取天下者，常以無事之言，已陰契其說，而冥會其機。嗚呼，聖哉！然考仲祿之行，其年己卯，長春承命，絶宋、金使幣，從其徒十八人者以行。明年馳表謝之，猶宿留山北。辛巳，會趣使再至，始發軔撫州，經數十國，爲地萬有餘里，蹀血于戰場，避寇乎叛城，絶糧于莽闃之沙漠，自崑崙四年而至雪山。馬上舉策試之，未及積雪之半，觸寒慄褁皸瘃，寧其身之不恤，以憂軫斯世，計是勞績，有不在開國諸勳之下。故帝錫之虎符，副以璽書，不斥其名，惟曰「神仙」。凡爲是學，復其田租，蠲其征商。癸未，至燕，年七十六矣。而河之北南已殘，而首鼠未平，鼎魚方急，乃大辟元門，遣人招求俘殺于戰伐之際，或一戴黄冠而持其署牒，奴者必民，死賴以生者，無慮二三鉅萬人。其推厚德植深仁，致吾君于羲軒者，歷古外臣，當受命之初，能爲是乎！匹夫一言，鄉人信之，赴訟其門，聽直其家。爲有司者，猶罪以豪傑，以武自斷，而涣其羣。以二三鉅萬之人散處九州，統馭其手，帝不疑之，斯必有以，豈屈子所謂名不可以虛作者耶？有遇其時，未必見隆于後。世祖嘗語其嗣道者曰：「乃邱祖仙翁朕及識之，加贈長春演道主教真人。」二祖之見而知者，然已陛下以聞而知，顧爲碑以表所由，則長春之名藉三聖以久垂者，毋惑也。臣又思之，宮之與碑，宜一其時。太、定、憲三宗日不暇給，嗣教真人尹志平、李志常不請則宜，以世祖之聖，在位之久，其培樹擁衛斯學之力，而張志敬、王志坦、祁志誠不一言焉及仙，今請而輒報可，豈天固存列聖未究，以待陛下爲終之耶。矧即位踰月，爲壇壽寧宮，凡日月列星、風雨雷電、百神之親上，山川社稷、林藪走飛諸祇之親下，莫不奏假赤章，以禋致之。十一月與改元端月纔九閲月，實三爲壇。其後壇之延春閣，天步一再親以戾止，其爲國與民介祉導和，受釐請命者，文亦極矣。又虞自經厄以還，禁爲醮祠，今雖開之京師，而外未白也。乃下詔萬方，其旨若曰：先皇帝令江之北南，道流儒宿衆擇之，凡金籙科範不涉釋言者，在所聽爲。若然，先皇之開醮祠者，有成命也，爲犯法臣所不愛，竟柅而止。自今其惟以先皇成命從事。是世祖獨未究者，陛下又終之也。嗚呼，事之開也有門，而來也有塗，其就也有時，而成也有候。方是詔下，四海之人感激奮言，始吾以爲經厄之餘，邱氏之學熄矣，陛下嘘而然之，俾屯者以亨，塞者以通，梗其道者除之，取其業者還之，叢是數美于仙之身，又冠之以寶冠，薦之以玉珪，被之以錦衣，皆前嗣教者所無。嗚呼，仙之求以報盛德，圖以酬至恩，其子若孫與雲礽其來無極者，爲陛下祈永永萬年，當如何也？臣燧敢拜手稽首，而詩之曰：

於赫我祖，帝蹤其武；俾肅將之，劓平下土。既奠南邦，西陲未疆；廼鼓廼桴，龍旗載揚。何水不亂，無山不越；萬國弱草，剛風斯拔。踰十暑寒，振凱未曰。六飛之騁，確確其艱。孰灼帝心，休其益閒。繼夕以朝，黄昊尚友。方詔外臣，道德資取。崑崙載犖，于于其來。及之雪山，年已徂摧。瀝厥腎腸，爲告悃悃。莫匪至言，身國之本。維帝孚之，曰天覺予。飭無怠忘，子訓史書。虎符寵綏，璽書誕告。凡爲爾學，其復無撓。又曰長春，而所宿號。即名而宫，歸主其教。假以澤物，宏帝之仁。于死于俘，必拯以全。旋還其真，子孫衆有。一絶一繼，孰世其守。有惑其道，而否臧之。人曰不然，太祖皇之。矧我世祖，封植益力。曰爾長春，朕幼及識。太祖皇之，維朕將之。曾謚四言，焕其唐之。有嚴今皇，乃聖乃哲。身先孝治，祖塗孫轍。爰詔下臣，伐石劖穹。臣拜稽首，二祖之功；豈人不忘，維帝欽崇。驅馬飛廉，屬車豐隆；或從上帝，陟降斯宫。靡祥不臻，奚祉弗居；於皇我皇，萬禩攸賴。（以上《牧庵集》卷一一）

普慶寺碑

大承華普慶寺者，皇帝爲皇祖妣徽仁裕聖太后報德作也。裕聖以歲戊午來嬪，越三年大帝建極。當至元乙酉，方廿有八年。裕祖陟天，在疚煢煢，茹荼與蓼，上以慰安大帝于倦勤；中以惠鞠晉邸順考成廟之不夭，皆俾不大盡傷乃心；下爲皇孫武宗聖上擇師取友，督勸于學，俾知先王禮樂刑政，以爲治國平天下之具。若曰乃裕祖獲心九有者，正由乎斯。外接宗親之會見，内飭宫臣之率職，致孝極慈，敦睦示嚴如是，而善韜智晦明，以藏其用。大帝才之，關政于家，則曰于婦是謀，投大遺艱，不言意喻。廿有九年，順考陟方。又二年，大帝登遐，柱傾于天，維絶于地，急變秋也。徐爲圖回，未嘗大聲以色，益示暇豫，經時無君，四表不聞，枹鼓一鳴，召至成廟于撫軍萬里之外，授是神鼎，易天下岌岌者爲泰山之安，俾聖子神孫得以乘承今億萬年。大德二年，詔武崇復撫軍于北，日侍慈闈者，惟今皇上一人耳。故情不分而愛彌篤，怡言煦之，摩手撫之，食言而羹，息言而膚。又何有無，而增益之。會太官達納監龍興還，由老無子，自簿臧獲數千指〔一〕，牛羊馬駝蹄角亦數千，田屋貲貨猶不與存，盡獻之隆福宫。裕聖則曰：「吾何庸斯，其賜今皇上。」四年，裕聖上僊，撤是獻屋，爲殿三楹，事佛妥靈，以盡孝思。由前順考之國河内，未至而還，乃與今皇太后克成先志。出居二年，成廟登遐，馳歸京師，内難謀作，兆緒滋章，先事奪之，殄殲大慝，清宫以待武宗之至。既踐天位，惟以其月授皇太子寶、中書令、樞密使，誕告萬方。明年，至大之元，視昔所作圖報弗稱，乃慨歎曰：德一也，時則二焉。始之報也，吾未出閤，惟其身。今也登兹元良，可不爲天下報。乃市民居，倍售之估，跨有數坊，直其門，爲殿七楹，後爲二堂，行寧屬之，中是殿堂，東偏仍故，殿少西疊甓爲塔。又西再爲塔殿，與之角峙。自門徂堂，廡以周之，爲僧徒居。中建二樓，東廡通庖井，西廡通海會，市爲列肆，月收僦贏，寺須是資。大抵橅擬大帝所爲聖壽萬安寺而加小，其磐礎之安，陛戺之崇，題楶之騫，藻繪之輝，巧不劣焉，亦大役也。未嘗發民一夫，皆傭工爲之，其費一出宫帑。既其落止，淨供之修，薦福冥冥，或者裕聖乘雲御風，陟降自天，歆兹崇報，必反而酬陰騭于下，降福穰穰者，理則有之，何難灼見焉。惟今皇握黄圖以負丹扆，其大則天，其威則雷霆，其不測則神明，推是報德而上之，將不裕聖一世而止。其孝思遠及烈祖者，何窮已哉！崇祥院臣請礱石以頌功德，敕命臣燧。臣伏思之，佛氏之言爲書數千卷，博大閎肆，學佛之徒，猶有白首不能遍觀，儒生未嘗夙一經目，雖勦爲說，終爾膚近，不能深造其微，故惟如敕所教，惟詩報德。其辭曰：

有岑其宇，有踐其廡，有楹惟旅，金鋪雕礎。瞿瞿其瞻，劌劌其廉。秩秩其正，於粲其嚴。伊誰考斯，帝宮亞匹；則今皇帝，覺皇氏即。其即以圖，薦福于幽。於我裕聖，報德是求。惟我裕聖，爲烈無競。大帝遐征，儲席虛正。時我成廟，撫軍龍荒。惟朝委裘，三月皇皇。萬里召赴，天位卑據。其神而明，孰測爲度。如是拱默，宮居深安。陋昔后母，簾政僭干。惟撫慈孫，于學知勵。又開太平，大業今繼。始爲之小，其報猶私；今焉一人，以天下爲；以天下爲，誰專裕聖？嘉與慈闈，實普其慶。往聖已矣，慈闈萬年；翼翼綿綿，悠久如天。皇上之心，初豈以已；覺皇貞之，其錫繁祉。

〔一〕自簿臧獲數千指：臧，原作「藏」，據清鈔本改。

江州廬山太平興國宮改爲九天採訪應元保運妙化助順真君殿碑

天下之人有安居不爲其事者乎？安居不爲其事，古曰閒民，重其賦而刑隨之。今也山林之間，羽服之流幾何人哉！苟安居不爲其事，人亦孰倡而致于其道，庸心其教哉。制授冲靜真常凝妙法師、提點廬山太平興國宮、錄江州路道教湯德潤，儲贏于儉，蓄細爲大者十年，始田履畝纔及三千，今萬有奇。謀其徒曰：「之宮廬山名祠也，九天採訪應元保運妙化助順真君明神也，殿實勝國所爲，既冥且卑，妥靈弗稱，其撤改爲。」江西行省左丞呂公師夔，及其弟福州路同知師山、行金玉局總管師寬，淮西江北僉憲師順、江浙財賦總管師謙與諸子姪，發米于庾，割田于郊，捐幣于帑，爲鄉鄰先。故富室佐財，貧者輸力，如恐人後。爲殿七楹，度高百尺，以祠真君，夾爲翼室。右祠三官，左祠四聖，皆三楹。前爲拜殿，合之衡廣爲尺百有四十，縮身不足于衡十八之四。若其攻金攻木、埏埴設色之工，殫極其技，無遺巧矣。遣其弟子熊應松、周祖清馳書龍興，請燧曰：「斯宮之興五百餘歲，勝國盛時加號應元，則皇元有天下之號已兆形于斯時。迨今海寓既一，大帝至元二十有一年、三十年，今皇元貞改元之明年、大德八年，凡四降詔，一賜提點周得一，餘皆以賜德潤。其于衛持斯宮，使人不敢雜揉瀆侮略于其間，禮亦優矣。德潤以是龍光洊至，廬阜載躬，重未云喻，惟有獎率道流，竭才新殿，奉安元辰，日夕祝釐，祈永睿算，維億萬年，庶幾深山友木石者，報上之智，畢于如此，願銘之碑，謹併上圖經匡廬得名，與真君事實，惟擇筆焉。」燧諾而思，真君靈貺數百年，爲有國欽崇，章章傳紀者，無庸重述。未問而當告，與疑而未瑩者，敢用陳之。其引朱子傳書，排以歷陵博陽山，爲敷淺原，其山卑小，惟廬阜在大江、彭蠡之交，最爲高大，宜所當紀。然考《禹貢》言原非一，冀之太原，徐之東原，雍之原隰，皆以高平得名，何獨岑絶如此廬阜，可名原耶？大抵是《書》載導河積石至碣石，其間所經，如龍門、華陰、底柱、孟津、洛、汭、大伾、洚水、大陸、九河，逆河入海，又及其所會之水，灃、涇、漆、沮之入渭，澗、瀍、伊之入洛，亦何詳也。至岷山導江，東別爲沱，又東至澧，已跨蜀而荆數千里矣。又曰過九江至東陵，東匯入海，數語而止，亦何略也。故朱子論曰：「以事情理勢言之，洪水之患惟河爲甚。時龍門九河事急民困，勢重役繁，禹親涖而身督之。若江漢則地偏水急，不待疏鑿，或分遣官屬往視，况洞庭、彭蠡之間，三苗所居，水澤山林，深昧不測，彼負險阻頑弗即功，則官屬之往者未必遽敢深入，是以致誤者或多也。因思余昔挐舟成都至夔門，其所未至去秭歸三百里耳。秭歸而下至江陰，望海門而還。長江萬里浮游迨遍，然蜀荆之山條脈聯絡壯觀天險者，如眉之峨眉，嘉之離崋，渝之瀛山，涪之鐵櫃，夔之赤甲、白鹽、巫山及峽之黄牛，危巖絶巘，刺天入雲，何啻千萬，與三十六江水會夔門者，皆所不書。其見遺者，豈獨廬阜哉！」要朱子之言，千載不易者也。其曰廬山始名南障，由周桓王世匡績學仙所廬，故名匡廬。《圖經》已辨晉人紀者之誕。所未問而當告者，自周而上，無爲老子者何有乎？今之祝釐時，天子、諸侯自求多福，皆有禋祀。禋祀多名，合而言之，天曰神，地曰示，人曰鬼。神非直上帝也，日月、列星、風雨、雷電，凡本天而親上者，皆神也；示非直后土也，山林、川澤、邱陵、墳衍，凡本地而親下者，皆示也；人鬼則宗廟社稷，凡有功生民，死而廟食者也。天子既祀天地、圜邱、方澤，至于時巡則又燔柴，四岳隨其方，山川皆望秩之不遺無文。諸侯四時望祭，其方五官、五行、山林、川澤在封内者，亦歲徧之。後王德薄不能時巡，既曠望秩于方岳，諸侯復不世其國，遷代無恒，而歲徧又廢。其封内惟道流之宇名山川者，由祀其師，以及其土之示，雖未有謳𡋯蘊沉牲幣之備，而潔齊以致忱者，晨夕至焉。國家以其依居嶄拔奇峭，幽深繚鬱，當地氣粹淑之會，其神必靈，賜宫觀名，置官領之。時大醮祠，庸以奏假赤章上帝后土，與本天而親上，本地而親下，凡曰神示，可介祉導和斯世者，莫不致之，爲位多至三千六百，亦幾秩無文矣。實于時巡不舉之典，修之其宫，顧爲有國者之所賴焉。嗚呼，亦有功世教之大者也！然惜其知神之神，不知神之所以神何也？由雜夫荒怪也。其尊無對大無餘者，皇天、上帝一而已矣。有曰上天神后者，蓋天言形體，帝言主宰，后君也與帝同出，而異其名。天子曰元后，人臣匹天子者亦曰后。春秋王與后之鞶鑑書伯夷、禹、稷爲三后，則后者又君臣同稱。昧者不知上帝、后土，視之巍乎其無聯也，聽之漠然其無聞也，而造化之迹，則體乎萬物而不可遺。乃以形求肖人爲之，上帝則冕珪袞舄。以爲失耶？《詩》刺衛夫人玉瑱象褅，胡然而天而帝。屈原亦曰：「龍駕帝服。」若真有是人被是服者，其來亦尚矣哉。甚于后土加笄珈褕翟，七政一也。日、木、火、土服殺上帝，月、金、水殺后土，山林、川澤之爲王爲大人，亦若斯者，奚足殫紀。夫誰與祛之？勝國之謬，尤在增號淫昏之鬼，婺源祠山，梓潼之屬，皆帝之。是則尊矣，其如降上帝與之班何。今事實所謂九天採訪應元保運妙化助順真君者，九天之屬，見於《天問》，注以九爲陽數之極，固無大室于理。唐李玭碑止曰「廬山使者廟」，南唐曰「通元府」。勝國太平興國中易廟爲觀，以年命之。神宗進號應元保運真君。徽宗易觀爲宫，刊鏤玉册，臣而進之。于時，洪芻提點是宫，奉安玉册，實爲之記，舉《錄異記》：開元十九年，明皇夢神人，金冠朱衣乘車而下曰：「我九天採訪使者，當館我于廬山。」明日，又降于庭，命吳道元圖其真，建祠山陰。明皇親書繆篆殿額以賜，其文惟曰「九天使者之廟」，無採訪之稱，後世加焉，其榜固在也。然原以求之，非必權輿有唐。東晉之前，方士輯五岳真形圖爲書，曰：「嵩岱華恒，皆有佐命之山，而衡岳孤峙無有夾輔，黄帝請命上帝，建灊、霍二山爲儲君，青城山爲丈人，廬山爲使者。」開元中，天臺司馬承貞請立五岳真君祠，使者之廟當作其時，其説詳而正，據而不鑿，謂可祛齊諧志怪之惑者，真知言哉！理宗又加妙化，惟助順者無徵焉。然使也銜君命以出者，惟人也，不能周知善惡之實，彰之癉之，故採以資人之見，訪以勦人之聞，神示何假人爵以爲貴賤等威，佐上帝行四時以運寒暑日月于上，觸石而出，膚寸而合，天布大澤，雲雨不終朝而施德博大，出百物而潤澤于下，神變功能如是，其聰明正直而一，有不待夫視，宜無不見，不恃乎聽，宜無不聞，正老子所謂「天網恢恢，疏而不失」者，如必採以資見，訪以勦聞，而始福善禍淫，斯人則不採不及知，不訪不能通，失將衆矣，烏在夫爲天網耶！余故惜其知神之神，不知神之所以神者此也，盡辨之，其説猶多，姑是舉隅焉耳。非獨使讀書以纘文造道，而明理如德潤者知之，可以髣髴鬼神之情狀，而不溺于所聞，鬼神聞之亦懌豫于冥冥是燧斯言，曰：千載而下特見有如之人，不可以非道誣也。銘曰：

維天盱皓，下土是冒；羣望降釐，衡岳如卑。南服之山，匡廬莫夷；有巖其岑，有育其麓。衡虞材之，烏用不足。氣聚金寶，騰輝中霄；上與列星，爛其昭昭。倏噫而風，隨以雲雨；千里崇朝，膏潤斯溥。造化之迹，不掩如斯。皆本二氣，良能之爲。維古哲王，及始圖報。由時岳狩，羣望必告。嗟哉後王，曠不省方。或事云亭，侈愆舊章。維方外臣，竊取咸秩。大爲醮祠，無文每及。盤盤之宫，負聖治峰。其師湯君，言出衆從。設格普天，三千六百；爲位勃磎，神示安宅。撤搆斯宇，高廣異先；鐵鶩金鋪，尚副揭虔。爰奏赤章，媚于上下；不約而一，萬福來迓。資我元后，山積川增；維千億年，萬方其承。走爲之詩，俾爾羽服；鼓鐘新宫，步虚是續。

（以上《牧庵集》卷一一）

報恩寺碑

報恩寺者，女僧妙德之所創也。德，金城韓氏子。考諱詰，任兵馬都元帥、彰國軍節度使。其先仕唐、遼，金大顯。德適晉陽王氏，王氏佩金符爲工正。生三子而夫卒。久之，子娶婦，各能自立，德悉以王氏業歸之。而繁峙之聶營元帥有别業，昔以與德，德將老于是。既而聞有語：其考方國初用兵際，搜討所愾于山，因燬諸佛廬事。德愴然，深念父武臣，爲國闢地之功雖大，亦多斬刈焚盪之，慘曩同氣百人，今存者獨我，吾婦于人而又寡子，既植王氏矣，吾其事浮圖法，庶得以資福韓宗。乃削髮爲比邱尼，即聶營别業創殿像佛第，建食堂廚庫，前翼三門，後敞丈室，而贍衆有田如千頃，及山林園圃水磑等利，號曰報恩寺。仍以沙門某見開山住持。見即工正之弟，而身别院。以與尼居德翊運勳臣之後，趣向孤敻。名達于徽仁裕聖皇后，召見命坐，賜之僧衣，而元貞璽書及皇太后教兩下以麻衛其寺。是年裕聖幸五臺，德實從，眷睞優渥。及還駐華嚴嶺，命今衛王阿穆格及親王妃主從官數百人，以香幣至寺。尋以寺爲衛王集禧所。今德請紀其事于石。余學周公、孔子之道，而于佛氏之書蓋未暇也。夫末學其道而爲之言，必將有戾德。又女僧也，而志得吾文，余辭之爲宜。然金城韓氏與吾先令公爲姻戚，而元帥公奮迹戎行，克振世業，武而不殘，風誼藹然，其後當著，顧無聞焉。而德也，出大室嬪貴族，諸子有立，乃割愛剗榮，棲慕枯寂，閔其父家中替，求資福于浮圖，而劬躬所事，事集不居，可慨也已。況其寺復爲國家集禧之所，而歸美報上，臣職攸在，揆諸義不得終辭。雖然寺名報恩，將孰恩之報耶！若曰：生我者父母也，食我者大君也，謂覺皇氏闢大法門儲福利，崇其像設，冀收善果，延洪聖壽于億萬年，而宗支同茂，覃及其幽明，濟度而有獲，斯酬其志亦足書已。遂次第其顛末而系之以銘文曰：

偉韓鼻祖，穆于周武；奕奕梁山，變雅用取。于後裔孫，國以姓之；不侯而民，何千萬斯？其千萬斯，中絶不後；漠乎無聞，安所爲究？嗟維德君，生侯富驕。移大盛門，諸子翹翹。三十而嫠，介操勤志。悼其考澤，遽斬一世。祝髮而僧，曰韓吾承；即其考田，佛宇肇興。期以報德，昊天罔極。迹是爲孝，展婦之特。且虞吾身，而不永年；僧子以孫，斯宇賴傳。俾爾歸離，奉嘗宅相。是其爲言，聞者惻愴。我則譬之，天與人殊。嗟今諸韓，胥彼桂如。自根而幹，而柯而葉；爲葉茂繁，何啻千億？其間豈無，一蘀先零。夫亦何害，貫古青青。在人視之，侯之家索。自天者視，猶一隕蘀。西銘有言，民吾同胞；矧爾同姓，四海滔滔。反覆始終，理亦昭晰。覺皇貞之，韓氏未絶。（以上《牧庵集》卷一二）

有元重修玉清萬壽宫碑銘并序

雍西之山曰汧，又西曰隴，隴之山，北起五原，挾崆峒而南抵吴岳。隴左諸水，北受之涇，南屬之汧，汧之源發小隴山甚微，步仞可越。迤邐循岍而東，貫石門始瀰淪。又迤邐南，折而入于渭，岸石門而宇者，即通微、洞真兩真人爲道之故廬也。初，長春愛其地，築全真堂，後爲玉清觀，今溢名爲宫。通微蒲察姓，道淵名；洞真于姓，善慶名。洞真始師丹陽，丹陽返真，師長春，二師皆受全真學于重陽。全真之名，重陽以道德性命之學實倡之金正隆、大定間。自是以來，爲其言者，雌從雄鳴，百千爲曹。而縣官懼其搖世，欲錮其説以叛涣其群。勢如風火，逾撲逾熾，獨何自而然哉？亦嘗思之，群斯人之難也，未若涣之，而人不小有創焉，又群之之難也。今夫帥三軍之衆者，操斧鉞之威，懸爵賞之欲，投之所向，無不如意。脱有崩挫，衆氣一歸，輒鳥散而不能軍。是威能必民之懼，不能得其歡心；欲能斗民之貪，不能得其死力也，况無二者乎！以貴則一夫，以富無尺田，非明識高世，强力出物，能鼓舞其下者，不若是敢爲上之抗，而曰凡民能之乎！然猶未及夫生人之功也。一傳而爲長春，函夏陽九，適遭其時，哀斯民將膏砧鑕，大闢玄門，爲趨生之塗，實拯億兆于滄海横流之下。于戲！事不要其終，徒始之究者，殆不得而見，天之所以昌斯教者，其用以就斯乎。宜羽服琳宫日新月盛乎金之世，星羅躔分于我有元之坤輿也。迨乎長春返真，清和嗣教，無幾時，舉斯位屬之真常而休居。當是之時，求長春高弟與有生人之功，道價清重，克繄西望者，授付祖庭，俾綱維關隴之教，而洞真始西轅。年時七十有三矣。又十有二年而後厭斯世焉。嗚呼！斯宫也，真人其始基之乎！基之而不忘之，亦人之情。嘗求之吾身，曰靈臺、曰魂池、曰神庭、曰崑崙之墟，猶爲晝夜呼噏精氣神明之所舍，况靈山邃川，磅礴而雄高，清駃而幽深，騰雲而蟄雷，伏至寶其間，爲中州淑氣之歸。會今真人者，心雖理融而不膠物，烏知不魂游茲山，一睨夫故廬乎？其徒有講師馮姓，名道真，圓明號，高姓，名道寬，提點魏姓，名道陽，三人者集其朋徒，一力協中，昭明敬虔，乃崇斯基，乃考斯宫，題節山層，丹雘翬飛，林林百楹，如峙如立，凡二十三年而後成，可見夫竟就之艱。隴邑户來，姬帥德通，實倡實先，可見夫佽比者之夥也。教門提點李道謙爲誦其麗，且請銘。燧曰：得若夫泝石潭鈎弦藪出五色之魚，以諞段太尉之墓，釃其餕于張女之祠，然後求秦穆之鑄劍爐，鼓而然之，以健吾純鈎，飲馬馬跡泉而歸，援翰賦詩，并刻碑脅，以侈美斯宫者，又俟夫他日焉。銘曰：

行者于塗，有佽以趨，春者歌呼，相杵之相扶，尚力氣之休蘇。雖游方之外之臞，豈是焉殊。學必有與俱，不棲棲而煢居。通微、洞真，膠投漆如，曰訪道其有閫，求至璞之全混，必雕廉而毀觚。握手高蹈，誓與世疏，擁腫大樗，斧斤不鋤。西南雍都，有岳維吴，穴石以自廬，或擇勝而娱。北淪濯乎弦蒲，寒暑切膚，編笠草須，木葉結襦，侣麀鹿而友雄狐。彼不駭以安舒，視爲楞中之枯株，日飦一盂，隨青山以爲廚。心焉扶搖，鵬南斯圖，滯矣哉，血肉之軀，不速其翰，搶鷽鳩于尋丈之枋榆。維丹寶之在吾，亦何啻夫握璧而懷珠。非有道能然乎。是其爲教，雖或高出乎縫掖之上，而君子過諸，然并夫敗糟是餔，飲濁涔之洿者，不猶太山之與錙銖。或浩浩其長辭，返廣莫之無郛。吁！道真三人，實維其徒，懼靈跡之久蕪，災翳是誅。恢皇舊模，力不足而舉贏餘，心雄萬夫。人矜以孚，貧力富帑，視三子之須心焉歡輸。曾日月之幾何，屹雲構之渠渠，亦戛戛乎其艱劬。我銘翠玦，終千斯年兮不渝。（一九八八年文物出版社版《〈道家金石略〉未刻稿》上册）

襄陽廟學碑

聖元爲制：凡士其名而儒其服，不糅之民而殊其籍，惟責田租商征，自外身庸户調皆復之，無有所與者，將百年於此矣。世祖詔即闕里聚孔、顔、孟三族，置官而教之，以俟其成德達才者垂三紀焉。是皆無閗歷古，而獨見之今者也。陛下繼聖，恢前皇之遠猷，舉厥未修之典，封衍聖公。屢下明詔，還正貢莊學田，俾完廟養老，資廩師生。其於世聖人之胄，學聖人之徒，覆毓漸濡，德澤至矣。府州縣邑爲之牧守令長者，率以作新廟學爲政務先，而恐風行聖化之後也。襄陽，宋之鄙城也。金杜既墟，嘗歸吾元，由於忽棄不戍，故宋竊棄爲荆北門殆四十年[一]。世祖徵兵天下，不忍徼利一旦，以鬬吾民。包峴漢而城之，視猶圈獸待其自斃。五年迺下，則其受大兵也爲家父。城門闢矣，廟學前大闔帥武臣因陋就簡而爲之，不稱神居，勢宜改爲。田之在郊，籍既失存，民亦廢耕，主吏去之，無有知其在所，不敢視江南他州之有夙儲者。其施力又若甚艱，此前政所以苟於其事者。惟總管陳衍經度之，已而受更，今總管陳義謀之吏民曰：「明詔如是，吾方表田募民，凱獲何時？明日使是學媿德他州，則二千石爲不職，且受譴矣。不眾爲之，就緒無日。吏此者割若俸，户此者捐若財。」應者讙然，辭出若一。帥守兵家亦勸赴功，猶不足用取餘公帑。治之二年，聖哲中殿，賢儒傍序，門堂齋庖，楹礎林立，朔望春秋，奠薦講肄，籩豆鐘鼓，有踐與節，人之戾止，新視易聽，起所墮習而祇畏矣。燧嘗過之，拜其下庭，猶有可憾焉者。自唐開元配食顏子，拔曾子於諸子〔三〕，以足十哲。前宋則躋孟子與顏氏並，雖金百年未之或改。後宋則益以曾子、子思，進子張於曾子之舊。故江之南，位十哲上亞聖人者四焉。宋平，北方學者安顏、孟而異曾、思，浙憲首請黜之，當國之臣不然之也。其後一僉爲憲河南，是時襄陽未入山南，猶其所莅也，不請而遂黜之，由是是廟配止顏孟。自今以觀，顏、曾之於夫子，同見而知。伯魚前死，則子思亦見而知者。惟孟子後百有餘歲，爲聞而知，子思學曾子，孟子學子思，而得其道統之傳，則曾、思之功，果不優於孟氏乎？顏子前死，有聖人者存，未嘗爲書。質之於經，事十九見，贊夫子者纔一。問仁與爲邦二焉：一以修己，一以治人，他皆見稱於夫子，與不待爲問而自謂之者也。曾子述《孝經》、《大學》，子思作《中庸》，孟子則自著七篇之書，學者賴之至今。爲書三子，二子獨見黜，是外其師而弟子是尊。於聞而知者仍祀不變，而顧後所見而知者焉。或曰：子記汴學，已議立顏、路、曾皙、伯魚於序，而坐三子堂上，今何云然？燧曰：嚮所疑者，以崇子而抑父，弗安順於倫理，非曰可併去之也。今江之南，已配享者可不請而黜，則江之北有有功曾思者，可不請而配享乎？燧故嘗曰：人臣有見，列而上之則可。若夫制度考文之事，天子司之，以幸國家。逿於稽古之事，雖天下學禮之臣羣然議之，必得所當義者而後可也。侯礱石求銘，奉議大夫、山南江北道肅政廉訪副使馬公昫，實分刺是郡，亦以侯嘗勲，宜若可言。燧曰：嗚呼！是豈可易爲哉！孟子稱智足以知聖人者，宰我、子貢、有若，子貢、有若則以爲自生民以來未有，宰我則以爲賢堯舜遠，猶未曉言聖人之所以然〔三〕。孔子語堯曰：蕩蕩乎民無能焉，則賢堯舜者益難名矣。然自孔子没訖漢之世，將八百年，廟焉而不碑。其見之金石者，孝桓元嘉，許魯相瑛置百石吏，領禮器，與孝靈元興魯相晨奏依社稷出穀王家，供禋祀。二詔，魏曹植始碑之。唐則作廟一州必碑，最盛以衆，就其善言者韓愈氏處州，柳宗元柳州、道州曰：自天子至于郡邑，通祀遍天下，惟社稷與孔子。又曰：仲尼之道與王化遠邇，二帝三王無以伴大。不敢一言以贊其道，無他，蓋聖人之道天也，善言者繪工也，於山水草木鳥獸之爲物，與人執事或可圖而肖之，以語繪天設色而得其髣髴萬一者，古今人無能爲者也。故惟著其始媮而今完者，以告夫後之人。銘曰：

維襄形勢，始終一地。視時屯亨，而爲險易。昔焉晝守，負而江山。動天下兵，五稔悖頑。時匪無學，士日介胄。以扞大刑，逿事俎豆。皇輿既邈，壃南海涯。顧爲土中，襟帶安施。猶爲名城，于漢之域。惟廟弊軋，不稱瞻式。帝奮文教，誕誥優優。于學須才，如穫仰耰。是邦承流，其陳兩侯。衍也經畫，義逮成績。桓桓新宫，實教所基。嗟哉襄士，挑達何爲？聖人遺言，具在方册。口誦心惟，奚異親炙。朝趍斯庭，夕休斯廬。亦奚以間，闕里即居。行見接武，賓興

成德。作之君師，實帝之力。刻詩麗牲，用示無極。（元蘇天爵《元文類》卷一九）

〔一〕故宋竊築爲荆北門殆四十年：竊，原作「切」，據清宣統《涵芬樓古今文鈔》卷六六改。〔二〕拔曾子於諸子：拔，原作「授」，據清宣統《涵芬樓古今文鈔》卷六六改。〔三〕猶未曉言聖人之所以然：所下衍「由」，據清宣統《涵芬樓古今文鈔》卷六六删。

全元文卷三一二

姚　燧　一四

宋太常少卿陳公神道碑

大德戊戌，燧舟遊湖湘，而陳公元凱方持憲節，使湖之南。既求追撰妣夫人李氏埋銘，爲粗叙陳、姚同爲有虞遺裔矣。後五年，燧持憲節使江之東，而公以總管來莅建康。馳書請曰：「吾八世祖宋太常少卿公，以治平二年卒，葬洛陽。其後子以官爲家，死不以返葬，故於太常墓失其地所。曾祖少中公訪而得之，筆地之名與距城幾何里步，以詔後昆，志亦懃哉！會薦離大兵，終無有能至者，七十餘年矣。元凱始成其志，如所筆發墓驗之，果得范公鎮所撰誌銘，摹以蠟紙，副吾家乘，願爲銘，樹石以表墓道。」燧受讀之：其先潁川人，唐遷于京兆。廣明中，違亂於蜀，家眉之青神。其可系者，瓊生延祿，延祿生贈兵部侍郎顒忠，兵部生希亮，即太常公。太常生京東轉運使忱，轉運生簡州司士參軍揮，司士生金儒林郎灝，儒林生國子監丞克基，國子生耀州三白渠規措使仲謙，規措生皇東平勸農使膺，農使生嘉議大夫、建康路總管兼管內勸農事，則元凱也。子敬立。最之凡十二世，聞者慨息，以爲非清風素望之門，孰能完有家乘，得其傳次如是之多哉！燧曰：是足爲多乎哉？苟推其世德而上之，之十二世者，又十二世而一耳。嘗讀太史公書，至其叙傳，於司馬氏受姓所從，上起顓頊，子孫官居功烈，文辭下及其身而止，豈顯親者不嫌自明宜然耶。故燧例之，由譜姚氏亦遠，本曰黄帝生昌意，昌意生高陽，是爲顓頊。顓頊生窮蟬，窮蟬生敬康，敬康生橋牛，橋牛生瞽叟。瞽叟妻握登見大虹，意感而生舜姚墟，故姚姓。舜三妃，堯二女。娥皇無子，女英生商均。一妃癸比生二女，宵明燭光。禹受舜天下，封商均虞城，以奉先祀。服其服，禮樂如之，以客見天子，示不敢臣。傳夏歷商，三十二世，書可見者，虞思、箕伯、直柄、虞遂、伯戲五世耳。至虞閼父，爲周陶正，武王賴其利器用，妻以元女太姬，生滿，賜嬀姓，而封諸陳，以備三恪，是爲胡公。胡公卒，子申公犀立。申公卒，弟相公皋羊立。皋羊卒，子釐公孝立。釐公卒，子孝公突立。孝公卒，子慎公圉戎立。慎公卒，子夷公說立。夷公卒，弟平公燮立。平公卒，弟文公圉立。文公卒，長子桓公鮑立。桓公卒，弟五父佗，其母蔡女，故蔡人殺太子免而立佗。生子完，周太史過陳，使以《周易》筮之，遇《觀》之《否》，「是爲觀國之光，利用賓於王。此其代陳有國乎？不在此，其在異國，非此其身，其在子孫。若在異國，必姜姓。姜太岳之後，山岳則配天，物莫能兩大，陳衰此其昌乎？」佗取蔡女，數如蔡。太子免之三弟躍、林、杵臼，共令蔡人誘殺佗，而立躍，是爲厲公[一]。厲公卒，弟莊公林立。莊公卒，弟宣公杵臼立。殺其太子禦寇，完與禦寇相愛，恐禍奔齊，桓公使爲工正，齊懿仲欲妻完，卜之，占曰：「是爲鳳凰于飛，和鳴鏘鏘，有嬀之後，將育于姜，五世其昌，並于正卿，八世之後，莫之與京。」卒妻完。以陳氏爲田氏，聲之近也，或曰食采田。完謚敬仲，生田穉孟夷，生湣孟莊，孟莊生文子須無，文子生桓子無宇，桓子生武子開與釐子乞，釐子生成子恒。及楚滅陳，而恒得政於齊，生襄子盤。襄子生莊子白，莊子生太公和，遷齊康公貸於海上，食一城。太公會魏文侯於濁澤，請天子求爲諸侯，天子命之，是爲田齊。太公卒，子桓公午立。桓公卒，子威王因齊立。威王卒，子宣王辟疆立〔二〕。宣王卒，子湣王地立。燕、齊、楚、三晉合謀，各出鋭師伐齊，敗之濟西。燕將樂毅盡取齊寶藏器，湣王出亡及莒，楚將淖齒殺之。莒人立其子法章，是爲襄王。田單大敗燕軍，迎襄王入臨淄，齊故地盡復爲齊。襄王卒，子建立。秦始皇帝兼天下滅齊，虜王建，遷之。共自商均國虞，至是千九百六十三年矣。此吾姚與陳始同爲虞，中同爲嬀，卒同爲田之未分者。後建三子，桓稱王氏，軫將陳氏，而不及昇，豈昇仍氏田耶。自是田或多失傳次，王莽自以桓裔，追封完爲敬王，以田豐爲世睦侯，奉敬王。後莽死，豐子恢辟亂過江，居吴興，改姓嬀。五世孫敷復改姓姚，惟陳可以世求。軫生秦東陽令史嬰，嬰生成安君餘，餘生軌，軌生審，審生安，安生恒，恒生願，願生四子：清、察、齊、尚。齊生源。源三子：寔、崀、邃。寔字仲弓，後漢大將軍掾屬文範先生。六子：紀、夔、洽、諶、休、光。諶字秀方獻文先生，生青州刺史忠。二子：佐、和。佐二子隼、徽。隼字道基，晉太尉黄陵元公，生伯畛。建興中渡江，居曲阿新豐湖。生匡，二子：赤世、達世。達長城令，徙居長城下若里，生丞相掾康，康生盱眙太守英，英生尚書郎公弼，公弼生步兵校尉鼎，鼎生散騎侍郎高，高生懷安令詠，詠生安成太守猛，猛生太常卿道巨，道巨生文讚。文讚三子談先、霸先、休先。談先梁東宫直閤將軍、義興昭烈公。霸先代梁，猶以姓號國曰陳，謚武。談先子曇倩繼立，謚文子。伯宗繼立，崩。文弟曇頊繼立，謚宣。傳子叔寶，亡。陳凡五代三十二年。叔寶四子莊、弘、徽、某。某會稽郡司馬。司馬生某，晉陵郡司功參軍。司功生兼右補闕、翰林學士某，翰林三子監察御史當、大理評事萇、秘書少監京。少監以從子鹽官令褒繼，鹽官生高安丞灌。高安二子伯宣、伯黨。伯宣著作郎，生旺，旺生機。伯黨生元史，元史生徽，溫州司户參軍。其自軫至機三十九世，昴弟列者正書其傳。然自廣明至治平，實伯八十七年，以三十年一易世率之，爲六世。太常而上四世，其不可推知者二世耳。嗚呼，籍載以來，不隕其世德者，惟獨一門。吾姚氏則自梁高平令可系，而至今者廿有六世。其上則或絶、或續，匹夫之家，其可小覬哉！嗚呼，亦有甚可感者，古人爲誌納之壙下，必載其世次、官勳，實用備或世變時遷，人有竊發，知爲何代大賢君子，揜之不忍及其舊焉。初不預爲裔孫克念其祖，求徵而謀也。今元凱悼陳氏入蜀中微，太常公始震而耀之，亦其家之鼻祖也。故既發視元石，而得其真，大封樹之，碑表賁道，刻石人獸，如其始窆，於三易代八世之後，亦古未聞者。故燧感之且敬焉。推吾遠本三千歲之上，皆有稽於竹帛者，詳次授之，非足止慰元凱於生，死而有知亦必曰：吾同姓表章及此，其庶幾乎「孝子不匱，永錫爾類」者邪。因爲楚人之辭，歲時上冢，使歌以祀。其言曰：

峻南峙兮崧高，阻西騖兮函崤。趾北邙兮坡陀，壖洛水兮波滔滔。堂封兮偃斧，古爲藏兮幾何？所既夷兮己焉，有不夷兮疇焉。主將帝私兮之家，俾鬼護兮神訶。待裔孫兮爲告，賴立石兮不磨。維裔孫兮思慎其守，不忍嘿兮求牛馬走。曰先志兮其成，庶階兹兮來嗣可究。余亦虞兮遺苗，匪妄冑兮華遙。其統緒兮可尋，具方册兮昭昭。年數千兮世踰百，生民祖兮或幾及。豈伊神明之後兮，不與他族而中絶。而何孟氏一言，遽必五世而斬君子之澤？坐令自今讀其書兮，亦取二三武成之策。重曰：往者兮垂芳，來者兮是望。勿替兮休聲，與嬀水兮齊悠長。

〔一〕是爲厲公：厲公，《史記》卷三十六又作「利公」。　〔二〕子宣王辟彊立：辟彊，《史記》卷三十六又作「辟彊」。

皇元高昌忠惠王神道碑銘并序

上畋柳林二月六日，丞相臣大都、平章臣扎蘭、宣徽使臣拜達實克、御史中丞臣布延、直侍行殿臣託克托、丞相臣圖沁特穆爾奏：金紫光禄大夫、遙授右丞相、宣政使、徽丞相政使臣阿拉克巴哈言，臣伏自去年言念祖考往事列聖，嘗著微勞，妄干威顔，請褒幽隧，聖量含弘，曲賜允俞，爲降誥命，追贈臣祖考布爾哈推誠贊治功臣、儀同三司、大傅、昌國莊愍公，考銀青榮禄大夫、平章軍國重事、宣政使、翰林學士承旨、領泉府司事達實密，推忠益國輔治功臣、開府儀同三司、太師、上柱國、高昌忠惠王，祖妣呼特呼訥完顔氏金源貴侯，從封昌國夫人高昌王夫人。臣雖糜軀補報無所，惟有刻諸金石，用章天休，庶幾先列託垂無窮，敢昧死請。制曰：可。太師臣託爾齊延、丞相託克托又言：昔盜殺大臣，嘗求王文忠公褒揚其功，文忠不可，其碑故存，請發兵士如千百人挽之，制曰：「無庸，其令十象輦致。」仍敕翰林學士承旨臣燧、集賢學士臣悉、翰林學士承旨臣仲壽撰書篆額。臣燧稽首承命。謹按：王曾祖考伊埒庫們實奇爾氏，初以百夫長事王汗。可汗之爲大號，自唐以然，今惟曰罕，王今所加，故兼稱之。曾祖妣夫人脱倫怯昵，生圖巴哈、齊哩克、薩理斡罕、合臘斡罕四人。太祖方以神武戡定朔漠，王罕與之有間，圖卜巴哈率其屬二百户來歸，徑雍古，爲其王所止，居之蒙古魯地。遣其子約速穆爾僞爲商，至帝所控其然。帝遣托掄薩理、必塔臺二人，使雍古王阿勒呼木實克奇呼爾所，召其弟與二百户者偕來。帝問圖卜巴哈在王汗所何官？曰：「爲質也。」俾仍爲質。宴享則賜班，坐大臣位。帝征西域，盡率其屬以從。會旌戰勞，賜回鶻户五百四十有八。在太宗世，又從帝弟睿宗平金。明年，乙未之詔定憲宗，時以兩諸侯王與蘇布特再征西域，又率其屬至有在行中。明年，至兗騰吉斯，與諸侯王巴圖會征欽察、斡羅斯。至阿蘇齊默斯城，皆先登。薩理斡罕夫人哈喇哈納，生昌公蘇卜特達巴。太宗分封功臣，割順天屬縣束鹿，隸昌公。初掌睿宗奉記，睿宗上征事莊聖太后，領所部民千户。歲辛亥，憲宗立極，從莊聖所求致之，詔蒙克薩勒爲丞相，昌國位其亞，天下庶務，惟決二人。又領諸王副車僧道伊囉勒琨。大食蠻朝覲貢獻，敷奏宣發號令諸事。明年，因勑掌祭藏與祠祀、醫卜諸臣，於昌國原申前制。後二年，蒙克薩勒卒，領中書省，終憲廟世，權寵不移。四子，長故湖廣行省丞相也先不，次故御史中丞茂巴爾，次王，季四川行省平章巴哈特穆爾。王自幼事世祖，初與今太師淇陽王伊徹察喇同掌奏記，後獨掌第一宿衛奏記，兼監斡脱總管府，持爲國假貸權，歲出入恒數十萬定緡，月取子八釐，寔輕民間緡取三分者，幾四分三與海舶市諸蕃者。兼户部尚書、内八府宰相，如馬湩、酹郊、燔肉、告神皆大祀也，惟王司之。又諸臣喪疾，可通籍入與否，必是焉白。詔凡祝釐金帛，惟視其署，有司始給。十八年，升總管府爲泉府司。丞相哈喇哈遜嘗奏罷之。二十有五年，王請復立。其年，東諸侯王納延叛，帝自將往征，王前矛而後殿之。詔諸侯王而下，生殺惟命，亦既底平。明年，其黨一王哈丹又叛。成宗時，皇孫詔王將衛士千人，從討之，大破其軍，獲輜重不可貲算，哈丹挺身走引分海隅。歸奏衛士疾戰之勞，請人賜白金爲兩五十，制：「可。」及改制，置爲宣政院，以王爲使。凡天下職僧之官，何人宜爲，從所調奏。祝髮之徒、入罪罟者，惟與是官同聽，有司不得專決。二十七年，叛王罕都犯西北鄙，帝又自將往征，至杭海。王累戰皆捷，叛王遠遁，撫安邊兵與置驛傳而還。明年，拜榮禄大夫、泉府大卿，凡諸侯王副車贊壤奠至庭者，王則傳臚受之。成宗元貞之元，罕都遣諸侯王額琳沁，出兵犯西陲，帝召王曰：「卿名素重，非身往不可。卿能行無？」對曰：「効死臣職，惟陛下命。」加銀青平章軍國重事。十月，獲額琳沁與所部偕來。大德三年，兼翰林學士承旨，領泉府司事。最其賜賚，珠衣、寶帶、海東青、鶻、白鷹及豹，出中祭外坊者，月異而歲新之，不次計。以大德八年七月二十有五日薨，享年五十七，葬狼山水峪。二子，丞相其長，今宿衛皇太后，寔世王官，掌傳臚都王副車凡贊壤奠。初尚諸侯王葉卜肯公主布爾罕，再尚諸侯王阿濟格之孫公主都掄呼都拉。次布喇尼敦，宿衛乘輿，内八府宰相、銀青榮禄大夫、大司徒、遥授左丞相、使太府院翰林學士承旨，娶廣平忠武王女布呼齊。女二人，長特濟格爲東平忠憲王子大司徒鄂都岱夫人，次女姑姑爲諸侯王瑪納斯妃。孫女古濟格爲諸侯王哈濟妃。因嘗槩王自至元甲子以及薨年，迨事兩朝，惟近清光，一日未嘗居外，實閱四十一寒暑，世之知者纔是職守，與從蹕討叛數事而止。自餘朝夕訏謀，左右彌縫，入宿出衛，所以奠枕九重者，其功將多。中禁深秘，外不得聞，惟帝知之，故雖没世猶不能忘，特崇其爵於百揆上，王之高昌，使臣鄰無以復，尚匪獨其身，又貴其子，兩皆入踐臺衮。矧其昺弟從子，布列中書宥密者，猶衆有之。嗚呼，盛哉！銘曰：

人臣之位，等絶數異；進爵及王，爲世極致。嗟王生臣，祖宗兩朝；禁近身居，蜚聲遠遙。帝崇象教，王使宣政；九有祝髮，竭蹷聽命。王在泉府，舶交諸蕃；匪利貨還，來遠志存。疆場雲擾，王每從討；險阻踐踰，帝躬是保。斯皆其外，人所易知。毗贊於中，誰悉密微。其悉密微，獨今皇上。哀其没世，大賁立壤。異姓而王，胙之高昌。潛德由斯，爛其昭章。猶若爲未，襲貴其胄；丞相聯翩，兄先弟後。婦王之女，女王之妃；伊誰能方，門閥巍巍！龜負螭挐，碑是墳道。填金載銘，天子之詔。（以上《牧庵集》卷一三）

湖廣行省左丞相神道碑

初，公以中書右丞下江陵，驛聞，大帝爲大燕三日，曉近臣曰：「布延東兵阿爾哈雅孤軍戍鄂，朕嘗深憂。或荆蜀連兵，順流而東，人心未牢，必翻城爲應，根本斯蹶，孰謂小北庭人，能覆全荆，江浙聞是肝膽落矣，而吾東兵可無後虞，朕喜以此御筆爲北庭書。昔嚕嚕哈西地所生，阿爾哈雅爲大將有功，信實聰明而安詳，其加卿爲阿虎耳愛虎赤嫡近越各赤給日别平章。」求之億萬，維臣之中，降是宸翰，昭乎雲漢之章，藹如天語之温，崇功褒德，匪夸一時，可華及子孫百世者，纔公一家，視古丹書鐵券出臣子手者，何足道也。即江陵民封之千家。始公微時，侍燕惟席地坐，後持置榻，班諸侯王實愛拉下，賜之金罍曰：「竢至而省，必合樂鼓某曲飲是，他雜以青白縹色龍鳳御服御帽、金玉珠帶、白貂裘、西錦珠衣、海東白鶻，凡所以侈服貴近由娱其心者，靡不及公。嗚呼，盛哉！公北庭人，妣夫人圖沁呼都魯，化胞生剖而出公，考額森和卓弗善也，將棄之，夫人未忍，益謹鞠。公幼聰穎而辯，長躬豐耕，喟然曰：「大丈夫當樹勳國家，何至與細民勤本畎畝。」釋耒去，求讀北庭書，一月而盡其師學，甚爲舅氏實喇岱達爾罕所異，歎曰：「而家門户其由子大。」及從事大將布拉吉達，俾其子故中庸右丞相呼嚕巴哈，從受北庭書。又薦其忠謹，得宿衛大帝潛藩。己未，從濟江，帝射虎未殪，公捨馬而徒，挺矛舂殺之。攻鄂先衆而登，禽一人還，流矢貫喉出項，帝勇之，賜銀爲兩半百。先是聞吐蕃有貯甘露寶函石室，藏山穴者，凡再使求之，皆爲大蛇奇獸所懼莫至，最後遣至其所，無所見，竟與俱歸。勸進之初，諸侯王議未一，惟一王闖察耳。嘗有書，帝忘其誰在也，顧左右問，公曰：「臣所有之。」書出而決，兩事皆甚合旨。中統三年，制以爲中書省郎中，褒曰：「久侍禁庭，已著勞蹟。」至元改元，加朝請大夫、參議中書省事，發言惟以當可事宜爲心，不憚伯相而阿其所志，人有小疵，必白帝前，衆畏其口。明年，進嘉議大夫、僉南京、河南、大名、順德、洺磁、彰德、懷孟等路行中書省事，始罷世侯，而易置其地。又明年，轉廉訪使、虎符、領鷹坊，凡鳥獸皮角筋羽悉征輸官。尋領諸路鷹師獵户，再兼中都路闌遺。又明年，進中議大夫、僉制國用使司使。又明年，故中書左丞劉武敏公拯爲策：襄陽吾故物，由棄弗戍，使宋得竊築爲彊藩，復此，浮漢入江，則宋可平。帝大然之，徵天下兵，領以元帥府。觀武襄、陽城、白河，別開行中書省，以我少師文獻公僉省，公爲同簽。凡襄、鄧、唐、申、裕在太宗世所殘漢上諸州之民，避荒汴、洛間，與下户賦寡者，悉徙而南，屯田給餉，尋罷帥府。又明年，詔故平章合丹開府儀同三司、平章軍國重事，贈太尉史忠武公天澤來莅師。宋遣人餽鹽茗襄陽。乃築長圍，起萬山包百丈楚山，盡鹿門以絶之。又城峴，首開省其上，兵興事劇星火，公專入奏，能日馳八百里，敗宋殿帥今平章范文虎於灌灘。又明年，分中書省爲尚書，拜中奉大夫、參知河南等路行尚書省事。又明年，兼漢軍都元帥，分將新軍四千六十。及廢尚書，復以爲河南等路行中書省事。宋遣都統張貴、張順，將舟師從上游送袍甲犒師。自萬山接戰二十里，斬順，殺溺過所當，貴獨以餘衆入。後水暴漲，慮貴乘出，下令軍中舟置燈篝，岸積薪槱。貴果結戰艦爲陣宵遁，盡然燈薪，戰四十餘里，斬之櫃門關。又明年，遂請以西域礮攻樊城，拔而屠之，無噍類遺。襄陽甚慘，移攻具臨之，且曉守臣呂文煥：君以孤軍禦我數年，今鳥飛路絶，帝實嘉能忠而王，信，降必尊官重賜，以勸方來，終不仇汝置死所也。文煥感而出降，十年二月也。詔公偕以入覲，真拜參知政事。明年，授資德大夫、中書右丞，同忠武公行荆湖等路樞密院。公策能籍民爲兵十萬，合舊軍或丞相安童、布延一人將之南伐，宋社必墟，制皆從之。故太傅布延與忠武，時皆以左丞相贈開府儀同三司、太保并國武宣公，阿珍以平章與公及故平章文煥以參政行省，將大軍發襄陽，將至郢，忠武疾還，敵宿兵數萬築新郢，夾江爲城，横鐵絙，鏁戰艦，江中巢礮彍弩，遏我舟師。郢北黄灣岸西，去江三里所，港通藤湖達漢，敵壁其上，攻拔之，拖舟入港。丞相惟以公數十騎覘新郢，趙、范兩都統鼓伏兵發葭林，諸將倉卒有未甲者，人人奮先，殄其一軍，兩將之首皆致。公割趙腦，膚撓酒飲之。行克沙洋新城，以臨復，守臣翟貴逆降，大軍去而復叛，及漢陽故平章夏貴，以制置舟師，陳漢口水軍，千户馬成爲導，由己未濟江沙武口塗入江，拔陽邏、青山、白湖諸壁，走貴軍。鄂守臣張晏然、王該、王勝以城下，遂徇州民衣冠闕會，仍其服行。鄉郭帖然，無有奪菜秉者，民爭德吾元仁政義聲，恨服化晚。檄下漢陽、壽昌、信陽、德安，大兵既東，分四萬人戍鄂，咨公留後，尋進官榮禄大夫。自陽邏置驛以便行商，至蔡方請移師江陵，而荆閫安撫高世傑，將艨艟千六百艘，卒二萬規襲鄂。公分兵禦之，大敗之荆江口，降諸洞庭桃花灘。下岳，承制以守臣孟之紹爲安撫使，即西師。至公安，誓曰：「自今功者，健兒陞長百夫，百夫長千夫，千夫長萬夫，萬夫取進止。」因南風大，沙市戰城上，又戰城中，屠之。江陵精鋭於是焉盡。制置使朱禩孫辭疾，高節度達出降。下令安集如鄂岳，傳檄歸、峽、灃、常德、辰、沅、靖、荆門、隨郢復皆下之，官其守臣如岳，除宋苛法，衣食惸嫠。詔故平章廉希憲，以右丞行省江陵，以世傑窮而來歸，棄江陵市，禩孫徵至京師死，猶没入其妻子。還公于鄂，移兵長沙，行拔湘陰。潭守臣植渄柱江中，自喬口至城，凡十五所，皆斷之。又拔城西栅，射書招其守帥李芾，速下以活州民，不然拔城屠矣。不答，乃令諸將畫地分圍，決隍水以樹梯，衝礮鐵埧石心臺。百日，公中流矢，創甚，責戰益急。申命諸將：凡所由久頓兵者，卒伍前驅，諸將安行其後也。自令萬夫、千夫、百夫之長皆居前列，有退衄者，定以軍興法從事。三日而拔，謀諸將曰：「國家爲制，城拔必屠，是州生齒繁夥，口數百萬，悉魚肉之，非大帝諭布延以曹彬不殺旨也。」其屈法生之，發倉以賑餓人，傳檄郴、全、道、桂陽、永、衡、武岡、寶慶、江西袁連皆下之，幼主面縛。公入覲賀，始庭拜平章政事。還移兵靖江，破嚴關，敗馬都統臨川，陳、張兩總管小溶江，諭經略馬曁不下，凡攻三十餘日而拔。公以靖江遠中土，非長沙匹，民性驁嚚，易叛難服，不重典刑之，廣西它州，不可言以綏徠，其坑之市斬，曁傳檄下柳、鬱林、横、邕、廉、象、潯、藤、梧、貴、昭、融、賓、宜、賀、化、高、容、欽、雷爲州二十。廣東肇慶、德慶、特爲州三。特磨農士貴南丹牧莫大秀皆請内屬，乃牐全之湘水三十六所，以通遞舟。承制以萬户史格行宣慰司靖江，還潭。宋餘孽益、衛兩王，改元海中，啗人以爵，規復其舊。全、永諸州與潭屬縣之民文才喻、周隆、張虎、羅飛之倫，大或集衆數萬，小方千數，在在爲羣，與江之北黄、蘄相煽以動，皆削平之。僞將張世傑傳欲襲肇慶、雷，詔公討之，且略地海外，無爲賊巢。過柳州嶺時暑，軍士病渴，所乘馬蹄地出泉，人資沃飲，至今名馬蹄泉。而僞安撫趙與珞已戍海南白沙港。公航海五百里，不崇朝而至，擊與珞，并獲僞使冉南國、黄之紀，皆磔之。諭降瓊、南寧、萬安、吉陽，聞僞王陷南恩，公還，襲走之。降方經略，會衛王死崖山，乃還。復諭降八番，以其酋龍文貌入覲，置宣慰司。從鎮南王伐交趾，其君蹈海去，得文毅、昭國兩王以歸。後二年，入覲上都，庭拜光禄大夫、湖廣等處行中書省左丞相。再月而疾，勑尚醫四人診視。求見登馬而劇歸，即與夫人訣，當廿有三年丙戌五月廿五日，薨上都，享年六十，葬都城西高梁河。公元配特哩，帝既才公，敕陳、亳、潁元帥郝謙女爲亞妃，前卒。敕復以其妹爲繼，自陳三召傳至京師，順聖皇后爲加幗服，白金爲兩二千五百，男六人。特哩生故資善大夫、湖廣行中書省左丞和斯哈雅。長郝生正奉大夫、湖廣行中書省參知政事、虎符、監兩淮軍格齊格。繼郝生輔國上將、省湖南道宣慰使、虎符、監潭州軍，賜玉帶一品富華善。如夫人者蕭生巴圖爾哈雅、阿實克哈雅。媵生圖嚕默色哈雅。女五人，一適政嘉議大夫、同知廣西道宣慰司事錫里薩巴，一適承務郎、大司農少卿僧嘉努，一適中書省斷事官埒爾錦，一適昭勇大將軍、監平陽太原軍布延，一適傳詔巴爾雅。男孫三人，碩被實哈雅、圖圖哈雅、和塔拉哈雅。女孫六人，一適郝某，一適平章庫爾濟蘇子博囉，一適監平陽太原軍子集賽，餘幼。後公薨十四年，今正奉、輔國以神道未碑，出公凡受制書與御筆及公平生行實，請燧曰：「徵是爲銘。」嗚呼！兄弟爭與昭揚先德，於其子職責已塞矣。嘗讀望諸君書：「善作者不必善成，善始者不必善終。」未嘗不興慨歎於武敏開用兵端，視南國爲奇貨，思圖形丹青，垂譽竹帛於今日，後者如取諸懷及襄陽下，方戍淮西，功已不出乎己。大師南伐，復分兵淮東，渡江捷聞，一失聲而死，豈先福始禍者，誠如道家所忌邪。而公鼓其孤軍，留戍所餘不能倍萬，名城通都身至力取，利盡海表，圖地籍民，半宋疆理，其時將相雖瞠後塵，猶不可望公少見。最所下州：荆之南十四，淮西四，湖南、九江之西二，廣西二十有一，廣東、河南各四，凡五十八。自餘洞夷山獠，荷氈被毳，大主小酋，棋錯輻裂，連數千里受縻聽令者，猶不與存。其依日月之末光，張雷霆之餘威，以會其成功者，亦一世之雄哉！今列其由省幕戎麾與所受降登宰相者：丞相二，蒙古岱、阿理罕；平章十二，鄂囉齊、呼圖克、特穆爾、阿里史格、呂文煥、特穆爾巴哈、李庭、李順、張弘範、劉國傑、程鵬飛、史弼；右丞四，索多元、顏諸海、闞出、柔落也訥；左丞四，塔齊哈、唐古特、劉深、趙修己；參政十三，賈文備、鄭也可、何瑋、張鼎、樊揖、朱國寶、張榮實、囊嘉特、烏瑪喇、博囉和塔拉、高達、馬應龍、雲從龍；都元帥、宣慰使、總管、萬夫、千夫之長，又什伯。是觀出其門衆多，又足徵公善推勢人也。初北上田租畝取三升，户調歲惟四兩，及定湖廣税法，畝取三升，盡除宋他名徵。後征海南，度不足於用，始權宜抽户調三之一佐軍，時以爲虐，今較江浙諸省槩增倍蓰。獨西南賴以輕，平其境館傳修潔，亦甲他省。生祠所在岳、潭、柳、雷、公安、興安皆一，而嚴關與全獨二。銘曰：

疇曰江漢，南北之限；天裂幅幀，可恃爲捍。天混皇輿，其險則那。古以求之，同軌不多。秦漢茲降，吴平於晉，陳兼於隋，矧趙遺胤。曜靈生東，有炎朱光；爝火之微，宜爾滅藏。於皇大帝，神武不世。行所睿思，效若龜筮。由夫潛藩，自將六師。舫舸浮江，亦既越之。歸正丹扆，羣策明試。加兵襄陽，五稔克止。公曰乘勝，籍民授兵。將以大臣，南國用平。帝曰俞哉，惟爾協朕！假爾以鉞，誅彼干禁。大師克鄂，鼓行而東。四萬其徒，留後畀公。公乃按圖，吾與吾守。待敵伺先，孰與進取？自鄂而岳，自岳而荆；長沙桂林，皆劓以兵。餘州數十，雖定傳檄；勢讋言綏，心亦孔棘。又鋤武庚，于海之南。左右皇子，交州是戡。疇知公勞，大帝簡在。

衣裘禽集，靡有遺賫。不事故常，墮其奎章。捷捷翩翩，龍騰鳳翔。又錫金罍，合樂而飲。臣鄰之家，寵未有甚。猶若未然，丞相是崇。與太傅公，同元元功。甲子二終，玄閟是宅。壽止名垂，晰晰竹帛。北方諸流，所王維河；九里漸濡，尚其餘波。宜公有子，匪相伊使。不專美虞，賞克延世。其北居庸，盧溝在西。有碑斯豐，流峙與齊。（以上《牧庵集》卷一三）

全元文卷三一三

姚燧 一五

平章政事蒙古公神道碑

燧持憲節，使江之東三年，當大德癸卯，光禄大夫、上柱國、江浙行省平章政事公之三子：山東宣慰使罕都與江東建康道肅政廉訪副使拜都及行河南省參知政事額森特穆爾〔一〕，譜其系，狀其事，以請曰：「先公三宿墳莽矣，其忠以事國，孝以繩家，光大而雄偉者，不及今焉鑱之金石，將日遠日忘，奚以示遺胄于無窮，敢屬筆子。」燧以與憲副聘事此道，義不可辭，乃序之曰：公蒙古氏，諱博囉罕輝和爾。公之曾孫嘉木和爾、公之孫扎魯和托、公之子始輝和爾、與兄威伊特，俱事太祖。時太疇盛彊，威伊特謀往歸之，輝和爾苦止曰：「帝何負汝，而爲是。」竟去，追之不復，雪泣而歸，請獨宣力。帝貳之曰：「汝兄與衆皆往，獨留何爲？」無以自明，乃折矢誓曰：「所不終事帝者，有如此矢！」帝感其誠，易名希襌，約爲「按答」。蓋明炳幾先，與友同死生之稱。帝後與王罕陳于哈喇真，彼衆我寡，敕烏嚕一軍先發，其將瑪楚岱玩鞭馬鬣不應，希禪請曰：「戰猶鑿也，匪斧不入，我先爲鑿，諸軍斧繼。」顧帝訣曰：「臣萬一不還，三黃頭兒將軫聖慮者。」辰入疾戰，大敗其軍，晡猶逐北，敕使止之，乃旋師。免胄爲殿，腦中流矢，帝傷之曰：「朕戒卿蚤休兵，竟創而歸。」親爲傅藥，寢與同帳，踰月而卒。帝曰：「曩濟勒錦爲敵將，實禦希禪，其以濟勒錦民百户屬希禪子，世世歲賜勿絶，其族散亡者收完之。」即封北方萬家。太宗以其子蒙克爲郡王，又俾貴臣呼特呼大料漢民，分城邑以封功臣，割泰安州民萬家，封郡王。歸奏，帝問蒙古之民何如是少？對曰：「臣今差次，惟視太祖之舊，舊多亦多，舊少亦少。」帝曰：「不然，舊民少而戰績則多，其增爲二萬户，與十功臣同爲諸侯者，民異其編。」烏嚕爭之：「蒙古舊兵不及臣半，今封顧多于臣？」帝曰：「汝忘而先玩鞭馬鬣事耶？」後諸侯王與十功臣既有土地人民，凡事干其城者，各遣斷事官自司，聽直于朝。公年十六爲斷事官，世祖正宸極，以從攻叛王額呼布格功，賜其軍騍馬四百匹、金銀幣帛稱是。尋詔入宿衛，曉近臣曰：「是勳閥諸孫，從其出入禁闥，無輒誰何。」李璮反，詔將蒙古一軍圍濟南，鈔益都、萊州。賊平決獄燕南，人稱明允，賜衣一襲。雲南王呼格齊，爲其省臣巴哈丹輩毒殺。事聞，敕中書擇可治其獄者，凡四奏，人皆不當旨。丞相希札舉公，且言敗事臣請從坐。帝曰：「之人則可。」公辭：「臣不愛死，第年少，目不知書。」帝曰：「朕方恃卿求皇子死，尚書拜特穆爾知書，惟可使之，簿責其事，是否一委自卿，明日慎無歸咎輔行也。且聞卿不善飲，彼地多瘴，宜少飲敵之。」未至四五驛所，巴哈丹遣人負金六籯來迓，公曰：「雲南去朝廷遼邈，省臣握兵不安，其心將懼而變。」乃好爲語遺之。既至，盡以金歸省，而竟其獄，得置毒情，殺之而還。奏可，顧希札曰：「卿舉得人。」賜兼金爲兩五十。武備寺奏令入筋角，惟蒙古以時，夥于常歲。帝曰：「其報賜之自今凡蒙古事，無大細，如扎拉爾事統安圖者，悉統于博囉罕。」八年授昭勇大將軍、右衛親軍都指揮使、虎符，大都則專右衛，上都則三衛兼總。十一年，授金吾衛上將軍、中書右丞。大師南伐，分軍爲兩，制曰：「其右受巴延、阿珠節度，左悉委卿。」指一犯法臣曰：「如博和哩默色，朕不責也。」俄授兼淮東都元帥，軍于下邳。公策諸將曰：「清河居宋北鄙，城小而固，與泗州、昭信、淮安實相犄角，當水陸衝，未易卒拔。可頓大兵爲疑，海州、東海、石秋，違此數百里，其守必懈，吾將輕兵倍程而東，其守臣可襲虜也。」師至海州，丁安撫果下石秋，東海隨下，清河史安撫聞之亦下，不一月而下四城。宋主既降，而淮東諸州猶城守，故太傅巴延入覲還，密詔公進兵，拔淮安南堡，戰白馬頭，又戰寶應，棄高郵不攻，由西小河達漕河，據灣頭堡斷通泰援，竟拔揚州，斬其制帥李庭芝，淮東諸州悉下。賜西域藥及蒲萄酒、介冑、弓矢、鞍勒。會分江南之州隸諸侯王及十功臣，又益封公桂陽州。十四年，遣平叛王珠爾噶岱于應昌，賜玉、鞶帶、幣帛，與博囉罕同署樞密院事。未久，授北京右丞。既至，召還。會南土多反者，詔募民能從大軍進討者，俾自爲軍，其百夫、千夫惟聽其萬夫長節度，不役他軍，制命符節，一與正同。已行矣，公疾不能自陳，令董司徒文忠入言：「今有日所出入勝兵，何啻百萬，何假此曹無賴僥倖之徒，以壯軍威。臣恐一踐南土，肆爲貪虐，斬伐平民，妾其婦女，橐其貨財，民畏且仇，反將滋衆，非便。」召輿疾入，帝視其色瘁然，賜坐與語，重承董奏，可之。適常德入愬唐古特一軍〔二〕，殘暴其境，如公所策，敕斬以狥，諸是軍皆罷之。十六年，哈喇蘇、博囉蘇、烏拉罕蘇、呼肯皆彊宗也，勢不相一，求遣大臣來莅，詔令公往，凡居是三年。十八年，以右丞行省甘肅，時大軍駐西北，仰哺省者十數萬人。自陝西、隴右、河湟皆不可舟，惟車輦而畜負之，塗費之夥，十石不能致一，米石至百緡。公經畫得方，供億不乏，賊不敢窺邊者二年。二十有一年，授龍虎衛上將軍、御史大夫、江南諸道行御史臺事。黄華反，徵内地戍兵進討，未能平賊，多奴良民以歸。公令監察御史、提刑按察司隨在糾覈，皆土還之，以疾歸。會諸侯王乃顔反，帝欲自將征之，公曰：「始太祖分封東諸侯王及侯其地與户，臣始知之，以二十率之，彼得其九，蒙古、烏嚕、札喇爾、鴻吉喇特、伊奇喇斯五諸侯得其十一，彼力滋多，吾亦滋多，吾有衰耗彼亦衰耗，然要其歸五侯之力，終多彼二，惟責徵兵五侯，自足當之，何煩乘輿？臣昔疾今愈，請事東征。」制：「可。」賜介胄、弓矢、鞍勒，命公董是五諸侯兵以行。與乃顔接戰，屢摧其鋒。再與其黨一王塔布岱戰，淫雨不止，軍以乏食求却，公曰：「兩陣之間，勿作事先。」已而，彼軍先動，公悉衆乘之，逐北二日，身中三矢，擒塔布岱，斬和掄輩，後與伊羅勒太師合力，始誅之。賜銀爲兩四百五十，幣帛九。不再月，其黨一王哈丹復叛，公再請往，詔與諸侯王鼐瑪岱討之。公狃于屢勝，一日不虞，賊游兵卒至，止從三騎返走。有壑絶前廣二丈，深加廣半，追兵且及，獨公策馬能越，三人後者皆見殺，人以爲天相忠義。後逐北，極于東海之壖，哈丹自引去，獲其二妃，斬其子拉塔于陣。凡戰四年，所俘金銀悉散將士，以故人致死力。賊平，敕一妃賜鼐瑪岱，一妃賜公，陳金銀器延春閣，召東征諸侯王及公至，將分賜之。問公：「汝家是器幾何，鞶帶有無？」公曰：「以陛下威德，奉身之物亦畢備矣。」帝曰：「朕出此物，本酬卿曹之勞，在人則伐其能，以幸多取。朕問猶曰既有，可謂謙挹不眩于貨者，豈令其徒手歸，姑賜是器五百兩。」二十八年，改河南宣慰司爲行中書省，求可首是省平章者，凡三奏皆不允，末乃及公則可。授榮祿大夫、平章政事。淮鹽爲引，歲六十五萬，前政多逋至，公如額而集，賜異幣一。開封監縣特穆爾，告廉訪使胡某不戢其民，昏集曙散，縣簿陳勣置巡屋器械于村，又周劉光店爲牆，四其門扃鐍，司夜出入。詔公按之，皆誣，杖而徒戍南邊。後詔天下，括馬不當及公等之家，公曰：「吾家有馬羣連郊坰，不思佐國，無以爲方三千里官民之倡。」其入驛馬十有八匹。河水遷流無常，民訟退灘，連歲不絕。或以其地投獻諸侯王，求爲佃民自蔽。公奏止之，仍著爲令。河後泛濫，堤埽横潰，歸德、睢州、汴梁水及城下，漭爲巨浸，公親行視，督有司捍完之。皇上元貞二年，遷公平章陝西，未行而改，復爲河南。入覲，奏蒙古一軍戍北，歲久衣率故弊，請以臣泰安州五户歲入絲一斤，積四千斤盡輸内帑，易爲匹帛，分賚諸軍。上以爲善，敕遞車送達軍中。賜銀爲兩百五十，幣帛三。陛辭之日，上諭之曰：「卿今白鬚，世祖德言，實足聽聞，事更加慎。」中書平章喇真、宣政院使大食鑾合奏：始者伐宋，世祖分軍爲兩，右則屬之巴延、阿珠，左屬之博囉罕。今巴延、阿珠皆有田民，而博囉罕獨無可後。」上曰：「何久不言，豈彼恥自白耶？」其于淮東所嘗戰地高郵已籍之民，賜五百户，以上中下率之，上一而中下各二。及圈背銀，倚比，再至汴。踰年，凡流外官久滯不銓，旅食道宫者，旬月皆出之。大德之元，叛王雍和爾、烏蘭巴哈來歸，公遣使馹聞：「始是諸王叛，由其父，是輩小弱，若無與知，今焉來歸，宜棄前惡，以勸未至。」上曰：「是奏深契朕衷。」改平章湖廣，賜金鞍勤。至汝寧，合福建省于江浙，授公光禄大夫、上柱國、江浙等處行中書省平章政事，賜白玉帶。夏旱，隨禱而雨〔三〕。杭之豪民十家，入賂于官，大爲醲務，高其估而專其利，酒日醨惡，公變其法。張省四憑，其富畜凌轢府縣，肆爲姦利，自刻木牌與交鈔，雜行民間，實侵貨幣，與國爭利。又盜隄海之石，牆其私居，公欲斬之，而中書刑曹當以杖，然亦由是大姓始重足立矣。以大德庚子五月二十有二日，薨于臨安寓舍，年六十有五。以其年七月八日葬于檀州西北太行山，不封。最其平生，典兵則右衛都指揮使、都元帥、樞密院，風紀則御史大夫，宰相則三爲右丞，四爲平章。與夫四十七年馬足所及，西南雲南，西北金山，東北海隅，東高句驪，東南吳閩。再討叛臣，四征叛王。其間事平而疾，聞變請行，惟以有國艱虞爲憂，視轉鬭乎萬里之遠，歷歲之久，若堂奧之朝夕焉。雖風雪皸瘃其膚，鋒矢交集其躬，飲食饑渴不時，其口體皆不避恤，必致寇首戲下，歸報終事而止，真凜凜有曾考風。上尤眷重之，若世祖身御櫜鞬、弓矢，皆百世傳寶，不以賜臣下者，惟以賜公。海東青雜鶻，先朝多或十賜，惟至白鶻觜爪玉如，聖語曉曰：「是禽惟朕及鷹師所韝，以卿世臣諸孫宣力之多，日桑榆矣，無以娛心。河南治地，平衍而遠，且多陂澤，鵝鶴所集，時出縱之，使民得見昭代春秋蒐田之盛，不敢萌啓邪心。」皆殊錫也。夫人某氏，男四人：宣慰、憲副、參政、季博羅。公于庭臣居家，最名有法，夜分不寐，諸子列侍其側，聽談祖宗故實，毋敢或歸私室。宴奉樽俎，迭歌舞以娛賓，亦無有酒失者。女六人：長適國戚巴拜，次適色徹肯平章子僉書樞密院事完者，次適國王弟布呼齊，次適伊克徹爾太師弟克呼出，次適山東宣慰使必匝雅，幼在室。銘曰：

皇矣太祖，肇造方夏。右之左之，惟十臣者。公之曾考，展一其中。矢矢𤂺告，帝視友同。敵陳來加，挺戈而出；大崩其軍，免胄而入。五兵之長，無矢不仁。懋功是創，由賊叩輪。帝側其心，百俘償死。顧成嘉止，既王其子。迨分茅土，帝自等差。國以泰安，二萬其家。公祖王季，勤勩克類；再傳而公，世祖之事。勳閥遺苗，帝植以培。而獨于公，嘗譽其材。聽于禁闈，無止入出。翼翼其心，彌謹自律。隨遇而安，利患靡干。承命即往，奚遠奚難。東北海隅，西南六詔，甌閩炎陬，金山遐徼。聞有難虞，必請赴趨。大獄叛藩，無一漏誅。人臣憲憲，曰省臺院；平章大夫，宥密鈞踐。先聖今聖，賚予優優；良駟天閑，豪集御韝。槖鞬介胄，鞍帶衣裘，黄白之金，委家如邱。皇矣太祖，于疆于理！惟公曾考，實成其始。遺厥大艱，畀之神孫；神孫世祖，闢乾翕坤。考其皇輿，南北猶判。孰是浙右？羸鬼歆祼。大輿師征，嶯藁百城。罔不簞壺，竭蹶義聲。傳其國都，孱主銜璧。叢爾淮東，諸州猶壁。詔公進攻，盪殲渠兇。九域攸同，公焉成終。將天之意，悠悠或在。成始之孫，宜際斯會。益封桂陽，江嶺外內。于乃先烈，克光以大。嘗聞古先，誓侯功臣。泰山如礪，國以永存。嗟公王孫，國泰山下。權輿礪如，其自今也。

〔一〕額森特穆爾：清鈔本作「也先帖木而。」

〔二〕適常德人愬唐古特一軍：愬，原作「溯」，據清鈔本改。

〔三〕隨禱而雨：雨，原作「兩」，據清鈔本改。

平章政事徐國公神道碑

公伊札吉臺氏，諱徹爾。曾祖臺齊，初將突騎百夫宿衛，從太宗戡定中夏。又劉平宋彭義斌叛擾山東。太宗分土功臣，由徐邳再刳於兵，户不足萬，故國以兩州。祖納呼，憲宗伐宋，師由蜀入，從攻合之釣魚山，戰疾力。考奇嚕俱監其國。以世祖建極中統之元庚申，夏五月十有二日生公，六歲而孤。母夫人富察君介，介自持動以禮節，親戚不敢干以非義，教子讀書，天質粹美，不勤外傅，六經二氏悉涉源委。以故聰明，開益日多，才略兼人，恒以匡君經國自期。至元十有八年，軀幹盈常，襲其祖衣，長不能勝，則知其先益魁傑也。其年入見，帝賜之問而奇其對，進侍帷幄，湛露龍光，汪濊涵濡，絶其等夷。時詢民情細微，敷告無隱。一諸侯王稱兵東北，帝自將征入其地矣，軍中夜驚，公出撫遏，人識言音，喧沸一寂。跳梁既平，爲秦兵餘之民艱窶剝膚，不賑恤之將不生活，賴賜穀帛牛馬脱寒饑者，無慮數十萬人。歸擢利用監，古武庫也，匪爾在帝心人者，不以付之。二十有三年，詔求逸遺于江之南，且省其俗。時相方急治賦，鬻民學田，官有其直。令既行矣，公則止，還諸學用，爲完廟養賢之須。歸以事聞，制甚嘉可。明年，僧格分中書庶務，立尚書省，初爲平章，後爲丞相。凡昔盜殺臣爲領部，爲制國用使，爲尚書省，所逋錢粟併歸中書，舉誣爲中書失微，殺其二相。大爲計局，鉤考毫釐，諸省承風，鄂省已劇，浙省尤酷。延蔓以求，失其主者，逮及其親。又失，代輸其鄰，追繫收坐，岸獄充牣，榜掠百至，或鬭夫三木，責妻市酒以償，民不堪命，自經裁與庾死者已數百人。虐焰熏天，諸王貴戚亦莫誰何，無不下之。獨公奮然，數其姦贓。帝初未然，益犯威顔，言色俱厲，帝以爲醜詆大臣，失幾諫禮，怒遣左右批其頰，辯不爲止，曰：「臣非有仇于彼而然，直不忍其罔上自私，敢因雷霆一擊，遂爾結舌，使明帝有不受言之名，臣實憒恥。」帝意始解，命將衛介百人，控鶴倍之，入籍其家，得金寶衍溢棟宇，他物可資計者將半内帑。罪既彰白，始鈐其人，諸繫計局者皆出之。又命籍黨惡浙省諸臣，平章左右丞、參政烏瑪喇默呼、實都、王濟等家，併僧格之姻、鄂省約蘇穆爾，皆醢以謝天下，以成其獄。凡四過徐，不入其家，爲帝所忠。怒御史臺臣不善癉惡，坐觀政紕，其自當汝罪，皆曰奪職、追祿、杖，三者唯命。江浙平章夙有怨于臺，乘其憑怒，自傍激之，謂湖北廉使功臣諸孫，盜燒鈔八百定，堂帖二十，下容姦數年，贓終未入，抱案帝前，示曰：「稽是可見。」誤裂卷爲兩，縫留半印。公曰：「縫用印者以杜罔欺，汝爲宰相，持半印案以訟人，餘半烏在。」其人言塞，帝顧罵而起，臺誣始釋。明日，拜御史中丞。無幾時，拜榮祿大夫、平章政事、行省福建，賜爲兩金五十，銀五千。令行禁止，民便安之，惟汀、漳劇盜積歲未平。公身將諸戍之兵，申明約束，不貪勝，不蹂禾稼，不入民舍，惟張皇武威，過柵不攻，示以整暇。晝則合圍山中，夜則税野偃旗仆鼓。賊或僞降覘其何爲，乃豐酒肉飲食，曉曰：「汝昔由不堪汙吏侵暴，潛逃居此，能棄險而還耕桑，則平民矣。吾安忍被汝反名，而加諸夷，寡人之妻，孤人之子，獨人父母，而利其財。」悉縱歸之。他柵聞者相率以出，其渠鄂特新日戩南奔，大兵隨之，偷生隝中，其黨縛致于軍，血鋒刃者纔是一馘。自是方三千里，枹鼓不鳴，正席其堂，畫諾而已。聞帝不豫，馳歸京師，嘗藥晨夕，俄然賓天，與諸侯王大臣定策禁中，遣使逆成宗龍庭，入踐天位。大德之元，拜江南諸道行御史大夫。一日，召其都事賈鈞，今參議中書者，謂曰：「明詔責使肅清宣明風俗教化，而刀筆流爲御史者，肆爲苛虐，惟急徵贓，以多爲功，至迫子證父，妻證夫，弟證其兄，奴告其主，敗風教者，我實行之。汝宜以是出訓其屬。」帝聞之，以爲得職風紀大體，微意柏臺。七年，改浙省平章政事，其治如臺，門無私謁，以轉粟京師，多資東南，居天下什六七。而松江填淤，歲久富民利之，當水出塗築爲圍田，以故瀰漫浸灌，沮洳廣遠，民不可稻。公發卒數萬浚決，疊石堤之，導水入海，使復其故。凡身董役，經時而成，民得良田若干萬頃，至今賴之。九年，召入平章中書，贊右丞相，專力一心，燮和庶政，希致隆平。纔一暑寒，責異己相，曰：「方帝不豫，而乃阿中專決，吾誠不忍汝見敗國以喪元也。」遂疾不出，以十月八日薨，年四十七。立朝之士，在野之民，齎咨咸曰：「古人有言，昊天不弔，殲我良人，矧鉅臣哉。」蓋棺之日，最其家楮，緡不滿二百，而債券積多至十萬。大臣清貧，無公比倫，足昭炳白樂施爲仁不富之實。官給轊車，始克歸葬于徐邳岠山之陽。前夕，茲山列炬如晝，人則以爲公之營魄結爲光耀，以助臨照之祥。既貴顯矣，妣夫人杖之，受不敢逃，其孝又何如也。後公薨之三年，當至大之元，制贈推忠守正佐理功臣、太傅、開府儀同三司、上柱國、徐國公，謚忠肅。嗚呼，今聖不忘，哀而崇之，所以爲人臣下賁幽墟，可謂竭盡而無餘矣。銘曰：

維昔大帝，立極之歲。人生是時，不億其麗。何獨于公，光嶽氣鍾？娠是元臣，豈億所同。

加敦《詩》、《書》，聞見開益。甫踰弱冠，帷幄出入。于狩于征，無遠不從。靡夕與朝，勤不懈恭。天寵之承，其言易直。袞闕可彌，憑怒安衂。大沃宸聰，盡殲孔壬。于福平章，百其贈金。汀漳夙盜，知公來臨；投其殳戕，耕鑿謳吟。成宗繼序，曰秦漢下；御史大夫，丞相之亞。俾行南臺，不專繩愆；體仁德音，風教是宣。移平章杭，先民所急；浚通松江，壞防巨室。中書平章，曾不歲餘。責右己相，阿中速辜。行馬施門，用示不出。憤疾以終，救時望失。將窆徐方，岠山之陽。貧僅能歸，其清益彰。嗟兹九土，奠自神禹。岱宗巖巖，北徐爲襟。其帶伊何？淮流在南。今其疆理，蹵乎古始。河齧彭城，其水瀰瀰。初公曾祖，以佐運功。雖國是徐，猶爵未崇。於皇今聖，公德之令。哀蚤隕祚，上公是命。既土既爵，傳子而孫；帶礪山河，國以永存。

徽州路總管府達嚕噶齊兼管内勸農事虎公神道碑

李氏國淙，爲宋金西北陲患三百年。太祖徂征，猶傃天戈，以故多取殲夷。烏訥城帥實與宋臣戰死，惟戲下鈐部官穆蘇和勒，由首出降，獨全從帥子惟忠，則贈銀青榮禄大夫、平章政事，謚武愍公恒之考，隸分土淄州諸侯王。王多其氣貌異倫，精藝騎射，能諭説他國言，爲華言如周象胥氏教，以爲其國軍民總管，從征淮南，年七十二卒。二子，長則公，諱益，曰：「古人以王父字爲姓，我其法之，我先人諱中，其取一言姓。」遂虎姓。未冠，教參其國萬户府謀議。李壇反，盜據濟南。詔徵諸道兵誅之，公在王國軍中，分城長圍，斷其遁塗，七月而罪人投首。以軍諮勞賜厩馬、鞍勒、衣服、甲胄、弓矢、白金爲兩五十。後命于朝，官以承事郎，知萬户府事。用兵襄陽，王國軍亦徵，公在行中，復城長圍，不釋甲六年。當至元十年，其守帥文德始下。明年，詔故太傅巴延，以中書右丞相督圍襄，諸軍濟以新籍之兵南伐，既渡江，分兵五之一留。故中書左丞相阿爾哈雅，時以右丞戍鄂，大軍次浙西，右丞相徇地湖南，詔虞兩軍相距懸邈，無以應急緩，俾武愍公時以左副都元帥將是軍，徇地江西。公在行中，從破劉槊、熊飛、吳浚、張文虎、文天祥諸軍，下江西州七、閩中州三、廣東州十四。護送纍臣入覲，凡所詢軍旅事機，陳對皆可，官以中順大夫，監龍興路。是州爲新造之邦，而宋餘孽兩王改元海中，遣間四出官訹，故臣在在起應，蜂屯蟻附，左翦右攘，數年未平，獨公善威讋而信柔之，一境肅謐。及陞帥府爲省，滿秩，省以其民安公，聞制留再爲。凡監龍興五年，移監撫州路。始以日本之師，繼以交趾之師，供億百需，一令之下，急踰星火，動裁以失軍興法，其事之集獨先，鄰路省喜利臣，復大加鈎覈，既徵于書，又繁爲條約，使吏自實，有多牟于民，而冒出于官者，皆責償之，自以爲功，而媒貨其門，鮮有不入罪罟者。公獨完潔，無絲毫得。凡十年，移監袁州路。三年，改監徽州路。皆位總管上，撫陞中議大夫，徽陞少中大夫，袁、徽皆兼管内勸農事。滿徽而歸，曰：「吾既得從戎，天訖宋命，會其成功，受任先朝。洪、撫、袁、徽，連牧四州，服三品服，人臣願欲而不得者，身享有之，餘二十年，可以止矣。豈如他人，上覬將相，以致敗耶。」過汴慨息曰：「吾祖世官西河之壖，吾考寓墳東海之濱，是邦去路而邇，亦地之中，于是爲家，可以西望吾祖，東望吾考。」遂買田休居。以大德三年，辰在己亥十有一月二十有八日卒，年六十三。夫人楊氏，嚴于内治，閨門截若。男二人：文煇、文煥。女三人，長適武愍孫，今湖廣行省左揆世安子利用監某；次適池州總管府判官隋載子某；幼姆。始公之卒，弟儀哭曰：「吾兄不滿年格，果于遺榮，期以自樂于日薄西山也。曾未中壽，而遽已是，我可不念其拓境之艱，成家之難，以厚其死乎？凡喪葬須，吾力能及，不必出兄之家。」既墳，請左揆曰：「乃曾考帥烏訥城，我先人其鈐部官，兄從戎淮漢江閩，又惟乃考先正武愍是從。今以男女故託姻里，聞公有所善翰學，嘗詩武愍麗牲碑者，幸爲吾丐銘，于以揭今而訊後，死而有知，骨不腐矣。」故左揆走書見懇曰：「儀非直克弟，加善植業，同里有貸黄金二鎰者，死曰吾可同俗，訟其妻子，與見知者必其歸耶，裂券火之。又能以禮自律，至里門則捨馬而徒，其爲人概是，宜若不可拒者。」燧曰：「嗚呼，世有兄夷牀未寒，已利奪其財于嫂姪手，遑恤夫葬與銘。聞儀之風，亦庶可少愧哉！况兼是數美，誠難能也，故附書之。」儀由將東諸侯王射士，制官承務郎提舉崇明州鹽場，今領天后位之民，夫人四，其亞趙。三子：文鬱、文燦、文炳。銘曰：

嗚呼維公！少而即戎；與齊長圍，平賊内訌。先皇賚之，驥褭以乘；雕弓貝胄，華衣書映。繼兵襄陽，荷殳于中；既下明年，大伐是從。分戍鄂省，皇旋有命；大師及吴，江右靡定。移武愍軍，往徇于洪；從收閩廣，狼煙一空。馳以入覲，山川形勝，軍民休戚，隨問隨應。言悃而忠，沃心宸楓。曰洪汝牧，虎節以庸。公既戾止，嚴威信令。植柔鋤强，敦皇齊聖。滿考再爲，鄰盜如蜂。獨其境敉，郊農市工。移撫十年，其事始盛。倭征交征，一食日併。海艘督造，陸水仰供。彼婪婪徒，私先後公。涅人緇出，官刑忘鏡。紛紛觸禁，如獸投穽。噫哉維公！克潔其躬。移袁移徽，一其初終。六秩言歸，時寵絶競。如車善柅，擊節月評。平馬夷山，突如防封。于阡表之，有碑穹崇。載銘其陽，其烈足證。其來後昆，其賴其慶。（以上《牧庵集》卷一四）

全元文卷三一四

姚燧 一六

中書左丞姚文獻公神道碑

公諱樞，字公茂。事世祖潛邸十年，左右宸極十有九年，居近密之地，受尊寵之任，可謂必世之久。惟其不固富貴，進退禮敬，窮達一節，不易寒士，故不取恥當時，明哲保身以薨。帝爲震悼，賻楮泉爲千百千五百。閔惟子煒，生十五年未授之室，賜聘財如所賻。明年，官以禮部郎中，皆異數也。既没世，而名聲日延。後十九年，當元貞二年，裕聖太后以嘗侍講裕宗，言之成宗，贈謚榮禄大夫、少師、文獻公。至大三年，武宗追號嘉猷程世舊學功臣、太師、開府儀同三司、魯國公，謚仍其舊。又推恩再世考仲宏，贈太保、儀同三司、魯國康懿公；祖騎銀青榮禄大夫、大司徒、魯國惠靖公，妣張氏、祖妣李氏皆魯國夫人。惟姚氏爲神明之後，歷三代、秦、漢、魏、晉、宋、齊，傳次或絶或續，與梁、陳、隋、唐可譜究者，别載世録。惟本五季梁、唐六鎮節度使勍，勍生金吾將軍漢英。漢英，周廣順初太祖遺之使遼，見留，事世、景、聖三宗[二]，加安時制節宏化翊亮功臣、開府儀同三司、樞密使、檢校太師、兼政事令上柱國、東陽郡公，生中書門下平章事、北面宣徽使衡之。衡之生給事中、同中書門下平章事居政，居政生太師、左金吾衛上將軍、虔州節度使景祥，景祥生太子洗馬去華，去華生金東上閤門使、吾州團練使玢，玢生閤門祇候、武德將軍佺，佺生武德將軍、獲嘉令錡，錡生安遠大將軍、慶陽安化丞淵，後更名仲宏，生公及弟楨、格。公自稚弱，一力于學，晝則經紀其家，嚮晦則讀書，夜分不輟。魯國夫人恐傷眈苦，每止之，乃塞牕不使見燭，就枕必盡三鼓。聞將遷關中康懿公録事判官于許，俾取師氏姑及姑之夫子昌以來。公徒行懷書，困休于樹，宿止于邸，亦出以誦，自期甚高。宋内翰九嘉，少登科甲，時有重名，方閒居許，摧折行位與之遊。一日賓會，録事名召公，内翰怒曰：「公茂負佐王之略，豈可若是易之。」先祖曰：「同僚呼兒輩宜然。」猶竟席不樂。其爲前輩見推如此。壬辰，許城被圍，州判公軍資庫使與副夜直，四鼓聞牕外嘆曰：「人獻東門。」出索之無得。副曰：「吾嘗遭兵河朔，鬼物云然，宜捄吾家。」乃相與歸，街陌横鈴索斷行，見其懷印，若赴州計事者。至家，乃盡出金銀酒具奩飾，裹餱糧，爲逃死謀。日出而東門果破，邀軍將蕭姓者入家，盡付所出，蕭曰：「吾嘗受邱真人教，汝軍中惟救人無殺，吾捄乃死。」公聞，太宗詔學士十八人，即長春宫教之，俾楊中書惟中監督，則往依焉。中書少公六年，兄稱之，與偕北覲。時龍庭無漢人士夫，帝喜其來，甚重之。乙未，詔二太子南征，俾公從楊中書，即軍中求儒、道、釋、醫卜、酒工、樂人。會破棗陽，併公所招，將盡坑之。大將幕竹林間，公前辯析，明詔如此，他日將何以復命。乃蹙數人逃入竹中，潛歸其營，匿嚴侯軍中，纔脱死數十人。繼拔德安，得江漢先生趙復仁，甫見公，公戎服而髯，不以華人遇之。至帳中，見陳琴書，駭曰：「西域人知事此乎？」公爲一莞，與之言，信奇士。出所爲文數十篇，以九族殫殘，不欲北，與公訣蘄死。公留宿帳中，既覺，月皓而盈，惟寢衣存，乃鞍馬號積尸間，求至水裔，脱履被髮仰天而號，欲投溺而未入也。公曉以徒死無益，汝存則子孫或可傳緒百世，吾保而北，無他也。遂還，盡出程、朱二子性理之書付公。江漢至燕，學徒從者百人，北方經學自茲始。歲辛丑，賜衣金符以郎中。伊魯斡齊行臺于燕時，惟事貨賂，天下諸侯競以掊克入媚，以公幕長必分及之，乃一切拒絶。人有以銀二笏來見，既謝却，乃出置氈簾間，遣人追及與之。遂攜家來輝，墾荒蘇門，糞田數百畝，修二水輪，誅茅爲堂，城中置私廟，奉祠四世。堂龕魯司寇容，傍垂周、兩程、張、邵、司馬六君子像，讀書其間，衣冠莊肅，以道學自鳴。佳時則鳴琴百泉之上，遯世而樂天，若將終身。後生薄夫或造庭除，出語人曰：「幾褫吾魄。」又汲汲以化民成俗爲心，自版小學書《語孟或問》、《家禮》，俾楊中書版《四書》，田和卿版《尚書聲》、《詩折衷》、《易》程傳、《書》蔡傳、《春秋》胡傳，皆脱于燕。又以小學書流布未廣，教弟子楊古爲沈氏恬版與《近思録》、東萊《經史説》諸書散之四方。時先師許魏國文正公魯齋在魏，出入經傳子史，泛濫釋老，下至醫、卜筮、兵刑、貨殖、水利、算數，靡所不究。公過魏，與竇漢卿相聚茅齋，聽公言義正粹，先師遂造蘇門，盡録是數書以歸，謂其徒曰：「曩所授受皆非，今始聞進學之序。若必欲相從，當盡棄前習，以從事于小學《四書》，爲進德基，不然當求他師。」衆皆曰：「惟先生命。」則魏國公由窮理致知、反躬踐實爲世大儒者，又公所梯接云。歲庚戌，

盡室來輝，相依以居。會上在潛邸，遣托克托、故平章趙璧驛至彰德。恐公避，托克托留，璧獨至輝，
以過客見，審其爲公，始致見徵之旨。公曰：「天下之人同是姓名何限，恐使者誤徵，不敢妄應。」璧
曰：「汝非棄伊魯斡齊，隱此者乎？」公曰：「是則然矣。」璧曰：「良是。」乃偕往彰德，受命遂行。既
至，上大喜，日客遇之，俾居衛從後列，惟不直宿。時召與語，隨問而言，久之詢及治道。公見上聰明
神聖，才不世出，虚己受言，可大有爲，感以一介見信之深，見問之切，乃許捐身馳驅，宣力盡其平
生學，敷心瀝膽，爲書數千百言，首以二帝三王爲學之本，爲治之序，與治國平天下之大經，彙爲
八目，曰：修身、力學、尊賢、親親、畏天、愛民、好善、遠佞。次及其救時之弊爲條三十，曰：立省
部，則庶政出一，綱舉紀張，令不行于朝而變于夕。辟才行，舉逸遺，愼銓選，汰職員，則不專世爵，而
人才出。班俸祿，則藏穢塞，而公道開。定法律，審刑獄，則收生殺之權于朝，諸侯不得而專，丘山之
罪不致苟免，毫髮之過免罹極法，而冤抑有伸。設監司，明黜陟，則善良姦窳可得而舉刺。閣徵斂，
則部族不横于誅求。簡驛傳，則州郡不困于需索。修學校，崇經術，旌節孝，以爲育人才、厚風俗、美
教化之基，使士不媮于文華。重農桑，寬賦税，省徭役，禁游惰，則民力紓，不趨于浮僞，且免習工技
者歲加富溢，勤耕織者日就饑寒。肅軍政，使田里不知行營往復之擾攘。賙匱乏，恤鰥寡，使顛連無
告者有養。布屯田，以實邊戍。通漕運，以廩京都。倚債負，則賈胡不得以子爲母，如牸生牸牛十年
千頭之法，破稱貸之家。廣諸蓄，復常平，以待凶荒。立平準以權物估，卻利便以塞倖塗，杜告訐以
絶訟源。各疏弛張之方(二)，其下本末兼該，細大不遺，文不具述。上奇其才，由是動必見詢。使授

太子經，以太師、淇陽王之兄故丞相圖們格爾、故右丞巴哈濟達、今司徒瑪努勒爲之伴讀，日以三綱五常、先哲格言，薰陶德性。明年，憲宗即位，詔凡軍民在赤老溫山南者，聽上總之。大爲張宴羣下，罷酒，將遣人正公：「頃者諸人皆賀，汝獨默然，豈有意耶？」對曰：「臣欲陳之他日，不謂遽問。且今天下土地之廣，人民之殷，財賦之阜，有加漢地者乎？軍民吾盡有之，天子何爲？異時廷臣間之，必悔見奪。不若惟持兵權，供億之須取之有司，則勢順理安。」上曰：「慮所不及者。」遣人入聞，願總兵與國戮力，報可。公策太祖承天大命，兵取天下，功未及竟而遂陟遐。太祖平金，遣二太子總大軍南伐，降唐、鄧、均、德安四地，拔棗陽、光化，留軍戍邊。襄樊、壽、泗繼亦來歸，而壽、泗之民盡于軍官分有，由是降附路絶，雖歲加兵淮、蜀，軍將惟利剽殺，子女玉帛悉歸其家，城無居民，野皆榛莽。何若以是秋去春來之兵，分屯要地，寇至則戰，寇去則耕，積穀高廩，邊備既實，俟時大舉，則宋可平。上善之，始置屯田經略司于汴，西起穰、鄧、宿，重兵與襄陽制閫犄角，東連陳、亳、清口、桃源，列障守之。又置都運司于衛，轉粟于河，繼餽諸州。陝西則移隴右汪義武公戍、利川劉忠惠公黑馬于城都[三]。割河東解之鹽池歸陝西，置從宜所。中糧興元猶懼不繼，置行部秦州，順、嘉陵，漕潼關、沔地[四]，轉粟入利。其年大封同姓，敕上于南京、關中自擇其一。公曰：「南京河徙無常，土薄水淺，舄鹵生之，不若關中，厥田上上，古名天府陸海。」上願有關中。帝曰：「是地户寡，河南懷孟地狹民夥，可取自益。」遂兼有河内。壬子夏，入覲，受命征大理，至曲先腦而，夜宴羣下，公爲陳宋祖遣曹彬取南唐，敕無效潘美伐蜀嗜殺，及克金陵未嘗戮一人，市不易肆以其主歸。明日早行，上據鞍呼曰：「汝昨夕言曹彬不殺者，吾能爲之，吾能爲之。」公馬上賀曰：「聖人之心仁明如此，生民之幸，有國福也。」明年夏，禡牙六盤，大張教條，俾公以王府尚書身至京兆，置宣撫司，以楊中書爲使。奏諸千夫長不法，奪有人室者。旬月之間，民大和浹，道不拾遺。師行，留裕宗後，謂曰：「姚公茂吾不能離，恐廢汝學。今遣竇漢卿教汝。」先遣三使入大理，諭招許不殺掠。大軍經土蕃，刊木求塗。以前三使先至諭旨，彼以爲誑，磔其尸于樹。大師及城，其相高祥登陴望之，見吾軍威之盛，駭愕，口張不收。飭公盡裂橐帛爲幟，書止殺之令，分號街陌，由是其民父子完保，軍士無一人敢取一錢直者。惟急求三使之首，或曰「投洱水中」。遣漁者網之，無得也。俾公爲文以祭，賜其家人數十户，世無有與。及歸，馬多道死。公惟一馬，瘠不可乘之，則牽之，襆糓數升，時搖木盂以飼。雪深三尺，軍馬所經，踏爲冰梯，惟旄牛負橐以從。徒步僅千里，而中原馬至，分賚之，始免繭足。上駐六盤，公疾求居關中，教使勸農，身至八州諸縣，諭上重農之旨。凡今關中桑成列者，皆所訓植。歲丙辰，公入見。或讒王府得中土心，帝遣阿彌達爾大爲勾考，置局關中，推究經略、宣撫官吏，下及征商無遺，羅以百四十二條，曰：「俟終局日，入此罪者，惟劉、史兩萬户以聞，餘悉不請以誅。」上聞不樂，公曰：「帝，君也，兄也。吾弟且臣，事難與較，遠將受禍，未若盡是邸妃主以行之，爲久居謀，疑將自釋，復初好矣。」上難之。翌日，語再及，曰：「臣過是無策。」思久之，曰：「從汝，從汝。」先遣使以來覲告，時帝在河西，聞不信之，曰：「是心異矣，曰來詐也。」再使至，詔許馳二百乘傳，棄輜重先，及見，天顏始霽。大會之次，上立酒尊前，帝酌之，拜退復坐，及再至，又酌之，三至，帝泫然，上亦泣下，竟不令有所白而止，敕罷關西鈎考，廢行部安撫、經略、宣撫、都漕諸司。帝規自將南伐，與上閱地圖，俾公跽指瀕江州郡、津步要地、可舟越者，遂復上兵，遣由鄂入。歲己未秋，及江，而憲廟崩渝，問至，上猶濟江，駐兵，結層樓，蒙以皐比，日居其上，臨攻鄂城東北。賈似道聞公諮謀軍中，比爲王猛。城垂拔，前茅上及長沙，下及隆興，聞叛王將爲非覬於家，追前茅還，遂振旅斷浮梁以歸。上即大位，以王文統爲平章，盡止藩府舊臣，立十道宣撫使。諸侯惟嚴忠濟爲强横難制，乃以公爲東平。至居庸北，制下受命即南，或勸無行，當入覲陛辭。公曰：「文統新當國，彼將以我爲奪其位。」至治郡，置勸農、檢察二人以監之，推物力以均賦役，罷鐵官。居三月，大駕北征，天后留燕，遣使召公曰：「兒輩幼時，汝授之書，何久留彼。」時圖們格爾爲丞相，惟專從衛，宮闈諸事疑則見謀。二年，拜太子太師，公曰：「皇太子未立，安可先有太師？」還到中書，改大司農。公奏：在太宗世，詔孔子五十一代孫元措仍襲封衍聖公，卒，其子與族爭求詞爲訟，及潛藩，帝時曰：「第往力學，俟有成德達才，我則官之。」又聞曲阜有太常雅樂，命東平守臣(五)，輦其歌工舞郎與樂色俎豆祭服，至日月山帝親臨觀。飭東平守臣，員闕充補，無輟肄習。臣宣撫東平，嘗閔先聖大賢之後，《詩》《書》不通，義理不究，與凡庶等。版洛士楊庸選孔、顔、孟三族諸孫俊秀者，授之經而學夫禮，盍真授庸教官，以成國家育才待聘，風動四方之美。又詳議王鏞亦善士，練習故實，宜令提舉禮樂，庶其歲久不致崩壞。皆從之。又具奏八事曰：舉老成，以輔王子；重省臣，以振朝綱；定法制，以齊庶政；立銓選，以轉百官。其四如兵衛、屯田、學校、農桑，皆所屢陳。又具四事，促民守信，强幹弱枝，修内治外，敦本抑末。于兵衛又申奏曰：「内地之民不習武事，不耐勞苦，第可使出財賦，以資國用。西京、北京諸路之民，習武耐勞，可盡復其差賦，充本路保甲屯田，使進有取，而出有歸，可鎮内竊以禦外侮。漢軍除守禦南邊，可選精勇富强三萬，燕京東西分屯，置營以壯神都，此左右中三衛起本者。詔赴中書議事，講定條格，且勉諭曰：「姚樞辭避臺司，朕甚嘉焉。省中庶務須賴一二老成同心圖讚，仰與左三部尚書劉肅往盡乃心，其尚無隱。」條成，與丞相史忠武公奏之，帝深嘉納。後詔中書右丞相安圖、同知樞密院事巴延、翰林學士承旨哈喇哈遜：「近史天澤、姚樞講定新格，朕已親覽，可行於今，卿等聞否，亦當一一參改速行，其間一二可增損者，記錄以聞。」李璮召其質子彦簡竊歸，反有迹矣。帝問：「卿料如何？」對曰：「使璮乘吾北征之釁，留後兵寡，瀕海擣燕，閉關居庸，惶駭人心，爲上策。與宋連和，負固持久，令數擾邊，使吾罷於奔救，爲中策。如出兵濟南，待山東諸侯應援，此成擒耳。」帝曰：「若是，賊將何出？」對曰：「出下策。」三年，文統伏誅。西域之人爲所壓抑者，伏闕羣言：回回雖時盗國錢物，未若秀才敢爲反逆。帝曰：「在昔潛藩，商訂天下人物，亦及文統。姚公茂言此人學術不純，以游説干諸侯，他日必反。去年竇漢卿上書，纍數千言，亦發其必爲亂首。秀才豈盡皆斯人。」然文統之相，參知政事商公挺實譽之，至是費寅以九事中時恚忌，訟商公爲文統西南之朋，引陝西郎中、行宣撫使趙良弼爲徵。幽商公上都，以良弼多智略，疑爲文統流亞，械繫于獄。會遣鄂托克行院成都，而無輔行，俾省擇人，公奏惟商挺可。陛下寬其前罪，責成斯行，遂出而遣之。公又入奏：「方踐阼之初，非良弼詗事關中，恐後事會，寧身負矯擅誅東西川兩帥之罪，以寬陛下西顧之憂，推是爲心，忠純皎然，安得與文統蓄異志者比，臣請質闔門百口，必其無他。」帝悟，出之。四年，拜中書左丞。至元之元，出省臣三，罷世侯，置牧守。遷轉河東、山西、河南、山東官吏。公行省河東、山西，明年而歸。或言中書政事大壞，帝怒，大降大臣罪，有入不測者。公上言：「太祖開創，跨越前古，施治未遑。自後數朝，官盛刑濫，民困財殫。陛下天資仁聖，自昔在潛，聽聖典，訪老成，日講治理。如邢州、河南、陝西皆不治之甚者，爲置安撫、經略、宣撫三司。其法選人以居職，頒俸以養廉，去污濫以清政，勸農桑以富民，不及三年，號稱大治。諸路之民望陛下之治，已如赤子求母。先帝陟遐，國難並興，天開聖人，纘承大統，即用歷代遺制，内立省部，外設監司，自中統至今，五六年間，外侮内叛，繼繼不絶，然能使官離債負，民安賦役，府庫粗實，倉廩粗完，鈔法粗行，國用粗足，官吏轉換，政事更新，皆陛下克保祖宗之基，信用先王之法所致。今陛下于基業爲守成，于治道爲創始，正宜息聖心，答天心，結民心，睦親族以固本，建儲副以重祚〔六〕，定大臣以當國，開經筵以格心，脩邊備以防虞，蓄糧餉以待歉，立學校以育才，勸農桑以厚生，是可以光先烈，可以成帝德，可以遺子孫，可以流遠譽。以陛下才略，行此有餘。邇者伏聞聰聽日煩，朝廷政令日改月異，如始栽之木，坐而復移，既架之屋，起而復毁，遠近臣民不勝戰懼，惟恐大本一廢，遠業難成，爲陛下之後憂，國家之重患。」帝恚爲釋。五年，用兵襄陽，立河南行省，經理屯田，以公僉省。八年，入覲。十年，拜昭文館大學士，詳定禮儀事〔七〕。其年，襄陽下，問其事宜，公對：「呂文煥以江淮一使兼上路總管，生券軍縱還，熟券徙之河北。」皆可。十一年，初議大舉，奏：「如求大將，非中書右丞相安圖、同知樞密院事巴延不可。」七月，左丞相巴延陛辭，付敕書：「惟逆戰者如軍律，餘止殺掠。古之善取江南者，惟曹彬一人，汝能不殺，是亦一彬也。」既濟江下鄂，使至，夜召見公，帝憂見色曰：「自太祖戡定天下，列聖繼之，豈固存之令久帝制南國耶，蓋天命未絶。朕昔濟江而家難作，天不終此大惠而歸。今巴延雖濟江，天能終此與否，猶未可知。是家三百年天下，天命未在吾家，先在于彼，勿易視之。其有事宜，可書以進。」公言：「嚴兵守鄂，無使荆閫斷陽羅渡，先遣使責負歲幣留行人之罪。」明年，公又言：「由陛下降不殺虜之詔，巴延濟江，兵不踰時，西起蜀川，東薄海隅，降城三十，户踰百萬。自古平南，未若有此之神捷者。然自夏徂秋，一城不降，皆由軍官不思國之大計，不體陛下之深仁，利財剽殺是致〔八〕。降城四壁之外，縣邑丘虚，曠土無民，國將安用。比聞揚州、焦山、淮安，人殊死戰，我雖克勝，所傷亦多。宋之不能爲國審矣，而臨安未肯輕下。好生惡死，人之常情〔九〕，蓋不敢也，惟懼吾招徠止殺之信不實〔一〇〕，詐其來耳，是用力拒。宜申遣公幹官，專轉巴延，宣布止殺之詔，有犯令者必誅無赦〔一一〕。若此，則賞罰必立，恩信必行，聖慮不勞，軍力不費。老氏有曰：『大兵之後。必有凶年。疾疫隨之。』軍雖不試，而民止得其半。況今民去南畝，來歲之食將安所仰？帕手腰刀，必倡爲亂，袒臂一呼，數十萬衆不難集也，雖非勁軍，壁山栅水，卒未易平，是一宋未亡，復生一宋。南方官府以情破法，鞭背文面，或盛竹絡投諸江中。又鹽鐵酒酤，榷始漢代，其後因之不廢，今方新附，若復征之，人必離散。」制曰：「鞭背黥面及諸濫刑，宜急除之。榷酤後議。」十三年，罷昭文館，拜翰林學士承旨，仍詳定禮儀。宋平，凡其侍從之臣，以士子入見者，必令見公，詢其學行而官之。九月，享廟，拜大禮使。明年，上以自九月不雨至於三月，問可以惠利斯民者，公曰：「糜穀之多，無若醪醴麴糵，京師列肆百數，日釀有多至三百石者，月已耗穀萬石，百肆計之，不可勝算，與祈神賽社費亦不貲，宜悉禁絶。」皆從之。初公方奏事得疾，忽踣不能言，帝急命從臣扶出，登車至家未甦，百日而愈。後三年，疾再至，昏默三日薨，壽七十八。京師士夫哭祭如失親戚，曰：「自今帝側圖回天下者，豈復有斯人者耶！」惟僉密院趙良弼賻俸半歲，爲位祭其家。終喪時，孤姪燧仕陝西提刑，煒獨舉其柩，槀葬京城東南分墅。後十八年，當元貞二年五月，煒徙葬，卜于西洛金門山祖塋，別兆于輝菊山之陽。公天資含宏而仁恕，恭敏而儉勤，理生惟務本實，不事末作。未嘗疑人欺己，有負其德，亦不留怨胸中，憂患之來，不見言色。魏國公每譽其善於順受，人莫可及。在京晚屢輟祿，雖奉朝請假，質券劑盈束，視貧甘心，不一出言，恃其久故，干人聞不足於上，有來即謀，必反覆忠告，惟恐吾言之不盡。及秉筆中書，或咎公獨遺門牆故人，公曰：「用人威權當出天子，果若賢才烏避，不聞其瑣尾者，烏敢藉權樹親賓市私恩乎。」他善衆多，今惟表其大益斯世者四：其一，倡鳴斯道，使今天下鄉校童蒙之師，猶知以小學、四書爲先，雖戴惠文身爲刀筆筐篋之行，與非華人，亦手披口誦是書，求廁士列者，往往多然。故左丞之制辭有曰，德全天懿，學得聖傳，旨固有在於斯也。再則，中土士夫不知爲廟作主，以奉先祀。自公始，輝人多化之，而祖考妥靈有所。三，征西南夷，爲陳曹彬取南唐兵不血刃，贊神武以不殺。四，當世祖淵龍規一幅員之判裂也，請開屯田淮蜀，移兵戍之，固已起平宋之本。及議南伐，而難大將，又上言非中書丞相安圖、同知有密巴延兩人不可。宋平，又與諸謀其新國，圖任其降臣，隨有兩王作難海隅。當十五年，炎爐撲滅，而公始薨，古以揆之晉羊祜首策平吳，吳平而身不及見。樂毅有曰：「善作者不善成。」蓋當其時，自明其身不終所事于燕惠，數百年後猶能取必于祜，今焉不效于公歟。四夫人，惟王氏先公卒，繼宋氏後公七年卒。公贈少師，贈吳興郡夫人。及公國魯，與完顏氏、李氏，皆從封魯國夫人。後公三十四年，完顏亦卒，故三夫人皆祔。煒，李出，今中奉大夫、河南北廉使，其忠厚清慎，有克繼先烈之譽。二女，姊宋出，娣完顏出。姊卒，娣繼，皆嫁爲開府忠武公中子杞、淮東肅政廉訪使妻，皆卒。孫，尚孩。嗚呼，燧生三歲而孤，公卵翼之。不知其蒙闇，教督而急其成，俾粗有聞，承乏翰林，復世公官。恐公事業不能詳盡，不敢干他詞臣，故惟自述，文不過華，質不至俚，而摭其實焉耳矣。銘曰：

惟天聰明，視聽自民。沃天子心，啓莫非臣。舜察邇言，昌言禹拜。稱聖萬世，臣何與在。粤若世祖，方龍躍淵；載命徵車，遐蒐逸賢。即輝起之，爰置左右。授太子經，事靡不叩。公感一介，盡其平生；所學與知，傾敷悃誠。書首八事，修身以始；賢親畏天，愛民以次。中以州條，救弊之方；施治所宜，如紀在綱。上總兵民，公請民去；上受封國，公擇地所。上征南詔，公陳遏劉。上曰「汝言，吾行優優。」展也神武，操既有要。天下定一，于時已兆。移兵戍邊，首蜀尾淮，免夫春秋，剽殺去來。汴置經略，秦以宣撫。三年其民，歌舞樂土。治效若斯，公于之是。一出爲猷，不無贊彌。又從濟江，內難方蹶。帝遄其歸，大統人繼。移昔已試，施諸萬方。

帝思舊人，臺袞用章。公拜稽首，元良未建。臣何力有，太師顧先。改爲大農，尋拜左丞。申以責難，書存可徵。南土既平，諮謀新國。昭文禁林，必首見及。後聖相承，言行其生。没爲法程，謚以諱名。既又進加，功臣開府；莫尊太師，莫尊國魯。哀榮若斯，大書穹碑。比其生全，千祀可貽。（《牧庵集》卷一五）

〔一〕事世、景、聖三宗：宗，原作「宋」，據清鈔本改。　〔二〕各疏弛張之方：弛，元蘇天爵《元文類》本作「施」。　〔三〕利川劉忠惠公黑馬于城都：城，蘇天爵《元文類》本作「成」。　〔四〕漕潼關沔地：潼，元蘇天爵《元文類》本作「漁」。　〔五〕命東平守臣：臣，原作「成」，據元蘇天爵《元文類》本改。　〔六〕建儲副以重祚：祚，原作「祥」，據清鈔本改。　〔七〕詳定禮儀事：事，原作「使」，據清鈔本改。　〔八〕利財剽殺是致：是，元蘇天爵《元文類》本作「所」。　〔九〕人之常情：之，原本脱，據清鈔本補。　〔一〇〕信不實：實，清鈔本作「堅」。　〔一一〕有犯令者必誅無赦：無，原本脱，據清鈔本補。

全元文卷三一五

姚燧　一七

董文忠神道碑

公諱文忠，字彦誠，真定藁城人。董世不可遠係，其曾大父哲、大父昕〔一〕。考諱俊林。太祖以兵略金地，由農畝將鄉民萬衆來歸，官以龍虎衛上將軍、左副元帥、知中山府事。時太尉史忠武公兄河北西路都元帥天倪開閫真定，其倅武仙殺元帥家百口〔二〕，據真定叛而臣金。太尉集兄散卒復之，仙走壁雙門，夜又襲入。太尉惟與故侍衛親軍都指揮李伯祐投城涉塹奔藁。左副聞亂，已艤舟滹沱，即馬入藁，合力再復之。仙走壁抱犢，旋踰河。太宗以太尉爲真定、河間、東平、濟南、大名五路萬户，左副長千夫從追義宗歸德，薄北門而陳，左右皆陂澤，太尉以無戰地爲言，首帥薩奇蘇巴哈不從，而大將蘇布特自汴召公尉計事，金縱兵擊没其軍，左副死事。夫人李氏，九子，公次居八，諸兄鞠友之。憲宗即位，明年壬子，年二十有二，始入侍。世祖潛藩承旨王文康公鶚言詩教，問公能乎？對曰：「臣少讀書，惟知人則竭力以事父母，出則致身事君而已，詩非所學。」從征南詔，其兄平章忠獻公文炳，恥不得從，自蕞將家僮二百騎追之。大軍深入矣，路經土蕃戰而後達，纔餘數騎。己未伐宋，王師臨江，與忠獻率勇士百人，乘觹舠先濟，教遣他將舟師繼之，三捷得敵蒙衝百艘，遂圍鄂。上正宸極，中統之元，置符寶局，以公爲郎。後官奉訓大夫，居益近密。上嘗不名，惟帝呼董八〔三〕，亦異數也，而公不爲容悦，隨時獻納，中禁事秘，外多不聞，舉所可知。如至元二年，安圖以右丞相入領中書，建陳十事，言忤天聽，公曰：「丞相由勳閥王孫，夙以賢聞，今其始政，人方延佇傾耳，而所請若是，後何以爲？」乃從旁代對，懇悃詳切，如身絛是疏者，始得報可。八年，侍讀徒單公履欲行貢舉，知上于釋崇教抑禪，乘是隙言儒亦有是，科書生類教，道學類禪。上怒已，召先少師文獻公、司徒許文正公與一左相庭辯，公自外入，上曰：「汝日誦《四書》，亦道學者。」公曰：「陛下每言，士不治經，究心孔孟，而爲賦詩，何關修身，何益爲國！由是海内之士，稍知從事實學。臣今所誦，皆孔孟言，烏知所謂道學哉。而俗儒守亡國餘習，求售已能，欲錮其説，恐非陛下上建皇極，外修人紀之賴也。」事爲之止，君子以爲善于羽翼斯文。十一年，以大師南伐，民困供億，奏蠲常歲他名之征。後燕見降將，問宋所由以亡，皆曰：「賈似道當國，薄武人而惟文儒之崇〔四〕。武人怨之，後大師至〔五〕，外而疆埸，内而京都，莫有鬬志，釋甲投戈，歸命恐後。」上問公：「其言何如？」公曰：「似道薄汝，而君則爵以貴汝，禄以富汝，未嘗汝薄也，而以有憾而相，移怨而君，不戰而坐視亡國，如臣節何！似道薄汝，豈以逆知汝曹不足恃爲一旦用乎？」上深善之。詔徙大都獵户郢中，奏止。還貧弱者，弛收官鬻田器之税，聽民自爲，以勸本富民。會患多盜，敕苟犯皆殺無赦，所在繫纍，充牣犴獄，公言：「今殺人于貨，與竊一錢直上均死，一斷不屬，憯黷莫甚，恐于陛下致祥之氣，好生之德，多所干傷。」敕革之。或漢人毆國人傷，又或告太府屬盧某，盜斷監布，上命殺以懲衆，公言：「今刑曹于囚，罪入死者，已有服辭，猶必詳讞。是事未可因人一言，遽寘重典，宜付有司簿責閱實，以俟後命。」乃遣近臣圖們覈毆傷，公覈監布，告毆得誣，杖遣之。監布蓋太府始受端，外皆有羨尺，適上方工官有需，其人惜毁成端，斷羨以給，非身利而爲也。降旨原之，責侍臣曰：「方朕怒際，卿曹皆結喙。非董八啓沃朕心〔六〕，則殺是非辜，必竊竊取議中外矣。」賜金尊曰：「用旌卿直。」儲皇亦曉宫臣曰：「方壓以雷霆，而容止話言，暇不失次，卒矯以正，實人臣難能者。」太府屬摯而泣謝曰：「鄙人腰領，賴公以全。」公曰：「吾雅非知子，其必拯諸阽危者，蓋與國平刑，非期子見德也。」其返而摯。自安圖北伐，犯法臣阿哈瑪特獨用國柄，盜弄威福，衆立親黨，懼平章廉希憲復相，必防其私，表以右丞、行省江陵者。踰年，公奏：「希憲昭代名臣，今端揆虚席尚多，不可久使居外，以孤人望，宜蚤賜環。」從之。十六年十月乙亥，還自萬壽宫祝釐所奏曰：「陛下始以燕王爲中書令樞密使〔七〕，纔一至中書。後冊儲皇，纍使明習軍國事者，十有餘年，終守謙抑，非不奉明詔也，亦朝廷處之未極其道。夫事已奏裁，而始啓白，爲人臣子惟有唯默避任，不敢以命令可否制敕而已。以臣所知，曷令有司啓而後聞，其有未安，斷以制敕，則理順而分不踰，必不敢辭責元良矣。」其日盡前省院臺臣將百人，上面諭曰：「自今庶務聽皇太子臨決，而後入聞。」尋語儲皇：「董八崇植國本者，其識勿忘。」禮部謝昌元請立門下省，封駁制敕，以絶中書風曉近習奏請之源，上鋭欲行之，詔廷臣雜議，怒承旨少保王文忠公磐曰：「如是益事，汝不入告，而使南土後至之臣言之，用學何爲？必今日開是省。」廷臣三日，始奏公爲侍中，兼其屬多至數十人。某臣弗便也，入言：「陛下將别置省，斯誠其時。得人則可寬聖心，以新民聽。今聞盗詐之臣與居其間。」言多目公。公恚辯曰：「上每稱臣不盗不詐。今汝顧臣而言，意實在臣。其顯言盗詐何事？」上出奏者，公猶懟不止，且攻其賊國之姦。上曰：「朕自知之，彼不汝言也。」然終忌公得君，清慎無過，莫可指以爲報者，乃以楮鏹萬緡爲壽求歡，擯棄不取。忠獻公卒官中書左丞，故太傅巴延公表其可相，上使嗣爲，公曰：「臣兄有戡定南土之勞，位是則可。臣暫御居中〔八〕，宣何力焉，而可嗣爲？」十八年，陞局爲典瑞監，郎爲卿。官以正義大夫，俄授資德大夫、僉書樞密院事，卿如故。始不從蹕，留居大都。凡宫籞、城門、直舍、徼道、環衛、營屯、禁兵、太府、少府、軍器、尚乘等監，皆領焉。兵馬司舊隸中書，併付公將。權臣纍請奪還中書，不報。始大明殿皆資遼右浮海濕材，有司急其成功，遽丹漆之，不能十年，叩之皆抨然中空，爲抽二十餘楹，比乘輿還，壯加其舊。是冬十月二十有五日，雞鳴將入朝〔九〕，忽踣家庭，氣息奄奄。上遣中使持藥，投救不及遂絶，傷怛不已，猶覬其息，敕勿速斂，五日乃舊。且知公圖書外無他居積，賻錢數千萬，儲皇等是。以十月六日，歸葬其鄉高里先塋。從始至終，實三十年，征伐蒐田，無地不從。凡乘輿、衣服、鞶帶、藥餌，大小無慮數百十橐，靡不司之。中夜有需，不須燭索，可立至前。風雨寒暑，饑渴駿奔，心無怠萌，口絶勌語，屬屬乎惟以執事不恪獲譴爲懼，故能滋久眷寵彌深。上中歲多足疾，一日樞密院奏軍務，上卧畫可，公在御榻，伏枕而跽，比終奏，日已移晷，屏氣肅肅，曾不流盼。他日，院臣言：「始吾以公居中而逸，烏知其勞如是。在他人不可一日彊志勉力爲者，何可幾及，何可幾及。」公曰：「君所見特是時，吾固日雞一鳴而跽，燭入而出。」後或長直，四十日不至家，夜雜妃嬪候侍，休寢榻下。上呼之，方憊熟寐不應，命妃蹴興之，妃不敢前，上詈曰：「董八誠愛之專，敬慎之至，事朕踰父，汝以妾母蹴之何嫌，而爲是拘拘。」其感乎聖心，得是見與。有舉一世億萬維人所未能者，爲臣則然。其在家出門，弟弟敦宗，賢賢信友，淵毅而明炳，遜恭而易直，倫理之間，人文粲然，元臣故老奉朝請者，上所存問，及有欲言，皆由公傳達，權幸不敢譏危之。及是，則皆出涕几筵曰：「哀哉，若人曾未終壽而不淑，自兹君側失正人矣。」一貴戚獨曰：「天乎，世無吾曹千人，誠不加少，而奪公歸耶。」下至傭人、販夫，亦失聲投業。後二十有一年，當大德辛丑，今天子言：念其功贈光禄大夫、大司徒，封壽國公，謚忠貞。配顧氏從封壽國夫人。聖語褒揚，六珈增麗。男五人：士珍中書省參知政事；某以門功，令保定之曲陽；某内供奉；某某未仕。女三人，長適太尉子中書左丞彬，中蚤卒；季適中書左丞張公子集賢大學士某。男孫五人，未仕。女孫六人，長由其姑歸史氏，故又適左丞子某，餘幼在姆。士珍將銘墳道，持遼陽行省參政王公思廉之狀，遠走江東而以訪燧。義有二焉，一以其伯仲父忠獻與故參知政事、翰林承旨文用與公，由先少師儲邸舊學，命之不官，必曰先生；一於燧嘗同受學司徒文正公，且與今忠獻子其兄江浙行省右丞士選相好，實再世契，奚言而辭。銘曰：

在《易》六位，以爻居四；上承五君，多懼之地。於皇前聖，與天巍巍；神明其變，雷霆其威。公三十年，日侍帷幄；出入起居，不辱於數。初匪智計，其身包周；臣職克修，敬慎無尤。天府其觀，曰郎典寶。其自任重，引君當道。不剛悻悻，不柔容容；揆義爲中，闕焉彌縫。或攻聖學，異教之似。公曰其言，皆孔孟氏。彼去其實，務華詞章。爲利達資，何關倫常。足明其心，斯道力衛。展與朋黨，弭禍於未。父子之間，進説多艱。庶政既先，國本泰山。其入告内，無是爲大；他隨事陳，罔遺於外。其非廷尉，獄由平反。施令必臧，等乎納言。姦竄滔天，庭伐其慝。雖未即誅，中劇矛戟。黄髮番番，致臣而家。歲時存問，天語柔嘉。晚書宥密，瑞監仍柄。何天不弔，年過知命。前聖終之，賻以送終；嗣聖功之，追爵上公。人臣寵光，至是焉極。矧子廊廟，清劭執德。無石維年，竹帛豈夷。賴垂休聲，其以是詩。（《牧庵集》卷一五）

〔一〕其曾大父哲，大父昕：「曾大父哲，大父昕」，原脱，據清鈔本補。〔二〕其倅武仙殺元帥家百口：原「武」字下衍一「定」字，據清鈔本删。〔三〕惟帝呼董八：帝，清鈔本作「第」。〔四〕薄武人而惟文人之崇：崇，原作「宗」，據清鈔本改。〔五〕後大師至：後，原作「故」；至，原作「之」，據清鈔本改。〔六〕非董八啓沃朕心：非，原作「惟」，據清鈔本改。〔七〕陛下始以燕王爲中書令樞密使：中書令樞密使，原作「中樞令密使」。中後脱一「書」字；「樞令」爲倒誤，據清鈔本改。〔八〕臣暬御居中：暬御，清鈔本作「給事」。〔九〕鷄鳴將入朝：將入朝，原作「入直」，據清鈔本改。

平章政事史公神道碑

史氏自癸酉我太祖蹙金南播之歲，尚書都元帥父子相繼轉鬬河北十年。元帥死，武仙亂，故開府儀同三司、平章軍國重事、中書左丞相、贈太尉、謚忠武公收其兄兵，轉鬬河北。又十年，拔相、衛，薄金北門。金主奮鋭，自將踰河，衛實受其鋒。太尉再戰，再敗其兩帥之衆十有八萬，金主度不能國，走死蔡。太宗大其勳，以爲萬户，俾將真定、河間、東平、濟南、大名五路之兵。憲宗以戰迹著衛，封以衛之汲、胙城、新鄉、獲嘉、蘇門五縣，由是故榮禄大夫、平章政事公以太尉元子得節度衛。憲宗征蜀，詔太尉以公從。會其陟遐，太尉還，一王召公偕北絶漠，留謙州，依其儲氏姑，居五年而歸。先是李璮反誅，太尉請裁强諸侯權，自今兵民之家，父死而子始繼，兄終而弟可及，其子弟同時竝官者，無以職掌小大，皆罷之，請由臣家以始，併辭衛封，制曰：「可。」太尉一門，一日解虎符、金銀符者十七人，而太尉故所將兵，自先朝已解授兄子江漢大都督權戍鄧，及是亦解隸他將。公無以爲者數年。會故中書左丞劉武敏公拯請伐襄陽，張平宋本，大集天下兵于漢之南，而太尉亦謝政。公請立勞軍中，朝議猶避鄧之舊軍，俾與張蔡公子宏範易將，始授懷遠大將軍、亳州萬户、虎符。太尉飭之曰：「戰無後人。」與築夾寨，始猶回遠，包山絡野，綿亘百里。三進薄城，應中援外，息耗一絶。其將張貴突圍出，公斬之，盡有其舟仗。攻樊城，先登拔之，襄陽隨下，賜白金、衣裘、鞍馬、弓矢。從大軍南征，越郢下，復夏貴鎖戰艦絶漢爲陣，我舟不可越。公戲下馬千户嘗隸都督萬衆，從上已未渡江，請爲導，柂舟出沙武口，入湖達江。故丞相阿珠公，將二十五萬户爲前，五萬户擇一人帥，公其一帥，先諸軍濟江，後繼未集，與宋將今中書右丞程鵬飛遇，殺傷相當。公被三創，鵬飛七創，肩輿走鄂，鄂隨下。丞相請以輕進撓法罪公，詔録其勞，賜白金五百兩。大軍既東，從故丞相阿爾哈雅。時以平章分兵圍潭州，攻鐵墈百日，礮激栅木傷肩，流矢貫掌，先登拔之。以軍民安撫留戍，招摩逋殘，既集既安，入覲，加定遠大將軍。以太尉玉帶賜物也，人無敢復請上之，制曰：「太尉所服，汝服何嫌。」即賜之。自是公班諸將，獨一品服。從攻静江，衆皆轒轀自蔽，鑿城，將穿，公分地獨居礮硃所集，轒轀不可嚮，何有息隙，樹鉤援攀堞，蟻附而登拔之〔二〕。平章北還，以公元勳貴胄，威名非他將可輩，留治静江。初城既兵，當剽殺之餘，官舍民屋盡于焚毁。公賦戲下，其視吾爲師，隙爲居第，市爲列肆，必完無苟。學校、祠廟大其故制，猶不能實，畫地募民。又賦鄉縣之豪，析族城居，而所居第宏最静江，曰：「示吾久此，不爲去計。」亦制越一奇也。民始勞之，斷手則屋，取傭讐直，已相什百，旋爲通都。民男女爲人所奴，從主北者，或思鄉亡歸，拘之有司，可籍究者三千人，省議欲一切徙來，公曰：「至鄂必分爲勢家有，託以徙必道亡不達，且生他變。」既止不徙。以男女齒相偶皆籍民之，乃無敢覬取者。行徇定昭、賀、梧、潯、藤、容、象、貴、鬱林、柳、融、賓、邕、横、廉、欽、高、化，廣西之州十八，肇慶、德慶、封，廣東之州三，皆除三年田租，發倉稻以丐貧民。遣鄭何、朱國寶、劉五剛、趙珪、趙修己五萬户戍賀、昭、梧、融、邕，馬天麟、宋景、劉君進、花禮、完顔世英、李宗、張武、鄒瑛、閻國順、托歡十千户戍潯、賓、容、象、柳、廉、欽、高、化。又以十千户不兼職民，則任分而令不專，皆便宜假以軍民總管。事聞，制皆爲真。當靜江受兵，溪洞諸夷既降雲南，公曰：「邕、容視左右兩江猶身之有手足，今歸雲南，度吾不能制，必輕爲寇，入則吾禦，歸則吾備〔二〕，是吾不遑一日息兵其界也。」遣使諭曰：「爾捨朝發夕至之邕、容，乃遠託數千里，經數夷地不至之雲南，何以應緩急，或他日爾越界爲市，諸戍必以入寇加誅爾矣。且朝京師路迂，皆非計之得者。」溪洞聞之，翻雲南來者五十州。後雲南爭之，其省平章爲書讓公曰：「吾與先太尉久共政，汝不可有吾成功。」各驛以聞。公使先至，詔聽公節度，陞昭勇大將軍、廣西宣撫使。尋罷宣撫，改鎮國上將軍、廣南西道宣慰司。宋既亡也，其將相張世傑、陳宜中，挾益王昰、衛王昺浮海，趨福州，立益王，傳檄海嶺之州，曰：「余復廣之東西。」豪傑啗其爵賞，爭起爲應，裂裳爲旗，荷矛爲兵者，動萬爲羣。公戒諸將，盜至以時降斬，不得使牢根窟，能以衆來者官之，盜去不敢求迹平民，而深爲延誅。時方乏鹽，發庾下令，斬首來者以鹽爲購。諜言夏貴已復瀕江諸州，江路既絶，不可復北，諸將求還靜江，計事實欲合勢，公曉之曰：「君輩亦搖敵懼耶，孰貴能復江，不能踰嶺，審不可北，猶與諸君取塗雲南歸矣。今無輒棄戍也。」省議棄肇慶、德慶、封，併兵戍梧，公曰：「委地徹備，適示敵怯，增兵戍之。」劇賊蘇仲集潭之潰軍萬人，自王鎮龍山，俟歲事作。官軍毒暑不可入，外肆爲劫而植稼其内。歲事畢，聞將加誅，則僞出降，仍歲爲是，大爲横、象、賓、貴四州之梗。公令四州爲堡其界，守以土豪，日嚴警斥，官軍行前，縱火廬柵，隨以民夫具檐芟禾，仲窮來歸，猶官以賓之嶺方令。走王新立古縣，斬李應辰、李福潯州，由靜江北全、永皆城守，潭州路絶，而永尤急，羅飛圍之七月，其府判官潘澤民間請濟師，公又分步騎赴之，大殄其衆，永境遂謐。後益王死，衛王繼立。趨廣州，壁海中崖山，曾淵子以參政開督府雷州。公再諭降，不可，進兵逼之，淵子奔硐川，獲其兩都統，驛送京師。遣萬户劉仲海戍雷，世傑將萬衆至，仲海出奇擊走。後羞墮其詐計，悉衆來圍，城中絶食，士皆煮草爲糧，公抽兵漕穀欽、廉、高、化諸州，再破走之。用兵海南，詔公親戍雷，式遏西突。會衛王蹈海死，南海平。廣東之户十耗八九，而廣西獨完，不殘及户賦酒酢算。公以嶺南地險而民寡，俗悍而産貧，征之適急其爲盗，省是其説，蠲之。至今廣西竝湖南不困。後宏範入覲，請復將亳州兵，制：「可。」還公鄧之舊軍，拜參知政事，行廣南西道宣慰使。入覲，拜資德大夫、中書右丞、行省湖廣。用兵日本，詔督造戰艦六百，仍送揚州。用兵安南，詔給糧仗廣西。師還，二十二年，約蘇穆爾以中書左丞來，而湖廣囂然多事，民喪其遂生之心矣。以公嘗督海艦，費計巨萬，大爲鉤考，毫推縷剔，求可中公者，無可得，乃責償軍民三萬定。明年，移省江西，仍中書右丞。又明年，拜中書左丞，俄復右丞。還之湖廣，其人已平章，恃有援藉，怒詈同列，辯詐鷙刻，師心而行，聲勢張甚。以公結聖知，固謙抑不報，强禦者獨不忍以言色侵之，凡與處四年，拜榮禄大夫、平章政事。會大料民，州縣賦紙爲籍，渠以户率如干爲十五萬定，可官有之。今州縣别方爲籍，集吏計局，程督日嚴，將有首償者，而赦令下，渠猶曰：「第可原哀求罪耳，錢不可貰。」公以鴻恩之餘，宜無深誅，不從。公則曰：「最今籍用當十萬定，而悉徵之吏，將重賦之民，民益殫矣。」渠曰：「吾徵其餘。」責償五萬定，其逆慿怒當大紛，一言從容，十救一二，民丐其利者此類。元惡伏辜，可以得爲而公亦薨，實至元二十八年秋七月十有五日，年止五十八。性友愛喜施，有積必分之諸父、諸姑、昆弟羣從，空橐不憂焉[三]。甥姪男女孤者鞠之，時其婚嫁，力不足猶稱貸爲之，閨壼不敢干外事。與人交，襟懷曠達，雖疏且賤，不峻陛級，不留門廡，游意絲竹，尚友東山者，老而不衰焉。公諱格，字晉明。聚書萬卷，鼎彝圖畫一室，號曰「裕齋」。其先大興永清人。曾祖成珪，晦德其鄉，生行六部尚書諱秉直，實生太尉諱天澤。妣夫人木年氏，夫人劉氏、儲氏、兩張氏。子七人，燿，榮，餘未名。女二人，在室。男女孫皆一人。公先未有子，子都督子，即燿也。篤其愛曰：「是他日可繼者。」以從戰廣西勞，授靜江同知，遷廣東宣慰副使，換淛西宣慰副使。前薨一年，朝議不欲宰相兼將，許其子弟世公，纍請將燿，未報。會以其喪來，明年命下，授燿虎符，鄧州舊軍萬户。即舉公柩與四夫人喪，以其年十一月二十七日，葬真定之真定縣太保莊。太尉兆次。甫封，以榮人覲曰：「是臣所後父先臣格之子，生十四年矣，宜代臣將。」制可。授榮仍故虎符、昭勇大將軍、萬户，别授燿虎符，拜榮禄大夫、平章政事、行省福建。歸過鄂，人故公者，感是二子，一世平章，一世長萬夫，符節相煥，麾蓋相逐，至爲隕泣。嗚呼，可稱良子已！客有李裕者，嘗以理問官事公江西，數千里畢公之葬，又奔走京師，營立二子，其盡義故吏者如何。燧亦故公者，隧首之碑其可辭。銘曰：

《乾·文言》曰：聖作物睹，以類從親，雲龍風虎。迺今觀之，匪古專然。天于皇輿，將畀其全。亦匪一聖，能同軌轍。聖武我祖，劉金河北。而宋晝守，猶江之南。留大遺艱，待帝之戡。孰有有君，無其臣者？太尉父子，佐一函夏。父平河北，子江之南。佩訓其庭，無後事慚。故横江流，揚楫先濟；鼓其孤軍，嘗敵全鋭。及從移兵，潭桂兩州；登陴兩先，兩後戍留。均之爲勩，而桂尤瘁。基屋火餘，以完府市。走檄所下，廿有四州。胡難而安，旋化而仇。鱷鯢騰海，狐猘陸起。威柔四年，平始再底。捐我庾儲，復而田繇。方户廣東，十纔一凋；湖廣再相，元惡再友。吾潔是求，孰涅而黝。一日貫首，公屈宜伸。天不憖遺，一疾不振。難偶者時，難立之事；難令之名，難終之位。時天之爲，餘非人耶？易世之難，匪哲曰何？矧其惟孝，不忝世德。太尉既老，平章軍國。公世平章，太尉之光；燿復世公，祖孫相望；榮未成童，亦譽龍虎。歸偃斧邱，奚憾之茹。載烈兹碑，石獸衛之。與滹河流，相永無期。

〔一〕蟻附而登拔之：蟻，原作「議」，據清鈔本改。〔二〕歸則吾備：備，原作「猶」，據清鈔本改。〔三〕空槖不憂焉：憂，原作「愛」，據清鈔本改。

榮禄大夫福建等處行中書省平章政事大司農史公神道碑

公諱燿，字奂卿。曾祖秉直，當歲癸酉，太祖加兵于金，率焦岱鄉民萬人迎降燕郊，官以行六部尚書。祖天倪，以從蹕𠟭河北、山東功，授金紫光禄大夫、兵馬都元帥，開閫真定。武仙爲倅，尚書策仙其志蓄禍，盍蚤爲備。都帥謂：「大人奈何教兒猜中而不信人。」尚書恚，奪其二孫。故真定總管、攝江漢大都督權如北京，曰：「吾不忍其併及難也。」後仙果戕都帥一家百口，舉城臣金。都帥季中書右丞相、贈太尉、忠武公，方爲質太師國王，將覲漠北，在燕市贄物，聞變而南收都帥潰軍，復真定，逐仙出保西山。仙再盜入，再復之，遂南踰河。太宗以太尉爲真定、河間、東平、大名、濟南五路萬户。世祖潛龍，以憲宗母弟總天下兵，起平宋本，置屯田經略司于河之南，以太尉爲使，都督爲屯田萬户，將兵二萬戍鄧，當荆閫衝。歲丙辰，是地生公，幼爲太尉所奇愛，異他孫。後罷世侯，移都督牧東平。至元六年，方圍襄陽，太尉以開府奉朝請制，始以元子格爲萬户，猶避鄧之舊軍，將亳州兵。時未有子，屢求子公，太尉許之。凡圍襄下鄂，無不與偕，由是知兵。甫及冠，行省版長千夫，從參政崔公斌，逐趙宣機餘寇萬人，公居顔行，射殺數人，賊氣爲隳，遂潰。崔善其能曰：「將種也。」解佩刀以贈。後阿爾哈雅平章拔靜江，獨留戍亳，兵或請其由，則曰：「吾去而是土或叛，戍將必誅，史宣慰以太尉子，朝廷終不重罪之。」宣慰聞之甚感，調其孤軍行狥定、昭、賀、梧、潯、藤、容、象、貴、鬱林、柳、融、賓、邕、横、廉、欽、高、化，廣西之州十八，肇慶、德慶、封，廣東之州三。公後殿而前茅之功，授承直郎，同知潭州總管府事。趙都軍盜據肇慶，假公德慶總管討平之，授奉訓大夫、潭州路治中，改廣東道宣慰副使。平賊黎德，獲蜑船千艘，繼餽唆都南征，事治而民安之。改浙東宣慰副使，從浙省臣破賊柳分司衆七千，括蒼又破呂成婁、蒙才衆十萬，斬其尤猖獗建黄屋署官至平章者楊鎮龍及厲制置皆于東陽玉山，摧俞高五百餘人。紹興又斬詹老鷂、林雄、劉甲一、潘正，皆有衆萬餘，自王于溫、處間者。後元帥張宏範平南海還，求將亳軍，還鄧舊史氏，詔從之。朝廷以南紀平，諸將功至省臣者，仍將其軍，制許自擇，欲將去相，欲相罷將。時公父已爲右丞，有密，請以張溫將鄧軍，帝曰：「太尉一軍，豈可代以他人？宜問其子格可誰授者。」右丞遣伻入聞：「臣子燿可。」且召公來襲，公不至，辭以俟弟榮成長則授之。明年，右丞升平章，俄薨。顧言以真定諸産貽之，公奔赴鄂。既至，明日，制授朝列大夫、鄧州舊軍萬户。公號誓柩前，必以萬户歸榮，所親謂是虎節上瑞也，可傳子孫無窮，必且利之，言未足信。公乃究求貨財爲親長覬取者，多至萬緡，皆奪歸之，與田宅奴婢，析其五弟，而自不有。舉平章及四夫人劉、儲、兩張氏之喪，葬真定之真定縣太保莊太尉兆次。甫封，以榮入覲[二]，曰：「是臣所後父先臣某之子，生十四年矣，宜代臣將。」帝曰：「太尉以官授二兄子，汝復欲解職汝弟，真太尉苗胄。」可之。方議征闍波，大將未得，制授公榮祿大夫、福建等處行中書省平章政事，辭以年少無功，受寵太峻，請回臣所受他人，惟卑官以行，或請以國人首相，帝曰：「太尉可同漢人耶，其孫非國人何。」公又請故平章政事某知海道，平章高興今河南省丞相者知兵偕行，亦可之。別錫虎符、鞍勒、弓矢、瓅甲。既行集兵矣，會高平章，請濟師，帝曰：「彼國之人裸而懦，多兵何爲？」損其軍四之三，且不欲太尉諸孫蹈海，遂後公。乃命今平章、鄂國公史弼以行。成宗元貞始年，賜錦衣二襲，拜資德大夫、江浙行省右丞。臨安自入版圖，民居官屋，入傭直震邸者，四萬餘家。火餘，雖民自屋其基，而傭直不除。平章某者利之，謂地及丈可鬻楮緡爲錢五萬與民，可免置官，歲徵其逋，鋭欲行之。公曰：「是令一下，貧民無貲以取，取率富室，得不自居，亦傭之民。加直其先，民等傭居，與直富室，何若仍歸震邸一定之直，歲無所加之寬乎。」謀既不行，乃以東南之民多田，而租入少，將履畝以征。公緩之，謂宜俟畢農功而議。又禁官市惡鹽，鐫損江東金額。高麗王遣周侍郎浮海來商，有司求比泉、廣市舶，十取其三。公曰：「王于屬爲副車，且內附久，豈可下同海外不臣之國，惟如令三十税一。」會人訟平章迎詔裼衣上香，引公爲徵，制遣御史即問，公言未見其裼，但不帶耳。當國者阿其人，顧奏公敗事，黜之。大德之元，遷江西左丞，俄移湖廣左丞。一年，復江西左丞，以屯田贛州，軍兵多死瘴癘，與廣東宣慰司加民丁糧于田租外者，皆罪之。召入爲大司農，公不攜家乘傳赴之。既至，覈其公帑，稽逋爲緡數千萬，率勢位家，假出爲商久未歸其子錢者，悉徵入之，人怨與請不恤也。未幾，抗章以太夫人楊年八十餘求辭歸養，未報。以大德九年乙巳二月壬辰薨，年五十。子今瑞州總管壎，時爲樞密院斷事官，奉柩歸葬真定姜固祖山原都督公兆次。嘗讀《通鑑》書，閑武事者，則其家學，故志功名，至所有譽，性剛狷不撓于人，雖國人貴臣有不足吾意者，不少下之，亦由是恒齟齬，而不少變其節。始至元十有二年，徇地廣之西東，終二十有七年，中間爲宣副，平羣盜海濱浙左，歷紀有半，使黷于貨，子女玉帛將物其家，而無田于江之南，無宅官所，至傭屋以居，積債在人，亦開國苗嗣貴而能貧者，雖五十不稱夭，亦不可謂之年云。嗚呼，其天乎哉！夫人劉氏，公祖姑之孫，以賢淑聞姻里。壎概其立政清慎明敏，世有史氏佳公子，克世其家之目。女適王少師子典寶少監師聖。自餘男女一人，公召至京始生而不及見者。銘曰：

在昔都督，于鄧秉鉞；鼓其烝徒，與襄犄角。策宋之平，必基是邦。會罷世侯，成始未終；大兵之南，路由襄始。未成之終，與有者子。從所後父，後殿前茅。下廿列城，盡廣際交。宣副閩浙，羣盜孔棘；大刑以鋤，卒底寧謐。而父平章，謝長萬夫。授公而薨，既降命書；公曰臣季，平章元嗣。年今成童，宜代臣世；帝多其讓，俾世平章。往征闍波，南洋是航。而復中巳，改命他將。成宗繼序，三省四相。自右浙右，左江之西；俄左湖廣，江西再爲。靡靈不施，奚窳不除；且繩上巳，弗率于度。常久勞外，召大司農。方艾之年，而忽告凶。人盡傷心，即世之蚤。胡畀其才，而奪壽考。司是者天，生子則賢。不永其躬，而永其傳。其兆安從，從禰江漢。載銘穹碑，陵穀高岸。（以上《牧庵集》卷一六）

〔一〕以桊入覲：覲，原作「覬」，據叢書集成初編本改。

全元文卷三一六

姚燧　一八

便宜副總帥汪公神道碑

便宜副都總帥忠讓公，諱忠臣，字漢輔，便宜都總帥隴西義武公之冢嗣。便宜都總帥、忠烈公德臣，中書左丞、忠惠公良臣，四川行樞密副使清臣之兄。故副都總帥惟益之考。中書左丞忠肅公惟正，今平章政事惟賢，中書右丞惟孝，參知政事惟勤，宣慰使、便宜都總帥惟和，同知宣慰、權總帥惟純，屯田萬户上萬户惟簡、惟允，上千户惟弼，知階、西和州惟敬、惟恭之伯考。今懷遠大將軍、便宜都總帥安昌，爲質永昌王必昌之祖〔一〕。宣慰使元昌、副萬户朝昌、便宜都總帥壽昌之伯祖也。卒以至元丙寅四月五日，受謚于元貞二年丙申，推至義武卒年癸卯，實五十四年，祖孫一門三世五公。又許連姻王室，自餘將相使牧爲質猶十八人，此吾元有國而來所無者。嗚呼，不曰世臣之家，謂之何哉！公王姓，由大父彦忠世汪骨族，故汪姓。金主以甲午正月死蔡，義武時即險移鞏治石門山，猶行天興正朔〔二〕。明年乙未，始下。太宗義爲其主，後來仍金官，官以便宜都總帥，俾從皇子奎騰征蜀，公留質帝所，忠烈質皇子所。制後令公從征蜀，以管軍總領從，破文階州、大安軍。從攻成都，入其郛，義武陷伏中急，公疾戰，殺傷數十人，竟衛翼而出。壬寅，以破土番疊州功，賜銀符。明年，義武卒。有子七人，皇子擇宜世帥者，意在忠烈，謂公曰：「汝宜世，吾欲帥汝弟，而得無後其心乎？」公曰：「王未有言〔三〕，臣欲推授爲之，與兄有異耶。」王高其行，以公鞏昌元帥、知府事。丙午，以前茅忠南功，換金符。故事：祖宗賓天，所授符節，悉取還之，故公金符亦歸之官。憲宗二年壬子，償賜之，俾權都總帥事。明年癸丑，世祖以太弟總天下兵，既移忠烈一軍戍和州。會將軍南詔禡牙臨洮，公來趨覲，俾督漕嘉陵，繼利州。公造舟棧塗，水陸兼行，足缺兵籍，而恤乏民力，始益昌，不以饑告。戊午，憲宗自將討蜀，忠烈集諸將問計樓上，曰：「吾州凋傷之餘，玉帛無所于得，一旦乘輿至，左右近貴之臣需求，何以爲資？」公則曰：「吾曹拔身健兒，惟有能將率士衆效死前驅，何至爲是媚人。定死前驅，公惟恤吾妻子其責。」忠烈泣然，灌酒地曰：「兄與諸將薰心誓是，德臣何言，所孤兄諸將託者，有如此酒。」大駕至利，巡所治樓壁橋隍，嘆曰：「使吾非戍此，敵先之，則四川領喉之地，可必能歲月平哉！」遂移師西南，攻劍關。關之西隘曰苦竹，隆慶府治。其上西北東三面嶄絕，深可千尺，猿猱不能緣以上下者也。其南一塗，一人側足可登，不可並行。敵盡鋭禦者惟此，而帝敕諸軍，攻未至某地無張汝幟，自伐鼓督之。公前登，帝望幟張，倡爲歌呼，六軍和之，聲動天地，隘之兵民飛崖如蝶。前是獲敵張都統，仗爲蜀導，反紿帝曰：「吾能誘此柵令降。」遣入行，則反爲敵用，且泄吾軍何地强弱，何倉豐餒，教使勿下。帝爲書繫筒箭三，射入栅，令必生致獲之，磔以徇，賚銀爲兩四百五十。潼川府治長寧山，攻復先登，賚銀如苦竹數，加以金幣爲匹二十七。復移軍東即嘉陵，爲舟行計輿礮竿鉅絙以從，公奏無所事此，此前途所不乏者，不若舟米數千石，蓋此去多稻，而求粟無有，宜虞以㢘病者。時蓬州壁運山、閬州壁大獲、順慶壁清居、廣安壁大梁平，破竹皆下。東南抵合壁釣魚山，渠江水會其下，石邑入雲，其帥王堅據不即下，礮矢不可及也，梯衝不可接也。帝欲乘拉槁勢不棄去，而必拔之，故久踔。此時暑，我師疫矣，忠烈卒于軍，公泣集將佐議曰：「吾季卒軍，馬革裹尸，與國責塞，子惟正雖未弱冠，宜世。」衆曰：「公言是，公言是，願奉以代爲帥。」其秋帝崩。中統之元，制以公爲副都總帥，從所志貳貞肅，同戍清居，去順慶平土二十里，西北東三面環江，北江殊回遠，不可爲池，南依山而壁，平可馬，上無大艱崎，其南即合，敵出入吾界無時，于兵法爲交地，公又孑身受之。開屯田，練軍實，遥候斥，詗强鄰，入必摧壞其軍，不令棄去。後詔貞肅還鞏昌，公獨保戍。三年，璽書褒大之，又换金符。三年秋，抄夔府，獲其團練使解恭、知府張甲及路分二人，斬刈千馘，獲遺甲仗、寶幣不可貲計。入覲，賚以虎符、銀章、銀幣如長寧之數，而加金爲兩五十，副以鞍勒、弓矢。褒其從者，且以久勞于邊，代以忠惠，還之鞏昌，俾副都總帥。由行省受命還，得疾秦亭，歸至古漳故第而卒，年止四十八。其年六月，從葬古漳先域。爲性安恬，出言質直，如其心。事隴西郡夫人母包，以孝聞。友諸季終其身，竭力竭才羽翼之，人無可間。總帥府屬郡一十四，事至殷也身自爲，與從父、副弟、副猶子三世，時得專殺，未嘗妄笞殺一吏一人。然至臨敵決戰，上馬挺槍離陳，先次巧捷若神，當者紛披，莫有我禦。其弓矢奇中，可方古人。憲廟出畋遇虎，命射之，一發斷其吭，帝喜至解所御金鞍爲賜。夫人，故金蘭、定西、會、德、順五州帥張雲之女。惟益纔世副都總帥二年而卒。一女，適鎮撫帥府張文煥。老將之從公者，每曰：「公爲人信厚，安昌、必昌復信厚，可曰善世其家者。」由安昌求銘公碑。燧思于公與貞肅所戍之地無不至焉，清居之不可恃爲固者。前所以言楊氏、張氏、蒲氏，皆行帥府大獲、運山、大梁平，故地與便宜，其時目曰四帥府。清居南迫合，獨受敵鋒，爲三帥扞蔽，他日專劉帥戍，移貞肅南九十里，夾嘉陵東西築武勝軍、母德章兩城，距合爲里亦然。晝則出邏設伏，嘗待進戰；夜則畫地分守，傳警鼓柝，篝火照城達曙，以防竊入。一話一言，敵盡知之，況敢抽兵邀利他求爲哉。惟是軍當其堅重，故三帥反得歲以拔敵柵壘，掠敵府庫，劉其人民，逞志于忠、涪、夔、黔、萬、施、雲、安之間，上功朝廷。用事之臣第知三帥立勞之多，而是府獨寥寥也，終未有能明其然者。又貞肅去清居，敵夜大至，火民居，縛劉帥去，鑒夫人之失如此，則兩公戍而克完者，功不大哉。凡此或者貞肅碑所逸，故發之此。銘曰：

椒聊遠條，求今之世。方漢金張，纔有汪氏。隴西開國，義武肇之；義武之爲，不怍倫彝。忠讓忠烈，忠惠貞肅。遞芟川涼，力脅謀一。繼繼其來，將相之多。不符垂躬，必斧手柯。歸覲私廟，庭笏駢羅。公以其序，大宗義武。于弟以子，宜不降俯。乃推儁功，濳不自張。等翊吾家，聞命即行。安流洋洋，如水就防。所由不年，其盡瘁致。子而夭閼，歸以何戾？彼蒼者穹，監下而公。惟我皇上，心靡不同。疇德未報，未隆何功？三紀後公，一朝哀崇。公有令孫，人曰公似，雖華其年，已踐公位。古者大宗，合族恃之。祭求其膰，尊祖之思。胥是冢旁，可萬家邑。表阡有碑，車過者式。

〔一〕爲質永昌王必昌之祖：質，原作「資」，據清鈔本改。
〔二〕猶行天興正朔：天，原作「以」，據清鈔本改。
〔三〕王未有言：王，原作「土」，據清鈔本改。

興元行省瓜爾佳公神道碑

元貞二年二月，資善大夫、河南、江北等處行中書省右丞臣堅賢言：「往歲臣待罪于外，伏奉明詔，旁求勳舊臣僚，封拜奏對，各上其事，以備纂修《世祖皇帝實錄》，資用删取者。臣喜，伏思陛下先孝四海，發揚前休，皆使下臣依光日月，誠曠代之希遇，謹已次寫臣祖常格、臣考隆古岱出處始終，爲一帙上史館。而臣之先，汗馬微勞，其概已此，何敢上比磐石宗臣勳舊自名。惟與劉氏伯林、黑馬再世父子，來北之初，義同一體，今焉二臣已各受謚忠順、忠惠，增賁墟墓。臣不援陳，恐使聖澤獨漏臣家，敢昧死請。」制曰：「可萬户招討使常格，贈龍虎衛二將軍，封定襄郡公，謚貞敏。妻鄂屯氏從封定襄郡夫人。興元行省隆古岱，贈榮禄大夫，封沔國公，謚忠靖。妻耶律氏從封沔國夫人。」制下，山南之民聞者咨嗟泣下，曰：「公卒明年，興元屬縣及州，若洋、城固、南鄭吏民伏進德、荀德炎、張自顯、李顯輩若干人，疏公平生立秦憲庭，願一上聞許廟事之，而竟未下，豈天以是忠靖爲賜額耶。嗚呼，有待哉！」公瓜爾佳氏，女直人。其地古肅愼氏之國，譌爲女真，避遼興宗廟諱，真改爲直。太祖之加兵金也，歲壬申五月，劉忠順公與定襄公將兵千二百人來降，詔以其衆即守威寧。十一月，金主遣使啗以大官，冀其或貳，可復失地，定襄縛使以聞，詔嘉之，擢爲萬户招討使。人有擾爾民，殺之，傍郡縣未至者，諭使急下，事有便宜不待立聞，一以詔行之。凡鎮威寧四年，以歲丙子卒。沔國公嗣萬户、金符，生十四年矣。戊子，太宗詔從太師國王戰河東、山東。庚寅，睿宗拔鳳翔。明年，從破宋大散關，夾嘉陵、漢水，如鳳、沔、褒、大安、興元、洋、金，東抵均，諸城皆拔。壬辰，大破金兵均之三峰山，不能國矣。詔徙六州民留田威寧。時天下荒饑，獨山北爲樂土，四方之人其來如歸。乙未，詔從塔海甘布征蜀，田事宜遣官屬何人，攝治者以其名聞。乃表今湖廣僉省高安之祖安塔哈代領。明年，凡四川府州數十殘其七八。明年，公上言：「興元形勢，西控巴蜀，東扼荆襄，山南諸城無要此者。自始取道滅金，漢中無歲無兵，其地與民吾棄不有，敵不敢復，城郭隳而弗完，田野蕪而輟耕，民窘艱食。時吾兵來，扶戴白以負嬰黄，偷蹔生活，竄棲太白窮谷之間。吾歸，則壯者出爲盗賊，肆相奪攘，甚者仇而殺之，而生齒益耗，誠能留兵戍守，招徠未降，民見父子不分，貨錢之得有也，其至恐後。爲擇良腴便水之田，授以耕耒，假與種牛，俟秋穀收，什税四三，儲之于庾，守之以吏，征蜀之師朝至而夕廩焉。校以資糧關中，荷擔千里，十石不能致一者，勞費大省，實制蜀一奇也。」制可，詔都元帥量留漢軍。其新至之民及田事，可無時籍數具效以聞，仍賜虎符。是月制諭，令安撫興元軍民。

制又以爲安撫使。一月之間，三制併下。定宗詔行省興元，公至，行之如所奏。營城塹，内治堡壘，外增鼓柝，烽煙得警，日夜十里不絶。市肆村舍，民廬數萬區，悉起于燼焚之餘。墾田數千頃，灌以龍江之水，收皆畝鍾，敖庾盈衍矣。官舍居第，皆高榱巨棟，重楶牡瓦，宏壯奇麗，可百承平舊宇之上，亦志不苟然也。其土豪傑，如洋之趙再興、成固張廣、南鄭伏興、褒城薛仕成、西縣楊濟、廉水韓仲炳、小黄柳智德、潘水薛閨皆割裂自霸，昔爲吾寇者也。至是，皆入所據所郡縣。宋邊驍毅之將馬仲自閬，張文貴自巴，李繼之自廣，王安斌自開達，亦挺身歸。公腹心仗之，指臂使之。或説曰：「反寇無親，宜有以虞，未可日置左右。」公曰：「彼哉人也，未必狙詐。或如爾言，誠狙詐也，吾仁結而義激，禮接而信示，何有于不可化。」宋害其來，反時放兵動吾四境，屢戰殲之。辛亥，四川制置使余玠輕我師寡，身率兵入寇，敗我利路元帥王進于金牛，壁其軍中梁山，兜鍪夜燭，城爲之赤，潛遣裨將燒絶棧道，遏我援繼。自率大軍圍而攻之，鉤礮梯衝，環城數匝，謂爲孤危，期日必拔。新集之民還叛與敵，公誓死拒守，督戰益急，殺傷過當。城中將吏晝或荷甲傳食，夜則晝地分守，會都元帥圖思來援，無從得塗。值三人自軍所逃還，許貰其死，令導由他山利道出陳倉。玠聞兵大至，焚圍遁去。公襲戰，悉止還所俘亡。故事：祖宗賓天，所授臣下制書、符節，悉收還之。太宗嘗賜虎符，已歸之官。及是，憲宗授以軍民萬户，再賜虎符，詔叙平金戰勢，蓋睿宗所聞太宗者，「今兹玠至，汝共事臣皆避逃，獨汝戰疾，力斬敵十五，勞苦至矣。」自是凡千夫長、百夫長、十夫長，下及僚吏，敢有違其節度者，罪死。丁巳，詔與故劉忠惠公黑馬立成都，七日而樓堞隍塹皆具。戊午，同故元帥納喇南征，踰馬湖江，戰皆捷。蓋先是乙卯，世祖以太弟總天下兵，公奏漢中之田，闢已十七，而税入恒所逋懸。其故惟在軍民之官豪有恃者，率頑驁負而不輸，顧臣力莫如何也。下教若曰：「自今軍民之官，田不税者無廩糧。」是年，下教若曰：「往者興元軍民，俱受敏珠爾與汝節度，今敏珠爾征蜀，比其還也，汝專節度之。」中統三年，改受虎符，制仍軍民萬户。四年，請以今左丞堅賢嗣，致仕家居十一年。以至元壬申九月七日終于興元英第正寢，春秋七十，肇于南鄭昧溪之白雲里爲兆，以其年十一月九日窆之壬舍。男十人，女十人，男孫十一人，女孫八人。嘗聞太祖賜威寧之詔，裂熟羊革而書之，揆以漢氏功臣之誓曰：「使黄河如帶，太山如礪，國以永存，爰及苗裔。」而已無有事不上聞，聽以其言爲詔行者。及定襄卒，而公嗣，克光前人，轉鬭太山之左右，濁河之南北，崎嶇數千里間者十九年。非睿宗奏是功太宗，太宗不知，非憲宗舉而揚之于克完漢中之詔，則是奏天下不聞。且他人樹勳于開國之際，其棺銘私傳皆出一時史氏之手，其間有善于紀述者，後者猶掇其蹟删爲一代之典，況祖宗垂法萬世之顯謨乎。則公父子，身荷二祖三宗及今皇帝，生榮死哀，六朝之殊遇何如也。夫漢氏功臣子孫冒守先列者，惟一人侯，獨長沙王支庶一門數侯。然或先後受封，非必昆弟並時。今公諸子，或拜亞相于中，或列藩方于外，或總戎旅于邊。冠紳之蟬聯，符鉞之焜煌，則縣官覆護之，俾流慶遺裔者，又何如也。銘曰：

維公早峙，童子植植；既失定襄，荷其殳斯。與老戎行，右頡左頏；于河之外，于關之内。突而前茅，無少挫退。金社墟矣，庸蜀是劉。掉鞅之遥，九圍半周。再鎮雄藩，益暫梁久。金穀穰穰，斧質在手，施陽翕陰，舒慘自口。爲艱爲勤，列聖不忘，報之貴富，倍蓰其當。大府如城，雲屋邃邃，朱塵綺疏，歌鐘清吹。聯目晩顔，頤使趣風，良庖致饎，胎豹蹠熊。酒醞介歡，萚蒳雪滯，紈衣四序，爲聲綷縩。昧者安之，耽不知還。公時白日，未薄西山。解兵其子，時税于野。毳廬氈車，勝地即舍。維嶓之麓，與沔之水，往往禽魚，識其杖几。乃知喬松，可召與遊；徜徉十年，歸安兹邱。評者異之，于古未有；紛華寂寞，枘鑿不受。公而兼之，始慎終全；由哲其身，匪隋自天。人之蓋棺，旋踵朽息；公有哀褒，于沔開國。生平之名，煜其益昭；矧子維翹，丞弼兩朝。無久維石，莫信者史，一刊不磨，用告無止。（以上《牧庵集》卷一六）

潁州萬户邸公神道碑

公邸姓，保定行唐人，諱澤，字潤之。曾祖亨，祖義生，考府君諱琮，金符，總押真定、大名、河間、西京、保定、洺磁、濱七州之兵，戍睢州以卒。公年十一，世將是軍。七年，去城亳鹿邑，避河流齧，移戍潁州。城久荒棄，剪荆以茇，隍塹樓堞，官舍民廬，皆所經始。宋勍將夏貴夜悉鋭東南壁，公將射士當之，大呼疾戰，矢下雨注。又虞士氣久用將奪，戒司更促其漏。丙夜伐五鼓，敵以爲旦出奇騎擊不利客也，騰藉崩潰，積骸如京，創此大治，始不輕犯。戍是十四年。世祖即位，如故事，盡收臣下先朝制書、符節，故公金符亦入之官。明年，制賜還之。至元入覲，賜錦衣、弓矢、鞍勒。用兵襄陽，將是七州兵半以行。太保并國武宣公時以都元帥鈔鴉山，拔平塞砦，功最幕府，賚白金爲兩五十、金衣一。從城長圍襄陽六年，當十年癸酉乃下。明年，從太傅巴延公，時以中書右丞相督大軍南伐，至郢。初宋遣殿帥范文虎，將兵援襄陽，度不得進，爲城郢，備鎖戰艦江中，列礮于岸，遏我舟師。下令盪舟黄灣，進藤湖入漢，越郢去，從拔新城沙洋下，復師由沙武口入江，從戰青山磯，多所俘馘，鄂隨下。行省論功行賞，賚白銀爲兩三百。明年，留故左丞相阿爾哈雅，時以右丞分省守鄂。大師其東，從右丞分兵下荆南，功進武德將軍、管軍總管。又從攻潭州，流矢貫肘汰股，裹創復戰，城拔，進顯武將軍。明年，從攻靜江，礮砞傷首，岑岑垂絶，已日乃蘇。既拔，從省還湖南。其年，宋亡。陳宜中挾益、衛兩王浮海據閩，爵人號年，規爲興復。倖利之徒，在在起應，而羅飛、張虎、周隆尤其梟傑，屠殺長吏，劫民爲兵，動萬爲羣，阻山爲砦，以抗官軍。衡、永路絶，公從劉平，生致三渠，褫皮以獻，進懷遠大將軍、萬户、虎符，俾將其軍，監郴州，位總管上。至則平郡賊蕭良弼。剗兵之餘，城中户纔四百，布檄招徠安集之。內則基屋火餘，外各復産其鄉，期年將倍萬家。孔廟尚茅屋，擢進士左元龍爲校官，佐其工材，俾任興葺，稍如平時。州界韶鄗，遏韶寇不窺宜章，而興寧之民效惡鄗盜，聞宣慰司將調兵萬人加誅，未啓行，公衝焉，摯金帛即説曰：「今盜始起，而從徒未繁，官軍遽入，民懼俘殺，必出逋逃，無所適歸，勢與盜合，是驅使爲逆也，請歸身任致討。」許之。乃歸，召父老豪傑，曉曰：「吾止官軍，不使得暴吾境，汝佃民有從亂者，不以相坐，聽執送余自贖。」得五百人，惟誅首事二十人，餘悉縱還南畝。連三大役，始得占城之師。人以深蹈死地，忿怨無施，所經城市肆行剽奪，瀕道居民十室九空，六稷絶種。至郴亦然。公捕得爲暴數十人，械送軍中，詰其部將，威令不伸，皆市杖之，其徒一夕潛遁踰境。再以日本之師責造海艦十五艘，度費楮幣爲貫七十五萬，取材有制，戢吏侵牟，用未能半，事已告集。後以交趾之師，賦餽米千石入桂，公曰：「自是入桂，陸行千里，負擔之民，人勝五斗而止，已二千人。爲擔夫負裝糧者半是，行未中道，委負而逃，可前知也。」乃集丁之家謀曰：「吾將出家貲，責諸縣即桂如數糴之，上不失軍興，而下可紓民力何如？」衆歡呼稱願，他日比貸錢，如子來歸，公悉還其贏。又請罷陶坑、銀鑛、户賦、酒醋，歲荒發廪而後聞，皆良政也。又遷廬州蒙古漢軍萬户，郴民耄倪號呼遮留，如去親戚。未至，改潁州萬户，戍無爲軍。至是，七路之兵全集麾下，而軍容益盛。盜起江東，省以公威信著譬，檄公以其軍討之，饒、信先譬以禍福，皆不煩兵而從。宣、徽怙惡，乃夷萬人于南陵、旌德、涇縣。又鋤萬人于績溪。績溪尤勁勦，壁何秧塘山，山周十里，峻二百丈。省臣以六萬衆攻之數月不能下者，因留戍徽，兼拜都萬户之一軍，徽民方安之。尋還無爲。省議餘杭勝國故都，非得如公老將一軍，遏而閑之，綏而安之不可，故移戍杭。以二十八年，其歲辛卯夏六月二十有一日卒，年六十三。平生忠直沈毅，讀書專經《左氏春秋》，故能謀成而事立。臨財不恡施予，有積，則均之昆弟姻戚。其再至潁，故人部曲捐金委帛，致殷家。及疾或在告，計日辭禄。後卒十三年，子武德將軍、潁州萬户戍杭元謙，紹介其友劉致持事狀爲書燧曰：「先公之舊藁藏潁濱，今將舉歸先塋，數宜有碑，不得君銘，恐勳勞不足以信來世，敢泣血請。」故銘叙此。嘗聞國初以二萬户鎮撫中夏，右則劉伯林軍秦，左則納罕重山軍燕，顧成則益，太尉、忠武史公天澤爲真定、河間、濟南、東平、大名五路萬户于中，後强諸侯，頗以力夷惡相下屬，皆求名將其軍，而千夫之長亦覬得焉〔一〕。由是萬户布列天下，其勢雖分，然父死子繼，兄終弟及，相傳虎節，一命三品，世世不絶，則未始變。不若治民治賦之臣者死，子孫以門功官自下而高，如升階然，所可儕比，則國家責以捍侮四方，勸忠而收其死力者，豈不至且遠哉。觀公造家，譬則爲山，嗣睢總押，其覆簣也。于時是官未必視長千夫，何以言之，從下荆南勢亦夥矣，授以總管，得以千夫之長同禄。轉而西南，勁敵是膺，堅城是臨，莫不賈勇，奮其前殳，顧以是身干鹵三軍，入百死而一幸生，遂長萬夫，比德開國大藩諸侯，殆成功九仞者，其爲丈夫亦壯烈矣。然非憑夫大帝赫怒，有是南國用武之地，技安施哉。此太史公贊蕭曹輩爲依日月末光，《陰符》所謂天人合發者也。三夫人，元配郄氏，嚴于持家，前卒二十一年；繼配兩王氏，姊娣也。前卒十年，姊顧爲繼，後卒九年。三男：元謙以佳公子，既世虎節，好學而文，雖居平時，營栅、部署、器械、車馬，凜如在敵。又識世務，省訟難惑，多資平之。次元泰、元恒。四女適御長官子璧、閻令子齡、鄭元帥子端仁、萬户賈榮祖。三男孫：長禥，幼未名。二女孫。銘曰：

嗟若邸公，初由羈童。嗣秉父節，睢及鹿邑。凡戍十年，强敵尚遻。城潁而南，地交壤鄰。勍將未嘗，時已能軍。寡謀輕襲，大北其羣。會帝考貢，曰是南紀。于何蕭茅，曠人包匭。乃畀丞相，百萬烝徒。江漢滔滔，鼓枻以浮。分狥坤隅，置公前驅。登陴長沙，桂林入俘。大憝小悖，剪無稽逋。從戰萬里，清楚以吾。歸撫其軀，矢石遺餘。嘗曰臣子，居則有異。移孝爲忠，其道豈二。當在父側，子職焉恭。寸膚之傷，盡心瘝恫。及身而將，三軍獎率。鼓鼓以前，顛首奚恤。惟公懋功，其賚何如？虎節皇皇，雄長萬夫。上昭祖考，下傳旄棨。子孫其承，世守無止。匪直克忠，孝疇大斯。以語燾後，幾何其慈。宜爾有子，踵武之踐。四十已聞，慎保垂憲。爰發潁舊，歸從先邱。列勳于碑，貽久是謀。

〔一〕而千夫之長亦覬得焉：覬，原作「凱」，據清鈔本改。

袁公神道碑

袁虞，舜裔也。舜生姚墟，居嬀汭，子孫以地姚姓，以水嬀姓，以有天下之號則虞姓。及周武封胡公滿于陳，以國陳姓，以陳公謚胡姓。袁則肇于陳大夫轅濤塗。西京轅固生猶未省文。至後漢太尉安而下，始爲袁矣。其家太原石之臨泉者，不知始何世何人。所可譜則在金有隱德農畝者，諱亨，生迪，業儒，博極羣書，尚氣節，不食然諾。生企京有父風。生鐸豐儀峻修，克世其家學，實生今延安路總管公，諱湘，字潤夫。金之蹙國，王公佐持節鎮葭蘆，當吾元勁兵之衝，殫力竭謀，惴不自支。一日集將佐，使各推辟所知可與計事者。或言公賢，爲書致之，三往返始來，用其策以守則完，以戰則捷，衆論多之。聞諸汴京，官以忠顯校尉，遥主延安之延長簿。再以功超武節將軍，令臨泉，石與嵐之合河，恃公爲藩援以安者五年。後王公佐卒鎮，人心離異，不可復一。公曰：「吾愛一死哉，死而兵民完何害？敵以不即下藴怨積憤于我者，爲日已久，吾死而捐兵民以甘其心，吾寧忍哉？」遂乘夜載鴟夷濟河，款我大將孛罕營降，解所佩誓曰：「所有二于公者，有如此劍！」將孛義之相與飲酒盡歡，以便宜升臨爲州，拔公爲帥，遣將州兵略地，鄜、延悉下之。移鎮延安，臨民德之，寧輕去其鄉，不忍去公，多攜家來從。朝廷定賞納土功，授延安路兵馬總管。時既偃甲兵，民方去危即安，公敦勸耕稼，裁抑游惰，使各食其力。鄰境聞之，逾河而西，雖有良田美業不恤，願託處深谷者，不可勝計。公符其守令，居借之廬，畊助之牛。儒生之賢而文，實聳人瞻聲動人聽者，如侯邱、嚴明、焦舉、華張、王明，畢美、邵瑞、張輔之流欲仕者，則登之幕府，以師羣吏，不者則升之學宫，以範多士，由是悍俗消革，而禮讓興行矣。會大料民，止籍主户，漏其僑家浮客者。或咎以何獨損吾户數，公曰：「若欲肥版籍以衒庶耶，一旦賦役下，僑浮生心。必計曰等賦役也，與避人境而不免，何如歸吾鄉之安焉。客去而主孤，實亡而名存，祇益纍也。」人服其能圖遠。其後河東、山西果徙其民。公謀使者曰：「若所以必徙者，豈以代吾賦役，而汝無得哉。吾所籍止主户，未嘗妄以僑浮爲土著，版册具在可稽也。何如勿徙，使各奠其居，即是民推擇置吏，歲集其賦入，是以吾土育爾民，奚必徙？其以是歸語汝帥。」使者亦度民業已安，此雖徙之，且道亡不達，許之而還。尋有詔，令民隨在占籍，公猶仁其浮僑，爲輕其調庸。同列害其能，且位加吾上，多行金帛貴倖以訟公。徵使就辯，公贄貴幸幣殊涼薄，庭臣以訟者之言方騰，能不以賄免，顧歎重其忠儉。歸益自刻勵，四方行李至者相踵，廪肉不足，爲射獵鹿豕以繼，𧹞勞之須皆出其家，不足則從富人稱貸。郡民之豪傑謀曰：「吾屬依公以生，坐視寡乏，莫之省恤，人曰我何。」捐金餉之，亦謝不取。及大封宗室，割所治爲公主湯沐邑。有説公厚斂入謁，可結主知，且無令同列得先之也。公曰：「吾豈剝下市寵者耶。」不行。先朝時，今上以太弟之重征南詔，駐兵六盤山。公見行府建言，始延安之籍民爲兵，皆懸賞募之人，率授銀三十兩始行。及遠戍久役，津餽不如于前，老稚日困于家，則怯者挺身而孤亡，勇者連伍而俱歸，軍吏以法誅之，莫之能止也。非大選閱郡民厚業饒丁者，更代以休其力，盈其氣，則兵帳不完。上然其策，讓鄰道臣之在行府者，曰：「若曹之來，其所請求不過官資之崇庳，符節之輕重，便己私耳。亦嘗有一白軍民利病，如袁湘者乎。」聞者愧讋，自是雖不自行，遣官屬有所奏請，上必曰：「若從袁湘所來耶？」言輒報可。歲癸丑冬，將適京兆，未至病歸。人來唁疾，公安之，言笑如平時。夫人問焉：「一旦公疾小加于今日，如吾母子寡幼何？惟治命是聞。」公曰：「吾平生所爲，無有不可語人者。天將後余，是外非若知也。」以十二月九日卒于正寢，年五十有九。以某年月日歸葬臨州某鄉某里先人之兆次。凡再娶，元配馬氏，繼配梁氏。子男三人，馬出一人，未名，前公卒。梁出二人，克忠昭勇大將軍、隴右河西道提刑按察使，克良提舉太原採木司。女二人，馬出伯，適定西州尹富察仲德，仲適中部縣尹張欽用。男孫四人，長仕圭，餘未名。女孫八人，在室。十八年，燧以陝西憲副錄囚延安。昭勇君自隴右得告家居，一際言色，固以心推爲鉅人長者，若不見毛髮，比出紈袴習者。古之人有云：觀其子可以知其父矣。明年，克良持君書與公事狀，謁銘墓碑，因得究公爲人，益自信昔者觀人之不失也。蓋嘗論之人生，紛綸尚武之時，懦者固不能以自立，惟强之依。而强者或徑行而無謀，亦旋取敗亡。善謀矣，其力不足以先衆，則人亦莫之信而爲之使。嗚呼，公以此時，克樹功業，裂地而侯，以傳諸子，亦戛戛乎其艱哉。是可以載行事于石，而見白于後世也。銘曰：

繄袁之先，世繼顯賢。由金百年，力本乎田。起培而行，篤公之自。逢時未靖，實艱初試。人求其生，雌從雄鳴。有距跳踉，有翼奮翔。臨泉葭蘆，襟帶河山。公居其間，撻其悖頑。智資我謀，勇恒吾力；我麾我招，莫不順適。國步未改，效死我臣。天命維新，吾生斯人。府葭延長，綏丹鄜坊；我旗樹降，千里其疆。朝爲逋亡，夕則樂康。人無我敵，束爾矛戟。敏而耕桑，督而蠶織。而方瘡痏，孰爾朘刻，孰犨孰呻，煦手摩撫。鄰曰「時哉！爰適樂土」。寵光不希，鈞言不危。説進可行，丹扆肯頤。不年永辭，延民之思。今三十年，如在柩時。黄髮齠子，枚誦其美。事上之忠，繩下之嚴；生民之仁，與人之謙；顯親之孝，奉己之廉。人一二有，公乎其兼。延民之思，日遠則忘。我詩之碑，百世昭章。（以上《牧庵集》卷一七）

全元文卷三一七

姚　燧　一九

光禄大夫平章政事商議陝西等處行中書省事贈恭勤竭力功臣儀同三司太保封雍國公謚忠貞賀公神道碑

大德九年，榮禄大夫、平章政事、上都留守兼本路都總管、開平府尹兼虎賁親軍都指揮使賀公，以年七十有二，丐老，制進光禄大夫、平章政事、商議陝西等處行中書省事，賜白金爲兩五百、楮緡二萬五千、錦衣、玉帶。既遂養安其鄉，又以其子參知政事勝襲上都留守虎賁。十一年，成宗格天，儲皇削平内難。夏五月，念舊臣將有咨度，俾中書遣使馳傳召之，承命即行，而道疾。皇帝嗣位，下詔萬方，其播告使遭諸樊橋，以勝參知政事、上都留守，進拜平章政事爲慶，公撫膺感極而薨，七月九日也，年七十四。訃聞，三宫迭爲惋悼，遣勝馳十乘傳奔赴。隨贈恭勤竭力功臣、儀同三司、太保，封雍國公，謚忠貞。至大二年七月二十九日，行在南坡，以公墓碑未銘，敕翰林學士承旨臣燧撰述之，仍俾勝馳十五乘傳入秦，身視鐫立。嗚呼，其榮生哀死始終，于公爲何如！公諱仁傑，字寬甫。其先河東隰州人，居京兆則由祖選徙。考惠賁，特降金符，京兆總管諸軍敖拉，贈輸忠立義功臣、銀青榮祿大夫、司徒、雍國公，謚貞獻。初歲壬子，憲宗國母弟世祖于秦，受詔征雲南，禡牙略畔之山。明年，將戒途，貞獻作室，得夙藏，以白金爲兩二千五百來上，曰：「陛下封國所出，臣何敢私？願佐軍興。」又曰：「臣子生二十年矣，力能荷役，請置顔行。」主將憤其不己白，而專爲也，幽貞獻長安。帝聞之，怒縛主將至，將中危法，以開國世胄而釋，公由是入備宿衛。經吐蕃，滂沱涉大瀘水，人不毛瘴喘沮澤之鄉，深林盲壑，絶崖狹蹊，馬相縻以顛死，萬里而至大理。歸由來塗，前行者雪深三尺，後至及丈，峻阪踏冰爲梯，衛士多徒行，有遠踰千里外者，比飲至略畔，最諸軍亡失馬，幾四十萬匹。後從濟江，歸正宸極，眷寵日加，征伐蒐田無不從，負御服物多至一二十事，風雨霜雪，暴衣露處，饑渴皸瘃，未嘗告勞。他人滿直三日而更，獨公與董文忠爲長上，侍疾，或一月不至家。燕閒，喜訪聞外事。至元十有一年，梅應春舉瀘州降，制即以爲其州安撫使。明年，大兵圍重慶。又明年，制使張珏遣王立潛師襲瀘，取之，醢應春，殺戍將千户熊耳，而有其妻宗，甚嬖之。宗王相四川行院李忠宣之外妹。立後移守合州。行東川院者，則憲宗帶玉器械哈丹庫哩濟蘇，二人先朝陟方乎此，拔將甘心故合益負險不下。宗説立遣張邵輩，蠟書間行至成都，請忠宣受降。忠宣從五百人至，立則開壁納之。忠宣以王相罷置其吏，而去東院械立，奏殺之。時安西王受詔征漢比，未知合既下也，自軍中下教長安，遣燧乘傳招之，下則許貸立死，以爲安撫使，而誅立敕使先至，其日將醢之，而教亦至。東院以敕教違行死生異也，破械出立，而幽之别室。相府東院各使再請，宥密以帝有成命，不以教聞。會西院遣都事吕端善他事至京，語公其然，公即入聞，帝詰宥密臣曰：「卿輩以殺人爲嬉耶，使立生至則已，死則汝其從之。」驛致立爲合之安撫使、虎符。先師許左相多公力能回天，還而立見，謝曰：「教活臣于始，賀某活臣于終，惟死以報。」明年，帝怒王府一相，大治宫室，凋弊秦民，召至而不敢見。公爲譬釋于中，俾仍相秦以歸。其年内出白金，陳御榻前，如所上數。前公謂曰：「此卿父略畔佐軍興者，卿母在此，其以是供具爲養。」辭之不可，歸請其母曰：「君賜也，宜仁吾宗。」悉散之。又明年，授正議大夫、上都留守、兼本路都總管、開平府尹。又明年，授資德大夫、兼虎賁親軍都指揮使，加佩三珠虎符。十九年，帝曰：「昔從太祖飲水黑河者，至今澤及其子若孫。其從征大理者，亦朕之黑河也，安可不録其勞！」悉大賚之，于公加恩數焉。年既及艾，侍帷幄日久，事益明習，人以密近天光，丞相而下猶必咨託，俾詗動静而始入告。如是而不怙威，不矜寵，不黷于貨，克兢畏清，恪自持故，有言必信，晨夕彌縫，滋多事祕外不聞。其顯知者，如擇童女實掖庭，命既下矣，公曰：「宫妾不足于使令，宜妙擇高門德望之家，端嚴明淑者當之。豈可槩行，以駭天下聽聞，使深山窮谷擁瘇癰惡之子，不待其年而急相偶，非昭代盛德舉也。」又古貢方物，皆其土宜。今者和市，非産其土，一切征之，增直倍蓰，無所于取，吏責後期，從而罪之，實病民甚。又永盈司倉任文通税民不入粟，而私給券，取直其外，懼事覺，顧先陳他吏之爲，辨服其誣，當誅，公言：「罪許自陳得原者，令也。彼雖誣人，事同自陳，若重加罪，則塞悔過之塗。有言事者，亦將創矣。又煮海爲鹽，由人力以出者也。山後諸州漕司必遠餽與民，而徵其利。今瀕上都池泊皆鹽，實天惠養斯人者，無有課入，禁不得食，有盜食者，罪當没産，終不能止，而冒犯滋衆，是爲穽畿内也。」帝皆然之，止童女勿擇；物非其土所出，勿和市；免文通死，重杖以懲；鹽弛其禁。民爭德公，爲廟李老峪，設像以祀。二十有五年，進階榮禄大夫、中書右丞，以子勝爲中書，參知政事。及僧格爲尚書省，以威制天下，大爲鉤考，奏公爲留司上都，錢粟損失頗多。時其長則國人烏納呼，及庭辨，公曰：「臣漢人也，是雖非臣盜取，不能戢吏爲姦，罪則在臣。」爲之長者則曰：「臣司留印，事未有不白臣能出者，惟當罪臣。」四十日中，彼至七十餘奏，而兩公爭自罪，終不易辭，帝曰：「受爵而推人者有矣，罪至而爭引歸己者，惟汝二人，其罷勿竟。」則公見信于友，而結知君者，非有素可襲取耶。然計始入臣，以及丐老，實五十四年，掌留鑰者居半，倉廩府庫一俟啓閉，衛士衣食亦仰均賦。乘輿歲至，比其南也，少乃數月，頓舍宴享，諸王百司，送往勞來，細而米鹽、燈燭，大内之中，奔走徵呼，一日數至。其所受委，不怠不忘，克當聖心，未嘗取其逆怒。以故資身百備，皆出賜予，最其多者，楮緡五萬，玉帶、珠衣、宴服、貂裘、華飾可等國人貴臣，他珍玩不計。人則置之曰，不過受也。斯其君臣之際交，孚然也。其家庭，則數歲必一歸省于秦。既至，不可以久，一再月則必牽衣流涕而别。前夫人劉卒，宫中欲女以國人，公以漢人不可偶是鉅族，娶從聖武西征留使鄭公師真之孫，數年而喪明，三十年終不以疾而失歡。其初無媵侍在旁，遇寡嫂嚴而有禮，與諸弟雖篤其友，必飭其過。妹壻不謹宵，直至撻之。與人交，坦白以誠，藉位勢以暴人者不下也。以其年九月二十有一日，葬鄠縣太平鄉貞獻公姚夫人鄭兆次。前夫人劉祔。公二男四女，勝踐公平章。又請推恩上及祖考，再世國雍，其爲孝也，大孰加兹。與適上都兵馬使瓜爾佳哈布爾者，劉出也最後。公薨再月而卒。與適河東、山西道提刑按察使韓世英子慶、今參知政事董士珍子守正虎賁親軍總管楊祺者，爲鄭出。男孫三，慶、寧、興，與女孫二，皆幼，是正係也。其宗從，則伯父貞，不仕；季父斌同知京兆敖拉總管府事。四弟，義立，令同之朝邑；禮貴，不仕；智明，管州判官；信仲，四川南道宣慰副使。妹適王權省子貴。子男十八人，女半之，男孫九。銘曰：

大帝淵龍，華臣之逢。孰近而初，孰久而終。爲世所知，同公流輩。百十維人，官出皆外。凋喪相繼，惟董文忠；朝夕帷幄，與公友從。珥侍中貂，廿有六載。董先朝露，乃眷公在。生人于死，引慝其躬；民瘼之求，悉其勞庸。位亞人臣，晚極其報。又爵其子，公武之蹈。迨歸老秦，制曰祿之。俾其省臣，事諏政咨。曾不再稔，方衡國恤。震邸見招，竭歷力疾。天不憖遺，道薨樊橋。五十六年，始終兩朝。今聖曰：「嘻，奉常汝謚，主爵玉署，汝封行制。」凡厥哀死，無後邦經。乃陟保衡，忠貞易名。乃與乃考，千雍再國。若稽夏書，九州有一。餘受封家，孰京與夷。皇上猶以，墳道未碑。乃敕禁林，臣燧次述，公于佳城，奚感不足。胥是有扈，左豐右甘。名與不磨，終南在南。

百夫長贈中大夫上輕車都尉曹南郡侯坤都岱公神道碑

至大三年，下詔萬方，推恩中外。一曰官之先，昉于五品，由庫崇等而上之，列爲五爵；五品四品，由男而子，其封皆縣；三品二品，伯侯以郡；一品則國公。其世數，男子惟考妣一世，伯侯及祖妣再世，國公及曾考妣三世而極。用是中大夫、尚書、吏部侍郎桑烏遜，職登從囊，既通以顯，贈其考坤都岱中大夫、上輕車都尉、曹南郡侯，祖庫春中大夫、上騎都尉、曹南伯。祖妣額森特尼太君、妣周太夫人、妻馬夫人，皆同郡曹南。吏侍將侈天寵于碑，請燧銘之，故摭太常博士王天祐之狀以叙。在太宗世，欽察猶未附。定宗、憲宗時猶王也，詔與大將河南王蘇布特討平之。其部屬始至中土，上騎則其酋諸孫，隸河南王戲下，長百夫以卒，公嗣爲之。從平河中，下鳳翔，殄敵軍鈞之三鋒山，破汴、蔡，滅金後，詔王戍河北，公始家曹之定陶。又從諸侯王扣肯巴哈及大將察韓伐宋，寒出暑歸，歲以爲常。殘漢上之襄陽、郢，復德安，援淮右諸州，轉鬭千里，登陴陷陣，斬刈不可臧計。幕府犒功居諸將先，金實于櫝，衣溢于笥，馬連于櫪。歸則課僮奴耕稼畜牧，隨致豐潤。性倜儻喜施，時節擊鮮，與閭里故舊爲樂。其後戍光，歲戊午，宋兵犯郛，率死士出禦，斬獲過當。中流矢，輿疾至家卒，年五十一。葬新興東原。夫人則周，亞尹女也，皆柔淑靖恭，婦德母儀，稱于姻族。子二人，長烏克岱，尹出。嗣長百夫，從攻襄陽，斬項老白都統。濟江下鄂，定淮浙。由忠顯校尉蒙古軍總把錫金符，監真定、河南、曹州、大名，翼千户解職，子某。次則吏侍，從淮安王巴延、河南王阿珠濟江，元帥府知事，升經歷。以給西京、河東蒙古軍衣糧，鈞賜鞍勒、弓矢、鈔二千五百千。入爲衛士，出監武邑、真定兩縣。真定升州，同知州事，進官奉議、宣政院斷事官，進朝列、院經歷。驛徵西番，負金爲五千，鈔八萬五千。丁妣夫人周憂，依墓爲廬，摧毁自致，鄉里孝之。尋起參議院事，升西番宣慰使、虎符，入爲郎銓曹。從平寧王亂，大會供億不乏，賜爵二級、鈔二千五百千。男孫七，忠顯校尉某，嗣長千夫；買兒、河西、福興、丑妮子、巴哈、錫都皆幼。女孫八人，五歸名門。嘗反覆究觀，自上騎至吏侍，纔三世矣，而歷事太、定、憲三宗，世祖、成廟前聖、今聖七朝，雖不可方開國諸臣，亦善承其家者，而吏侍尤敬慎寡過，有才臣稱。銘曰：

蓋嘗論刑，其極斧鉞，誅止有罪，猶爲小罰。大刑維何？無慘甲兵。幅員判裂，爭地以城。淵淵伐鼓，陣于原野。入死出生，決食頃者。嗟哉維公，束髮即戎；進退金革，奮不有躬。于河于漢，于淮之亂；金滅戡宋，勇必軍冠。無眼維矢，信不識人，不殪懦夫，而賊果臣。其在兵志，士而死轡，庶于事君，身曰能致。雖死已久，而名則延；甲子垂周，卹章自天。亦本孝子，吏侍之籍；其丁内艱，即墓而舍。敕起院參，使番西南；佩之山節，虎視眈眈。入爲郎官，銓曹是職，日月爲斷，當其陟黜。矧又兄子，方長千夫，將久其傳，黄金世符。門閥之崇，有耀閭里；碑以表阡，百世伊始。

南京兵馬使贈正議大夫上輕車都尉陳留郡侯布色君神道碑

布色氏始由普爾普以佐命功位司空，生司徒巴爾圖。司徒生太尉和賚，連姻帝室，生世宗母宣獻皇后，與金紫光祿大夫、統軍巴勒。統軍生世宗元妃，與鎮國上將軍布展。鎮國生昭勇大將軍守道，昭勇生君諱長德，年二十一，頎軀偉觀，精巧騎射，以扈宣宗播南京功，官安遠大將軍，遥領濱州同知。壬辰，義宗播歸德，不及從。其明年，會西面防城提控崔立舉城降，盜發陳州、南頓、項城、沈丘，假公金符，將二千五百人往平之。而劇盜張進犯京陳橋門，又殄之。收盜積菽麥，以拯饑民。後從諸侯王伊克南征，殘漢之襄樊、棗陽、郢，復德安、淮南、黄蘄及安慶而還。時未改汴梁，拔南京兵馬使。改令中牟、原武、太康三縣，入爲南京警巡使，再爲兵馬使。至元九年，養安其家。以十五年四月三日卒，年八十五。夫人張氏前卒二十年，合葬祥符縣之某鄉。後三十五年，當皇慶之元，子荆湖北道宣慰使翰文，走書燧曰：「吾先人仕太宗朝，未大清顯，庭臣哀其驅馳，與翦荆棘，芟舍以招徠干戈餘民，安集三縣，警斥寇攘于河之南，勞勩三十有六年，與翰文自學仕，略其卑官，惟疏九制王府郎中，令倅開成路，歷知松江、漢陽二府，入爲中書省左司郎中。是職也，凡陶冶四海之官，與夫經國之賦，議禮制者皆出乎手，非其人有時譽者不授，翰文得之，其材可知。出同知淮東宣慰使，轉平陽總管，與今宣慰荆湖，父子相繼七朝，請如故事，褒其元墟。制可。贈其考長德官正議大夫、勳上輕車都尉、爵陳留郡侯。妣張，陳留郡夫人。祖考守道太中大夫、輕車都尉、陳留郡伯。祖妣完顔，陳留郡太君。翰文故妻暢，陳留郡夫人。臣焉叨此，昭融極矣。今也有孫兩人，伯珪、季璋，私廟時饗，能執豆籩，足免無後不孝之躄。求可筆是事國定家之槩者，匪公其誰。」故即汴士張孝友之狀以書，且告所未知者曰：金有天下諸部，各以居地爲姓。章廟病其書以華言爲文不同，敕有司定著而一之。凡百姓，金源郡三十有六，廣平郡三十，皆白書；隴西郡二十有八，彭城郡十有六，皆黑書。其等而別者甚嚴。布色氏于金源次居五，其素爲華望之家，不言可喻。銘曰：

猗嗟之家，其在盛時；奕世三公，男女結褵。不于庶姓，于帝之室。大定哲君，猶所自出。金歷既祝，一氣之機。無成不渝，無顯不微。存者遺胄，伯千什一。今由子貴，推恩爵秩；祖考侯，輕車其勳。郡于陳留，覃及妣嬪。勒詩豐碑，光華孔煜。名與河流，瀰瀰無竭。（以上《牧庵集》卷一七）

領太史院事楊公神道碑

嗚呼，有秦君子楊公諱恭懿，字元甫。其先始鄉耀之同官，中避宋亂徙美原。五世祖儀，徙今京兆之高陵，與高祖亨再世力田。曾祖植、祖禮，再世仕縣吏。考天德，擢金興定進士第。由博之聊城丞，掾陝西行臺，權大理寺丞，主京兆長安、慶陽、安化簿，辟令順德之隆德及安化，而安化兼錄事州之判官，三職具脩，積官中大夫。其德其烈，有先師司徒許文正公墓誌言。章宗南郊，爲太常臣，授幣而立。御史將劾不恭，其友曰：「大夫習于禮者，名行祕書，盍從而問？」曰：「授坐不立。」御史慚縮而止。太常則孫公通祥，實公外王父。公以正大乙酉生于其居京兆之雙桂坊。童而讀書，記識强敏，日數千言。時艱，從中大夫逃亂而東，不恒其居。于汴，于歸德，于天平，雖間關險阻，未嘗怠弛其業。年十七，侍中大夫西歸。無田于郊，假室以居。鄉鄰或繼其匱，皆謝不取，惟服勞以爲養。暇則力學綜博，于書無不經目而究其心者。摳衣之徒，户外滿屨，横經人問，爲析疑義，源源其辭，若決江河而下之，名聲日延。海内縉紳友大中者，馳書交譽。知之膚者，求觀其文。侈其肆者，以爲鱣堂之席有繼。與其極者，直期以宗盟斯道于將來。時已邃《易》、《禮》、《春秋》，思有纂述，耻爲章句儒而止。志于用世，反覆史學，以監觀廢興存亡、理亂得失，于千數百年之中。曰：「輔治之具，禮、樂、兵、刑。禮、樂非王者果爲，不可興行于天下。兵恃以芟暴亂，而安元元。刑取其弼教，循本以求，皆仁義之資也。不講之有素，或一旦帥三軍爲士師，貿貿焉不知其方，反受成教武人、俗吏乎。」事雖未試，從可槩見其佐王之略。年二十四，始得《朱子集註章句》、《四書》、《太極圖》、《小學》、《近思錄》諸書，誦其言而推其意，嘆曰：「人倫日用之常，天道性命之妙，皆萃此書。今人德有其門矣，進道有其塗矣，吾何獨不可及前脩踵武哉！」窮理以致其知，反躬以踐其實。動靜云爲一乎持敬，行之以剛健，居之以悠久。日就月將，俟其成功于潛齋之下。自任益重，前習盡變，不事浮末矣。歲甲寅，司徒奉潛藩教來秦，公往見之。際其道德之光，聞其仁義之言，于傾蓋頃，歸心服曰：「世烏有斯人之倫。」敬事猶師。而司徒友之亦至分庭而行，抗席而坐。一遇講貫，動窮日力，而所造益深。平居訒于爲言。喪中大夫，絶口水漿五日。喪葬用牲，盡祛桑門惑世之法。爲具不足，稱貸益之。棺槨皆黄腸，衣衾必縟，疏衰饘粥。悲憂爲疾，杖始能興。司徒會葬歸，語學者曰：「小子志之，曠世墜典。夫夫特立而獨行之，其功可當肇脩人紀。」聚居六年，司徒東歸，喪妣夫人，猶中大夫，其疾益阽，三輔士夫知由禮制自致其親者，皆本之公。先是，宣撫司行省欲以掌書記共議事禄之，皆不能屈。至元七年，詔司徒由國子祭酒拜中書左丞，始與右丞相安圖共政。日譽公賢，丞相以聞。十年，上遣協律郎中敬來召，疾不能行。十一年，儲皇下教中書，汝如漢惠聘四皓者，其聘以來。故丞相遣郎中張元智，書致是命。其冬，下車京師。上遣大臣勞其遠來。他日入見，上問何鄉，先德爲誰，從何師學，子今有幾，無不周悉。其夕嘔血，上遣尚醫來候，且賜之藥，少間。明年正月元日之翼日，上御香殿，以大師南伐，使久不至，方念之深，欲筮之。時以日者待詔公車，百十爲輩，獨以命公，蓋以其道德素著，可交神明者，其言頗祕。侍講徒單公履請設取士之科，詔先少師文獻公、司徒竇文正公與公雜議，公上奏曰：「三代以德行六藝，賓興賢能。漢舉孝廉，兼策經術。魏晉尚文辭，而經術猶未之遺。隋煬始專賦詩，唐因之。使自投牒，貢舉之法遂息。雖有明經，止于記誦。宋仁宗始試經義，亦令典矣。哲宗復賦詩，遼、金循習。將救斯弊，惟如明詔嘗曰：『士不治經學、孔孟之道，日爲賦詩空文。』斯言足立萬世治安之本。今欲取士，宜敕有司，舉有行檢通經史之士，使無投牒自薦，試以五經、四書、大小義、史論、時務策。夫既從事實學，則士風還淳，民俗趨厚，國家得識治之才矣。」奏入，上善之。丞相每咨世務，倚以自毗。會其北征，公遂請畢男婚而歸。十三年，詔改曆，太史王恂總算，同知郭守敬推測。司徒明曆理，或言公嘗推曆，終一甲子，而得日月薄食者七十有奇，曰：「日月之眚，古無是之多也。」十六年，召公著曆義。十七年，《授時曆》成，奏曰：「黄帝迎日推策，顓頊載時象天，堯之欽若，舜在璣衡，周太史正歲年以序事，皆日官世守其業，隨時占考，以與天合。暴秦焚書廢古，僞作置閏歲終，兩漢因之。建曆之本，必先立元，元立然後定日法，法定然後度周天以定分至。賈逵譏其守一元，不與天消息。杜預謂當順天以求合，非爲合以驗天者，皆確論也。臣今治曆，廢曆元日法，析舊儀六合三辰四遊而異之。省天經黄道，惟用四遊，移天常赤道遊于南軸之下，以取候視之無窒。倍八尺之表而五之，以影符進退其晷，使不失于芒忽。日日測考，積月爲歲，積歲爲世，必于曆法益精益密，非但正數十年一改之弊，且可上追黄虞三代之舊矣。」又曰：「一月之始，日月相合，謂之合朔。漢《太初曆》用平朔法，小大相間，或有二大，以故日食或不在朔先後一日，時亦鮮中。宋何承天測四十年，得三大二小，以正朔望，使食必在朔。隋劉孝孫、劉焯爲定朔，唐傅仁均取以造《戊寅曆》，貞觀竟改從平朔。李淳風造《麟德曆》，得四大三小，求避人疑，間以平朔，又爲進朔，使食避元日。一行造《大衍曆》，以爲四大三小何害。今《授時曆》後是二年，當十九年，自八月後，四月併大，實日月合朔之數，皆改從實。」方奏，太史臣皆列跪，詔獨起司徒及公，曰：「二老自安，是年少皆受學汝者。」故終奏皆坐畢其説，亦異禮也。授集賢館學士、大中大夫，兼太史院事。明年，以從家得請歸。又明年，儲皇俾靈臺郎岳鉉召，後中書議相承旨李濤，儲皇不可，以公爲識治，再召。又明年，詔翊儲皇，以爲太子賓客。二十二年，召。明年，以昭文館大學士、正議大夫、領太史院事召。二十九年，以耆艾議事中書召，皆辭疾不行。三十一年，疾亟，親賓問之，忽長息曰：「有是哉，國哀也。」聞者危之，亂以他言。徐又曰：「誠哉。」後三日，顧言子寅曰「敬慎小心」以卒，實正月二十有五日也。後嗣位詔下，則賓天果以其日，人以爲平生與國至誠所格。嗚呼！使人哭者有如溫公，則公當亦如呂誨起言天下事矣。徵士蕭𣄃誌其墓曰：「朱文公集周程夫子之大成，其學盛于江左。北方之士，聞而知者，固有其人，求能究聖賢精微之藴，篤志于學，真知實踐，主乎敬義，表裏一致，以躬行心得之餘，私淑諸人繼前脩而開後覺，粹然一出乎正者，維司徒暨公。」嗚呼，誠知德不易之言哉！後十年，寅以江南行臺監察御史，疾，得告去。自金陵過宣，以燧少受知公而耳其雅言，求銘墳道。然所貴乎君子三焉耳，德耳、位耳、道耳。得于心之謂德，用于時之謂位，行其學之謂道。如𣄃之言，同其德矣，未及位也。以年考之，司徒之生，前公十有六年；入見，前十有四；其卒也，前十有三。而卒官皆昭文館大學士、領太史院事，同其位矣。然是位也，皆極人臣之亞，爲古八命，位實行道之鎡，謂不得君，知名而召，既至，則溫其玉音以勞。疾則尚醫交候饋藥，大官繼膳，疑政賜問，入見坐語，聞辭則留，留而不可，暫聽其去，去而思之，復召。司徒十召，公八召，其體貌之，亦至矣哉。如是而兩公迭爲循牆，不可謂道之行，亦天也。雖然，天道遠遥，不可以已事而知必，來者始見，猶農夫焉，未有播粒于土而不苗者。今也四海匪獨士子，凡筐篋之吏，求售于時，其誦而習，亦先《四書》，蓋天理同根人心。誦其言而衆，則爲其道者將多，非兩公肇是太平之基，其誰力歟！斯古之人，所以重歎其善作而不必善成者也。公以卒年三月，從葬中大夫之昭。文有《潛齋遺稿》。高祖妣齊氏，曾祖、祖妣皆紀氏，妣寇氏、孫氏，夫人李氏，以柔嘉作配君子，姻里德焉。三子，寅其胄也；宙今令京兆蒲城；公，方學。女子四人，適主京兆長安簿席貽、士子馮嘉、鳳翔提控按牘王繼述、樞密院掾傅昱。男孫僖。女子子二人，長適呂曾，幼姆。銘曰：

維天生賢，匪使自有，俾拯烝民，爲責已厚。公于明命，實肩實負，乾乾其行，艮艮其守。師古喪祭，如禮不苟，三綱之淪，我倏自手。推得其類，無倦誨誘，學者宗之，西土山斗。鳶飛魚躍，潛齋自蔀，令聞之延，已徹宸黈。束帛戔戔，賁及林藪，丹扆曰來，何暮汝叟。大師之南，伻斷已久，其宜進退，汝蓍以叩。又曰多士，文字儷偶，求得碩才，奚策以取；又曰曆義，羣喙紛糾，汝折衷之，其從誰某；凡是大正，無不可否，公拜稽首，瀝膽悉剖。丹扆曰噫，惟玆儲后，端本萬邦，汝賓以友。儲后曰今，識治黄老，惟汝爲可，肱股元首。公益抗章，臣早衰朽，養安踰紀，僅止中壽。歸從先藏，奉政之阜，止阡有碑，無我樵槱。垂詩千齡，以告爾後。（《牧庵集》卷一八）

全元文卷三一八

姚　燧　二〇

鄧州長官趙公神道碑

有虞臣柏翳，佐舜調馴鳥獸，賜嬴姓。其後費昌，去夏歸商，爲湯御。孟戲、中衍爲太戊御。至周，造父爲穆王御，服盜驪、驊騮、緑耳之驥，西巡，樂而忘歸。徐偃王反，復御，日馳千里破徐，賜趙城，爲趙氏。其子孫散居何望，傳次幾何至公者，不可稽。然由所記憶，其先家代之繁峙。金亡，去其鄉，凡再徙，始爲冀之衡水人，又爲蔡之平輿人。天興癸巳之棄汴播蔡也，公以善射足力，材兼衆難，倡義兵數千爲帥。聞天兵圍蔡急，城中糧絶，乃率部曲發平輿富室藏粟，負擔疾戰，百死突圍上餽，召見行闕，嘉其忠勞，敕銀符提控。復潰圍還保平輿。明年甲午，金亡。將戲下步騎數千下宋。時襄陽開制閫，改信效左軍統制。制閫後厭降將多，恐聚此叵測，漫爲受犒，欲致盡阬之。太尉江海策曰：「且人窮而來歸，誅之不義。又吾閫所節度四十五軍，半北人。今此加誅，則吾軍北人各有心矣，徒足啓猜長亂。漢北之州，獨鄧近，去吾閫程再日耳。北與敵鄰，乘彼虛棄未戍，盍遣是衆先之，在彼有生降之德，在我有復地之利，一舉而得兩者也。」閫然之，別遣路鈐哈雅實克將若干千人〔二〕，爲監來戍。至則與實不相善，益憤前吾所好相下，而顧不容，將以計誅。又一軍譁譟，皆言制閫不足爲盡力。會明年乙未十月，天兵略地漢上，集將佐南門商戰守宜，公扼劍前衆曰：「始吾下宋，正求活我戲下數千人，與若妻孥，而制閫欲一切以計殲之，情露而事迫者數矣。今幸出戍，不獨任吾，別將監之。一旦誣以他罪，盡無吾噍類，覆掌不難爲也。誠不忍與若泯泯膾脯寇手，必歸皇元，後應者斬。」統領徐海獨辯不可，立斷其首以徇，一軍皆呼抃受命。馳造實營，執以出盟，令呼宋兵投仗脫甲，吾不犯若一人，盡歸之襄陽，如輒肆動，皆誅死。實駭汗失常，目眙瞠，舌撟然不能下。頃不得已，乃親呼其軍，如所教者，于是皆受命。復與將佐爲約，是州生齒十萬，今日之事，將求生之，非固苦之，將思完之，非固離之。衆曰：「生完之耳，離苦何爲？」公曰：「若既相許矣，其無殺人父兄而臣妾其子女，以利貨財，與懷復私怨。」衆又曰：「不越公命也。」乃開門納吾元兵，事成終朝，肆不變市。爲具車馬，遣實令將其軍，盡還之襄陽，少不怨制閫昔者圖己，而甘心此軍也。居再月，太宗爲太子，南征還過教〔三〕，以是城甚近襄陽，虞力孤不能自完，且歲荒，與均、唐三州民徙洛陽之西三縣。鄧治長水，均治永寧，唐治福昌，許公權宜行省事。乃先勞分苦，佐乏藥疾，翦棘墾萊，府寺田廬，於粲一始。明年丙申，襄樊亦徙洛陽。其年公入覲，特賜金符、錦衣，許出戰督軍，人守字民。別降銀符八十、金符八，以酬從公將佐同力者。奏洛西歲又荒，乞歲得大名軍儲米爲石四萬五千，陝州鹽爲斤若干萬，以廩餓人。制可。如是資食二州三年，後歲登乃止。辛丑，授鄧州長官。奏以弟將州兵，亦可，而是州兵民始分。後十二年癸丑，在先朝，今上以太弟之重，命故丞相史忠武公經略河南，始屯田漢上，張平宋本，盡還爲徙鄧、均、唐、襄樊五州民實南，公始復鄧。時宋已棄襄樊、均，皆宿重兵，徙民各歸其州，惟是三州還者無所于歸，襄樊僑治州北，均僑治西，皆倚公爲援，南州數十里淪爲盜區。戰外耕內，四年之間，積穀石七十餘萬。丙辰，乞骸骨，不報。明年，疾卒，實丁巳春三月十有四日，年六十有一。其月二十有四日，肇塋州東南之曲專里以葬。自喪及窆，祭哭聲振城野，數萬人昔受公生之死地者。公諱祥，字天麟。魁貌碩躬，望之威如，孝親友弟。及有地方數百里，秉鉞垂符，常布衣韋帶，麤冠弊鞍，江漢大都督爲言：「衣冠貴賤章也，何乃爲是過儉，下自同庶服耶？」不恤也，與將佐言：「公府則吾節度，汝不可不嚴名分之守，私處則汝皆少所從起相習者，豈可遽脩邊幅，改度平日也。」必齒坐序飲，其疏簡自節，直坦與人不疑如此。考贇，妣李。生子二人，長公，弟彥，即將州兵者。大考仔、曾大考康，三世連不仕，饒貲樂施。夫人霍，以賢聞。子一人，昭勇大將軍保甲萬户侃，今鎮衢州。男孫三人，伯元、仲亨、叔利。女孫四人，適耶律弼、李友端、劉仲溫，季幼。槩公之始，遭金季年，出無受知託授之臣，入無素勳可藉于家。奮其孤身，百戰前驅，積勞而加數千健武之上，亦何壯也。且人之才相爲十百千萬，不能齊同。以一人當一人爲衆人，以一人絶出千萬人之上，是曰俊傑。方天定命昭昭，而昧者疑所適歸。彼千若萬人奔走爲依，求以自全，其受是依者，内揆無可出險反正之才，豈以一身貿貿先衆徒死，則依人者，猶不難于爲人依而受者也。金既隕祚而後，將十餘旅之衆下宋，其志仁此人也。及宋不察，將快其肆毒。已乃北戍鄧州，爲置監將，防虞而戒備之。其伺釁竊發，不保其終何如也。非公謀斷灼知改玉，安能轉禍爲福，侯食此州哉〔三〕！然由公而上，不仕三世，潔實儉勤，積纍悠長，能散宿居，芘後之功，既碩既豐，而始大興，此勢之必至，理之固然者。今侃也即基堂之，龍盾虎符，列名平宋功臣，非公作則之報而誰？諸孫繼繼脩偉，則是澤也，夫豈一再傳而可遽艾之耶？後葬三十有二年，至元二十有五年戊子，侃自衢遣叔利五千里持衢學官鄭怡所撰行狀走鄧，請述墓碑。燧哀其志在揚厲先烈，又嘗家洛西，與我先人居相邇，而遊相好也，故不終辭。銘曰：

穰之東南，有堂其封，下爲平輿，趙公幽宮。返是之年，周甲子一，束髮樹名，古人自必。翊將衰祚，偶方興時，如鬭孺子，賁獲是支。金鼎沉淪，提是窮旅，日奔與國，涉漢南鶩。來戍是州，始脱危阽，乃棄衆星，日月再瞻。甫少康蘇，熯螽薦沴，徙北就豐，于洛之汭。洛凶亦然，移粟大名，以及還南，保戰甲耕。與是州民，耄穉十萬，形影相附，千里往返。厚深之仁，崇阜增川，宜是州民，戴爲二天。朱邑桐鄉，古弗是過，卜置冢傍，萬家且夥。有子將軍，方耿烈光，虎節斯皇，孰曰公亡。匪銘伊白，匪石安遡，我筆載兹，後來者頤。

〔一〕别遣路鈐哈雅實克將若千千人：鈐哈雅實克，清鈔本作「鈐呼延」。〔二〕南征還過教：還，原作「遠」，據清鈔本改。〔三〕侯食此州哉：侯，清鈔本作「俟」。

提舉太原鹽使司徐君神道碑

至大三年，中奉大夫、僉樞密院事徐毅，感言于燧：「吾先人以雅善故御史中丞王博文，當其爲河東、山西提刑，丐銘先祖提舉府君墓碣，中丞不讓而援翰。昔毅與子嘗受業太傅許文正公，于胄學爲同門。今子長翰林，毅僉宥密，爲同朝，爲先人于中丞無是也。又子亦識吾先人，古所謂知死知生者，兼有之，其遺善可筆以示雲仍者，非子誰賴哉。」乃序之曰：君諱德舉，字進之。曾祖澤，妣郭。祖閏，妣郅。世農平陽趙城，以本富聞石明里。考玉，材武爲皇帥府提控，提領崞縣、岢嵐州長官。後馬公行刑部，奏提舉河東南路常平倉。妣夫人高，以歲丙戌生公。數歲，撫而謂曰：「是吾父登金詞科，令岐山出也。」身教之書。及長，又資使學仕，俾歲偕計吏趨龍庭，甚爲參尚書省議樂齊賢、馬文玉二人者知，擢以爲掾。己未，遣迎世祖于江北陽邏，且徵兵山之東西。中統壬戌，省調平陽路轉運司經歷。以妣夫人憂，去官。後六年，又居考提舉府君憂。安西王國秦，凡河東、河南，山之南與陝西，食解池鹽地，皆置使，督其賦入，悉輸王府，以君爲太原。舊由其地炙鹵民盜煮食，有司雖密其禁，犯者終不衰止，而賦日益不登，遂弛其禁，聽民煮食，惟户責輸賦漕司，行習久矣。至于都漕欲變其法，復轉鹽鬻民，君以爲若然是驅是邦人納罪罟也。若仍弛其禁，惟衆遣吏巡迾，不使賤估盜販出境，而加賦其舊三之一焉，民便安之，而績亦最。陞提舉，棄而不仕。其平生履歷已此，不可謂達而名。傍聞四方士夫從之遊，公侯用其言，而人亦樂以急難見求者，在夫重諾而趨義，負氣而尚俠。其事如李璮將爲亂，自益都傳檄，求臣叛王，而平陽總管李毅不思，移文太原，爲忻之監州恩巴楚所發，故兩總管皆誅論。毅子青童尚孩，坐徙遼海，君哀之，帥毅家僮訟之宥密。以爲祖宗之法，父子罪不相及，且昔檄事，青童何知，與禍至兹，甚非昭代罪人不孥之旨，宥密遂奏還之。今戍四川〔二〕，長萬夫。襄陽既下之明年，將平宋。詔籍中户爲兵，民甚駭愕，至有自戕求脱者。總管烏塔患之，迫君詣宥密，受其成法，得于三户抽一，遂懷檄歸。虞吏爲姦，教侯取籍，閉府幕道院，身自差第三户優劣，優者爲兵，劣資其力。令出，人稱爲平，有泣謝者。初世祖征雲南，師未及境，書遣三使諭招。三人者言，祖宗之法，殺詔使者，城拔必屠，萬一蠻夷怙惡，或賊殺臣，願無以臣而使是城噍無遺類。至則彼以爲誕，皆殺之，懸尸于樹。大師既至，求其首，或謂投洱水中，遣漁人網取，無所得。火其骨，函送二家，復其門徭、田租。中一人，秦州士子王姓，分蠻口數十于州，俟其子壯，付之。後三十年，當歲丙戌，詔西省臣訪求三家在亡蠻口，已爲郡豪張某者冒有，王氏子顧受其人傭直。君言之憲府，坐郡豪以罔受上恩，官吏見知蔽匿者，皆罪黜，而還正其口王氏子。民奴有嚴姓者，主利多直，鬻其六七男女于商胡。君憤然曰：「奴有男女若是衆多，則知賴其爲力也久，忍重奴商胡，分鬻他地哉。」白其府曰：「主既有名郡籍，則奴亦郡民，烏可不告所由而輒鬻之，縱不損吾户數，實損吾口。」府是其言，行已數舍，遂追還之，代贖爲民。猶其外者，至語其家。衣止大布大帛，食無兼味，飲酒不數龠，事繼妣石，有孝譽，分田以恤。女弟孀居，爲子擇師，俾齒胄學。其知親賢，又如何也。恒言以飭諸子曰：「立身本學，治生本力，穡儉勤羨以周匱急。無多積以自災，取友不可苟合勢利，臧獲久故，既火其券，多至千指。自今事汝久者，其縱遣之。」當不恙時，伐石爲槨，穴地倍常有半，曰：「他日無厚藏，明器用陶，無法流俗侈靡，崇事浮屠。」以大德癸卯八月六日卒，年七十有八。九月二十有八日，葬石明里先塋。以前卒二十有一年元配同里穀母盧夫人祔置。穀爲治書廉使，風紀中外刑曹，惟觀今爲内總六師，外制諸軍，遠及萬里，爲贈祖玉嘉議大夫、上輕車都尉、平陽郡侯，妣高侯太夫人。考德舉太原鹽使司提舉，贈中奉大夫、護軍、平陽郡公，妣盧、妣邢皆公太夫人。非文賢而能之乎。繼妣邢夫人生投、轂、穀、濟，投宿衛成廟，轂掾河東憲司，穀大都永濟倉使，與濟皆不祿。女歸江南諸道行御史臺治書裴居安。男孫四人，女孫四人。銘曰：

嗟古君子，許友以死，非父母存，曾不有己。後世不然，輕合權輿，橈酒以金，矢死不渝。小棘見告，聞已掩耳，大而去之，遠若讎耻。允義徐君，閔其故侯，世業塗地，而身亦劉。童子何知，亦遐以置，曰是聖代，開罰及嗣。教訟于庭，萬里還之，俾克再家，虔秉將戲。民有不幸，爲勢壓抑，無待籲求，我則往直。謂爲非俠，力善砥名，謂之爲俠，不蹈難行。其居而家，井有條理，施以裕人，自奉則非。伊誰無子，無不欲賢，師匪其人，學則滯偏。遺穀齒冑，從許文正，耳其嘉言，目其善行。故出用世，尊開行知，爲民所望，宥密贊毗。不昌其身，而昌爾後，逾信百年，種德始茂。子貴而碑，令甲得爲，可恃以傳，太史友辭。

〔一〕今戍四川：四，清鈔本作「西」。

戍守鄧州千户楊公神道碑

楊公諱彦珍，世汴之杞人。曾祖考某、祖考某、考真皆不仕。金垂亡也，鄉里及旁縣豪傑，以公質而義，沈而信，脩幹有力，馳馬引强，奔走服屬之，至有二萬衆。將之來歸，授萬户，徙河内定興。思立戎勞，不樂民治。宋將彭義斌侵山東，東方諸侯皆壁不出犯其鋒，或聞風景附。始將百人，從故張蔡公戰淮北，復徐、邳兩州，勞陞將千夫。戰淮南，破光、廬兩州，及安豐軍。戰漢上，拔光化、棗陽先登，又破信陽軍。戰襄陽，走王總管牛首山，斬張太尉鹿門，破荆南沙市。初，鄧既降，以歲荒，盡遷其民，就食洛西。留公來襲，戰塔橋古邨黔陂，屢軍戍守。會故中書左丞劉磵故宅岡，將趨襄陽，率步騎北之。其後山西逋民由雕汝可去父母邦而南耶。與故遮止之，假種牛，曰：「吾在此。」兩堰以灌屯田，歲收粟爲石。中書平章游公，築楚鐵狗無慮若干萬，沾饑羸爲口亦無慮若干萬。歲甲寅，以平生小大數十戰，身被三創，老厭苦兵，子珪，能荷殳矣，請憲宗朝求嗣己。授副千户，得休居十三年。以至元乙丑春正月十有八日卒，年七十。其月二十有九日，葬州西北十二都之靈德鄉蒼龍潭壖。夫人同縣盧氏，後公卒之二十五年，當至元二十六年，歲己丑，年九十，不恙。珪及其三季秀、成、玉，與男孫十有六人，興祖、世榮、欽祖、光祖、述祖、崇祖、儀祖、遵祖、協祖、繼祖、孚祖、襲祖、康祖、恭祖、由祖、亨祖。女孫十有八人。男曾孫五人，儼、伃、侃、偁、僎。女曾孫八人。最三世子孫、曾孫，男女已五十人。男婦、女夫、甥孫猶不列也。朝夕若歲時問安爲壽其前，堂宇隘不能容，班之庭下。人之望之，蔚爲盛門，非天章公潛德昌熾後裔而何。況珪克對前脩，有光乃爾耶。始有副千户，江漢督府版令將突騎千。時宋宿兵襄陽，與君掎角臨鄧。督府度房有恃而虚，别遣將以萬人襲之，反爲均兵遏絶。令將所突騎爲援，戰分道口，斬其副將杜胡。又戰馬嘶山，通道出之。從史經略援蜀之閧、達兩州，戰李義聖耳諸山。又戰同波砦萬石壩晉城寺，獲生口五百。城母德章以拒合州。又城大軍平以鬮廣安，軍歸。從故中書左丞相阿珠公圍襄陽，戰小堰堡、南漳鵶及八瓣，凌三山，禽解都統、樊提轄湖城砦、馬軍趙總管野鵝池、劉都管胖山。問探司王總管狢子川，又禽無名將樊城。戰六年，襄陽廼下，勞授敦武校尉。從中書右丞相巴延公越安陸，戰新城，降黄宣慰，坑沙洋邊都統火死。下沔陽，攻漢陽，先登拔之。戰鄂之陽邏步，獲船五十五艘，遂濟江下鄂。又從故中書左丞相阿爾公分兵而西，戰荆口，降高安，撫下岳。攻荆南沙市，先登坑之。徇地峽州，下之。鄉民多趨險奔施，擇峽屬縣宜都富民言能動衆聽者駱升，署爲邑令，追還五千户。從圍潭州，戰西門鐵壩三先登。進武略將軍、千户、金符。從下衡、永、全、道四州，拔静江。進宣武將軍、總管、虎符。下柳西融州。徇地海外，未至，召還。進明威將軍、副萬户。再遷廣威將軍、真爲萬户。戍襄陽。最其受任至今三十三年，所援拔破坑下名城三十，而縣不與。禽都統一人、總管三人，斬州副將一人，降安撫、都統各一人。討湖南叛寇，生降渠首四十五人。所全脅從，及城拔而當殲，言之大將而脱者，不可以鉅萬計。小大之戰七十餘，身被者五創，矢分右巨擘，洞肩汏股貫踵，先登壓陴而顛，血嘗出口。積是勞勩，位踐三品，力有可至，數所得爲，伐石人獸樹列神道。又悼公平生與國立家之多艱也，不銘之碑，無以白悠久。自襄走鄧，託筆于燧。嗚呼！臣之事君，猶子事父，雖出蘇武告李陵之言，而千載以爲得。然事父敬身，事君致身，道固有不悖並行者。曾參將死，召門弟子啓手足以示全歸。其平居，則又以戰陳無勇爲非孝。夫小而殘形，大而隕元，至不旋晷，孰速戰陳？苟于是而曰吾全歸，吾全歸，則天下無授命之臣，君何賴以守邦。人子惟無事戎行，不善將身以死者，是成不孝。而執綏援枹以死，固其所也。況戰不必創，創不必死，與雖死而名日延哉！嘗讀史氏書，見鬬將之登陴陷陳，折馘搴旗，大者百戰，小者數十，其身所存，鋒鏑遺餘，必慷慨感發，思有若人者，生今之世，得奮筆大叙其雋功，亦志士千古之一快也。觀公父子踴躍金革，視身外物再世一轍，庶其人焉。惜吾文之未稱副也。銘曰：

世曰文士，武弁之易，謂勇無謀，似而非是。讀人物志，論第英雄，英之精秀，草木華同。雄譬健獸，逸羣振迅，天於恒人，此與彼吝。或畀其全，萬邦表貞，英故明智，雄則勇能。人才文武，異同胥附，武遏亂略，文太平具。亦既太平，忘戰必危，猛士赴敵，生死斯須。彼文維臣，何有是戚，執簡之評，其可輕出。於鑠維公，鄉豪始宗，無基于前，造大今躬。金歷祝斷，有衆二萬，來歸太宗，獨何是亂。棄民而戎，轉鬬淮漢，戍鄧控郢，招逋立閈。鄧人病饑，我往耕之，鄧人聞戒，我往戰夷。丐老而休，年宜延夥，而止七十，玄宅長卧。生子如公，亦毅能兵，克越蜀荆，三十名城。金石所創，凡十五嬰，虎符以庸，鈇鉞專征。曰是徵效，先人之教，五鼎三牲，不享榮報。發其幽光，葬令存章，庶幾子心，少慰盡傷。切雲之碑，蛟奴龜負，史臣是銘，滋久無斁。（以上《牧庵集》卷一八）

參知政事賈公神道碑

賈氏之顯，在金叔世。由大考銀青榮禄大夫、上柱國、尚書右丞、河東郡襄獻公諱守謙，相宣廟，故曾大父衍金紫光禄大夫，曾妣石、其夫人焦，皆從封河東郡夫人。考頤武節將軍、兵部主事、蔡州觀察推官。生公鄭州。年十五，汴亂，已失兵部，奉妣夫人孫，踰河依舅氏居天平。甫及冠，入官行臺。于時法制寬簡，凡受事者惟以賄先，或餽黄金爲兩半百，峻絶不取。太宗聞之，稱其清慎，特敕有司，月給白金爲兩百。世祖淵龍，驛致諸邸，與語合意，俾董城上都，竟工丁妣夫人憂去。及踐天位，首以爲中書左右司郎中，不名，惟官命之。坐政事堂，位宰相下，他爲郎者莫之與班。由善國言，小大庶政，不資舌人，皆特入奏。其冬，帝自將討叛王漠北，漢人惟丞相史忠武公及公二人者從。歸賜西錦服，賞其周旋莽間皸瘃之鄉，不懈益勤也。帝問卿郎俸幾何，公如數對，則曰：「何薄如是？」敕增之。公曰：「品制宜然。」後太保劉文正公奏公參知政事，公又曰：「他日必有由郎援例求執政者，將何爲禦？」皆不許。至元始元，官朝請參議中書省事，詔同燧先世父太師文獻公，時以中書左丞行省河東、山西，罷世侯，置牧守五年，再爲左右司郎中者三年。盜殺臣爲平章，欲擅利權，病其束手中書，不得肆欲，奏求分六曹繁務立尚書省，授公中書給事中、丞相，惟署制敕而已。隨同兩丞相史公、耶律公潤色國史翰林。十年，襄陽下，詔令即汰生熟券軍。隨授知襄陽府，府隨陞路，官太中、襄陽路總管、虎符。明年，詔淮安忠武王巴延時以中書右丞相，河南王阿珠以平章，楚公阿爾哈雅以右丞行中書省，將圍襄諸軍，濟以新籍之兵，合數十萬衆平宋。授公宣撫使，議行省事。浮漢濟江下鄂，大師其東，留右丞及公戍鄂。明年，授僉行中書省事。荆閫遣安撫使高世傑來襲，右丞出禦敗之，降世傑，乘鋭下岳，進拔江陵。又移軍圍潭，獨公留戍。士民求見者，前其人而却其贄，金帛一錢不入其門，酒茗之微亦絶。戢吏卒無入鄉，敢縱暴者刑以重典。發庾賑饑，宋宗室仰食官者，仍廩之。不變其服，而行其楮幣。弛湖荻禁，聽民漁樵。東南未下之州，商旅滯此者，給繻歸之。創舟百數十艘，操以水軍。免括商民。置藥局，遣醫更視疾瘥。婁安邦以信陽來歸，從其子入覲矣。裨將陳思聰屠其家，逆端則見，或議加兵，公曰：「爲是益堅其叛，惟可計致。」遣朱千户從十人往，使戒無操兵，好謂之曰：「汝與安邦同功，有怨盍明之省，何俟其出而屠其家？或仇黨夙夜甘心于汝，奈何？宜身自省。告余以故，余則直汝，不然，少猶豫，則以叛加兵興誅矣。」思聰果來，隨徵其妻子。其徒至數以戕賊主帥家，與未受使言，迎射殺其從二人罪，併肆其子諸爲亂于市。幼主既降，其相陳宜中、文天祥挾益、衛兩王逃之閩廣，爵人號年，東南大蠢。覬倖之徒相煽以動。大或數萬，小或千數，在在爲羣。蘄寇起司空山，剽黄及壽昌。壽昌距鄂尤邇，鄂屬縣傅高亦集衆跳梁爲應，公多爲檄，曉曰：「汝皆平民，爲賊驅脅至此。俘殺之獲，子女貨財，渠惡悉有，汝何利焉？捐父母妻子，徒受叛逆之名以取族，爲鄉里所醜。今能投兵返其居者，復齒平民，不蹤迹其既往。有斬賊首至者，以級多少受賞，以渠首至者，官之。」言中其情，上下猜沮，稍稍離渙，壓以官軍，遂盡株橛，翦平無留。高亡之江西武寧，公又檄敢舍匿者，誅及其鄰。窮無所歸，變姓名返家，爲尉吏縛致磔死。初，遣萬户某者，討是賊，其人顧以高爲辭，請急盡殲鄂之豪傑大姓，以絶禍本。公曰：「應賊者高，鼠子何爲？旋就梟夷。豪傑大姓初無與知，奈何以高誣誅。逆天欺君以禍民，夫誰敢然？汝第往，吾能必其無他。」其人出，留所善部將戒曰：「聞吾還軍，汝舉烽城樓，内外合發，必盡殲是。」會其戰不利，水死，其始事彰。鄂人大恐，轉益德公，恃爲司命。時精兵盡于圍潭，居守半老疾，乃雜新民乘城，民相誓曰：「設寇誠至，吾曹一二三千人，必無四顧其家，專擁衛賈相。」十四年，官中奉、湖北宣慰使。明年，授參知政事。無幾時，遷江西行省參知政事。民素父母愛而神明敬之，號送其去，像事于學，先聲至江西，民有迎訴千里外者。時，其省收海隅僞命甚急，有者坐以連賊，無者謂爲靳匿將爲後用，誅論巨室踰三百家，猶有幽獄未斷者。公至，出其非辜。下令凡宋告身，以城來者，朝廷既加其舊官之矣。自餘蓄此，無所叙復，徒自取禍，其悉投水火。敢有以索兵仗爲名，俠入民家，罔爲收匿，以起獄取貨，與取妾人子女，痛繩以法。明年大水，壞民廬室藏蓋者，發粟以賙。其逃登屋木者，遣吏具舟，載糜粥糗糒以食，脱沈溺數萬家。宰相出入，以甲士導從，至省班立庭下。其冬大雪，墮地旋消，移時不能滿寸。右丞托爾楚勳貴胄也，顧謂公曰：「南方並有北寒減三月。」公曰：「相公襲貂裘，熾炭其前，而張幄于後，言是則宜。彼庭立者，必以爲加三月矣。」右丞屬觴于公，謝其失言，休士于廡。由是知其爲心，斯須不忘恤下也。事必資決，不敢友視而師之。明年，李梓發盜據南安，公虞他將往則爲暴，堅其不下，請身往平。纔從兵千，營于城北，爲檄推誠招懷。梓發度其猖獗日久，勢不敢歸，以其徒知公有素，或貳其操，戰不爲用。懼左右竊取其首爲功，乃閉妻子一室，自焚死。衆皆散還其鄉，不戮一人，平南安歸。江東饒之屬縣都昌杜萬一挾左道媚人，有衆萬數，狂僭置相。公曰：「都昌與吾南康止限彭蠡，此寇不馘，將亂南康。」乃調兵戍遏彭蠡西瀕，别遣方招討將其軍伏仗舟中，僞爲商農，徑造茇舍，生禽萬一與其相曹者以歸，磔龍興市。其徒散駭，復其民居。後有列巨室姓名百數來上，云與賊連，公曰：「大憝誅矣，延求何爲？」火之。而江東宣慰使某者，媢其成功，遣使人讒公不俟江東兵至，惟遣南將往討，私有其藏。以八月屠禁日殺人，會公亦遣使至制，則江東使曰：「賈郎中爲者何有過差？且是賊非羊豕，人也，雖殺以朔日，猶可。」十七年，詔再征日本賊，江浙、江西、湖廣三省造海艦，公極言如是將亂江南，欲身任入聞，陳其過舉。他相以爲不可廢閣詔令，異同之間，其年七月二十日，年六十三，薨于豫章。而始成戰艦，遣宣慰某者，總致于軍。東征丞相憤失軍興，將以是日斬使。忽詔下，既江西海艦後期，罷兵。君子謂公薨猶利國，如古尸諫。以其冬十有二月，歸葬威州井陘牛山先塋。嘗最其平生，家居事妣夫人，曲極孝敬。迨薨，移是以養寡姊。夫人李氏、信氏，雍睦無間言。視政之休，未嘗廢書。從戎亦槖駝負書以行。從討叛王度漠，有暇猶爲世祖陳説《資治通鑑》，納君于善。延師私塾，毓德諸子，日或至其舍。出門交友，貌粹而言溫，侃侃易直，無有城府機穽。尤篤故舊。故第邇太室，歲常以十月剛日大享。其日每風雪冱寒，非執豆籩，聞鐘鼓振發，不敢安卧其室，冠服庭立，至乎已享，積學其躬如是。施諸用世，事世祖二十有一年。其居中當睿聖大有爲之時，與二三元臣，上以毗贊其經國，下以變熙其子民者，十有三年。出而經理南紀，謀猷大軍，于襄陽，于湖廣，于江西新造之邦嚮化未純，安而集之，煦而濡之，如恐一夫不獲其所。一有海隅之難，盜賊附起，禍譬而賞勸，德綏而威撻，徐革其面，而浹其心，俾方三數千里之氓，一喙同辭，稱其仁人。求能推守大帝諭忠武王以曹彬取南唐不殺之訓者，無公亞匹。嗚呼！後公之薨二十有九年，今聖言念盡瘁大帝，功加生民，贈推忠輔義功臣、銀青榮禄大夫、平章政事、定國公，謚曰文正。哀褒之典，無一遺者，恩重書棺，公而歆茲，可作于九原矣。五子：鐸，淮東宣慰使；鈞，中書省參知政事；鉞，不禄；鏞，令曹之禹城；鍔，知鹽官州。二女，適臨湘令劉彧、僉山東道肅政廉訪司事王遂。男孫五，汝玉，行臺監察御史；汝立、汝礪，餘未名。女孫五，有從者三，吉州校官許崇慶、戍守真揚萬户劉遂壽、武庫使劉復，餘幼。男曾孫五，女曾孫一，皆幼。銘曰：

定公筮仕，于顧成世，弱齡卑官，潔慎已至。世祖淵龍，謂治須賢，蒐以自毗，如渴繘泉。公焉其時，先後胥附，及踐天位，大正百度。以公爲郎，左右中書，凡我庶政，丞相共圖。日月入告，天顔諟顧，不恇于威，不愉于豫。垂十五年，政治隆平，維帝之明，公猷是經。將一文軌，襄漢其始，出公軍諮，爲烈益偉。既下江夏，人暴而仇，公則緩之，敷澤優優。粟饑藥疾，于賦千役，勝國厲民，靡不與黜。大盜䖍勦，動萬爲曹，以言爲兵，訓枿其豪。民視曰公，予父予母，胡不像之，事以豆俎。聞遷省洪，出涕齎咨，洪聞其來，以抃以嬉。既釋岸獄，載糗與粥，舟取溺逃，于彼登木。南安勦狂，不缺斧斨，僭僞都昌，生致用方。惠懷其仁，兩省千里，聞其告凶，號啼婦子。疇非位相，死而罵長，伊疇若公，没世不忘。謚于太常，傳以太史，矧世其德，衆多令子。有歭巋山，螭石劚穹，神保焉依，期古與終。(《牧庵集》卷一九)

全元文卷三一九

姚　燧　二二

資德大夫雲南行中書省右丞贈秉忠執德威遠功臣開府儀同三司太師上柱國魏國公謚忠節李公神道碑

皇上嗣曆之元年，制特進、中書平章政事教化開府儀同三司、太子太保、太尉、平章軍國重事、上柱國、魏國公。申敕有司，夫既子孫膺是顯庸，共政中書，疇咨寓内，而所光昭世德，上及其遠者，舊章未脩，非移孝以勸忠也，其訂以上，翰林奉常禮曹之臣，請贈謚其曾祖考達爾沙貝結，爲效忠翊運保德功臣、開府儀同三司、太傅、上柱國，曰康懿；祖色爾勒結，爲推忠佐命宣力功臣、開府儀同三司、太師、上柱國，曰貞獻；考資德大夫、雲南行中書省右丞阿嚕，爲秉忠執德威遠功臣、開府儀同三司、太師、上柱國，曰忠節。自曾而下，三世皆同封魏國公。曾祖妣梁、祖妣田、妣王，皆從封魏國夫人。制曰：「可。」教化以爲四世，死生胙以大國，爵之上公，人臣寵光，至是焉極，雖百其身，報塞未能。啓求儲皇，匪刻金石，將無以侈今而垂後，敢以是請。乃爲下令太子賓客姚燧、太子諭德蕭𣂏、太子太保瀋陽王王璋，其爲撰書篆額。燧據翰林學士程鉅夫事狀，與其家乘，次曰：康懿之先，七世相夏，同其王李姓，以小大稱。及貞獻生，配姓與官名以色爾勒結。太祖戡定天下，夏氏既臣，會其西征，復貳。帝聞，旋師入討，勢如頹山之壓卵。貞獻總兵游徼，遇之，遂來歸。俾同呼圖克特穆爾招沙州，州將僞出牛酒犒師，發伏以襲。首帥馬躓，以己所乘易使先奔，自乘所躓爲殿，逆擊敗之。他日，帝問：「卿臨死地，易馬與人，果何爲心？」對曰：「臣新至者，陣死奚恤，不可失帝器使宿將。」由是忠之。遣兵圍肅州，守者其伯氏鈐部，謀以城下，不克，害及其家。帝憤，拔城，皆殲之，不遺齠稚，惟聽求其親族臧獲，就所得爲百户有六。又詔自今親族臧獲未盡收完，及田業爲諸人有者，亦悉歸之，其永爲制。歲乙未，太宗詔定宗、憲宗兩諸侯王，與蘇布特征西域。明年，帥師戒塗，貞獻在行中。又明年，至衮騰吉斯海。尋與諸侯王巴圖征俄羅斯，至葉爾羌城。從憲宗先期至，搏戰七日，拔之。歲己亥冬十一月，至阿蘇穆爾齊蘇，城憑堅，攻不即下。明年春正月，凡三閱月，貞獻從死士十人，躡梯登陴，生拉十一人，大呼曰：「城破矣！」衆蟻附而上，遂拔。賜西馬、西錦爲匹皆九，名以巴圖，表其戰烈。又明年，詔班師。是役也，六年而歸，功長千夫，禮秩與國人爲千户侯者等，加宴服，四序異宜，若干襲，與大會者皆同其色。又俾同伊瑪齊爲斷事官于朝。歲丙午，定宗即位，曰：「是大名，昔朕分封，卿往爲監。」至燕，則同斷事官哈達署行臺。後憲宗以布扎爾來涖行臺，錄其舊勞，又俾同署，別錫虎符，以監失名。至歲己未，凡爲監十四年。當繼饋世祖南伐，未踰淮，輿疾歸，薨其家，七月二十有八日。年六十九。傳護轄車返葬肅州，祔其先塋。别封虚墓大名，求便歲祠。中統建元，天下庶務悉歸中書，故忠節公襲虎符，惟監大名。至元五年，詔諸侯王和克齊開國雲南，俾將衛士以從。至則責治軍旅，金齒弗率，纔將射士五伯人，殄其衆數千，獲馴象七，致貢京師，敕用以駕輿。自是蒐田征伐，無不乘之，實前古未有者。始帝加兵雲南，取道吐蕃，甚回以曲。十四年，思播既降，改由蜀入。命公開二塗，陸由烏蠻，水由馬湖。烏蠻合都掌圈豕鶇夷諸種，拒而不受，累戰始服。自時水陸郵傳，皆達叙州。又俾除左右兩江道，達邕管平溪洞夷獠五十餘州。十七年，詔將雲南萬衆，合湖廣四川兵，討羅氏鬼國之叛。十九年，再征，獲其酋，送京師，竄有北死。二十有三年，詔征緬，緬瀕南溟大國。戰始克之，不及郡縣而還，獲大象二十有七，送達尚乘。明年，詔鎮南王再征交趾，命將萬衆會之。平三十八栅，前大軍一月至王宫，王及世子興道，皆舶逃南溟，禽一他王以歸。明年，師還，衛鎮南至左右江界，辭還。歲戊子夏六月十有八日，冒瘴癘，道薨軍中。年六十三。最其履歷，始爲金齒等國安撫使。入覲，改善闡安撫使，陞雲南等處宣慰都元帥、虎符，拜雲南行省參知政事。再遷左丞，未拜。資德大夫、右丞，加宴服四，賜尚方鞍勒、弓矢、介胄。實使相西南二十有一年，地周萬里，小大之戰，無慮百數。軍士有勞，其出而家，大而櫪馬，細如橐衣，金銀幣具，不吝賞予，故能得其死力。每捷無衄，荷旃夷蠻，讋其威名。已臣之國，撫而綏之，爲定金賦，以户高下爲衰。迨其薨年，籍是一省輸金之家，近二百萬。訃聞，帝悼之，給五十乘傳，還其柩葬大名。贈銀青榮禄大夫、平章政事，謚毅敏公。後三十有一年，加今封謚。燧嘗合是三世以觀，貞獻、忠節父子，逮事二祖三宗，六十年間，宣力樹勳西夏、雲南，勤亦至矣，受是褒誄，固其宜然。而康懿則相夏氏，實勝國臣，由子孫貴，亦與哀榮，足昭皇元淵乎忠厚，恢乎其仁，盛德之至也。間又求國魏所由，貞獻卒監大名，公嗣爲之，去之雲南。公弟又爲，死，而公冢嗣軍國，與其姪鄂諾，皆爲虎符。今其爲者，則公季子呼圖克岱爾。若小大宗父子祖孫昆弟六人迭出爲者，其與世侯，奚以異諸，亦今代臣鄰之鮮儷者。公三子，二不再見，中子則今江西行省平章。三女，長適同知台州路事巴約特，次適浙東右丞宣慰都元帥阿爾丹，幼姆。男孫六人，庶長，監中慶路，餘未仕。女孫二人。銘曰：

即戎有勩，官及而世，不絕其傳，列聖之制。由子既貴，推恩其先，前聖靳之，一二有焉。於皇今聖，德參載燾，立愛自親，教民以孝。致位光顯，必崇其親，赤舄執珪，私廟卑陳。昔李七世，下及康懿，左右夏王，貞獻則異。聖武是忠，入殿出鋒，後服加殲，必全乃宗。當顧成廟，詔從西伐，城凡悖頑，賈勇以拔。其干天誅，曾莫稽逋，六稔言還，功長千夫。定宗御極，日茲魏土，分封在予，而往其撫。忠節世之，九年于茲，從諸侯王，南詔往釐。跳梁小夷，尺箠以笞，大如緬交，南溟極浦。悉將致討，而竟死鼓。自其去魏，其來其誰。則季父姪，冢季子爲。職民世侯，前聖已廢。獨于之家，疑若猶在。胥今國魏，四世靡他，其與虛邑，不地如何。有繩維孫，有煜其祖，匪師伊公，一是開府。死者已矣，生則立朝。爲民具瞻，席絕百僚。維明天子，啓宇于此，咨爾後人，思服其始。

侍衛親軍都指揮使李公神道碑

開府儀同三司、平章軍國重事、中書右丞相、贈太尉、謚忠武史公中子，今中書左丞、闢閫江陵、行荆湖北道宣慰使杠，視今江陵總管李珏，則故夫人之季也。以其季今東昌總管杞，兩嘗棤我先世父中書左丞、贈少師、文獻公，與李氏皆太尉姻，又珏友燧而齊年，來言曰：「先太尉所由以致是勳名者，先外舅氏指揮，實始終左右之。」而珏亦曰：「先公出處使相既狀，願銘之碑。」遂參伍故翰林學士李冶敬齋之《三韓李氏先德之碑》，而序曰：係之遠者不究已。考諱福，力穡致饒而施，讀書能通其概，親親長長，下儕輩無忤，仁蟲豸不踐，性由天出，匪學也。生公，諱伯祐，隸太尉兄、金紫光禄大夫、河北西路都元帥麾下十年。其倅武仙，殺元帥一家百口，據真定叛而事金，完州、中山皆應之。先是元帥之考尚書，嘗戒備仙。元帥則曰：「大人柰何教兒設嫌遇人。」尚書恚曰：「若必死之人手，吾不忍二孫同禍。」乃擕故真定總管楫、故江漢大都督權如北京。時太尉在燕市入覲禮幣，公馳告，宜歸復讎。太尉從而南，潰軍已須滿城之徐河。公唱今集賢大學士王顒之考參謀某，今參知政事王好禮之考大使縉，推太尉嗣兄元帥，凡失地皆復之，仙走壁雙門。公北見太師國王，王馳使聞。詔太尉真嗣兄河北西路都元帥、虎符，公爲都提控。仙復夜襲真定取之，太尉惟從公遵城走東北。公告太尉，吾先自投，汝隨而下，幸我藉汝，使汝不傷，吾死無害也。已果兩全。涉塹，公又爲前，水及其頸，太尉惟及胸。泥奪鞾襪，既岸，跣走藁。藁帥故中書左丞、贈平章政事、忠獻公董文炳之考某，已艤舟滹沱，即馬人藁收兵。諸將有異謀者，公手斬之。再復真定，仙走壁抱犢，旋走逾河。轉鎮撫軍民都彈壓，豪戢弱立，從太尉破衛新諸州。又從圍汴，金主自將逾河，破之黄龍岡。走歸德，濁河爲池。主帥薩奇蘇巴哈薄北門而陳，左右皆水，公以爲絶地，兵家所忌，宜退保寬間，不從。會中書左丞相、贈開府儀同三司、太保、謚封并國武宣公阿珠之祖蘇卜特，召太尉入汴計事，公與之偕。既走，軍大殲，藁帥董公、完帥鄭公、韓公、十千户皆在死列。金亡，移兵伐宋。下徐州與其縣豊、沛功，授金符。攝本路兵馬都總管，從征襄陽。敵柵峭灘石，舟師衛之。帥下教太尉，其必拔而歸，乃將公等死士二十人。公曰：「可計致之。」出十艘爲挑，鼓艙而前，俟敵逆戰輒退止。已復鼓前，敵拒，又退止。三鼓，敵以爲怯而懈也，不拒，遂疾趨敵舟，太尉先登，公繼之，覆舟師，平其柵。從戍郢陵，又從拔壽春功，拜千夫長。後太尉使經略于汴，屯田河南，立平宋基，以公年先一紀，無從，留後真定，攝萬户府，給軍之須，約相婚姻。憲宗自將征蜀，太尉既從。世祖以太弟之重，分趨荆湖，復召公從。濟江徇地，多資其畫。中統建元之明年，太尉當國，多勞公于上，上亦念從濟江，以爲侍衛親軍都指揮使，虎符。又明年，李璮反，盜據濟南。徵兵諸道誅之，衛士亦在遣中。大軍岨老鶬口，公與董忠獻公合請太尉涖軍，報可。太尉至，築夾寨遏奔突以待。三月，璮窮而縛，梟磔以徇。公既訖賞，遂致事。陳蒲椝一堂，教童妾爲歌舞，行觴娱留親賓，而不自飲，嚻嚻恐不足日爲事。以至元某年月卒，年八十三。葬某地。爲人諒直而不剛，愛爲言，太尉家事，亦斥不避。在軍不乘喜怒殺人，不事老佛。再復真定，屋之列肆者，半城闠。有以無居室來丐者，人賦一間，數年而盡。惟其弟存奴婢三千人，歲晚，皆民之。平金殘宋，爲元顯侯，卒日，貧不能葬。三夫人，赫氏、游氏、趙氏。男十五人，珣、瑜、珍、琮、瑄、瑾、公懋、珏、璇、瑜、璨、珪、琳、瑀、琦。其官者，珣真定等路管軍千户，總管則寶慶路琦與珏也。公懋沐陽令，琳提舉越州人匠。女十二人，皆適名族。官者則今參政好禮，與今使相、故秘書郎張行儉。男孫四十一人，未名。女孫二十四人，歸史氏者六人，一使相中子。官者真定路總管王某，濟寧鉅野尉哈斯托里。男曾孫十七人。女曾孫十三人。公既致事，時禁網猶闊，諸將多以僮奴代兵，而歲取富人更直，多者十人，少亦四三。會用兵襄陽，覆實軍籍，有此者罪死。珣長千夫，爲其下訐曰：「指揮所亦庇三人。」珣引罪不力，事將及公。珏時爲質，代曰：「吾以吾爲質不足資用爲之，吾父未之知。」下吏重錮，御史交讞，終不易辭。柄臣三人奏置于理，三晝可矣。而柄臣三人亦終哀其志爲親，臨刑不悔，三奏前赦既原，不可者三。行省臣奏軍官未受俸，前罪宜無誅，可之，珏宜出矣。省院臣終以事宜特聞，合而請之始可。比出，凡幽四年。從大軍南征，功宜別長萬夫。聞兄珣卒，子幼，不可世，恐人奪有之，乃棄己功，求代兄子將，曰：「長千夫，吾父兄世官也。吾宜世兄，須其子壯而授之。」戰鄱陽湖、真定、灣頭堡、焦山，皆捷。攻常州，先登。拔其屬縣宜興，從殄宋益、衛兩王海中，功授吉州總管。滿換湖州而江陵，斯其爲子弟臣槩之大者，故表之公碑之末。銘曰：

古觀遠臣，以其所主。賓于而家，暫至與去。以友賢者，猶取盛譽。烈烈忠武，爲元元功。

求今將相，人莫等崇。公也主之，同其始終。其始則自，推繼兄帥。鬬不反兵，逐仇再躓。戰野無前，登陴奮先。滅金于殘，戡宋于完。于河之干，于淮于漢。靡往不皆，粼死奚算。忠武報之，爲好其家。相世婚媾，井裏既華。終以從蹕，未襮之國。逮其丞相，進置帝側。疆埸之臣，禁旅是師。宿入衛出，肅而祁祁。人之策之，日久其據。而公委視，翩如投羽。其施不敎，不溢其持。豈固嗇之，多後裕垂。茫昧其來，匪言而告。有碑載銘，左是神道。（以上《牧庵集》卷一九）

資善大夫同知行宣政院事張公神道碑

維張氏汴之浚儀鉅姓。金由歲甲戌，宣宗播汴，河朔逃兵之民，皆扶攜婦子，從之而南。蕞爾之土，其出惟是。一夫之耕，不足以食百人。有司又括粟餉軍，以就盡之運。抗方興之師，徭賦百至，猶不能支。故人心日離，望望焉而思大兵之至，以紓其急。歲壬辰，睿宗大殄其軍鈞之三峰山。義宗播歸德，大河失守，故其祖得棄鄉北渡，樂而家燕。會燕薦饑，嘗散居積以振之。祖考之諱皆逸，惟知其考字善甫，三妣戴、李、南。李實生公，諱天祐，字吉甫。就傅讀書，聰穎絶羣兒。筮仕，經歷工匠總管府，以儒術飾吏事。至元十有四年，轉尹歷城。未赴，改同知棣州。十八年，詔發濟南傍近十路民五萬人，濬交河以通海漕，責公董役。丞相噶巴齊臨治其上，自春徂冬。方十一月，天寒水冰，數言宜休役，侍春徵集，不爲臨治所可。及行堤，見僵死暴棄，則□傷曰：「吾曹媚上急功，使民涷天如是。」悉縱遺之，民歡躍歸。因彰言曰：「脱上見尤，吾請身坐，不以相及。」事聞，帝大嘉異。裕宗時爲儲皇，下令升經歷功德使司。尋改總判院官，奉訓，仍經歷。二十三年，官太中、太原路總管，爲緫一年，有德，邦民刻石頌之。明年，官中議、參議尚書省。參議要官，非其才可以彌綸宰相，圖回天下者，不足舉其職。又二年，官中奉，拜中書參知政事。大德四年，僉宣政院。七年，官資善，同知江南，行宣政院。以三官釋門，故于佛氏爲教，信奉而篤守之，慈祥惠愛，多所及物。有司政或病民，如徙江浙巧工入將作，爲之授方，使吏不得爲姦利。居剌樂業而行輕，去其鄉不怨焉。宣政五年，祝髮之徒安之，以爲不繁出令，以重斂諸山者，惟公一耳，拜疏于朝請留者數十上。至大己酉，卒，年六十三。越十七日，從葬西山其祖始卜之宅。嘗稽後世官制，貴賤與古反易。古自一命至九命上公而極，今則九品而進乎一。公起布衣，積官報政與知院，致位二品，實古八命侯國之君。非獨歲時有以加數備儀奉嘗其先，爲子孫者，亦得衣被休光，以紆朱紫，真善大其門者。一女弟，同李出，適士族。夫人耶律氏，次王氏、劉氏、范氏、索氏。七男，志、惠、忠、懇、慧、恕、億，五出夫人，惟恕王出，億劉出。六女，四出夫人，長適實喇巴哈三，爲監州；一王出，一范出。王、劉、范、索，卒皆前公。夫人予其男女，恩過所生。至大庚戌，翰林學士承旨耶律希亮曰：「夫人吾從祖妹也。」持其從祖兄戬鄂特之狀，求銘公碑。其辭曰：

因陵其高，力半功倍，孰與平地，進覆一簣。緊張之先，發我庾餘，責報于天，如持左符。實生令公，始學自力，迨其筮仕，共工是歷。後銓尹縣，薄而不爲，改倅棣州，州用事治。浚交漕海，五十萬指，自春徂冬，急役未弛。公憫凍殤，丞相不謀，下令縱之，擅吾受尤。事畫上聞，帝嘉曰果，遷牧于并，頌石瑑瑳。尚書中書，機務兩參，事輒背馳，資言指南。出知宣政，實司祝髮，故于釋典，得其津筏。昔人之爲，箕斂諸山；今公之來，退食閉關。僧徒安之，聞欲滿秩，留者抗章，上凡數十。可因灼見，舉職之能，鼎鼎宜其，名與位升。卒從其先，西山之兆，勒銘隧首，千祀有耀。

少中大夫叙州等處諸部蠻夷宣撫使張公神道碑

公諱庭瑞，字天表，姓張氏。其先臨横全州人。曾祖淵、祖士明，以有功金初，再世千夫長。考楫皇，北京都轉運使，徙家白霫。三子，公其季也。幼志不凡，已以功名自許，讀書力學，經史之餘，兵法地志，風星卜筮，靡所不闚。既冠，宿衛憲宗。俾從征蜀，佐軍前鋒，帥如所策，戰皆捷。會其陟方帥持兩端，世祖斬之軍中，獨忠謹公，仍佐前鋒軍。中統始元之明年，詔元帥府全師戍清居，賜金符，俾參其府幕議。合時未下，直清居南百餘里，虛實動靜，皆可相聞。日夜戒備，衂漏塞罅，敵無得乘。加善綏懷，所獲詗俘，不誅全之。小物利人，慮亦必及。中土艱蜀藥，其地饒橘，課軍士之休役者曰：「袖手何爲？」其人日入皮幾何升，皆庫貯之，莫曉爲何以也。視商旅有貧喪其資，滯不能東者，召以其所有畜來，無問幾何蹄，畜給一石，皆感泣歸，語父母妻子曰：「三相救我。」自爾相之名籍籍行路。用兵開達，以虎嘯山闞渠江，可絶二州漕塗，詔公爲帥府先鋒，使將五千人城之，旬日而營壘儲偫皆完以充。制使夏貴集四川兵數萬圍之，諸將勉宜速戰，公曰：「無庸，彼衆十我，往則殲矣，可遣間取援帥府，須至爲圖。今惟有分地死守以老之，吾不爲主，而爲客耶。」敵礮吾壁，當所皆穿。築栅捍之，栅連壞。乃離栅爲堵，虚本不築，裂牛馬革衣大樹縻之，令可去來，礮至則偃，已乃復植。敵以城不可井，必資澗飲，泉出甚微，下薪土實之。公沸人畜溲溺釜中，入土以泄其臭，人日數合，吻皆創裂。終夜行壘，至于立寐。如是踰月，援至，不敢前，公下令曰：「敵策吾怯不出，必嚴外而懈内，今與之角，可必逞志。」分千五百人爲三，夜擣貴營，果大崩潰。禽斬都統欒俊、雍貴、胡世榮等五人，馘首千，遺委資械萬計以遁，公亦身負數創。功聞，加賚之澤，舉軍覃焉，授奉議大夫。守高唐州，濟師襄陽。始抽中民之家爲兵，賦州若干百人。恐吏出入爲市，身按籍取其壯者，與借衣仗尉兵，權宜畀之，編諸行伍，教以進退，不相干越。或曰：「足是抽數，州責止矣，教之何爲？」公曰：「吾所抽兵，比其啓行，縣官或遣使，或覆閱，耒耜之衣，不掩肘骭，雖材賁育，誰則信之？其時留甲退乙，更逐紛紛，徒自後期。衣之兵衣，韃弓手戟，自足觀矣。」閱使至，果惟曰：「高唐之兵精良。」教民力穡，野無萊田。暇則使脩孝悌于鄉校，豪梗戢縮，盜去其疆，鄰獄疑留，率咨平直。大司農考績，以治最聞。遷朝列大夫、濮州尹，詔布多方。仍黜其殿者一人，爲長吏勸。辭之省曰：「如司農言，正守職也，豈敢爲勞。且州非守獨爲，上監下貳，功則均功，獨旌何爲？不敢奉詔。」省奏併陞監貳，迺尹濮。御史臺賢之，奏遷中順大夫、陝西四川道提刑按察副使。風紀峻肅，吏重足立，爲京兆者弗便也，中之秦藩，都漕公及夫人皆不恙，入謝奉教不謹。都漕曰：「吾嘗憂汝昆弟涖官庸懦，不足受任。今居鷹鸇，以擊搏見傷，誠克舉之良子。」酌酒壽之。庭臣閔其誣也，爲避之，奏徙四川屯田經略副使。踰年，以東西兩川各開樞府，大徵兵圍重慶。其舟楫兵仗糧儲，資取成都者十八，換成都路總管。而四川中書左丞李忠宣公德輝，以王相理賦四川，凡屯田、征商，與鹽茗木竹山澤之産，民已輸而算未入官者，皆蒐剔之。事皆倚公以集，一歲而羨衍彌倍，以繼餽漕。自餘學校、農桑、津梁、陂渠、府寺、館傳，先政廢弛者，莫不興張。蜀平，升少中大夫、諸蠻夷部宣慰使。雜獠犬牙綿絡盧、敘、思、播、施、夔之壤者，五十餘種，椎結荷旃，將數千里，統御羈縻，栟其州縣，繩削而碉門。羌有偕婦女老稚入市者，爭直殺人，爲宣慰碉門魚通司繫于理。其酋斷繩橋，止蜀商于徼，謀大動兵入寇簒之。其司馳告，汪忠肅公惟正，以中書左丞行省成都，問進討謀，公曰：「羌俗悍獷，喜馴怒逆，具所性然。由殺一人，而遽待以門牆之寇，小兵不能威，大兵不煩興，惟可遣使開諭。彼雖凌信而昧理，至撼以禍福，亦豈有不回者耶？」忠肅曰：「無踰公者。」遂從數騎，就塗前，遣人曰：「吾至矣。」其相徯而界，羌盛陳兵來。公曰：「吾從數人，而猜備如是何爲？羌人、蜀人舉天子民，殺人償死，一律治之。今有司逮所偕來，特使辭其見，知情之所由，爲援質耳，非併盡誅之也。而汝爲是跳梁，行省如以狀聞，萬一赫怒，徵近郡加誅，而汝噍有遺類乎？亦奚不辟之盡，劉可鑒也。何乃負叛名爲之續〔二〕，使壯士推首白刃，妻奴人乎？此宣慰魚通司碉門者宜言，吾懼汝之妄舉而自孽也，故越吾司而曉汝。」其酋率種屬羅拜曰：「吾昔者取羊生磔其脾卜之，視肉理何食，曰：『吉，白馬將來，可不煩兵。』公乘果白馬，神語昭昭，敢不惟命。」乃論殺羌賊，而出所偕，即日復繩橋，還蜀商通市。遂與約，自今市者，如故事，無入硐門，惟集郊關，日昃而歸。其酋等曰：「亦惟命。」又以民歲摘茗，官收糴之，爲局自鬻。公變其法，聽民入券，自與羌市。令黎雅戍兵屯田自廪，罷泝楊山江漕穀，以免嘉定舟民覆溺。都掌蠻反，詔公以行省兵誅之，公請罪止首惡，無及非辜，可之。其俗惟善挾槍擲人，而以過顙厚握松板，爲盾自蔽。已陳，公馳馬射之，矢出盾背半笴，其種駭怛曰：「何物弓矢，如是其力也。」遂捐兵屈服，惟斬其酋達蘭雲輩十人。再授敘州等處諸部變夷宣撫使。後仍故官，轉潭州總管，浮舟出峽，過南郡。燧時貳荆憲，相語曰：「吾聞是州户滿百萬，良足爲治，而湖廣省臣方事朘剥，禍賊變詐，月異歲新，吾不呵之，袛益罪耳，不能爲也。」遂去之秦。其前植業在樊柱者，上田五千畝，渠義谷水灌之，雜莳桑果可材之木萬根，奴婢千指，既畀兩兄，田賦歲下，不以及兄，糴谷入之。其自取者，惟城中一第，與西郊之園百畝耳。今歸，每不城居，徜徉輞川泉石間，南直聖燈巖爲堂，罟魚于淵，穽鹿于山，賓客過之，留飲彌日，頗知爲詩，嘯歌自娱。凡居三年，忽曰：「吾樂吾成都竹溪，秦父老遮不能止。」時已疾矣。後是二年，當至元二十七年四月十四日卒。夫人劉氏淑質懿行，公所敬友。及是偕其三子巙、岑、岷，扶舊還葬安西之咸寧少陵原都漕公之闕。且爲書託山南江北道肅政暢師文，以今集賢盧摯誌銘，求銘墓碑。摯之言曰：公與仲氏俱名良二千石，爲時所器，期以公輔。年位未究者，豈以公年僅過其兄一年，止五十七耶，惜哉！公孝悌忠厚，深沈明炳。朋友孤嫠，有不能家，必周之，使可安以終身。有妾慧艷，若嬖之。或告與人語，屏所問之，則曰：「吾父也。」召諸逆旅，貌若甚肖，叩其離兵失家歲月，與曩聞同，隱痣且是。公曰：「而民耶，人役也？」父曰：「民爾。」曰：「欲得之乎？」對曰：「鄙人之來，直以兒在公所，不訪而識之，非人父情，豈求俱歸。」公曰：「而女居吾家，終不能拔列群婢。」令夫人盡取其奩飾衣服，署良券，歸其父曰：「資是嫁之。」父子泣曰：「何以報公，惟有繪像事之，蘄其壽考耳。」吾友勸農使韓世英歎曰：「以義斷愛，人所難能。」其力于爲善率此類。三子，惟岑爲嫡。二女，長適李鵬翼，次適某。銘曰：

維公自少，期我振耀，薄宦入臣，入衛憲廟。憲廟受臣，其審其難，一簡在心，誠推用殫。六飛之巡，前茅劍外，大旆攸經，有順無悖。方號賓天，遭顧世皇，佐戎清居，屢摧斧斨。虎嘯孤軍，保新立壁，飲血勸忠，一逐寇十。帝曰歸哉，久勞汝西，其守高唐，字我東黎。鼓鼙之臣，熟手威忍，或于元元，未善憂軫。考績多方，治獨最之，誕誥尹濮，俾長吏師。俄貳秦憲，旋蜀經略，輟士矛弧，授以錢鎛。邊穀用豐，就牧成都，大兵圍渝，十萬仰餔。需急應繁，無少豫暇，朝聽之殷，恒燭繼夜。庸蜀平矣，帝曰僰夷，厥俗荷旃，惟汝使宜。其慰其撫，節以華汝，大狂兵之，小頑訓語。始猶革面，久悛其心，陸馬水舟，相望獻琛。晚移長沙，羞姦寙輩，以完吾前，惟駕早税。凡蜀齊秦，長民總戎，三十維年，四稔居東。人遠遙之，在庭使篚，其收爲庸，寧已是茂。我銘豐碑，匪伊桓楹，英風百世，凜凜猶生。（以上《牧庵集》卷二〇）

〔一〕何乃負叛名爲之續：乃，叢書集成初編本作「乃」。

全元文卷三二〇

姚　燧　二三

山南廉訪副使馮公神道碑

公以至元二十八年，年五十九，九月六日，卒官朝請大夫、山南江北道肅政廉訪副使于襄陽。燧遊吳會還，過行臺廣陵，得訃于故御史中丞魏初所，遂出涕相吊。後三年，始拜其墓，指桓楹誓曰：「公平生交友間，文惟我怡者，他日當銘是爲報。」子休復，亦已叙所履歷見求，因記前卒六年，嘗叙馮氏三世遺文，有曰：「以中議年五十九，卒官同知山東西路轉運使；故中順方年六十，以同知臨海軍節度使致事；至通議，亦以同知集慶軍節度使六十致事。三世皆止同知，亦理之不偶然，事之可異者。」公抵掌曰：「若是，同知不善吾家耶？吾他日有避而不爲耳。」今公之壽，僅齊中議，校所卒官廉副班序，正與轉運節度同知者等六命，四世卒致皆不逾六十。嗚呼，造物之迹，人果可以意智闚耶。中議、中順、通議爲高曾祖，諱仲尹，子翼壁。考中書右部郎中，諱渭，世稱馮孝子。公之先諱，由通議築松庵崧山，曰崧，後更岵，字壽鄉。童子聰警，于書博觀彊識，賞于中書忠肅公許，妻以季之子。闕幘由貧，試史征商，屹屹自飭，不盪華惰。中統建元，時年未壯，入掾中書，職奏事曹，策識沉明，得失先事。日從丞相，造膝清光，右部爲郎，自丞相辨章而下，皆友諮之。父子並政，法制未苛，不嫌也，人榮耀焉。或讒禁中，省曹多徒，顓庸在列，庭加汰擢。公以風度修凝，敷對有次留，後一故相長左右幕，喜氣排人，諸曹讋縮，公不下之。故事，諸曹出皆總管判官，獨抑公真定轉運經歷。換衛輝總管經歷，官承事郎。令真定之無極，事治考最。換令洺之曲周，狀其簿貪懦，黜之。圍襄陽急，發民益兵河之北。公惟視丁地入中甲者，户抽一人籍之，請託不行，苞苴不入，形勢富室，施計無所，凡竄名他役者皆出，僚吏無所姦利其間。江南既一，陞奉議大夫，僉山南湖北道提刑按察司事，換僉嶺北湖南道提刑按察司事。二境皆錯壤夷蠻，人所憚行。公冒阻凌畝，瘴鄉蠱俗。上下山谷，至不可馬，或轎以杖，殆數千里。刺舉周洽，簡削冗長官吏數百。臺臣勞之，移近畿甸，換河北河南道提刑按察司僉事。官市民物，不輒與直，責悉還之。罪去官吏三百，籍没賕賂且三千定，霜摧電掣，蠹朽皆折。唐之監州，諱發其伏，逃訟于朝。顧列公實田湖陽三十頃，禁殺日殺，紆塗乘傳，多燒驛薪，不法十餘事，詔御史問之，無絲髮得，抵其誣罪。陞朝請大夫、江西湖北道提刑按察副使，未代棄歸。尋仍前官，換山北遼西道提刑按察副使，以疾辭，行臺臣終曰：「舉職風紀，求歸者其私，不可釋也。擇其去家近在十舍外者，以便之。」再換山南江北道肅政廉訪副使。命下數日，卒。僑葬檀溪之東。筮仕至是，三十餘年，恬忽時榮，退易進難，數命皆家受之。臨繁處劇，暇豫而集。遭佳林泉野，服佩寶璐，鳴琴賦詩，忘反移日，觀所號雪崖，亦可得其嗜尚。己俸入，盡于給故家之孤嫠，與娛賓購鼎彝書畫，故遺産不盈十金。所標襮其閥甚高，跬步恒以羞親爲心，迨氣息奄奄，猶大書松庵墓、馮孝子墓、雪崖墓，賜休復曰：「各伐石表之阡，亦自喜其善全歸也。」遺文千篇，晚而筆力逾進，辭多雄剛深古，卑于交者不能句求。凡再配，前夫人楊氏，即忠肅公妻者，今夫人王氏。其母休復，與休復母之，兩致其道。不知者，不以爲前夫人之生，觀行有家爲德如何。女溫香，幼。三男孫，鶴齡、龜齡、彪齡。二女孫，皆下殤。銘曰：

公生自孱，見靈奇也。葱衡鏘然，妙爲辭也。人一善偏，己兼之也。其蘊淵淵，介介持也；憲府所躔，吏不欺也。入司奏箋，出縣爲也。同不俗牽，異不離也。責言言宣，責事治也；其履平平，循循施也。風行嶺壖，江之湄也。幾耳順年，不云耆也。厚夜長眠，寤何時也。聞之幅隕，多舊悲也。曰良弓傳，子爲箕也；柔木不弦，世業卑也。獨公青氈，守不移也；世德陶甄，不外師也。子于父田，播其菑也；父材楠楩，子構基也。有華蟬嫣，冠雙綏也；與乃祖肩，官醜夷也。皆不持銓，衰職裨也。豈天爲懸，座右卮也。不盈其泉，斯不敧也。信彼微權，馮氏私也。滹沱之川，浩瀰瀰也。苗胄必賢，餘波滋也。毋折楚箄，以筳疑也。麗牲有穿，徵銘詩也。

中書右三部郎中馮公神道碑

中統之元，肇分天下爲十道，道置使以宣撫之。我先世父中書左丞公受任天平。僚列聽自辟，傳過真定，將以公偕，懼不能致，乃踵門自起之，曰：「天平地方千里，户版賦出將半諸道，而寄治庸淺，非得清厚和慎，舊德雅望如先生者，孰與匡政令之不逮，而抑其過。先生負用世才，不及見之太平有兆之時，陰拱何施，敢再拜以參議相屈。」公答拜曰：「某學不切時，無有可資吾相取者。」然不敢虚盛招，遂就車行。參議無幾時，中書省召入爲右三部郎中。我先世父以奪吾賢佐，吾誰賴以爲理，居無幾時，亦去。公在右部，故相贈太尉史忠武公、贈太傅文貞劉公、平章趙公、宋公、張公、我先世父及左丞張公、大參楊公、賈公、尚書劉公稽古議制，動見咨諏。又其始至，密院未闢，憲臺未建，尚書未分，兵刑工三曹之事，叢闒繁會，決畫開裕，于刑尤慎恤。禁天下諸侯不得專殺，罪入死者，奏可乃論。輯要令條付之法吏〔一〕，俾有持循。獄成，不輒置辟，必疏其情。文疑闕，讞下有司，緩須臾無死，以冀萬分一朝或生之也。遇干倫敗常者，必峻治竟之。羈縻之國臣或失對，都堂欲詰其謾，公言宜示有容，不可苛明，以怛嚮化。以故于今之治，文物燦然，非夫人與有佐理中元力耶！公諱渭，字清父，姓馮氏。其先居定之中山。嘗臣五代晉。由齊王虜于遼，從徙北京，家長興。遼滅來南。係緒則自公六世祖可譜。蓋昱生遵讓，再世不仕；讓生金承務郎居泗；承務生中議大夫、同知山東西路轉運使事仲尹；中議生中順大夫、同知臨海軍節度使事子翼；中順生通議大夫、同知集慶軍節度使事壁，公之考也。自中議而下，三世比及進士第，獨公由任子仕。人疑其爲問，則曰：「延賞及世，自有虞已然，歷古不刊。」如曰假以爲忠勞之勸，是後世訹迫以利之術，非聖人大公至正，遇下以誠，不忘先烈之義，故其子孫不敢以能自致富貴爲賢，而以獲繩祖父踵武爲光也。自後世科選之法興，風聲之相盪，波流之相軋，鼓舞奔走一世之人，使子孫恒有不藉基祖父，可得自我之心，甚失興孝天下之道。近世惟程夫子仕由先庇，我法行之，上有稽先王之經，下不絶先人之澤。初掾尚書刑曹，移掌機務。後掾尚書省知選除。金已蹙國，一闕守者，無慮數人。懷告身，致曠數考，無所于任。吏是職者，人恒聚詬其短。有見讎轢者，公勾覈精密，先後黜陟，動有比依，號爲允平。出佐靈壁帥府，李全聚兵楚州，觀望前卻，不一其操，于金于宋，皆未有屬。帥遣公馳説之，欲屬而軍。受命即行，不爲吾身叵測毛髮計。至則撼以大義，陳譬懇悃，其旨惟在不可遺棄故君一言。全未即從，亦壯其能使，不侵辱，善還之。守均州軍事判官，改南京右廂機察。初金還汴，通議將逾河，追及行在所，失公妣夫人趙嬴博間。公竄避梗棘，茹苦徒行，勤以事存，哀以求亡。通議感其志，曰：「禮，父在，爲母齊衰期。父必三年然後娶，達子之志也。曾參以孝己殺，伯奇放，皆自後妻，爲曾元不娶終身。吾年今五十，其達汝志，亦不娶終身。」金亡，侍通議北渡河，崎嶇齊魯郊，以還真定。出則親僕御，入則操井臼，求釋孤臣亡國之戚，不失故家素宦之習。可旨甘其口體，而夷懌其心思者，皆劬躬爲之。日夕不去側，立而坐，休而出，一命之須，略不自遂，積歲爲世，不異一日，戴白紛如，猶爲孺子時也。執喪奉祭，哀敬兩致，世多不字，惟曰馮孝子。化行閨門，夫人事之，嚴師也。出與人交，賢貴愚賤，一接以敬，別置白黑胸中。故與學士魏玉峰、内翰元遺山、學士李欒城、故承旨王慎獨、今承旨王鹿庵最相款習。讀書爲文，不廢風雨寒暑，節錄經史，細及箋訓。又蒐輯金代文章，凡積若干百卷，專經《左氏春秋》。爲右部。年七十，曰：「吾家由轉運卒官年五十九，故臨海、集慶再世皆六十致仕，獨吾貪榮滿年格，歸若後矣。」會子今朝列大夫、江西湖東道提刑按察副使岵，自省郎出令無極，曰：「吾祖臨海爲是，吾獲從養于是，天之私我多也。」平生曉行衛生法，年八十二，猶神形精彩動人。以至元庚午閏十一月十有九日，卒無極寓舍。還葬真定三橋里之南原通議之兆。文有《常山集》行世。凡再娶，前夫人王，後夫人師。金尚書右丞安石，其從祖父，岵母也。孫休復。男曾孫鶴齡、龜齡二人，方童。女曾孫一人，尚穉。後葬之十九年，當二十五年戊子，岵以公未碑，棄江西憲副，舟達襄陽。六月，又蒙暑入鄧，示燧所自爲埋辭，白以先人與而先公相好，爲故人。今繼室汝姚氏甥，爲姻，銘先墓碑，非子誰義爲？蓋朝請先夫人楊，今夫人王。其父詳議，諱德溶，我姚氏所自出之離孫。先世父昆弟叔視之，夫人燧姑道也，用是不辭。銘曰：

維斧鉞威，君之所司，奚取于臣，人牧專持。用誠允明，猶屬僭弄，矧肆師心，刑典不奉。中元乾綱，既收既張，有罪我在，敢越奏當。公時用獄，上體帝德，疑昭枉信，情狀已襮。宜刑于辟，宜亟徐之，恩澤涵柔，或幸庶幾。輕平匪寬，猛匪深害，今三十年，作則攸賴。古曰仁人，利溥一言。矧士弼教，出治所原。又曰仁人，立本孝子，反覆揆公，終始良是。公孝越俗，格父之

慈，弊齒寧鰥，矢不再妻。曾元以還，兼公而兩，清風在碑，無期將邛。（以上《牧庵集》卷二〇）

〔一〕輯要令條付之法吏：吏，原作「史」，據叢書集成初編本改。

懷遠大將軍招撫使王公神道碑〔一〕

王彦弼方總管南康，過燧舟中，曰：「弼老矣，將委印歸，畢先人墓事。」出故人監察御史商琥所狀，曰：「他日必求徐大參琰、劉集賢因，與燧三人，一人銘之足矣。劉集賢亦物故，徐大參遠莫相及，且弼嘗事汝先世父左揆公東平，故惟君焉請。」又曰：「自弼及與君友二十二年，別君者幾二十年，不于是焉即求，以待他日具禮備數，而走三千里之石城，恐弼暮塗，雖倒行無及也。」燧曰：「昔司馬遷述漢傳，皆蒐訪舊聞與遺老之言爲之，蓋職史者宜然。非必其時功臣子孫一一求見，而始援翰也。燧文劣下，固不敢自方先賢，而其職亦太史也。今而曰先左揆門者，其可讓焉。」謹按，王公諱興秀，祖忠信，考濟，皆農蠡之博野宋村。我太祖始加兵中原，圍燕不攻，而坑中山，蹂山東河北，諸名城皆碎，已策金不能國，可必滅也。自將征西，而留太師國王穆呼哩徇河北未下城邑。其年衛王弒宣宗立，南踰河，都大梁。兵興，民既困，徵求之繁餽餫，人畜雜死道路，至不賴以生。有遲我元兵者，曰：「敵勢賽來耶。」亦有不白吾令，特誅其後服，望風畏之，不敢至者。公聞兵將至，曰：「丈夫生三十年，而勞苦耒耜，屈壓極矣。今已委身餌敵，暴骨草野，且吾君已棄民，民尚誰死哉！吾有自圖富貴耳。」乃以是撼三十餘村之民：「汝幸從我，我能活汝。」乃將壯士數百輩出蠡疆，迎兩大帥萬户劉伯林、御史大夫蕭公降。帥善其來，與之幟曰：「張汝之鄉，我兵自斂戢，不汝侵也。」大兵及城，城方力完守具，礮死蕭大夫，兩軍憤厲，一鼓屠其城，無噍類遺，而三十村無毫毛傷者。兵去而艱食，民死相藉。公舊富粟地藏，盡發以稟餓人。又假爲種，責其力田作，以繼餬口。又築屋數十楹以居病，俾醫煮藥其間。時其衣食，所活又甚多。以從師王徇地大名、東平、益都功，陞新軍千户。又陞萬户。從師王朝太祖京師漠北。時恒山公武仙壁真定西山，滄海公張福栅信安水中。授懷遠大將軍招撫使，賜金符。令招之，僅得兩公潰民。令散居祁、蠡、深三州，種紅花紫草，以供尚方織局。後由諸侯王及功臣家爭遣使十出括匠天下。劉某以大丞相行尚書省于燕，亦遣公括祁、蠡、深三州匠爲局，使公監之。先是常祝天曰：「吾遭此大兵，未嘗妄殺人，死者活之，饑者食之，藥其疾而賙其不至，未嘗不力于善也。而天報施我者，使五十無子，何獨戾耶？」明年，彦弼生。至是告老，以彦弼襲職。彦弼能譯言，嘗屢使憲宗朝。少尚氣任俠，其友不幸得禍，彦弼願揕匕首仇人之胸，幸自屠死不悔，友止之。中統建元，我世父宣撫東平，召至監米家倉，變陳惡爲白米八萬石，授提領東平路鐵冶。右丞相薦之平章塔爾禪公。後姦人多竊馬私互市，朝廷議其禁，始置潼關、大洋、孟津、中灤、三汊等所，以及徐邳八提舉，俾司糾之。凡乘馬南者，必視其傳。平章首薦彦弼可任，我左揆亦譽曰：「吾知斯人，有敗則咎余。」平章言是。以奉直大夫提舉潼關。十二年，公亦從養闕下。以至元六年三月八日卒。歸葬祖塋。夫人張氏，年七十三，前公卒。子男三人。彦弼所至事治，發姦人爲起三百餘。關下得省參費正寅連謀宋書，論誅如法。關南禁溝高，有支渠久堙其源，公割俸淪之，至今蒙溉利者二十村。再换中順大夫、黄州路宣課都提舉，民不苛擾，而額亦溢。再授知安豐府。今以少中大夫總管南康，治皆有迹。仲彦柔，季元柔，早卒。女一人，適李信，生子讓與一女，二十而寡，誓不失身爲夫子羞。子今亦官于朝，事聞，廷臣節之，聚土旌里門矣。男孫三人，元德，忠顯校尉、金符、海道運糧千户；元慶，忠顯校尉、安慶軍總把；幼元恭。女孫五人，長適榮禄大夫、平章政事史弼，次適江西同僉樞密院事陳柔，次適滁之六合令董仲，次適里人薛某，幼在室。男曾孫四人，二早世，二幼。女曾孫四人，亦幼。評者謂史行部與公皆以鄉民迎降太祖，史氏自太尉與諸子孫將相五人，而公之子猶調常銓總管下路，何其厚薄遼邈不相及？而兩女孫之夫顧皆將相，將天移報公德他門也耶！誠然，亦理之未瑩者，燧取銘之。銘曰：

觀先漢臣，陳餘張耳，耳終事漢，餘中畔棄。耳有趙王，餘斬泜水。天方與漢，能與者昌。天與仇之，宜旋踵亡。效于計數，一軌千古。今蠡爲州，中城外鄉，城捍恃强，噍類悉戕。三十維鄉，公樹降幟，豈獨室家，鷄狗完遂。人曰是謀，王公爲之，孰是吾鄉，司命寄兹。既全而兵，又廩而餓，又勗而稼，假種耰播。有疾與貧，我屋其居，于父母邦，推愛何如？止官懷遠，惟富其壽，年幾九十，一世誰又。而其再傳，而子而孫，金紫垂躬，常銓一門。兩女孫夫，顧皆將相，移報他門，非天莫諒。維天道遠，人迹難知，其張其門，或在異時。螭首之碑，有光前兆，瑑銘昭昭，來世爲告。

〔一〕本篇又爲《元朝名臣事略》卷一節選，自「太祖始加兵中原」起，迄「而三十村無毫毛傷者」止，題《招撫使王興秀碑》。

鞏昌路同知總管府事李公神道碑

公諱節，字子忠。考諱松，金寧遠大將軍、輕車都尉、隴西郡開國伯，食邑七百户。由鞏昌府僉事，遷其府判官行元帥府經歷。妣夫人高氏，從封隴西郡君。祖珪，以開國貴，贈隴西伯。妣夫人某氏太君。曾祖槩，氣服其鄉，鄉人曲直不愬有司，求聽其家。高祖澤而上，不可世也。其李姓隴西人者，或曰：「猶漢將廣之苗胄。」公生而剛明，其尚氣俠，得賦自家。長知讀書，曉習法律。遭時艱棘，以戰勞自敦武歷忠勇、忠顯三校尉。既官矣，復慨然曰：「吾自求樹立，如人曰吾薄門功何？」始即吏部取廕，試律射皆入等，出身奉班祗侯，監華之渭南税，未上。行省開閫平涼，開國爲奏差經歷。鞏帥田瑞欲異圖，乃閉壁錮人出入。是日公乘夜縋出，走平涼上變。及官軍至，故便宜都總帥隴西義武公汪世顯，時爲門將，開壁納之，縛瑞置法。公以先事發膚功，轉會州軍事判官，超鞏昌元帥鎮撫都彈壓，兼照磨，加忠武校尉、便宜都總帥府鎮撫軍民都彈壓。天兵已殘陜西，完顏仲德行省于鞏，招集熙河慶陽二十四城散亡將卒數萬，移鞏治，依險壁石門山。知麾下元帥義武忠壯可倚。時節至其家，拜事其母，無異生已。金社將隳，假義武以便宜都總帥。身將三千人東援，道敗之，餘纔三百人。達汴，金主已播，不至家，追及于行。説令西駐石門，因秦勁兵以圖巴蜀，不聽。走歸德，走蔡，自經死。仲德赴汝水，三百人皆從死。惟十二人爲謀，勢今業然，石門日夜望吾東音，計今日即徒死無益，必歸爲報。十至秦州，爲秦所止。二人越去語鞏。時秦帥鈕祜祿已不受鞏命，自爲行省，顧瞰義武來計事。開國謂義武無行，請身往。嘗從公，既至彼，以失乏軍興錮之。已誅數人，開國度不可得脱死，呼公前曰：「吾書爲賊誤語置枕下。」即自經。其帥欲併除公，賴賂珠其妻免，始從喪歸葬之郡東原。未卒窆，聞敵且至，衆悉散去。公曰：「吾寧蹈死白刃，不忍敵坎不掩暴吾先也。」竟卒窆去。敵旁午馳，終不至塋。義武孝之，俾襲開國帥府經歷。蓋甲午正月，金亡。明年十月，其府猶稱天興，義武集將佐曰：「主今亡矣，誰與爲忠？人以羣盜遇余。」率軍民萬家爲口十萬來降。皇子奎騰，義其後服，曰：「爲臣能然，何忍罪戮。」仍官以便宜都總帥，凡其前所節度二十四城，還受節度。公亦仍便宜都總帥府經歷，始去險就夷還。各城居官舍民廬，皆剪荆棘斬蓬茅爲之，使人父子兄弟，得以休養生息。至今西土種族殷繁，誰之力耶？尋升鞏昌府推官，訟清賦平。再遷其府判官。帥從大軍歲入伐蜀，責使繼餽，雖千里數石不能致一之地，不匱。功超僉兵馬都總管府事。俄權同知，兼便宜府經歷。方年六十，忽不仕，而樂礫石山水，爲墅其間，號蟄窟老人。不踐城府，絶口官事，樹桑及他可材之木，若干千章，奇花珍果埒是，惟樹松二十四，不多益也。疏泉列石，幽蹊危榭，人之至者，瞻眺忘歸，如在物表。時與老佛之徒，研思丹方奥典，如不足日。故舊或過，必烹羊擊豕，劇談縱飲，厭醉而罷。來者共席，不賤耕樵。年八十三，聰明輕矯，不衰壯時。登樓上馬，不藉扶掖，几杖非不御，不設也。一日疾，子孫問焉，顧庭筠等言：「汝兄以喪來，其以爲言『奴婢數十家，吾食其力久，其民之』。」以至元甲戌冬十二月三日，爲詩而卒。計始爲塈，實二十四年，或曰二十四松，蓋前計所止年也。明年三月甲申，祔之襄武郡東原先塋。二夫人，陳夫人前卒二十年；繼夫人王，前卒三年。三子，庭玉，今資善大夫、陝西等處行中書省左丞；庭筠，鞏昌路兵馬副都總管，僉鞏昌府事兼便宜都總帥府經歷；庭堅，便宜都總帥府鞏昌路都總領。二女，一適鞏昌路都元帥兼權便宜總帥汪翰臣；一適魚溫。内外孫男女合八十九人。曾孫男女四十六人。平生篤于人倫，妣夫人高卒，事繼妣楊夫人，不知爲非其出。及卒，遺二女，俾陳夫人子之。笄未歸者，厚其資賄，嫁成州武亨。在抱者，撫至成長，嫁帥掾南汝德。又嫁弟忠孤女鞏昌元帥府參議、都總領嚴孝。忠弟賢，府判卒官，其子至鞏昌都總領庭某。壻劉氏，夫婦皆卒，又撫其孤女，嫁帥掾張珪。後庭玉自蜀軍中歲一再或一來覲，公不善曰：「古人以戰陳無勇爲非孝，豈可以我故，輕去而軍。且吾所以甘伏田畝，樂之終身而不悔者，以汝及功名之會，有搴取之才，必張吾門于他日，孝孰大是？若晨夕侍傍，不乏致養，則汝弟責，勉思吾言，無以匹夫親親爲心。」故庭玉一力邊陲，最自質子至將相。凡六十年，崎嶇巴蜀甘涼之郊，隳名城，摧堅陣，徠僞臣，禽逆王，與斬叛將，小大之戰四十，爲時勞臣。又善謀畫，以世祖之聖，能受盡言，而不罪人。至入告大計，諸侯王猶苦于扞格。自餘老成顧問之臣，日月至前，如承旨王公，一咈其聽，雷霆之威，幾不可霽。而鼓鼙之帥，遠闕廷數千里，數歲不一至焉，從容片語，回軫聖慮于十年之後，而得開可，由何道哉？豈言適其時，不泛不迂，而切事情然耶，亦素諒其忠也。書之言曰：「啓乃心沃朕心。」尚其似之，此二官之篤其眷者。嗚呼，有子哉。銘曰：

善爲塗行，日昃而息，所以再程，不窘其力。即小而喻，公焉似之，謝仕未衰，豈年是期。無稱平生，日託巖穴，徒與草木，腐泯爲匹。思公荷戈，逐逐羣雄，四顧長嘯，橫厲雲風。事揆義爲，不罪于教，語臣而忠，子職已孝。人紀立矣，爲榮斯多，人爵崇庳，我謂斯何？爰樹礫山，薈蔚阡陌，匪利斧材，惟以種德。責報其子，捷于鼓枹，曾未卅年，將相身都。有不話言，言而既績，惟不授事，授靡不力。嗟今之人，或難其全，不難令終，而難令傳。公兩令之，桓銘斯琢，于礫之山，式配吳岳。

少中大夫靜江路總管王公神道碑

敦武校尉、衡之酃縣尹天錫手事狀，拜而言曰：「先人少中大夫、靜江路總管，始從事故宣撫張子良公于歸德，實先生族姑之夫。後以掾事先少師公于汴。則天錫今請匪直以先生銘賢公卿之墓之多而來，以先人兩公故吏，有好故也。則昭誄墳道者，捨先生奚託，先生亦奚其辭。」燧諾之曰：「子言良是，而先公及識之。」爲序之曰：維王之先天平人。曾祖而上，逸其諱。祖鎬，金泗之虹縣丞。考瑀，皇大將察韓署爲睢州軍民長官。初大將嘗徙淮南某州降民于睢，以其家涼，再西徙于涼而奴之，爲其總管李侯訟之。大帝潛藩，爲下教正之，還民諸睢。長官所領，實是民也。公諱均，字閏夫。幼而惟儒之師。長學吏事，流輩以爲能。性倜儻，自許不凡，每恨枳棘非鳳鳥所巢，知者奇之，惑者笑以爲夸也。歸德鄰睢。金季宣撫公，自范陽將其部曲奔泗州。將楚姓者，憚其驍傑，與一軍多冒法難馭，謀殲之。宣撫覺，一旦大閱戰士，率其徒十三人，突入斬楚，併其軍，徙泗民四萬歸德。中統之元，公始從事是府。至元五年，故左揆劉武敏公開用兵端于襄陽，詔集天下兵臨之，制寵武敏漢軍都元帥，專將其軍。其年，又詔先少師開省于汴，足其餽饟。明年，擢公掾省。九年，公策撼武敏，中合機意，爲奏官以從仕郎其帥府經歷，金符。故丞相史忠武來莅師，明年，襄陽下，奏官以襄陽總管府判官。十三年，詔以湖南戍軍多疾，恐坐不習食稻，俾公舟粟若干萬斛，如湖南故丞相阿爾哈雅所。明年，丞相奏官以奉議大夫、行省左右司員外郎，遙知慶遠府。又明年，升朝列大夫、左右司郎中，皆仍帥府，金符。十年，升中議大夫、永州路總管。二十有四年，升少中大夫、靜江路總管。二十有七年，龍集庚寅夏五月二十有一日，卒雷州官舍，年六十四。子天錫迎柩，歸葬襄陽漢北古城。後十一年，始具碑墳道。嗚呼！慨公平生遷七官，未嘗一遭暇豫，掾省則當徙河南汴梁之民，屯田唐、鄧、申、裕、嵩、汝六州之郊；經歷則晝夜介冑，虞敵行壘，判官當詔故太傅巴延公，將數十萬衆南伐，大集啓行襄陽，公位府末屬，軍旅百需，朝出而夕責成其躬，徵呼之煩，有窮日不遑食者。當西南五十餘州新下，而宋餘孽兩王僭號海中，遠則廣之東西瀕海諸州，近而衡、永、全、潭之屬縣，江北黄、信陽，皆袒臂和應，覬受僞命，以自爲名，賊殺長吏平民，據州縣，壁山柵水，負嶮騷亂者，在所千萬爲羣，鉏鏟厎平。公爲員外置同正，其安集之方，諭信之言，撫綏之使，旁午于塗，幕畫居夥。功升左右司郎中之明年，兩王死，丞相加兵瓊、崖、儋、萬海外四州，留後造舟鍛刃饋糧，一切供億，靡不皆集。爲永則前政當周龍、張虎剽殺之餘，長吏利之，根株深治，以取賕售。公繩興事者以法，寧謐而休息之。州民與儒，爭蒙其德，狀其治于省數百輩。隨有日本之師，賦造海艦，皆取材于民，而促其期。艦發矣，犯法臣平章省復覈有司侵牟，爲計局責償之徵斂户。及爲靜江，始是郡由抗王師，拔而坑之，官寺民廬，一炬盡燬，惟婁鈐轄將所部二百五十人壁月城，丞相小之，而多其忠，曰：「是何必加攻，抽兵衛之，視其終何爲也。」逾旬，婁奮身前行曰：「吾甚欲降，如苦饑何？苟惠賜之食，惟命。」乃遺牛數頭，米數斛壁下，一部將開門取歸復闔。吾兵自上瞰之。其曹分米炊，不待熟牛，臠牛噉之立盡。飭其曹人擁一火礮坐然之，聲發如合數百疾雷爲一，城土震落，烟焰蔽空，吾兵有驚死者。火滅骨盡，無圭撮遺，亦死事之奇哉！迹是可灼其爲新造之邦之民也。又會再詔皇子鎮南王再征交趾，民懲前困，皆拾業而逃，十室空半。省檄公身至海北十九州督餽，擔負遠向者，無慮千萬夫，軍不匱儲。又持詔料民海外，凡四涉鯨波，得户增多其舊十有六萬。省又爲計局責償料民侵牟，而徵斂滋酷。凡是數者，皆取民怨仇，人循牆而走者。及公爲之，不驚其威，而事功立馴。難事之臣，而使辱不逌已，其才長治劇將順何如也？舒嚕氏遼之貴族，世連姻帝室，由金譌爲舒穆嚕。夫人舒穆嚕，江漢萬户老格之孫琿塔罕之女，萬户圖嚕之姊也。婦王，能顓家政。公卒，而門户益樹立，雖天錫一子，與婦孫宣慰女，甚愛之者，嚴于教勗，不少借以顔色，俾以廕及，天錫尹酃縣，亦確確其艱哉，内外姻戚皆服其寡而有操。公元配楊氏，續盧氏，卒葬盧兆。盧惟一女，與今三女皆他夫人生，子如己生，一適某，餘幼。銘曰：

惟兹下民，陰隲者天。或闕而貧，或華以綿。世之信之，如寒與暑，其未逆知，不一方所。而獨于公，始終西南。由宋而汴，而襄而潭；而永而桂，極海之外。一遠而宦，一振以大。古九其命，今品反之。九命無從，九品則卑；公品登三，實古命七。州牧侯伯，其揆歸一。澤俾及子，吾元之仁。七品官之，酃尹發身。何嗛于生，何憾于死？文以列功，碑漢之涘。（以上《牧庵集》卷二一）

全元文卷三三一

姚　燧　二三

平涼府長官元帥兼征行元帥王公神道碑

王氏由宋敦武將軍，嘗令鳳翔之岐山，卒官，子孫遂家其縣之姜村。大父世昌，業金進士舉。父大用，以材武爲千夫長，生公而卒。公諱鈞，以幼名戚七行。爲孤童子時，鞠于季父大有所，已犖然有立志。長以俠聞，自令而下，一縣之豪，無不與之遊。甚爲季父所知，期以克大吾家。會我元加兵關中，其視大城堅陣，不啻驚風怒電之摧枯振落，覆之如此其易也。幸大軍去，而羣盜復起，岐雍之郊百千爲曹，以剽發財粟爲業。及既殫亡無所得，始掠人爲糧。于時行省開府長安，累調軍誅之不能平。長安路絶，而生齒益耗矣。公倡集鄉兵萬人，自將壁拙山，後移壁三稜堡。偵得賊巢窟，縱奇擊之，禽張嵩北山，斬安和扶風，遣辯士説降梁七昴弟乾州，梟楊政、馬超山，磔線張汧陽，併將其衆。上功幕府，遷都提控。再授鳳翔安撫使。行省棄關中而東，乃移所部，與邠、涇、乾、恒數州流民復鳳翔。繕城郭，闢田野，爲戰畊具。劉咬章自敵來歸，麾下多謀殺而取其財者。公壯其來，發卒衛送入汴。由是汴都方聞關中城邑，猶有未盡没敵者，遣間使懷食符，即拜鳳隴元帥。壬辰大蝗饑，移民就食秦州，始與今左丞公之祖汪便宜義武公合力拒戰。甲午，金亡。明年，廼下我元，義其後服，釋不罪也。俾將所部從伐蜀自效。其年鈔沔州，拔大安軍。明年，破成都，入其郛。其年入覲，以功賜金符，仍故官帥隴州。明年，陷遂寧。明年，襲萬州，戰皆捷。又明年，由鳳隴元帥改平涼長官元帥，兼征行。當弭兵之初，平涼之民披林莽茨屋以居者，無百室，食半蓬稗。故部曲聞徙鎮，皆扶攜老幼以從，歲中得萬家。明年，再從伐蜀，再破成都，虜其將以歸。先朝駐蹕六盤山，平涼實近郡，供億之須，使者徵發旁午，一日數輩，皆取給其家。後賦入粟沔陽，率十而致一，皆不忍征之民，爲代輸三千石，故二年闔郡帖然。復亦由此故，比他諸侯家，至今爲甚貧。凡在郡二十年，請老于朝，以子贇襲職。又八年，當至元丁卯春二月五日卒。年若干。其年四月，歸葬岐山之先塋。數百里間，輀車所塗，民哭之如失其親戚，爲位以祭者萬數，問之，則曰：「吾屬皆昔見活于公者也。」夫人李氏，同郡著姓，前卒。子二人贇，某官，由知平涼府轉同知安西路總管府事，方爲之資授室而卒。男孫二人，未名。公以不及養先公，喪之終身。四十年不御肉，授官必推功二弟。初爲鳳翔安撫使，拔珪招討使，琳都總領，後爲平涼長官元帥兼征行。又引珪代征行，琳爲副帥。陞郿爲州，復以珪兼知州事。雅善岐山令進士劉繪，相失兵間。及開帥閫，繪爲民洛西。宋自襄鄧並西山出兵爲劫，居者屢急，公爲具車馬，踰三千里迎盡室以來，敬事而歡奉之數年。後聞定乞去，固留不可，厚幣歸之。若是者，皆生資篤于倫理，不待學能者也。大本既立，其他聞人父子兄弟廣于人，必捐金購之，以全其天屬。得蜀士，則延致幕下，俾有食以仁其妻孥，又其稚也。銘曰：

遭時之艱，不武有力。可以服人，人則見役。大兵之餘，梟狼蝟生；膾脯視人，何忌不行？公憤以歎，高呼右袒；義而從者，旋踵盈萬。粱氏弟昮，嵩和政張。兇饕幾時，身膏斧斤。大憝既殲，黨儔謀我。有以惠徠，用烏不可。汝饑然耶，我汝糗粻；寒切汝膚，我有衣裳。人人奮激，昔迷不又。慫公使之，公令敢後。滄海稽天，精衛所仇；誓銜木石，以絶横流。金亡明年，猶用其正。元輿一軌，來方請命。從征庸蜀，疾戰先登。奏功軒墀，稱之曰能。金節命書，擢長帥閫。萬室通都，棘茨起本。使不授館，至即我廬。賦粟遠輸，我牛我車。種德在人，淪浹皮骨。年胡可長，名則不没。矧子肯堂，有文而才。務昭乃先，未艾其來。于岐之陽，于渭之涘。琢詩穹碑，終古之視。（《牧庵集》二一）

榮禄大夫江淮等處行中書省平章政事游公神道碑

公諱顯，字子明。以至元十有九年，拜榮禄大夫、江淮等處行中書省平章政事。明年夏四月二十有一日，薨于位，享年七十有四。明年十月二十有八日，葬汴梁祥符縣之西鄉。後是二十有三年，當大德丁未，其元子海北廣東道廉訪使永錫，俾其猶子偃，自汴而郢，持故翰林侍讀學士高凝所次事狀，以墓碑見託，燧徵而叙之。游世不可遠本，考逸其諱。妣呂，代之崞縣鉅姓。歲爲羊裘三千以衣寒者，傭工鑱平太和嶺石路艱崎，步軔售直白金爲兩五十。又代石橋崞水，以通夏冬閡漲病涉，鄉民惠之，目爲崇善老人。天馬南牧，金宣宗播汴，徙君許之臨潁東皋，卒葬其地。歲壬辰，拔許，公隸大帥巴爾斯巴哈帳下，由是善國言，俾經歷其府事。後同千户鄂烏蘭從諸侯王南征，破金商鈔房，禽何太尉。襄陽下，帥府版爲副達爾噶齊。軍將劉儀叚哈雅實克叛，執公送建康。太尉劉石河言其材武于制置孟珙，會珙移節于鄂，遣石河防秋淮漢，公説珙求爲前茅，遂得俱北。將及隨，與田僧住二騎夜遁，豺虎縱横，出入林莽，瀕死數數。及鄧之新野，適鄂烏蘭巡徼，相顧悲喜，偕至大將察韓所，爲驛致龍廷。歲庚子，入見，具陳思主，棄妻子挺身來歸，及自建康抵鄂州軍鎮戍形便，兵食虚實，我加兵誅，可以必舉。太宗喜顧邇臣曰：「若輩曾微一言及此。」因嘉歎公：「昔太祖由一回鶻迎降，賜以羊馬，授之璽書，從其所爲，人無誰何？卿自脱敵死，間關以來，又非其所，欲賜白金五萬其兩，用之有竭。其封襄陽新民二百家，世爲佃民。加錫銀符錦衣二襲，亦授之璽書。從其所爲，人無誰何？」歸率是民，復堰鐵拘蹇湍水爲渠，溉稻田千數百頃，人賴其利。後宿衛憲宗，制授金符，以爲大帥布拉吉達幕長，且行，賜之酒，辭。帝曰：「卿辭朕前，將飲無人所耶？」公曰：「臣何敢面欺？今既效死軍前，請從此十年不御。」歸至鄧，大帥軍漢北，敵壁閒寂無人，開門拔幟，招諸軍進。及帝自將伐宋，謀由蜀人，兵及散關，公諫巴蜀水則江流悍急，陸則陟降山巘，舟車皆不可施利，饋繼甚艱，六軍出此，恐非萬全之策，不若取道關東夷途，直臨江漢。世祖時方淵龍，帝曰：「左方之帥，朕已付之，業已至此。其有時宜，即彼言之。」歲戊午也。明年，世祖已禡而南，追覲于蕩陰。教自今凡所欲言，指故平章政事廉公，時以宣撫從征，偕以入告。大軍至黄陂，責中書納罕資取敵舟，公言斯人傲，忽于事，恐既集者，不嚴守警，將復散走而果然。俾公治别帖萬户戰舟，而篙師不足，公曰：「江南之民居多瀕水，無不能操舟者。」盡前俘壯士立兩幟下，令能右否左，得九百人，遂濟江。授之銀章，行宣撫使。世祖正位宸極，中統之元，制位中書左丞、大名宣撫使張公仲謙下。明年，代張公爲使，其褒辭曰：「割愛就義，遇敵有功。處己端方，臨事敏給。」又明年，李璮反，盜據濟南。張公撫諭公嘗通書璮，帝謂近習：「游某豈爲是者，鷙禽爲狐所憎然耳。」及籍璮家，而書無有，勅以諭者付公，聽其甘心，其人亡命。踰年，公召至其妻子，曉之令出，保無他也。其人膝行于庭祈死，公曰：「吾誠爲是，汝言而可，吾所無有，而汝言然，汝爲妄人。且勅聽吾甘心，則生死惟吾，其忍汝殺？」如昔遇之。公以平賊入賀進宴。故事，非宗臣、國人胡牀不入宫門，殿坐皆席地，不設榻，侍宴不稱觴。至是公請稱觴，制可之。後賜黄金盈斤。他日帝燕坐虎帳，方止人入。公至，爲衛士所訶，爭呼于庭，帝曰：「是非游某聲耶？」召入，詰曰：「何爲而然？」公對：「臣將有請，爲衛士所遏，不知疾言上徹宸聽，罪當滅死。」帝默久而出之。裕宗時爲中書令樞密使，適至，復召之入，令盡所言，對以：「臣聞將改宣撫司爲宣慰司。且司者，官之名也，使而下，官之人也。由所官之人非才，事故弛而不治，何關乎官之名？今雖變名宣慰，不求惟賢惟能任之，仍夫宣撫之人，猶惡夫鼓不鳴，而新其桴，聲豈加大哉！」因歷短諸臣，無少借隱。帝顧裕宗曰：「汝他日求可眷倚者，須此輩人。」至元二年，進嘉議大夫、益都路總管，兼府尹。未幾改南京路總管，兼府尹。四年，改大都路總管，兼府尹。公以乘輿歲來居冬，其儲峙穀食馬藁秸諸物和市之民，直多不給，爲所司盜。有豪宗鉅室，田疇連阡，有恃不輸，中下之家，率反户。及公則以物力多寡差賦之直，已無所漁牟，敢有爲舊驁猾者，悉論如律，民力紓息其半。賜楮幣五千緡。入言左右兩丞相安圖、巴顔二大臣者，一居中書其事足治，宜分命左丞相爲樞密，則六軍之政將日齊肅于前。制可。以巴延同知院事。六年，授河北河南道提刑按察使。八年，襄陽用兵之四年，改總管水軍萬户，創石囷七于漢中流，以絶敵舟，鹹圍之兵千。改陝西四川道提刑按察使。皇子安西王國秦未至，公見之六盤。順聖皇后賜金帳，載數十車。用事臣欲置憲府奎鈞慶賜之閤，憲副張庭瑞不受曰：「汝總管自有府。」其即彼以置，留車一夕，用事臣譏其不恭，鋭欲深治，力陳辯且責其人。霰珍罷右丞相，入爲大官，人有事干者，斥曰：「吾守大釜鬵者，他非所知，汝王食官，不師此而行，乃越職沮撓風紀。」或帝聞之，謂王弗戢左右也，王雖不善，以受知列聖，身見其摧大臣于庭，且聞帝託裕皇于他日者，庭瑞由以得受輕罰。二巴延濟江下鄂，帝曰：「游某曩者曾事列聖，于朕前策取江南熟矣。非直能言，亦能爲者。今聞濟江而獨不與，意必熱中，其召以來，授前軍宣撫使。」大軍臨蘇州，公從七騎，薄城呼曰：「我游宣撫也，來曉告爾州將，丞相奉詔督諸軍以平江南，誅賞精明。其早自來歸，取富貴比他州將。不然，梯衝一樹，則加誅後服，爲屠常州續耳，無殃生齒數百萬也。」王安撫即以城下。公身至坊市，集吏民，諭以天子仁聖威德。軍律：降城不誅。其安爾室家無恐。或持金爲謝，曰：「吾非利貨爲者。」授蘇州宣撫使。遣人四出招來逋民，凡得十三萬家，貸倉穀爲石百三十萬爲種于民，約秋熟償官。及期，民歡輸之，無少折閲。十四年，授中奉大夫、浙西道宣慰使。杭民聞來，相語曰：「吾屬幸哉！善撫安蘇州者游公至矣。」明年，入覲，布幣蕭牆。俄帝輦至，顧謂之曰：「卿老人，宣力良多。」一日，俾坐胡牀，持杖指使宫門何事不集，其日入宴，坐賜之榻，輟大官所上飲食之。後疾，遺尚醫持藥，衣白貂裘，皆殊恩也。疾已入謝，言：「江南賴陛下神武文軌一矣，惜往敷宣聖化者，不稱任使。」敕語之中書。其年國人爲浙西宣慰使者死，省奏以國人嗣爲，上曰：「游某非國人何？」且指盜殺臣爲平章者曰：「是不可居汝下者，豈可久使亞人。」明年，授中奉大夫、中書右丞、行浙西宣慰使。又明年，用兵日本。江淮、福建、湖廣之兵，將十萬衆，皆齊集資食于杭，凡廩米八十餘萬爲石。又造海艦若千百艘，材不足于用，勸富民佐木，皆酬其直。又鍛治甲仗，一令之下，星火不喻其急，動以失軍興緩制敕從事。其堂帖無如瓢木弩巠刀，皆預爲千事。盜殺臣益忌，乃好言入聞：「游某高年，當以某人爲使，少分其勞。」實欲遺位公右。上召其人至曰：「游某老人，汝可父事。其欲位汝，其下三四何所，惟其言從。」十九年，是臣見殺于盜。省，徵贓四百餘萬爲緡。明年，明州民饑，貸米石五萬餘，約償如杭。及再用兵日本，詔軍興百需，責其姻黨貪墨姦寙，上盜公帑，下屬齊民者，諸不法皆露，而東南新國，尤懼其毒。公爲鉤考，惟是一使供億。其時已疾，猶支持視事。尋薨于揚州官舍。斯其所履歷措注寵數大者。自餘其敏政，如尹京日，必待命于庭，秉令中書，乃歸治府。雖事叢至其前，必決一。或然火達曙，不得家食，則必取之市。霜雪寒慄，至宿于野。與造海艦于杭，役場達城二十里，比曉已至，督視竟，則聽政于司，夜必二鼓方息。其恤孤獨，或爲人所抑，則不大聲色，呴呴導使盡言。事雖無迹，計數以求必得其情。其推誠感物，如南京盜數人，竊戍軍之馬，于律當倍其償。軍迫南征，爲先假諸公帑，同署者難之。公則曰：「過則在餘，不及諸君。」與之期日，縱盜歸取之家，如言而反，悉輸之官。受罰不訴，爲杭生獲荷葉浦賊周先鋒輩四人，公曰：「堂堂宋室國家，取猶覆掌，鼠子何爲？」皆官以巡檢，給衣服貨財，遣之曰：「能與而餘黨舍賊爲平民，惟汝；反面叛歸，亦惟汝。」旬月，招其黨傾其巢窟。牛天王據海島，官軍加誅，積歲不能平。公惟遣象山僧往説之，乃與之偕來。凡此皆事動天聽者也。三夫人：張氏、趙氏、完顏氏。子男四人：永錫、永祿、天祥、永弼。永祿知延安之綏德州，天祥入侍裕廟于東宫，與永弼皆不祿。女六人：長適陝西行省男趙某，次適提舉男路構，次適襄陽路總管馬國璧，次適蘄黄等路副宣慰呼圖克岱，次笄而夭，季適史太尉忠武公孫知安陸府史熾。男孫四人，偃、億、倫、僎。女孫二人，長適提點奉宸庫瓜爾佳思政，幼在室。男曾孫三人，元嗣、元偉、元暉，女曾孫八人。銘曰：

在昔英文，名城判分。爲開國臣，賚其庸勳。公時還南，首策平宋。克沃帝心，顧曰禁從。洛汝如林，孰爲斯言？斯猷宜同，功勞位尊。其封襄民，爲家二百。其世有之，尚力是獲。定憲二廟，守而不渝。歲賦名城，天府尚需。獨復公家，盡私其有。雖儲千金，富無此厚。英文富之，世祖貴之，在笥衣之，玉食饋之。位亞人臣，龍光匪夷。自夫壬辰，迄于乙巳，五十年中，高明及此。謂非人豪，謂之曰何？概其平生，庶善則多。惟列聖知，無是爲大。爰筆之碑，永白隧外。

金故昭勇大將軍行都統萬户事榮公神道碑

大德辛丑，燧持憲節使江之東。其明年，袁之總公榮顯祖書遺屬吏聶復禮、王政，致父都漕君之與其同官題，與別駕喬篔成、季仲和、及江西憲僉郭貫、行省檢校閻宏之書爲先，以龐太史詠所狀曾大父金都統萬户公之行，拏舟三千里來宣，求墳道之碑。嗚呼，遜矣勤哉！是有比焉，昔武勝軍節度趙懃死于金，及其子故同僉書樞密院事良弼使倭，哀嗚先朝，願詔詞臣賜銘于石，制可。則異代之臣，能忠所事者，舉宜得誄，乃序之曰：孔子遊太山，見榮啓期年九十五，鹿裘帶索，鼓琴而歌于郕之野曰：「貧，士之常。死，人之終。」孔子以爲能自寬。今榮氏家横海之清池，讚違郕不大遠，豈其遺苗歟！公諱祐，在金叔世，宣宗慼國播汴，河朔豪傑所在爭起，倡糾義兵，完保其鄉。金誄以官，冀賴其力，復所失地。聞公有衆踰萬，以爲昭勇大將軍，行都統萬户府事。故奇其服，別異他軍，俾戲下皆華帽，人望空杠孑旄束旆，知爲公軍。遇士大夫長于綏懷，衣食皆資其家，故戰人致死力，所當必摧。有傚蹠蹻膾人肝者，立磔爲狥，以故其軍生齒並鄰不耗焉。卒，葬清池讚善鄉王强原。夫人王氏。子男四人。興既嗣將，將是軍，曰：「吾于申令之際，不得不建是都統旗鼓，然戲下千户，皆父之執，不可一旦偃肆居上，宜貶吾名，止曰千户。」一軍益喜，躍躍用命。其戰必前列，以身當敵。有所克獲，惟衆取之，少不覬見，與夫能寬且惠，皆聞見之得其家者。

河朔平，太宗即位。三年辛卯，肇置徵收課税所河北東西道，辟爲滄鹽辦課官。時理財臣爭以苛剝相高，獨能恪其素守，人以善譽。卒四十五。瑄隆昌堝官，堝積鹽而席其鈞石之所。次顯與貴。女子二，適李氏。孫男九人，當早卒。淮，都轉運副使，自滄鹽利民場爲司判、副使、清鹽使，至以承務郎爲今官，終始鹽官，故悉其弊。蓋是司惟榷鹺利煮海爲之，竈則不一，其所賦車縣發軔自竈，遠或數百里，纔先與直三分一，至堝盡盡售之。一遇霖潦，留陷濘淖，斃牛敗車，蹄輪塡道。策于中書，願募商旅，納估于官，持券即取諸竈，歲省車直爲緡三十餘萬，今著爲令。年饑，人噉草根木皮，預虞竈民散亡，稱貸鉅家米爲石千，布爲端萬，分賚之，約償樂歲。又大雨水溢，竈多冒没，著不盈數，歲賦用逋。度支責徵，繫吏犴獄，再至京師，求遺御史，按覆得寔，復捐七千緡，皆惠政也。及顯祖同僉宣政院事，曰：「吾子三品，榮耀矣！」遂解組，課童耕桑，野服徜徉其鄉。嗚呼，其老子所云「知止不殆」者耶？成，漕司巡鹽官。次昌、珪、斌、珍、得孫、都。女子子十人，適徐、李、趙某族。曾孫男五人。欽祖管鈎厚財場。繼祖大都行用庫副。次顯祖也，今以中憲大夫、袁州路總管、内勸農事，提調造茶勾當。袁隸行江西省，而舉刺則湖東憲府宏、貫，皆言榮袁州良二千石，治最江西。貫燧所畏，宏嘗同太史氏，言皆可信。有是能子，爲臣明時，宜都漕君輕去袖手一堂，坐視其猷爲也。紹祖以國言教授長蘆。慶祖禮部奏差。女子子六人，適齊、范、王、楊、李、嚴六族。玄孫男五人：滋、安、源、溥、溢。女子子二人。銘曰：

屯難之世，弱不自濟。其依于强，亦勢必至。金德自宣，既厭於天。接淅而南，河朔棄捐。

倀倀遺黎，既安舊土。匪連爲羣，有侮孰禦。維兹清池，海浦在東。桓桓榮公，萬夫所雄；如鳥之歸，有菀彼林。約束不待，來比烏在。無他求爲，全生是賴。辟衆同舟，風濤中流。莫不奮檝，攸濟之求。公將是軍，善作士氣。人華其帽，表襮是異。昔魯丞徒，貝胄朱綅。何是肅暇，千載有今。萬夫洸洸，不一其面。而一其心，阻海之甸。非一公威，而一其仁。寒饑在人，如切吾身。孰有不裳，吾解以衣；孰有未飡，我庚其饎。猶惠小小，有甚大斯？匪日禁殘，寡婦孤兒。人魚肉之，溉鬵已久。天懋其功，宜熾厥後。子長千夫，年艾不遙。豈俟曾孫，畀其光昭。嗟惟令孫，才優治賦。何便不張，無蠹不去。迨曾孫貴，考槃遽歌。子仕父休，止足如何？曾孫袁州，良二千石。登古七命，其進未極。凡之有家，孰造孰承？詩之金石，垂示云仍。

浙西廉訪副使潘公神道碑

公潘姓，諱澤，字澤民。宣德府人，府在金惟州。曾祖嘗爲州孔目，而逸其諱。祖祿。考得用，生行軍萬户府提控渙及濤與公。伯仲氏皆善厚殖其家，貲公讀書。壯而遊先師魯齋左丞許公之門，盡戞故習，而氣質大變。養親不違其志，事兄愛以敬，閨閫有閑。及出門庭，卑以下人，語恐惴之。遇夙無所厚薄者于途，必謙謹繾嫪，令盡所言，不峻謝別。用太保劉文貞公薦，由從事太府監，擢監知事。輔貳左藏庫使，出再提舉織染局，金符。在順天路官承直郎，宣德府則奉訓大夫，課皆最。陞奉議大夫，知宏州，兼諸軍敖拉。始有土民，以行所學。郡旱，遍禱其境百神已，乃詣郭西泉投文祝曰：「山川之神，其所司者，惟在能興雲雨，以水下土耳。旱暵如是，不能膏澤之，神固已不得其職。使州刺有罪，幸漏譴于明天子，必將殃之。宜止其身，吾民何辜？横罹斯毒？則爾神又佚罰矣。敢恐恐退，俟終不得命，當自劾去。」其夜有光如星騰泉，明日大雨，爲屋祠龍泉上。自公未至，州之南並山風爲災，又爲文禱曰：「風者，天之號令，順四時溫燠淒凜之氣，發達遂成萬物者也。時自爲惠，反之而已災，況暴厲無節，穴漏谷起，飄翔塵沙，偃揠禾稼，以疾民哉。禾，民恃以生，上以出縣官租賦，下乃仰以粢盛報事乎神明。今使之貧窘無所于食，目其顰苦之顔，耳乎愁嘆之聲，神亦安所利之？必州刺之是矜，其收是憑怒。」自爾風災衰息，民賴至今。尤究心用獄，前政繫疑盜八人，榜掠百至，求迹無所，公明其非辜，皆出之。劾家訟公故縱，無幾時，而盜果得。西京械成獄，令待命他郡。過治，因號市曰：「此州之人神明公，以爲包拯復生，獨不能相活邪？」公將召問，同列謂：「宜發卒衛出吾界而已，讞非吾事也。」公曰：「人求直其枉，烏可陽爲充耳不聞。」卒問之，蓋太原民輸税西京，慮倉吏不以時受，入鈔貴家奴，令代其輸。既如約矣，奴與僞爲鈔者友，陽悔之，有我善鈔，而歸所僞爲。我急其得，不詳視也，出而用之，而事始露，有司鍛成之，謂我利賤而買之僞爲，首當以見知法。公列上之，竟雪其誣，而抵奴與僞爲者法。賦州市牛，公懲他郡驅牛至官，擇可受直。聽命旬浹，奔走煩勞，廢其穡事。令持價即鄉民自爲市，吏無所姦利，駔儈亦不得上下其直。轉知興中州，人爲監察御史。刑部主事恃當國臣知，多行不法，察院召按不能致。公從卒至部捕之，一訊而貪墨皆出，論如律。轉僉山北遼東道提刑按察使事。治有田民殺其主者，獄已結矣。公詳讞之，則其妻與所私夫爲之。乃昭田民，當二人法。又有訟其豪室奴其一家十七人，有司觀顧數年，不能正。公以凡今鬻人，皆畫男女左右食指横理于券爲信，以其疏密判人短長壯少，與獄詞同，其索券視，中有年十三兒，指理如成人，公曰：「僞敗在此。」爲召郡兒年十三十人，以符其指，皆密不合，豪室遂屈，毁券民之。或言高麗王有逆意，集將吏將徙故都。詔近臣偕公即治，公以王今尚主，王設舉事，主安不知，知安不上變聞，而噎嘿以從？他臣治獄，希意深鷙求竟，公獨輕平。主果馳使明王無有，事從中變，制使多得罪，獨還公憲。尋入都事御史臺，剖白群疑，商訂時才，自其口出，人所畏縮，皆身任爲，無少顧讓。然不專己，博咨之人，嘗曰：「君子小人，喜以朋從，觀受薦何人，得過半矣。又致察其間，有失而不中哉！今曰必吾所識，則識有盡，不足列職中外。况未必盡賢。人曰可者，審可，不必囿以資格。」故評臺臣者皆曰：「自公都事察院監司，一時翕翕勝職最衆。」出爲江北淮西道提刑按察副使，按宣慰家兒怙勢抑買民物，不償直，與償而不滿者，皆比贓論。後改提刑按察爲肅政廉訪，轉江南浙西道肅政廉訪副使，方分司杭州。以至元壬辰秋七月一日卒，年五十五。仲氏子希善、希達，五千里輿柩歸鄉。明年八月，始葬先域。夫人任也。三男希大、希成、希安。大、成皆前卒。希永他室李出。三女，適任、徐、張氏，皆士族。公既貴矣，進伯氏子希明事裕宗于東宫，今出知隰州。後葬二年，伯氏懼公平昔之善，泯其不聞，乃身入山敦工伐石，求其同門友秘書少監楊桓狀其事，俾燧銘之碑。燧曰：「公之爲人，桓爲行實。文何尚焉？念今之世，子弟爲父兄求託金石爲傳者，或多有之。如提控以兄，能反復致意其季者，纔獨一人。嗚呼！豈不若是不足爲愛敬報歟。」銘曰：

維公生資，粹其民彝，加及先師，北面事之。仁義微辭，道德盛儀。日耳以闚，如垣厚基；增崇其卑，如田有鎡。多稼離離，尊聞行知。始由家推，慈孝幼耆。閭閻臬絲，秩秩其宜。出爲郡治，視民如兒。調均賦夷，仁柔膚肌。何有創罷，其穰其祈。山川百祇，如指以頤。雨渥風衰，誠之格思。罪人髡耏，有少枉疑。猶己渴饑，不身之私。竭蹷解纍，必出是期。發摘吏欺，大法小笞。戢威顏眉，衣繡斧持。遼浙江淮，皆所往釐。在在歌思，曰到遠而。如何數奇，中塗其萎。識不識悲，中郎諸碑。泰無媿爲，斯銘如斯。琢石以垂，信夫他時。（以上《牧庵集》卷二二）

全元文卷三二二

姚燧　二四

真定新軍萬户張公神道碑

公既卒於戍所衡州之明年，而夫人亦卒。其中子世其真定等路新軍萬户懷遠大將軍塔喇齊者，將歸葬其鄉先塋。由是軍受湖廣省節度，請告數數，終以故事職兵之臣，無聽喪葬之文，不得命。乃曰：「父子之有，在君臣先。其序則然，未有責其能忠，而禁其爲孝者。吾今何恤俟舟一喪畢葬，小從而奪虎節，大置於理，一惟命。」竟窆而還。凡聞者，莫不稱咨其能拔流俗，善於子職，無少老一喙焉。又曰：「公之遺烈，今雖在人口耳，不鑱之石，久或遺忘，來者或不聞。」託以計事至鄂，持興國校官陳松年之狀來請銘。燧思昔貳荆憲，由糾郡常德，公時戍是，暇則相過。年已六十五，修幹魁顔，白鬚蝟張，虎目虎吻，大掌鉅踵，望之森然，氣欲搏人。談其平生蹈危奮先，大小之戰數十。嗚呼！俾聞風飈，鼓鼙闐闐，矢石餘軀，老而不懲者，從可知哉，則於公爲知死。今懷遠以佳公子侍傍，又爲知生。在古人皆當傷與吊者，乃三復是狀。嘗善松年之能史，惟末憾曰：「濟江將臣，功者皆相，而獨後公。方人固然，於及天之厚公者，則若未也。」蓋列聖之制，職兵民者死，其子孫皆世之。變自世祖，奪職民者符節，易其故所，死其子孫廕而不世。惟職兵之臣，萬夫、千夫、百夫長者，父死子繼，世其符節，雖漢祖侯功臣之誓曰「黄河如帶，泰山如礪，國以永存，爰及苗裔」，何以尚諸？其有相而兼將萬夫者，詔俾自擇爲之，欲將棄相，欲相棄將，故其時有寧棄相而專將者，豈不以相能振耀一時，未若既將可傳子孫，繹繹無究乎？幸公未相，相而亦蹈是轍。矧他人之家，世纔一人。而懷遠元兄忠顯校尉管軍總把鑄，由從公戰鄂之通城，獲於敵，死之。及子回世，特陞千户。仲兄史閭，亦懷遠大將軍，戍瑞州等處萬户。獨一門三人，金符、虎節，千里連州，相煥以華，則天獨厚公者，豈不多且遐哉！松年憾者，恐復爲公九原所幸也。公諱興祖，姓張氏。中山無極人。曾大父、大父不仕。父林，趙州觀察使，改節度判官。丞相、贈太尉史忠武公長萬夫日，隸其戲下。太宗賜金符千户，老以公世。從大將察罕征淮南，能以少兵擊破其軍虎頭關。大將壯之，賚銀爲兩百。聞功於廷，賜人馬、介冑、裝具。宋開山南東道，制閫於襄陽，反寇洛西，殘盧氏永寧，殺縛其守長。憲宗詔以漢地兵專受命。世祖潛藩，始置經略司於汴，屯田河南諸州，以忠武爲使。忠武兄之子、江漢大都督權，爲屯田總管萬户。宿重兵於鄧，去襄不二百里，兵信宿至城下。鄧甓其城，塞西南二門不闢。吾袍甲車道屬縣新野西港，盡鈔于敵。府摘公將兵三百騎與步半追之，及之榜栳潭，令騎負一步。敵奮殳斧，謀折馬足，推步下騎爲陣以待，分騎爲左右翼合擊。敵錯愕無所於應，盡殲之完。得所鈔。戰次，馬嬰横屍而顛，復騰而上，不知左股之折。已戰，流血滿靴，裹創輿歸。府迎賚銀爲兩百、錦二端，曰：「未足旌勞，資市藥也。」後敵攻新野，又大破之白河口。中統建元，從史經略樞援東川，假以總管，戍東安虎嘯一年。還鄧，戍光化州，漕安陽灘，禽唐都統。會中書左丞劉武敏公拯，開用兵端，大集天下兵圍襄陽，從城鹿門、江西諸壁。戍焦山，敗宋援將張順江中，殺溺過所當。攻樊城，督造梯衝。又戰江中，火其戰艦，斷襄陽援。樊拔，移攻襄陽城東南。當至元十年，凡圍六年，襄陽下。功陞總管，再官懷遠大將軍、副萬户。明年，詔故太傅巴延以左丞相贈開府儀同三司、太保，并國武宣公。阿珠以平章左丞相，阿爾哈雅以右丞，將大軍南伐，浮漢而下。郢治漢東，築新郢漢西，鎖戰艦兩城下，夾以礟弩，横鐵絙江中。大軍擊拔郢北黄灣壁，公實先登，矢貫左股，丞相手傅藥。拖舟入藤湖達漢，越郢去。從攻沙洋新城，拔而殲之，皆負創先登，矢又中額三。捷功聞，錫虎符。從戰漢陽之沙武口陽邏堡，生獲其將鄭信，矢汰左臂。漢鄂既下，太傅將大師東。右丞留後，抽十六翼兵，俾公帥戍漢陽。公曰：「吾戰是求，而顧責守，誰不能守？則無所施吾所爲矣。」右丞則曰：「漢鄂乘輿所至，視爲衝地，非材武足以先衆者，不可使撫安之。」不得已往戍。聞荆閫遣安撫高世傑將兵規復鄂，從右丞逆擊，走之荆江口，世傑窮降。詔移軍江陵，從攻沙市。因南風縱火，樓栅皆然，前登戰城上，又戰城中，蹀血濡趺，殲其軍。江陵精鋭，於是焉盡。安撫高達以江陵降，制置朱禩孫不出。詔以世傑戰而後降，非其始志，斬江陵市。禩孫死京師，猶没入妻子爲官奴婢，而籍其財。右丞功拜平章政事，移軍潭州。公爲鄂分省計事潭，留使督攻西北。凡三月，破石心臺。敵植木栅自蔽。或曰：「火之可入。」公曰：「火易沃滅，柵必復植。且吾師暴處城下三月，士咸仗兵立寐，不如礮之。使敵不能隊立，得廣途，期盡十日，肉薄而登，可以逞志。」平章是所策。十日，公果前登，樹旗陴牆，諸軍呼聲動天地。平章抃賀，謂諸將曰：「非用張某言，而屬猶坐城下。」安撫李芾殺妻子，火廨舍、倉庫而死。潰軍集城西陳江岸，公涉淺方仰擊，飛石出城，傷頰墜水，面血及足，出戰益疾，竟走其軍。功聞，進官安遠大將軍。略地衡、永、全、桂、陽諸州，撫其來歸，而誅其弗率。又從平章移軍靜江，四十日拔之。宋餘孽益王，爵人號年海中，曰：「余復海嶺。」諸州相煽以叛，潭之羣盜，在在蠭起。平章謂公：「衡、永、全、桂、陽諸州與潭屬縣，汝昔略定，盜今復蔓，汝其芟之。」殲文才，諭七寨，斬祁陽令羅飛、主常寧簿黄必達，磔周隆、張虎新化，降其黨蕭隆、劉監軍。凡馘受僞命二千九百七人，縛賊百五十人，安集劫脅二萬三千九百家。常德路總管謀應僞先事，亦縛斬。功聞，進昭勇大將軍，招討使，監歸州，位總管上。又移監常德，仍招討，位總管上。西南夷爲梗，初詔征羅氏鬼國。會其既降，未至而還。後徵伊奇穆錫，降之。以其王阿里入覲，賜衣服、弓矢、鞍勒。公平生殺虎數十。一日遇虎，一發而踣，語其友曰：「生虎之髭剔齒疾，可以已風。」拔之，虎怒爪韡裂，賴其氣息垂盡，不能傷足。由是人名公者，則加「殺虎」於姓上。至是以國言賜名巴圖。尋詔萬户各解使職，故公罷招討，惟以萬户將真定新軍。省檄戍衡、茶陵、耒陽、常寧，兼督平永、寶慶、武岡盜。馘其跳梁者二百四十五，而伍其汙民，責使屯田，故來者不失業。公尚氣重諾，剛不可以威强屈。平章始終相從西南者，見其不可衆直之，醉或腰刀行酒。平章避入後閣曰：「公醉矣。」戒左右善扶出。遇契己者，視意所欲與之，不少愛焉。其時諸將或集，皆下之，無有位其上者。卒以元貞元年乙未冬十有二月七日，年七十五。夫人卒以明年夏四月十有七日，年七十七。葬以大德之元丁酉於其鄉宋邨。九男：長忠顯，次戍瑞州萬户，次鵬翼僉嶺北湖南道提刑按察司事，次真定萬户，皆夫人李出。餘皆幼。一女，適常某。五男孫，長武略將軍，世千户者金符。餘幼。六孫女，亦幼。銘曰：

詩歌虎臣，闞如虓虎。不聞拔鬚，視等麀麈。以之膽膂，秉旄遐荒。宣一西南，百年未疆。介胄九年，晝夜弗釋。登危摧完，戰必前列。荆域底寧，移兵夷洞。來其降王，槃瓠遺種。矢石瘢躬，元戎奏功。大帝一聞，一官以庸。迨其入覲，嘉名天訓。乃省在笥，華其衣裳。又敕尚方，叢矢象房；魚服韔弓，雕鞍金勒。歸馬躩躩，亦爛其飾。雖古方伯，得專征伐。錫命之多，將不是越。憲憲其勞，授報既多。蓋棺龍光，遺嗣尚荷。二長萬夫，一千夫長。今代一門，三將誰兩。矧是萬夫，一戍燉煌，一殘闍波，鯨海是航。雖基公陛，亦遐以勚。無羞前人，亦曰克世。兩間之堅，莫石惟年。可磨不磷，載銘以傳。（《牧庵集》卷二三）

故從仕郎真州路總管府經歷呂君神道碑銘并序

大德十有一年冬，皇上淵龍，遣正字呂洙，以宫賓起燧於郢，相與舟行浮漢而江。明年，至大之元，始識從仕君於儀真。傾蓋如素，留止旬日，禮甚恭，情甚浹也。又明年，從仕卒，洙自京師犇赴，還持集賢待制趙忭之狀，以銘墓爲托。嗚呼！《禮》曰：「知生而不知死，吊而不傷；知死而不知生，傷而不吊。」在余爲知父於死，知子於生，可容讓爲。君諱郁，字伯文，姓吕氏。相之安陽輔巖人。葬地與宋相魏國韓公冢相邇。世傳爲蒙正文穆諸孫，以遭宋靖康、金貞祐河朔干戈弗靖者，皆二十年，生齒耗亡十七，何譜牒之能存？不可推采其次，惟地江南，今居襄陽者，其係最完。蓋文穆而上，湓、鎮、項、韜、夢奇、龜圖六世；下文穆者，皆二名，簡迺同伴，希同夫，問同之，中同大，與祖七世，合之爲十三世。祖下一傳，紊且微矣。東萊諸孫，必續係焉，今固不得見。文穆葬洛陽，文靖公夷簡葬鄭，蒙休居壽州，大寧、大防在藍田，豈居相者，亦以仕家焉？至今鄉人以韓、吕二姓爲是邦之望，皆優裕以治。時肇置江南諸道提刑，鄂屯實魯，爲淮西憲副。按行所部，凡他路幕僚之不職者，多被汰黜。獨以儀真，兵事既集，學校修舉，寇攘屏迹，鄉師里胥，推擇有倫，特加賞異。白之行巡省惟得斯人，力爲薦汲，將加峻擢。後以僧格領尚書丞相，勢焰薰天，懼抑其志，貽悔後來，歸養寡親。築堂東湖之干，名以致樂。寧與細民逐利什一，爲甘脆資，有純孝譽。或勸復仕，則搖首不對。賓至則封羊酤酒，相與爲樂，以不足日爲事。計歲有饒，惠及窮匱。丙午，江淮大饑，乃捐中統楮泉爲千者踰十萬，州閭賴以不殍死者，爲口不可殫紀。惟不置田於郊，曰：「吾寓公也。有是，則使子孫嫪以爲首，忘歸吾鄉。」遣洙從張導江達善學，蓋文公之壻，黄勉齋、饒雙峰師事焉，導江則受學雙峰。觀其必求文公正脈，名子以洙、沂、汶，皆取魯國諸川，明所願則學孔子。末爲洹，示不忘父母之邦。皆可見其爲心不苟，操履之純也。卒以八月二十日，年六十七。歸葬其鄉。大考珍，在金同知渾源州。考忠，登貞佑進士第，監税於衛。金亡反其鄉，晦德以卒。妣夫人李，亦儒家，讀書知文，於老佛學亦造其微。監税卒，篤君於學，太夫人力焉。妻韓氏，亦魏國裔孫。克勤治内，有惠及小星之譽，前公一年卒。洙克佩父師之訓，夫豈無自而然哉！故爲詳此，使有傍韓呂合族焉。君賦資强敏而嗜學，志爲世用，經史餘力，周覽洽記，刑書算數，尤所精邃。筮仕山東道提刑令史，詰姦明允，雖文無害。宋平，轉兩淮鹽漕令史。是時江淮新國，創爲規制，抽户爲工，散幣爲本，商賈雲集，舟楫溯江，遠及長沙。法簡政平，取不剝下，羨不罔上，賦入其時。上計於朝，授從仕郎、兩淮都漕經歷。方數千里之事，藁歸是幕，力所得爲，若善御之得輕車熟路。便施弊祛，功倍曩昔。會東征倭，行省責治軍旅，伐材造舟，鍛刃餽粟，與夫役民爲篙師火長。百需之來，其急雷電。以君才優，治賦必善撥劇，乃轉爲真州路總管府經歷。真州去征東行省最邇，未下他州而先及者。公以淵龍舊臣，或踰分干時，其乘雲雷以依日月，不難也。惟揆道循序，表表中行，亦時才之可虞者。男孫一人。女孫有歸與在室者如干人。銘曰：

丞相之貴，禮絶百寮；平章拜之，猶體不搖。惟於命官，不敢堂帖；必謹具階，準敕以牒。蓋尊名爵，亦使其人。知爲王臣，自重其身。品雖從事，居下之上；所職則要，淮漕幕長。煮海爲鹽，立制禁姦；通商惠民，齾利邱山。控地之要，亘數千里。令速責成，效於屈指。隨以征倭，改幕儀真。蕞爾一州，行省日親。軍興百需，自近而賦，其集有方，益爾暇豫。餘力及州，役均校修。逋歸犴清，田無萊疇。爲部使者，收其德美。上功於臺，將置風紀。時秉國鈞，虐焰爍天。故棄休居，明哲身全。事親致樂，讀書教子。贏資州閭，荒歲救死。在官與去，爲惠則那。矧子而才，家聲克荷。太行之東，輔巖之里。碣以表阡，華爾桑梓。

皇元故懷遠大將軍同知廣東道宣慰司事王公神道碑銘并序

三十一年，將仕郎、同知新州事王弼，練服持一書過燧龍興客舍，拜言曰：「此弼先人懷遠大將軍、同知廣東道宣慰司事出處大凡與受代所由也。中具歲上戰功，自生二十五年世，吾祖長千夫，戍膠州，以及至元三十年，年五十六。六月四日卒廣州。凡在官三十二年，膠州内地，無事戰禦。自四年用兵襄陽，十三年宋亡，與宋臣戰，未嘗日釋介胄。宋亡至十六年，與兩王戰，未嘗月釋介胄。南海平矣，與反虜劇賊戰，未嘗歲釋介胄。合是三者之戰，凡二十七年。中十八年，三入廣。嗚呼！勞矣，而官已是，年已是，命也。今將以某歲月日，還葬吾鄉霸之大城孟邨先塋。得善史者銘其碑，我先人將不恨其無聞於地上，且懷德地下也。敢以哀鳴公。」大參龍州李公亦曰：「是公以鎮撫，事先武愍公於帥府。先公至地，亦至焉者，其事良然。」乃序之曰：王氏其籍大城者，不可世求。曾若祖，皆失其諱。祖令大城。考英，故參政張公榮實所將，水軍百夫長。世祖錄其從濟江功，賜銀符，升長千夫。李璮反，戰死濟南。二子：守信、守祿。公以死事臣子之長，故世銀符，長千夫。戍膠州，從築夾寨，襄陽戰疾力功，换金符。登最樊之外郛，省旌楮緡百。戰江中，斷横江鐵絙莔樓，獲船三十艘。拔樊，生致都統徐麟，省又旌楮緡百。從今太傅南伐，戰最郢之柳林，署省鎮撫。攻新城、沙洋，獲船二艘。戰夏貴鄂之陽邏，獲船二艘，首功三百，錫白金二百兩。再以都鎮撫從都元帥府定江西諸州，授宣武將軍、管軍總管。於時宋亡，其將相更立益、衛兩王。故廣東不下，從破韶州。又敗方安撫廣之石門。授明威將軍。從擊文天祥於贛之興國之空坑，止其妻子散降，其衆略盡，禽前鋒趙時。賞帥府改行省。從右相至廣，張經略集戰艦二千海珠寺，擊大破之，獲其艦百八十，斬首不可級計。再授明威將軍。衛王死，入覲。授宣武將軍，虎符。還戍廣，取葛峠洞崖石砦，殲李梓發兵南安，别降林桂芳昆弟新會，殲南海軍三千人，生致其帥潘舍人。歐將軍僞署置官，自王清遠，遣馬帥、陸帥、徐相襲廣州，皆擊破之，斬是三人及其軍千，平十數壁。歐走如新會合黎德，德已集船至七千艘，衆號二十萬。其别將吴林，以八百艘圍馮邨。先是公嘗抽工於軍，伐材於山，不資公帑，爲戰艦三百五十、烏船五十。載是戰艦，德、林衆大潰，沈死海洋。生致黎德、歐王，與僞都督、丞相、兵馬鈐轄二十四人，皆磔之，椎其僞符璽。召入，賜衣服、弓矢、鞍勒，加懷遠大將軍、同知廣東宣慰司事。三敗東莞盜張强三千餘人，首功三百，歸所掠人畜其主，廣盜少戢。其使入覲，恐公受代以歸，預乞尚書宣留，再授懷遠大將軍、同知廣東道宣慰司事。降循盜古尾郎長樂，自宋亡十四年，招不能至者，版賴勝，立興寧廢縣，以宅流民。又斬汀盜轉入梅循者鍾明亮、官并、吴禽三首，而壞其羣。最盜爲起廿九，二百七十一人。今著其尤魁驍者，皆鄰省連兵頻年，不能加誅，公必取之。廣之屬州，皆山險，不可馬至，梯崖縋谷逐索。水則乘烏船遊擊之，不盡不已。其爲什爲伍，殺人以剽財之倫，皆削棄。凡是諸盜，名若可易，而顧難成功，至今有未靖者。老將論者曰：「丈夫死登陴陷陣，猶足爲名，澤及吾妻子。今横尸草竊手，與經溝瀆不異，亦足嗟哉！」此觀望不屑蔓盜所以也。反究公心忠勞如何？廣之屬州若士與民，及聞今代，爭狀於宣慰廉訪兩司，功其盜弭民安，願留公使，以殿南荒。行省擬聞，代踰一時而卒，惜也。夫人石氏。子三人。弼也知彰其親者，非文不遠，亦既克子矣。餘未名。男女孫皆一人，幼。甥有戴德仁者，舟從至南康，燧書以還，可尚矣。銘曰：

生北海濱，卒堧魚溟；萬里歸棺，低昂絳旌。維之南溟，其險不測；其北嶺嶠，羣盜攸宅。嶺嶠何如，峻削劘空。羣盜利之，自王自公。凡在勝國，敢曰難令。與今吾元，跳踉豪勁。公有砧斧，腰領汝膏。十八年中，無有幸逃。或曰：公哉！始勞襄漢；終覆武庚，椒洋無畔。不是之書，逐盜諄諄。大棄錄微，奚示後人。曰訖炎趙，猶遺兩孽。嘘爾死灰，乍然已息。公與樹功，師從相從，貪人所同，公羞有躬。維祝融墟，實漢南越。大兵艱施，小兵弗讋。鄭無賊良，公功之私。廣人户知，今思永悲。白潛昭幽，丞太史職。載銘不亡，有穹斯石。

有元故少中大夫淮安路總管兼府尹兼管内勸農事高公神道碑

至大之元，高氏子璉手其家乘，中載教孔孟三族楊潛齋庸、孫洧陽希獻、太子諭德蕭勤齋𣂏爲其考少中公之序之行狀埋銘，丐太史公牛馬走表其墳道。所未識者，獨孫洧陽。若潛齋、勤齋，皆走所友，其文自足昭今而信後，而走綴言其末，無乃顧爲先德累歟？以故久未操觚。後思共公都漕河南，我先世父少師文獻公行省於汴，公來受約束，於下執事，走嘗還贄焉。再都漕關中，走時秦邸文學，相接之數數，又非昔一還者。矧聞璉也常師事同門人劉憲副存齋季偉，曰「善篤學力行者」，可虛其請耶？遂序之。公世平山人。諱良弼，字輔之。祖俊民。妣吴君。二子：進、林。進，金鎮國大將軍，守滑倅。太宗大封同姓國，母弟睿宗真定，享國不延。莊聖太后主是分邑，置規運庫，林爲之使。其歲上供，子息蕃多，而家亦殷昌。妣門君，三子。公爲之冢，就傅讀書，端重異羣兒。會真定火，延燒千家。言之庫使君：「是災幸不及吾家，吾力粗可，盍發財以賑？」君聞擊節曰：「及物之心，見於髫稚。他日大吾門者，將由是。」而行如其言。既冠，宿衛世祖潛藩。後正天位，盡付全趙財賦，聽其綱紀，而歲登羸。時天下困於鈎稽，公以全趙獨遺，人請亦置計局，帝曰：「世所困者，汝獨求之，可灼其無有欺冒其間。」至元改元之明年，官奉議大夫、同知南京都漕，錫之金符。六年，改使河南拘榷税課所。其年，仍河南，升都運使。他道爲使，惟知徼寵專利，賊下罔上以自私，盈路怨咨，莫之省恤。獨公軫歲旱荒，發庾下估，市粟以濟其饑。大爲醮祠，以禳蝗孽。斯皆職民者宜爲，而治賦臣顧先之。俄然天若悔禍，雨澍蝗死，人則詩而歌之，冀采風謠者，取上聞也。又以用兵襄陽，賦河北諸路之民轉漕，人畜勞斃，而粟至者，亦絶續不時。公請增直以糴，則人趨利自至，以賦民漕功將倍蓰。省行其策，由是軍中困廩充溢，或露積不垣。滿秩，官朝請，知鳳翔府，事治民安。思永利之，乃倡民導浉水，起遙望，盡閣底，五十里再冬而成。溉田三千畝，水輪十七。民之圃疏園藥者，又井井乎其濱。岐人惠之，姓爲高渠。僉憲劉仲修按行其地，賦詩勒石紀功。安西王開國之三年，詔許凡官關中者，職與不職，聽其承制遷黜。由是升中順，同知陝西都漕。其使郭琮，恃其獲上，且阿中盜殺臣雲巴勒，肆爲非法。公與連署，凡賊國病民賈禍者，縮手避之，琮敗獨無所汙。朝廷恐其屬偶逃連坐，遣使深鷙者數輩，鉤稽簿書，於公無絲髮得。遂家居，教子樂賓，或縱遊山水勝地以自適。二十有四年，制下其家，起以少中大夫、總管淮安。是郡前以征倭，責治海艦，歲市材萬，富商恒大其直，通有司分入其利，積材已十三萬。下車吏又發郡帑四十萬緡，如歲例續市，請署，公曰：「已市者足支一紀，復市何爲？」下吏於理，飛書上列，以爲徒爾耗蠹。縣官富商恐壞其姦，夜持五萬緡以禱，公曰：「若欲如他人貨取吾耶？吾不能同汝爲盜。」叱去。無幾時，行省報竟下，如數收市，公歎曰：「吾言不效於是商，尸位何爲？」壹鬱發疾以卒，實歲丁亥二月二十有一日也。年六十有六。公軀幹魁頎，風度凝遠，望之已知其不爲人下者。矧其秉德易直，剛而不競，柔而不撓，友善日親，惡不急去，真善應世務者。元配夫人邢君，前公卒。繼配夫人董君，後公十年卒。姻里皆師其婦道母儀。三五子：琬、璠、珪、璉、瑾。琬由任子尹宜陽，後公三年卒。璠中殤。珪以海船總管，戰没交趾。女：歸成都三務提領閻郁、湖廣行省郎中郭孝、華州判官魏餘慶。孫男一，思誠。女三，歸王秉，餘幼。曾孫男三，女二，皆益幼。公初葬真定。後十九年，子璉以公生樂家秦，没而魂遊遠也，徙之長安縣華林鄉。祔兩夫人，而琬、璠皆從窆新兆。公弟良輔、良佐。輔三子：璋、珦、瑄，居汴；佐二子：瓘、玠，居其鄉。銘曰：

姜齊之苗，食采於高，地以姓之，其來也遙。其係其傳，文字無紀，今其可推，纔祖焉爾。全趙金湯，千里其疆；誰之國之，繄我睿皇。考居其間，斗食自晦。入出金粟，克當其會。再傳而公，世皇飛龍。闕（以上《牧庵集》卷二三）

武略將軍知弘州程公神道碑

由程氏世爲太原祁縣人。燧考歐陽公表唐相系曰：「程出風姓。顓頊生稱，稱生老童，老童生重離。其後世掌天地之官。裔孫封程爵伯洛陽。上程聚則其地也。至周，休父失其官守，以諸侯入爲王司馬。」及銘文簡公琳碑則云：「莫盛于唐，宗分爲七，廣平、中山、濟陽、靈洗，其三則皆祖魏安鄉侯昱。」而系表皆無是言，惟異上三四世而止。豈今居太原祁者，或廣平中山分歟？其可系則自其高大父主簿祁政，生曾大父禮，武科取官忠翊郎，至右武大夫，守隆州，冒陳金兵以歿。宋愍節死，賜錢百萬，歸葬其鄉。大父天祐，醫以自業，卒葬文水。考達，以太祖建龍旗九斿即位之年丙寅，至戊寅兵金之年，爲十三年，年二十餘，與兄通、弟進，倡豪傑來歸，完保其鄉。爲提控，爲監軍、鎮撫軍民都彈壓、管民總管、銀符。甲午，金亡之明年，還鄉民五百，亦占屯籍。詔易金符，位總管上。發平陽、河中、京兆民二千，屯田鳳翔，實僑客。其地城中猶荒，錯荆棘，逐虎狼，則田疇非立茇舍，伐株櫛，芟蒿萊，不可以入錢鎛，以觀銍艾，戛戛其囏哉！矧西則秦鞏未臣，行金正朔。南大散關，距宋百里。北山饑盜縱橫，日夕相寇殺。丙申，又爲征蜀所塗，師旅去來。館餽之須，十以率之，屯供億七，鳳翔纔三。後鳳翔民稍集，資屯猶六焉。爲之七年，當歲壬寅，以終。其賢其能，其勤其勞，有盧昭文摯墓碑言。公諱介福，字伯祥。故事：父死，子得嗣爲。歲辛亥，宋四川制使余玠，潛遣偏裨，火絶棧道木閣，身將大軍，攻圍興元。城方孤圍，公將屯兵五百，從都元帥都爾蘇入援。及絶無從得塗，值三人自圍所亡歸，許貰其死，令導由他山，刊木出陳倉。玠以爲自天而下，焚圍宵遁。其年，憲宗即位，凡中士列聖符節告身，盡收之官。明年，入覲，還金符，仍位總管上。屯田鳳翔，制許專殺。有王姓民，毆兄至死，既就逮。其親請鄉鄰善公者，懷白金二鎰來貨，曰：「死非他人，吾長子也。今又以季子償死，吾誰與爲養？惟哀而全之。」公卻金，曉曰：「虎狼獸耳，父子兄弟，且不相噬。人而賊殺同氣，其不仁也，暴甚虎狼，此而不誅，何以正是邦之斁敗天倫者？」竟尸之市。尋，岐雍民家奴皆蜀俘，百十爲曹，相煽亡歸，公悉止還。朝廷聞之，率以爲反。遣特濟來按，事連其主，將盡殲之，公曰：「民奴羣逃，主何與知？惟當罪首亂者。」由是惟誅七人。孟待制嘉之，因扁其堂曰「明恕」。戊午，憲宗進討西川，乘輿入由鳳翔，多其津梁，館餽稟餼，修治豐潔。賜金幣五，白金爲兩百五十。世祖立極，中統庚申，收上符節、告身如先朝。以前屢入覲潛藩，熟公，還金符。至元四年丁卯，以平陽、河中屯民爲軍，假公子松長千夫。將戍成都，其還鄉民五百人。傳官公武略將軍，知弘州。下車，渠桑乾水，灌田五十里，新州解以示安榮，一刮夙昔苟簡之弊。饑封州〔一〕，民所食，木膚草實。

上之中書，得發廩以贍。械素豪猾之干治以病民者于市徵衆。擢曹徵君子汝弼教授，以師是邦，使士知學。其古人所謂糾姦示惡，流恩褒善者類歟。十年，四川上松戰功，制問故符安在，對以弘州仍佩。制解傳松，滿秩還岐。二十有六年己丑，年六十七。冬雨木冰，羣鳥噪集庭樹三日，公弗善之，覽鏡入奩，前諸子訓曰：「吾平生無他長人，惟俯仰無怍愧人耳。若曹可篤學，學自修，則在家在邦，不患無孝忠之聞也。惟求善惡在己有無，無以人過干毀譽，而輕慍易喜。」語訖而卒。實十一月二十一日也。二月，從葬于其考鳳翔之召亭鄉兆次。兩夫人皆前卒。謝君，四十一年；富察君，二年。四子：長松；次檜，八藩副都元帥，虎符，皆不祿。悌彬，業儒。孫五人：萬里、秦山殤；壽山業儒；文演，陝西萬户、虎符；文饒未仕。女十人，皆歸名族。其天質仁厚剛方，孝友明信，哀孤敦宗，民奴禮士者，有陝西賈提學某墓誌銘。銘曰：

猗歟將軍，賴基父勳。田岐雍郊，千耦其耘。人初小之，治寄是府。勢若異然，此客爾主。後一歲中，校其賦輸；爾財四三，此六七居。無事而農，我艾我銍。警將一旅，從寇入出。憲廟兵宋，師由褒斜；百須餽供，應求咄嗟。帝用嘉止，幣金實篚；其爲龍光，疇與儔比。于後世皇，詔其子松，將屯千夫，戍鄰祚邛。其半屯民，雍岐之畀；私公剌弘，足乃騰驥。乃渠桑乾，膏潤孔多；履道以仁，越度用苛。視民之饑，猶己紾背，亟請于朝，發廩以食。滿秩養安，十五餘年。靈烏告凶，得氣之先。觀古史臣，爲人紀善。雖一行言，亦取立傳。志在行後，尚鑒用勸。子孝孫慈，乃祖考思。惟懼平昔，有美棄遺。託諸能言，金百昭垂。走非其人，彬爾來即。拜手

過求，先德爲述。誄婉而章，其言洋洋。匪資礎龜，疇遠闡揚。（《牧庵集》卷二四）

〔一〕饑封州：州，原作「民」，據叢書集成初編本改。

全元文卷三二三

姚燧　二五

譚公神道碑

譚在周千七百國之一，子爵。幽王之譚大夫，衛碩人之私譚公，皆其遺苗。後世子孫，遂以國姓。史代有人，其居德興之懷來，高祖而上，不得其世。曾祖信，金鎮防壽州千夫長。祖伯全，家累千金。父資榮，以徇北功，皇元帥左都監、虎符。寄治交城，遂令其縣，削平盜賊，賢士逃亂者，多往爲依。公生以歲戊寅，髫年入學，穎慧彊敏，拔異羣兒，成人兆緒，嶷嶷則見。十五，綜經緯史，講貫精熟。會課朔望，每魁諸生。爲交牧盧帥所奇，以女妻焉。軍中得書，則馳送之，故其家多積至萬卷。國初爲制，皆世其官，父死子繼，兄終弟及，或父兄存，將傳子弟者，亦惟命。故考府君以元帥左都監交城令，推其弟資用。卒，公以嫡長嗣爲，十九年矣。太宗之八年丙申，州縣守令，上皆置監，動惟國言，公不能也，而受成説譯人。慮其見欺，乃私與國言者遊，日薰而月聒之，滿歲而悉能精曉。

他日郡議，不資用譯，應務無滯。人悉異其不學而至。朝廷置斷事官于燕，曰司瓊林園之臺人，人則曰行臺。府檄公往計事，歸請省諸工料費横取民者，府僚便之。舊文谷水分溉交城，爲平牧郭帥所遏專利。其縣民累訟之，終不見直。躬造大府爭之，郭帥少公恃爲父執，至或肆詬。公不爲報，惟理譬折，彼遂噤屈，至今其水縣蒙其利。杖部民持吏短長，恣爲非法者幾死，民惠且威。俄入覲，因中書耶律公面陳。初，乙未料民，州縣率以無産僑客入籍，用示其庶。及賦下，悉避逃徙，責徵實存，官無所取，稱貸賈胡，困不能償。迫改立約，以子爲母，譬以牸生牸，牛十年千頭，滋息日增。帝爲哀之，制許貰其逋懸，無鉤見民。公私之負，三年勿徵，子母對止，亡民能歸。其復三年，縣境大甦。而鄰民曰：「吾獨不居交城耶？」州縣守令益害其能，請督一府遠輸之糧于平陽。及至，又移輸京兆，仍守其出，比盡而返。數年，由是縣民困劇鄰矣。憲宗壬子，復大料民。公削其逃徙，兼其貧弱，雖捐户數，故是縣差不艱窘。歲甲寅，世祖淵龍平大理還，始入見，嘉其舉趾凝重，出話慎詳，留居藩府，官而不名。以其弟山阜代爲縣。遣邇臣出使，必以公偕。先是分封世祖，以京兆田户寡，益以懷孟。且詔總天下之兵，遂置經略司于河南，宣慰司從宜所于關西，行部于秦州，漕運司于衛，安撫司于邢。盡遣諸軍屯田戍邊，首淮尾蜀，以休秋冬士馬往來之勞。東西數千里，道不拾遺。中侯屯庶，翕然歸心。歲丁巳，宗親間之，遂解兵柄他王。遣阿勒達爾至京兆，大集汴蜀兵民之官，下及管庫征商之吏，皆入計局，爲條百四十二，文致多方。且曉衆曰：「惟劉萬户、史萬户兩人罪。」請于朝，蓋謂忠順公、丞相忠武兩公也，自餘我到專殺，虐焰薰天，多迫人于死。世祖遣庫濟青左丞與公來臨，無與鈎考，而彌縫其間，時通動息藩府。會明年世皇身至帝所，命下而事始緩，猶仗兵民諸官，凡昔所置諸司皆廢。公歸，丁妣郝太夫人艱。藩府奪哀起之。世祖始分兵南征，俾公治懷。歲旱，復鑿唐溫渠，引沁水河内諸縣。中統建元，制褒其賦性寬和，練習政事，以爲懷孟路總管。明年，入覲，賜金符。四年，換虎符。訟隨日決，曾不留獄。教民植業，桑疇麥陂，稻塍芡湖，果圃苧區，水輪步船，無有遺利，或用致饒。民其臧獲侯克寬、孫宥等家男女數十人。引蕭讓爲府史，升知事，積官運使按察使。至元二年，罷世侯，省懷孟、衛輝兩總管入彰德，以公爲同知。無幾時，官嘉議，遷河南路總管兼府尹。明年，奔元帥府君喪交城。中書不聽終制，迫懷泣職。瀍水疊石爲岸，梁木其上，歲易腐敗，規爲樓十二楹覆之，慮其財，擅取帑，力輕用民，得請户曹，而始究工。上下列肆，月收傭值，資府公須。參政楊公紀績于碑。官少中，平灤路總管。既至，疾歸。七年，散階例降二等，與職上下，官奉議、司農少卿。尋進嘉議、京兆總管，兼府尹者一年。改陝西四川道提刑按察使。當按行四川，以邊方軍政多所闕略，未可以内地文法遽繩，俻舉大綱而止。州胥府史坐贓污者，以始犯，罪皆輕平。下令治事之餘，使學官聚爲講解，期通一經，庶少變其筐篋刀筆之習，漸摩禮義，則耻貪浼，而不或蹈。時詔禁有妻娶妾，乃建言：「不孝有三，無後爲大。世德下衰，婦人以悍妬成俗，已既無子，又以是訐制其夫，將遏絶苗嗣，曾不省恤。請自今男子四十無子，聽其娶妾。」中書是之，遍示天下。十年，中書左丞昝順時爲宋帥嘉定。入寇，大敗僉省嚴忠範于成都沙坎，入其郛。我師退保子城，上械忠範至都，俾公代爲僉省。至則瘞其暴骸，完其焚屋，賑其饑貧，集其流亡。撫定一年，西南夷羅羅斯内附。上以文武兼資，可使鎮撫新國，以爲副都元帥、同知、宣慰使，還京兆治裝。或説蠻夷無親，不常叛服，宜以老疾辭行。公曰：「受國厚恩，圖報無所。以皇上之威德遠被，何往不可，何私自幸其安乎？就死其所，懷人德我，馬革裹骨，歸窆是焉，志願畢矣。」遂行，未至，行橐盡爲河西所劫。事聞，上慰安之，再爲降制，及軍中所須。至其境，方諭皇元同仁，不間遠邇，特置大帥，安集招懷，以捍外侮，非利徵求朘削汝也。國人大悦，而公以不能風土，竟疾卒。至元乙亥九月二十有七日也。年五十八。門婿李某護其喪歸。子克脩迎之中塗，號慟屢絶。懷路之民，哭柩致奠者，將三百里。以明年某月日，葬河内某地。後踰三紀，公之孫質拜而言曰：「君及知先祖，且與先人同事許文正公，求可銘先祖碑者，舍君焉將誰託筆？」燧曰：嗚呼！公奉命始至秦，于時識之。其後尹洛，燧時家洛，遊處必見召，常謂忘年友，雖辭而不敢居，抑不可不謂之知己。于其平生，若可概焉。子之言曰：惟仁者能好人，能惡人。蓋先師以初入見潛藩之年，驛召至秦。後四年，公使至，見其道德之容，聞其仁義之言，考其卓絶之行，憂世之志，樂天之心，出謂人曰：「今顔子也。」先師還懷，公爲之牧，以求言焉，則謂之曰：「學者或滯于形迹，而不適用中理。合而一之，始可謂善學者。」猶導公以用世之方，身親接久而始示以性理之妙，而操脩之。又使克脩盡棄其學而事之。其能好人也如何？默爾吉爲監于懷，以暴戾跋扈，名聞一時。同列少逆其意，或詬詈侵辱，不異僕隸。公與處八年，細故則讓，事或害政，則誠意馴導，以理使孚信之，能改而止，惟遠以不惡而嚴。又遊顯代張左丞宣撫大名，爲諸路總管求金符。奏已上，公言之中書，辭不受命曰：「聖上不識譚澄耶？爲顯所舉。」省爲去之。

其能惡人比類，亦庶幾其仁者歟？太師趙國劉文正公，論天下人牧，得邢之張蕓夫、懷之譚彦清，何憂不治哉。先師亦言：「譚侯辭氣溫雅，雍容樂易，達時識治，足畏服人。」其爲兩公推與，華袞之褒，何以尚之？夫人盧氏，勤儉惠和，不侈既貴，能以身率，不輟婦功，故婢數千指，約束如一，壼範之嚴，所至化之。克脩事裕皇，出爲江南湖北、河南北、陝西漢中三道提刑按察使。秉受懿美，得之天；問學脩爲，受之師；忠信愷弟，臨政與人，皆踐其父武。女九人：適淮東宣慰使傅爽、延川令李某、湖南書史石某、江南榷税使賈時益、汾州萬户子杜某、杭州總管子楊某、澧州總管子鄂屯、某參政子盧某、交城以次官子王某。男孫三人：忠，尹大名之南樂；質，宿衛成廟，已銓未除；文，庶未仕。女孫七人：適湖廣省員外郎袁景韓、知陵州杜明、耶律太傅濮國公孫某、東昌總管之孫宿衛成廟許誼、宣慰使子傅蔓、閔某、竇某。銘曰：

有翼其恭，有溫其雍；有訒其言，有裕其容。人有其一，足曰善士。矧公兼之，宜克用世。魯昭十九，猶有童心；公于其時，帥政已臨。視民之傷，猶己致者。奔走不遑，説上教下。事大定憲，由邈皇居。與率土臣，衆以視諸。入侍大帝，藩府帷幄。而日迺與，後義箴擢。凡厥大猷，亦與有聞。權臣肆虐，恃解其紛。大帝南征，歸正天統。于懷于洛，于濼于雍；于是有衆，迭司牧之。惠績寵嘉，虎節陸離。追之風紀，詰姦秦蜀。惟政以仁，不一文律。嘉帥縱兵，入寇成都。劉吾人民，災其外郛，奪嚴諸侯，于彼僉省。以公代往，責使撫定。安鎮一年，移師西戎。皇威甫張，而遄告凶。最公之仕，歷年四十，其二十年，爲帝賞識。矧其有子，官風紀三。其取于天，而得己貪。走賦是詩，鑱石墳道。期爾後昆，百世是保。

轉運鹽使曹公神道碑

維曹肇國，則自文王子振鐸。以武王弟，故與唐、康、管、蔡、霍屬以别之，鈎曰叔。春秋十二國，曹猶存。其後子孫雖散之四方，亦皆曰：「吾先人顯諸侯，捨姬氏，惟國姓。」至參以沛吏佐高帝興漢功，侯平陽國，故絶或續。魏文帝丕篡漢以有中土者，凡四傳，四十六年。自是聞人史不絶書。至金初，曾祖儀，貫籍睢之考城，以明罰執法爲郡功曹。生蔚，解試魁開封。生鸞，以材武受知皇元帥劉公，引爲天下規運提舉。妣夫人赫舍哩氏，金源貴族。生公，諱世貴，字仲明。由翰林國史院書寫，爲元帥府提控。初高麗自太祖世納款，而國王穆呼哩方總兵，歲東征不休，虔劉人民，而臧獲其子女。高麗患之，棄王城，徙其民江華島。世祖哀其首服，爲罷歲征，使復王城。今瀋王之祖，惑其令公林演之説，而安其所，不以時徙。帝怒，命嗣國王塔納格爾兵其界，遣平章政事趙璧行征東省。公爲行省宣使，入諭。演與同惡豎惟茂，禮書宋松、禮侍郎洪紊，陳兵以逆，公叱責曰：「汝海邦小夷，敢以威脅天子之使，則反矣！」戮十餘人，縛演致闕。國王導之入覲，帝嘉其忠，敕授忠翊校尉、曹之城武令。有惠其民，勒石頌之。凡三遷，皆同知劇郡。吉州歲荒，發庾以賑餓羸。隆興羣盜據華洞，數調官軍討，不能平。遣公諭招之，悉棄險來下，皆齒平民。建康去以母喪，會廷議凡前峻官者，例陟之，改溫之治中，以未終祥禫辭。明年，官朝列、福建閩海道提刑按察副使。職乎民者，進爲風紀，非聞望出常調者，憲臺不輕以畀。至則糾閩省平章默勒賊民蠹政，下詔誅之。彼其同列，大爲振肅。滿秩，官中順，遷興化路總管，兼管内勸農事。凡民爲羣盜鍾明亮劫脅污染，進討將士取而奴者，無慮千人，皆汰之。遷福建都轉運鹽使，未上而卒。實大德六年六月二十有九日也。年六十一。葬太平之須城登賢鄉。夫人趙氏，南京提舉趙晉之女。妻道母儀，姻里範之。五子：定國，尹江陰州兼勸農事；靖國，同武昌等榷茶提舉，皆夫人出。次室葛，正國、安國、輔國，皆葛出，方勵學。女孫三人。銘曰：

率土之涘，將帥侯牧。有没其齒，天威不覿。公一布衣，從省東征。問罪高麗，負羈以行。檄先俘海，徙江華島。敢拒爲亂，魁脅縛討。王孫導之，入告爲猷。甚爲帝嘉，邑令用優。既試牛刀，易猛以惠。尋峻其階，吉洪昇倅。言拯歲荒，洪咨諭降。持憲于閩，渠兇斧亢。爲牧興化，凡寇滋蔓。波汙平民，悉賴以澣。轉而閩漕，鹺利是專。甲子方周，白日遽捐。平昔履歷，盡萃乎此。在邦必聞，可無媿已。而所未白，在家亦聞。衰俗滔滔，在官幸身。親未卒哭，期月已出。王事是從，笑言自若。公則異諸，昇護輴車。改溫又辭，練服未除。若是自致，庶古少跂。化民興行，足裨至治。須鄉登賢，而祖有阡。碑以表之，庸信其傳。

少中大夫孫公神道碑

至元二十有三年，燧以直學士召至翰林。孫公時爲閩省郎中，數千里狀其考盧川府君之行，將託之石見求，既爲銘其墳道矣。大德四年，爲懷孟總管，且卒，顧言其子壻郭忠恕曰：「死必求姚翰學銘吾碑。」至大二年，燧方承旨翰林，忠恕其時已爲宗正府郎中，始致是婦翁之命。嗚呼，何公區區不鄙余言，若是之不忘也。公諱顯，字榮甫。其鄉望遷徙，考妣年葬，兄姪名爵，前述悉之。公幼學，既長，以其家隸兵籍，歲從大將南征。世祖立極，置江淮、江漢兩大都督。東則李璮開閫益都，西則史權開閫鄧州，與宋揚州、襄陽兩制帥猗角。及璮誅，廢督府，皆爲統軍。至元五年，大集天下兵圍襄陽，起本平宋。八年，敕統軍駐淮北，實制下流西援之兵。明年，改行樞密院者二年，改行中書省于淮之西。十年，襄陽下，廢省，復行院。明年，丞相巴延行中書省，將大軍濟江。又廢院，與是省合。公以從戎捍敵，應變倉卒，益示暇豫，未嘗窘錯，故由書吏至令史，數年不調。宋亡明年，積是勞勤，官中順大夫，遙授知英德府，同知太平路總管府事。又明年，改江西行省郎中。宋餘孽兩王盜據廣海，遣將給餽。凡其征需，動咨幕畫，隨亦殄平。十八年，官少中，同知荆湖北道宣慰司事。朝廷遣使鉤考錢穀及侵牟者，遂大徵集諸道官吏，無慮數千于鄂省，責公主計局。其使善煩其令，爲藁甫定，則一易之，傍求多塗，約束計吏于行苞苴。公衆辯曰：「册已具矣，何至衆多爲是持久不絶之務乎？有絲髮遺，罪請身任。」使爲之止。其不屈威暴如此，廼歸計吏。二十三年，廷議以平南國升秩過竣，例虺公爲朝列，遷福建行省郎中。以犯法臣陰狡貪賊，盜官楮緡十三萬定，能正而不阿，卒無所染。明年，以僧格爲丞相，爲尚書省中書，六曹悉以歸之，而鈎考尤酷。省臣而下，或杖辱，而閩中獨輕平，未嘗若浙省迫人于死者。南雄械賊百餘人，爲草竊者，當死。公讞之，惟刑三十人，他悉縱遣。安溪賊連十五砦爲寇，公諭下之。省議苟下，惟罪首惡。至是下者數千，衆欲盡屠壯士，分有其子女，公拔劍止曰：「省議云何？敢掠取者，論如律。」惟磔首惡一人。大德二年，復少中大夫，懷孟路總管，兼諸軍敖拉，兼管内勸農事。民蒙其利者惟竹，始竹之徵利財自戊戌，宣課所惟在洛西懷與輝。舊皆民産，由馮德用爲河南漕長，以兩郡之竹妨其課利，請官有之，制國用。司爲奏可，而禁之法密，雖其故主輒取一箇，亦坐以盜，數其節爲布罰，園傍之田，民耦耕侵犯而出，亦止爲罪，民甚害之。官使竭園伐取，竹日益耗，而課入不除。公策于部請令故主與鄰地護守，無禁斬伐，惟責輸賦，是亦復民産之漸也。符下從之，今鬱爲茂矣。譙樓、庫舍、廟學有老弊者，無不新完。諸王妃主經郡，賦民木席爲屋，絡綵周之。晝食夜息，各異爲所。或前期一月具而不至，民又守視不去，去又官吏規取其物，無所于訴。公至，製卉布爲大幕，容倍百人，可以離合卷舒，既便以輕，載以十車之力，送往迎來，無不至所，皆前政未爲者。病革，猶卧治事。卒于郡治仰崧堂之别室。是年秋九月九日也，年六十一。夫人程，卒以至元十八年。繼夫人楊，卒以二十有三年。今夫人李，嘗刲股肉羹進，覬已其疾，斂則斷髮納柩中，示與同穴。子五：二十有年，長某，舟死江中；次某，以任子爲單州州判官；餘未仕。女四：長程出，郭宗正妻，今寡；次李出，適智某，餘幼。銘曰：

崧高詩言，竣極于天。維嶽降神，王不時巡。而公之先，世家其下。其仕其隱，譜無究者。以才見留，謀資其優。逮夫濟江，勞力大酬。英德太平，遙領知倅；官之中順，副以金瑞。尋于江西，長省幕僚。進而少中，其秩益超。轉而荆南，同知宣閫。奔走聽命，踰十名郡。例陁始躋，朝列稍卑。于吴于閩，省幕再爲。後移内地，理問汴省。復其少中，總管懷孟。平生履歷，其止于斯。治兵涖民，何事不爲？爲則事治，有譽無刺。其于爲臣，亦盡其義。其所卒地，郡堂仰崧。何公于崧，生彼此終？豈人之爲，造物者意？歸安崧邱，後昆以利！

勸農使陳公夫人李君神道碑

少中大夫、嶺北湖南道肅政廉訪使陳元凱，語其妣夫人平生于其友姚燧曰：「河東李氏，有開國于金，爲金吾衛上將軍者。子孫雖世搢紳，多顯人，人不目之，惟上本其先，曰李金吾云。夫人則其諸孫陜令欽若之女。先君勸農使將授室，祖考妣規措公、賈穎川郡君，審于采擇，聞夫人淑姿懿行，布幣聘之。夫人既廟見，吾陳氏世緒絶遠，族大以蕃。先君上有參議、提學、奉職三兄。善于閨壼，修職謹事，舅姑孝之，娣姒友之，姻戚睦之，而僕妾恩之，咸曰：『非漸涵姆訓有素，不若是以履度循法也。』歲壬辰，規措卒。天兵劃金河南，獨奉職以詔使死亂，他族皆完。自洛之西，徙家解梁，夙所居積，蕩無遺矣。會歲大荒，夫人擷穭爲糧，然火照績，以事潁川。雖流離造次，其故家遺風，不衰平時。二年，而潁川亦卒。參議與張夫人嫂也，事之如規措、潁川。先君參謀軍中，或自軍所來，橐之一錢尺帛，不有之私室，必歸兄嫂。先君求得奉職二孤女民間，夫人子過所生，歸諸令門。元凱生有三年，不爲天所恤，以歲丁未四月四日卒，年三十四。葬之嶷出先塋，亦賴天之靈，獲託其遺體者。今白首矣，每悼夫人棄世之早，前先君二十四年。先君後躋位光顯，不及同其禄。而元凱之仕，則濡先君休澤者，禄養滋不及矣。今惟有表章德美于是金石，以慰靈下泉，開示子孫于方來者，猶或及焉，敢屬筆子！」燧曰：「吾姚氏與陳同姓也。燧之曾祖妣，亦李金吾諸孫，不知于夫人姑歟，又戚屬也？」此燧不敢以不文爲讓者。勸農使諱賡。夫人二子：元凱、元英。英殤。孫坤。女孫二人，皆有歸矣。銘曰：

良農于穡，天勤其力，或報之秋。秩秩夫人，來嬪于陳，百罹艱憂。君子中道，弗偕其老，年復不脩。何天陰隲，嗇施淑德，貽子是酬。持斧繡裳，風紀四方，民瘼之瘳。爲時聞臣，人賢其娠，誰異其謀？壽母之子，名不世齒，泯泯堪羞。剡首之碣，有美枚列，以表阡邱。（以上《牧庵集》二四）

有元故中奉大夫福建等處行中書省參知政事焦公神道碑銘并序〔一〕

公諱德裕，字寬父，焦氏。雄州人。其上不可遠係，在金叔世，考府君諱用，積百夫長戰勞升謀克，再升令束鹿，又升長千夫銀符。太祖加兵雄也，府君畫地守州北城，降人導闢南門，猶益疾戰。生致帝前，帝善其能忠所事，釋之，仍銀符長千夫。從徇地山東，分畀諸將，藏其傔刃。獨府君揮鐵簡踣之，佯死尸間，夜得脱走。亂定，百十爲曹伏謝馬首，曰：「吾皆千夫長惠活者，無以報德，願公有子若孫，世位公衮。」後偕宣撫王揖踰燕將北，縱奴婢千數百指，立歸其鄉。九族無一有在，復還燕，猶能捐懷金，市米廪餓羸。時艱，行須多徒，夜遇盜數輩，其徒執將戮之，府君不可，來前曉曰：「而皆少年，與顛人于貨，以幸不敗，曷如它爲。與官爲兵猶取斗食，不愈於敗而磔死市乎？」盜感泣説，後卒爲善良。妣夫人解生公，有祥。成童，從舅氏水軍萬户解侯征伐，有謀善功，以拳勇聞。初太尉史忠武公兄天倪，以都元帥守真定，金潛遣間，令其倅武仙圖之。仙殺天倪據城叛，太尉復之。仙走辟西山，夜再盜入，太尉再復之。仙踰河而南，其黨趙貴、王顯、齊福，猶保仙，故辟爲寇。太宗俾庭臣推可諭招者，中書楊忠肅公昌公應詔。至則降福，禽貴，顯立走，公追射之中髃，金人骨寸而死。人服其弓矢勁。剽寇卒，賜仙威州井陘縣北障城田，寵嘉之，得入宿衛。後事憲廟尤受知，三遣肆赦天下，改斷事官，主計局隴右。及自將入蜀，詔與故中書左丞相耶律公董漕給軍食，賜沈香假山，衡之三鈞。世祖即祚，爲使中書降制褒之。逆璮授首，命曲赦益都反黨及亡入南國者，別異軍民，軍付平章董忠獻公，民付宣慰使撒公思。籍封府庫以聞。制賜金符，參閬蓬、廣安、順慶、夔府都元帥府謀議。領規措所四川制使夏貴圍故諸蠻夷部宣撫使張廷瑞虎嘯山，實薪土，塞澗源，俾無從取飲，人日分人溲馬溺數合。帥府遣公赴援，兵距貴營二十里，舍人持三炬烟炎燭天，貴懼宵遁，追及鵝溪，馘千人，獲畜馬舟仗萬計。升京畿漕運使。丁姚夫人艱，不起滿哭。授奉議大夫、僉河東陝西道提刑按察司事，仍金符。以善舉職，升中順大夫、西夏中興道提刑按察副使，仍金符。擊彊捷姦，鷹鸇橫厲，中臺威令，始行羌渾。襄陽下之明年，詔故太傅伯顏公、太尉史忠武公，以中書右左丞相督圍襄諸軍，濟以新籍之兵伐宋。浮漢至郢，太尉疾還。大軍自是踰時息耗悄絶，帝念之深，單旅不可遣以往，詷召故昭文館學士楊恭懿一日三筮，使夬初九，原頤六三。帝弗善曰：「其筮旋師，得節九五。」時至元十有二年月正元日。明日也，數日擇可諮謀軍事者，庭臣推公，召入受命曰：「汝惟列聖舊臣，進取事宜其盡所知以告伯顏，可即戒塗。」猶慮宿留，遣二近臣野者力、蒙各撒而餞出國門，馳十五乘傳以去。去之三日，而大軍渡江捷聞至鄂。從大軍東，頻江黄、蘄、江諸州靡不迎下。而宋相賈似道都督諸軍，逆丁家洲鱗次鬬艦，貫以鐵絙，鉅木編之，横江爲城。公策下令降民：「它無汝苦，惟是丘園林藪材中杙者，翦送軍中，爲火攻須。」三日委積江滸，隱如岡陵。敵懼離其鬬艦，我師乘之，舟戰江中，騎擊岸南，敵遂大潰。似道乘走舸趨揚州，失都督印。進下安慶、鎮江、蘇、秀諸州，公入無定之，民不知爲易代也。升少中大夫、僉行中書省事。獨李廷芝猶閞制閫揚州，誘鎮江叛徒。太保併國武宣公阿朮復之，進兵揚子橋，大破其軍，拔揚州，斬廷芝。幼主面縛，公護送闕下。帝勞苦之，俾還與故丞相阿答海守……〔二〕。（一九三四年《井陘縣誌料》第一四編）

〔一〕題名據一九三四年《井陘縣誌料》原編者按補。

〔二〕原編者按：「上文係碑之正面文字，碑陰尚有正文二十四行，經風雨剥蝕，大半模糊不清，故未錄。」

元故奉訓大夫同知威楚開南等路總管席君神道碣銘并序

至大己酉秋八月，哉生明之三日，奉訓大夫席君誠信用卒官同知威楚開南等路總管。越五年皇慶癸丑，其子孟州學正雲漢持自爲事狀，自懷走郢，拜而言曰：「雲漢不天，先人無祿，即世遠夷。時雲漢守舍吾鄉，其於襲斂之物，袒殯之奠，皆不能親迨。訃之至，始得發喪萬里之外，惡逆之罪逃固無所。今幸反舊，從葬先祖之兆。其涖官一二遺善在人口耳者，非託史臣言信一世者文之墓碣，則益下同凡民，泯無聞矣，敢泣血請。」燧由與君有雅一日，又雲漢觀光神都，嘗主吾家，爲櫽栝曰：席始相人，徙同之朝邑者，不知何世。金季遷三輔民關東，曾祖某家今孟之濟源，生元及金徐州節度判官完與君祖願彦遠。大兵歲至，郡豪將逋民爲避患謀，阻山爲壁，虞内應敵，視其來歸，必詢衆求其平昔何如。有爲人共疾者，皆投諸澗中。惟其家與有善譽者存。或夜盜至，急減燭求匿。盜憤言曰：「若避邪，索得必刃之。」則應曰：「吾與死暗室，何若出死於天之下？」盜識其聲，問：「彥遠乎？」曰：「然。」盜相語曰：「幾殺良士。」遂去。皇中書粘葛公辟行軍參謀，不起。惟一志於學，雖干戈搶攘不廢。苦於無書，從人假本手錄，日以萬字爲程，故經史子集、天官地志、道釋丹經藥鏡，積多至萬有餘卷。時國尚武，人或□之，用是何爲？則曰：「吾子孫他日尚有藉此士而興者。」生君考汝礪，性友愛。後三弟汝霖、汝楫，實求分異巧，盡推所業居與之，而躬拾廢地瓦礫作室。生君，漸涵家訓，以善書計爲縣吏，已有及民利物之志。縣有寡母訟子幼而物力不豐，賦役煩重者，皆輕平之。後以升吏懷孟，總府計于朝事最他路。雲南入覲省臣聞而才之，求與偕行。初世祖平雲南，還留宣撫司大理，治點蒼山。至元十二年，肇建行省臨制其上者，盈一紀矣。會中書考理，其省錢穀銓選龐雜無次，責令檢覈。曾未踰時，編摩就緒。遂補掾屬。滿考，勑官承務，調烏蒙路總管府判官。省臣安曰：「他所無闕，是不可以久汝，其勿薄之，而勉於行。」尋有善地遷之，君曰：「省之□路均職王事，何有中外？苟是路事倚於前，分省少憂亦所願也。」遂行，廼陳隆福宮臣獻計，烏蒙其地善水草宜牧，請以西南夷所括馬牛羊蹄角如千千，即是爲監，歲可得駒犢羔倍是。司監恃之，縱食民苗，取賂其主，必滿所欲，移犨他鄉，周遊無窮，民受其毒，積有歲年。盜所蕃息，私有之家實無小益於上，而大播怨於下也。如紓其急，無便是者。後宣副李京中以爲言，遂罷之，召入攝省理問官。後以行省移近地鴨池，則古昆明碧鷄山，距大理且千里，事多隳弛，中書省議，是一宣司非得經歷翘健者綱維之不可，遂以君代裴者爲之。至則善推明時柔遠之恩，招叛撫徠，民懷其惠。大德乙巳，改授威楚開南等路總管判官，俄制官奉訓同知。是路舊賦金之州，歲遣使即彼以取。非行苞苴權貴與故且親者，不得既至。惟首求賄謀歸爲獻，顧以其逋充官。後徵乎書，又復遣使責其不足，民厭煩苛，積怨且怒，殺州郡長吏以叛者在在有之。君言宜勿遣使，惟責民自輸之省，可絶上下相蒙速亂之原。省惟利其故習，言竟未行，顧遣君督所部賦金。明年，冒瘴以卒，年五十八。以睽隔遠裔，訃不時至。當至大庚戌，雲漢適客吾所，而夫人李以是年八月之望，年五十九亦卒。而二喪併聞，比其反也，夫人季子雲表已犇赴雲南矣。又明年皇慶之元，裹骨以歸，同穴於崇孝鄉士賓里之先塋。雲漢又曰：以吾先人敬其桑梓，雖出使八番順元，見鄉之戍兵疾者，館而藥之，待其良已。在官嘗付黄金三百六十銖牛氏子令寄其家。其人資以遠賈不歸。君使過家，或勸取償其母，君曰：「是卿疾矣，如迫徵之，或盡傷心，重其在疾，必須子歸。」分俸金以問親戚故舊之家，空槖不愛焉。夫人之治家，教子有法，且嚴睦媚中外。生多先人一年，其卒也同在八月而不足三日。夫夫婦婦，積德平時，事無過舉，宜耋耄矣，而皆不及耆年，彼司命者，意何如也？嗚呼，其説真可哀哉！君五子。二女：歸同縣劉氏、吴氏。其三皆妾西南夷女所生，未名。男孫二：沉、孟。女孫一。銘曰：

人臣爲比，猶射者矢。視侯之張，繼所遠邇。嗟若大理，世皇所戡。謂爲遠邪，交緬亘南。謂馬□邪，其去象魏，道阻且長，萬里奚翅。帝憫□結，文書既同。匪官華臣，不變蠻風。及建行省，君實其掾。置錐于囊，其末已見。迨其補郡，求民瘼原。爲策上干，墾悃盡言。甫及制授，知總威楚。伯强降戾，殞越于旅。太行之陽，惟君之鄉。繇考及曾，三世有藏。爾骨既歸，魂無安彼。免及嘔咿，見凌夷鬼。（《永樂大典》卷二〇三五三）

全元文卷三二四

姚燧　二六

有元故中奉大夫江東宣慰使珊竹公神道碑銘并序

推采其世與我國家同原而殊流者，珊竹氏其一。可係則自圖魯華察，以豪傑驍果服其部族，名爲拔突，生烏也而，以開國功官金紫光禄大夫、北京兵馬都元帥，生撒里。妣夫人張教之讀書，世金紫，爲北京等路都達魯花赤，由後强諸侯恃齊險。及大帝之罷諸侯之世其土者，官昭勇，移河間等路總管兼諸軍奥魯，管内勸農事。生公，諱拔不忽。幼師李康伯，成童入侍裕宗東宫。一日賜問，上對當旨，命曰[一]：「□□如斯[二]，不可自晝於學。」其歸卒業時，故翰林學士周正方參北京宣撫司議，公遊其門，命之曰：「吾爲若講授者，皆聖賢性理格言，而猶以國言，名不可更，曰介，字仲清。」中統三年，同知北京轉運司事。其地池泊皆鹽，不煩煮勞，前政禁民盜食，或干之者，罪没其家，惟漕海鹽以鬻民，收其征入。公請差等是道户□，而□□之均賦，其課求不失額而□□[三]，池鹽、海鹽從民雜食，一境利安。其年，校功實最他道，官武節，金符。又二年，官奉政，凡貳漕六年。其年，陞朝列，遷尹濮州。至則便施弊除，民胥愉樂〔四〕。暇則新廟學，舉李和之爲師。公□萃羣吏受學，以變□□筐篋之習，恂恂如逢掖然。用兵襄陽，詔籍民以濟師。公抽田丁中者遣備戎行，人無尤言焉。時憲司初立，部使至郡率曰：「珊竹侯所爲事有乖義者耶，何庸鉤稽其書？」徑越去。廷臣以前爲漕而課入羨，復遣爲貳。公辭：「吾先世無治賦者，既一爲之，理不可再。」廷臣以成命難於中格，遂行。無幾時，改平灤路總管，虎符。明年，官嘉議、江南浙西道提刑按察使。時宋平財三年，杭其故都，自北而吏此者，莫不化其奢淫，劾黜浙西宣慰使，悉□伯〔五〕、上海總管呂謙貪黷非度。獲華亭亂首唐思月，引出將斬，或以不請而專殺不可，公曰：「殺一人而生千百人，何憚不爲？或朝廷見咎，能身任之，不以相及。」竟尸之市，羣黨散亡。事聞，甚爲大帝所嘉。十八年，改江北淮東提刑按察使。楚之監州木少里，凡民稱貸其家，責債不足，則爲木韡錮其足，夏日諸庭，冬則洞闢密室，冰其地以苦之，人目爲閻羅。劾上其事，廢棄□身。後召入爲刑曹尚書。復無幾時，官中奉，出爲江東宣慰使。一年，以病目去家真揚間。爲諸子擇師，初延孔顔孟三族教授張□，再延今國子監丞吳澄。朝夕聞其誦說，遂致知義理之學而篤行之。身履如是，脩之於家，事親□高孝恭及諸弟以□□〔六〕，姻里以睦。至大之元冬十月廿有八日，疾作，支持憑几，諸子跽受其言：「吾事親事君不敢不服勤者，汝曹是之。年六十四而死，非夭。所甚悲者，委九齡之女，身先朝露，而使□□□尚□□□。」夫人以下皆泣，公則止曰：「吾言未既也，祖先庇予，予庇汝。」析其平時□業，四子各善守之，無□而爲人嗤鄙。第一孫婦盛年而寡，無子，其歸父母家。遂絶，明日而蘇。良已，則置酒高會，次勞啗者。二年己酉，疾復作，前諸子曰：「吾先飭者□□□忘〔七〕，今不再也。□謹識者，歲别□□□石以給奉嘗第三子病癈，其加賜楮緡五千。蜀岡土腴，予預爲□矣。不□他塋壟，無納金玉，于舊壙築□高如朱子家禮。」徐曰：「古人謂死曰歸。」麾夫人環侍者出曰：「男子不絶於婦人之手。」□卒，六月丁巳也。越五日辛酉，窆蜀岡義城里。太夫人鮮卑氏，七子，公爲之冢。拔忽帶管軍總管。拔忽潛德拔都魯□□□□□□知雲州，皆不□。拔合赤行臺監察御史，荅蘭□公府宰相，前夫人真□總管史楫女。三子：珊竹帶，承務郎、揚州真滁通泰等處屯田打捕提舉司達魯花赤；阿臘鐵木而，同知宜興州□□□寧□□□官府判官〔八〕。今夫人利州節使住望□□公即□□廬□井樹松，晨夕號奠其間曰：「非君姑太夫人在堂，必日至城一問安焉，用生何爲？若欲與同穴者。」聞者莫不嗚咽，以爲益之悲於□□□人〔九〕□□□□□□□□公□□□又何□□一子拔辰，僉江北淮西道廉訪司事。男孫八人：嘉興、牛兒、三寶、卜鄰吉帶、鐵木兒、卜顔吉祥、奴也速荅，而牛前卒。女孫四：一適平章政□□□□□□□□□□□□□□□□□□□□□□□□□□□□〔一〇〕公子書與事狀，丐述墓碑。嗚呼！燧尚忍摻觚誌故人耶。然以卌年交，舊義不可以□謝拒，因槩而言，衆所甚惜，謂：「公不疾廢席〔一一〕。其先德□秩二品，積是廿年疆場□□先人□□過□□□致隆平之治□□名臣□有不□□者而已。」〔一二〕是哉，固爲知言。然使得志，□是世之仕優而學者幾人？求以先王之道，日溉胸中，尊聞而行，其知脩仁潔義，樂天以終。吾身則有□□□□□□□□□不□者也。其□□□得□不大相當乎哉〔一三〕。□其令妻壽母既多□□有足匹魯侯者。銘曰：

□□□□□□□□□□□□□□□□□□ 何 □□□□□□ 分〔一四〕。天宗之自，公祖裔孫。華胄之承，從我□□□□□□□□□□□□□□□□□□□□□□□□□天將〔一五〕，在□有聞。何天窮之？俾晝作夜。歸休于家，不自逸暇。孰爲善士？我禮以延。俾横遺經，聖謨日宣。匪資口耳，□以身(上缺)在人。□定□天，此語□信。□位而行，□□□□。方之先民，處變不怍。顧言琅琅，即無所藏。魂無不之，何必舊鄉？垂絶不亂，足徵學方。詩碑蜀岡，來者是貳。(一九二七年《江蘇通誌稿·金石一九》)

〔一〕命曰：命，原缺，據北京圖書館所藏原件拓片補。　〔二〕□□如斯：如斯，原缺，據北京圖書館所藏原件拓片補。　〔三〕其課求不失額而□□：□，原缺，據北京圖書館所藏原件拓片補。　〔四〕民胥愉樂：胥，原作「呇」，據北京圖書館所藏原件拓片改。　〔五〕劾黜浙西宣慰使悉□伯：劾，原作「初」；□，原作「士」，均據北京圖書館所藏原件拓片改。　〔六〕事親□高孝恭及諸弟以□□：親，原缺，據北京圖書館所藏原件拓片補。　〔七〕□□□忘：忘，原缺，據北京圖書館所藏原件拓片補。　〔八〕□□□寧□□□官府判官：寧、官府判官，原缺，均據北京圖書館所藏原件拓片補。　〔九〕以爲益之悲於□□□人：人，原缺，據北京圖書館所藏原件拓片補。　〔一〇〕原缺空字十四個，據北京圖書館所藏原件拓片補。　〔一一〕公不疾廢席：疾，原缺，據北京圖書館所藏原件拓片補。　〔一二〕□有不□□者而已：有不，原缺，據北京圖書館所藏原件拓片補。

書館所藏原件拓片補。　〔一三〕其□□□□得：原爲「其□□得」，據北京圖書館所藏原件拓片補。

〔一四〕「兮」字上原缺空字二十七個，據北京圖書館所藏原件拓片補。　〔一五〕「天將□」上原缺空字三十一個，據北京圖書館所藏原件拓片補。

潞國忠簡趙公神道碑銘并序　延祐四年九月二十八日

大德辛丑夏五之十日，榮禄大夫、平章政事、議陝西行中書事趙公，諱弼，字元輔，年五十有八，薨于安西。明年秋八月，葬雲陽金龜鄉蔣郡。考豐州軍民總管，諱得賢。妣夫人楊君、張君、姚君□□大肯卒二夫人姚君腯魯伯君後七年皇□□祚之明年，思公自其生未一紀，以及薨年□□帷幄，出秉鈞軸，厚直儉勤，謙慎恭實，不愆□度，丞弼兩朝者四十八年，而哀哀之典比於諸家獨所未及，宜敕有司其定以上。由是太常儀曹中書請贈封謚爲協恭保德功臣、太保、開府儀同三司、上柱國、潞國忠簡公，制曰「可」。其令辭垣紀德于石，儲皇以命翰林承旨宫賓姚燧、諭德蕭𣂏爲撰書之，遂采其客程希賢事狀爲之序曰：趙之先澤州晉城人。惟知祖嘗中金進士科，而逸其名。妣周君。兵興，惟豐州公勳德具于丰碑。從塔海都元帥征蜀，過京兆，樂雲陽之原田膴膴，留家焉。妣夫人張以歲甲辰生公之明年卒。妣夫人楊子之慈過己生。孩幼不朋羣兒遊嬉，靜重寡笑言；教之讀書，不勤外傅，敏惠兼人，學文善捷對。時帥府郎中至正之自負氷鏡，與孟待制駕之，皆異少成。歲甲寅當憲宗朝，世祖平雲南，歸駐平涼，略畔山豐州，公卒已祥，楊夫人□公以玉栢先良駟坐進帳殿曰：「是妾夫得賢之孤，生十一年矣，不能經那鄰之不無悔其少也，願以爲質。」帝哀而受之，俾主董文忠壽國家。時行營□環，定在無所。會冬狩寒溧，虞傷孱弱，覆御寢衣以燠之。己未濟江攻□，鞭慢命者。公跽請曰：「臣亦在列。」帝曰：「汝童子耳，能成何功。」笑而起之。歸正天位，親寵日優。在輿或坐之皆凴以几。後嘗授事出使，西盡巴蜀，北窮磧漠。歸必問其所塗州郡邊防、兵民官吏、治忽賢否、年穀荒熟，雖試其智能，而實資夫明見萬里，多亦由其無隱條對，便施弊新才顯而廱黜者。後盜殺臣當國力□賤□人以公近而□官，曉求阿己，公則曰：「吾日侍禁中，可交柄臣冀進邪？」帝既身試而面令之，□知其可任官，以朝列大夫爲郎符寶局。明年，升符寶爲典瑞局，爲監郎，爲卿代文忠，賜以鹿盧玉帶，實一品服。明年，文忠薨，又代爲僉書樞密院事，以涼德不足以統六師辭。明年，官嘉議，同知大都留守本路都總管，尹大興府，兼行工部尚書。又以薄才不能舉兼職辭。明年，罷大都總管，兼工部，仍同知留守嘉兼少府監。廿二年，真爲留守，仍少府。京師勢家望族夙未循履憲度者，以公結主知深，不施威猛，率自歛迹，莫有干命者。後二年，桑葛分中書庶務，立尚書省。初爲平章，後爲丞相，頤指氣使，人莫敢違，覬取玉帶。公曰：「賜物，非有追詔不可授人。」廿有八年，斯人者敗。庭臣欲變提刑按察之巡行爲肅政廉訪，分道兼治。詔集二品已上官雜議，中書公曰：「要在擇才，徒新其名而用爲廉訪者，猶提刑人，奚益？」聞者多是其言，而主是相必欲籍分道兼治，代有司責成庶務，竟行之。其年，官資政，俾以使出宣慰荆湖北道。初世祖聞江陵下，嘗爲大燕三日，命平章廉公行省其宋平而省廢，爲置是司，猶爲重鎮，非勳舊臣不以輕授。公至，訪求民瘼。西蜀諸夷琛貢象馬、百貨，入京由梁而秦，道阻且迂。率舟達江陵，山塗五百里，止襄陽始可車，傳驛不足，賦民百十爲羣負之，使急其行程。行或併日，一夫之力不能二鈞，追馬以趨，更代紛紛，人畜咸苦。浚故漕渠，灌以沮漳之水，達湖入白洑，通漢中，置龍岡、奉甲二水驛，四月而成。歲省勞廢，不可皆筭，荆民惠之，曰趙公河，立石頌功。又以宣使去來不虚旬浹，留以事者或越月，踰時無用館餽，以身爲先，集所治官吏一月之禄爲母錢，取其贏息資爲公須。後置河南以北行省于汴，官以資德、右丞，是□成宗元貞始年，官榮禄、平章四川省政事。蜀人敬之，目如西方之神者。四年，當大德三年，以平章政事議陝西省事，三年以薨。與性至孝，恒以矣恃於孩，失怙於幼，賴慈己之妣以生，歲時上冢必慟哭以思，亦可謂喪之終身者。與人以信，告至其鄉，不以隆貴廢謁親戚、父之執家。在朝則兄事文忠。既掌留鑰，亦要官也。出屏騶導，惟從家童一二人。餉饋公堂，器無金寶，惟瓠壺髹漆。或譏過儉，上曰：「渠自安之，汝不效則已。」由是益重其誠篤，賞賚必豐諸他人之家。珠帽錦衣非燕内庭不服，其簡抑貴驕如此。嘗飭諸子曹：「事上惟以吾不欺爲法。」嗚呼！斯其所以任崇而不危者乎。四子：獻可，榮禄大夫、平章政事、大都留守兼少府監，父子繼相，真克世其家者；獻翼，奉議大夫、洋州知州。又山禿、古赤察赤，國學生。女四在室。男孫一。女孫四。銘曰：

大人未造（缺），求庭臣舊。總丱婉孌，無若公幼。而帝私之，踰父之慈。方時寒祁，覆御寢衣。維億萬臣，受服孔有。切膚之物，誰可褻就。而獨視公，猶木蘖芽。植以培之，待其成材。若是在已，授事方始。畀黄鉞車，出載犂壐。俄毗宥密，進退六師。公拜稽首，非臣能爲。改尹神京，兼行虞部。又拜稽首，多職敗舉。俾專留鑰，威猛不施。凡昔豪嚚，律度謹持。如是要宫，出衛入宿。屏其鳴騶，匹馬一僕。寒暑六更，開閫于荆。善慰以宣，泮乎頌聲。右揆于汳，平章于蜀；又平章秦，三秉鈞軸。盡瘁兩朝，卌有八年。求他臣鄰，莫父與延。肯聖生榮，今聖哀死。國之上公，位崇謚美。儲皇命賓，銘碑于阡。公乎有知，肉骨九泉。（明嘉靖二十六年《涇陽縣誌》卷一〇）

少中大夫輕車都尉渤海郡侯解公墳道碑

至元三年，武宗若曰：「内外庶官，五品而上，既皆宣授，于其子孫，亦光顯矣。而其祖考，猶或布衣，歲時廟享，工祝致告，無所稱謂，非所以興孝天下也。」乃敕省臣，列五爵三王，加階勳而等威之：五品子男，從男正子者縣；四品郡伯，皆惟考一代；三品郡侯，父及祖二代；一品國公，祖而上遞衰之，至曾爲極焉。惟褒詞用御前寶者，以其名聞，他如宣授。用是少中大夫、秘書監丞解節亨之考禧，贈少中大夫、輕車都尉、渤海郡侯。妣樊，渤海郡太夫人。祖政祥，中順大夫、上騎都尉、渤海郡伯。祖妣樊，渤海郡太君。節亨將昭聖代禮使臣下之美，且侈吾家之美，希闊之遇，樹碑先塋，託筆于燧。因惟前古不及三品者不以封謚。揆今爲制，下及五命，至德深仁，爲何如哉！揚厲張皇，史臣義爲，故爲解氏略其遠紹。惟始上世諱元，家真定者，有子十有二人。高祖諱徹，登金進士第。五子。曾祖其季，諱信，當金末世，爲真定綾錦院長官。娶安氏，實生中順。安卒，繼娶密氏。國初，徙所領織工將度漠，道卒野馬川。中順事繼妣以孝聞。讀書力學，强敏兼人，淹貫經史，尤邃《易》學，傍及天文曆法，靡不精究。金棄河朔，全趙已爲元有。會武仙殺都元帥史天倪以成叛而臣金。山太君爲高苑金武義將軍女霖之女，遂避地高苑。歲戊戌，太宗詔試多士，中是選者復其家。中順以《易義》登第。卒，年八十三。肇塋殯之渤海安豐鄉之東原。太君卒，年九十四。曾祖死遠役，柩不得歸，别製衣冠，呼其魂，合曾妣、考妣兩世皆窆是焉。二子：祿及少中。惟少中樊出，誠篤而多學，爲軒岐言：「是邦疾者，恃爲司命，擇師教子，恬忽時榮。歲荒，則發庾贍饑。凶喪急貧，無待見告，賻而周之。則吾所儲，如彼外府，少不留吝。稱貸遲歸，火券罷償。」部使者經郡，觀省民俗，必以其事上聞。其章不計，堂帖有司，大書其門，旌曰義士。詞垣之臣，賦詩交詠。凡是鄉閭，無間嘗飲惠與否，爭進饋賀，其曰：「免織工取直末入綾餘五百匹。」至大之元冬十月二十有七日，不病而卒，年八十一。妣郡太夫人亦樊氏，金行部員外郎之女。常從母受學，故于經史及《列女傳》皆嘗誦習，且善書。歸解氏，賢淑有聞，舅姑姻戚稱其孝睦。亦以至大之元冬十一月三十日卒。二子：節亨筮仕爲工曹史，出爲濟南錄事參軍。杖其豪右使酒公所者于市，由是惡少斂迹。再轉德州判官，大新廟學，以振風教。移獄疑囚，凡有司積歲不能正其罪者，皆檄讞之。合前爲錄事，聽審得情，使誣詆者不得脱死，無辜者賴以伸雪，無慮引連數百人。事有今太子少傅李謙《德州學記》、郡文學所紀、部使者之章可稽焉。擢光禄寺主事、集賢院都事、秘書監著作郎。今進而丞，秩躋三品。又降恤詔，推恩二代，下及墟墓。其于孝子慈孫，責已塞矣。撝謙提領濟寧益都屯田，以親年下無兼侍，辭不赴。三女：長適知和州萬宣，次適同知膠州姜陽，季適太常少卿王景元。男孫六：儼、儀，儼舍人，儀國學生，四未名。女孫六：長適般陽學正王麟，餘姆。銘曰：

生烜其名，隨死而泯。猶于柳車，曾未旅軫。一世鼎鼎，幸趨者多。思所致然，夫豈在他。由積無素，功微德薄。譬彼潢潦，其盈易泄。惟義士君，《詩》、《禮》青氈。術已惠人，矧財善捐。篤生孝子，家學弗畔。一爲集賢，兩踐東觀。用是宸楓，進官少中。推恩其先，俾貴與同：又爵之侯，土以渤海。于祖少陁，惟土未改。中順伯之，兩妣皆樊。太君夫人，賁及墓門。平生侯伯，精多用物。安知斯時，不已肉骨。矧兹秘丞，膴仕日躋。爾伯爾侯，進爵會齊。安定東原，萬家可置。户以守之，用華百世。

磁州滏陽高氏墳道碑

有國之所以寵臣下者二，曰爵、曰錫。爵自九品，推而上之，至一而極，雖有策制敕授等威，其歸皆億萬維臣之同。若夫錫也，億萬臣中，無有百十之見及者，人臣得之，一已幸矣，況于三乎？在《易·

師象》:「以三錫命,爲懷萬邦。」今江浙行省郎中高謙,昔都中書左司事,錫象笏;禮曹郎中,錫貂袪袖狐裘;中書左司員外置,錫白金百兩,金奇服三,實三錫矣。古所以懷萬邦者,集其一身,則天子之加禮以使者何如!宜謙丐燧大書先桓,上以嘉君命之辱,下以起本父教之忠也。維高氏自汾之孝義,徙磁之滏陽,則由其曾祖府君有官勳于金,喪亂失之。祖府君諱閏。夫人張氏。考府君諱澤,字雲卿。金既播汴,太祖徇地,北人能以州縣下者,即以爲守令,僚屬聽自置,罪得專殺。磁守杜國用知府君吏能,求以自佐,推澤爲孔目官。俾司其州岸獄,招求散亡之民。大兵之餘,市虎田萊,驅而翦之,以立公宇。四境户版,僅及千數,他州之民,聞磁懷輯有譽,多來居。他州虞損户數,欲徙還之,不得,遣追胥即徵徭賦。壬子,天下大料民户,歲入銀四兩。民已無所于得,州縣迫征不休。回鶻利之爲券,出母錢代輸,歲責倍償,不足,則易子爲母,不能十年,闔郡委積,數盈百萬。令長逃債,多委印去。時開尚書省于燕,府君頻歲以二者爲控曰:「今天下一家,無有此疆爾界,民之錯居,宜從土斷。又百穀桑麻,衣食之源,歲鱗取之,爲利無窮,古有天下者,悉驅遊隋之民,盡力南畝。今釋是而户賦之銀,且産銀之所,四海無幾,必深山邃谷,鑿隧篝火,畚礦鼓冶而得焉,可以盡給四海賦民之求哉?若是不已,將日消月削,窮益滋甚。」省雖是其説,竟以法制立矣,皆不得其要領而還。中統詔下而負銀始革。州遷滏陽令,府君曰:「孔目州佐也,他令由吾銓,今乃與是班乎?」薄不欲爲。後朝廷誅東反虜,懲世官弊,守令之選,收歸吏曹,而易其地,前爲令者,悉以今遷。府君惟自州佐監武安、衛輝、單、曹酒税。衛輝、單、曹加提領,或咎昔不爲令,府君則曰:「命實使然,我自棄之,又將誰尤，天今畀予征商，不剝下媚上，道及民矣，安爲而不卑之？」及謙入官來前，飭曰：「吾所以屑俯首者，待汝用世也。勗大吾宗，吾不仕矣。」以至元甲申夏五二日卒，年六十一。葬某里。夫人劉氏，以賢淑聞。二子：長某，早世；謙始爲彰德路總管府判官，入爲工部員外郎，轉都左司事，禮曹郎中、左司員外郎，出尹開州，兼諸軍敖拉，遷江浙行省郎中，改淮東宣慰副使、江西行省郎中，再爲浙江行省郎中，固亦足顯其親。況稽近古，父位不充，而子或通耀，國家不欲子孫貴臨祖考，故視子孫今何官勳，生封而死贈之，使貴與之夷，興孝勸忠。聖元既法行之，加郡國公侯于某將相之家，亦他日求推恩之凡也。州佐比古上士，道可謂未盡行其時矣，而先有是仁民之策于廷臣，欲紓其急其蘊豈淺淺哉？而天嗇是享于其生，其留豐報諸其死，俾哀榮及廟墓者，匪資謙貴也。從而銘曰：

覆一蕢以基崑崙之臺，溉由蘖以須負棟之材。此常人之情，皆亦蹶蹶其艱哉！孰曰昌厥後來，爲濟時之才？并冕崔嵬，而非先德之階。豈羈於人而天之譖歟！必百世溢水限。有由斯銘，而伊人之懷者矣。

靈山先生董君實墳道碑

嘉議大夫、臨江路總管兼管内勸農事董章，將勒石甄表其考府君靈山之墓，持太平郡文學姚和中事狀，丐銘于燧。因惟萬物本乎天，人本乎祖，稽漢金石，惟祖始不可推采者，則不本之，苟可推采，無泯泯而不本者。故祝睦緒高辛火正祝融，度尚與顓頊世掌位統國法度，衡方唐扶之胄堯，陳球袁良之苗舜，孔耽殷烈蔡湛文葉諸君，是後神明者，可殫紀耶。然是推采，雖精博之士，遠據爲説，猶啓後人牽傅之惑。若《春秋傳》蔡墨對魏獻子龍問，曰：「飂叔安裔子實甚好龍，能求其嗜欲飲食，龍多歸之。乃擾畜龍以服事帝舜，錫姓曰董。」《春秋外傳》以蘇、顧、溫、董爲己姓之族，蓋黄帝二十五子，姬、酉、祁、己、滕、葴、任、荀、僖、佶、嬛、伊，惟青陽與夷鼓同己姓。則董父非止裔于飂叔安，爲黄帝裔孫者，又較著也。在夏殷世，文獻無徵。周則晉良史狐安，于秦將翳，漢江都王相仲舒實生廣川，其地則今真定，屬郡冀之棗强，故是姓在趙者，多宗之。或曰：「今居真定天祿坊者，猶其遺苗。」君諱珪，字君實。曾祖明善。祖好義。考信。家真定屬縣靈壽。其離析天祿，固未大遠。至君業儒，以江都罷黜百家，表章六經，使道術有統，爲羣儒首，嘗著《玉杯繁露》，發《春秋》微，曰：「吾家學也。」遂專經《春秋》。當授室，鄉先生宗訥奇其願，立女焉。事考府君、妣夫人色養無違，有純孝譽，味道自腴，恬忽勢利，不苟上交，所親與者，纔兩張公安撫蕓、大夫參鵬舉，殊篤其敬，使則過其廬，違遠則書候其安。又善植産，積則散周其鄉。歲荒，爲糜以全餓人，加饋癃老以肉。逮三子章、奇、彦，奇生，曰：「古以三人爲衆，吾家四世，惟一其傳。積德在餘，有是衆子。」延師私塾，務知脩己治人之要，以篤其成才，不事記覽爲詞章誇逐時好。既其入官，惟飭三事，曰：「忠以事上，清以約己，仁以裕民，古之人，未有捨是而名昭于時者。」晚愛靈山，暇與親友縱遊，曰：「是荀卿子所謂秦剡趙有苓及松柏之塞者。後與封龍、無極、三公、白石，其一則余忘之，爲六名山，皆吾郡之望。太常給珪幣祠其得法食者。今其文曠墜，吾與二三子屬觴乎？此亦可爲千古一慨者。」故人號之靈山先生。以至元二十有三年丙戌春三月十有一日卒。年至六十九。其月十有六日，葬某地。以前卒宗夫人祔。繼娶孫氏。章由卑官積至太平路總管。遷總管平江，户甲天下，賦重而役繁，民頑弗率，前政往往以不職罪去。及章來，爲出令化之，不專威虐，而政以成，績最浙西，爲良二千石，斯克佩先訓之效也。後移臨江，至未再月，以首疾去。男孫五：奇太原路交鈔庫使，彦提領蘄州路税課。二女：適百户王某，鄉人趙某，自章而下，皆宗出。男孫五：汝霖主岳之臨湘簿；汝柑提舉大益山屯田；汝梅同知信州路事。女孫五，一適燕山劉氏。男曾孫十二人，仲玉、仲珍，餘未名。玄孫二人。嗚呼！後靈山者四世，已二十有四人入官，不家食者四之一。其遠而益蕃盛光大清顯者，可知也已。銘曰：

維天于士，不全其畀。或阨窮家，或顯庸世。其顯庸世，無澤民加。雖烜其時，清議弗華。其存其厄窮家，肥遯自遂。道集其躬，令譽日致。嗟之有苓，伊爾廣川，江都之宗，實蔓以綿。其存遺編，玉杯繁露；千載茫茫，誰究其緒。君曰家學，吾舍焉師；孝親之餘，力振起之。天爵篤脩，紛華若遺。迨子之仕，提耳三事。曰忠事上，清以自治；仁能裕民，則古良吏。章也持循，恪慎其身。官二千石，歷郡必聞。有後如斯，亦既克述。其來其思，無替爾續！

孫府君神道碣

少中大夫、前同知荆湖北道宣慰使今福建行省郎中孫顯，自福州使人持其考盧川事狀，六千里走書京師，謁銘神道于燧曰：「我孫氏故鄭管城力田人也，族大且滋。由兵興去平土，即險而居，始遷今河南之登封。會歲荒，先人分族五百指，輦祖妣，就饒唐之比陽，先祖獨留。祖妣卒，其族以干戈未靖，謀趨漢南。先人死懷先塋，生思先祖，偕先妣挺身西北。至則鄉邑蕭條，先祖巳無可問其存殁矣。寓食河之北，數年復歸，剪棘而田，斬茅而堂，日夜作苦，十年而能家也。復崎嶇唐鄭之郊，即遺親故老哀號百至，以求先祖之柩，竟負窆盧川，篤孝如是。人有亡罪來歸，寧抵冒法禁，舍匿其家，不忍聞知官也，事去則衣□而遣之。後有子明顯，益躬力穡，不勞使之，以奪從師知學爲吏。晚歲，號盧川老人。與紫雲、雲嵒、玉溪輩年相夷者七人，相從泉石間，方顯通貴，力可以足旨甘，適清溫，而嚴霜交墜。嗚呼，命耶？孤顯逼以福省始罷今開，傳持其印，甫畢襄事，不得終喪而南，固不爲昊天者吊矣。重念先人爲太平不遇之民，行施于家，而不昭一時。言及其鄉，而不聞百里之外。功微而用薄，道晦而居易，所以亟勒石者，非以溢美誣世是求。庶幾吾宗遺苗，知權輿斯家之易。雖明詔嘗有追封之文，猶以例未開，不敢倡爲之請，以試不測之雷霆。今幸賜銘，非顯生拜公，嘉我先人，亦將肉骨于九原也。敢泣血請。」燧哀其志，且生永寧，去登封三百里，均爲河南屬縣，爲生同鄉。少中宣慰荆湖，某爲憲副，爲同官，義不可讓。嘗究孫氏先世，由喪亂，名字皆逸。少中之祖，伯季四人，其伯也，始徙登封者，實生盧川君。諱聚，字某。年八十五，以至元丙戌冬十月十日卒，葬先塋。以元配程氏祔。程有賢行，以君四十無子，爲娶姨母尹氏子，而生明、顯。明讀書不仕。男孫七人：禎將仕郎、峽州路知事；復將仕郎、主枝江簿；亨、謙、豫、節、元咸幼。女孫一人，亦幼。男曾孫六人，未名。女曾孫四人，踰幼。嗚呼！君夫婦惸然還登封，及其屬纊，三世子孫，已且二十人，其婚姻葛藟之家，猶不居是選，固已衍爲盛門。已微而昌，始屯而亨，天之福人，亦易矣哉！又少中涖民治軍，遠跡嶺海，蜚聲振績，爲時聞臣。子貴應銘法。銘曰：

凡今受姓，咸出黄軒。其自以氏，實爲公孫，後有王孫，别胄王室。文由便省，去覆而隻。有煜兩孫，世緒咸遙。欲一其初，循本自條。其居登封，由管城徙。鋒鏑逃歸，孑然一已。胼胝手足，克艱造家。感迷先邱，號求邇遐。民欲天從，爰昭其孝。指所在藏，假人以造。乃安斯窆，盧店之阡。爲子擇師，蘄材毓賢。日薄西山，釋勤自佚。鬭蘭醸松，踐嵩故實。伊誰首之，内翰馮公。君誠未學，異世樂同。杖屨聯翩，榼壺攜載。傴傴耆耆，白首七輩；富田連疇，壽垂九齡。子孫官歸，朱紫拜庭。君可盡有，人所願愛。黄腸一棺，無恨于蓋。送終隆數，孝子義爲。嵩高如拳，始爛之碑。（以上《牧庵集》卷二五）

全元文卷三二二五

姚燧 二七

奉訓大夫知龍陽州孝子梁公神道碣

維梁氏世彰德安陽人，金進士棟，生皇府錄事，生圭忠。濟爲東平嚴侯，力能生殺人。彰德時爲屬城，招不能致，足白自信，不可威屈。生君，諱琮，字文玉。脩幹美髯，好學篤古。考府君卒，廬于墓側，晨夕悲號不異袒括手理垣木。鄉鄰傷之，衆佐其力。終喪，初事北安王，再辟掾宥密，後從濟江。以平宋勞，官承務郎，尹湖之長興。民俗，生女則教琴筑歌舞，長利技色，事人取貨。歲滿，則質他室。生男，謂無所于得，率不鞠，投棄諸水。爲檄曉曰：「若新國也，未知吾元爲律，倚市門子，猶不敢棄，况茲天民，長賴給上力役者，不特傷汝父子之親，亦乖聖世繁育生齒之旨，敢復然者，論以違制。」由讀《木蘭院碑》載宋寶應丁亥湖水大溢，流死數萬，聚葬於此，若京觀然。遂盡傷心罪前爲，令罹是大厄，猶不爲虞，安必異時湖水不再至耶。發民築防，延數十里，高袤及丈，日急其程，如水朝夕至者。悦以使之，民不怨勞。竟工，種柳雜木其上，以捍衝齧。縣有李王祠百區，皆非法食，毁取瓦木，用新縣治廟學，尤麗高敞，加什其舊。即其羡材，倉廩府庫，病坊遞舍，無不改爲，居民行旅，爲之改觀。效命義軍，故皆鹽夫，羣行市中，人無誰何。一日，椎釀甕，眇酒翁目，叱衙兵追捕。或諫：「如是顆繩，恐不利尹。」君曰：「吾奉天子命，尹此土，莅此民，安能坐視鼠子與尹爭長雄自爲名哉！」盡收其黨二十餘輩，杖之鄰死。自爾鄉民效尤，夙號難令，小裂公牒，大殺兵吏者，皆側足斂手，無敢肆暴。嘗裹糧紱印行田，老父爲具食，發槖償直。父問所紱爲何，曰：「吾令也，紱縣印耳。」父出告其鄉，鄉民百數十人，追及于行，爭持酒炙遮留，後至者，觸器覆酒流地。酒主憤云：「令去，必刃汝。」觸者曰：「吾亦有刃報之。」君曰：「民以吾故相仇，其咎在令。」衆惶駭，罪其失言，二人慚伏。君爲曉曰：「吾元禁挾弓矢刀槊嚴甚，輕杖重死，若曹何苦干禁挾此爲耶？且戍兵以索此爲名，得之，則破汝産，其皆納置令所。」乃得兵數千事而還。後衙兵暮夜追呼，民燭令署畫刻而至。訟牒至前，決以其日，未嘗滯囚，圜土屢空。去之日，士民號送填道擁馬。既久猶思，求頌其德，刻石縣門。後令不可，民請不置者數年。一監縣者曰：「梁令非有惠民，何能致然。從汝樹石公堂右方，書今歲陽歲名，以彰其賢，且俾人灼吾不昧善也。」至元二十四年丁亥，去實應實一甲子，湖大溢，水不冒防纔二尺。民始歎曰：「微梁令，葬魚腹矣，雖求爲魚得乎？」加承直、福建勸農營田副使。巡行建寧時，羣盜聚浦城。戍將方加兵，君止之，請身至其棚，曉曰：「汝皆平民，逃州縣重賦繁役，出此甚不得已之策。汝曹自計，甲兵堅利，儲餽有繼，訓練有素，徵發日多，孰與官軍？而乃以就盡獸聚鳥散之人抗之，不敵明矣。能從吾言，捨險即夷，相率而歸，小可以徼賞，大可以得官，孰與鬬官軍，身膏草野，妻子奴人乎？」因血指爲盟，民感泣，投戈拜賜，不煩兵而附順者，若干千人。後議事福建省，會南劍俘賊妻孥三百餘人至，公曰：「是多平民，爲賊驅脅，宜旌別之。」縱歸者半。尋遷福建都轉運副使，丁妣夫人憂，又廬墓終喪。升奉訓大夫，知常德龍陽州。民聞有惠長興，爭境逆而遲其來，方大施張，以變前習。數月代至，民復境送，而速其去。大德四年，爲子鎮畢婚南劍。夏六月十一日，卒。歸葬其鄉先塋。夫人同郡李氏。二子：伯也鈷，有學行。二女已從同郡趙某、許昌程某。二孫：浩、浦。至大己酉，有司上羣從共居族子，亦能喪親如君，《詩》曰：「教誨爾子，式穀似之。」宜特旌異，風勵四方。庭臣用嘉，揭諸大逵。爲孝義坊，過者式焉。鎮恐先德猶未白世，聞燧舟應宮賓之招，自淮安逆至儀真，拜而請曰：「先君墓碑，未敢遽言，俟他日，必即京師見懇。」今而果來，爲之詩曰：

聞古有訓，孝子之至；不于養生，于喪自致。敦古如君，未忍其親。玄宅長還，曠野無鄰。即邱築室，僅蔽雨日。呱呱三年，忘盥與櫛。家本之身，克爾親親。推以爲國，何有仁民？長興孩乳，脱不宛夭。患防悍馴，庶弊皆矯。于福營田，劭農是官。往造賊巢，舌柔暴殘。雖生平爲，蓋棺迺定。不有太史，孰筆卓行。瀰瀰清漳，源出太行。有碣其壖，流芳與長。

武略將軍知秦州史君神道碣

至元十有六年，其歲己卯，五月二十有一日，武略將軍、知秦州史君，卒後二十二年，夫人亦卒。又後是十有一年，至大辛亥，其子興平令誠，三千里馳書京師于燧，曰：「昔太傅魏國文正許公，私淑于秦，我先人時童子，北面事之。君年先立于下風。今將舉是二喪，别塋于長勝坊少陵原，樹碣墳道，昭示悠長，銘捨先友，其將誰託？」余勤其請之遠，爲序曰：維史氏雲中人，太祖加兵中國，禡牙始此。故考府君廣，隸師王穆呼哩戲下，以從殘河朔、河東功，戍鎮西州。金蹙國播汴，棄關輔徙其民于河之南。乃偕田侯雄踰西河。雄取京兆，府君逐盜華州，芟荆杞，飯蓬稗，以立官舍。又歲，從太師塔爾海伐蜀功，授璽書、金符，即知華州。有子八人，君其嫡長。諱克恭，字子敬者，皆先師所命。年十有八，府君丐老，遂襲爲州。惟騎射精妙，得其家學。他皆戛去紈綺豪習，遇其聯仕，不以刺州自多，而克下之。華之父老故人咸語曰：「吾邦君有子能爾。」其所加禮，不以年少而後其父。會龍世侯，遷刺同州，同接壤華，人信己素。滿秩，刺乾，土廣而户寡。不虛旬浹，以當甘涼諸侯王妃主吐蕃去來驛塗，比供億不失，幸未速戾。實艱實棘，勵志州校，割俸爲倡，創新廟學。後刺葭州，葭瀕西河，方攝延安路事。昝順寇成都，盡發路民爲兵以戍。君汰貧弱，惟抽富民産沃丁衆者籍之，輿誦曰平。俄秦藩肇建，方冬，發萬人築白海行邸。君營五原寨，沍寒甚于他州。方是之時，急其程作，民必槁死。君輟徵集，須春赴功，其不苛民媚事，形勢如此。移刺秦州，未上而卒，纔三十有五。嗚呼！不年哉。大帝淵龍，自輝驛致，先師至秦，實歲甲寅。君從學八寒暑，先師嘗譽其厚重篤勤，有入道資。由己未還鄉河内，故不卒業，而早宦所就已此。夫人瓜爾佳氏，金遼東行省必喇珠之孫、皇先鋒使色埒之女。當君之卒，年猶盛也。三子：誠弟謙，以門功主同官簿，讓不祿。覩二子成立若是，豈不爲善持家學之徵歟！女孫三，姆。銘曰：

繄君先公，興龍之逢。扳民于雲，樹勳先攻。初亦豈易，奮殳顏行。攻壘略地，大河之陽。由晉而西，移軍弘農。乃翦寇攘，有華四封。何以寵嘉？有煒金節。副之命書，郡侯是列。君襲爲州，猶小子侯。會華世官，循年轉流。遷之馮翊，與華壤錯。吏習民安，坐嘯畫諾。于乾于葭，乾難葭尤；乾止倏還，葭多隱憂。隱憂如何？籍兵戍蜀。與彼秦藩，行邸迫築。乃恤民寒，緩程須春。年不三紀，未上卒秦。司月旦者，評有二悼。一不終業，魏國去蚤；一官止西，雖曰邇家，有施不幸，神都去遐。不峻其階，終始州刺。豈天嗇之，將熾爾嗣。少陵之原，實古上林。碣以表阡，庸告來今。

太倉監趙君神道碣

燧讀廣平府教張宏狀其弟子今奉議大夫、僉嶺北湖南道肅政廉訪司事趙勵之考，太倉監君之行，而取其三焉，曰：學約而醇，官久而卑，操窮而確。蓋《書》以乘治忽，《詩》以正性情，《易》以際人天，而《春秋》以謹名分，著懲勸。其删定繫作，雖一出仲尼之手，以諸賢弟之問，聖師之對，示萬世以操存涵養，爲傳心之要典者，惟《論語》爲然。而君誦之終身，不治他經。雖不治他經，以推治他經，譬則破竹，將無有迎刃而不解其節者，豈若今務博者，童子知誦六經，白首猶迷其源委。君亦漢氏諸儒，專門一經，顧多成才之亞歟！故出而仕，其卑則監倉。夫積久而易糠腐者惟粟，必羸其入，而棓其出。羸其入也，則輸粟之家病；棓其出也，則受廩之家忮之。或一有言，皆觸禁者。矧利所在，覬得者衆。臨制之吏，鉤名綜實，不于書，則于庾，鱗比取之，月異而歲新焉。幸有慎者，已不爲盜，人則迫使必盜，故完往而敗歸，潔入而汙出，償產傭孥者武敏接也，此監府縣倉者然也。太倉則儲幅幀之粟于斯，其糠腐尤夥，尤夥則羸入而棓出者，愈無紀極。地由邇輦轂，則病而忮者易愬，易愬則完往而敗歸，潔入而汙出愈速。或一二歲爲之，不償產傭孥者有之。必無二十年之久，而不蹈者，非不循俗，嚴己以拒人，察察醇白者，疇克爾然，亦確確乎其艱哉！或疑是非德之大，不曰鄭之國渠鑿涇注填閼者水也，井亦水也，以之溉也，井之利，累日夜有不能終畝，而鄭渠歲灌瀉鹵四萬餘頃。夫不計井之勞，與所居之小之異，而責其不爲鄭渠，世鮮不以爲迂。使日夜汲之，積二十年之久，冽而不竭，亦佳井哉！監倉古委吏比也，仲尼之聖，猶止于當會計。讀《論語》而學仲尼者，能是已矣，非德歟？既其歸也，有廬于城，而無田于野，無臧獲以服事朝夕，供井臼之勞，薪糧之須。諸子身之，衣惡食菲，安不怨尤。里之豪悍，有恥其乏者，曰：「使幸交我，我則周之。」君曰：「吾受德鄙暴，以捐吾介，不可。」及子勵仕，常從之官，每飭之曰：「世固有羞賤貧，而希富貴權倖，以死無回者矣，莫不一敗瓦裂。汝惟義命之安，祿入之外，不可他營銖髮，以賊其心。能謹其事，而忠于上，則良子也。」年七十九卒，猶以是爲顧言，實至元甲申四月十有一日也。君諱珪，字君璋。世居盧龍范陽間。四世祖通，以材武得官于遼，爲千夫長。祖達，不仕。考托，監酒上蔡，義宗播蔡，死蔡亂。君踰河，僑家洛州，爲州將成侯兵曹。後入監太倉。洛今易爲廣平，陸州爲府。元配河南胡氏，前卒三十二年。三子：彧、德安、勵。金無經學，吾元狥地漢上，得江漢先生趙復于雲夢。至燕，而經生始集。彧從之遊，有善學譽，與耆宿友，年二十四。德安年四十，皆前卒。一女，適肥鄉蓋氏，再配東海盧氏。前卒二十年。男孫某，年二十五而卒。女孫一適同郡韓氏，一適巴圖總管子毛穎孫。曾孫一人，未名。勵自知淮東憲事入掾中臺，又掾中書。出同知晉州雲南，行御史臺都事。今爲湖南，至所治善恪其先訓者。大德戊戌，將改葬君與兩夫人于某鄉里，求燧銘墓碣。銘曰：

生煒有輝，歿淹其升。孰曰嗣人，克善乘承。幽光于生，蓋棺益耀。非子式顯，歸以何道？嗟太倉君，恬養廉貧。其志不越，式是後人。入循周行，出而要荒。繡衣所如，梟狐遁藏。期爲良子，可曰不負。令甲聽爲，于親可後。易桓爲碣，洛水之阡。太史繫詩，何永不傳？（以上《牧庵集》卷二五）

南京路總管張公墓誌銘

公諱庭珍，字國寶。曾大考淵，大考士明，以武力再世爲金千夫長。家臨潢之全州。考楫，北京都轉運使，故又家北京。公于次爲中子，沉靜易直，通毅辨彊，綜經緯史，尤長《左氏春秋》。筮仕，已存愛民利物志。事先帝，以典内帑受知。先是高句驪不請，徙居海中江華島上。遣使問何由，且詗其貳服，親擇廷臣可者，即命公，時年二十三。至其國，王禮事之甚恭，書言：「吾歲入幣大國，未嘗不謹臣職，非與未臣而敵已臣而叛者比。而大軍歲入邊，刈吾人民，奴吾子女，有吾貨財，蹙吾土疆，吾是以捨衍而完險，誠出甚不得已之謀，非首鼠他圖爲也。」末疏黄金以兩計，白金以鎰計，各千百數爲壽。又言：「誠以是慺慺之言，歸聞之上，幸止邊軍無歲入，願歲幣外，别入如今相壽者數，歲歲爲謝。」公勃然曰：「王以天子之使求貨來耶？」揮去。歸具道王言，且保其國無他，避掠徙耳。上亦悟曰：「人歲入幣事之，又加兵罪之，誠何以待不臣而敵已臣而叛者？」詔令軍止戍邊，無入掠。自是完東夷室家父子，無慮萬億計。自將伐宋，從至閬中。留爲安撫使，治兵，裹摩創殘，外供仗糧，不擾而集。今上即位，中統建元，自將北伐。以故先朝故臣，熟西京入漠南路，俾置傳驛，兼給饋餉。至元四年，授同僉吐蕃經略使，兵裁叛離，仁革狼頑，渠酋讋撓，滋久安順。六年，授朝列大夫，佩金符，責貢安南。時已徵天下兵數十萬，圍襄陽，實爲蹶宋起本。勳臣故相，上與咨軍國謀，不可一日離側者，皆出行省董師。公至其國，王立受詔，公詰曰：「王行非止違命干禮，于利害且不熟知。揆此邦人民土地，不當天朝一總管治。皇帝不欲郡縣王地，版籍王民，聽其稱藩。遣使諭旨，德至渥也。且王以與宋輯睦，緩急而援。今百萬之師，長圍襄陽，鳥飛路絶，朝夕將拔。席卷渡江，覆其國都，易如振槁。王猶倔岸海徼，恃爲唇齒，自矜尊高。事且上聞，天威小震，無煩遠召中國，雲南十萬之師，再月可至，則丘墟王廟，草棘王庭者，將不難爲，其審策之。」王屈降拜，益慚憤。將以兵恐公，使力士白刃環衛，公迺示怠弛，袒寢一室，盡擲所懸箭弓、刀槊付衛士，聽汝何爲。暑渴甚，每取江水以進，皆溫惡不可飲食。及索井汲，不許曰：「吾俗不相悦者，多投毒井中殺人。」公曰：「自所求，毒死不恨。」終汲飲食自若，安南君臣，多畏公者。八年，會公以安南貢至，襄陽猶未拔，即授行省郎中。承事勳貴，巉絶不阿，惟見之營衙，足蹟不及其門，商較事宜，言閦色厲。或有以凌鶩見短者，故右丞相史忠武公天澤解之，曰：「是其爲心忠正侃侃人也，久親其人，必實吾言。」十年，襄陽下。改省爲行樞密院，以勞遷中順大夫、遥知歸德府，行行院經歷。大軍南規渡江，復行省，公復郎中。俄降虎符，襄陽路總管。陳府尹，毀城樓以完廟學，散契丹軍以惜月廩，剗弊施宜，當其先後。明年，改監郢、復二州，位安撫使上。捐魚荻之賦，使人厭腥食。家給蒸薪，月發食以贍餓乏。視便輒行，行事已，劾聞。十四年，陞嘉議大夫，監平江路，位總管上。郢復民聞去，遮馬號送萬數。其治平江，考績亦最他路。十五年，改同知浙東道宣慰使。未行，改大司農卿，丁内艱。時軍興法：聞喪，不得輒行。乞奔赴，不報。公願還所受制書爲民，行省知不可奪，歸之。旋艫枵然，金玉美色皆無有，惟文書襆被而已。今中書省右丞相巴延，夙嘗疑爲凌鶩者，後顧爲深知公，嘗語人曰：「諸將渡江，無有不荒貪，獨予與國寶清慎自持。」聞者以爲知言。公家居四年，又終外艱。十九年，以才起復，仍故官嘉議大夫、南京路總管，兼開封府尹。至治之初，見星而出，見星而歸，凡前政積事留獄，旬月剖摘皆出。尤善發姦伏，有控鶴十餘輩，比公至，僦大第，聚居二年，黄金横帶，出入飲食，街陌縱横，人謂其真也。公曰：「控鶴役在京師，久此不行，必劇賊也。」密喻有司以意，期三日盡致其黨。索賊以來，得金帛、寶玉、服玩、典質、券契盈室。鞫之，皆款服，物則椎埋所獲，妻妾僕使，皆掠民子女或娼妓。明日，告曉市中，皆杖死，民駭其神捷。闔境乏食，已聞未報，輒止税勿輸。明年，河北大旱，民流徙就饒及河朔數萬人。郡縣畏損户罪，謾以逃聞。省部遣使分道邀之，許發倉，人給三月食，還所籍。民聚謀曰：「吾得食三月，負難歸，重難勝，鬻將何噉，且各賣質田盧而南，至家何爲？」愁歎無聊，若出一喙。公謂其使曰：「斯民非賊，河南非别界，皆聖上民社也。非不知奉命，不輒濟，可以無罪，誠不忍老稚顛踣吾治，甘受禍以活此民。」則下令諸津急濟。果有以專行上告者。事下御史大夫，即治廉之境，民皆曰：「吾侯賢牧，其爲開封斷不阿，可當今代包拯。」大夫察其無他，薄責而歸，奏寢不下。秋雨潦，河決原武，泛杞灌太康，自京北東，漭爲巨浸。廣員千里，冒垣敗屋，人畜流死。公括商人漁子船百十艘，又編木爲筏，具糗糒，載吏離散四出，往取避水升邱巢樹者，所全活以口計無慮百千。水又齧京城，入善利門，波流市中，晝夜董役土薪木石，盡力以與水鬭，不少殺，乃崩城堰之。城害既弭，復大發數縣民，增外堤防，分直爲三，直役一月，逃罰作倍。起陽武黑石，東盡陳留張弩河，綿亘三十里，如期三月，隄防悉完。以至元甲申七月二十二日，卒官舍，年五十六。河南之民，識與不識，如喪其親戚。家饞餘俸半月，將歸葬，貧不能西。開封市民雄財者，户賻之。又遣子弟數百人，持錢分程具奠，越别治洛陽五百里，凡千里，及潼關。以其年九月，葬安西府咸寧縣洪同鄉少陵原都運公塋之左。夫人何氏，溫淑靜端。男子三人：岳，提舉郢復魚湖；崇，西蜀行省宣使；嵩，未仕。女子三人：一適太平州録事韓和；一適紀德信；一適鞏思齊。後三年，其季大中大夫、諸蠻夷部宣慰使庭瑞，以燧素知公，求銘其墓。辭曰：

年五十六，固不云夭；較齊耄耆，孰謂壽考。究其致之，豈無以然？國苟有利，棄身若捐。東北鷄林，挐舟以使。西南雕題，登馬已至。視數萬里，爲步仞餘。招麾兩王，嗾臺指輿。吐蕃獷黠，化不犯令。由積苦勞，至不延命。壽也無稱，世不爲臧。死有可述，短不害長。襄陽軍謀，郢復民效。已實已著，猶其小小。開封蠲租，舟民于河。雹擊霆馳，懸躬禍羅。下燭其忠，由明后聖。老幹經摧，霜風踰勁。大浸稽天，陸舞龍蛇。流死所餘，邱木是家。乃集舟航，乃筏以繼，乃求以濟，取置平地。穴陴摧防，萬杵登登。役不踰時，隱其阜陵。民流他疆，我飫其食；我疆沴傷，皆手援溺。顒顒公哉！人之騶虞。彼饞婪婪，横目虎貙。雖古循吏，列傳史册。載筆今功，孰作爲匹？少陵之原，有坊其邱。銘石道周，以暴諸幽。

中奉大夫荆湖北道宣慰使趙公墓誌銘

至元十七年，授公陝西漢中道提刑按察使之命下，燧時已爲副。雖公未至，實與聯銜。遇凡狀聞臺，吾曹代書使名者一年，及中丞王博文來使，乃有不得一際顔色之恨。後燧轉副山南湖北憲，治江陵。二十三年，入直翰林。明年，公以中奉大夫，使持節宣慰荆湖北道，亦治江陵，終不能相遭。以卒後四年，當三十有一年，燧如龍興，始識公之季子大中、江州總管，兼管内勸農事。愛其忠厚和粹，薰然克世其家素範者。常同郎中馬昫登廬嶽，數多，忘其爲新識者。歸復過之，益相歡也。出故李君槃所撰墓碑，猶未有埋銘。因思與公陝西未嘗同事，而嘗同銜，湖北未嘗同時，而實同治。其慕義區區，雖所雅好，有不如也。今日燧直翰林，視槃翰長爲同事同階同時而同治者，槃銘公于昭昭，燧不能暴之于幽乎？讞曰：「固所志也。」乃叙之。令事以類從，積官以大中、中順、嘉議、通議、正議以及中奉，受任凡十九，歷中外四十八年。莅民則襲永安軍節度使，丞真定之藁城，尋爲令。會憲宗大料民，公令藁人損其户數，得親戚同籍，及後賦下户，歲百金四兩，而藁果不困，人已服有經遠謀。民有崔進、王成共飲，成歸，而進失其處。其兄訟成殺之，縣掠成服。時州縣得專誅，公疑不得其尸，緩不即令償死。踰月，滹沱冰開，而尸出，驗覈無他，乃由醉墮水死，成乃脱繫。時年少而位卑，人善其能用獄。他日遷真定路總管判官，東京、西京、大都、南京四總管。惟東京虎符。西京、南京兼尹大同、開封府。東京當高麗、倭奴用兵之衝，其間渤海、女真、契丹錯居，俗各異宜，他人得此，率謝不往。公居三年，諸夷帖帖，白燕巢堂，士多祥而詩之。西京大荒，聞于朝，得發倉儲以丐貧饑，民賴全活，不流徙。聞令下采民女姿德宜者，貢實掖庭。公上言：「山西迥遠京師，且無大家，民女貧陋，無有可充椒房下陳。徒生民心，使育女嫁姻年不及，幣徵不納。惟幸有男無託，殺禮戾古，夭生紊俗，甚非聖世之盛舉也。」同列危之，避不連署。公曰：「此出我獨。」竟上之，事亦報，罷南京，未行，裕宗在東京止之也。治賦則銀符真定路宣課副使，改課税所長官，陞轉運使，領東京路鐵冶，考績皆最。職兵則千夫長，從征李璮濟南，在東京、南京兼諸軍敖拉總管。持憲則山東東西、山北遼西、陝西漢中提刑按察，惟山東爲副按。行部治獄無滯囚。曹州屬縣禹城，械至二賊，曰「嘗殺人者」，隨聽錄之。兩人之明非辜，言色殊悻直，乃移讞，疑獄清而真賊得，二人者以出。凡令條責，以課農桑，勵學校，問民疾，以肅風俗，職無不舉者。在庭則歷兵户禮三部尚書。建言省部，任人率先其私，非獨名器所由以濫，且大啓仕者之爭。其敢而無畏者，至遮乘輿以訟：「此風豈可崇長，而不思有以衰之乎？」及持使節，宣慰荆湖。受命湖省，而犯法臣肆其兇饕，恃有中援，威福張甚。欲惟以溢户富財牢籠乃大料民，兄弟籍者，皆異之。雖舟人田客僑遊不遺，集吏計局，不給紙燭。又市紗羅，小其時直。又賦之民，復爲憑怒曰：「吏賦民得者，皆官有之。」又大鈎考，積歲稽逋，立期送官搒掠，號哭之聲相聞。民至鬻田屋，嫁妻女，或赴水自戕死。定無責，責償親戚鄰里，或嘗主何人家者。又逼官吏，令首嘗受所治民財，及酒食饋遺。督責之使，日十餘輩。燕犒送迎不少遑，其恃勢須索者，無敢少逆其言。一都司貪與妄語，宣副跽行酒，移晷不持觴，省顧總管有與吾姻者，責令首償，曰：「吾未嘗取民一錢。」不從。乃摽草老婢，令鬻得直輸之，後反由是免。嗚呼，觀同列與所臨守土若此，則公之有至難于吾胸者，從可知也。如是而難事牢不可剔之，巨盜不見尤，方數千里不遂生之民，不疾怨而悦之，其持身以閑世故者何如也？公諱椿齡，字壽卿。滿秩荆湖，歸未十舍，道卒樊城。實二十七年十月十二日，年七十三。返葬藁縣其鄉武家里東原祖塋。少從金翰林學士王若虚學。年二十一，中我元戊戌真定選。性孝友高朗，尚氣節。或曰：「公豐頤，後耳顔角炯然，望知爲富貴人也。」維趙受姓絶遠渺，可譜究者，兩世祖諱福，有潛德。祖妣靳。考諱迪，以材聞，卒官節度永安軍。妣崔。故翰長李冶已叙之碑。夫人王，金吾衛上將軍知中山府善之女。公卒十日，亦卒。壺儀劃然，撫下有恩，能升金、陳、高、白四人者禮秩，己夷不嫌，庭臣賢文多序詩之。子二人，奉直大夫、僉山南湖北道肅政廉訪司事瑗與瓛也。六男孫執中、守中、居中、行中、安中、柔中。五女孫適崔恕、劇宏、董某，皆名族。某又中書左揆士選子，逾通顯光著者，餘幼。銘曰：

胡天于公，畀爾極備。學善其師，仕席其世。言塞其責，職舉其事。卒遐其年，生崇其位。體良其敵，述令其似。伊誰無伉？或一先棄。十日偕老，亦誠可異。伊誰非傳？聯翩伯季。握符持節，或守或使。方古世德，曰少無媿。有不信焉，珉石之視。（以上《牧庵集》卷二八）

全元文卷三二六

姚燧 二八

河東檢察李公墓誌銘

前集賢侍讀學士，今臨江路總管李偶，自爲其祖河東宣撫檢察公事狀，又譜其祖孫七世之系，曰公曾祖顏，祖彥升，叔祖夏，考溫，叔考濟沂，公及兩夫人張、富察氏，弟彬、昌齡，子昱、煒、燦，姪炯、炳、燿、煇，女歸顏鈐、梁某，孫佐、仔與偶也，女孫歸郝天挺、吳某、梁某，二在室，曾孫墉、杲、埍、堐、均、圮，女曾孫五人，合是七世，凡四十四人，求燧銘公神道。燧思古人揭之石者，上惟其統，下惟其緒，率不旁及宗從。偶乃詳然，豈傷喪亂以還，其存今者已此，將俾來者有究所自耶。亦親親篤厚之道也，故不略而手筆之。謹按公諱懋時，字逸民。太祖劉金之十年，略地太原。太原城守不即下，屬縣榆次，其令不敢仍居平土，徙其民依險逃兵縣東北四十里韓村砦，公爲民，與母夫人及其季皆在逃中。聞拔太原，令恐策無所出，即説公曰：「金主棄河北與河東播汴者五年，天方北顧如是，馬足所及，無不靡滅。太原河東鉅鎮，猶不能支，吾儕偃蹇此方，因謂之固。一日移兵，勢如崩山之壓卵，必無幸矣。觀公美而長身，膽膂拔類，鄉里歸心，有長者稱，袒而一呼，樹旗出降，民無有不聽命者。願公急赴是功，雖吾，亦恣公使之，不敢越公令也。」公曰：「令自爲之，何至授人。」令曰：「吾力綿才薄，圖生斯人。狙黠之徒，或忿曰：『金臣敢然？』以義罪余，事未集，而以蹈禍，彼得以爲名，無益也。吾所以急子者，子而爲是，必不禍余。當是人自爲謀之時，一爲狙黠所先，忌汝才而併除之，如汝母氏二季何？」公感其言，曰：「如教。」乃往見太師國王穆呼哩曰：「榆次小縣，衆且萬人，無栅自固。王如加兵，未必朝至而夕下，必盡力以與王將吏鬬。雖王將吏，能保其不興一死，不扶一傷乎？此勢之必至者。比其拔也，逞志而鬬殲之，得倍百里莽曠無人之土，王安利哉？今不汗一馬，得倍百里有萬其衆之名，以下執事，王何以待之？」王曰：「吾受降多矣，無有如之人之壯者，閑其舉止，而辯于爲言，吾得士矣。」且曰：「吾受詔太宗，視事所便宜而行之。」即以公與太原帥攸興同議軍事。後假其弟阿禪爲王，分兵徇地平陽，輟公守太原，俾從假王以行，假王事動咨之。下平陽，戢剽殺，而易置其吏，課民墾田，事舉令修，治有績矣。而真定同知總管武仙，將兵襲下太原，殺興，傍縣皆附。假王從公馳救，皆復之，坑其旅拒王師，及爲仙用者。獨交城爲吾守，或譏覃帥雖閉壁，實未嘗一出決戰，意視勝負誰在，以爲歸也。假王欲攻之，公遣人語帥翼曰：「當悉力與賊角，不然屠矣。」帥如所言出戰，敗賊北山下。假王乘高觀之，公曰：「帥無他也。」遂全之。將吏見北山石壁、萬桂、玉山三寺逃民男女紛綸，白假王，欲掠之。公曰：「此戰士之家，倉卒不及入城者。且其夫爲吾擊賊，何罪而掠其家？其緇服皆僧尼，得是安施？敢復言掠者，論以軍律。」寺得不殘。平生脱人于死者此類，至今三寺像事之。後甚爲中書耶律公所才，聞之太宗，授以太原路宣課所大使。公固辭，孝養其親。時年五十，徜徉家居。中書不能屈，乃官其二季，彬行省郎中，昌嚮平陽路宣課所副使，以便公事。而二季益恪，與其妻視公及兩夫人，不啻子婦于父母舅姑。兩夫人敬公如賓，相安如昆弟，其化行一家者又如此。年六十一卒，實某年二月六日。葬太原城西井谷村東原。昰用事能臣也，事載他碑，故商大參左山公嘗題其墓。子孫官者：燦，太原路敖拉鎮撫；佐，藺川路教授；仔，東莞監司管勾，倜通貴矣，俶同知富州。壻其家官者：太原課税所副使賈某，敖拉千户梁某，千户王某，郝天挺四川行省參知政事，張藻主秀容簿。銘曰：

公生襮外，美而頎大；雖人所奇，猶力未賴。一朝榆次，林林凋兵。令身過之，祈主下盟。公歸師王，萬衆是率。吐策以撼，言不撓直。王曰之人，天以贊予。俾守太原，真師與俱。移戡平陽，王假弟節。俾往爲佐，資用不乏。太原俄反，假王旋旗。師不越旬，翦以復之。交城已汙，教與賊戰。不待言雪，讒誣隨辨。維是河東，既輯既平。而還收身，菟裘是營。中書除書，拒户不視。出焉何鋭，去果亦至。丈夫見世，及物之功；觀今所就，爲薄爲豐。六十一年，不曰壽考。有子有才，銜未施報。再世之澤，濬發爲川。蕃爾後昆，世文以賢。異時何人？補遺竹帛。惟無他求，正視是石。

唐州知州楊公墓誌銘

自盜殺阿哈瑪特後，僧格使總制院，結知世祖，氣焰烜烜爍人，倖進者入賄其家，或藉其一言以爲事，從中下，必中書官之者，月無虚旬。每爲中奉大夫、參知政事居寬所裁，甚不得已如請，乃簿所躐級于政者，俟有問。他日則引以爲稽其人不利也。一旦爲尚書左丞相，誣而殺之。惟其子集賢直學士、奉直大夫勗不孥，自餘妻及子景奴婢，凡資業，皆籍入縣官。僧格敗誅。故奉直大夫、知唐州君居簡，始敢上疏，列明其兄自部曹史主事(一)、省掾都左右司檢正中舍(二)、郎中、知府、憲副、侍郎宣同典外郡尚書、吏曹、參議、中書、御史中丞、參行省中省政，與國宣勞，爲時才臣，章章在人口耳。今賊國臣不逭誅夷，宜爲死者雪其非辜，庶彰聖代日月高懸之明。參知政事梁德珪以聞，敕有司償所籍入。而勗尋卒，無子。又哀景雖二子一女，而疾廢于莘，而女年及笄，自燕攜大參商公左山孫企伊入壻其家。自莘而唐，纔一閲月，而景卒。意者景訃未至，與至而未之知，到官四十日，當元貞乙未十月三十日，而君亦卒。年止五十七。嗚呼！何天之不福中奉之家耶。身戮，一室瓦裂，二子繼死，一不後，一有而弱。君訟還所籍，又爲求壻，令恤廢姪之家，處事變之極，狃薄俗之囿，少不失天理民彝之正。爲弟爲從父、從祖，曰悌與慈，雖古人復作，有一尚之乎！而天之報施者，反如是也。蓋君自筮仕試吏，從萬夫長嚴忠濟。從己未渡江後，使交鈔庫曹州，改南京轉運司知事。以善其職，從其司請，陞經歷。俄授從仕郎、大名路總管府經歷，尹范縣，同提舉信州宣課。遷承務郎、浙西宣慰司經歷，換承直郎、上都留守司經歷。遭事難爲，身出任之。官長有不相能，必委曲調順，如媒氏之合二姓，始異而終同之。凡此皆佐人出理者，而非其所自爲也。惟范縣爲近民，又壓于郡守，有不伸。及今爲唐，若可以有爲，而遽已此，哀哉！君字子敬，姓楊氏。漢弘農太尉震苗胄。五世祖絢，爲宋儀曹易州，死于金兵。生邦基，秘書監，爲金名士，書畫兩絶，人曰可與李公麟者埒。以通奉大夫、永定軍節度使致仕。生郊社署令皜。自儀曹而下，皆家燕。皜生監歸德酒庭直，避金亂莘居。生澧，君之考也。君交人誠和，視親識如故知，傾貲歡樂之。夫人梁氏。二子二女。翰林國史院檢閲官昇；一未名。女，長適同縣士族王文讓，季在室。皇上即位之年冬十一月，詔修世祖三十五年實錄，院直檢閲官，其究覈故事職也。而其末九年，燧與侍讀高凝共總裁之，昇也實當筆。至元二十七年之一年，顧與修撰而下，年分其事，已可見其文賢，無忝面命矣。由同官相歡，故介其考唐州君先摯。會從史院諸賢還進史上都，及與之别，未數月，訃至期，昇會葬莘，經杖言曰：「昇惡逆，不得見先人屬纊，已抱終天之恨。不得公銘，亦不可復食息人世矣，敢泣血請。」乃銘之曰：

觀人之槩，惟其在大。大使可書，其細已蓋。嗚呼唐州！其大何如。流風不移，天理篤居。惟天于人，若薄而厚。雖所薄今，將昌爾後。人之識狹，其中安知？昌厚之求，視銘異時。

〔一〕列明其兄自部曹史主事：主，原作王，據文淵閣四庫全書本改。

〔二〕省掾都左右司檢正中舍：正，原

作「王」，據文淵閣四庫全書本改。

薊州甲局提舉劉府君墓誌銘

京山，安陸屬縣也。其永承事郎兼勸農事劉德源，以邑士安某爲先來言曰：「先生世名篤古善文者聞。今賢公卿之冑，或不遠數千里，及門求表著其先烈者相踵也。德源之治，去先生之居四舍耳，心竊覬之。我先人之位，固不大昭于時，如得先生銘，則没而名庶延也。」因叙曰：「吾劉氏居龍興黑土坂者，不知始何祖。其諱與次，又不可考質。先人始以函工賜田通州，後以鍛製精堅他工，遷彰德縣院長。尋官進義副尉，徙平陽雜造局副使。再官進義校尉爲使。又官敦武校尉、薊州局使，猶領于提舉司，以勞深而資久也，制以前官，超爲提舉，俄病廢。兄德淵嗣爲，降同提舉。德源同知許州，實侍而南。以至元三十一年九月一日，卒官舍。年六十八。顧言必葬通之樂村。以其年十二月二十五日窆焉。」又曰：「嗚呼，位有貴賤，故功有顯微。我先人始以函工，一朝而賜服五品。其功則止善于其職，何顯之能爲？人子惟其考嘗愆于時者，始不敢求以昭明。否者，其欲遠其聞者，亦豈異賢公卿冑之心也，惟哀而允之。」燧曰：「凡今爲制，天下歲程，惟甲不領于工曹，逕入太府，縣官親考其苦良，而黜陟之。衛士必賜而藏之家，弊則持故賜求易，使畀之新。他臣有私藏者，罪死，况私爲者。乃先人雖班雜職，而縣官視以爲要焉。自常工而跂之，亦曰遇矣！」君諱智。昆弟四人，其次居二。娶楊氏，前卒一年，同穴欒村。二男，則同提舉與京山也。女適太常寺管勾李某。銘曰：

五兵皆賊人，戰而恃以不殤，惟函爲扞焉。爾如君二十始傅，以及疾廢，爲之二十年。始日千被，被全一人，亦千人矣。其功亦豈微？孟子曰：「函人惟恐傷人。」由術推心，君亦仁哉！此其藏。

廣州懷集令劉君墓誌銘

大德戊戌，燧遊長沙，太原寓士劉致手所爲文，若將取正焉者。走何以荷之，讀之盡卷，賞其爲辭清拔宏艷，爲之不已，可進乎古人之域。既又自狀其先人懷集令之出處，丐銘幽墟。感其心將昭明所生，爲叙之，曰：君諱彦文，字子章。年二十八筮仕。當中統三年，而知堂印，乃出管勾北京行省承發。省廢而歸，授徒其家將十五年，謂爲無意于世之事會者耶。當秦邸肇開，與故丞相阿爾公之行省長沙也，無不往于之。會同知堂印者許楫，爲憲長沙，言之丞相。丞相自省郎中故熟君，若晚君來，便宜版爲郴之錄事。羣盜竊發無時，芟夷未靖也。君不忍夷其俗，而苟簡于治，爲之四年。又三年，始官進義校尉、廣之懷集令。羣盜恣張，虔人民，燔城郭，以冒天誅者，死無所忌。官軍少，不足爲恃。授鄉民兵，雜而殲之，格鬬屢衄。徙民保東山。前募民闢田，入租私廩者，爲米八百石，一盡于餉增戍之兵，與遭寇之家。崎嶇艱梗炎瘴者四年，以至元二十六年四月三十日，而竟卒。是何宦之不達耶？今卑官無要知堂印者，去丞相尋丈，儼立案前，護守終日，不食須去。晨而出，暮而歸，日必再至丞相家。丞相出畋入奏，無不與偕。裕廟爲燕王日，當朝廣寒殿，君立庭下，問盝中何有？君則曰：「堂印也。」索而發封玩之。其親接如何？其榮如何？遇也如何？皆他人取將相之資也。一旦管勾北京行省，去丞相千里。錄事於郴，西南北京又數千里。終乃令懷集于南海之濱，其不寖近而逾遠者，世恐無君匹也。豈讀書一過，千百言不忘，力兼人，射命中，皆文武器略足以表見一時者。有是賢人，已不凌人，人則忮之耶？且求以劓物，置于將鉛刀其前，蒙稚猶知後鈍而用銛。及論取士，則以方者爲徒足持已，而圜者始周乎物，故率棄明炳勁特者，爲不易馴使；而顧錄含荏弱而不自持者，爲善適俗而賢之，君豈坐是也耶？其邵子所謂「陽在陰中，陽逆行時」之爲也。故平生之道，刑家則多，其功于政者僅此。譬水在山，束于溪壑崖谷之險，不得奔放平衍，爲澮爲川，其溉潤不博者，亦勢然哉！君石州寧鄉人。權殯長沙佛宇。文有《玉亭小稿》。祖開，參元帥府軍謀。考汝欽。妣馮氏，郡君李氏。三子，致，某某。二女：歸李氏、薛氏。銘曰：

士久其窮，覩守之篤。吏極其遠，試治之勛。且中其年，而卑其祿。皆彼蒼者，陰厚其蓄。抑不信之，以昌爾續。（以上《牧庵集》卷二八）

雷君伯靜甫墓誌銘

昔者嘗徵先師魯齋至闕輔，闕輔學者則而化之，始踐修人倫日用之實，不變于流俗之駭議，斷斷乎以復古自負。能久于其道不數人，而伯靜甫其一也。然伯靜不及事先師，事今昭文大學士潛齋楊公，最稱善學，而潛齋亦先師視之若友者也。先師晚聞伯靜名，嘗書示進學之要。嗚呼！觀兩公之知與，亦可概見其爲人矣。伯靜諱復始，字國明，由避家諱，改今字。生以歲丁酉冬十二月二十一日。在幼稚，舉動如成人。父知事君已有譽曰：「是大吾家兒也。」長知讀書，不輟朝夕寒暑。君戒其躭苦爲疾，雖暫休之，而勤益力。不得則思，有聞斯行，經史諸子積貫淹洽。講磨朋友，長善救失，敬以下之，雖不己若，不敢自有餘，與人汎接周愛，不爲町畦，惟嚴于擇友。事君承顔悦心，曲極孝敬，一不甘味，或終日自咎廢食。喪母情文不便今俗之簡失易行，一以《禮經》爲師，哀毀摧杖始能興。日至君側，則變色爲舒，以安其盡傷心也。友五弟豫、世、忠、恒、益觀甚篤，然教誘之際，凜乎若嚴師莅側。晨省，各授事出。出還，必究先輩誰見何得何問，遲歸，則候之門。疾則親護視，娣姒書聚一堂，不得還私室。均勞同食，故久益睦無間言。閨門之中，翦然有法。不幸以至元丙子夏五月八日卒。且卒，謂弟若子曰：「吾顧棄大人使哭子耶？吾目不瞑下土也。汝盡孝終養之。」其友徵士蕭𣂏哭之曰：「嗚呼！若伯靜者，以夷曠淵默之資，醇正精微之學，篤信允蹈之力，道被其身，教行其庭，使出而遇，必爲知務識治之臣。振德蜚聲，以利澤一世，若不難爲也。而其成其施已此，竟不淑耶。」燧讀之，既悲伯靜之不年，大徵士之善言德行，且知言也。按，雷氏同之郃陽人，後徙河中府之河東縣陶邑鄉者八世。曾祖希齊不仕。祖震通，太傅濮府經歷。父守義，太傅濮府知事。由妣夫人趙卒，不反葬陶邑，特塋安西之咸寧白鹿鄉平里，故從葬平里塋左。妻侯，無子。後以弟豫子適，今亦卒。銘曰：

義理之在人心者，固未嘗泯。然非先覺之賢，卓識之士，唱而鳴之，學者安遽能知爲？帝降之衷，民秉之彝，而踐行乎人倫日用之間哉？古之人，聞而知之，于百世下，猶若得其心傳，矧伯靜甫與先師魯齋。其師潛齋生並世，或親承面命，而得其緒論者乎。斯文脩塗，發軔未半，而車亡其軸。噫！此古之人重發不幸類之之歎也。然君平日東弟若子，師之至矣。彼不哀君之未究其躬，而忍輟心夙聞家學于其身。反是思之，伯靜又奚以憾爲也？白鹿之原，平里之阡，左蔽蓬顆之萋綿，而高可隱者，下惟其埏。噫乎哉斯賢！噫乎哉斯賢！

瀏陽縣尉閻君墓誌銘

閻宏少燧十七年，識之七年矣。走未嘗遇以凡士，宏亦願游吾門，彙所述焉，始託銘其祖醫隱君墓。于時尉瀏陽考府君不恙也，今焉六年，又求銘其墓。嗚呼！何兩君皆不及知而幸襮潛德其幽，宏豈有見走文可以信後世然歟？走不讓爲者，則以答其爲好私余故也。君諱鼎吉，字和卿，醫隱長子。其鄉其世，其遷徙與醫隱所以教者，皆見先誌。以至元二十一年，尉瀏陽。二十六年，受代。三十年秋七月十七日卒，年六十八。僑墓長沙。元配姚氏。再配白氏。二子：宏，掾省江西，與蕃也。四女：一適郡人徒單全，一適南陽高舉，二在室。孫男女三人。宏將以明年五月庚寅，歸葬其鄉先塋。自狀曰：「君幼就誦，記敏爲文辭，異其時他門兒者，皆其小德，削不致詳。而日勤于筆錄，如《易正義》、《論語注》、《漢紀傳》、《舊唐傳》、《治鑑節》、《文選》、《杜詩註》十餘書，無慮數百萬言，具藏吾家，手澤尚新，可以汗車牛，未聞人有辦。爲者與學仕事人，則從張公邦彦宣撫天平，爲四川行樞密院柴楨照磨。用禮卿王博文薦，出官瀏陽，非賢不即。與居母申憂，廬墓毀悴，杖而後起。皆出處不苟，倫理至篤者。」又曰：「君胸中廓廓無城府，商古今人物，成敗賢不肖，必當其實。諫友過，不計嫌怨，盡我責善。樽俎之容，粹如不流。爲詩千餘篇，號訥齋。」以宏信愛，必不誣親，燧取筆之曰：君喟然吾少厲志嗜學，官止一尉，殆天戲人者，則不可也。亦思尉爲君行道資乎？蓋尉有難爲，有利爲。江南大縣，户動十萬，一尉兵額，止于數十，而押綱衛使，恒抽其半，又其身有疾疢、喪婚之請，其直司日不盈三二十輩。盜逐不得，必尉焉罪，小則輟祿，大而奪官，是不諒其力少不足以制姦，而惟責其專印不職也，是其所難。凡尉一世同者，而君有獨焉。在令，尉恒居縣禦寇，無敢他遣。而湖省犯法臣，特遣數千里，送所市紗羅京師。賦出非其口也，人納非其手也。市者顧不必送，而顧必令不遣者送之。有司又大其尺度，重其鈞權，從而責其輕短，不使得歸取償有司，必舉息立輸。又遭例大鉤考，無問其嘗與否，迫令首受治民間遺楮緡二千五百其家。府又遣修航海戰艦。欽、廉人難其一，君難其三，此其所由以貧也。其利爲者，必求爲盜，罪不抵死，嘗墨其肌肉，呈身有司者，署使伺盜曰：蛇之所塗，蛇能知之。吾使過耳，口不言所指，使自喻之。彼方困拘罪籍，一朝得交平民出人，惟求圖報，雖身爲盜，將不避焉。況□槖他盜，頤指富室，惟所便取，坐受其有。盜得其粗，我得其細，擇世所共寶不可形迹敗者，歸之尉。有司覈盜不得，依日月則杖尉兵，一杖加一等，三杖而止耳。伺盜特尉權一時宜，密置無迹，何及焉？尉所輟祿幾何？而伺盜資之，什伯不貲也。盜爲伺盜忠臣，伺盜爲尉忠臣。又其巧者，與鄰尉交歡，私要言曰：吾得盜，必使誣汝縣富室，曰嘗巢窟焉，曰屢資給焉！幸羅之獄，足吾欲縱之，民惟知德吾耳。汝得盜，亦如是取償吾縣。易地爲之，胥相益也。其月縱兵歸，詭代家人，責人傭直，與民以兵備斂者又所得爲也。凡是數事，今之尉者，十出其半。又聞一尉始至，子嘗借衣尉兵，其無可知也。比滿，積楮緡十五萬，歲入稻萬石，而不知何術取之也。或曰：是由賊不急其期日，民貸其家，責券數月，子與母侔，無則入其田屋，今埒封君，不思仕矣！嗚呼，尉乎禦盜歟，師盜歟？凡觀夫人觸法肆行，徼倖未露，悖人大語，則君掩耳。此倫拘拘，恪恪自靖。其道不少萌憂，不足休休吾心，賢何如也？是爲銘。

奉議大夫廣州治中閻君墓誌銘

至大改元之明年，燧以學士承旨翰林。閻氏子然來自江西，拜且泣，言：「先人嘗以公金石之文，獨高當代，故求曾王父醫隱君王父尉潭之瀏陽君，與外王父金童子進士秦君道隆之墓，不于時人，三皆訪公，然不天思可銘先人墓者，敢越先志，他求人哉！敢泣血請。」余感其言而序之：君之先，始家蒙之漆園。入金，由其五世祖遵，卒令陳之宛邱。子仲，徙西華。再徙洧川，生肇。自是而下，再世則醫隱君瑀，與瀏陽君鼎吉。生君，諱宏，字子濟。弱不好弄，而嗜學。母氏歸寧，亦挾書以從，不暫廢誦，鄉鄰異之。成童，嘗爲冬庠于農隙。得束修，皆用資已事師。聞士子有聲望他郡者，不遠數百里徒往，致拜就正。而知君莫如余先。至元戊子，辭直翰林，客鄧。君方壻南陽醫學提舉劉君大亨，亦家鄧，始以其文爲贄，相過甚殷。余既以所得文法告之，及示其所注《遺山集》，余則曰：「子有進道之資，而弊參天地贊化育精神于此耶？斯與箋《爾雅》蟲魚奚異？恐以是小知妨大受也。」君亦不以余言爲逆，其聽而止。歸覲瀏陽，時故翰林承旨徐公琰持憲長沙，手所爲文以先。徐公奇之，答詩以譽。及參江西省政，引以爲掾。事資其謀，拔士子有學行者，進爲校官。會故翰林承旨瓠山王公構調廣，選于江西，省臣以君晨夕給事。元貞之元，詔修《世祖實錄》，士在外可與修者，聽其召入。瓠山爲侍講，用其薦，爲國史院編修官、將仕郎。凡是二百七十一之帙籤，皆其所書。滿考，進應奉翰林文字，官徵事郎、同知制誥兼國史院編修。上言中書，請加左丞崔斌封謚，以雪盜殺臣讎其忠讜之誣。時相多之，選掾中書，君不可，改承事郎，出檢校江西省。列曹諸掾，簿書稽緩違失，皆聽以疏其事達省受罰，人無尤者。會朝廷遣宣撫四道，分行天下郡國，功罪皆聽升黜。今參河南省政陳公某至江西，雅知君，引以自佐。君言：「貪贓固可汰，苟其人初未之知，子孫家人爲之，持憲諸臣，必其服者，亦宜哀而伸之，使不廢棄終身。清白固足尚，然亦有矯俗僥倖以干名者，未可遽以爲信，不覈其實，而受其罔，此邵子所以見善未嘗急去也。」陳公大然之。由事比他道，處事皆輕平，無怨家赴愬于朝者。大德乙巳，余參江西省政，君猶檢校。見其戛去矜驚多識，敦信義理之學，反躬而篤其行，溫然大雅君子，然後自驗嚮所期有進道資言不失也。余以明年九月，以疾辭去。又明年，當十年五月十有一日，而君卒豫章寓舍，年五十二。貧無以殯，今平章議樞密事李世安，罷左丞，休于家，買棺槀藏郭東門外。又明年，官奉議大夫、廣州路治中之制下，人一歎其不及拜命于生，一復華其賁九原也。平生不妄笑言，風度凝遠，望而知其爲有諸中者。遇士君子家法書名畫與古彝銘款，與一言一行之善，莫不筆之。雖家空匱，人或問之，揆義而取，不苟其得。其達己者，終身不忘。容齋卒東平，訃聞，君以其爲江西日，嘗新徐孺子祠，故即是地爲位，立敘其情以哭之。又圖其像，求余爲贊，歲時以事。爲翰林日，其僕健而才，瓠山愛其任事當意，遂借役之，終出檢校，不忍發口召還，竟死其家。與人交，不以合己而翕翕炎于始，不以逆己而悻悻叛于終，若泛愛然。心所與者，視其窮約，極其力可至以周之。洛人王君卿五十生子，而妻死，謀求乳婦，困于無貲，從求貸假，遂質象笏以應其須。子幸不夭，讀法上章，寧用槐板。其友楊行簡，贖以見歸。友人劉景溫，孝而貧，事老母，凡百爲皆身之，爲買妾以給役使。其急赴義多此類。曾祖妣某氏，祖妣某氏，妣姚氏，君則其出，繼妣白氏。妻秦氏，繼劉氏。二子：然以治中恩澤，尉龍興之新建。江西憲臣，多其好學而文，顧遺逐盜，用違其長，以職官召爲屬吏。季遷。男孫址。嗚呼，太史公傳夷齊，哀其餓死西山；引顔淵屢空糟糠不厭，而卒蚤夭；盜跖日殺不辜，肝人之肉，竟以壽終，以明天道無親，常與人善之非然。蓋天道遠，人以數十寒暑之身，不要其歸，固宜云爾。必如周太史筮陳公子完，非此其身，在其子孫，驗于五世昌爲正卿，八世莫與之京者，始不膠于一定。姑置夷齊，顔子雖夭當世，配饗孔子，至今諸孫五十餘代，猶蒙其澤，復無所與。盜跖，柳下惠弟也，安知其子孫不一再世而微絶？其柳氏賢而傳之史者，又安知非下惠裔邪？略古以求惟徵，而家宛邱而下，三世不仕，積將百年。尉瀏陽，秩纔九品，視古一命，顯而未著。至君之身，操觚牘于鑾坡，近負從槖，爲天子私人。出又檢校江右之省，月日爲清議所歸，顯方著矣，僅踰知命而卒。明年而治中五品之制下，實古五命，雖未嘗一展驥足，其恩澤猶及子然。視其王父，尉若異地，爲職則鈞。王父已是，然猶進未艾也。其大震耀，非然之身，在其子孫者，人亦孰得而必其世哉？由是以思，天道無親，常與善人，信也非歟？是爲銘。

（以上《牧庵集》卷二九）

全元文卷三二七

姚燧　二九

南京路醫學教授李君墓誌銘

君李姓，諱綱，字文紀。其先真定人。祖安道，以字行。考諱顯榮，金廣威將軍、内鄉酒使。歲壬辰，桓山公武仙聞可，將任置爲千夫長使，戰淅川。蓋當太上皇由興元循漢東出兵也。君年方十二，以孝聞，學能詩矣。會鄧之節度使耶律瑗盡以州民降宋，君侍母郝至襄陽。制閫皆處之屬城，分君隨州。明年，還鄧。乙未，歲饑，以皇子庫庫齊教，徙洛之西。君以儒業醫，故思到精詣，爲人診治，疾輒已。雖先輩善其術，久其道者，君不以年少下之，人亦捨彼不即，而惟君歸也。年二十四，或云：「廣威君不亡，嘗見之雲中。」趼足往求，不獲無有也，號歸失明。乃籲天自悼曰：「吾壯而爲世棄人，如母氏之老何？」于是將身克慎，攻治益力，蓋三年而視復故。中統元年，制授南京路醫學教授。至二十一年，改襄陽醫學教授。尋詔尚醫：「今《本草》中土物，且遺闕多，又略無四方之藥，宜偏徵天下醫師夙學多聞者，議板增人。」君在徵中，三以老丐，不就車。二十六年歲己丑，夏六月三日，年六十九，卒鄧。越五日，葬穰縣亭子坡。嗚呼！人倫之大，莫先能子，有是一者，則天下萬善，可必其畢集吾躬。推是言之，則君處己之慈祥恭儉，與人之忱信和厚者，孝基之也。六子：友直、友諒、友聞、友端、友德、友誠，恪服訓言，近奉晨夕，遠職官守，皆馴馴有脩謹稱。其化家又何如也？諒前將仕郎、提舉靜江府茶鹽。聞前奉訓大夫、知壽昌府。君下恙時，四方達官賢士，有過此者，或識不識，必造其廬，州縣牧宰，旬存而月問之，亦此邦之雅望君子。獨與燧相能，方疾委篤，猶遣端也求書，獲安，將揭其寢，尚冀其可速已。會燧疾，不親筆硯，不果，而竟已此，哀哉！娶金徵仕郎化平令胡士元女，六子同出，前君卒三月。女二人：一適張升，一適提領常德路交鈔張居敬。男孫五人，未名。女六人，幼。誠也縗杖致諸兄命，哭請銘，乃泣系之。銘曰：

維古中壽七十率，有宰物者司入出。偶于君年不足一，子而全歸始曰卒。善遺後人昌後必，魂神徂升降體質，其千斯年安此室。

趙君和父墓誌銘

至元十六年，燧先殯關西夫子紫陽翁楊公奐之中女卒。禮：夫爲服齊衰杖期，然必三年而後娶，達子志也。十八年，燧時爲秦憲，聞同之士子趙君和父中女，年二十有四，由嚴於擇對，在室，通書聘之。君乃聚其族謀曰：「使君以故中書左轄公猶子，願肯求結褵吾門，是其心非求婦氏閥閲，哀選姿顔者，第不欲以失節者匹其身。其志已絶出庸人，誠可嗣爲兄弟者。」禮辭即許。燧以不腆先君之幣迎之。已婚，往拜其門，君以外舅自居，若視其壻爲清門子非其耦者，乃大副所願，自慶得良婦。翁從其鄉來長安，聚居踰月。其年十二月，翁歸，兩未虞，竟自是爲死生訣也。明年壬午，以十一月二日，卒露井社其家。年止四十九。訃至，燧與妻蘋，自長安三百里，各服子壻女服往哭之。以其月十六日，舉納之其鄉先塋壬舍。來會葬者，或遠數百里，老者哭之，如失子弟，少者哭之，如喪父兄。自其居至墓所十里，祭不絶路。或曰：「嗚呼哉，天乎！若人之年耶，如是者盈千人。匹夫可以化其鄉，未見有如斯比者，夫豈無自然耶？」君諱居中，字和父。厥考彦和，鄉人誄爲明理先生。祖考惟良，曾祖考師肱，高祖考孚。自君而上，八世醫行其鄉，不徙業。又自祖考而下，三世兼業儒，以醫及人，以儒修己，人益誦一鄉之善士。君之爲尤事明理，以孝有譽。友其弟居仁及馬氏妹逾篤，豈惟疾者藁然來歸。鄉人有爲不善者，必訓飭之，聞者受言，不敢岸傲咈拒之。有訟不之府縣，而求司直其家。取醫直集穀，常千斛，歲歉，則貸之貧無積者。凡哭而哀者，皆常飲惠食德人也。妻鄧相敬如賓，三十餘年，無反目言。一子惟義，君卒之年，甫再歲。四女長歸同里楊某；次歸燧；次歸韓瓛；幼在室。後卒之六年，當至元二十四年戊子，外姑氏謂燧曰：「乃外舅汝知己也，汝不哀其窮而在下生志不遂乎？汝直翰林，職史館，銘賢公卿墓者夥矣，可不有言發其幽窟潛輝乎？不然，則平生修爲之勤，愈不聞將來矣。」燧敬應之。銘曰：

生不五十，孰謂其年耶？業仁冒其鄉，道行其室，冀缺之賢耶？子稚而氣質粹實，或幸賴以爲傳耶。十一世之蹟，迺今猶然耶。彼不絶夫涓涓之滴，將待夫他日之爲淵耶！其爲世所甚惜者，又烏知夫有在天耶？嗚呼，吾銘之幽石，其可以告夫邈綿也非耶？

故民鍾五六君墓誌銘

緊鍾徙吉潁川自，迫於靖康繹騷避。吉而來岳世方四，由元而富仕明至。實生文興叔進字，郎行五六以族次。凡是四世皆不位，吁哉五六遯迹市！乃如天啓所狀事，居家孝謹文縝緻。嚴訓厥子俾知義，自奉殊貶忘勤勩。基約以極豐其積，此邦師之陶猗視。居鄉侃侃和以易，不私其有善分施。歲荒民饑閔瘠瘁，發我廩庾飫老稚。崩梁壞塗揵石治，至今行者賴其利。乙丑之閏月庚出，年六十八世迺棄。葬之三陽先墟比，黄室之子南秀嗣。南英南金又其季，一女結褵未決議。男孫滿十女半是，一庭孌兮貫魚似。椒聊蕃升必天意，豈悌之家久踣躓。一朝起行當遐致，況如南秀士服被。下及二季皆學仕，始卑終高若登陛。或者而宗由昌熾，匍匐哀求銘以誌。伊誰成厥孝子志，苟有善兮必門地。漢氏仲山凡豈異，奮筆發隱太史燧。

臨江路總管府判官夏君母夫人張氏墓誌銘

大德十有一年秋八月，臨江路總管府判官夏元亨，過燧于郢，拜而言曰：「元亨母，汝陽張氏世家也。是家，金以友義嘗旌其門。至居士某者，百有八年以終。三男二女。夫人其姊，吾夏氏與同里。生十九年，而歸先人。後徙家洛。祖府君諱某，金尚醫，年九十餘，妣朱，年八十餘以終。于時無他臧獲，躬服勞以養，姻里孝稱之。尚醫不恙時，每訓先人：『汝未盡讀吾書而得吾術，其無爲醫師以誤人。授汝秘方，爲瘍醫自業。』先人守是言。及四子天瑞、元亨與利貞、德常生，教之讀書。元亨長矣，責使學仕，曰：『汝欲事人，必親其大一世者。』乃遣宿衛皇孫邸。妃今皇太后，積勤有年，敕提舉龍興茶局，歲貢名荈其邸。大德六年，調令臨江。將上，其年十二月七日，先人卒，年八十有九。人曰：『天者獨鍾壽考于之二家耶！』既窆偃師某鄉，獨輦夫人，來南。有公相與祿以慈旨，甘爲醪醴，歲時晨夕，歌舞爲壽，而歡其心。八年，當婦郝卒之明年，夫人已爲納幣趙矣，急其婚期。元亨欲俟三月終某杖期。求日，夫人則曰：『吾得吉矣。』竟以八月三日合巹。纔六日，其日浴已又沐已，又易衣。家人問其然，曰：『吾所欲也。』明旦，元亨奉檄祠閣皁山。未至，而追者及之，以卒告，其月九日也。年七十有八。殯而待其滿秩，舟柩其返葬于洛。亦嘗揆之，順章貢彭蠡大江，以溯淮達汴，陸去洛纔十五舍，爲便且邇。所以由石鐘山溯江漢，餘二千里以至此。又去此而襄，陸行千里，始至吾洛，不敢以爲迂遠，必公見者。以公鄉先生，文有時譽。昔參江西省政，嘗書薦其臨江忠愼廉平，爲知己。恃此，如得銘先妣幽墟以歸，則生與死者，華賜均及。」燧哀之曰：嗚呼！使如汝言，終杖期郝婦于數日，則夫人爲不及饗趙婦。且古治喪，絶而後沐浴而襲，今不疾沐浴者，猶人之常，隨以易衣若襲然，明日遂終。由前則行嘉禮于喪，由後則豫死事于生，豈逆知其將然，不以語之人乎？抑初未之知，或天者誘之，俾其然也？所可甚惜，太后正位東朝，其澤必先丐其舊臣，則元亨亦依日月末光者，其榮以祿，將大于今。夫人不及見之，其將歆其豐祀乎？天瑞道之營道令，未上而卒。利貞龍興提舉，德常醫學正。男孫三人。男曾孫如干人。銘曰：

事耄姑翁，負孝稱其躬；有子序鴻，皆婦夏之功。天報之豐，俾食子祿以終。歸而君子之穴與同，于洛邑天地之中，可謂世所感者無其恫矣！（以上《牧庵集》卷二九）

郇王府長史李公墓誌銘

至大庚戌，郇王府長史兼經歷典食司與所部人匠都府官李惟恭，持其卿士席雲漢，狀其祖潤文玉，使懷之利用庫曰：「民調商征之人，吏祿公須之出，不遺於受，不僭於發，如他人侵蠹以溢其家，負而責償罪歿産者皆無之；與人交以誠，御下以寬，禮賢樂善者，求表其阡。」燧曰：管庫之官則古委吏，亦下士也。所可筆者豈耑由孫貴耶。蓋郇王之考，初尚主世祖，再尚主裕宗，自稱晉王，克用裔孫，爲置守冢數十户於雁門，禁民樵牧。由分地在高唐，即是進爵爲王，世居靜安黑水之陽，爲廟以祀孔子。元貞始年，表賀聖節，獨書漢字，庶其尊禮斯文者。惟恭今臣其子，觀其所事者，賢若不可辭，矧有大此者。懷之爲州，憲宗大封同姓，初國世祖於秦，以户寡益封之。至元之末，以封其孫順宗，既之國，未至疾返。成廟賜名懷寧以王，今聖時方撫軍於北。皇太后、儲皇住居者二年，則懷爲三聖龍潛之地。」傳曰：「小國之君，當大國之卿。」爲下士是邦者，當宜何哉？則君善職管庫者，有不必言矣。卒以大德乙巳三月十有八日，年六十七。垂絶猶念惟恭不置，曰：「吾平昔鍾愛是孫，今遠宦數千里，不及聞吾顧言，可憾也哉。」妣王，後二年亦卒。二子：從鼎、從信。孫則惟恭其長。初由王府郎中羅忠國使懷，聞其好學慤有立志，遂與偕北，即婿其家，進之於王。王甚禮之，言無不從，事必見咨。妻卒，賜楮緡二千五百爲娶元氏子。季惟寅。銘曰：

荀卿子言臂非長，升高而招所見彰。斯若可用爲君方，惟懷爲州河之陽。實爲三聖淵龍鄉，其間下士雖守藏；或小大國君卿當，其貴可參攀鱗翔。況復有孫翼賢王，遠塞而近孔子堂。仕優學以能自强，何畏潛德無輝光。（清乾隆五十四年《懷慶府志》卷三二）

袁氏墓誌銘

袁氏以元貞丙申冬十月，卜新阡于居邑東華山之西麓，厝其高曾祖考妣凡六喪。越十五寒暑，當至大庚戌，曾孫遵道銜其父珪命，述累世遷徙求銘先德。爲叙之曰：高祖某，宋季居海州贛榆縣，力穡。後遷沂之費縣。曾祖通魁，岸力絶人，任俠不羈。嘗殺徐州牧家童賈暴悖爲民害者。時金籙趨訖，法禁已弛，王郡義而原其坐。起家爲吏有能名，竟投筆去耕于費之鄙。娶宋氏。一子清，從太安奉符縣。河北搶攘未靖，餓殍載道，嘗有振恤志，限以無位，卒不克施，遂攻醫爲活人計。娶劉氏。一子鈞，醫道益精，詣從家豐，今爲豐縣人。娶王氏。四子：璧、珪、瑩、瑄，皆以醫爲業。珪居華山之陽，舍南有桑，外密中虚，色蕿蕿，望之如燕鵲巢。見者嗟異，目曰：巢見桑桃二，有鳥搆巢，孳育其上。巢作繭形，日夕飛鳴上下，如與人相周旋。家人雖以物驅嚇，不去也。芝生于庭，五色扶疏，類人指掌，爪甲具，時稱三瑞。國子祭酒劉公標名其堂，以爲活人之徵。娶朱氏、宋氏。三子：遵道、遵義、遵禮。四女，璧娶呂氏，三子：好敬、好義、好古。三女。瑩娶侯氏。四子：熙敬、熙仁、熙文、熙載。女如之。瑄娶張氏、許氏，二子：必大、必昇。三女。撮其男女，男十有二人，女多二人。再世而下，將不百人而止也。遵道繇成均陞吏部，吏且梯此，爲代美官。維古醫師隸冢宰，歲終稽其全失以制其食。後之爲醫各業，全與失無所於稽。古世多札瘥，昔人以藥之用猶兵之用兵，藥固不可同苟，弗精其爲殺人一而已。道□忌三世，將者非以其殺人之多也耶。袁氏業醫累世，不惟其子孫蕃衍盛大，而禽鳥草木之祥有如此者，詎非活人之明驗歟！因銘其阡，故詳論之。銘曰：

惟古醫師，□宰是隸。其全與失，厥有成制。後之爲醫，各業其業。嗟嗟天民，罹此凶折。於惟袁氏，醫業三世。活人之徵，動植表異。宜其子孫，蟄蟄詵詵，受其報施，施如活人。盤盤

東山，業業其麓。有碑方趺，永揭穹躅。（清光緒二十年《豐縣志》卷一二）

招撫使李君阡表

君諱聚，單之碭山三章人。以材武善射，昏暮命中宿鳥。金之南播，應募爲兵，積勞爲提控。河北俶擾，嘗經大澤，與友相失。獨行葭葦間，與數賊迕，戈汰其股，拔以逐，而盡殺之。然非若是戕己，與敵鬨，未嘗以人血刃。挺身踰河，至儀封，萬夫長孟公熟其父，訪名而客之，署其軍彈壓。尋陞長千夫，與總帥李成同戍皇陵岡。癸巳正月，義宗由此渡河，播歸德。始從成來歸，隸大將阿珠嚕麾下，仍將千夫，從攻歸德亳州考縣。金平，大帥版軍民招撫使與成將皇陵降民百家徙東明，實田黄頭原，踰萬畝，與佃民及嘗所惠活者數十人，分苦均勞，闢草萊，伐株橛，而稄之，復積穀多至千鍾。疎宗戚族，與四方民工賈醫巫，扶攜婦子，皆往焉依，視其寡乏，歲時衣褐，日月廩餽，婚姻男女之及期，與過而見干者，無不周施。一旦成邑，人謂之小東明。平生襟抱坦明，大兵屠考縣，噍無遺類。一人哀祈生曰：「吾某官良庖也。」遂匿全之。後召客俾具饌，皆草惡不可進。君怒，詰。則吐實，曰：「初豈是能，特誑主脱死耳。」其不疑人見欺此類。不飲酒，而好客，與成輩數人爲耆年會，盡歡移日忘疲。言惟前朝事，絶口府縣得失，鄉鄰短長，聞人誤及此者，則欠伸思睡，掩耳而起，時以長者多之。每恨失學兵間，課責諸子讀書，如日不足。嘗見今孫國子助教鳳輟書掃霜葉庭下，則起奪帚自爲曰：「無廢而業。」于斯須頃且然，其急其篤于成者，可知已。年七十三，疾卧不言數日。子庭玉方令通許歸省，則曰：「吾忍死待汝。」遂卒，實至元戊寅秋七月二十有三日也。葬以九月十有五日，肇塋黄頭原東。後三十二年，至大己酉，鳳求表君阡殊懇。用是計君始家之原，年猶未滿三十，方壯士也。當戰伐始休，喘蘇悸定之時，在他人則徵逐貴介，聲妓是娱，弋獵是習，吹笙鼓簧，馳馬嗾狗，以快酬十年席盾枕戈死所幸生之勞；而獨自求口食于田畝，觸風雨，犯霜露，與農夫耦耕，頭蓬葆，手繭而脛不毛，矻矻作苦終歲而不悔。比開餘饒衣食於其子孫，而先賑恤鄉鄰，俾不迫于寒饑，亦志而智且惠人哉！前夫人張，二子：庭玉，卒令鄆城，今平章翰林學士承旨閻公復實銘其碑；庭芝，使監大名酒。繼夫人王，二子：庭蘭，兩淮運鹽提領；庭英，同提舉鎮江財賦。二女：歸劉源、馮珪。珪嘗爲江浙行省參政。男孫八人：鵬懷孟路總管府知事；鶚使監長垣税；次鳳也；鴻福建巡檢；見善使監内黄税；見道、見賢、見可。女孫三：歸士族張鼎、楊謙、楊某。男曾孫六：好德、好義、好謙、好智、好文、好信。好義翰林國史院史績學纘文。銘曰：

聞古子弟，多暴凶歲，荒歉則然。矧金叔世，豪傑彙征，戰伐是閑。其視殺人，如芟草菅。人有子女，我壓奴使；人有貨財，利取有已。亂定基此，穰穰厥家。何爲不成，安事耕畬？嗟哉惟君！獨歲勤力。匪種穀求，惟以種德。善也吾苗，不善吾藨。期實百年，庾維溢高。責報于天，如執左契。篤生孫子，文士陛陛。黄頭之原，土厚俗敦。太史銘之，式表墓門。

醫隱閻君阡表

至元二十有六年，蒼龍在赤奮若余月初吉，士子宏也，持所自爲其祖事狀來請，曰：「昔漢故民吳仲山，他傳記無見，嘗由發藏賑施其鄉而碑之，至今千年，風雨斷剝之餘，過而誦者，猶懷其人不置也，非託筆金石力耶？嗚呼！我先祖者，生不策名于天官，殁不受謚于太常，處地卑約，功烈無所表見一世，獨有修之于家，與所惠活斯人者，顧不可碑之，託銘善言之士，使得以示今而垂後，比漢故民乎！敢以是累公。」燧哀其志揚親，又喜克用力于文，故序之曰：維閻氏曹之漆園人，後徙陳之西華。曾祖諱遵，令陳之宛丘。祖諱某，考諱孟，兩世不仕。君諱瑀，字潤夫。生而明穎孝謹。長由其外舅申璉與張子和同侍疾英邸，故盡得其術，業醫事親，加以潛覃究誦先秦、兩漢方書八年，詣到積中，故施驗于外者疾輒已，人德報之，則曰：「天實生之，非必一出吾術也。」人聞不自矜，鬻求藥其門者，日亦滋衆。壬辰，踰河而北，僑居宣德府。以所取醫直，衣食寒士申岳、陳邃、孫周、郭通，至則館其廬，去則贐之。魏學士邦彦玉峯亦略行位與遊。時召諸道醫，悉領于奉御，田闊將以君偕北，進尚醫列，固以學識淺淺，不可親上辭。稍居南，留真定二年。踰河，將復鄽城。以先業蕭條，無誰與鄰，留鄢陵十年。徙洧川，年五十，飭其子曰：「吾從學良醫，又勤心奇書古方，卒遇一疾，猶眩迷于先民數十成説，竟不敢必何方定可已疾，殆以疾試方。況若無吾問學者，得吾術，自已其疾則可，無輕出治人也。」遂亦自棄醫，儒服教子孫讀書。恭儉質直，異不忤物而同不狥俗，介不附勢而强不赫威。又精衛攝，凡飲奕談謔，無益汩戕魂神者，終身絶不蹈爲，故能壽考。八十二卒，實至元二十三年十月二十有八日。妻申，渤海宦族，能通《孝經》、《論語》，天父天夫，孝賢兩聞，年六十二，凡前君卒十七年。至是合葬洧川某原。二子：鼎吉今尉潭之瀏陽縣；逢吉前君卒一年。女子二人：一適太原劉麟；一適鄢陵張琮。男孫八人：宏也、獻民、天民、舜民，他未名。女孫七人，幼。男曾孫二人，益幼。銘曰：

彼函工，猶擅仁。矧君醫，志全人。業卅年，起死頻。以其贏，及士貧。晚棄學，篤自信。父一鄉，儒冠巾。八十二，年疇倫。高可隱，墳洧濱。夷考先，由令陳。阤三世，迭不振。維穹蒼，運環循。屈之久，宜寖伸。傳瀏陽，初命臣。授汝戈，盜之眴。在後昆，奚異身。非千歲，磨不磷。默然信，期茲珉。

安西路同州儒學正潘君阡表

至大之元，江南行臺監察御史潘汝劼，時爲中臺照磨兼獄丞于安西。校官楊定，序壬辰變遷關輔民，其祖德卿，與祖妣彭衙段者訣：「或我他日相失兵間，前配封出子浚，與汝子溫，生五年矣，俟時清謐，無使廢學。」雜行遷民，失所如往。妣流離平陽，風雨寒暑，窘蔽土屋，井汲竈煬，匪躬不致，須紡緝傭，資學二子，艱百罹爲，操益確久，人信之，婦婦姆女，皆取爲法。且圖諸孫受所鐫誨，有踐與別，于所序前，頌詠盈軸。燧奪史事，獨未遑詩。今年，再手太子文學張養浩事狀，欲表其考學正之阡。嗚呼！不腆之文，豈足增華玄闥，而煩諄復見丐耶？惟潘氏同之白水人。君字仲良，則諱溫者。曾祖宏，登宋武科，嘗令赤縣。祖挺。考震亨，則德卿，以詞賦魁金進士。夫人則鄉先生段適安之姝，由徵平陽童男入燕繡局，資浚以行，惟督君學。比其還秦，六籍之文，言熟義通。郭溫伯女以姝之子楊。時邳大用、裴子法、呂仲和、來明之、顧副言、楊君美諸公，皆先朝明進士，孟駕之、張器玉又其少者。而君無不遊造其門，得其延譽，聚徒教授，道化之行鄉鄰，訟嚚不怨公宮，司平其家，恚至歡去，仇解好合。川蜀之士，奴于人者，賦錢富室，贖登儒籍。廟學卑陋，捐幣爲的，倡其郡民，徙基高明。州守邑令，爲咈民欲，每自愧匿，恐其聞知，一臧否言，爲采風謠，取以陟黜。由朝廷旌別奴民，勢家訟君及民十餘家，云皆其父祖俘自軍中。君倡赴秦省，力辯其非。或曰：「汝自士籍，明詔已抜齊編氓，何苦于他人爲哉？」君則曰：「吾與是皆同鄉，視其誣，不一手援其溺，非義。」竟還正民，絶口不矜德由己，然人則惠之。至元二十年，野仙擢同之學正。是前一年，走副秦憲。凡三輔郡縣，而皆嘗驅車馮翊、朝邑、郃陽、澄城。白水爲同之屬縣，獨君位是師儒，身任表式，數百里間，篤民明倫，亦豈輕哉。教又非昔私淑人者。爲將十年，既謝病歸，自號安分野人。爲約白水：凡我同姓，塋是邑者，歲時上冢，無間踈戚，老幼畢集，周及諸宗。實獲古人糾族遺意。而入燕兄不聞問者，五十餘年，攜一子歸，悲盡繼喜，晨夕奉之，若大賓然。年七十五，當大德辛丑夏五月七日卒。疾革，來諸子前曰：「吾于吾親，雖孝無所顯揚，而獲免玷辱。惟忠不及事君，若曹他日或有用世，其竟吾志。」走哀之曰：「莫匪臣也，惟視所在，晨門夜柝，不廢乃事，猶足曰忠。矧君尊聞行知，範其鄉州，不調十年，亦事君矣。奚其訏謀廟堂，捍禦疆埸，奔走豆籩金粟，當會郡縣率職，始名宣力耶？」二夫人：楊、燕。子八人：長勮，次劼也，勵、勉、效、勣、助、勖。勣鞏昌帥府奏差，他皆業儒。一女，歸信氏。男孫十人，未名。銘曰：

繄考府君盛文華，竄身金亂死不家，妣夫人爲魯人髽。生君五年猶羈童，煢煢遠逐遷民東，天窮其身操不窮。夫其所安人何嗟？束君于學蓬在麻，闕幘貯腹書盈車。返秦先進門刺通，杖者倒屣相將逢，展于朋儕異其瞳。由是聞譽日益加，私淑筆耕代菑畬，以古指南塗安差。蒐才乃如平章公，用官州校祿小豐，身教不令士自從。十年謝老歸彭衙，敦宗諸潘方拜嘉，忽焉白露淒蒹葭。垂絶不忘帝降衷，尚飭八子以孝忠。八子喻指無齊同。南紀劼今綰青緺，鐵冠峩峩豸觸邪，振而家聲後將遐。（以上《牧庵集》卷二七）

全元文卷三二八

姚燧　三〇

鄢陵主簿毛府君阡表

世所曰君子者二焉，曰位焉，德也。位其名，德其實。位顯而德不充，人則與其名曰幸也致。然君子則未也。德修而位卑，人則與其實曰不幸，不得敷施，所蘊一時。雖然，君子自若也。有人于此，學以潤身，道以悦親，莊以齊家，恭以與人，清以涖官，幼老一致，無可疵纇，可不謂德乎，可不謂君子矣乎！燧于聰山毛君見之。君諱憲，一諱順，字吉父。廣平肥鄉人。曾祖弼。祖仁。考冲霄，金扶溝主簿。金亡，反其鄉，與竇司徒文正公遊。妣全，前卒。事繼妣成惟孝。十五能自植，授徒其鄉。我先世父文獻公聞其善學，大書「夙夜以思無益，不如學也」十字爲勸。扶溝卒，廬墳終喪。郡舉孝廉，監洺磁常平倉，受米八萬石，責守其出。七年而絶，猶羨三千石。司徒爲翰學，授檢討官，日爲史太尉忠武公講《治鑑》。歲餘，辟主鄢陵簿。求便妣養，歸爲邢之書表令史。始邢與洺鈞州，及陞邢爲順德府，君則白侯：「邢、洺鈞功臣封邑，由邢嘗開安撫司，故洺受其節度。今邢已府，而洺猶州，求諸地志，洺實古廣平郡，領邢、洺、磁、威四州，洺獨不能引爲比耶。」事聞，陞廣平府，各爲路，始不相一。侯有病郡井鹵敗者，議渠洺灌隍，以流惡。君曰：「渠洺不如渠滏，洺去郡北五十里餘，其流先卑，逆導之難。滏在郡西南，其遠雖倍而高，渠之，可勢必至。旱資溉田，潦資伐材，薪蒸秸藁，或免車擔，可水輪地，聽民爲業，郡食甘冽，反餘利也。」侯是其言，發民渠之。再歲而成，其所永賴，一如君策。筐篚餘力，必集諸曹勸之讀書。曲周民妖言惑人，責與其令，故山南廉副馮岵治獄，芟其牽辭，不多追逮，惟置首惡于理。凡掾府十二年，都目沁州，滿去，而人益思。轉汴梁提控按牘，兼照磨官。物務殷繁，裁析裕暇，于邢、于洺、于沁、于汴，侯牧來者，皆客遇之，不吏也。及除濟南上口巡檢，乃太息曰：「吾家世儒，顧棄所素，而逐盜耶。兒淵，副巴圖總管于江陵松滋，吾其從養。」號聽山。出與邑士唱酬，詩入陶韋社中。家居，卷不去手，老而彌篤于學如此。以至元己丑五月十一日，年六十三而卒。創塋松滋瀼東。夫人張氏，賢淑有聞。子三人：光祖、淵、洧，光祖前卒；淵和粹敏明，善文能官，今以朝列大夫真爲總管；洧從仕郎、管民總管。一女，歸鄭州張某。男孫穎。孫女歸同邑金尚書右丞文定董公師中孫植，幼居室。銘曰：

於維毛公，爲周司空；受遺成王，太保奭同。後十六王，當襄末世。粵有毛伯，猶王卿士。遂客平原，備十九人。從楚一言，完趙却秦。自時竹帛，賢哲世有。君其遺苗，居德孔阜。授徒肥鄉，終養扶溝。斗食晨門，便妣是謀。亂尊而卑，輙行以躓。匪人之爲，實我之自。而位不充，命也如何？遺澤在洛，滏水同波。享在其子，受服三命。爲良牧臣，足鴻爾慶。瀼水之東，馬鬣其封。走銘之阡，可示無窮。

提刑趙公夫人楊君新阡碣

維蔚州蜚狐趙氏，系不可遠本。由今江西湖東道肅政廉訪使秉政而上推，得一世祖昆金帥府評事，卒葬其鄉。二子：珪、瑨。珪將萬夫，戍蜚狐。後遷刺蠡州。留瑨在鄉守舍。天馬南牧，度形勢不支，倡縣民以城下之，從太師國王徇地至蠡。其刺猶城守，礮殺王悍將蕭大夫。王恚，欲坑城，公請以身贖母兄死，王哀之，併全蠡民。以戰績每最，進冀州元帥、虎符，復推與其兄。廷議多其悌讓，改公冀州軍民總管，別錫虎符。入覲，受知睿宗，承制監易州。再遷行省中都。金平，監中山府。當憲廟世，世祖方淵龍，收召聞望之臣，求治道之宜今者。置經略司于河之南，宣撫司從宜府于陜之西，行部于秦，都漕于衛，東西二千里，道不拾遺。而邢則今中書右丞相之祖封國，政弛民散，最號弗治。求潛藩制官，惟歲入其貢賦，爲置安撫司。後邢易爲順德，升州爲府，乃以近故太師廣平王從祖托克。托與公爲斷事官，位安撫上。公年盛强，俾與開國勳臣苗胄爲友，則潛藩期任公者，已不小矣。世祖踐極，制監真定路，位總管上。俄遷順天路宣慰使，肇置四道提刑按察司，以公使燕南河北，轉使河北河南。累章請老，不可。年七十九，始聽歸。卒年八十三。以監中山，有田朱固鄉，不返葬飛狐，即塋是鄉堯封原，亦昭時崇顯壽考人也。夫人既同享有其樂，公當不恙，亦以官植業順德，盡析秉政。夫人從養，及子貴，食其禄以終，年八十二，不及公才一年。何壽考萃是一門哉！因惟女子子天父天夫者也，父不能必子之貴，能之者夫子焉耳，而難其全。今之儲才將相，係望海内者，每在乎風紀之官。夫人以提刑使之妻，而母廉訪使，《詩》曰：「教誨爾子，式穀似之」，「彼奕葉襲芳，不隕世德」。夫人之功，亦鮮儷哉！古邦君之妻，邦人曰「小君」。《禮》：「士喪，妾不得匹其夫。」必曰「君妻」，曰「女君」。後世封羊祜妻爲萬歲鄉君，則令甲郡縣君之原，可爲今不敢氏夫人而君之之凡。其不反葬中山，即别塋順德李馬村。若不同穴，記稱合葬，非古也。因求之吾家嶲州都督文獻公《開元宰相考》也，葬陝之峽石，百官咸會焉。及妣夫人劉卒，則葬萬安嵩高西趾，去峽石二百里耳。以唐相之貴，月入俸錢三千緡，有力不足于至哉？則不合祔者，亦從古也。今秉政斯兆，未必始亦由此。燧以其于古有徵，爲發之。夫人生三男二女：男秉政、秉彝、秉衷；女適焦簡、周某。孫男女九人。秉政又曰：「吾他日亦域是。」嘗聞諸師，古人不諱死，惟不趨取死之途。今之人鼎鼎焉惟死度之趨，復苦諱死，亦惑哉！如師之言，則秉政不狥流俗，語身後事于其生，亦庶幾古達者也。銘曰：

襄國所直，趙南魏北；其西太行，冀方四塞。求田惟良，宜莫如襄。衍沃平平，千里其疆。生家其間，没即斯瘞。奚取曰者？風水焉泥。孰培平原，如阜而尊。左之右之，昭婦穆孫。天厚其門，既壽既祉。流澤淵淵，未艾來只。世生顯人，如夫如子。（以上《牧庵集》卷二七）

朝列大夫飛騎尉清河郡伯張君先墓碣

章邱爲濟南屬邑。士子張養浩，年少而志厲，績學而善文，受知平章魯國康利公，曰：「汝學仕耶？今之仕者，莫不由吏發軔。」遂用爲儀曹史，超掾中書。滿其年考，出令堂邑。一守敕約，便行弊祛，形勢不撓，惸鰥不侮，民惠之懷，咸稱曰：「自停年之制行，令吾縣者，前十餘輩，無右吾令。」求紀于石[一]，走未遑爲。今聖淵龍，召爲宮師府文學，進司經宮府。隨拜監察御史，轉翰林待制，今都中書右司事。由武宗詔内外臣五品而上，列五爵三土，階勳而等威之，封生贈死其先。五品則縣子，男從而正子，與四品郡伯，皆止父一世。三品二品皆郡，三侯二公，上及其祖再世。一品國公，逮其曾，三世矣。故官父郁朝列大夫、勳飛騎尉，爵土清河郡伯。養浩思異斯寵，碣諸墳道，且自爲狀受姓之遠，與家章邱世數可知者，則自其高曾，然猶兩世皆逸其諱。惟知曾常官武略將軍，監陽邱之燕鎮酒。其致斯者，任子耶，入粟耶，武功耶？皆見無所。武略四子伯不年，而仲不後，叔萬，季山。叔娶郭氏。六子：澤職管庫于蜀，彬德、正德、林、秀、敏。孫十有五：思敬，思忠四川行省宣使，思誠居郵耐禡獮崇興，特綬裳履繼。季娶苗氏。二子：一失兵間，次朝列，則今清河郡君。生子英塞，皆夭。顯今者惟養浩祖及諸父振粟其鄉，禦盜于家，脱人以刃，縋井取飲，活友于死者，有家乘詳。惟夫不大振顯，數世而發是一旦者，可不爲明之。且人持衡，猶必稱物而使之平，矧天所司，惟一福善而禍淫，視其力行非度盛而著者，故有不終歲陁爲衰微，而安行所遇，必數世而始進于盛著。譬之鉅室，徹則一日可爲平土，構且累歲不能以落其成。古人監此，所以垂從惡如崩，從善如登之戒也。夫如是，則章邱之蘊美含章，雖武略之僅官榷酤，而猶不能頡頏時榮。其上之晦迹，又不知其爲世幾何，亦庶安行所遇者？蒙莊有言：今夫水，其積也不厚，則其負大舟也無力。朝列之先，厚水者也，資其後以負大舟也，佐五命，而所生享報如是，未艾其年。子之位日高，而所生又隨之而加，非若陳省華與三堯共躋台袞者不止也。雖然，是猶以子貴推言，使當其時朝列責其子爲農爲技，則亦不儒而已矣，又何自開廣聰明，漸涵道德，工其語言，流其聲譽，居茲清列哉！然朝列又爲子擇術之精者。銘曰：

嗟今士子，人孰不期。煜其華辭，震耀一時。惟其才資，得天者薄。雖竭爾力，而竟落莫。矧古有作，如車司南。能不背馳，千百兩三。孰興靈奇，章邱君子。名疇與昭，魯國振起。引以試吏，拔其俗常。令諸近畿，佳政用張。文學司經，寄帝耳目。轉而待制，典國竿牘。進而顯矣，推恩所生。勳伯士之，清河郡城。人曰子學，其父所詔；有赫今隆，則爲子報。子明能然，由居止仁。維以勸忠，示禮使臣。圭首方趺，碣其墓隧。孫熾仍昌，其來無止。

〔一〕求紀于石：石，原作「右」，據叢書集成初編本改。

河南道勸農副使白公墓碣

彥隆始由太原徒行至河內，致其父書魯齋先生，願遊其門，未有介也。乃因吾友翰林侍讀高凝，得操几杖。主凝家二年，而歸侍其親，而先生亦召北矣。尋由避宅左揆，以集賢館大學士、祭酒國學，教貴冑。乃奏召舊弟子散居四方者，以故王梓自汴，韓思永、蘇郁自大名，耶律有尚自東平，孫安與凝、燧、燉自河內，劉季偉、呂端善、劉安中自秦，獨公自太原，十二人者，皆驛致館下。三年，吾儕或病告官去，而先生亦浩乎其歸。乃奏有尚與公從仕郎、國子助教。昔者貴冑友也，一旦能橫經下心，事之爲師，屬非其道聳是曹，不可得其馴然北面。俄侍裕廟東宮，公爲講《鄭伯克段于鄢》。已講而出，裕廟語人曰：「是非空言，意固有在也。」以國史院編修、從仕郎，仍助教，擢奉訓大夫、監察御史。發阿哈瑪特賊國諸不法，彼顧誣公糾摘非實，捕送刑部獄。引鄰婦有色者，教誣公嘗竊往來，而鄰婦力明其無有。鞫之，墮孕而事始白。又糾膺帥西京宣慰使道拉實以己憾殺其幕僚，凡是皆庸懦縮首危者。而峻風節者，咸偉之。出僉陝西漢中道提刑按察司事，燧亦爲其道副，故得詳西上所爲。其按歷皆分險僻荒寒諸州，南而褒鳳金洋，北而綏麟葭丹。塗經龍門西河絕崖，高可去水百尺，止通一騎，必遣導者先之，有來騎使駐之寬所。卒至，則兩不可班，視燒棧，猶車衢也，如是之地，皆周焉。制度：卒有反者，不即覺捕，惟罪社長監郡與憲司。麟州人告陰濟民乘馬疾馳，其識仇也，問曰：

「所懷何書？」濟民給以反書，仇上變延安。延安移文吾憲，公又請往治之。所牽連二百許人，繼燭治之再旬。是州小僻無紙，至覆舊案以書。適近侍臣括馬其州，館鄰牆也，聞獄吏呵問終曉，得公姓名，歎曰：「世有克勉其職，如斯人者！」使人勞苦之曰：「吾見陛下，當首聞公。」竟白濟民無他，特杖其給仇非宜言者。公位憲諸君下，會王相府拜布哈右丞勳臣子開省京兆，特異禮公。其按問諸司皆拱聽者，改僉河南河北提刑按察司事。臺檄檢覈中興鈔庫，中興故李夏都，隸隴右河西道，憲令竟事，始聽東任。公又走沙莽，往復近萬里，半歲而歸。與其副使程思廉，發數縣民完堤以捍河水，罷當暑賦民牛車轉粟入淇。又改僉燕南河北道提刑按察司事。趣裝，其考已疾，行至衛而卒。公與兄楹，即藏衛西輝之蘇門周卜村南原。而其妣亦疾，乃朝夕哀死事生，即教授于輝。明年，燧召直翰林，感其毁瘁骨見衣表，弔哭之餘，其徒數十人，拜庭進退，朋讓賓敬之道，囂囂然先生成法也。爲歎曰：「嗚呼！燧亦先生弟子者，何嘗有一善及人如是。」明年，燧疾，滿告歸鄧，而故司農卿侯爵託語彦隆，或河南北農副，制下，必墨縗以出。世議隘薄，自便非時。燧傭車過衛，不可留，不得身見，爲書語其然，聞方督課有績。其妣亦卒，附其考墓。竟以是謝所事，以至元己丑秋八月三日，年四十六，卒苦廬。嗚呼！學可以範世，行可以礪俗，而已是哉。夫人賈也，以燧平昔善公，錄河南北道勸農副使苟宗道理辭，求銘神道。每一讀之一抆淚，擲筆數年，終不能叙其事。去冬，以史事又召入翰林，過輝，夫人祈世，母夫人爲言，持幣泣請，且使其子安禮與遊其門者庭拜。燧還其幣曰：「吾無答吾亡友者，以是佐刻石須。」嗚呼，非公仁義行家，能使婦人如是切切，惟恐没其夫子一善，可曰賢已。

公諱棟。考天禄，雖官而不顯。居頤樂堂，號頤樂先生。唐白居易家狀云：「白姓家太原者，楚熊君孫勝白公見殺于楚，其子奔秦。孫乙丙，與裔孫起，爲秦將，封武安君，賜死杜郵。始皇思其功，封其子仲太原公。」豈其苗裔耶！銘曰：

聞古五十，年不稱夭。公是不盈，天道未曉。學不篤耶，得譽先師；道不行耶，裕廟嘗知。職不舉耶，三憲著效；力不本耶，耕播之教。况冠獬豸，敢言人難。彈射柄臣，聽者毛寒。猶枚其外，未及其内。視親于喪，觀婦于介。靡一匪善，靡一可涼。非我友私，月旦章章。嗚呼白公，耳孫猶令。其貫古松，歲遠滋勁。士不盛位，而盛吾賢；盛位者衰，盛賢日延。有方其趺，有剡其首。碣石阡隅，千祀無朽！

國子司業滕君墓碣

觀漢諸碑，凡門生爲師作者，其文多稱在三之義，蓋本欒恭子民生于三，父生、師教、君養，惟其所在爲言。又列郡邑、姓名字、官人出幾何錢于碑陰，多至百人，或倍之。令人每興今無古者篤于其師之概。至大己酉，燧長翰林之明年，國史院編脩官東平蔡文淵，狀其師國子司業滕君之行，與門生許質，求表其阡。以君之再入成均，横經丈席者，嘗數百人。礱石所資，一不借人出。二子獨加異乎古，豈不于在三，足拔浮俗斯時耶？君諱安上，字仲禮。其先自洛徙中山，不可推采其世。考府君某，隱德委吏，斗食自捐，生君八年而不祿。妣李夫人，撫君誨曰：「而性質開朗，記識兼人。且金名士趙燦離孫，不可以貧廢學。」感聖善言，師西巖君。克自砥礪，勤心聖學。暨其長也，尊聞行知，如不足日。私居自持，衣冠齊遫。及出接物，一誠以和。郡無少長，相謂不字，咸稱先生。學積其躬，道行其家，化及其鄉。府君歸高〔一〕，薦名于朝，敕教中山。是府多士，求親輝光，謦欬欲聞，鼎鼎其來。服縫掖者，將半齊魯。庭臣善其職，士有聞，用以職民。主禹城簿，歷于爲監，爲令與丞。刑或過中，必揆以義，馴馴上說，不使黥涅妄加疑盜，廢棄永世。仁譽既章，宣司所臨，若縣與州，事有未竟，必檄往治。裁中情法，守令憚之。出將入迎，若事大吏。徵爲國子博士，以其平昔自律有先。蚤作晏脩，誨誘諄諄，發蒙疏疑，立懦克剛。各因其才，矯拂于善，黨坐羣行，齒而序之。其極弗率，有黜與樸〔二〕，成均作則，井然有條。即升監丞，再丞太常。世祖賓天，成宗繼序，圜丘請謚，太室升祔，凡厥禮文，酌古損今，皆所訂稽。元貞之元，拜監察御史。京師地震，上疏曰：「君失其道，謫見于天。其咎在內庭竊干外政，小人顯厠君子。名實混淆，刑賞僭差，陽爲陰乘，致靜者動。宜兢兢祗畏，側身修行，反昔所爲，以盡弭之之道。」其說累數千百言，反覆深切。有司不敢以聞，君則曰：「吾不得于言者。」遂委印去，反闢其家，著書自怡。尋起爲國子司業，時已疾矣。顧言其子，治喪無用二氏。以其年乙未夏六月二十有五日卒，年五十四。葬府城東南崔丘里。爲文一本理義，辭旨暢達，不爲險譎，非有裨世教者不言。有《東菴類稿》十五卷，故江西廉訪使趙秉政板之行世矣。又有《易解洗心管見》藏之家，亦多乎哉！其不年者，世同哀之，而文淵猶以不侍經筵，職絲綸，謀廟堂爲憾。

嗚呼！夫既師成均，官奉常，歷臺諫，而又有德有言足矣，奚必兼彼數者，始爲至耶。夫人李氏，貞順柔嘉，姻里範焉。後君八年卒。子翊，尉東明，自致終喪，亦足彰君刑家之自，今尉元氏。兄羽，有文行，蚤世。銘曰：

孰不曰士，于學始志。迄用有成，千百一二。允矣滕君，敏脩篤行。鐘鼓衡門，益大其聲。敕起布衣，于定敎教；祁祁縫掖，來則來效。再主禹城，簿領勾稽。不枉刑墨，仁聞日躋。滿秩而召，入爲胄監。由博而丞，俊髦是範。轉而奉常，禮文斯綱。或革而因，酌損用章。遷拜御史，爲帝耳目。言責塞求，龍鱗逆觸。一不見入，納履而行。反闢立言，行後是程。方徵司業，年過知命。遽啓手足，理也莫竟。短者已而，其長斯存。何以貞之？石有誄言。

〔一〕府君歸高：君，原作「臣」，據清鈔本改。　〔二〕有黜與樸：樸，原作「朴」，據清鈔本改。

金故甄官署令魏府君墓碣

燧還吳中，過廣陵日，今嘉議大夫、行臺御史中丞初請曰：「吾祖靖肅公顧言，以吾曾祖甄官署令即死，所藏亂離失其處，他日必虛爲丘。先塋石載其事，無使吾先人魂遊徬徉，無所于歸，而一善之或遺也。」子義爲銘。隨又遣其少子可亨，拏舟廣陵，五千里追之襄陽，不及。返而及之鄂，授其考人以君出，不敢專行，俾子瑜請之，亦不可曰：「是家膏也，親將污人，人有爲不善者，不憚取戾府縣，曰：「吾思與若昜弟語久矣，終不能一致，今行之所在是，而夫子倅是，便且時也，無終見避之深。」夫章宗甚嬖李妃，夫人視妃母，王姑也。數召通籍禁中，不可。後從秋獮易州，君方除道橋諸水，復召枚誦所業，覈其進惰已，則雁序立前，侍飲前脩，聲輝耳目，漸涵化淪其心，由是成德達才，多萃其門。可爲錢千者五萬。歲入粟，爲石者三萬。歲抽五十一，爲七子求師取友須。令節休旬，大集衣冠，令女：一歸同知荆州節度使事秦德美；一歸其鄉右姓孫氏。君究心本富，計田疇第舍，牛馬雜樹，直與特賜皆以明經進士官。琉懷遠大將軍、耀州庫使。瑜監豐利酒，皆廕官。玉進士，未祿卒。二琉、瑜、琦、玠、璠、玉。琦大中大夫、行部侍郎。玠朝列大夫、延安司獄。璠翰林脩撰，今益靖肅公，署令，同知易州。入令裁縫署，改令甄官署，以卒。年六十三。官止廣威將軍。夫人高氏。七男笏、設防，有方與宜，平不增歛，姦無走匿，額有羸籌，民不苛之。入副堂廚庫，又爲使。改文繡、上林兩隴右令景元甄官與逸其諱一人再世官，皆以公貴廕。君始監順聖酒，改宏州酒使，鄧州榷使。抽稅政事、柱國、鉅鹿郡開國公子平相世宗，致治隆平。祖考中奉、通奉再世官，皆以公貴贈。兜答及子即記家塾者。思廉生初，初生翰林脩撰必復，可系者是九世。其大于金，由兜答弟，資德大夫、參知酒使子貞，兜答實生甄官署令。君諱允元，改德元，字信之。甄官生進士特賜及第笏，特賜生思廉，居桑乾。桑乾爲今宏之順聖，遼有延昶者。生中奉大夫守成，中奉生通奉大夫餘慶，通奉生兜答館所輯家塾記曰：「掇是事銘。」嗚呼！確哉遠而勞焉。迺本之曰：魏氏由唐相知古子林刺朔州，子孫惟憚君知。」兵興，下令急甚，敢有舍奴婢亡命不告者，罪及其鄰。人猶利其傭輕，私役之，覺則殺以滅迹，或致大獄。君時鄉居，聞有出入非常者，召問得情，嚴其錮防，書致其主歸之，約示薄威以懲。其再無殘其生，終不語其主以獲之誰舍所也。比卒，免家僮久故者民之。作詩與新世訣，沐浴冠衣，揆日而逝。君之孝友，天得非學。其使堂廚，以鉅鹿公子叔元未仕曰：「大臣子故屯其膏澤不見及耶？」三求推所居官。縣官以故事無有，不可。又恤其無子，以靖肅後之。靖肅又無子，顧言後初。則甄官子孫世世圖報鉅鹿者何如也？其家塾自序曰：「由吾季曾鉅鹿輔政茲降，脩仁潔義，可謂曰久。仕之達者，列品而□，不過中中。天嗇爲報，將待夫後之人耶？」最初之仕，外僉提刑司事，爲副爲使，入爲監察御史、治書侍御史、侍御史、御史中丞。三十年間，風憲之官，無不揚歷。司清議者，猶大有期曰：「將不已是于今。」嗚呼！自序君其知子哉，矧必復于靖肅公，克世其官，可大可久與亨，學行嶷嶷可述。銘曰：

反覆觀先民，吁可哀；積充報銜身，期後來。門令容駟馬，堂三槐。必責于天者，如取懷。惟中奉亦□，詳用獄。至鉅鹿再傳，既鈞軸。官不私其子，甄官承。承三遜其季，叩莫譍。又仁厥乏祀，脩撰繩。官以祀比言，祀則大。以今脩撰孫，後者再。小宗既顛蕃，大宗賴。藏偶失故所，魂依依；招之從先墓，來如歸。膴膴桑乾原，終天地。碣孰華其文，太史燧。（以上《牧庵集》卷二六　以上何本方點校）